annabac 2009

SUJETS & CORRIGÉS

LA Compil' Bac S

Enseignement obligatoire et de spécialité

■ **Mathématiques**

Richard Bréhéret

professeur certifié au lycée Galilée (Cergy)

■ **Physique**

■ **Chimie**

Olivier Bouvry

professeur agrégé au lycée Louis-le-Grand (Paris)

■ **Sciences de la Vie et de la Terre**

Jacques Bergeron

Jean-Claude Hervé

professeurs agrégés de l'université

© Hatier, Paris juillet 2008

ISSN : 1168-3775   ISBN : 978-2-218-93046-1

La Compil' Bac S, mode d'emploi

En quoi consiste ce nouvel ouvrage de préparation au bac ?

Comme son nom l'indique, **La Compil' Bac S** regroupe les principales matières à votre programme. Elle est conçue pour vous accompagner, tout au long de l'année, dans votre préparation aux épreuves du baccalauréat S.

L'**ensemble des thèmes des programmes** de l'enseignement obligatoire et de l'enseignement de spécialité sont abordés à l'aide d'une large sélection de sujets.

En quoi peut-il faciliter vos révisions ?

1. En premier lieu, parce qu'il s'agit d'un « **quatre en un** » : dans un même ouvrage sont rassemblées les quatre matières à plus fort coefficient de votre programme.

2. Dans chaque matière, vous avez accès à un ensemble de **sujets corrigés représentatifs de l'épreuve**, dont celui posé à la session de juin 2008 en France métropolitaine :

- chaque sujet est associé à des « clés du sujet » ;
- chaque corrigé est accompagné de commentaires de l'auteur : informations, conseils et mises en garde utiles dans le cadre d'une préparation au Bac.

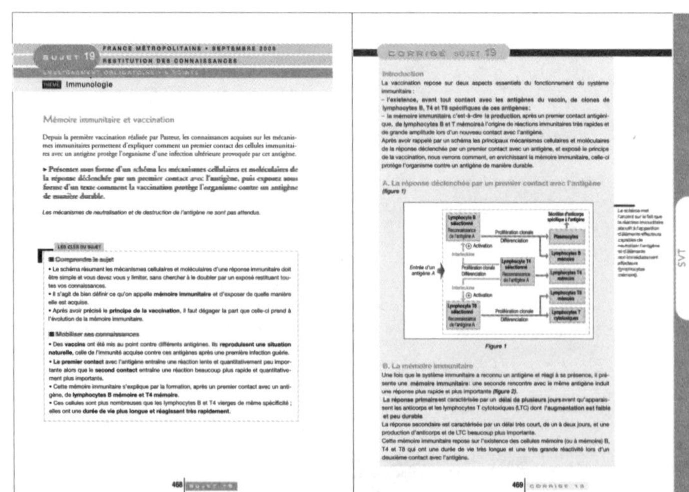

3. En plus des sujets corrigés, vous trouverez :

- des **conseils** de méthode généraux,
- des « **utilitaires** » (formulaire, lexique, mémento...).

Et puis un **planning J – 60**, pour organiser la dernière ligne droite de vos révisions.

La Compil' Bac S en quelques chiffres

La **Compil'Bac S**, c'est :

- **80** sujets ;
- **283** conseils pour construire vos réponses ;
- **80** corrigés ;
- **433** annotations pour éclairer les corrigés ;
- **364** définitions ou formules.

Et l'offre **annabac.com**, en quoi consiste-t-elle ?

Avec cet ouvrage, vous est offert un **accès gratuit** pendant une année à toutes les ressources du site (fiches, exercices progressifs, sujets corrigés), dans la matière de votre choix.

Comment procéder ? Connectez-vous au site **www.annabac.com**.
Cliquez sur le bouton « **Acheteurs d'un annabac/Offre privilège** », puis laissez-vous guider. Votre accès sera déverrouillé par la saisie d'un **mot-clé extrait de l'ouvrage**.

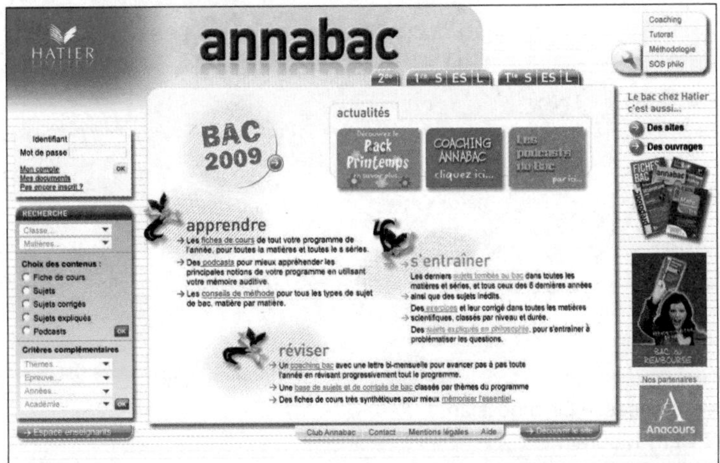

Il nous reste à vous souhaiter de très bonnes révisions et un Bac sans souci !

Coordination éditoriale : Gwenaëlle Ohannessian
Maquette de principe : Dany Mourain
Coordination maquette : Hatier
Mise en page : Compo-Méca
Iconographie : Hatier Illustration
Dessins et schémas : Rémi Picard et MCP

Sommaire général

SOMMAIRE

Cochez les sujets sur lesquels vous vous êtes entraînés.

Index thématique

1e1 : signifie « sujet 1 exercice 1 ».

Enseignement obligatoire

ANALYSE

NOMBRES COMPLEXES

PROBABILITÉS

GÉOMÉTRIE DANS L'ESPACE

Enseignement de spécialité

MATHÉMATIQUES

Descriptif de l'épreuve

Le programme

Enseignement obligatoire

Analyse	• Calcul de **limites**, de **dérivées**, de **primitives** d'une **fonction**. • Utilisation des **fonctions logarithme népérien** et **exponentielle**, des **fonctions puissances**. • **Calcul intégral**, et son interprétation graphique (en terme d'aire). • **Suites** : raisonnement par récurrence, variations, suites bornées et convergence. • **Équations différentielles** de la forme $y' = ay + b$.
Géométrie	• **Nombres complexes** et leurs applications géométriques. • Géométrie **dans l'espace** : équations cartésiennes de **plans**, représentations paramétriques de **droites**, **produit scalaire**.
Probabilités	• Notion de **conditionnement** d'un événement et d'**indépendance** de deux événements. • Exploitation de la **formule des probabilités totales**. • Présentation de plusieurs **lois de probabilités** : loi de Bernoulli, loi bionomiale, loi de durée de vie sans vieillissement.

Enseignement de spécialité

Arithmétique	• Présentation des problèmes de **divisibilité**, de **convergences**, de **nombres premiers**. • Présentation des **théorèmes de Gauss et de Bézout**, utiles pour la résolution d'équations.
Similitudes directes	• Étude sous l'**aspect géométrique** et **interprétation dans le plan complexe**.
Géométrie dans l'espace	• **Sections planes de surface**.

Nature et conditions de l'épreuve écrite

- Durée de l'épreuve : 4 heures.
- Coefficient : 7 ou 9 pour les élèves ayant choisi les mathématiques en spécialité.
- Composition : trois à cinq exercices, indépendants les uns des autres, notés chacun sur 3 à 10 points. Pour les élèves ayant suivi l'enseignement de spécialité, le sujet diffère par un des exercices noté sur 5 points. Cet exercice peut porter sur la totalité du programme (enseignement obligatoire et de spécialité).

Conseils de méthode

Quelques recommandations générales

• Avant de commencer à répondre aux questions, prenez soin de **bien lire le sujet dans sa totalité**. Soulignez dans chaque exercice les données importantes et distinguez, par un signe, les questions qui ne vous semblent pas poser problème *a priori*.

• En suivant l'ordre des exercices, **traitez immédiatement les questions repérées comme faciles** puis enchaînez avec les questions plus difficiles.
Si vous n'avez pas réussi à traiter une question, ne vous obstinez pas : vous risquez de perdre votre sang-froid et de commettre ensuite des erreurs sur des questions simples. Laissez un espace et continuez en supposant le résultat acquis.

• Utilisez largement les copies doubles qui vous seront fournies lors des épreuves : **une copie pour chaque exercice** afin d'éviter de compléter au dernier moment la solution d'un exercice à la fin d'un autre exercice, ce qui compliquerait la tâche du correcteur.

• Vérifiez que vos **résultats** sont **vraisemblables** : une probabilité est un réel compris entre 0 et 1, une aire est un nombre positif, le module d'un nombre complexe est également positif, une fonction numérique ne peut croître vers $-\infty$, un vecteur ne peut être égal à son affixe, etc.
Ne confondez pas le calcul intégral (le résultat d'un tel calcul est un réel positif ou négatif) et le calcul d'une aire plane dont le résultat est positif et s'exprime en unités d'aire.

• **Rédigez correctement**, avec les explications appropriées, sans discours inutile. Encadrez vos réponses. Nous vous rappelons la mention qui accompagne chaque sujet : « L'attention des candidats est attirée sur le fait que la qualité de la rédaction, la clarté et la précision des raisonnements entrent pour une part importante dans l'appréciation des copies. » Tenez-en compte !

L'usage de la calculatrice

• Il n'existe aucun texte réglementaire interdisant à un candidat d'utiliser plusieurs calculatrices pendant une épreuve de l'examen. Afin de limiter les appareils à un format raisonnable, leur surface de base ne doit pas dépasser 21 cm de long et 15 cm de large.

• Prenez garde cependant : une calculatrice, même graphique, aide mais ne permet pas de vous dispenser de la **justification des résultats**. Un raisonnement ne peut s'appuyer sur la phrase « La calculatrice donne, … » ou bien « On lit… ».

SUJET 1

FRANCE MÉTROPOLITAINE • JUIN 2008

SUJET COMPLET

DURÉE : 4 HEURES • COEFFICIENT : OBLIGATOIRE 7, SPÉCIALITÉ 9

Le sujet est composé de quatre exercices indépendants.
Le candidat doit traiter tous les exercices

OBLIGATOIRE ET SPÉCIALITÉ • Thème : Analyse
EXERCICE 1 • 5 POINTS

Les courbes $\mathscr{C}_f$ et $\mathscr{C}_g$ données ci-dessous représentent respectivement, dans un repère orthonormal $(\mathrm{O}~;\vec{i},\vec{j})$, les fonctions f et g définies sur l'intervalle $]0~;+\infty[$ par :
$f(x)=\ln x$ et $g(x)=(\ln x)^2$.

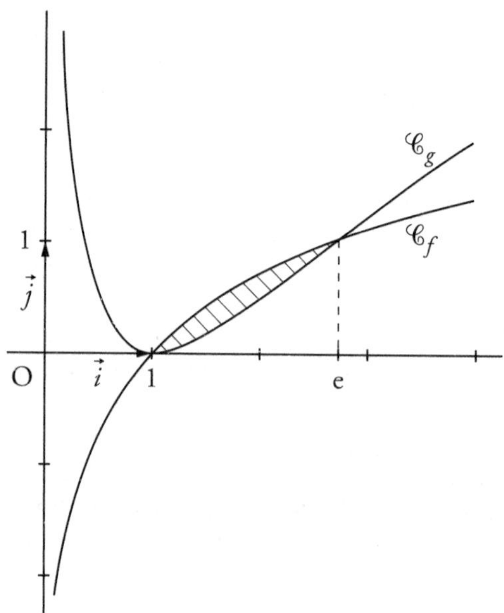

▶ **1.** On cherche à déterminer l'aire $\mathscr{A}$ (en unités d'aire) de la partie du plan hachurée.
On note $I=\int_1^{\mathrm{e}} \ln x\,\mathrm{d}x$ et $J=\int_1^{\mathrm{e}} (\ln x)^2\mathrm{d}x$.

a) Vérifier que la fonction F définie sur l'intervalle $]0~;+\infty[$ par $F(x)=x\ln x-x$ est une primitive de la fonction logarithme népérien. En déduire I. *(1 point)*

b) Démontrer à l'aide d'une intégration par parties que $J=\mathrm{e}-2I$. *(1 point)*

c) En déduire J. *(0,5 point)*

d) Donner la valeur de $\mathscr{A}$. *(1 point)*

▶ **2.** *Dans cette question, le candidat est invité à porter sur sa copie les étapes de sa démarche, même si elle n'aboutit pas.*
Pour x appartenant à l'intervalle $[1~;\mathrm{e}]$, on note M le point de la courbe $\mathscr{C}_f$ d'abscisse x et N le point de la courbe $\mathscr{C}_g$ de même abscisse. Pour quelle valeur de x la distance MN est maximale ? Calculer la valeur maximale de MN. *(1,5 point)*

OBLIGATOIRE ET SPÉCIALITÉ • Thème : Géométrie dans l'espace
EXERCICE 2 • 5 POINTS

Dans l'espace muni d'un repère orthonormal $(O ; \vec{i}, \vec{j}, \vec{k})$, on considère les points $A(1 ; 1 ; 0)$, $B(1 ; 2 ; 1)$ et $C(3 ; -1 ; 2)$.

▶ **1. a)** Démontrer que les points A, B et C ne sont pas alignés. *(0,75 point)*
b) Démontrer que le plan (ABC) a pour équation cartésienne $2x + y - z - 3 = 0$. *(0,75 point)*

▶ **2.** On considère les plans $\mathcal{P}$ et $\mathcal{Q}$ d'équations respectives $x + 2y - z - 4 = 0$ et $2x + 3y - 2z - 5 = 0$.
Démontrer que l'intersection des plans $\mathcal{P}$ et $\mathcal{Q}$ est une droite $\mathcal{D}$, dont une représentation paramétrique est :

$$\begin{cases} x = -2 + t \\ y = 3 \\ z = t \end{cases} \quad (t \in \mathbb{R}).$$ *(1,5 point)*

▶ **3.** Quelle est l'intersection des trois plans (ABC), $\mathcal{P}$ et $\mathcal{Q}$? *(1 point)*

▶ **4.** *Dans cette question, toute trace de recherche, même incomplète, sera prise en compte dans l'évaluation.*
Déterminer la distance du point A à la droite $\mathcal{D}$. *(1 point)*

OBLIGATOIRE ET SPÉCIALITÉ • Thème : Probabilités
EXERCICE 3 • 5 POINTS

La durée de vie, exprimée en heures, d'un agenda électronique est une variable aléatoire X qui suit une loi exponentielle de paramètre λ, où λ est un réel strictement positif.

On rappelle que pour tout $t \geqslant 0$, $P(X \leqslant t) = \int_0^t \lambda e^{-\lambda x} dx$.

La fonction R définie sur l'intervalle $[0 ; +\infty[$ par $R(t) = P(X > t)$ est appelée fonction de fiabilité.

▶ **1. Restitution organisée de connaissances**
a) Démontrer que pour tout $t \geqslant 0$ on a $R(t) = e^{-\lambda t}$. *(1 point)*
b) Démontrer que la variable X suit une loi de durée de vie sans vieillissement, c'est-à-dire que pour tout réel $s \geqslant 0$, la probabilité conditionnelle $P_{X>t}(X > t + s)$ ne dépend pas du nombre $t \geqslant 0$. *(1 point)*

▶ **2.** Dans cette question, on prend $\lambda = 0{,}00026$.
a) Calculer $P(X \leqslant 1\,000)$ et $P(X > 1\,000)$. *(1 point)*
b) Sachant que l'événement $(X > 1\,000)$ est réalisé, calculer la probabilité de l'évènement $(X > 2\,000)$. *(1 point)*
c) Sachant qu'un agenda a fonctionné plus de 2 000 heures, quelle est la probabilité qu'il tombe en panne avant 3 000 heures ? Pouvait-on prévoir ce résultat ? *(1 point)*

OBLIGATOIRE • Thème : Nombres complexes
EXERCICE 4 • 5 POINTS

Le plan est muni d'un repère orthonormal direct $(O\ ;\ \vec{u}, \vec{v})$ (unité graphique : 1 cm).
Soient A, B et I les points d'affixes respectives $1 + i$, $3 - i$ et 2.
À tout point M d'affixe z, on associe le point M' d'affixe z' telle que $z' = z^2 - 4z$. Le point M' est appelé l'image de M.

▶ **1.** Faire une figure sur une feuille de papier millimétré et compléter cette figure tout au long de l'exercice. *(0,5 point)*

▶ **2.** Calculer les affixes des points A' et B', images respectives des points A et B. Que remarque-t-on ? *(0,5 point)*

▶ **3.** Déterminer les points qui ont pour image le point d'affixe -5. *(0,5 point)*

▶ **4. a)** Vérifier que pour tout nombre complexe z, on a : $z' + 4 = (z - 2)^2$. *(0,25 point)*
b) En déduire une relation entre $|z' + 4|$ et $|z - 2|$ et, lorsque z est différent de 2, une relation entre $\arg(z' + 4)$ et $\arg(z - 2)$. *(0,75 point)*
c) Que peut-on dire du point M' lorsque M décrit le cercle $\mathscr{C}$ de centre I et de rayon 2 ? *(0,75 point)*

▶ **5.** Soient E le point d'affixe $2 + 2e^{i\frac{\pi}{3}}$, J le point d'affixe -4 et E' l'image de E.
a) Calculer la distance IE et une mesure en radians de l'angle $(\vec{u}\ ;\ \overrightarrow{IE})$. *(0,5 point)*
b) Calculer la distance JE′ et une mesure en radians de l'angle $(\vec{u}\ ;\ \overrightarrow{JE'})$. *(0,75 point)*
c) Construire à la règle et au compas le point E' ; on laissera apparents les traits de construction. *(0,5 point)*

SPÉCIALITÉ • Thème : Géométrie
EXERCICE 4 • 5 POINTS

Le plan est rapporté à un repère orthonormal direct $(O\ ;\ \vec{u}, \vec{v})$.
Soient A et B les points d'affixes respectives $z_A = 1 - i$ et $z_B = 7 + \frac{7}{2}i$.

▶ **1.** On considère la droite (d) d'équation $4x + 3y = 1$.
Démontrer que l'ensemble des points de (d) dont les coordonnées sont entières est l'ensemble des points $M_k(3k + 1, -4k - 1)$ lorsque k décrit l'ensemble des entiers relatifs. *(1 point)*

▶ **2.** Déterminer l'angle et le rapport de la similitude directe de centre A qui transforme B en $M_{-1}(-2, 3)$. *(0,75 point)*

▶ **3.** Soit s la transformation du plan qui à tout point M d'affixe z associe le point M' d'affixe $z' = \frac{2}{3}iz + \frac{1}{3} - \frac{5}{3}i$. Déterminer l'image de A par s, puis donner la nature et les éléments caractéristiques de s. *(0,75 point)*

▶ **4.** On note B_1 l'image de B par s et pour tout entier naturel n non nul, B_{n+1} l'image de B_n par s. *(0,75 point)*
a) Déterminer la longueur AB_{n+1} en fonction de AB_n. *(0,75 point)*
b) À partir de quel entier n le point B_n, appartient-il au disque de centre A et de rayon 10^{-2} ? *(1 point)*
c) Déterminer l'ensemble des entiers n pour lesquels A, B_1 et B_n sont alignés. *(0,75 point)*

LES CLÉS DU SUJET

OBLIGATOIRE ET SPÉCIALITÉ
EXERCICE 1 • [Durée ± 45 min.]

■ Les notions en jeu

– Dérivées usuelles.
– Sens de variation.
– Fonction logarithme népérien.
– Primitives usuelles.
– Intégration par parties.
– Aire d'un domaine plan.

■ Les conseils du correcteur

▶ **1. b)** Montrez que $I = 1$.
c) Montrez que $J = \mathrm{e} - 2$.
d) Étudiez le signe de $f - g$ sur $[1\ ;\ \mathrm{e}]$ puis montrez que $\mathcal{A} = 3 - \mathrm{e}$.
▶ **2.** Étudiez les variations de la fonction h définie par $h(x) = \ln x - (\ln x)^2$.

OBLIGATOIRE ET SPÉCIALITÉ
EXERCICE 2 • [Durée ± 45 min.]

■ Les notions en jeu

– Produit scalaire.
– Géométrie dans l'espace.

■ Les conseils du correcteur

▶ **1.** Montrez que les vecteurs $\overrightarrow{AB}$ et $\overrightarrow{AC}$ ne sont pas colinéaires puis vérifiez que les coordonnées des points A, B et C vérifient l'équation cartésienne proposée.
▶ **2.** Vérifiez tout d'abord que les plans $\mathcal{P}$ et $\mathcal{Q}$ ne sont pas parallèles, puis montrez que deux points distincts de $\mathcal{D}$ appartiennent à $\mathcal{P}$ et $\mathcal{Q}$.
▶ **3.** Exploitez le fait que l'intersection de $\mathcal{P}$ et $\mathcal{Q}$ est $\mathcal{D}$.
▶ **4.** Déterminez tout d'abord les coordonnées du projeté orthogonal de A sur $\mathcal{D}$.

OBLIGATOIRE ET SPÉCIALITÉ
EXERCICE 3 • [Durée ± 45 min.]

■ Les notions en jeu

– Fonction exponentielle.
– Primitives usuelles.
– Probabilités conditionnelles.
– Loi de probabilité.

■ Les conseils du correcteur

▶ **1.** Calculez $1 - \int_0^t \lambda \mathrm{e}^{-\lambda x} \mathrm{d}x$ puis montrez que $P_{X>t}(X > t + s) = \dfrac{R(t+s)}{R(t)}$.
▶ **2. b)** Exploitez le résultat établi dans la question **1.**

MATHÉMATIQUES

OBLIGATOIRE
EXERCICE 4 • [Durée ± 45 min.]

Les notions en jeu

- Module et argument.
- Applications géométriques.
- Équations du second degré.

Les conseils du correcteur

▶ **2.** Montrez que A et B ont même image.
▶ **4. c)** Montrez que l'image de $\mathscr{C}$ est le cercle de centre J et de rayon 4.
▶ **5.** Exploitez le fait que E appartient à $\mathscr{C}$.

SPÉCIALITÉ
EXERCICE 4 • [Durée ± 45 min.]

Les notions en jeu

- Théorème de Bézout.
- Théorème de Gauss.
- Équations de la forme $ax + by = c$.
- Similitudes directes ou indirectes.

Les conseils du correcteur

▶ **2.** Montrez que s est de rapport $\frac{2}{3}$ et d'angle de mesure $\frac{\pi}{2}$.

▶ **3.** Montrez que A est invariant.

▶ **4.** Montrez que $AB_n = 5\left(\frac{2}{3}\right)^{n-1}$ puis résolvez l'inéquation $5\left(\frac{2}{3}\right)^{n-1} \leqslant 10^{-2}$.

Exploitez le fait que $s \circ s$ est une similitude directe d'angle π donc une homothétie.

CORRIGÉ SUJET 1

OBLIGATOIRE ET SPÉCIALITÉ
EXERCICE 1

▶ **1. a)** Soit F la fonction définie pour tout $x \in\ ]0\ ;+\infty[$ par $F(x) = x\ln x - x$.
Pour tout $x \in\ ]0\ ;+\infty[$,

$$F'(x) = 1 \times \ln x + x \times \frac{1}{x} - 1$$

$$F'(x) = \ln x + 1 - 1$$

$$\boxed{F'(x) = \ln x}$$

donc F est une primitive de la fonction ln sur $]0\ ;+\infty[$.

On exploite ici la dérivée d'un produit $(uv)' = u'v + uv'$.

Soit $I = \int_1^e \ln x \, dx$.

Du résultat obtenu, on déduit que :

$$I = [F(x)]_1^e$$

$$I = [x\ln x - x]_1^e$$

$$I = e\ln e - e - \ln 1 + 1$$

$$I = e - e + 1$$

$$\boxed{I = 1}$$

b) Soit $J = \int_1^e (\ln x)^2 dx$.

Posons $\begin{cases} u'(x) = 1 \\ v(x) = (\ln x)^2 \end{cases}$

Un choix différent comme celui-ci, $\begin{cases} u(x) = \ln x \\ v(x) = \ln x \end{cases}$ aurait permis d'obtenir une autre relation mais bien évidemment le même résultat pour J.

Nous avons :

$$\begin{cases} u(x) = x \\ v'(x) = 2 \times \dfrac{1}{x} \times \ln x \end{cases}$$

et les fonctions u, v, u', v' sont continues sur $[1 ; e]$.

On en déduit que :

$$J = [u(x)v(x)]_1^e - \int_1^e u(x)v'(x)dx$$

$$J = [x(\ln x)^2]_1^e - \int_1^e x \times \frac{2}{x} \times \ln x \, dx$$

$$J = e \ln^2(e) - 1 \ln^2(1) - 2\int_1^e \ln x \, dx$$

$$\boxed{J = e - 2I}$$

c) On en déduit que :

$$J = e - 2 \times 1$$

$$\boxed{J = e - 2}$$

d) Pour tout $x \in [1 ; e]$, nous avons :

$$f(x) - g(x) = \ln x - (\ln x)^2$$

$$f(x) - g(x) = \ln x(1 - \ln x).$$

On étudie les positions relatives de $\mathscr{C}_f$ et $\mathscr{C}_g$ donc le signe de la fonction $f - g$.

Or, pour tout $x \in [1 ; e]$, on a $\ln x \geqslant 0$ et $\ln x \leqslant 1$ soit $1 - \ln x \geqslant 0$.

Par conséquent, pour tout $x \in [1 ; e]$, $g(x) - f(x) \geqslant 0$, soit $f(x) \geqslant g(x)$.

Il s'ensuit que l'aire du domaine plan $\mathscr{A}$, exprimée en unités d'aire, est donnée par :

$$\mathscr{A} = \int_1^e (f(x) - g(x))dx$$

$$\mathscr{A} = \int_1^e f(x)dx - \int_1^e g(x)dx$$

Il s'agit de la propriété de linéarité de l'intégrale.

MATHÉMATIQUES

$$\mathcal{A} = I - J$$
$$\mathcal{A} = 1 - (\mathrm{e} - 2)$$
$$\boxed{\mathcal{A} = 3 - \mathrm{e}}$$

▶ **2.** Soit M le point de $\mathcal{C}_f$ d'abscisse x et N le point de $\mathcal{C}_g$ de même abscisse.
Nous avons :

$$\mathrm{MN} = f(x) - g(x)$$
$$\mathrm{MN} = \ln x - (\ln x)^2.$$

Soit h la fonction définie pour tout $x \in [1 ; \mathrm{e}]$ par $h(x) = \ln x - (\ln x)^2$.
Pour tout $x \in [1 ; \mathrm{e}]$,

$$h'(x) = \frac{1}{x} - 2 \times \frac{1}{x} \times \ln x$$
$$h'(x) = \frac{1}{x}(1 - 2\ln x).$$

$h'(x)$ est du signe de $1 - 2\ln x$ car, pour tout $x \in [1 ; \mathrm{e}]$, $\frac{1}{x} > 0$.
$1 - 2\ln x > 0$ équivaut à :

$$2\ln x < 1$$
$$\ln x < \frac{1}{2}$$
$$\mathrm{e}^{\ln x} < \mathrm{e}^{\frac{1}{2}}$$

car la fonction exp est strictement croissante sur $\mathbb{R}$,

$$x < \sqrt{\mathrm{e}}.$$

Il s'ensuit que :
– pour tout $x \in [1 ; \sqrt{\mathrm{e}}[$, $h'(x) > 0$;
– pour tout $x \in]\sqrt{\mathrm{e}} ; \mathrm{e}]$, $h'(x) < 0$;
– $h'(\sqrt{\mathrm{e}}) = 0$.

Donc h est strictement croissante sur $[1 ; \sqrt{\mathrm{e}}]$ et strictement décroissante sur $[\sqrt{\mathrm{e}} ; \mathrm{e}]$.

Ainsi, h atteint son maximum en $\sqrt{\mathrm{e}}$ et le maximum de h est :

$$h(\sqrt{\mathrm{e}}) = \ln(\sqrt{\mathrm{e}}) - (\ln(\sqrt{\mathrm{e}}))^2$$
$$h(\sqrt{\mathrm{e}}) = \frac{1}{2} - \left(\frac{1}{2}\right)^2$$
$$h(\sqrt{\mathrm{e}}) = \frac{1}{4}$$

Il s'ensuit que la distance MN est maximale lorsque $x = \sqrt{\mathrm{e}}$ et cette distance maximale est égale à $\frac{1}{4}$.

Le maximum est obtenu à l'issue de l'étude des variations de la fonction h ainsi définie.

Si u une fonction dérivable sur I, alors pour tout $n \in \mathbb{N}^*$, u^n est dérivable sur I, et $(u^n)' = nu' u^{n-1}$.

Pour tout $a > 0$, $\ln \sqrt{a} = \frac{1}{2} \ln a$.

OBLIGATOIRE ET SPÉCIALITÉ

EXERCICE 2

Soit A, B et C les points de coordonnées respectives $(1\,;1\,;0)$, $(1\,;2\,;1)$ et $(3\,;-1\,;2)$.

▶ **1. a)** $\overrightarrow{AB}$ admet pour coordonnées $\begin{pmatrix}1-1\\2-1\\1-0\end{pmatrix}=\begin{pmatrix}0\\1\\1\end{pmatrix}$ et $\overrightarrow{AC}$ admet pour coordonnées $\begin{pmatrix}3-1\\-1-1\\2-0\end{pmatrix}=\begin{pmatrix}2\\-2\\2\end{pmatrix}$.

A, B et C sont alignés si et seulement si il existe $t\in\mathbb{R}$ tel que $\overrightarrow{AC}=t\overrightarrow{AB}$,

c'est-à-dire si et seulement si il existe un réel t tel que : $\begin{cases}2=0\\-2=t,\\2=t\end{cases}$

ce qui est impossible. **Il s'ensuit que les points A, B et C ne sont pas alignés.**

b) Nous avons $2\times1+1-0-3=0$ donc A appartient au plan d'équation cartésienne $2x+y-z-3=0$.
$2\times1+2-1-3=0$ donc B appartient à ce même plan.
Enfin, $2\times3+(-1)-2-3=0$ donc C appartient à ce plan.
Puisque les points A, B et C ne sont pas alignés, on en déduit qu'**une équation cartésienne du plan (ABC) est $2x+y-z-3=0$.**

On vérifie que les coordonnées des points A, B, C vérifient l'équation cartésienne proposée.

▶ **2.** Soit $\mathcal{P}$ et $\mathcal{Q}$ les plans d'équations cartésiennes respectives $x+2y-z-4=0$ et $2x+3y-2z-5=0$.

Un vecteur $\vec{n}$ normal à $\mathcal{P}$ admet pour coordonnées $\begin{pmatrix}1\\2\\-1\end{pmatrix}$ et un vecteur $\vec{n'}$ normal à $\mathcal{Q}$ admet pour coordonnées $\begin{pmatrix}2\\3\\-2\end{pmatrix}$.

Il n'existe pas de réel t tel que $\vec{n}=t\vec{n'}$ (car on aurait à la fois $1=2t$, $2=3t$ et $-1=-2t$) donc les vecteurs $\vec{n}$ et $\vec{n'}$ ne sont pas colinéaires et les plans $\mathcal{P}$ et $\mathcal{Q}$ ne sont pas parallèles. Ces deux plans sont donc sécants.

Deux plans sont parallèles ou confondus si deux vecteurs normaux sont colinéaires.

Soit $\mathcal{D}$ la droite dont une représentation paramétrique est : $\begin{cases}x=-2+t\\y=3\\z=t\end{cases}$, $t\in\mathbb{R}$.

MATHÉMATIQUES

Déterminons les coordonnées de deux points distincts de $\mathcal{D}$ et montrons que ces deux points appartiennent à $\mathcal{P}$ et $\mathcal{Q}$.

Si $t = 0$, nous avons : $\begin{cases} x = -2 \\ y = 3 \\ z = 0 \end{cases}$ donc le point D $(-2\,;3\,;0)$ appartient à $\mathcal{D}$.

Si $t = 1$, nous avons : $\begin{cases} x = -1 \\ y = 3 \\ z = 1 \end{cases}$ donc le point E $(-1\,;3\,;1)$ appartient à $\mathcal{D}$.

Nous avons $-2 + 2 \times 3 - 0 - 4 = 0$ donc D appartient à $\mathcal{P}$ et
$2 \times (-2) + 3 \times 3 - 2 \times 0 - 5 = 0$ donc D appartient à $\mathcal{Q}$.
De la même façon, $-1 + 2 \times 3 - 1 - 4 = 0$ donc E appartient à $\mathcal{P}$ et
$2 \times (-1) + 3 \times 3 - 2 \times 1 - 5 = 0$ donc E appartient à $\mathcal{Q}$.
La droite (DE) = $\mathcal{D}$ est donc la droite d'intersection des plans $\mathcal{P}$ et $\mathcal{Q}$.

▶ **3.** L'intersection des plans (ABC), $\mathcal{P}$ et $\mathcal{Q}$ est l'intersection, si elle existe, de $\mathcal{D}$ et (ABC).

Or $\begin{cases} x = -2 + t \\ y = 3 \\ z = t \\ 2x + y - z - 3 = 0 \end{cases}$ équivaut à $\begin{cases} x = -2 + t \\ y = 3 \\ z = t \\ -4 + 2t + 3 - t - 3 = 0 \end{cases}$

On procède par substitution.

$$\begin{cases} x = 2 \\ y = 3 \\ z = 4 \\ t = 4 \end{cases}$$

donc l'intersection des trois plans (ABC), $\mathcal{P}$ et $\mathcal{Q}$ est le point F de coordonnées $(2\,;3\,;4)$.

▶ **4.** La distance du point A à $\mathcal{D}$ est égale à la distance AH où H est le projeté orthogonal de A sur $\mathcal{D}$.

Soit $(x\,;y\,;z)$ les coordonnées de H. $\overrightarrow{AH}$ admet pour coordonnées $\begin{pmatrix} x-1 \\ y-1 \\ z \end{pmatrix}$ et $\overrightarrow{AH}$ est orthogonal au vecteur $\vec{u}\begin{pmatrix} 1 \\ 0 \\ 1 \end{pmatrix}$ qui est un vecteur directeur de $\mathcal{D}$, donc
$1 \times (x-1) + 0 \times (y-1) + 1 \times z = 0$ soit $x - 1 + z = 0$.

Deux vecteurs sont orthogonaux si et seulement si leur produit scalaire est nul.

D'autre part, H appartient à $\mathcal{D}$ donc : $\begin{cases} x = -2 + t \\ y = 3 \\ z = t \end{cases}$.

Par suite, on a :

$$\begin{cases} x = -2 + t \\ y = 3 \\ z = t \\ x + z - 1 = 0 \end{cases}$$

$$\begin{cases} x = -2 + t \\ y = 3 \\ z = t \\ -2 + 2t - 1 = 0 \end{cases}$$

$$\begin{cases} x = -\dfrac{1}{2} \\ y = 3 \\ z = \dfrac{3}{2} \\ t = \dfrac{3}{2} \end{cases}$$

donc H admet pour coordonnées $\left(-\dfrac{1}{2} ; 3 ; \dfrac{3}{2}\right)$.

Il s'ensuit que :

$$AH = \sqrt{\left(-\frac{1}{2} - 1\right)^2 + (3-1)^2 + \left(\frac{3}{2} - 0\right)^2}$$

$$AH = \sqrt{\frac{9}{4} + 4 + \frac{9}{4}}$$

$$\boxed{AH = \sqrt{\frac{17}{2}}.}$$

La distance du point A à la droite $\mathcal{D}$ est égale à $\sqrt{\dfrac{17}{2}}$.

OBLIGATOIRE ET SPÉCIALITÉ
EXERCICE 3

La variable aléatoire X suit la loi exponentielle de paramètre $\lambda > 0$.

Ainsi, pour tout $t \geqslant 0$, on a $P(X \leqslant t) = \int_0^t \lambda e^{-\lambda x} dx$.

▶ **1. a)** Soit R la fonction définie pour tout $t \in [0 ; +\infty[$ par $R(t) = P(X > t)$.

Pour tout $t \in [0 ; +\infty[$,

$$R(t) = 1 - P(X \leqslant t)$$

$$R(t) = 1 - \int_0^t \lambda e^{-\lambda x} dx$$

$R(t)$ est la probabilité de l'événement contraire de $X \leqslant t$.

$$R(t) = 1 - [-e^{-\lambda x}]_0^t$$

$$R(t) = 1 + e^{-\lambda t} - e^0$$

$$R(t) = 1 + e^{-\lambda t} - 1$$

$$\boxed{R(t) = e^{-\lambda t}.}$$

b) Pour tout $s \geqslant 0$ et pour tout $t \geqslant 0$, on a :

$$P_{X>t}(X > t+s) = \frac{P((X>t) \cap (X>t+s))}{P(X>t)}$$

$$P_{X>t}(X > t+s) = \frac{P(X>t+s)}{P(X>t)}$$

$$P_{X>t}(X > t+s) = \frac{R(t+s)}{R(t)}$$

$$P_{X>t}(X > t+s) = \frac{e^{-\lambda(t+s)}}{e^{-\lambda t}}$$

$$P_{X>t}(X > t+s) = e^{-\lambda t - \lambda s + \lambda t}$$

$$\boxed{P_{X>t}(X > t+s) = e^{-\lambda s}}$$

donc $P_{X>t}(X > t+s)$ est indépendante de t.

Si A et B sont deux événements tels que $P(A) \neq 0$, alors $P_A(B) = \frac{P(A \cap B)}{P(A)}$.

▶ **2.** On choisit $\lambda = 0{,}00026$.

a) Nous avons :

$$P(X \leqslant 1\,000) = 1 - P(X > 1\,000)$$

$$P(X \leqslant 1\,000) = 1 - e^{-1\,000\lambda}$$

$$\boxed{P(X \leqslant 1\,000) = 1 - e^{-0{,}26}}$$

$P(X \leqslant 1\,000) = 0{,}229$ arrondie au millième

et

$$P(X > 1\,000) = R(1\,000)$$

$$\boxed{P(X > 1\,000) = e^{-0{,}26}}$$

$P(X > 1\,000) = 0{,}771$ arrondie au millième.

b) La probabilité de l'événement $X > 2\,000$ sachant que l'événement $X > 1\,000$ est réalisé est $P_{X>1\,000}(X > 2\,000)$ et :

$$P_{X>1\,000}(X > 2\,000) = P_{X>1\,000}(X > 1\,000 + 1\,000)$$

$$P_{X>1\,000}(X > 2\,000) = e^{-\lambda \times 1\,000}$$

en utilisant le résultat de la question **1. b)**,

$$\boxed{P_{X>1\,000}(X > 2\,000) = e^{-0{,}26}}$$

$P_{X>1\,000}(X > 2\,000) = 0{,}771$ arrondie au millième.

Nous avons $P_{X>1\,000}(X > 2\,000) = P(X > 1\,000)$.

c) La probabilité que l'agenda tombe en panne avant 3 000 heures sachant qu'il a fonctionné plus de 2 000 heures est : $P_{X>2\,000}(X \leqslant 3\,000)$

et $$P_{X>2\,000}(X \leqslant 3\,000) = \frac{P(X > 2\,000 \cap X \leqslant 3\,000)}{P(X > 2\,000)}$$

$$P_{X>2\,000}(X \leqslant 3\,000) = \frac{P(2\,000 < X \leqslant 3\,000)}{R(2\,000)}$$

$$P_{X>2\,000}(X \leqslant 3\,000) = \frac{\int_{2\,000}^{3\,000} \lambda e^{-\lambda x} dx}{e^{-2\,000 \times \lambda}}$$

$$P_{X>2\,000}(X \leqslant 3\,000) = \frac{[-e^{-\lambda x}]_{2\,000}^{3\,000}}{e^{-2\,000\lambda}}$$

$$P_{X>2\,000}(X \leqslant 3\,000) = \frac{-e^{-3\,000\lambda} + e^{-2\,000\lambda}}{e^{-2\,000\lambda}}$$

$$P_{X>2\,000}(X \leqslant 3\,000) = -e^{-3\,000\lambda} \times e^{2\,000\lambda} + e^{-2\,000\lambda} \times e^{2\,000\lambda}$$

$$P_{X>2\,000}(X \leqslant 3\,000) = -e^{-1\,000\lambda} + 1$$

$$\boxed{P_{X>2\,000}(X \leqslant 3\,000) = 1 - e^{-0,26}}$$

$\mathbf{P_{X>2\,000}(X \leqslant 3\,000) = 0,229}$ **arrondie au millième,**

c'est-à-dire $P_{X>2\,000}(X \leqslant 3\,000) = P(X \leqslant 1\,000)$, ce qui était attendu puisque X suit une loi de durée de vie sans vieillissement.

OBLIGATOIRE
EXERCICE 4

▶ **1.** Soient A, B et I les points d'affixes $z_A = 1 + i$, $z_B = 3 - i$ et $z_I = 2$.

À tout point M d'affixe z, on associe le point M′ d'affixe $z' = z^2 - 4z$.

Voir figure ci-après.

▶ **2.** Soit A′ d'affixe $z_{A'}$ l'image de A.

Nous avons :

$$z_{A'} = (1 + i)^2 - 4(1 + i)$$

$$z_{A'} = 1 - 1 + 2i - 4 - 4i$$

$$\boxed{z_{A'} = -4 - 2i.}$$

Soit B′ d'affixe $z_{B'}$ l'image de B.

$$z_{B'} = (3 - i)^2 - 4(3 - i)$$

$$z_{B'} = 9 - 6i - 1 - 12 + 4i$$

$$\boxed{z_{B'} = -4 - 2i.}$$

Les points A′ et B′ admettant même affixe, ils sont confondus.

▶ **3.** $z^2 - 4z = -5$ équivaut successivement à :

$$(z^2 - 4z + 4) - 4 + 5 = 0$$

$$(z-2)^2 + 1 = 0$$

$$(z-2)^2 - \mathrm{i}^2 = 0$$

$$(z - 2 - \mathrm{i})(z - 2 + \mathrm{i}) = 0$$

$$\boxed{z = 2 + \mathrm{i} \ \text{ ou } \ z = 2 - \mathrm{i}.}$$

On peut aussi calculer le discriminant et en déduire les solutions associées.

Les points ayant pour image –5 admettent pour affixe 2 – i ou 2 + i.

▶ **4. a)** Pour tout $z \in \mathbb{C}$,

$$z' + 4 = z^2 - 4z + 4$$

$$\boxed{z' + 4 = (z-2)^2.}$$

b) Du résultat précédent, on déduit que, pour tout $z \in \mathbb{C}$,

$$|z' + 4| = |(z-2)^2|$$

$$\boxed{|z' + 4| = |z-2|^2.}$$

Pour tout $a \in \mathbb{C}$ et tout $n \in \mathbb{Z}^*$, $|a^n| = |a|^n$.

et, pour tout $z \neq 2$,

$$\arg(z' + 4) = \arg((z-2)^2)[2\pi]$$

$$\boxed{\arg(z' + 4) = 2\arg(z-2)[2\pi].}$$

Pour tout $a \in \mathbb{C}^*$ et tout $n \in \mathbb{Z}^*$, $\arg(z^n) = n\arg(z)[2\pi]$.

c) Le cercle $\mathscr{C}$ de centre I et de rayon 2 est l'ensemble des points M du plan tels que IM = 2 soit $|z - 2| = 2$.

$\mathscr{C}$ est donc l'ensemble des points M d'affixe $2e^{i\theta}$ où θ décrit $\mathbb{R}$.

L'image de $\mathscr{C}$ est donc l'ensemble des points M′ d'affixe z′ tels que $|z' + 4| = 4$ et $\arg(z' + 4) = 2\theta[2\pi]$ où θ décrit $\mathbb{R}$. **L'image de $\mathscr{C}$ est donc le cercle de centre J d'affixe –4 et de rayon 4.**

▶ **5.** Soit E le point d'affixe $2 + 2e^{i\frac{\pi}{3}}$.

a) Nous avons $\mathrm{IE} = \left|2 + 2e^{i\frac{\pi}{3}} - 2\right|$ soit $\mathrm{IE} = 2\left|e^{i\frac{\pi}{3}}\right|$, c'est-à-dire IE = 2.

D'autre part, $\arg\left(2 + 2e^{i\frac{\pi}{3}} - 2\right) = \arg\left(2e^{i\frac{\pi}{3}}\right)[2\pi]$ soit $(\vec{u} ; \overrightarrow{\mathrm{IE}}) = \frac{\pi}{3}[2\pi]$

b) Puisque E appartient à $\mathscr{C}$, E′ appartient au cercle de centre J et de rayon 4, donc JE′ = 4 et

$$\arg(z' + 4) = 2\arg\left(2e^{i\frac{\pi}{3}}\right)[2\pi]$$

$$\boxed{(\vec{u} ; \overrightarrow{\mathrm{JE'}}) = \frac{2\pi}{3}[2\pi].}$$

c) Figure.

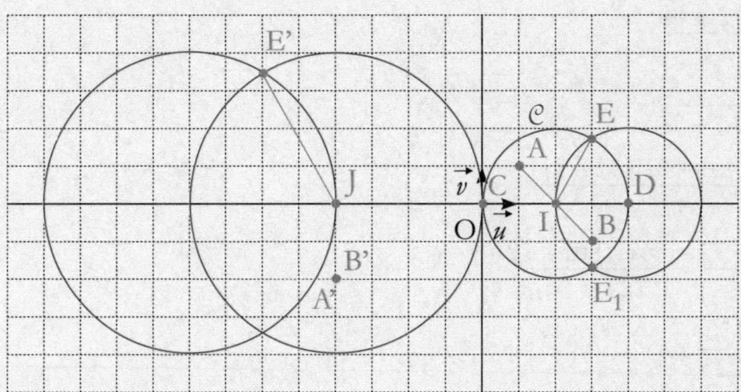

SPÉCIALITÉ
EXERCICE 4

▶ **1.** Soit A et B les points d'affixes respectives $z_A = 1 - i$ et $z_B = 7 + \frac{7}{2}i$.

Soit d la droite d'équation $4x + 3y = 1$.

Pour tout $k \in \mathbb{Z}$, $4(3k + 1) + 3(-4k - 1) = 1$ donc pour tout $k \in \mathbb{Z}$, $M_k(3k + 1\,;\,-4k - 1)$ appartient à d.

Réciproquement, considérons un couple $(x\,;\,y)$ d'entiers relatifs représentant les coordonnées d'un point de d.
Le point de coordonnées $(1\,;\,-1)$ appartient à d car $4 \times 1 + 3 \times (-1) = 1$.
Ainsi, $4x + 3y = 1$ équivaut à :

$$4x + 3y = 4 \times 1 + 3 \times (-1)$$
$$4(x - 1) = 3(-y - 1).$$

Or, 3 et 4 sont premiers entre eux donc 4 divise $-y - 1$.

On utilise ici les théorèmes de Gauss et Bézout.

Il existe donc $k \in \mathbb{Z}$ tel que $-y - 1 = 4k$ soit $y = -1 - 4k$ et $4(x - 1) = 3 \times 4k$ soit $x = 1 + 3k$, donc tout point de d à coordonnées entières est un point de l'ensemble des points M_k. **Finalement, l'ensemble des points de *d* dont les coordonnées sont entières est l'ensemble des points $M_k(3k + 1\,;\,-4k - 1)$ où *k* décrit $\mathbb{Z}$.**

▶ **2.** Soit s la similitude directe de centre A qui transforme B en $M_{-1}(-2\,;\,3)$.

s admet pour écriture complexe $z' - z_A = a(z - z_A)$ où $a \in \mathbb{C}$.

On en déduit que :

$$-2 + 3i - 1 + i = a\left(7 + \frac{7}{2}i - 1 + i\right)$$

$$-3 + 4i = a\left(6 + \frac{9i}{2}\right)$$

$$a=\frac{\frac{-3+4i}{12+9i}}{2}$$

$$a=\frac{-6+8i}{12+9i}$$

$$a=\frac{(-6+8i)(12-9i)}{12^2+9^2}$$

$$a=\frac{-72+54i-96i+72}{225}$$

$$a=\frac{150i}{225}$$

$$a=\frac{2i}{3}$$

$$a=\frac{2}{3}e^{i\frac{\pi}{2}}$$

donc s est de rapport $\frac{2}{3}$ et d'angle de mesure $\frac{\pi}{2}$.

▶ **3.** Soit s la transformation du plan qui à tout point M d'affixe z associe le point M′ d'affixe $z'=\frac{2}{3}iz+\frac{1}{3}-\frac{5}{3}i$.

Soit A′ d'affixe $z_{A'}$ l'image de A par s.

Nous avons :

$$z_{A'}=\frac{2}{3}i(1-i)+\frac{1}{3}-\frac{5}{3}i$$

$$z_{A'}=\frac{2}{3}+\frac{2i}{3}+\frac{1}{3}-\frac{5}{3}i$$

$$z_{A'}=1-i \text{ donc } z_{A'}=z_A \text{ et } A'=A.$$

donc A est invariant par s.

Déterminons le rapport de l'angle de la similitude en calculant :

$$Z=\frac{z_{M_{-1}}-z_A}{z_B-z_A}=\frac{-2+3i-(1-i)}{7+\frac{7}{2}i-(1-i)}=\frac{-3+4i}{6+\frac{9}{2}i}$$

$$Z=\frac{(-3+4i)\left(6-\frac{9}{2}i\right)}{6^2+\left(\frac{9}{2}\right)^2}=\frac{\frac{75}{2}i}{\frac{225}{4}} \text{ donc } Z=\frac{2}{3}i$$

alors $|Z|=\frac{2}{3}$ donc $\frac{|z_{M_{-1}}-z_A|}{|z_B-z_A|}=\frac{AM_{-1}}{AB}=\frac{2}{3}$

et $\arg Z=\arg\left(\frac{2}{3}i\right)=\frac{\pi}{2}\ [2\pi]$ donc $(\overrightarrow{AB},\overrightarrow{AM_{-1}})=\frac{\pi}{2}\ [2\pi]$.

Donc la similitude s a pour rapport $k=\frac{2}{3}$ et pour angle $\frac{\pi}{2}$.

▶ **4.** Soit B_1 l'image de B par s et, pour tout $n \in \mathbb{N}$, B_{n+1} l'image de B_n par s.

a) Nous avons $s(A) = A$, et, pour tout $n \in \mathbb{N}$, $s(B_n) = B_{n+1}$. Or s est de rapport $\frac{2}{3}$

donc, pour tout $n \in \mathbb{N}$, $\boxed{AB_{n+1} = \frac{2}{3}AB_n.}$

b) Nous avons :

$$AB = |z_B - z_A|$$

$$AB = \left|7 + \frac{7}{2}i - 1 + i\right|$$

$$AB = \left|6 + \frac{9i}{2}\right|$$

$$AB = \sqrt{6^2 + \left(\frac{9}{2}\right)^2}$$

$$AB = \sqrt{\frac{225}{4}}$$

$$AB = \frac{15}{2}.$$

Notons, pour tout $n \in \mathbb{N}$, $u_n = AB_n$.

Puisque, pour tout $n \in \mathbb{N}$, $u_{n+1} = \frac{2}{3}u_n$, nous pouvons affirmer que (u_n) est la suite géométrique de premier terme $\frac{15}{2}$ et de raison $\frac{2}{3}$. Ainsi, pour $n \in \mathbb{N}$,

$$u_n = \frac{15}{2} \times \left(\frac{2}{3}\right)^n$$

$$\boxed{AB_n = 5\left(\frac{2}{3}\right)^{n-1}.}$$

Si (u_n) est une suite géométrique de premier terme u_0 et de raison q, alors, pour tout $n \in \mathbb{N}$, $u_n = u_0 q^n$.

B_n appartient au disque de centre A et de rayon 10^{-2} si et seulement si :

$$AB_n \leqslant 10^{-2}$$

$$5\left(\frac{2}{3}\right)^{n-1} \leqslant 10^{-2}$$

$$\left(\frac{2}{3}\right)^{n-1} \leqslant \frac{1}{500}$$

$$\ln\left(\left(\frac{2}{3}\right)^{n-1}\right) \leqslant \ln\left(\frac{1}{500}\right)$$

car la fonction ln est strictement croissante sur $]0\ ;+\infty[$

$$(n-1)\ln\left(\frac{2}{3}\right) \leqslant -\ln(500)$$

$$n - 1 \geqslant -\frac{\ln(500)}{\ln\left(\frac{2}{3}\right)}$$

car $\qquad \ln\left(\frac{2}{3}\right) < 0$ puisque $\frac{2}{3} < 1$

$$n \geqslant 1 + \frac{\ln(500)}{\ln\left(\frac{2}{3}\right)}.$$

Or, $\qquad 1 + \frac{\ln(500)}{\ln\left(\frac{2}{3}\right)} = 16{,}3$ arrondi au dixième

donc **B_n appartient au disque de centre A et de rayon 10^{-2} si et seulement si n est un entier naturel supérieur ou égal à 17**.

c) Soit $\alpha_n = (\overrightarrow{AB}_1, \overrightarrow{AB}_n)\ [2\pi]$, on a alors $\alpha_1 = 0\ [2\pi]$

et $\alpha_{n+1} = (\overrightarrow{AB}_1, \overrightarrow{AB}_{n+1}) = (\overrightarrow{AB}_1, \overrightarrow{AB}_n) + (\overrightarrow{AB}_n, \overrightarrow{AB}_{n+1})\ [2\pi]$.

$$\alpha_{n+1} = \alpha_n + \frac{\pi}{3} \text{ car } s(B_n) = B_{n+1}.$$

La suite (α_n) est donc une suite arithmétique de raison $r = \frac{\pi}{3}$

et pour tout entier $n \geqslant 1$, $\alpha_n = \alpha_1 + (n-1)r$

$$\alpha_n = (n-1)\frac{\pi}{3}.$$

A, B_1 et B_n sont alignés si et seulement si $\alpha_n = k\pi$ $(k \in \mathbb{Z})$ ce qui équivaut à :

$$(n-1)\frac{\pi}{3} = k\pi \text{ avec } k \in \mathbb{N} \text{ (compte tenu du fait que } n \geqslant 1)$$

$$n - 1 = 3k$$

$$n = 3k + 1 \text{ avec } k \in \mathbb{N}.$$

Exercice 1 (3 points)

Commun à tous les candidats

L'espace est muni du repère orthonormal $(O\ ;\ \vec{i}, \vec{j}, \vec{k})$.
Soient $\mathcal{P}$ et $\mathcal{P}'$ les plans d'équations respectives $x + 2y - z + 1 = 0$ et $-x + y + z = 0$.
Soit A le point de coordonnées $(0\ ;\ 1\ ;\ 1)$.

▶ **1.** Démontrer que les plans $\mathcal{P}$ et $\mathcal{P}'$ sont perpendiculaires. *(0,5 point)*

▶ **2.** Soit (d) la droite dont une représentation paramétrique est :

$$\begin{cases} x = -\dfrac{1}{3} + t \\ y = -\dfrac{1}{3} \\ z = t \end{cases} \quad \text{où } t \text{ est un nombre réel.}$$

Démontrer que les plans $\mathcal{P}$ et $\mathcal{P}'$ se coupent selon la droite (d). *(1 point)*

▶ **3.** Calculer la distance du point A à chacun des plans $\mathcal{P}$ et $\mathcal{P}'$. *(1 point)*

▶ **4.** En déduire la distance du point A à la droite (d). *(0,5 point)*

Exercice 2 (3 points)

Commun à tous les candidats

▶ **1. Restitution organisée de connaissances**

Démontrer la formule d'intégration par parties en utilisant la formule de dérivation d'un produit de deux fonctions dérivables, à dérivées continues sur un intervalle $[a\ ;\ b]$. *(1 point)*

▶ **2.** Soient les deux intégrales définies par $I = \int_0^{\pi} e^x \sin x \, dx$ et $J = \int_0^{\pi} e^x \cos x \, dx$.

a) Démontrer que $I = -J$ et que $I = J + e^{\pi} + 1$. *(1 point)*
b) En déduire les valeurs exactes de I et de J. *(1 point)*

Exercice 3 (5 points)

Candidats n'ayant pas suivi l'enseignement de spécialité

PARTIE A

On considère l'équation : (E) $z^3 - (4 + i)z^2 + (13 + 4i)z - 13i = 0$ où z est un nombre complexe.

▶ **1.** Démontrer que le nombre complexe i est solution de cette équation. *(0,5 point)*

▶ **2.** Déterminer les nombres réels a, b et c tels que, pour tout nombre complexe z on ait : $z^3-(4+\mathrm{i})z^2+(13+4\mathrm{i})z-13\mathrm{i}=(z-\mathrm{i})(az^2+bz+c)$. *(1,5 point)*

▶ **3.** En déduire les solutions de l'équation (E). *(0,75 point)*

PARTIE B

Dans le plan complexe, rapporté au repère orthonormal direct $(\mathrm{O}\ ;\ \vec{u}, \vec{v})$, on désigne par A, B et C les points d'affixes respectives i, $2+3\mathrm{i}$ et $2-3\mathrm{i}$.

▶ **1.** Soit r la rotation de centre B et d'angle $\frac{\pi}{4}$. Déterminer l'affixe du point A′, image du point A par la rotation r. *(1 point)*

▶ **2.** Démontrer que les points A′, B et C sont alignés et déterminer l'écriture complexe de l'homothétie de centre B qui transforme C en A′. *(1,25 point)*

Exercice 3 (5 points)

Candidats ayant suivi l'enseignement de spécialité

Dans le plan complexe, rapporté au repère orthonormal $(\mathrm{O}\ ;\ \vec{u}, \vec{v})$, on considère les points A, B et C, d'affixes respectives $-5+6\mathrm{i}$, $-7-2\mathrm{i}$ et $3-2\mathrm{i}$. (On fera une figure que l'on complètera tout au long de l'exercice.)
On admet que le point F, d'affixe $-2+\mathrm{i}$, est le centre du cercle Γ circonscrit au triangle ABC.

▶ **1.** Soit H le point d'affixe -5.
Déterminer les éléments caractéristiques de la similitude directe de centre A qui transforme le point C en le point H. *(1,25 point)*

▶ **2. a)** Étant donné des nombres complexes z et z', on note M le point d'affixe z et M′ le point d'affixe z'. Soient a et b des nombres complexes.
Soit s la transformation d'écriture complexe $z'=a\bar{z}+b$ qui, au point M, associe le point M′.
Déterminer a et b pour que les points A et C soient invariants par s.
Quelle est alors la nature de s ? *(1,25 point)*
b) En déduire l'affixe du point E, symétrique du point H par rapport à la droite (AC). *(0,75 point)*
c) Vérifier que le point E est un point du cercle Γ. *(0,75 point)*

▶ **3.** Soit I le milieu du segment [AC].
Déterminer l'affixe du point G, image du point I par l'homothétie de centre B et de rapport $\frac{2}{3}$.
Démontrer que les points H, G et F sont alignés. *(1 point)*

Exercice 4 (4 points)

Commun à tous les candidats

Cet exercice est un questionnaire à choix multiples.
Pour chaque question, une seule des propositions est exacte. On donnera sur la feuille la réponse choisie sans justification. Il sera attribué un point si la réponse est exacte, zéro sinon.
Dans certaines questions, les résultats proposés ont été arrondis à 10^{-3} près.

▶ **1.** Un représentant de commerce propose un produit à la vente.
Une étude statistique a permis d'établir que, chaque fois qu'il rencontre un client, la probabilité qu'il vende son produit est égale à 0,2.

Il voit cinq clients par matinée en moyenne. La probabilité qu'il ait vendu exactement deux produits dans une matinée est égale à :

a) 0,4 ; **b)** 0,04 ; **c)** 0,1024 ; **d)** 0,2048. *(1 point)*

▶ **2.** Dans une classe, les garçons représentent le quart de l'effectif. Une fille sur trois a eu son permis du premier coup, alors que seulement un garçon sur dix l'a eu du premier coup.
On interroge un élève (garçon ou fille) au hasard. La probabilité qu'il ait eu son permis du premier coup est égale à :

a) 0,043 ; **b)** 0,275 ; **c)** 0,217 ; **d)** 0,033. *(1 point)*

▶ **3.** Dans la classe de la question **2.**, on interroge un élève au hasard parmi ceux ayant eu leur permis du premier coup. La probabilité que cet élève soit un garçon est égale à :

a) 0,100 ; **b)** 0,091 ; **c)** 0,111 ; **d)** 0,25. *(1 point)*

▶ **4.** Un tireur sur cible s'entraîne sur une cible circulaire comportant trois zones délimitées par des cercles concentriques, de rayons respectifs 10, 20 et 30 centimètres.
On admet que la probabilité d'atteindre une zone est proportionnelle à l'aire de cette zone et que le tireur atteint toujours la cible. La probabilité d'atteindre la zone la plus éloignée du centre est égale à :

a) $\frac{5}{9}$; **b)** $\frac{9}{14}$; **c)** $\frac{4}{7}$; **d)** $\frac{1}{3}$. *(1 point)*

Exercice 5 (5 points)

Commun à tous les candidats

On considère la fonction f définie sur l'intervalle $]-1\ ;+\infty[$ par : $f(x) = x - \frac{\ln(1+x)}{1+x}$.

La courbe $\mathscr{C}$ représentative de f est donnée sur le document annexe que l'on complétera et que l'on rendra avec la copie.

PARTIE A

Étude de certaines propriétés de la courbe $\mathscr{C}$

▶ **1.** On note f' la fonction dérivée de f. Calculer $f'(x)$ pour tout x de l'intervalle $]-1\ ;+\infty[$. *(0,5 point)*

▶ **2.** Pour tout x de l'intervalle $]-1\ ;+\infty[$, on pose :

$$\mathrm{N}(x) = (1+x)^2 - 1 + \ln(1+x).$$

Vérifier que l'on définit ainsi une fonction strictement croissante sur $]-1\ ;+\infty[$.
Calculer $\mathrm{N}(0)$. En déduire les variations de f. *(1 point)*

▶ **3.** Soit $\mathscr{D}$ la droite d'équation $y = x$.
Calculer les coordonnées du point d'intersection de la courbe $\mathscr{C}$ et de la droite $\mathscr{D}$. *(0,5 point)*

PARTIE B

Étude d'une suite récurrente définie à partir de la fonction *f*

▶ **1.** Démontrer que si $x \in [0\ ;4]$, alors $f(x) \in [0\ ;4]$. *(0,5 point)*

▶ **2.** On considère la suite (u_n) définie par : $u_0 = 4$ et $u_{n+1} = f(u_n)$ pour tout n de $\mathbb{N}$.
a) Sur le graphique de l'annexe, en utilisant la courbe $\mathscr{C}$ et la droite $\mathscr{D}$, placer les points de $\mathscr{C}$ d'abscisses u_0, u_1, u_2 et u_3. *(0,5 point)*
b) Démontrer que pour tout n de $\mathbb{N}$ on a : $u_n \in [0\ ;4]$. *(0,5 point)*

c) Étudier la monotonie de la suite (u_n). *(0,5 point)*
d) Démontrer que la suite (u_n) est convergente.
On désigne par ℓ sa limite. *(0,5 point)*
e) Utiliser la partie **A** pour donner la valeur de ℓ. *(0,5 point)*

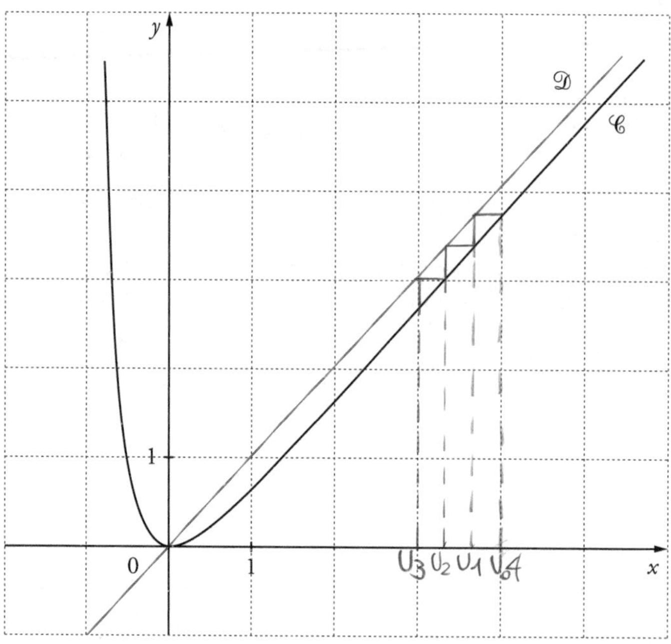

LES CLÉS DU SUJET

■ **Exercice 1 • [Durée ± 25 min.]**

La notion en jeu

– Géométrie dans l'espace.

Les conseils du correcteur

▶ **1.** Montrez que deux vecteurs normaux à $\mathcal{P}$ et $\mathcal{P}'$ sont orthogonaux.

▶ **2.** Vous pouvez déterminer les coordonnées de deux points distincts de (d) et montrer que ceux-ci appartiennent à la droite d'intersection de $\mathcal{P}$ et $\mathcal{P}'$.

▶ **4.** Utilisez le théorème de Pythagore.

■ **Exercice 2 • [Durée ± 25 min.]**

Les notions en jeu

– Dérivées usuelles.
– Fonction exponentielle.
– Primitives usuelles.
– Intégration par parties.

Les conseils du correcteur

▶ **2. a)** Calculez I à l'aide d'une intégration par parties et définissez les fonctions u, v' de deux façons différentes.

b) Résolvez alors le système obtenu.

■ Exercice 3 (enseignement obligatoire) • [Durée ± 45 min.]

Les notions en jeu

– Applications géométriques des nombres complexes.

– Équations du second degré.

Les conseils du correcteur

Partie A

▶ **2.** Montrez que, pour tout $z \in \mathbb{C}$, $z^3 - (4 + i)z^2 + (13 + 4i)z - 13i = (z - i)(z^2 - 4z + 13)$.

Partie B

▶ **2.** Déterminez l'affixe des vecteurs $\overrightarrow{BC}$ et $\overrightarrow{BA'}$ et montrez que ces deux vecteurs sont colinéaires.

■ Exercice 3 (enseignement de spécialité) • [Durée ± 45 min.]

Les notions en jeu

– Applications géométriques des nombres complexes.

– Similitudes directes ou indirectes.

Les conseils du correcteur

▶ **1.** Montrez que la similitude directe est de rapport $\frac{3\sqrt{2}}{8}$ et d'angle de mesure $-\frac{\pi}{4}$.

▶ **2. a)** Montrez que s est la réflexion d'axe (AC).

b) Montrez que E a pour affixe $1 + 6i$.

▶ **3.** Montrez que les vecteurs $\overrightarrow{HG}$ et $\overrightarrow{HF}$ sont colinéaires.

■ Exercice 4 • [Durée ± 35 min.]

Les notions en jeu

– Dénombrement, combinatoire.

– Probabilités conditionnelles.

Les conseils du correcteur

▶ **2.** Utilisez la formule des probabilités totales.

■ Exercice 5 • [Durée ± 45 min.]

Les notions en jeu

– Sens de variation d'une suite.

– Convergence.

– Dérivées usuelles.

– Sens de variation.

– Fonction logarithme népérien.

Les conseils du correcteur

Partie A

Montrez que le signe de f' est le signe de N et déduisez-en les variations de f après avoir précisé le signe de N sur $]-1\,;+\infty[$.

Partie B

▶ **2. b)** et **c)** Effectuez une démonstration par récurrence.

e) Exploitez le résultat de la question **A.3**.

Exercice 1

▶ **1.** Soit $\mathcal{P}$ et $\mathcal{P}'$ les plans d'équations cartésiennes respectives $x+2y-z+1=0$ et $-x+y+z=0$.
Soit A le point de coordonnées $(0\ ;\ 1\ ;\ 1)$.
Un vecteur $\vec{n}$ normal au plan $\mathcal{P}$ admet pour coordonnées $\begin{pmatrix}1\\2\\-1\end{pmatrix}$ et un vecteur normal $\vec{n}'$ au plan $\mathcal{P}'$ admet pour coordonnées $\begin{pmatrix}-1\\1\\1\end{pmatrix}$.

Nous avons :

$$\vec{n}\cdot\vec{n}'=1\times(-1)+2\times1+(-1)\times1$$
$$\vec{n}\cdot\vec{n}'=-1+2-1$$
$$\vec{n}\cdot\vec{n}'=0$$

donc les vecteurs $\vec{n}$ et $\vec{n}'$ sont orthogonaux,
ce qui prouve que **les plans $\mathcal{P}$ et $\mathcal{P}'$ sont perpendiculaires.**

Deux vecteurs $\vec{u}\begin{pmatrix}x\\y\\z\end{pmatrix}$ et $\vec{v}\begin{pmatrix}x'\\y'\\z'\end{pmatrix}$ sont orthogonaux si et seulement si $xx'+yy'+zz'=0$.

▶ **2.** Soit (d) la droite dont une représentation paramétrique est $\begin{cases}x=-\dfrac{1}{3}+t\\ y=-\dfrac{1}{3}\\ z=t\end{cases}$ où $t\in\mathbb{R}$.

Si $t=0$, alors $(x\ ;y\ ;z)=\left(-\dfrac{1}{3}\ ;-\dfrac{1}{3}\ ;0\right)$, donc le point B de coordonnées $\left(-\dfrac{1}{3}\ ;-\dfrac{1}{3}\ ;0\right)$ appartient à (d).

Si $t=1$, alors $(x\ ;y\ ;z)=\left(\dfrac{2}{3}\ ;-\dfrac{1}{3}\ ;1\right)$, donc le point C de coordonnées $\left(\dfrac{2}{3}\ ;-\dfrac{1}{3}\ ;1\right)$ appartient à (d).

Les plans $\mathcal{P}$ et $\mathcal{P}'$ sont perpendiculaires donc sécants suivant une droite. Montrons que cette droite est (d) en vérifiant que les points B et C appartiennent aux deux plans $\mathcal{P}$ et $\mathcal{P}'$.

$-\dfrac{1}{3}+2\times\left(-\dfrac{1}{3}\right)-0+1=0$ donc B appartient à $\mathcal{P}$.

$-\left(-\dfrac{1}{3}\right)+\left(-\dfrac{1}{3}\right)+0=0$ donc B appartient à $\mathcal{P}'$.

B appartient donc à la droite d'intersection des plans $\mathcal{P}$ et $\mathcal{P}'$.
De la même façon, nous avons :

$\dfrac{2}{3}+2\times\left(-\dfrac{1}{3}\right)-1+1=0$ donc C appartient à $\mathcal{P}$ et

$-\dfrac{2}{3}+\left(-\dfrac{1}{3}\right)+1=0$ donc C appartient à $\mathcal{P}'$.

Ainsi, **$\mathcal{P}$ et $\mathcal{P}'$ sont sécants suivant la droite (BC), c'est-à-dire (d).**

▶ **3.** La distance du point A au plan $\mathcal{P}$ est :

$$d(\text{A} ; \mathcal{P}) = \frac{|0 + 2 \times 1 - 1 + 1|}{\sqrt{1^2 + 2^2 + (-1)^2}}$$

$$d(\text{A} ; \mathcal{P}) = \frac{2}{\sqrt{6}}$$

$$\boxed{d(\text{A} ; \mathcal{P}) = \sqrt{\frac{2}{3}}.}$$

Si A admet pour coordonnées $(x_A ; y_A ; z_A)$ et si $\mathcal{P}$ admet pour équation cartésienne $ax + by + cz + d = 0$ alors la distance d de A à $\mathcal{P}$ est donnée par $d = \frac{|ax_A + by_A + cz_A + d|}{\sqrt{a^2 + b^2 + c^2}}$.

De la même façon, la distance du point A au plan $\mathcal{P}'$ est :

$$d(\text{A} ; \mathcal{P}') = \frac{|-0 + 1 + 1|}{\sqrt{(-1)^2 + 1^2 + 1^2}}$$

$$\boxed{d(\text{A} ; \mathcal{P}') = \frac{2}{\sqrt{3}}.}$$

▶ **4.** Soit δ la distance du point A à la droite (d).
Les plans $\mathcal{P}$ et $\mathcal{P}'$ étant perpendiculaires, le théorème de Pythagore permet d'affirmer que :

Il a été démontré dans la question **1.** que $\mathcal{P}$ et $\mathcal{P}'$ sont perpendiculaires.

$$\delta^2 = d(\text{A} ; \mathcal{P})^2 + d(\text{A} ; \mathcal{P}')^2$$

$$\delta^2 = \left(\sqrt{\frac{2}{3}}\right)^2 + \left(\frac{2}{\sqrt{3}}\right)^2$$

$$\delta^2 = \frac{2}{3} + \frac{4}{3} \qquad \text{soit} \qquad \delta^2 = 2$$

$$\boxed{\delta = \sqrt{2}.}$$

La distance du point A à la droite (d) est égale à $\sqrt{2}$.

Exercice 2

▶ **1.** Soit u et v deux fonctions dérivables à dérivées continues sur un intervalle $I = [a ; b]$.
On a, sur I,

$$(u \times v)' = u'v + uv'$$

donc :

$$uv' = (uv)' - u'v.$$

Il s'ensuit que :

Si u et v sont deux fonctions dérivables sur un intervalle I, alors la fonction uv est dérivable sur I et, sur I, $(uv)' = u'v + uv'$.

$$\int_a^b u(x)v'(x)\,\mathrm{d}x = \int_a^b [(uv)'(x) - u'(x)v(x)]\,\mathrm{d}x$$

$$\int_a^b u(x)v'(x)\,\mathrm{d}x = \int_a^b (uv)'(x)\,\mathrm{d}x - \int_a^b u'(x)v(x)\,\mathrm{d}x$$

$$\boxed{\int_a^b u(x)v'(x)\,\mathrm{d}x = [u(x)v(x)]_a^b - \int_a^b u'(x)v(x)\,\mathrm{d}x.}$$

▶ **2.** Soit $I = \int_0^\pi \mathrm{e}^x \sin x\,\mathrm{d}x$ et $J = \int_0^\pi \mathrm{e}^x \cos x\,\mathrm{d}x$.

a) Calculons I à l'aide d'une intégration par parties, en posant :

$$\begin{cases} u'(x) = \mathrm{e}^x \\ v(x) = \sin x. \end{cases}$$

MATHÉMATIQUES

On a :

$$\begin{cases} u(x) = e^x \\ v'(x) = \cos x . \end{cases}$$

Les fonctions u, v, u', v' étant continues sur $[0 ; \pi]$, on obtient :

$$I = [e^x \sin x]_0^{\pi} - \int_0^{\pi} e^x \cos x \, dx$$

$$I = e^{\pi} \sin \pi - e^0 \sin 0 - J$$

$$\boxed{I = -J.}$$

Calculons I en posant cette fois :

$$\begin{cases} u'(x) = e^x \\ v'(x) = \sin x . \end{cases}$$

On a alors :

$$\begin{cases} u'(x) = e^x \\ v(x) = -\cos x . \end{cases}$$

Ici encore, les fonctions u, v, u', v' sont continues sur $[0 ; \pi]$ donc :

$$I = [-e^x \cos x]_0^{\pi} - \int_0^{\pi} (-e^x \cos x) \, dx$$

$$I = -e^{\pi} \cos \pi + e^0 \cos 0 + J$$

$$\boxed{I = J + e^{\pi} + 1.}$$

Si f une fonction continue sur un intervalle $[a ; b]$, alors $\int_a^b -f(x)dx = \int_b^a f(x)dx$.

b) $\begin{cases} I = -J \\ I = J + e^{\pi} + 1 \end{cases}$ équivaut successivement à :

$$\begin{cases} I = -J \\ -J = J + e^{\pi} + 1 \end{cases}$$

$$\begin{cases} I = -J \\ 2J = -1 - e^{\pi} \end{cases}$$

$$\boxed{\begin{cases} I = \dfrac{e^{\pi} + 1}{2} \\ J = -\dfrac{e^{\pi} + 1}{2} . \end{cases}}$$

Exercice 3

Candidats n'ayant pas suivi l'enseignement de spécialité

PARTIE A

▶ **1.** Soit (E) l'équation $z^3 - (4 + i)z^2 + (13 + 4i)z - 13i = 0$.

Posons, pour tout $z \in \mathbb{C}$, $f(z) = z^3 - (4 + i)z^2 + (13 + 4i)z - 13i$.

$$f(i) = i^3 - (4 + i)i^2 + (13 + 4i)i - 13i$$

$$f(i) = -i - (4 + i) \times (-1) + 13i + 4i^2 - 13i$$

$$f(\mathrm{i}) = -\mathrm{i} + 4 + \mathrm{i} - 4$$

$$\boxed{f(\mathrm{i}) = 0.}$$

Il s'ensuit que **i est solution de (E)**.

▶ **2.** Pour tout $z \in \mathbb{C}$, $f(z) = (z - \mathrm{i})(az^2 + bz + c)$ équivaut à :

$f(z) = az^3 + bz^2 + cz - a\mathrm{i}z^2 - b\mathrm{i}z - \mathrm{i}c$

$f(z) = az^3 + (b - a\mathrm{i})z^2 + (c - b\mathrm{i})z - \mathrm{i}c$

$z^3 - (4 + \mathrm{i})z^2 + (13 + 4\mathrm{i})z - 13\mathrm{i} = az^3 + (b - a\mathrm{i})z^2 + (c - b\mathrm{i})z - \mathrm{i}c$

$(1 - a)z^3 - (4 + \mathrm{i} + b - a\mathrm{i})z^2 + (13 + 4\mathrm{i} - c + b\mathrm{i})z + (-13\mathrm{i} + \mathrm{i}c) = 0$

soit : $$\begin{cases} 1 - a = 0 \\ -(4 + \mathrm{i} + b - a\mathrm{i}) = 0 \\ 13 + 4\mathrm{i} - c + b\mathrm{i} = 0 \\ -13\mathrm{i} + \mathrm{i}c = 0 \end{cases}$$

$$\begin{cases} a = 1 \\ 4 + \mathrm{i} + b - \mathrm{i} = 0 \\ 13 + 4\mathrm{i} - 13 + b\mathrm{i} = 0 \\ c = 13 \end{cases}$$

$$\begin{cases} a = 1 \\ b = -4 \\ 0 = 0 \\ c = 13 \end{cases}$$

Ainsi, pour tout $z \in \mathbb{C}$,

$$\boxed{f(z) = (z - \mathrm{i})(z^2 - 4z + 13).}$$

Soit P un polynôme de degré $n \in \mathbb{N}^*$ tel que $P(\alpha) = 0$. Alors, pour tout $z \in \mathbb{C}$, $P(z) = (z - \alpha)\,Q(z)$ où Q est un polynôme de degré $n - 1$.

▶ **3.** Du résultat précédent, on déduit que, pour tout $z \in \mathbb{C}$,

$$f(z) = (z - \mathrm{i})(z^2 - 4z + 4 + 9)$$

$$f(z) = (z - \mathrm{i})((z - 2)^2 - (3\mathrm{i})^2)$$

$$f(z) = (z - \mathrm{i})(z - 2 - 3\mathrm{i})(z - 2 + 3\mathrm{i}).$$

(E) équivaut donc à :

$$z - \mathrm{i} = 0 \text{ ou } z - 2 - 3\mathrm{i} = 0 \text{ ou } z - 2 + 3\mathrm{i} = 0$$

$$z = \mathrm{i} \text{ ou } z = 2 + 3\mathrm{i} \text{ ou } z = 2 - 3\mathrm{i}.$$

L'ensemble des solutions de (E) est $\{\mathbf{i}\ ;\ \mathbf{2 + 3i}\ ;\ \mathbf{2 - 3i}\}$.

Vous pouvez calculer le discriminant de $Q : z \mapsto z^2 - 4z + 13$ et en déduire que Q admet pour racines $2 + 3\mathrm{i}$ et $2 - 3\mathrm{i}$.

PARTIE B

▶ **1.** Soit A, B, C les points d'affixes respectives $a = \mathrm{i}$, $b = 2 + 3\mathrm{i}$ et $c = 2 - 3\mathrm{i}$. Remarquons que ces trois affixes sont les solutions de l'équation (E) résolue dans la partie précédente.

Soit r la rotation de centre B et d'angle de mesure $\dfrac{\pi}{4}$.

Soit a' l'affixe du point A′, image du point A par r.

Nous avons : $a' - b = e^{i\frac{\pi}{4}}(a - b)$

$$a' - 2 - 3i = \left(\cos\left(\frac{\pi}{4}\right) + i\sin\left(\frac{\pi}{4}\right)\right)(i - 2 - 3i)$$

$$a' - 2 - 3i = \left(\frac{\sqrt{2}}{2} + i\frac{\sqrt{2}}{2}\right)(-2 - 2i)$$

$$a' - 2 - 3i = (-\sqrt{2})(1 + i)^2$$

$$a' = -\sqrt{2}(1 + i^2 + 2i) + 2 + 3i$$

$$a' = -2\sqrt{2}i + 2 + 3i$$

$$\boxed{a' = 2 + (3 - 2\sqrt{2})i.}$$

A′ admet pour affixe $2 + (3 - 2\sqrt{2})i$.

▶ **2.** Montrons que les points A′, B et C sont alignés.

A′, B et C sont alignés si et seulement si $\overrightarrow{A'B}$ et $\overrightarrow{BC}$ sont colinéaires, c'est-à-dire si et seulement si il existe $t \in \mathbb{R}$ tel que $\overrightarrow{A'B} = t\overrightarrow{BC}$.

$\overrightarrow{BC}$ admet pour affixe $c - b = 2 - 3i - 2 - 3i$ c'est-à-dire $-6i$.

$\overrightarrow{A'B}$ admet pour affixe :

$$b - a' = 2 + 3i - 2 - (3 - 2\sqrt{2})i$$
$$b - a' = 2i\sqrt{2}.$$

Il s'ensuit que $-\frac{1}{6}\overrightarrow{BC} = \frac{1}{2\sqrt{2}}\overrightarrow{A'B}$ soit $\overrightarrow{A'B} = -\frac{\sqrt{2}}{3}\overrightarrow{BC}$.

Les vecteurs $\overrightarrow{A'B}$ et $\overrightarrow{BC}$ étant colinéaires, on peut affirmer que les points A′, B et C sont alignés.

Nous avons $\overrightarrow{BA'} = \frac{\sqrt{2}}{3}\overrightarrow{BC}$ donc l'homothétie h de centre B qui transforme C en A′ est de rapport $\frac{\sqrt{2}}{3}$.

Par suite, h associe à tout point M d'affixe z le point M′ d'affixe z' définie par :

L'expression complexe de l'homothétie de centre Ω d'affixe ω et de rapport $k \in \mathbb{R}$ est $z' - \omega = k(z - \omega)$.

$$z' - b = \frac{\sqrt{2}}{3}(z - b)$$

$$z' - 2 - 3i = \frac{\sqrt{2}}{3}(z - 2 - 3i)$$

$$z' = \frac{\sqrt{2}}{3}z - \frac{2\sqrt{2}}{3} - \sqrt{2}i + 2 + 3i$$

$$\boxed{z' = \frac{\sqrt{2}}{3}z + 2 - \frac{2\sqrt{2}}{3} + (3 - \sqrt{2})i.}$$

Exercice 3

Candidats ayant suivi l'enseignement de spécialité

Soit A, B, C les points d'affixes respectives $a = -5 + 6i$, $b = -7 - 2i$ et $c = 3 - 2i$. On admet que le point F d'affixe $f = -2 + i$ est le centre du cercle Γ circonscrit au triangle ABC.

▶ **1.** Soit H le point d'affixe $h = -5$ et soit s la similitude directe de centre A qui transforme le point C en H.

$\overrightarrow{AH}$ admet pour affixe $h-a=-5+5-6i$ soit $-6i$ et $\overrightarrow{AC}$ admet pour affixe $c-a=3-2i+5-6i$ c'est-à-dire $8-8i$.

Nous avons : $$\frac{h-a}{c-a}=\frac{-6i}{8(1-i)}$$

$$\frac{h-a}{c-a}=\frac{6e^{-i\frac{\pi}{2}}}{8\sqrt{2}\left(\frac{1}{\sqrt{2}}-\frac{1}{\sqrt{2}}i\right)}$$

$$\frac{h-a}{c-a}=\frac{3e^{-i\frac{\pi}{2}}}{4\sqrt{2}\left(\frac{1}{\sqrt{2}}-\frac{1}{\sqrt{2}}i\right)}$$

$$\frac{h-a}{c-a}=\frac{3e^{-i\frac{\pi}{2}}}{4\sqrt{2}\left(\cos\left(-\frac{\pi}{4}\right)+i\sin\left(-\frac{\pi}{4}\right)\right)}$$

$$\frac{h-a}{c-a}=\frac{3e^{-i\frac{\pi}{2}}}{4\sqrt{2}e^{-i\frac{\pi}{4}}}$$

$$\boxed{\frac{h-a}{c-a}=\frac{3}{4\sqrt{2}}e^{-i\frac{\pi}{4}}.}$$

Si H est l'image de C par la similitude directe de centre A, de rapport $k>0$ et d'angle θ, alors $h-a=ke^{i\theta}(c-a)$ soit $\frac{h-a}{c-a}=ke^{i\theta}$.

La similitude directe de centre A qui transforme C en H est de rapport $\frac{3}{4\sqrt{2}}=\frac{3\sqrt{2}}{8}$ et d'angle de mesure $-\frac{\pi}{4}$.

▶ **2.** Soit s la transformation qui à tout point M d'affixe z associe le point M′ d'affixe $z'=a\bar{z}+b$ où $(a\,;\,b)\in\mathbb{C}^2$.

a) A et C sont invariants par s si et seulement si :

$$\begin{cases}-5+6i=a(-5-6i)+b\\ 3-2i=a(3+2i)+b\end{cases}$$

$$\begin{cases}b=-5+6i-a(-5-6i)\\ 3-2i=a(3+2i)-5+6i-a(-5-6i)\end{cases}$$

$$\begin{cases}b=-5+6i-a(-5-6i)\\ 8-8i=a(3+2i+5+6i)\end{cases}$$

$$\begin{cases}b=-5+6i-a(-5-6i)\\ 8-8i=a(8+8i)\end{cases}$$

$$\begin{cases}b=-5+6i-a(-5-6i)\\ a=\frac{1-i}{1+i}\end{cases}$$

$$\begin{cases}b=-5+6i-a(-5-6i)\\ a=\frac{(1-i)^2}{2}\end{cases}$$

M est invariant par s si et seulement si $s(M)=M$, donc M d'affixe z est invariant par s si et seulement si $z=a\bar{z}+b$.

MATHÉMATIQUES

$$\begin{cases} b = -5 + 6\mathrm{i} - a(-5 - 6\mathrm{i}) \\ a = \dfrac{1 + \mathrm{i}^2 - 2\mathrm{i}}{2} \end{cases}$$

$$\begin{cases} b = -5 + 6\mathrm{i} + \mathrm{i}(-5 - 6\mathrm{i}) \\ a = -\mathrm{i} \end{cases}$$

$$\begin{cases} b = -5 + 6\mathrm{i} + 6 - 5\mathrm{i} \\ a = -\mathrm{i} \end{cases}$$

$$\begin{cases} b = 1 + \mathrm{i} \\ a = -\mathrm{i} \end{cases}.$$

s est la similitude indirecte qui à tout point M d'affixe z, associe le point M′ d'affixe $z' = -\mathrm{i}\bar{z} + 1 + \mathrm{i}$.
Nous avons $|a| = 1$ donc s est une isométrie qui laisse les points A et C invariants. On en déduit que ***s* est la réflexion d'axe (AC)**.

b) Soit E le symétrique de H par rapport à (AC).
Son affixe e est donnée par :

On utilise l'expression complexe de s.

$$e = -\mathrm{i} \times (\overline{-5}) + 1 + \mathrm{i}$$
$$e = 5\mathrm{i} + 1 + \mathrm{i}$$
$$\boxed{e = 1 + 6\mathrm{i}.}$$

c) Le cercle Γ a pour rayon :

$$R = |f - a|$$
$$R = |-2 + \mathrm{i} + 5 - 6\mathrm{i}|$$
$$R = |3 - 5\mathrm{i}|$$

soit
$$R = \sqrt{3^2 + (-5)^2}$$
$$R = \sqrt{34}$$

et
$$\mathrm{EF} = |f - e|$$
$$\mathrm{EF} = |-2 + \mathrm{i} - 1 - 6\mathrm{i}|$$
$$\mathrm{EF} = |-3 - 5\mathrm{i}|$$
$$\mathrm{EF} = \sqrt{(-3)^2 + (-5)^2}$$
$$\mathrm{EF} = \sqrt{34}$$

donc **F appartient à Γ**.

On montre que F appartient au cercle Γ de centre E et de rayon R en montrant que EF = R.

▶ **3.** Soit I le milieu de [AC].
L'homothétie h_{B} de centre B et de rapport $\frac{2}{3}$ associe à tout point M d'affixe z le point M′ d'affixe z' donnée par :

$$z' - b = \frac{2}{3}(z - b)$$
$$z' + 7 + 2\mathrm{i} = \frac{2}{3}(z + 7 + 2\mathrm{i}).$$

On en déduit que l'affixe g du point G, image du point I d'affixe $\frac{a+c}{2} = \frac{-5+6i+3-2i}{2}$ soit $-1+2i$ par l'homothétie h_B est donnée par :

$$g+7+2i = \frac{2}{3}(-1+2i+7+2i)$$

$$g+7+2i = \frac{2}{3}(6+4i)$$

$$g = 4+\frac{8}{3}i-7-2i \qquad \text{soit} \qquad g = -3+\frac{2}{3}i.$$

Le milieu de [AB], où A et B admettent pour affixes respectives a et b, admet pour affixe $\frac{a+b}{2}$.

Nous avons alors :

$$f-h = -2+i+5$$

$$f-h = 3+i$$

donc $\overrightarrow{HF}$ admet pour affixe $3+i$.

De plus,

$$g-h = -3+\frac{2}{3}i+5$$

$$g-h = 2+\frac{2}{3}i$$

$$g-h = \frac{2}{3}(3+i)$$

$$g-h = \frac{2}{3}(f-h)$$

Si A et B admettent pour affixes respectives a et b, alors $\overrightarrow{AB}$ admet pour affixe $b-a$.

donc $\overrightarrow{HG}$ admet pour affixe $2+\frac{2}{3}i$ et $\overrightarrow{HG} = \frac{2}{3}\overrightarrow{HF}$, ce qui prouve que **les points H, G et F sont alignés.**

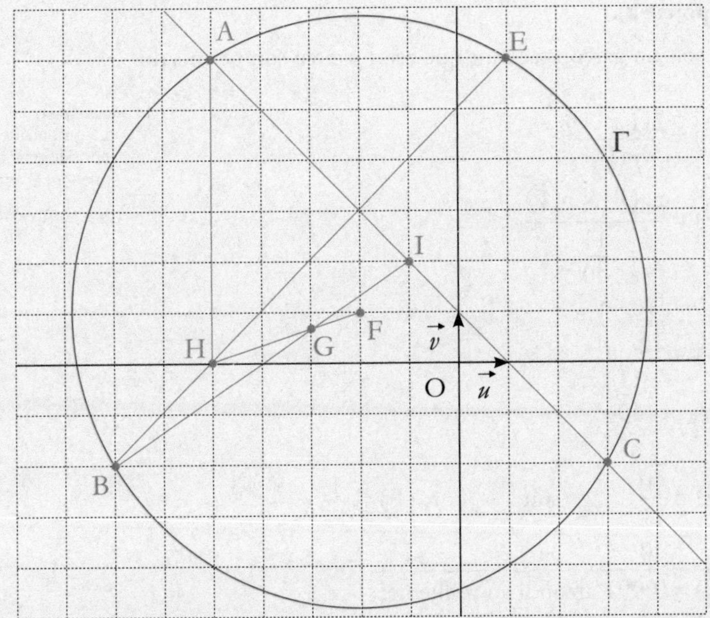

MATHÉMATIQUES

Exercice 4

▶ **1.** La probabilité que le vendeur vende son produit à un client est égale à 0,2.
La probabilité qu'il vende exactement deux produits parmi les cinq clients qu'il a vus est :

$$p=\binom{5}{2}\times(0{,}2)^2\times(1-0{,}2)^{5-2}$$

$$p=10\times 0{,}04\times(0{,}8)^3$$

$$\boxed{p=0{,}2048.}$$

$\binom{5}{2}=\frac{5!}{(5-2)!\times 2!}$ soit $\binom{5}{2}=\frac{5\times 4}{2\times 1}$, $\binom{5}{2}=10$.

La réponse correcte est la réponse d).

▶ **2.** Notons F et P les événements :
F : « L'élève est une fille » ;
P : « L'élève a eu son permis ».

Les événements F et $\overline{\text{F}}$ forment une partition de l'univers. La formule des probabilités totales permet donc d'affirmer que :

$$p(\text{P})=p(\text{F}\cap\text{P})+p(\overline{\text{F}}\cap\text{P})$$

$$p(\text{P})=p_{\text{F}}(\text{P})\times p(\text{F})+p_{\overline{\text{F}}}(\text{P})\times p(\overline{\text{F}})$$

$$p(\text{P})=\frac{1}{3}\times\frac{3}{4}+\frac{1}{10}\times\frac{1}{4}$$

$$p(\text{P})=\frac{1}{4}+\frac{1}{40}$$

$$p(\text{P})=\frac{11}{40}$$

soit $\boxed{p(\text{P})=0{,}275.}$

La réponse correcte est la réponse b).

▶ **3.** La probabilité que l'élève soit un garçon sachant que celui-ci a eu son permis du premier coup est :

$$p_{\text{P}}(\overline{\text{F}})=\frac{p(\overline{\text{F}}\cap\text{P})}{p(\text{P})}$$

$$p_{\text{P}}(\overline{\text{F}})=\frac{p_{\overline{\text{F}}}(\text{P})\times p(\overline{\text{F}})}{\frac{11}{40}}$$

$$p_{\text{P}}(\overline{\text{F}})=\frac{\frac{1}{10}\times\frac{1}{4}}{\frac{11}{40}}$$

$$p_{\text{P}}(\overline{\text{F}})=\frac{\frac{1}{40}}{\frac{11}{40}}\quad\text{soit}\quad p_{\text{P}}(\overline{\text{F}})=\frac{1}{11}$$

soit $\boxed{p_{\text{P}}(\overline{\text{F}})=0{,}091\text{ arrondi au millième.}}$

La probabilité conditionnelle de A sachant B est donnée par $p_B(A)=\frac{p(A\cap B)}{p(B)}$.

La réponse correcte est la réponse b).

▶ **4.** La zone la plus éloignée du centre admet pour aire $\pi \times (30^2 - 20^2) = 500\pi$.
On en déduit que la probabilité d'atteindre la zone la plus éloignée du centre est $\frac{500\pi}{30^2\pi} = \frac{5}{9}$.

La réponse correcte est la réponse a).

Exercice 5

PARTIE A

Soit f la fonction définie pour tout $x \in]-1\ ;+\infty[$ par :

$$f(x) = x - \frac{\ln(1+x)}{1+x}.$$

▶ **1.** Pour tout $x \in]-1\ ;+\infty[$,

$$f'(x) = 1 - \frac{\frac{1}{1+x} \times (1+x) - 1 \times \ln(1+x)}{(1+x)^2}$$

$$f'(x) = 1 - \frac{1 - \ln(1+x)}{(1+x)^2}$$

$$f'(x) = \frac{(1+x)^2 - 1 + \ln(1+x)}{(1+x^2)}$$

$$\boxed{f'(x) = \frac{x^2 + 2x + \ln(1+x)}{(1+x)^2}}.$$

La dérivée de $g : x \mapsto \ln(ax+b)$ est $g' : x \mapsto \frac{a}{ax+b}$ et si u, v sont deux fonctions dérivables sur I tel que, pour tout $x \in$ I, $v(x) \neq 0$, alors $\left(\frac{u}{v}\right)' = \frac{u'v - uv'}{v^2}$.

▶ **2.** Soit N la fonction définie pour tout $x \in]-1\ ;+\infty[$ par :

$$\mathrm{N}(x) = (1+x)^2 - 1 + \ln(1+x).$$

Pour tout $x \in]-1\ ;+\infty[$,

$$\mathrm{N}'(x) = 2(1+x) + \frac{1}{1+x}.$$

N' est la somme de deux fonctions positives sur $]-1\ ;+\infty[$.

Or, pour tout $x \in]-1\ ;+\infty[$, $2(1+x) > 0$ et $\frac{1}{1+x} > 0$,

donc pour tout $x \in]-1\ ;+\infty[$, $\mathrm{N}'(x) > 0$.
N est donc strictement croissante sur $]-1\ ;+\infty[$.

$$\mathrm{N}(0) = 1^2 - 1 + \ln(1)$$

$$\boxed{\mathrm{N}(0) = 0}.$$

Puisque N est strictement croissante sur $]-1\ ;+\infty[$, on peut affirmer que :
- pour tout $x \in]-1\ ;0[$, $\mathrm{N}(x) < 0$;
- pour tout $x \in]0\ ;+\infty[$, $\mathrm{N}(x) > 0$;
- $\mathrm{N}(0) = 0$.

Pour tout $x \in]-1\ ;+\infty[$, $f'(x) = \frac{\mathrm{N}(x)}{(x+1)^2}$ et $f'(x)$ est du signe de $\mathrm{N}(x)$ car,

pour tout $x \in]-1\ ;+\infty[$, $\frac{1}{(1+x)^2} > 0$.

Il s'ensuit que :
- pour tout $x \in]-1\ ;0[$, $f'(x) < 0$;

MATHÉMATIQUES

– pour tout $x \in \left]0\,;+\infty\right[$, $f'(x) > 0$;
– $f'(0) = 0$.
Ainsi, **f est strictement décroissante sur $\left]-1\,;0\right]$ et strictement croissante sur $\left[0\,;+\infty\right[$.**

▶ **3.** Soit $\mathcal{D}$ la droite d'équation $y = x$.
$f(x) = x$ équivaut à :

$$x - \frac{\ln(1+x)}{1+x} = x$$

$$\frac{\ln(1+x)}{1+x} = 0$$

$$\ln(1+x) = 0 \text{ car, pour tout } x \in \left]-1\,;+\infty\right[,\ 1+x \neq 0$$

$$1 + x = 1$$

$$x = 0$$

donc **la courbe représentative $\mathcal{C}$ de f et $\mathcal{D}$ sont sécantes au point O.**

PARTIE B

▶ **1.** f est strictement croissante sur $[0\,;4]$, donc pour tout $x \in [0\,;4]$,

$$f(0) \leqslant f(x) \leqslant f(4)$$

$$0 \leqslant f(x) \leqslant 4 - \frac{\ln(5)}{5}.$$

Si f est strictement croissante sur $[a\,;b]$, alors pour tout $x \in [a\,;b]$, $f(a) \leqslant f(x) \leqslant f(b)$.

Or, $4 - \dfrac{\ln(5)}{5} = 3{,}7$ arrondi au dixième, donc, pour tout $x \in [0\,;4]$,

$$0 \leqslant f(x) \leqslant 4$$

$$\boxed{f(x) \in [0\,;4]}.$$

▶ **2.** Soit (u_n) la suite définie par $u_0 = 4$ et, pour tout $n \in \mathbb{N}$ par $u_{n+1} = f(u_n)$.

On effectue un raisonnement par récurrence en montrant que la propriété $u_n \in [0\,;4]$ est vérifiée au rang $n = 0$ et que, si elle est vérifiée au rang n, alors elle est vérifiée au rang $n + 1$, et on exploite les variations de f pour conclure.

a) Voir représentation graphique ci-après.
b) Nous avons $u_0 = 4$ donc $u_0 \in [0\,;4]$.
Supposons que, pour un entier naturel k donné, on ait $u_k \in [0\,;4]$.
Nous avons $u_{k+1} = f(u_k)$ et nous avons montré que, pour tout $x \in [0\,;4]$, $f(x) \in [0\,;4]$. Il s'ensuit que $u_{k+1} \in [0\,;4]$.
On en déduit par récurrence que, **pour tout $n \in \mathbb{N}$, $u_n \in [0\,;4]$.**
c) Nous avons $u_1 = 4 - \dfrac{\ln 5}{5}$ soit $u_1 = 3{,}68$ arrondi au dixième donc $u_1 < u_0$.
Supposons que, pour un entier naturel k donné, on ait $u_{k+1} < u_k$.
Puisque f est strictement croissante sur $[0\,;4]$ et que, pour tout $k \in \mathbb{N}$, $u_k \in [0\,;4]$, nous pouvons affirmer que :

$$f(u_{k+1}) < f(u_k)$$

$$u_{k+2} < u_{k+1}.$$

Il s'ensuit que, pour tout $n \in \mathbb{N}$, $u_{n+1} < u_n$,
ce qui montre que **la suite (u_n) est strictement décroissante.**
d) (u_n) est décroissante et minorée par 0 donc **(u_n) est convergente.**
e) Soit ℓ sa limite.
Nous pouvons affirmer que l'on a $\ell = f(\ell)$ et cette équation admet pour unique solution 0, en utilisant le résultat de la question **A.3**.
Ainsi, on a $\boxed{\lim\limits_{n \to +\infty} u_n = 0.}$

Représentation graphique

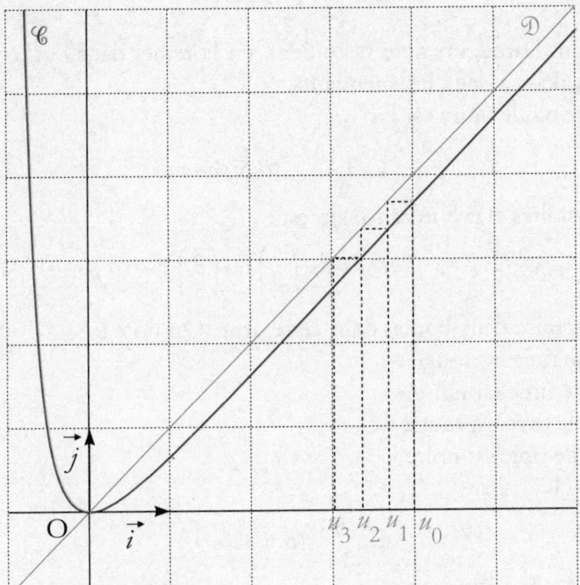

La représentation graphique des termes successifs de (u_n) est obtenue en plaçant le point de 𝒞 d'abscisse u_0 : u_1 est l'abscisse du projeté orthogonal de ce point.

MATHÉMATIQUES

SUJET 3

AFRIQUE • JUIN 2007

SUJET COMPLET

DURÉE : 4 HEURES • 20 POINTS

Exercice 1 (4 points)

Commun à tous les candidats

Pour chacune des questions de ce QCM, une seule des trois propositions A, B ou C est exacte.
Le candidat indiquera sur sa copie le numéro de la question et la lettre correspondant à la réponse choisie. Aucune justification n'est demandée.
Une réponse exacte rapporte 0,5 point. Une réponse inexacte enlève 0,25 point. L'absence de réponse n'apporte ni n'enlève aucun point.
Si le total est négatif, la note de l'exercice est ramenée à 0.

Une urne contient 8 boules indiscernables au toucher, 5 sont rouges et 3 sont noires.

▶ **1.** On tire au hasard simultanément 3 boules de l'urne.

a) La probabilité de tirer 3 boules noires est :

A. $\frac{1}{56}$; B. $\frac{1}{120}$; C. $\frac{1}{31}$. *(0,5 point)*

b) La probabilité de tirer 3 boules de la même couleur est :

A. $\dfrac{11}{56}$; B. $\dfrac{11}{120}$; C. $\dfrac{16}{24}$. *(0,5 point)*

▶ **2.** On tire au hasard une boule dans l'urne, on note sa couleur, on la remet dans l'urne ; on procède ainsi à 5 tirages successifs et deux à deux indépendants.

a) La probabilité d'obtenir 5 fois une boule noire est :

A. $\left(\dfrac{3}{8}\right)^3 \times \left(\dfrac{5}{8}\right)^3$; B. $\left(\dfrac{3}{8}\right)^5$; C. $\left(\dfrac{1}{5}\right)^5$. *(0,5 point)*

b) La probabilité d'obtenir 2 boules noires et 3 boules rouges est :

A. $\left(\dfrac{5}{8}\right)^3 \times \left(\dfrac{3}{8}\right)^2$; B. $2 \times \dfrac{5}{8} + 3 \times \dfrac{3}{8}$; C. $10 \times \left(\dfrac{5}{8}\right)^3 \times \left(\dfrac{3}{8}\right)^2$. *(0,5 point)*

▶ **3.** On tire successivement et sans remise deux boules dans cette urne. On note :

R_1 l'événement : « La première boule tirée est rouge » ;
N_1 l'événement : « La première boule tirée est noire » ;
R_2 l'événement : « La deuxième boule tirée est rouge » ;
N_2 l'événement : « La deuxième boule tirée est noire ».

a) La probabilité conditionnelle $p_{R_1}(R_2)$ est :

A. $\dfrac{5}{8}$; B. $\dfrac{4}{7}$; C. $\dfrac{5}{14}$. *(0,5 point)*

b) La probabilité de l'événement $R_1 \cap N_2$ est :

A. $\dfrac{16}{49}$; B. $\dfrac{15}{64}$; C. $\dfrac{15}{56}$. *(0,5 point)*

c) La probabilité de tirer une boule rouge au deuxième tirage est :

A. $\dfrac{5}{8}$; B. $\dfrac{5}{7}$; C. $\dfrac{3}{28}$. *(0,5 point)*

d) La probabilité de tirer une boule rouge au premier tirage sachant qu'on a obtenu une boule noire au second tirage est :

A. $\dfrac{15}{56}$; B. $\dfrac{3}{8}$; C. $\dfrac{5}{7}$. *(0,5 point)*

Exercice 2 (5 points)

Candidats n'ayant pas suivi l'enseignement de spécialité

PARTIE A

Restitution organisée de connaissances

▶ **1.** Démontrer qu'un nombre complexe z est imaginaire pur si et seulement si $\bar{z} = -z$. *(0,25 point)*

▶ **2.** Démontrer qu'un nombre complexe z est réel si et seulement si $\bar{z} = z$. *(0,25 point)*

▶ **3.** Démontrer que pour tout nombre complexe z, on a l'égalité :

$$z\bar{z} = |z|^2.$$ *(0,25 point)*

Le plan complexe est rapporté à un repère orthonormal direct $(O\ ;\ \vec{u}, \vec{v})$.

On se propose de démontrer, à l'aide des nombres complexes, que tout triangle de sommets A, B, C, deux à deux distincts, d'affixes respectives a, b, c, et dont le centre du cercle circonscrit est situé à l'origine O, a pour orthocentre le point H d'affixe $a + b + c$.

PARTIE B

Étude d'un cas particulier

On pose : $a = 3 + \mathrm{i}$; $b = -1 + 3\mathrm{i}$; $c = -\sqrt{5} - \mathrm{i}\sqrt{5}$.

▶ **1.** Vérifier que O est le centre du cercle circonscrit au triangle ABC. *(0,5 point)*

▶ **2.** Placer les points A, B, C et le point H d'affixe $a + b + c$, puis vérifier graphiquement que le point H est l'orthocentre du triangle ABC. *(0,5 point)*

PARTIE C

Étude du cas général

ABC est un triangle dont O est le centre du cercle circonscrit, et a, b, c sont les affixes respectives des points A, B, C.

▶ **1.** Justifier le fait que O est le centre du cercle circonscrit au triangle ABC si et seulement si :

$$a\bar{a} = b\bar{b} = c\bar{c}.$$ *(0,5 point)*

▶ **2.** On pose $w = \bar{b}c - b\bar{c}$.

a) En utilisant la caractérisation d'un nombre imaginaire pur établie dans le **A**, démontrer que w est imaginaire pur. *(0,5 point)*

b) Vérifier l'égalité : $(b + c)(\bar{b} - \bar{c}) = w$ et montrer que :

$$\frac{b+c}{b-c} = \frac{w}{|b-c|^2}.$$ *(0,5 point)*

c) En déduire que le nombre complexe $\frac{b+c}{b-c}$ est imaginaire pur. *(0,25 point)*

▶ **3.** Soit H le point d'affixe $a + b + c$.

a) Exprimer en fonction de a, b et c les affixes des vecteurs $\overrightarrow{AH}$ et $\overrightarrow{CB}$. *(0,5 point)*

b) Prouver que $(\overrightarrow{CB} ; \overrightarrow{AH}) = \frac{\pi}{2} + k\pi$, où k est un entier relatif quelconque. *(0,5 point)*

(On admet de même que $(\overrightarrow{CA} ; \overrightarrow{BH}) = \frac{\pi}{2} + k\pi$, avec $k \in \mathbb{Z}$.)

c) Que représente le point H pour le triangle ABC ? *(0,5 point)*

Exercice 2 (5 points)

Candidats ayant suivi l'enseignement de spécialité

Le plan complexe est rapporté à un repère orthonormal direct $(O ; \vec{u}, \vec{v})$.
L'unité graphique est 2 cm.
Le but de cet exercice est d'étudier la similitude plane indirecte f d'écriture complexe :

$$z' = \mathrm{i}\sqrt{2}\bar{z} + 2\mathrm{i}\sqrt{2} - 2,$$

et d'en donner deux décompositions.

PARTIE A

Restitution organisée de connaissances

On rappelle que l'écriture complexe d'une similitude plane directe autre qu'une translation est de la forme : $z' = az + b$, où a et b sont des nombres complexes, avec $a \neq 1$. Déterminer en fonction de a et de b l'affixe du centre d'une telle similitude plane directe. *(0,5 point)*

PARTIE B

Première décomposition de *f*

Soit g la similitude plane directe d'écriture complexe :

$$z' = \mathrm{i}\sqrt{2}z + 2\mathrm{i}\sqrt{2} - 2.$$

▶ **1.** Préciser les éléments caractéristiques de g (centre, rapport, angle). *(0,75 point)*

▶ **2.** Déterminer une réflexion s telle que $f = g \circ s$. *(0,5 point)*

PARTIE C

Deuxième décomposition de *f*

▶ **1.** Montrer que f admet un unique point invariant noté Ω.
Déterminer l'affixe ω de Ω. *(0,5 point)*

▶ **2.** Soit $\mathscr{D}$ la droite d'équation : $y = x + 2$.
Montrer que pour tout point N appartenant à $\mathscr{D}$, le point $f(\mathrm{N})$ appartient aussi à $\mathscr{D}$. *(0,5 point)*

▶ **3.** Soit σ la réflexion d'axe $\mathscr{D}$ et k la transformation définie par : $k = f \circ \sigma$.

a) Donner l'écriture complexe de σ.
(Indication : on pourra poser $z' = a\bar{z} + b$ et utiliser deux points invariants par σ pour déterminer les nombres complexes a et b.) *(0,75 point)*

b) En déduire que l'écriture complexe de k est : $z' = \sqrt{2}z + 2\sqrt{2} - 2$. *(0,5 point)*

c) Donner la nature de la transformation k et préciser ses éléments caractéristiques. *(0,5 point)*

▶ **4.** Déduire de ce qui précède une écriture de la similitude indirecte f comme composée d'une réflexion et d'une homothétie. *(0,5 point)*

Exercice 3 (4 points)

Commun à tous les candidats

Dans un plan muni d'un repère orthonormal $(\mathrm{O} ; \vec{i}, \vec{j})$, on désigne par $\mathscr{C}$ la courbe représentative d'une fonction f définie et dérivable sur un intervalle I de $\mathbb{R}$, f et f' ne s'annulant pas sur l'intervalle I.
On note M un point de $\mathscr{C}$ d'abscisse x et d'ordonnée $y = f(x)$.
On désigne par T la tangente à la courbe $\mathscr{C}$ au point M.
On rappelle qu'une équation de T est de la forme : $Y = f'(x)[X - x] + f(x)$.

PARTIE A

Question préliminaire

▶ **1.** Montrer que T coupe l'axe des abscisses en un point H dont l'abscisse X_T vérifie :

$$X_T = x - \frac{f(x)}{f'(x)}.$$ *(0,75 point)*

▶ **2.** Montrer que T coupe l'axe des ordonnées en un point K dont l'ordonnée Y_T vérifie :

$$Y_T = f(x) - xf'(x).$$ *(0,5 point)*

PARTIE B

k désigne un réel fixé non nul. On cherche à déterminer les fonctions f pour lesquelles la différence $x - X_T$ est constante et égale à k, pour tout nombre réel x. (Propriété 1)

▶ **1.** Démontrer que f vérifie la propriété 1 si et seulement si f vérifie l'équation différentielle :

$$y' = \frac{1}{k}\, y.$$ *(0,75 point)*

▶ **2.** En déduire la famille des fonctions vérifiant la propriété 1 et déterminer pour $k = \frac{1}{2}$ la fonction f de cette famille qui vérifie de plus la condition : $f(0) = 1$. *(0,5 point)*

PARTIE C

k désigne un réel fixé non nul. On cherche à déterminer les fonctions f pour lesquelles la différence $y - Y_T$ est constante et égale à k, pour tout nombre réel x appartenant à l'intervalle $I =]0\ ;\ +\infty[$. (Propriété 2)

▶ **1.** Démontrer que f vérifie la condition posée si et seulement si f vérifie l'équation différentielle :

$$y' = \frac{k}{x}.$$ *(0,75 point)*

▶ **2.** En déduire la famille des fonctions vérifiant la propriété 2 et déterminer pour $k = \frac{1}{2}$ la fonction f de cette famille qui vérifie la condition : $f(1) = 0$. *(0,75 point)*

Exercice 4 (7 points)

Commun à tous les candidats

Le but de l'exercice est de montrer que l'équation (E) : $e^x = \frac{1}{x}$, admet une unique solution dans l'ensemble $\mathbb{R}$ des nombres réels, et de construire une suite qui converge vers cette unique solution.

PARTIE A

Existence et unicité de la solution

On note f la fonction définie sur $\mathbb{R}$ par : $f(x) = x - e^{-x}$.

▶ **1.** Démontrer que x est solution de l'équation (E) si et seulement si $f(x) = 0$. *(0,5 point)*

▶ **2.** Étude du signe de la fonction f.

a) Étudier le sens de variation de la fonction f sur $\mathbb{R}$. *(0,75 point)*

b) En déduire que l'équation (E) possède une unique solution sur $\mathbb{R}$, notée α. *(0,5 point)*

c) Démontrer que α appartient à l'intervalle $\left[\frac{1}{2}\ ;\ 1\right]$. *(0,25 point)*

d) Étudier le signe de f sur l'intervalle $[0\ ;\ \alpha]$. *(0,75 point)*

PARTIE B

Deuxième approche

On note g la fonction définie sur l'intervalle $[0\ ;\ 1]$ par : $g(x) = \frac{1 + x}{1 + e^x}$.

▶ **1.** Démontrer que l'équation $f(x) = 0$ est équivalente à l'équation : $g(x) = x$. *(0,5 point)*

▶ **2.** En déduire que α est l'unique réel vérifiant : $g(\alpha) = \alpha$. *(0,25 point)*

▶ **3.** Calculer $g'(x)$ et en déduire que la fonction g est croissante sur l'intervalle $[0 ; \alpha]$. *(1 point)*

PARTIE C

Construction d'une suite de réels ayant pour limite α

On considère la suite (u_n) définie par : $u_0 = 0$ et, pour tout entier naturel n, par : $u_{n+1} = g(u_n)$.

▶ **1.** Démontrer par récurrence que, pour tout entier naturel n : $0 \leqslant u_n \leqslant u_{n+1} \leqslant \alpha$. *(0,75 point)*

▶ **2.** En déduire que la suite (u_n) est convergente.
On note ℓ sa limite. *(0,5 point)*

▶ **3.** Justifier l'égalité : $g(\ell) = \ell$. En déduire la valeur de ℓ. *(0,75 point)*

▶ **4.** À l'aide de la calculatrice, déterminer une valeur approchée de u_4 arrondie à la sixième décimale. *(0,5 point)*

LES CLÉS DU SUJET

■ Exercice 1 • [Durée ± 35 min.]

Les notions en jeu

– Dénombrement, combinatoire.
– Probabilités conditionnelles.
– Loi de probabilité.

Les conseils du correcteur

▶ **1. b)** Commencez par calculer la probabilité de tirer trois boules noires puis celle de tirer trois boules rouges.
▶ **2. b)** Utilisez la loi binomiale pour répondre.
▶ **3.** Vous pouvez vous aider d'un arbre pondéré.
c) Utilisez la formule des probabilités totales.

■ Exercice 2 (enseignement obligatoire) • [Durée ± 45 min.]

Les notions en jeu

– Module et argument.
– Applications géométriques.

Les conseils du correcteur

Partie B

▶ **1.** Montrez que $OA = OB = OC$.

Partie C

▶ **2. c)** Exploitez le résultat obtenu à la question précédente.
▶ **3. b)** Exploitez le résultat de la question **2. c)**.

■ Exercice 2 (enseignement de spécialité) • [Durée ± 45 min.]

Les notions en jeu

– Similitudes directes ou indirectes.
– Module et argument.
– Applications géométriques.

Les conseils du correcteur

Partie B

▶ **1.** Montrez que *f* est de centre d'affixe -2, de rapport $\sqrt{2}$ et d'angle de mesure $\frac{\pi}{2}$.

Partie C

▶ **3.** Montrez que σ admet pour écriture complexe $z' = i\bar{z} - 2 + 2i$.

c) Montrez que *k* est une homothétie de centre Ω.

■ Exercice 3 • [Durée ± 35 min.]

Les notions en jeu

- Fonction logarithme népérien.
- Fonction exponentielle.
- Équations différentielles.

Les conseils du correcteur

Partie B

▶ **1.** Mobilisez vos connaissances : l'équation différentielle proposée est de la forme $y' = ay$.

■ Exercice 4 • [Durée ± 1 heure]

Les notions en jeu

- Sens de variation d'une suite.
- Convergence.
- Dérivées usuelles.
- Sens de variation.
- Théorème des valeurs intermédiaires.
- Fonction exponentielle.

Les conseils du correcteur

Partie A

▶ **2. a)** Montrez que *f* est strictement croissante sur ℝ.

b) Utilisez le théorème des valeurs intermédiaires après avoir étudié les limites de *f* en $-\infty$ et $+\infty$.

Partie C

▶ **2.** Montrez que (u_n) est croissante et majorée.

MATHÉMATIQUES

CORRIGÉ SUJET 3

Exercice 1

▶ **1. a)** L'urne contient 8 boules dont 3 sont noires.

Il y a $\binom{8}{3} = 56$ façons de tirer 3 boules et $\binom{3}{3} = 1$ façon de tirer les trois boules noires.

Il s'ensuit que la probabilité de tirer trois boules noires est égale à $\frac{1}{56}$.

La réponse correcte est la réponse A.

b) L'événement « Tirer trois boules de la même couleur » est réalisé lorsque l'on a :

– soit tiré trois boules noires (événement de probabilité $\frac{1}{56}$) ;

Pour tout $n \in \mathbb{N}$ et $p \in \mathbb{N}$ tel que $p \leq n$, $\binom{n}{p} = \frac{n!}{(n-p)! \times p!}$.

– soit tiré trois boules rouges (événement de probabilité $\dfrac{\binom{5}{3}}{56} = \dfrac{10}{56}$).

Ces deux événements étant incompatibles, on en déduit que la probabilité de tirer trois boules de la même couleur est égale à $\dfrac{1}{56} + \dfrac{10}{56}$ soit $\dfrac{11}{56}$.

Si A et B sont deux événements incompatibles, alors $p(A \cup B) = p(A) + p(B)$.

La réponse correcte est la réponse A.

▶ 2. On tire maintenant une boule dans l'urne et on la remet ensuite ; on procède ainsi cinq fois de suite. Les tirages sont donc indépendants.

a) Puisque la probabilité d'obtenir une boule noire à l'issue d'un tirage est $\dfrac{3}{8}$, on en déduit que la probabilité d'obtenir cinq fois une boule noire est égale à $\left(\dfrac{3}{8}\right)^5$.

La réponse correcte est la réponse B.

b) Soit X le nombre de boules noires tirées à l'issue des cinq tirages.

Puisque les tirages sont effectués de façon indépendante, X suit la loi binomiale $\mathcal{B}\left(5\,;\dfrac{3}{8}\right)$. $X=2$ est l'événement « Obtenir deux boules noires et trois boules rouges ».

On en déduit que : $p(X=2) = \binom{5}{2} \times \left(\dfrac{3}{8}\right)^2 \times \left(1 - \dfrac{3}{8}\right)^{5-2}$

$$\boxed{p(X=2) = 10 \times \left(\dfrac{3}{8}\right)^2 \times \left(\dfrac{5}{8}\right)^3.}$$

Si X suit une loi binomiale $\mathcal{B}(n, p)$, alors, pour tout entier $k \leqslant n$, $p(X = k) = \binom{n}{k} \times p^k \times (1-p)^{n-k}$.

La réponse correcte est la réponse C.

▶ 3. a) Si la première boule tirée est rouge, alors l'urne contient 7 boules au second tirage dont 3 noires et 4 rouges.

On en déduit que : $\boxed{p_{R_1}(R_2) = \dfrac{4}{7}.}$

La réponse correcte est la réponse B.

b) Nous avons $p_{R_1}(N_2) = \dfrac{3}{7}$ donc :

$$p(R_1 \cap N_2) = p_{R_1}(N_2) \times p(R_1)$$

$$p(R_1 \cap N_2) = \dfrac{3}{7} \times \dfrac{5}{8}$$

$$\boxed{p(R_1 \cap N_2) = \dfrac{15}{56}.}$$

La réponse correcte est la réponse C.

c) Les événements R_1 et N_1 forment une partition de l'univers.

La formule des probabilités totales permet donc d'affirmer que :

$$p(R_2) = p(R_1 \cap R_2) + p(N_1 \cap R_2)$$

$$p(R_2) = p_{R_1}(R_2) \times p(R_1) + p_{N_1}(R_2) \times p(N_1)$$

$$p(R_2) = \dfrac{4}{7} \times \dfrac{5}{8} + \dfrac{5}{7} \times \dfrac{3}{8} \quad \text{soit} \quad p(R_2) = \dfrac{5}{14} + \dfrac{15}{56}$$

$$\boxed{p(R_2) = \dfrac{5}{8}.}$$

La réponse correcte est la réponse A.

d) La probabilité de tirer une boule rouge au premier tirage sachant qu'on a obtenu une boule noire au second est $p_{N_2}(R_1)$ et :

$$p_{N_2}(R_1) = \frac{p(R_1 \cap N_2)}{1 - p(R_2)}$$

$$p_{N_2}(R_1) = \frac{\frac{15}{56}}{1 - \frac{5}{8}} \quad \text{soit} \quad p_{N_2}(R_1) = \frac{\frac{15}{56}}{\frac{3}{8}}$$

$$\boxed{p_{N_2}(R_1) = \frac{5}{7}.}$$

La réponse correcte est la réponse C.

On a $p(N_2) = 1 - p(R_2)$ et $p_{N_2}(R_1) = \frac{p(R_1 \cap N_2)}{p(N_2)}$.

Exercice 2

Candidats n'ayant pas suivi l'enseignement de spécialité

PARTIE A

▶ **1.** Soit $z \in \mathbb{C}$. On pose $z = x + iy$ où $(x\,;\,y) \in \mathbb{R}^2$.

$\bar{z} = -z$ équivaut successivement à :

$$\overline{x + iy} = -(x + iy)$$
$$x - iy = -x - iy$$
$$2x = 0$$
$$x = 0$$
$$\text{Re}\,(z) = 0$$

donc **un nombre complexe est imaginaire pur si et seulement si $\bar{z} = -z$.**

Si $x \in \mathbb{R}$ et $y \in \mathbb{R}$, $\overline{x + iy} = x - iy$.

▶ **2.** $\bar{z} = z$ équivaut successivement à :

$$\overline{x + iy} = x + iy$$
$$x - iy = x + iy$$
$$-2iy = 0$$
$$y = 0$$
$$\text{Im}\,(z) = 0$$

donc **un nombre complexe est réel pur si et seulement si $\bar{z} = z$.**

▶ **3.** Nous avons, pour tout $z \in \mathbb{C}$ tel que $z = x + iy$ où $(x\,;\,y) \in \mathbb{R}^2$

$$z\bar{z} = (x + iy)(x - iy)$$
$$z\bar{z} = x^2 - (iy)^2$$
$$z\bar{z} = x^2 + y^2$$
$$z\bar{z} = (\sqrt{x^2 + y^2})^2$$
$$\boxed{z\bar{z} = |z|^2.}$$

Pour tout point M d'affixe z, $OM = |z|$ soit $|z| = \sqrt{x^2 + y^2}$.

PARTIE B

On pose $a = 3 + i$, $b = -1 + 3i$ et $c = -\sqrt{5} - i\sqrt{5}$.

▶ **1.** Nous avons :

$$OA = |a|$$
$$OA = |3 + i|$$

$$OA = \sqrt{3^2 + 1^2}$$
$$OA = \sqrt{10}$$
$$OB = |b|$$
$$OB = |-1 + 3i|$$
$$OB = \sqrt{(-1)^2 + 3^2}$$
$$OB = \sqrt{10}$$

et enfin, $OC = |c|$

$$OC = |-\sqrt{5} - i\sqrt{5}|$$
$$OC = \sqrt{(-\sqrt{5})^2 + (-\sqrt{5})^2}$$
$$OC = \sqrt{5+5}$$
$$OC = \sqrt{10}.$$

On montre que O appartient à la médiatrice de [AB] en montrant que OA = OB et qu'il appartient à la médiatrice de [AC] en montrant que OA = OC. On en déduit que O est le centre du cecle circonscrit au triangle ABC.

Puisque $OA = OB = OC$, on en déduit que **O est le centre du cercle circonscrit au triangle ABC.**

▶ **2.** Le point H admet pour affixe :

$$a + b + c = 3 + i - 1 + 3i - \sqrt{5} - i\sqrt{5}$$
$$a + b + c = 2 - \sqrt{5} + i(4 - \sqrt{5}).$$

On vérifie graphiquement que ce point semble bien être l'orthocentre du triangle ABC.

L'orthocentre du triangle ABC est le point de concours des hauteurs issues des sommets de ce triangle.

Représentation graphique

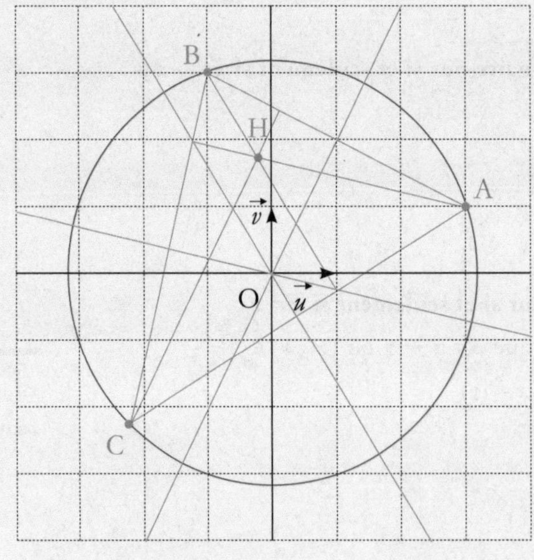

PARTIE C

Soit ABC un triangle et a, b, c les affixes respectives des points A, B et C.

▶ **1.** O est le centre du cercle circonscrit au triangle ABC si et seulement si :

$$OA = OB = OC$$
$$OA^2 = OB^2 = OC^2$$
$$\boxed{a\bar{a} = b\bar{b} = c\bar{c}.}$$

▶ **2.** On pose $w = \overline{b}c - b\overline{c}$.

a) Nous avons :

$$w + \overline{w} = \overline{b}c - b\overline{c} + (\overline{\overline{b}c - b\overline{c}})$$

$$w + \overline{w} = \overline{b}c - b\overline{c} + \overline{\overline{b}}\overline{c} - \overline{b}\overline{\overline{c}}$$

$$w + \overline{w} = bc - b\overline{c} + b\overline{c} - bc$$

$$w + \overline{w} = 0$$

$$w = -\overline{w}$$

donc ***w* est imaginaire pur.**

b) Nous avons :

$$(b+c)(\overline{b} - \overline{c}) = b\overline{b} - b\overline{c} + c\overline{b} - c\overline{c}$$

soit, en notant R le rayon du cercle circonscrit au triangle ABC :

$$(b+c)(\overline{b} - \overline{c}) = R^2 + c\overline{b} - b\overline{c} - R^2$$

$$(b+c)(\overline{b} - \overline{c}) = \overline{b}c - b\overline{c}$$

$$\boxed{(b+c)(\overline{b} - \overline{c}) = w}$$

et

$$\frac{b+c}{b-c} = \frac{(b+c)(b-\overline{c})}{|b-c|^2}$$

$$\frac{b+c}{b-c} = \frac{bb - b\overline{c} + bc - c\overline{c}}{|b-c|^2}$$

$$\frac{b+c}{b-c} = \frac{R^2 - b\overline{c} + \overline{b}c - R^2}{|b-c|^2}$$

$$\boxed{\frac{b+c}{b-c} = \frac{w}{|b-c|^2}.}$$

c) Nous avons montré que w est un imaginaire pur et $\frac{1}{|b-c|^2} \in \mathbb{R}^+$ donc $\boldsymbol{\frac{b+c}{b-c}}$ **est un imaginaire pur.**

▶ **3.** Soit H le point d'affixe $h = a + b + c$.

a) $\overrightarrow{AH}$ admet pour affixe $h - a = a + b + c - a$ soit $h = b + c$.

$\overrightarrow{CB}$ admet pour affixe $b - c$.

b) Nous avons :

$$\frac{h-a}{b-c} = \frac{b+c}{b-c}$$

$$\frac{h-a}{b-c} = \frac{w}{|b-c|^2}$$

et nous avons montré dans la question **2. c)** que w est imaginaire pur et $|b-c|^2 \in \mathbb{R}_+^*$, donc un argument de $\frac{h-a}{b-c}$ est $\frac{\pi}{2}$ ou $\frac{3\pi}{2}$:

$$\boxed{(\overrightarrow{CB}\,;\,\overrightarrow{AH}) = \frac{\pi}{2} + k\pi \text{ où } k \in \mathbb{Z}.}$$

On admet de la même façon que

$$\boxed{(\overrightarrow{CA}\,;\,\overrightarrow{BH}) = \frac{\pi}{2} + k'\pi \text{ où } k' \in \mathbb{Z}}.$$

Pour tout $z \in \mathbb{C}$, $\overline{\overline{z}} = z$ et pour tout $z' \in \mathbb{C}$, $\overline{z + z'} = \overline{z} + \overline{z}'$.

Si z est imaginaire alors $\arg(z) = \frac{\pi}{2}\ [2\pi]$ ou $\arg(z) = \frac{3\pi}{2}\ [2\pi]$.

MATHÉMATIQUES

c) Puisque $(\overrightarrow{CB}\ ;\ \overrightarrow{AH}) = \frac{\pi}{2} + k\pi \quad (k \in \mathbb{Z})$, H appartient à la perpendiculaire à (BC) passant par A. H appartient aussi à la perpendiculaire à (AC) passant par B car $(\overrightarrow{CA}\ ;\ \overrightarrow{BH}) = \frac{\pi}{2} + k'\pi$ où $k' \in \mathbb{Z}$.

On en déduit que **H est l'orthocentre du triangle ABC.**

H est le point d'intersection de deux hauteurs issues du triangle ABC, donc H est l'orthocentre de ce triangle.

Exercice 2

Candidats ayant suivi l'enseignement de spécialité

PARTIE A

Soit s une similitude directe d'écriture complexe $z' = az + b$ où $a \neq 1$.

Le centre de s est l'unique point invariant de s, son affixe est solution de l'équation $z = az + b$.

$$z = az + b \text{ soit } z(1 - a) = b$$

$$\boxed{z = \frac{b}{1 - a}.}$$

PARTIE B

Soit g la similitude directe d'écriture complexe $z' = \mathrm{i}\sqrt{2}z + 2\mathrm{i}\sqrt{2} - 2$.

▶ **1.** Le centre de g admet pour affixe :

On utilise le résultat obtenu dans la question précédente.

$$\omega = \frac{2\mathrm{i}\sqrt{2} - 2}{1 - \mathrm{i}\sqrt{2}}$$

$$\omega = \frac{(2\mathrm{i}\sqrt{2} - 2)(1 + \mathrm{i}\sqrt{2})}{1^2 + (-\sqrt{2})^2}$$

$$\omega = \frac{2\mathrm{i}\sqrt{2} - 4 - 2 - 2\mathrm{i}\sqrt{2}}{3}$$

$$\omega = \frac{-6}{3} \quad \text{soit} \quad \boxed{\omega = -2.}$$

Le centre de g est le point Ω d'affixe -2.

Son rapport est égal à $|\mathrm{i}\sqrt{2}| = \sqrt{2}$ et son angle est de mesure $\arg(\mathrm{i}\sqrt{2}) = \frac{\pi}{2}\ [2\pi]$.

▶ **2.** Considérons la réflexion s d'axe $(\mathrm{O}\ ;\ \vec{u})$.

Son écriture complexe est $z' = \bar{z}$ et, à tout point M d'affixe z, $g \circ s$ associe le point M′ d'affixe z' donnée par :

$$z' = g(\bar{z})$$

$$\boxed{z' = \mathrm{i}\sqrt{2}\bar{z} + 2\mathrm{i}\sqrt{2} - 2.}$$

On reconnaît l'expression complexe de f.

PARTIE C

▶ **1.** $z = \mathrm{i}\sqrt{2}\bar{z} + 2\mathrm{i}\sqrt{2} - 2$ équivaut, en posant $z = x + \mathrm{i}y$, où $(x\,;\,y) \in \mathbb{R}^2$, à :

$$x + \mathrm{i}y = \mathrm{i}\sqrt{2}(x - \mathrm{i}y) + 2\mathrm{i}\sqrt{2} - 2$$

$$x + \mathrm{i}y = \mathrm{i}\sqrt{2}x + \sqrt{2}y + 2\mathrm{i}\sqrt{2} - 2$$

$$(x - \sqrt{2}y + 2) + \mathrm{i}(y - \sqrt{2}x - 2\sqrt{2}) = 0$$

$$\begin{cases} x - \sqrt{2}y + 2 = 0 \\ y - \sqrt{2}x - 2\sqrt{2} = 0 \end{cases}$$

$$\begin{cases} x = \sqrt{2}y - 2 \\ y - \sqrt{2}(\sqrt{2}y - 2) - 2\sqrt{2} = 0 \end{cases}$$

$$\begin{cases} x = \sqrt{2}y - 2 \\ y - 2y + 2\sqrt{2} - 2\sqrt{2} = 0 \end{cases} \quad \text{soit} \quad \begin{cases} x = -2 \\ y = 0 \end{cases}$$

$z = 0$ si et seulement si $\mathrm{Re}(z) = 0$ et $\mathrm{Im}(z) = 0$.

f admet un unique point invariant Ω d'affixe -2.

▶ **2.** Soit $\mathscr{D}$ la droite d'équation $y = x + 2$.
Pour tout point N de $\mathscr{D}$, il existe $x \in \mathbb{R}$ tel que N ait pour affixe $x + (x + 2)\mathrm{i}$.
Son image $f(\mathrm{N})$ admet pour affixe :

N admet pour coordonnées $(x\,;\,x + 2)$ donc son affixe est $x + \mathrm{i}(x + 2)$.

$$n' = \mathrm{i}\sqrt{2}(x - (x + 2)\mathrm{i}) + 2\mathrm{i}\sqrt{2} - 2$$

$$n' = \mathrm{i}\sqrt{2}x + \sqrt{2}(x + 2) + 2\mathrm{i}\sqrt{2} - 2$$

$$n' = \sqrt{2}(x + 2) - 2 + \mathrm{i}(\sqrt{2}x + 2\sqrt{2})$$

$$\text{soit } n' = X + \mathrm{i}Y \text{ en posant } \begin{cases} X = \sqrt{2}(x + 2) - 2 \\ Y = \sqrt{2}x + 2\sqrt{2} \end{cases}.$$

Nous avons $X + 2 = \sqrt{2}(x + 2)$ soit $X + 2 = Y$
donc **$f(\mathrm{N})$ appartient à $\mathscr{D}$.**

▶ **3.** Soit σ la réflexion d'axe $\mathscr{D}$ et k la transformation définie par $k = f \circ \sigma$.

a) σ admet une écriture complexe de la forme $z' = a\bar{z} + b$ où $(a\,;\,b) \in \mathbb{C}^2$.
Les points d'affixes $2\mathrm{i}$ et $1 + 3\mathrm{i}$ appartiennent à $\mathscr{D}$ et ces points sont invariants par σ.
Il s'ensuit que :

$$\begin{cases} 2\mathrm{i} = a \times (-2\mathrm{i}) + b \\ 1 + 3\mathrm{i} = a \times (1 - 3\mathrm{i}) + b \end{cases}$$

$$\begin{cases} b = 2\mathrm{i}(1 + a) \\ 1 + 3\mathrm{i} = a \times (1 - 3\mathrm{i}) + 2\mathrm{i}(1 + a) \end{cases}$$

$$\begin{cases} b = 2(a + 1)\mathrm{i} \\ 1 + 3\mathrm{i} = a(1 - 3\mathrm{i} + 2\mathrm{i}) + 2\mathrm{i} \end{cases}$$

$$\begin{cases} b = 2(a + 1)\mathrm{i} \\ 1 + \mathrm{i} = a(1 - \mathrm{i}) \end{cases}$$

$$\begin{cases} b = 2(a + 1)\mathrm{i} \\ a = \dfrac{1 + \mathrm{i}}{1 - \mathrm{i}} \end{cases}$$

MATHÉMATIQUES

$$\begin{cases} b = 2(a+1)\mathrm{i} \\ a = \dfrac{(1+\mathrm{i})^2}{2} \end{cases}$$

$$\begin{cases} b = 2(a+1)\mathrm{i} \\ a = \dfrac{1-1+2\mathrm{i}}{2} \end{cases}$$

$$\begin{cases} b = 2(1+\mathrm{i})\mathrm{i} \\ a = \mathrm{i} \end{cases}$$

$$\begin{cases} b = -2+2\mathrm{i} \\ a = \mathrm{i} \end{cases}.$$

Ainsi, **σ admet pour écriture complexe $z' = \mathrm{i}\bar{z} - 2 + 2\mathrm{i}$.**

b) Nous avons $k = f \circ \sigma$ donc k associe à tout point M d'affixe z le point M′ d'affixe z' définie par :

$$z' = \mathrm{i}\sqrt{2}(\overline{\mathrm{i}\bar{z} - 2 + 2\mathrm{i}}) + 2\mathrm{i}\sqrt{2} - 2$$

$$z' = \mathrm{i}\sqrt{2}(-\mathrm{i}z - 2 - 2\mathrm{i}) + 2\mathrm{i}\sqrt{2} - 2$$

$$z' = \sqrt{2}z - 2\mathrm{i}\sqrt{2} + 2\sqrt{2} + 2\mathrm{i}\sqrt{2} - 2$$

$$\boxed{z' = \sqrt{2}z + 2\sqrt{2} - 2.}$$

Les points M invariants par k vérifient M = k(M). Les solutions de l'équation $z = \sqrt{2}\,z + 2\sqrt{2} - 2$ représentent donc les affixes de ces points invariants.

c) $z = \sqrt{2}z + 2\sqrt{2} - 2$ équivaut à :

$$z(1-\sqrt{2}) = 2(\sqrt{2}-1)$$

$$z = -\frac{2(\sqrt{2}-1)}{\sqrt{2}-1} \quad \text{soit} \quad z = -2$$

donc k admet pour unique point invariant le point Ω.

Pour tout point M d'affixe z, d'image M′ d'affixe z' par k, nous avons :

$$z' - (-2) = \sqrt{2}(z - (-2))$$

$\overrightarrow{\Omega M'}$ et $\overrightarrow{\Omega M}$ admettent pour affixes respectives $z' - (-2)$ et $z - (-2)$.

donc k associe à tout point M le point M′ défini par $\overrightarrow{\Omega M'} = \sqrt{2}\overrightarrow{\Omega M}$.

***k* est l'homothétie de centre Ω et de rapport $\sqrt{2}$.**

▶ **4.** Nous avons $k = f \circ \sigma$ soit $k \circ \sigma = f \circ \sigma \circ \sigma$, c'est-à-dire $f = k \circ \sigma$ car $\sigma \circ \sigma$ est l'application identité du plan.

***f* est la composée de la réflexion d'axe $\mathcal{D}$ et de l'homothétie de centre Ω et de rapport $\sqrt{2}$.**

Exercice 3

PARTIE A

1. Soit f une fonction définie et dérivable sur un intervalle $I \subset \mathbb{R}$ telle que, pour tout $x \in I$, $f'(x) \neq 0$.

Soit $x \in I$ et M le point de la courbe représentative $\mathcal{C}$ de f de coordonnées $(x\,;\,f(x))$.

On note T la tangente à $\mathcal{C}$ au point M.

T admet pour équation $Y = f'(x) \times (X - x) + f(x)$ et $Y = 0$ équivaut à :

$$f'(x) \times (X - x) + f(x) = 0$$

$$f'(x) \times (X - x) = -f(x)$$

$$X - x = -\frac{f(x)}{f'(x)} \text{ car, pour tout } x \in I,\ f'(x) \neq 0$$

$$\boxed{X = x - \frac{f(x)}{f'(x)}}$$

donc **T coupe l'axe des abscisses au point H d'abscisse $X_T = x - \frac{f(x)}{f'(x)}$.**

Une équation de la tangente à la courbe représentative de f au point d'abscisse a est $Y = f'(a) \times (X - a) + f(a)$.

▶ **2.** Si $X = 0$, alors :

$$Y = f'(x) \times (0 - x) + f(x)$$

$$\boxed{Y = -xf'(x) + f(x)}$$

donc **T coupe l'axe des ordonnées au point K d'ordonnée $Y_T = f(x) - xf'(x)$.**

PARTIE B

Soit $k \in \mathbb{R}^*$.

▶ **1.** Pour tout $x \in I$, $x - X_T = k$ équivaut à :

$$x - x + \frac{f(x)}{f'(x)} = k$$

$$\frac{f(x)}{f'(x)} = k \quad \text{soit} \quad f'(x) = \frac{1}{k} f(x)$$

c'est-à-dire « **f est solution de l'équation différentielle $y' = \frac{1}{k} y$** ».

▶ **2.** L'ensemble des solutions de l'équation différentielle $y' = \frac{1}{k} y$ est l'ensemble des fonctions f définies pour tout $x \in \mathbb{R}$ par $f(x) = Ce^{\frac{1}{k}x}$ où $C \in \mathbb{R}$.

Ceci est un résultat du cours.

Si $k = \frac{1}{2}$, alors f est définie pour tout $x \in \mathbb{R}$ par $f(x) = Ce^{\frac{x}{2}}$ où $C \in \mathbb{R}$ et $f(0) = 1$ équivaut à :

$$Ce^0 = 1 \text{ soit à } C = 1$$

donc **la fonction f qui vérifie l'équation $y' = \frac{1}{2} y$ telle que $f(0) = 1$ est définie pour tout $x \in \mathbb{R}$ par $f(x) = e^{\frac{x}{2}}$.**

MATHÉMATIQUES

PARTIE C

Soit $k \in \mathbb{R}^*$.

▶ **1.** Pour tout $x \in]0\,;+\infty[$, $y - Y_T = k$ équivaut à :
pour tout $x \in]0\,;+\infty[$,

$$f(x) - f(x) + xf'(x) = k$$
$$xf'(x) = k$$
$$\boxed{f'(x) = \frac{k}{x}.}$$

▶ **2.** On en déduit que f vérifie la propriété « pour tout $x \in]0\,;+\infty[$, $y - Y_T = k$ » si et seulement si f est définie pour tout $x \in]0\,;+\infty[$ par $f(x) = k\ln x + c$ où $c \in \mathbb{R}$.

Si $k = \frac{1}{2}$, alors f est définie pour tout $x \in]0\,;+\infty[$ par $f(x) = \frac{1}{2}\ln x + c$ et $f(1) = 0$ équivaut à :

$$\frac{1}{2}\ln 1 + c = 0 \text{ soit à } c = 0$$

donc f est définie pour tout $x \in]0\,;+\infty[$ par $\boldsymbol{f(x) = \frac{1}{2}\ln x}$.

Exercice 4

PARTIE A

Soit f la fonction définie pour tout $x \in \mathbb{R}$ par $f(x) = x - \mathrm{e}^{-x}$.

Soit (E) l'équation $\mathrm{e}^x = \frac{1}{x}$.

▶ **1.** (E) équivaut, sur $\mathbb{R}^*$, à :

$$\mathrm{e}^x - \frac{1}{x} = 0 \quad \text{soit} \quad \frac{x\mathrm{e}^x - 1}{x} = 0$$
$$x\mathrm{e}^x - 1 = 0 \quad \text{soit} \quad \mathrm{e}^x(x - \mathrm{e}^{-x}) = 0$$
$$x - \mathrm{e}^{-x} = 0 \text{ car, pour tout } x \in \mathbb{R}^*,\ \mathrm{e}^x \neq 0$$
$$\boxed{f(x) = 0.}$$

Résoudre l'équation $f(x) = g(x)$ revient à résoudre l'équation $f(x) - g(x) = 0$.

▶ **2. a)** Pour tout $x \in \mathbb{R}$,

$$f'(x) = 1 + \mathrm{e}^{-x}$$

et, pour tout $x \in \mathbb{R}$, $f'(x) > 0$, puisque, pour tout $x \in \mathbb{R}$, $\mathrm{e}^{-x} > 0$.
On en déduit que **f est strictement croissante sur $\mathbb{R}$.**

b) Nous avons $\lim\limits_{x \to -\infty} x = -\infty$ et $\lim\limits_{x \to -\infty} (-\mathrm{e}^{-x}) = -\infty$ donc $\lim\limits_{x \to -\infty} f(x) = -\infty$.

D'autre part, $\lim\limits_{x \to +\infty} x = +\infty$ et $\lim\limits_{x \to +\infty} \mathrm{e}^{-x} = 0$ donc $\lim\limits_{x \to +\infty} f(x) = +\infty$.

f est continue et strictement croissante sur $\mathbb{R}$ et l'image par f de l'intervalle $\mathbb{R}$ est $\mathbb{R}$.
On en déduit que l'équation $f(x) = 0$ admet une unique solution α.
(E) admet donc une unique solution α dans $\mathbb{R}$.

c) Nous avons $f\left(\frac{1}{2}\right) = -0{,}11$ arrondi au centième et $f(1) = 0{,}63$ arrondi au centième donc $\alpha \in \left[\frac{1}{2}\,;1\right]$.

Il s'agit du théorème des valeurs intermédiaires.

d) Puisque f est strictement croissante sur $[0\ ;\ \alpha]$ et $f(\alpha)=0$, on en déduit que, pour tout $x \in [0\ ;\ \alpha[$, $\boldsymbol{f(x)<0}$.

PARTIE B

Soit g la fonction définie pour tout $x \in [0\ ;\ 1]$ par $g(x)=\dfrac{1+x}{1+e^x}$.

▶ **1.** $g(x)=x$ équivaut à :

$$\frac{1+x}{1+e^x}=x$$

$$\frac{1+x-x(1+e^x)}{1+e^x}=0$$

$$1+x-x-xe^x=0 \text{ car, pour tout } x\in[0\ ;\ 1],\ 1+e^x\neq 0$$

$$1-xe^x=0 \qquad \text{soit} \qquad e^x=\frac{1}{x}$$

$$f(x)=0$$

en utilisant le résultat de la question **A. 1**.

▶ **2.** $g(x)=x$ équivaut à $f(x)=0$ c'est-à-dire à $x=\alpha$ et on a $\alpha\in[0\ ;\ 1]$ donc $\boldsymbol{g(\alpha)=\alpha}$.

▶ **3.** Pour tout $x\in[0\ ;\ 1]$,

$$g'(x)=\frac{1\times(1+e^x)-e^x(1+x)}{(1+e^x)^2}$$

$$g'(x)=\frac{1+e^x-e^x-xe^x}{(1+e^x)^2}$$

$$g'(x)=\frac{1-xe^x}{(1+e^x)^2}$$

$$g'(x)=\frac{-e^x(x-e^{-x})}{(1+e^x)^2}$$

$$\boxed{g'(x)=\frac{-e^x f(x)}{(1+e^x)^2}}.$$

Si u, v sont deux fonctions dérivables sur I tel que, pour tout $x\in$ I, $v(x)\neq 0$, alors $\left(\frac{u}{v}\right)'=\frac{u'v-uv'}{v^2}$.

Nous avons montré que, pour tout $x\in[0\ ;\alpha[$, $f(x)<0$ et, pour tout $x\in[0\ ;\ \alpha[$, $\dfrac{-e^x}{(1+e^x)^2}<0$.

Il s'ensuit que, pour tout $x\in[0\ ;\ \alpha[$, $g'(x)>0$, ce qui montre que **g est strictement croissante sur $[0\ ;\ \alpha]$**.

Pour tout $x\in\mathbb{R}$, $e^x>0$.

PARTIE C

Soit (u_n) la suite définie par $u_0=0$ et, pour tout $n\in\mathbb{N}$ par :

$$u_{n+1}=g(u_n).$$

▶ **1.** Nous avons :

$$u_1=\frac{1}{1+e^0} \qquad \text{soit} \qquad u_1=\frac{1}{2}$$

et $\dfrac{1}{2}\leqslant\alpha$ donc :

$$0\leqslant u_0\leqslant u_1\leqslant\alpha.$$

Supposons que, pour un entier naturel k donné, on ait :

$$0 \leqslant u_k \leqslant u_{k+1} \leqslant \alpha.$$

Puisque g est strictement croissante sur $[0 ; \alpha]$, nous pouvons affirmer que :

$$g(0) \leqslant g(u_k) \leqslant g(u_{k+1}) \leqslant g(\alpha)$$

$$\frac{1}{2} \leqslant u_{k+1} \leqslant u_{k+2} \leqslant \alpha$$

donc $$0 \leqslant u_{k+1} \leqslant u_{k+2} \leqslant \alpha$$

ce qui prouve par récurrence que, pour tout $n \in \mathbb{N}$,

$$\boxed{0 \leqslant u_n \leqslant u_{n+1} \leqslant \alpha.}$$

On effectue une démonstration par récurrence en montrant que la propriété est vraie au rang 0 et que si elle est vérifiée au rang $k \in \mathbb{N}$, alors elle est vérifié au rang $k + 1$.

▶ **2.** Il s'ensuit que la suite (u_n) est strictement croissante.
Puisque (u_n) est majorée par α, on en déduit que **la suite (u_n) est convergente, de limite ℓ.**

▶ **3.** g est continue sur $[0 ; \alpha]$ et $\lim\limits_{n \to +\infty} u_n = \ell$, $\lim\limits_{n \to +\infty} u_{n+1} = \ell$, donc $\lim\limits_{n \to +\infty} g(u_n) = g(\ell)$ et $\lim\limits_{n \to +\infty} u_{n+1} = \ell$ donc, par unicité de la limite,

$$g(\ell) = \ell.$$

Or, nous avons montré que $g(\ell) = \ell$ équivaut à $f(\ell) = 0$, c'est-à-dire à $\ell = \boldsymbol{\alpha}$.

▶ **4.** Une valeur approchée de u_4 arrondie à la sixième décimale est $\boldsymbol{u_4 = 0{,}567\ 143}$.

SUJET 4

ASIE • JUIN 2007

SUJET COMPLET

DURÉE : 4 HEURES • 20 POINTS

Exercice 1 (4 points)

Commun à tous les candidats

Pour chacune des propositions suivantes, indiquer si elle est vraie ou fausse et donner une démonstration de la réponse choisie. Dans le cas d'une proposition fausse, la démonstration consistera à proposer un contre-exemple. Une réponse non démontrée ne rapporte aucun point.

▶ **1.** Si f est la fonction définie pour tout nombre réel x par : $f(x) = \sin^2 x$, alors sa fonction dérivée vérifie, pour tout nombre réel x : $f'(x) = \sin 2x$. *(1 point)*

▶ **2.** Soit f une fonction définie et dérivable sur l'intervalle $[-1 ; 1]$, dont la dérivée est continue sur cet intervalle. Si $f(-1) = -f(1)$, alors : $\int_{-1}^{1} t f'(t)\, dt = -\int_{-1}^{1} f(t)\, dt$. *(1 point)*

▶ **3.** Soit f une fonction définie et continue sur l'intervalle $[0 ; 3]$.
Si $\int_0^3 f(t)\, dt \leqslant \int_0^3 g(t)\, dt$, alors pour tout nombre réel x appartenant à $[0 ; 3]$: $f(x) \leqslant g(x)$.
(1 point)

▶ **4.** Si f est solution de l'équation différentielle $y' = -2y + 2$ et si f n'est pas une fonction constante, alors la représentation de f dans un repère du plan n'admet aucune tangente parallèle à l'axe des abscisses. *(1 point)*

Exercice 2 (5 points)

Candidats n'ayant pas suivi l'enseignement de spécialité

Le plan complexe est rapporté à un repère orthonormal direct $(O\ ;\ \vec{u}, \vec{v})$. L'unité graphique est 4 cm.
Soit λ un nombre complexe non nul et différent de 1.
On définit, pour tout entier naturel n, la suite (z_n) de nombres complexes par :

$$\begin{cases} z_0 = 0 \\ z_{n+1} = \lambda z_n + \mathrm{i} \end{cases}.$$

On note M_n le point d'affixe z_n.

▶ **1.** Calcul de z_n en fonction de n et de λ.

a) Vérifier les égalités : $z_1 = \mathrm{i}$; $z_2 = (\lambda + 1)\mathrm{i}$; $z_3 = (\lambda^2 + \lambda + 1)\mathrm{i}$. *(0,5 point)*

b) Démontrer que, pour tout entier n positif ou nul : $z_n = \dfrac{\lambda^n - 1}{\lambda - 1}\mathrm{i}$. *(0,5 point)*

▶ **2. Étude du cas $\lambda = \mathrm{i}$**

a) Montrer que $z_4 = 0$. *(0,5 point)*

b) Pour tout entier naturel n, exprimer z_{n+4} en fonction de z_n. *(0,5 point)*

c) Montrer que M_{n+1} est l'image de M_n par une rotation dont on précisera le centre et l'angle. *(1 point)*

d) Représenter les points M_0, M_1, M_2, M_3 et M_4 dans le repère $(O\ ;\ \vec{u}, \vec{v})$. *(0,5 point)*

▶ **3. Caractérisation de certaines suites (z_n)**

a) On suppose qu'il existe un entier naturel k tel que $\lambda^k = 1$.
Démontrer que, pour tout entier naturel n, on a l'égalité : $z_{n+k} = z_n$. *(0,75 point)*

b) Réciproquement, montrer que s'il existe un entier naturel k tel que, pour tout entier naturel n, on ait l'égalité $z_{n+k} = z_n$, alors : $\lambda^k = 1$. *(0,75 point)*

Exercice 2 (5 points)

Candidats ayant suivi l'enseignement de spécialité

Le but de cet exercice est d'étudier une même configuration géométrique à l'aide de deux méthodes différentes.

PARTIE A

Démonstration à l'aide des nombres complexes, sur un cas particulier

Le plan complexe est rapporté au repère orthonormal direct $(O\ ;\ \vec{u}, \vec{v})$. L'unité graphique est 1 cm.

▶ **1.** On considère les points A et B d'affixes respectives 10 et 5i.

a) Déterminer l'écriture complexe de la similitude directe s qui transforme O en A et B en O. *(0,5 point)*

b) Déterminer les éléments caractéristiques de s. On note Ω son centre. *(0,5 point)*

c) Déterminer le point $s \circ s(B)$; en déduire la position du point Ω par rapport aux sommets du triangle ABO. *(0,5 point)*

▶ **2.** On note $\mathcal{D}$ la droite d'équation $x - 2y = 0$, puis A′ et B′ les points d'affixes respectives $8 + 4\mathrm{i}$ et $2 + \mathrm{i}$.

a) Démontrer que les points A′ et B′ sont les projetés orthogonaux respectifs des points A et B sur la droite $\mathcal{D}$. *(0,5 point)*

b) Vérifier que $s(\mathrm{B}') = \mathrm{A}'$. *(0,25 point)*

c) En déduire que le point Ω appartient au cercle de diamètre $[\mathrm{A}'\mathrm{B}']$. *(0,25 point)*

PARTIE B

Démonstration à l'aide des propriétés géométriques des similitudes

OAB est un triangle rectangle en O tel que $(\overrightarrow{\mathrm{OA}} ; \overrightarrow{\mathrm{OB}}) = \frac{\pi}{2}$.

▶ **1.** On note encore s la similitude directe telle que $s(\mathrm{O}) = \mathrm{A}$ et $s(\mathrm{B}) = \mathrm{O}$. Soit Ω son centre.

a) Justifier le fait que l'angle de s est égal à $\frac{\pi}{2}$. *(0,5 point)*

b) Démontrer que Ω appartient au cercle de diamètre $[\mathrm{OA}]$. (On admet de même que Ω appartient aussi au cercle de diamètre $[\mathrm{OB}]$.)
En déduire que Ω est le pied de la hauteur issue de O dans le triangle OAB. *(0,5 point)*

▶ **2.** On désigne par $\mathcal{D}$ une droite passant par O, distincte des droites (OA) et (OB).
On note A′ et B′ les projetés orthogonaux respectifs des points A et B sur la droite $\mathcal{D}$.

a) Déterminer les images des droites (BB') et $\mathcal{D}$ par la similitude s. *(0,75 point)*

b) Déterminer le point $s(\mathrm{B}')$. *(0,5 point)*

c) En déduire que le point Ω appartient au cercle de diamètre $[\mathrm{A}'\mathrm{B}']$. *(0,25 point)*

Exercice 3 (4 points)

Commun à tous les candidats

Une fabrique artisanale de jouets en bois vérifie la qualité de sa production avant sa commercialisation. Chaque jouet produit par l'entreprise est soumis à deux contrôles : d'une part l'aspect du jouet est examiné afin de vérifier qu'il ne présente pas de défaut de finition, d'autre part sa solidité est testée. Il s'avère, à la suite d'un grand nombre de vérifications, que :

- 92 % des jouets sont sans défaut de finition ;
- parmi les jouets qui sont sans défaut de finition, 95 % réussissent le test de solidité ;
- 2 % des jouets ne satisfont à aucun des deux contrôles.

On prend au hasard un jouet parmi les jouets produits. On note :

- F l'événement : « Le jouet est sans défaut de finition » ;
- S l'événement : « Le jouet réussit le test de solidité ».

▶ **1. Construction d'un arbre pondéré associé à cette situation**

a) Traduire les données de l'énoncé en utilisant les notations des probabilités. *(0,25 point)*

b) Démontrer que $p_{\overline{\mathrm{F}}}(\overline{\mathrm{S}}) = \frac{1}{4}$. *(0,5 point)*

c) Construire l'arbre pondéré correspondant à cette situation. *(0,5 point)*

▶ **2. Calcul de probabilités**

a) Démontrer que $p(\mathrm{S}) = 0{,}934$. *(0,5 point)*

b) Un jouet a réussi le test de solidité. Calculer la probabilité qu'il soit sans défaut de finition. (On donnera le résultat arrondi au millième.) *(0,5 point)*

▶ **3. Étude d'une variable aléatoire** B

Les jouets ayant satisfait aux deux contrôles rapportent un bénéfice de 10 €, ceux qui n'ont pas satisfait au test de solidité sont mis au rebut, les autres jouets rapportent un bénéfice de 5 €. On désigne par B la variable aléatoire qui associe à chaque jouet le bénéfice rapporté.

a) Déterminer la loi de probabilité de la variable aléatoire B. *(0,75 point)*
b) Calculer l'espérance mathématique de la variable aléatoire B. *(0,25 point)*

▶ 4. Étude d'une nouvelle variable aléatoire
On prélève au hasard dans la production de l'entreprise un lot de 10 jouets.
On désigne par X la variable aléatoire égale au nombre de jouets de ce lot subissant avec succès le test de solidité. On suppose que la quantité fabriquée est suffisamment importante pour que la constitution de ce lot puisse être assimilée à un tirage avec remise.
Calculer la probabilité qu'au moins 8 jouets de ce lot subissent avec succès le test de solidité. *(0,75 point)*

Exercice 4 (7 points)

Commun à tous les candidats

On désigne par a un réel strictement positif et différent de 1.
On se propose de rechercher, dans l'intervalle $]0\,;+\infty[$, les solutions de l'équation $E_a : x^a = a^x$.

PARTIE A

Étude de quelques cas particuliers

▶ **1.** Vérifier que les nombres 2 et 4 sont solutions de l'équation E_2. *(0,25 point)*

▶ **2.** Vérifier que le nombre a est toujours solution de l'équation E_a. *(0,25 point)*

▶ **3.** On se propose de démontrer que e est la seule solution de l'équation E_e.
On note h la fonction définie sur l'intervalle $]0\,;+\infty[$ par :

$$h(x) = x - \mathrm{e} \ln x.$$

a) Question de cours

On rappelle que lorsque t tend vers $+\infty$, alors $\frac{\mathrm{e}^t}{t}$ tend vers $+\infty$.

Démontrer que $\lim\limits_{x \to +\infty} \frac{\ln x}{x} = 0$. *(0,5 point)*

b) Déterminer les limites de h en 0 et $+\infty$. *(0,5 point)*
c) Étudier les variations de h sur l'intervalle $]0\,;+\infty[$. *(1 point)*
d) Dresser le tableau des variations de h et conclure quant aux solutions de l'équation E_e. *(1 point)*

PARTIE B

Résolution de l'équation E_a

▶ **1.** Soit x un réel strictement positif. Montrer que x est solution de l'équation E_a si et seulement si x est solution de l'équation :

$$\frac{\ln x}{x} = \frac{\ln a}{a}.$$ *(0,5 point)*

▶ **2.** On considère la fonction f définie sur l'intervalle $]0\,;+\infty[$ par :

$$f(x) = \frac{\ln x}{x}.$$

a) Déterminer les limites de f en 0 et $+\infty$. Donner une interprétation graphique de ces deux limites. *(0,75 point)*
b) Étudier les variations de f sur l'intervalle $]0\,;+\infty[$. *(0,5 point)*
c) Dresser le tableau des variations de la fonction f. *(0,25 point)*

d) Tracer la courbe $\mathscr{C}$ représentative de la fonction f dans un repère orthonormal $(\mathrm{O}\,;\vec{i},\vec{j})$. (Unité : 2 cm.) *(0,5 point)*

▶ **3.** Justifier à l'aide des résultats précédents les propositions (P_1) et (P_2) suivantes :
(P_1) : si $a \in\,]0\,;1]$ alors E_a admet l'unique solution a ; *(0,5 point)*
(P_2) : si $a \in\,]1\,;\mathrm{e}[\,\cup\,]\mathrm{e}\,;+\infty[$ alors E_a admet deux solutions a et b, l'une appartenant à l'intervalle $]1\,;\mathrm{e}[$ et l'autre appartenant à l'intervalle $]\mathrm{e}\,;+\infty[$. *(0,5 point)*

LES CLÉS DU SUJET

■ Exercice 1 • [Durée ± 35 min.]

Les notions en jeu

- Nombre dérivé, tangente.
- Dérivées usuelles et primitives usuelles.
- Intégration par parties.
- Équations différentielles.

Les conseils du correcteur

▶ **2.** Effectuez une intégration par parties.

▶ **3.** Vous pouvez rechercher un contre-exemple en considérant deux fonctions de référence.

■ Exercice 2 (enseignement obligatoire) • [Durée ± 45 min.]

Les notions en jeu

- Module et argument.
- Applications géométriques.

Les conseils du correcteur

▶ **1. b)** Démontrez la propriété par récurrence.

▶ **2. c)** Commencez par déterminer l'affixe du point invariant de la rotation, puis montrez que cette rotation est d'angle $\frac{\pi}{2}$.

■ Exercice 2 (enseignement de spécialité) • [Durée ± 45 min.]

Les notions en jeu

- Similitudes directes ou indirectes.
- Module et argument.
- Applications géométriques.

Les conseils du correcteur

Partie A

▶ **1. a)** Donnez l'écriture complexe d'une similitude directe, puis déterminez ses coefficients en résolvant le système associé.

b) Montrez que s est d'angle de mesure $\frac{\pi}{2}$ et de rapport 2.

c) Montrez que $s \circ s$ est une homothétie de centre Ω.

▶ **2. a)** Vous pouvez montrer que le vecteur $\overrightarrow{\mathrm{AA}'}$ est orthogonal à un vecteur directeur de $\mathscr{D}$.

■ Exercice 3 • [Durée ± 35 min.]

Les notions en jeu

- Dénombrement, combinatoire.
- Probabilités conditionnelles.
- Loi de probabilité.

Les conseils du correcteur

▶ **2. a)** Utilisez la formule des probabilités totales.

b) Vous devez calculer la probabilité $p_S(F)$.

▶ **4.** Montrez que X suit une loi binomiale dont vous préciserez les paramètres.

■ Exercice 4 • [Durée ± 1 heure]

Les notions en jeu

- Asymptote verticale ou horizontale.
- Limite à l'infini.
- Dérivées usuelles.
- Sens de variation.
- Théorème des valeurs intermédiaires.
- Fonction logarithme népérien.
- Fonction exponentielle.

Les conseils du correcteur

Partie A

▶ **3. a)** Posez $t = \ln X$ et utilisez le théorème sur la limite d'une fonction composée.

CORRIGÉ SUJET 4

Exercice 1

▶ **1.** Soit f la fonction définie pour tout $x \in \mathbb{R}$ par $f(x) = \sin^2 x$.

Pour tout $x \in \mathbb{R}$, $f'(x) = 2 \sin x \cos x$

$$f'(x) = \sin(2x)$$

donc **la proposition fournie est vraie.**

Soit u une fonction dérivable sur un intervalle I et $n \in \mathbb{N}$. La fonction u^n est dérivable sur I, et, sur I, $(u^n)' = nu' u^{n-1}$.

▶ **2.** Soit f une fonction définie et dérivable sur $[-1 ; 1]$ de dérivée continue sur cet intervalle et telle que $f(-1) = -f(1)$.

Soit $I = \int_{-1}^{1} t f'(t)\, dt$.

Calculons I à l'aide d'une intégration par parties en posant $\begin{cases} u(t) = t \\ v'(t) = f'(t) \end{cases}$.

Nous avons alors $\begin{cases} u'(t) = 1 \\ v(t) = f(t) \end{cases}$ et les fonctions u, v, u', v' sont continues sur $[-1 ; 1]$.

Il s'ensuit que : $I = [u(t)v(t)]_{-1}^{1} - \int_{-1}^{1} u'(t)v(t)\, dt$

$$I = [t f(t)]_{-1}^{1} - \int_{-1}^{1} f(t)\, dt$$

$$I = f(1) - (-f(-1)) - \int_{-1}^{1} f(t)\, dt$$

$$I = f(1) + f(-1) - \int_{-1}^{1} f(t)\, dt$$

$\boxed{I = -\int_{-1}^{1} f(t)\, dt}$ donc **la proposition fournie est vraie.**

▶ **3.** Soit f et g les fonctions définies respectivement pour tout $x \in [0 ; 3]$ par $f(x) = 1$ et $g(x) = x$.

Nous avons $\int_0^3 f(x)\,dx = 3$ et $\int_0^3 g(x)\,dx = \left[\frac{x^2}{2}\right]_0^3$ soit $\int_0^3 g(x)\,dx = \frac{9}{2}$.

On a $\int_0^3 f(x)\,dx \leqslant \int_0^3 g(x)\,dx$, mais on ne peut pas affirmer que, pour tout $x \in [0 ; 3]$, $f(x) \leqslant g(x)$.

La proposition fournie est fausse.

On recherche ici un contre-exemple infirmant la proposition.

▶ **4.** Soit f une fonction non constante solution de l'équation différentielle $y' = -2y + 2$. L'ensemble des solutions de cette équation différentielle est l'ensemble des fonctions f définies pour tout $x \in \mathbb{R}$ par :

$$f(x) = ke^{-2x} + 1 \text{ où } k \in \mathbb{R}.$$

Si f est non constante, alors $k \neq 0$ et, pour tout $x \in \mathbb{R}$, $f'(x) = -2ke^{-2x}$, ce qui permet d'affirmer que, pour tout $x \in \mathbb{R}$, $f'(x) \neq 0$.

La proposition fournie est vraie.

Exercice 2

Candidats n'ayant pas suivi l'enseignement de spécialité

Soit λ un nombre réel non nul différent de 1.

Pour tout $n \in \mathbb{N}$, on définit la suite (z_n) par $\begin{cases} z_0 = 0 \\ z_{n+1} = \lambda z_n + i \end{cases}$.

Soit M_n le point d'affixe z_n.

▶ **1. a)** Nous avons :

$$z_1 = \lambda \times 0 + i$$

$$\boxed{z_1 = i.}$$

$$z_2 = \lambda z_1 + i$$

$$z_2 = \lambda i + i$$

$$\boxed{z_2 = (\lambda + 1)i.}$$

$$z_3 = \lambda z_2 + i$$

$$z_3 = \lambda(\lambda + 1)i + i$$

$$\boxed{z_3 = (\lambda^2 + \lambda + 1)i.}$$

b) Montrons par récurrence que, pour tout $n \in \mathbb{N}$, $z_n = \frac{\lambda^n - 1}{\lambda - 1}\,i$.

Nous avons : $z_0 = 0$

et $\frac{\lambda^0 - 1}{\lambda - 1}\,i = 0$

donc la propriété est vérifiée au rang $n = 0$.

On montre que la relation $z_n = \frac{\lambda^n - 1}{\lambda - 1}i$ est vérifiée lorsque $n = 0$ et que si elle est vérifiée pour tout entier k donné, alors elle est vérifiée au rang $k + 1$.

Supposons que, pour un entier naturel k donné, on ait $z_k = \dfrac{\lambda^k - 1}{\lambda - 1}\,\mathrm{i}$.

$$z_{k+1} = \lambda \times \frac{\lambda^k - 1}{\lambda - 1}\,\mathrm{i} + \mathrm{i}$$

$$z_{k+1} = \left(\frac{\lambda(\lambda^k - 1)}{\lambda - 1} + 1\right)\mathrm{i}$$

$$z_{k+1} = \frac{\lambda^{k+1} - \lambda + \lambda - 1}{\lambda - 1}\,\mathrm{i}$$

$$z_{k+1} = \frac{\lambda^{k+1} - 1}{\lambda - 1}\,\mathrm{i}$$

donc la propriété est vérifiée au rang $k + 1$.
Il s'ensuit que, pour tout $n \in \mathbb{N}$,

$$\boxed{z_n = \frac{\lambda^n - 1}{\lambda - 1}\,\mathrm{i}.}$$

▶ 2. Étude du cas $\lambda = \mathrm{i}$

a) Nous avons :

$$z_4 = \frac{\mathrm{i}^4 - 1}{\mathrm{i} - 1}\,\mathrm{i} \qquad \text{soit} \qquad z_4 = \frac{1 - 1}{\mathrm{i} - 1}\,\mathrm{i}$$

$$\boxed{z_4 = 0}.$$

b) Pour tout $n \in \mathbb{N}$,

$$z_{n+4} = \frac{\mathrm{i}^{n+4} - 1}{\mathrm{i} - 1}\,\mathrm{i}$$

$$z_{n+4} = \frac{\mathrm{i}^4 \times \mathrm{i}^n - 1}{\mathrm{i} - 1}\,\mathrm{i} \qquad \text{soit} \qquad z_{n+4} = \frac{\mathrm{i}^n - 1}{\mathrm{i} - 1}\,\mathrm{i}$$

$$\boxed{z_{n+4} = z_n}$$

$\mathrm{i}^4 = (\mathrm{i}^2)^2$ donc $\mathrm{i}^4 = (-1)^2$ soit $\mathrm{i}^4 = 1$.

c) Pour tout $n \in \mathbb{N}$,

$$z_{n+1} = \mathrm{i}z_n + \mathrm{i}$$

$z = \mathrm{i}z + \mathrm{i}$ équivaut à :

$$z(1 - \mathrm{i}) = \mathrm{i} \qquad \text{soit} \qquad z = \frac{\mathrm{i}}{1 - \mathrm{i}}$$

$$z = \frac{\mathrm{i}(1 + \mathrm{i})}{1^2 + (-1)^2} \qquad \text{soit} \qquad z = -\frac{1}{2} + \frac{1}{2}\,\mathrm{i}$$

On multiplie numérateur et dénominateur par $\overline{1 - \mathrm{i}} = 1 + \mathrm{i}$ et $(1 - \mathrm{i}) \times \overline{1 - \mathrm{i}} = |1 - \mathrm{i}|^2$.

et, pour tout $n \in \mathbb{N}$,

$$z_{n+1} = \mathrm{i}z_n + \mathrm{i}$$

équivaut à :

$$z_{n+1} + \frac{1}{2} - \frac{1}{2}\,\mathrm{i} = \mathrm{i}z_n + \frac{1}{2} - \frac{1}{2}\,\mathrm{i} + \mathrm{i}$$

$$z_{n+1} + \frac{1}{2} - \frac{1}{2}\,\mathrm{i} = \mathrm{i}z_n + \frac{1}{2} + \frac{1}{2}\,\mathrm{i}$$

$$z_{n+1} + \frac{1}{2} - \frac{1}{2}\,\mathrm{i} = \mathrm{i}\left(z_n + \frac{1}{2} - \frac{1}{2}\,\mathrm{i}\right)$$

$$z_{n+1} + \frac{1}{2} - \frac{1}{2}\,\mathrm{i} = \mathrm{e}^{\mathrm{i}\frac{\pi}{2}}\left(z_n + \frac{1}{2} - \frac{1}{2}\,\mathrm{i}\right)$$

donc M_{n+1} est l'image de M_n par la rotation de centre Ω d'affixe $-\dfrac{1}{2} + \dfrac{1}{2}\,\mathrm{i}$ et d'angle de mesure $\dfrac{\pi}{2}$.

MATHÉMATIQUES

d) Représentation graphique

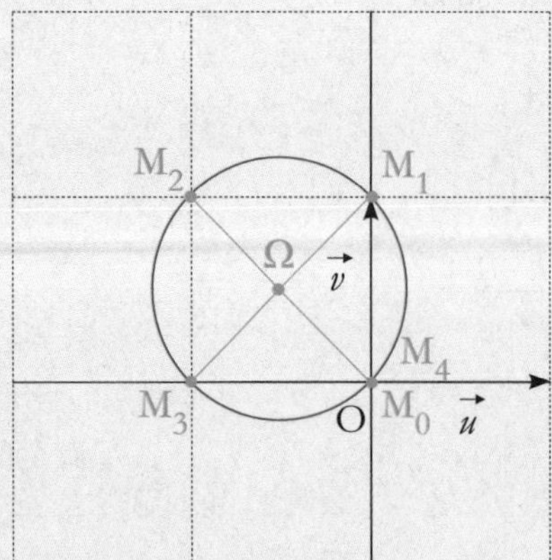

▶ **3.** On suppose qu'il existe $k \in \mathbb{N}$ tel que $\lambda^k = 1$.

a) Nous avons, pour tout $n \in \mathbb{N}$,

$$z_{n+k} = \frac{\lambda^{n+k} - 1}{\lambda - 1}\,\mathrm{i} \qquad \text{soit} \qquad z_{n+k} = \frac{\lambda^n \lambda^k - 1}{\lambda - 1}\,\mathrm{i}$$

$$z_{n+k} = \frac{\lambda^n - 1}{\lambda - 1}\,\mathrm{i} \qquad \text{soit} \qquad \boxed{z_{n+k} = z_n}$$

On a démontré précédemment que, pour tout $n \in \mathbb{N}$, $z_n = \frac{\lambda^n - 1}{\lambda - 1}\mathrm{i}$.

b) Supposons qu'il existe un entier naturel k tel que, pour tout $n \in \mathbb{N}$, $z_{n+k} = z_n$.
Alors, pour tout $n \in \mathbb{N}$,

$$\frac{\lambda^{n+k} - 1}{\lambda - 1}\,\mathrm{i} = \frac{\lambda^n - 1}{\lambda - 1}\,\mathrm{i}$$

$$\frac{\lambda^{n+k} - 1}{\lambda - 1}\,\mathrm{i} - \frac{\lambda^n - 1}{\lambda - 1}\,\mathrm{i} = 0$$

$$\frac{\mathrm{i}}{\lambda - 1}\,(\lambda^{n+k} - 1 - \lambda^n + 1) = 0$$

$$\lambda^{n+k} - \lambda^n = 0 \text{ car } \lambda \neq 1$$

$$\lambda^n(\lambda^k - 1) = 0 \qquad \text{soit} \qquad \lambda^k - 1 = 0 \text{ car } \lambda \neq 0$$

On établit la réciproque de la proposition précédente.

donc $\boxed{\lambda^k = 1.}$

Exercice 2

Candidats ayant suivi l'enseignement de spécialité

PARTIE A

▶ **1.** Soit A et B les points d'affixes respectives $a = 10$ et $b = 5\mathrm{i}$.

a) Soit s la similitude directe qui transforme O en A et B en O.

Il existe $(\alpha\,;\,\beta) \in \mathbb{C}^2$ telle que s admette pour écriture complexe $z' = \alpha z + \beta$.

$\begin{cases} s(\mathrm{O}) = \mathrm{A} \\ s(\mathrm{B}) = \mathrm{O} \end{cases}$ équivaut à :

$$\begin{cases} a = \alpha \times 0 + \beta \\ 0 = \alpha b + \beta \end{cases}$$

$$\begin{cases} 10 = \beta \\ 0 = 5i\alpha + 10 \end{cases}$$

$$\begin{cases} \beta = 10 \\ \alpha = -\dfrac{10}{5i} \end{cases}$$

$$\begin{cases} \beta = 10 \\ \alpha = 2i \end{cases}.$$

On en déduit que s associe à tout point M d'affixe z le point M′ d'affixe :

$$\boxed{z' = 2iz + 10.}$$

b) $z = 2iz + 10$ équivaut à :

$$z(1-2i) = 10 \quad \text{soit} \quad z = \frac{10}{1-2i}$$

$$z = \frac{10(1+2i)}{1^2 + (-2)^2}$$

$$z = \frac{10(1+2i)}{5} \quad \text{soit} \quad z = 2 + 4i$$

donc le centre Ω de s admet pour affixe $\omega = 2 + 4i$.

Nous avons $2i = 2e^{i\frac{\pi}{2}}$ donc **s est de rapport 2 et d'angle de mesure $\frac{\pi}{2}$**.

c) Nous avons : $s \circ s(B) = s(O)$

$$\boxed{s \circ s(B) = A.}$$

$s \circ s$ est la similitude directe de centre Ω de rapport 4 et d'angle de mesure π, donc **$s \circ s$ est l'homothétie de centre Ω et de rapport -4**.
Ainsi, Ω appartient à [AB] et le triangle OAB est rectangle en O, donc **Ω est le pied de la hauteur issue de O du triangle OAB.**

▶ **2.** Soit $\mathcal{D}$ la droite d'équation $x - 2y = 0$, A′ et B′ les points de $\mathcal{D}$ d'affixes respectives $a' = 8 + 4i$ et $b = 2 + i$.

a) Un vecteur directeur de $\mathcal{D}$ est $\vec{w}\begin{pmatrix}2\\1\end{pmatrix}$.

$\overrightarrow{AA'}$ admet pour coordonnées $\begin{pmatrix}8-10\\4\end{pmatrix} = \begin{pmatrix}-2\\4\end{pmatrix}$ et on a :

$$-2 \times 2 + 4 \times 1 = 0$$

donc les vecteurs $\overrightarrow{AA'}$ et $\vec{w}$ sont orthogonaux.
Puisque A′ appartient à $\mathcal{D}$, on en déduit que A′ est le projeté orthogonal de A sur $\mathcal{D}$.

De la même façon, $\overrightarrow{BB'}$ admet pour coordonnées $\begin{pmatrix}2-0\\1-5\end{pmatrix} = \begin{pmatrix}2\\-4\end{pmatrix}$ et :

$$2 \times 2 + 1 \times (-4) = 0$$

donc les vecteurs $\overrightarrow{BB'}$ et $\vec{w}$ sont orthogonaux.
B′ appartenant à $\mathcal{D}$, on en déduit que **B′ est le projeté orthogonal de B sur $\mathcal{D}$**.

b) Nous avons :
$2i(2+i) + 10 = 4i - 2 + 10$ puis $2i(2+i) + 10 = 8 + 4i$
donc **$s(B') = A'$**.

c) Nous avons donc : $(\overrightarrow{\Omega B'} ; \overrightarrow{\Omega A'}) = \frac{\pi}{2}\ [2\pi]$.

Le point invariant de s est l'unique solution de l'équation $z' = z$.

Un vecteur directeur de la droite d'équation $ax + by + c = 0$ est $\vec{u}\begin{pmatrix}-b\\a\end{pmatrix}$.

Deux vecteurs sont orthogonaux si et seulement si leur produit scalaire est nul.

Le triangle $\Omega A'B'$ est donc rectangle en Ω.
Ainsi, **Ω appartient au cercle de diamètre $[A'B']$.**

PARTIE B

▶ **1. a)** Nous avons :

$$(\overrightarrow{OB} ; \overrightarrow{s(O)s(B)}) = (\overrightarrow{OB} ; \overrightarrow{AO}) \quad [2\pi]$$

or

$$(\overrightarrow{OB} ; \overrightarrow{AO}) = \pi + (\overrightarrow{OB} ; \overrightarrow{OA}) \quad [2\pi]$$

$$(\overrightarrow{OB} ; \overrightarrow{AO}) = \pi - (\overrightarrow{OA} ; \overrightarrow{OB}) \quad [2\pi]$$

$$(\overrightarrow{OB} ; \overrightarrow{s(O)s(B)}) = \frac{\pi}{2} \quad [2\pi]$$

donc **s est d'angle de mesure $\frac{\pi}{2}$.**

$(\overrightarrow{OB} ; \overrightarrow{AO}) = (\overrightarrow{OB} ; \overrightarrow{OA}) + (\overrightarrow{OA} ; \overrightarrow{AO})$ $[2\pi]$ et $(\overrightarrow{OA} ; \overrightarrow{AO}) = \pi[2\pi]$

b) Puisque $s(O) = A$, nous avons $(\overrightarrow{\Omega O} ; \overrightarrow{\Omega A}) = \frac{\pi}{2} \quad [2\pi]$
donc le triangle ΩAO est rectangle en Ω.
On en déduit que **Ω appartient au cercle de diamètre $[OA]$.**
De même, on montre que **Ω appartient au cercle de diamètre $[OB]$.**
(ΩO) est perpendiculaire aux droites (ΩB) et (ΩA), donc les droites (ΩB) et (ΩA) sont parallèles, donc elles sont confondues.
On peut donc affirmer que Ω appartient à (AB).
Il s'ensuit que **Ω est le pied de la hauteur issue de O du triangle OAB.**

▶ **2.** Soit $\mathcal{D}$ une droite passant par O, distincte des droites (OA) et (OB).
On note A' et B' les projetés orthogonaux respectifs de A et B sur $\mathcal{D}$.

Soit A, B et C trois points deux à deux distincts. ABC est rectangle en B si et seulement si B appartient au cercle de diamètre [AC].

a) s étant d'angle de mesure $\frac{\pi}{2}$, l'image de la droite (BB') par s est la droite perpendiculaire à (BB') passant par $s(B) = O$, c'est-à-dire $\mathcal{D}$.
L'image de $\mathcal{D}$ par s est la droite perpendiculaire à $\mathcal{D}$ passant par $s(O) = A$, c'est-à-dire (AA').

b) B' appartient à (BB') d'image $\mathcal{D}$ par s donc $s(B')$ appartient à $\mathcal{D}$.
De même, B' appartient à $\mathcal{D}$ d'image (AA') par s donc $s(B')$ appartient à (AA').
On en déduit que **$s(B')$ est le point d'intersection des droites $\mathcal{D}$ et (AA'), c'est-à-dire A'.**

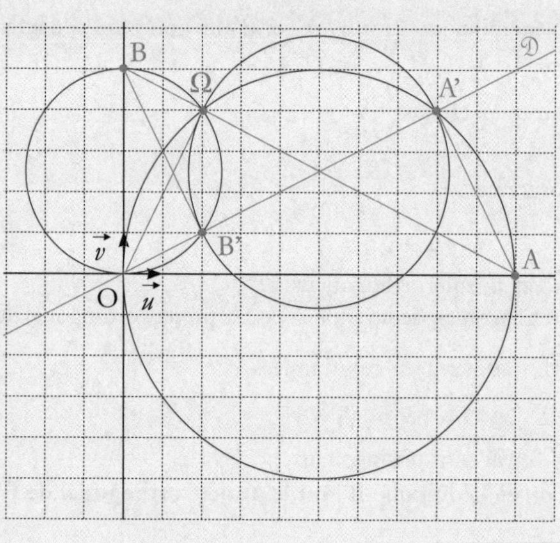

c) s étant une similitude de centre Ω et d'angle de mesure $\frac{\pi}{2}$, on peut donc affirmer que

$(\overrightarrow{\Omega B'} ; \overrightarrow{\Omega A'}) = \frac{\pi}{2} \quad [2\pi]$,

ce qui montre que le triangle $\Omega B'A'$ est rectangle en Ω
et donc que **Ω appartient au cercle de diamètre $[A'B']$.**

Exercice 3

▶ **1. a)** Les données de l'énoncé permettent d'affirmer que :

$$p(\text{F}) = 0{,}92$$
$$p_{\text{F}}(\text{S}) = 0{,}95$$
$$\boxed{p(\overline{\text{F}} \cap \overline{\text{S}}) = 0{,}02.}$$

On en déduit que :

$$p(\overline{\text{F}}) = 1 - 0{,}92$$
$$p(\overline{\text{F}}) = 0{,}08$$
$$p_{\text{F}}(\overline{\text{S}}) = 1 - 0{,}95$$
$$\boxed{p_{\text{F}}(\overline{\text{S}}) = 0{,}05.}$$

$p(\overline{\text{F}}) = 1 - p(\text{F})$ et $p_{\text{F}}(\text{S}) + p_{\text{F}}(\overline{\text{S}}) = 1.$

b) Nous avons :

$$p(\overline{\text{F}} \cap \overline{\text{S}}) = 0{,}02$$

donc

$$p_{\overline{\text{F}}}(\overline{\text{S}}) \times p(\overline{\text{F}}) = 0{,}02$$
$$p_{\overline{\text{F}}}(\overline{\text{S}}) \times 0{,}08 = 0{,}02$$
$$p_{\overline{\text{F}}}(\overline{\text{S}}) = \frac{0{,}02}{0{,}08}$$
$$\boxed{p_{\overline{\text{F}}}(\overline{\text{S}}) = \frac{1}{4}.}$$

c) Des résultats précédents, on déduit qu'un arbre pondéré résumant la situation est le suivant :

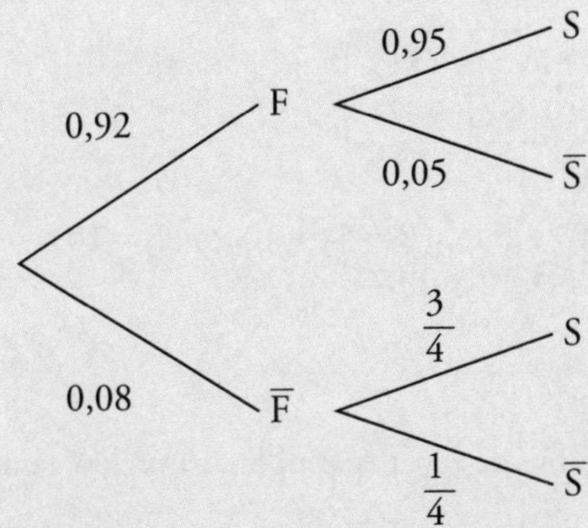

▶ **2. a)** Les événements F et $\overline{\text{F}}$ formant une partition de l'univers, la formule des probabilités totales permet d'affirmer que :

$$p(\text{S}) = p(\text{F} \cap \text{S}) + p(\overline{\text{F}} \cap \text{S})$$
$$p(\text{S}) = p_{\text{F}}(\text{S}) \times p(\text{F}) + p_{\overline{\text{F}}}(\text{S}) \times p(\overline{\text{F}})$$
$$p(\text{S}) = 0{,}95 \times 0{,}92 + \frac{3}{4} \times 0{,}08$$
$$p(\text{S}) = 0{,}874 + 0{,}06$$
$$\boxed{p(\text{S}) = 0{,}934.}$$

Soit Ω l'univers. Nous avons $\Omega = \text{F} \cup \overline{\text{F}}$ et $\text{F} \cap \overline{\text{F}} = \varnothing$ donc $\text{S} = \text{S} \cap (\text{F} \cup \overline{\text{F}})$ soit $\text{S} = (\text{S} \cap \text{F}) \cup (\text{S} \cap \overline{\text{F}})$ et les événements $\text{S} \cap \text{F}$ et $\text{S} \cap \overline{\text{F}}$ sont incompatibles.

La probabilité que le jouet ait réussi le test de solidité est égale à 0,934.

b) Un jouet a réussi le test de solidité.
La probabilité qu'il soit sans défaut de finition est $p_S(F)$ et :

$$p_S(F) = \frac{p(S \cap F)}{p(S)}$$

$$p_S(F) = \frac{p_F(S) \times p(F)}{0{,}934} \quad \text{soit} \quad p_S(F) = \frac{0{,}95 \times 0{,}92}{0{,}934}$$

$$\boxed{p_S(F) = 0{,}936 \text{ arrondi au millième.}}$$

▶ **3.** Soit B la variable aléatoire qui associe à chaque jouet le bénéfice rapporté.

a) Nous avons :

$$p(B = 0) = p(\overline{S})$$
$$p(B = 0) = 1 - 0{,}934$$
$$\boxed{p(B = 0) = 0{,}066.}$$
$$p(B = 10) = p(F \cap S)$$
$$p(B = 10) = 0{,}95 \times 0{,}92$$
$$\boxed{p(B = 10) = 0{,}874.}$$

On calcule la probabilité des événements B = 0, B = 10, B = 5 en exploitant l'arbre pondéré et les calculs effectués précédemment.

On en déduit que :

$$p(B = 5) = 1 - p(B = 0) - p(B = 10)$$
$$p(B = 5) = 1 - 0{,}066 - 0{,}874$$
$$\boxed{p(B = 5) = 0{,}06.}$$

La loi de probabilité de B est résumée par le tableau suivant :

x_i	0	5	10
$p(B = x_i)$	0,066	0,06	0,874

b) L'espérance mathématique de B est :

$$E(B) = 0 \times p(B = 0) + 5 \times p(B = 5) + 10 \times p(B = 10)$$
$$E(B) = 0 + 5 \times 0{,}06 + 10 \times 0{,}874$$
$$\boxed{E(B) = 9{,}04.}$$

En moyenne, un jouet rapporte 9,04 euros.

▶ **4.** Soit X la variable aléatoire égale au nombre de jouets parmi les 10 prélevés qui subissent avec succès le test de solidité.
La constitution du lot pouvant être assimilée à un tirage avec remise, les tirages sont indépendants et on peut affirmer que X suit la loi binomiale $\mathcal{B}(10\,;\,0{,}934)$.
Il s'ensuit que, pour tout k entier compris entre 0 et 10,

$$p(X = k) = \binom{10}{k} \times (0{,}934)^k \times (1 - 0{,}934)^{10-k}.$$

Si X est une variable aléatoire suivant la loi binomiale $\mathcal{B}(n, p)$, alors, pour tout entier $k \leqslant n$, $p(X = k) = \binom{n}{k} \times p^k \times (1 - p)^{n-k}$.

La probabilité p qu'au moins 8 jouets subissent avec succès le test de solidité est :

$$p = p(X = 8) + p(X = 9) + p(X = 10)$$

$$p = \binom{10}{8} \times (0{,}934)^8 \times (0{,}066)^2 + \binom{10}{9} \times (0{,}934)^9 \times (0{,}066)^1 + \binom{10}{10} \times (0{,}934)^{10}$$

$$p = 45 \times (0{,}934)^8 \times (0{,}066)^2 + 10 \times (0{,}934)^9 \times (0{,}066)^1 + (0{,}934)^{10}$$

$$\boxed{p = 0{,}975\ 725.}$$

Exercice 4

PARTIE A

Soit E_a l'équation $x^a = a^x$.

▶ **1.** Nous avons $2^2 = 4$ donc **2 est solution de l'équation E_2.**
$4^2 = 16$ et $2^4 = 16$ donc **4 est solution de E_2.**

▶ **2.** Nous avons, pour tout $a > 0$, $a \neq 1$, $a^a = a^a$ donc ***a* est solution de E_a.**

▶ **3.** Soit h la fonction définie pour tout $x \in]0\ ;+\infty[$ par $h(x) = x - \mathrm{e} \ln x$.

On utilise ici le théorème de croissances comparées.

a) Nous avons $\lim\limits_{t \to +\infty} \dfrac{\mathrm{e}^t}{t} = +\infty$.

Posons $t = \ln X$.

Nous avons $\lim\limits_{X \to +\infty} t = +\infty$ donc $\lim\limits_{X \to +\infty} \dfrac{\mathrm{e}^{\ln X}}{\ln X} = +\infty$ soit $\lim\limits_{X \to +\infty} \dfrac{X}{\ln X} = +\infty$.

On en déduit que :

$$\boxed{\lim_{X \to +\infty} \frac{\ln X}{X} = 0.}$$

Pour tout $X > 0$, $\dfrac{\ln X}{X} = \dfrac{1}{\dfrac{X}{\ln X}}$.

b) Nous avons $\lim\limits_{x \to 0} x = 0$ et $\lim\limits_{\substack{x \to 0 \\ x > 0}} -\mathrm{e} \ln x = +\infty$, donc :

$$\boxed{\lim_{\substack{x \to 0 \\ x > 0}} h(x) = +\infty.}$$

D'autre part, nous avons, pour tout $x \in]0\ ;+\infty[$,

$$h(x) = x\left(1 - \mathrm{e}\,\frac{\ln x}{x}\right)$$

On utilise ici le théorème de croissances comparées.

et $\lim\limits_{x \to +\infty} \dfrac{\ln x}{x} = 0$ donc $\lim\limits_{x \to +\infty} \left(1 - \mathrm{e}\,\dfrac{\ln x}{x}\right) = 1$.

Puisque $\lim\limits_{x \to +\infty} x = +\infty$, on en déduit que :

$$\boxed{\lim_{x \to +\infty} h(x) = +\infty.}$$

c) Pour tout $x \in]0\ ;+\infty[$,

$$h'(x) = 1 - \frac{\mathrm{e}}{x}$$

$$\boxed{h'(x) = \frac{x - \mathrm{e}}{x}.}$$

$h'(x)$ est du signe de $x - \mathrm{e}$ car, pour tout $x \in]0\ ;+\infty[$, $\dfrac{1}{x} > 0$.

Il s'ensuit que :
- pour tout $x \in]0\ ;\mathrm{e}[$, $h'(x) < 0$;
- pour tout $x \in]\mathrm{e}\ ;+\infty[$, $h'(x) > 0$;
- $h'(\mathrm{e}) = 0$.

Ainsi, h est strictement décroissante sur $]0\ ;\mathrm{e}]$ et strictement croissante sur $[\mathrm{e}\ ;+\infty[$.

MATHÉMATIQUES

d) Le tableau des variations de h est le suivant :

x	0		e		$+\infty$
Signe de $h'(x)$		$-$	0	$+$	
Variations de h	$+\infty$	$\searrow$	0	$\nearrow$	$+\infty$

E_e équivaut à :

$$x^e = e^x$$
$$\ln(x^e) = \ln(e^x)$$
$$e \ln x = x$$
$$h(x) = 0.$$

Du tableau de variations, on déduit que **e est l'unique solution de l'équation E_e**.

Pour tous $a > 0$ et $b \in \mathbb{R}$, $\ln(a^b) = b \ln(a)$.

PARTIE B

▶ **1.** Soit x un réel strictement positif.
x est solution de E_a si et seulement si

$$x^a = a^x$$
$$\ln(x^a) = \ln(a^x)$$
$$a \ln x = x \ln a$$
$$\boxed{\frac{\ln x}{x} = \frac{\ln a}{a}}$$

car $x > 0$ et a est un réel strictement positif supposé distinct de 1.

La fonction ln est bijective sur $]0\,;+\infty[$: pour tous $a > 0$ et $b > 0$, $a = b$ équivaut à $\ln a = \ln b$.

▶ **2.** Soit f la fonction définie pour tout $x \in \,]0\,;+\infty[$ par $f(x) = \dfrac{\ln x}{x}$.

a) Nous avons $\lim\limits_{\substack{x \to 0 \\ x > 0}} \dfrac{1}{x} = +\infty$ et $\lim\limits_{\substack{x \to 0 \\ x > 0}} \ln x = -\infty$ donc $\boxed{\lim\limits_{\substack{x \to 0 \\ x > 0}} f(x) = -\infty.}$

La limite de f est obtenue par produit des limites.

L'axe des ordonnées est donc asymptote à la courbe représentative $\mathscr{C}$ de f.

Nous avons $\lim\limits_{x \to +\infty} \dfrac{\ln x}{x} = 0$ (croissances comparées, démontrées à la question **A. 3**) donc :

$$\boxed{\lim_{x \to +\infty} f(x) = 0.}$$

L'axe des abscisses est asymptote à $\mathscr{C}$ au voisinage de $+\infty$.

b) Pour tout $x \in \,]0\,;+\infty[$,

$$f'(x) = \frac{\frac{1}{x} \times x - 1 \times \ln x}{x^2}$$

$$\boxed{f'(x) = \frac{1 - \ln x}{x^2}.}$$

On utilise ici la formule de dérivation du quotient de deux fonctions dérivables.

$f'(x)$ est du signe de $1 - \ln x$ car, pour tout $x \in \,]0\,;+\infty[$, $\dfrac{1}{x^2} > 0$.

Or, $1 - \ln x > 0$ équivaut à : $\ln x < 1$ soit à $x < e$.

Il s'ensuit que :
– pour tout $x \in \left]0 \,;\, \mathrm{e}\right[$, $f'(x) > 0$;
– pour tout $x \in \left]\mathrm{e} \,;\, +\infty\right[$, $f'(x) < 0$;
– $f'(\mathrm{e}) = 0$.
On en déduit que **f est strictement croissante sur $\left]0 \,;\, \mathrm{e}\right]$ et strictement décroissante sur $\left[\mathrm{e} \,;\, +\infty\right[$.**
c) Le tableau des variations de f est le suivant :

x	0		e		$+\infty$
Signe de $f'(x)$		$-$	0	$+$	
Variations de f	$-\infty$	↗	$\frac{1}{\mathrm{e}}$	↘	0

d) Représentation graphique

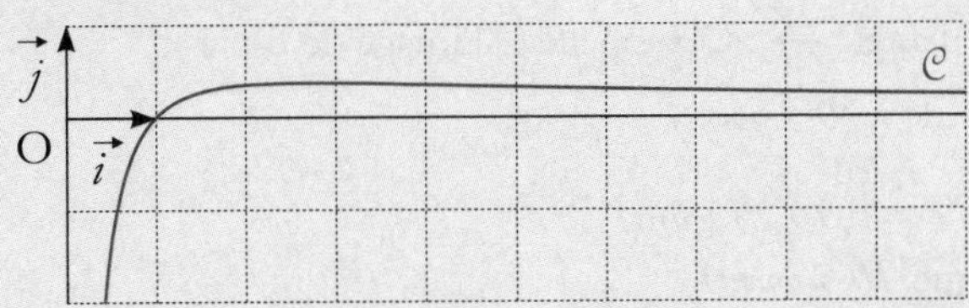

▶ **3.** Si $a \in \left]0 \,;\, 1\right]$, alors $\dfrac{\ln a}{a} < 0$ et l'équation E_a admet une solution appartenant à $\left]0 \,;\, \mathrm{e}\right[$.

Si $a \in \left]1 \,;\, \mathrm{e}\right[\cup \left]\mathrm{e} \,;\, +\infty\right[$, alors $\dfrac{\ln a}{a} > 0$ et le théorème des valeurs intermédiaires permet d'affirmer que **E_a admet une unique solution sur $\left]1 \,;\, \mathrm{e}\right[$ et une unique solution sur $\left[\mathrm{e} \,;\, +\infty\right[$.**

On exploite ici les variations de f établies dans la question précédente.

SUJET 5

AMÉRIQUE DU NORD • JUIN 2007

SUJET COMPLET

DURÉE 4 : HEURES • 20 POINTS

Exercice 1 (3 points)

Commun à tous les candidats

Pour chacune des trois propositions suivantes, indiquer si elle est vraie ou fausse, et donner une justification de la réponse choisie. Une réponse non justifiée ne rapporte aucun point.

▶ **1.** L'espace est rapporté à un repère orthonormal $(\mathrm{O} \,;\, \vec{i}, \vec{j}, \vec{k})$.
Soit (P) le plan dont une équation est : $2x + y - 3z + 1 = 0$.
Soit A le point de coordonnées $(1 \,;\, 11 \,;\, 7)$.
Proposition 1 : « Le point H, projeté orthogonal de A sur (P), a pour coordonnées $(0 \,;\, 2 \,;\, 1)$ ».
(1 point)

▶ **2.** On considère l'équation différentielle (E) : $y' = 2 - 2y$.
On appelle u la solution de (E) sur $\mathbb{R}$ vérifiant $u(0) = 0$.

Proposition 2 : « On a $u\left(\frac{\ln 2}{2}\right) = \frac{1}{2}$ ». *(1 point)*

▶ **3.** On considère la suite (u_n) définie par $u_0 = 2$ et, pour tout entier naturel n, $u_{n+1} = \sqrt{7u_n}$.
Proposition 3 : « Pour tout entier naturel n, on a $0 \leqslant u_n \leqslant 7$ ». *(1 point)*

Exercice 2 (5 points)

Candidats n'ayant pas suivi l'enseignement de spécialité

Le plan complexe est muni d'un repère orthonormal direct $(O ; \vec{u}, \vec{v})$ (unité graphique : 4 cm).

Soit A le point d'affixe $z_A = i$ et B le point d'affixe $z_B = e^{-i\frac{5\pi}{6}}$.

▶ **1.** Soit r la rotation de centre O et d'angle $\frac{2\pi}{3}$. On appelle C l'image de B par r.
a) Déterminer une écriture complexe de r. *(0,5 point)*
b) Montrer que l'affixe de C est $z_C = e^{-i\frac{\pi}{6}}$. *(0,25 point)*
c) Écrire z_B et z_C sous forme algébrique. *(0,5 point)*
d) Placer les points A, B et C. *(0,5 point)*

▶ **2.** Soit D le barycentre des points A, B et C affectés respectivement des coefficients 2, – 1 et 2.
a) Montrer que l'affixe de D est $z_D = \frac{\sqrt{3}}{2} + \frac{1}{2}i$. Placer le point D. *(0,5 point)*
b) Montrer que A, B, C et D sont sur un même cercle. *(0,75 point)*

▶ **3.** Soit h l'homothétie de centre A et de rapport 2. On appelle E l'image de D par h.
a) Déterminer une écriture complexe de h. *(0,5 point)*
b) Montrer que l'affixe de E est $z_E = \sqrt{3}$. Placer le point E. *(0,5 point)*

▶ **4. a)** Calculer le rapport $\frac{z_D - z_C}{z_E - z_C}$. On écrira le résultat sous forme exponentielle. *(0,5 point)*
b) En déduire la nature du triangle CDE. *(0,5 point)*

Exercice 2 (5 points)

Candidats ayant suivi l'enseignement de spécialité

Le plan complexe est muni d'un repère orthonormal $(O ; \vec{u}, \vec{v})$ (unité graphique : 1 cm).
On fera une figure que l'on complétera tout au long de cet exercice.
Soient A, B et C les points d'affixes respectives $a = 3 + 5i$, $b = -4 + 2i$ et $c = 1 + 4i$.
Soit f la transformation du plan dans lui-même qui, à tout point M d'affixe z, associe le point M′ d'affixe z' définie par $z' = (2 - 2i)z + 1$.

▶ **1.** Déterminer la nature et les éléments caractéristiques de f. *(1 point)*

▶ **2. a)** Déterminer l'affixe du point B′ image du point B par f. *(0,25 point)*
b) Montrer que les droites (CB′) et (CA) sont orthogonales. *(1 point)*

▶ **3.** Soit M le point d'affixe $z = x + iy$, où on suppose que x et y sont des entiers relatifs.
Soit M′ l'image de M par f.

Montrer que les vecteurs $\overrightarrow{CM'}$ et $\overrightarrow{CA}$ sont orthogonaux si et seulement si $x + 3y = 2$. *(0,75 point)*

▶ **4.** On considère l'équation (E) : $x+3y=2$, où x et y sont des entiers relatifs.
a) Vérifier que le couple $(-4\ ;\ 2)$ est une solution de (E). *(0,25 point)*
b) Résoudre l'équation (E). *(0,75 point)*
c) En déduire l'ensemble des points M dont les coordonnées sont des entiers appartenant à l'intervalle $[-5\ ;\ 5]$ et tels que les vecteurs $\overrightarrow{\mathrm{CM}'}$ et $\overrightarrow{\mathrm{CA}}$ soient orthogonaux.
Placer ces points sur la figure. *(1 point)*

Exercice 3 (5 points)

Commun à tous les candidats

Un joueur débute un jeu au cours duquel il est amené à faire successivement plusieurs parties.
La probabilité que le joueur perde la première partie est de 0,2.
Le jeu se déroule ensuite de la manière suivante :
- s'il gagne une partie, alors il perd la partie suivante avec une probabilité de 0,05 ;
- s'il perd une partie, alors il perd la partie suivante avec une probabilité de 0,1.

▶ **1.** On appelle :
E_1, l'événement : « Le joueur perd la première partie » ;
E_2, l'événement : « Le joueur perd la deuxième partie » ;
E_3, l'événement : « Le joueur perd la troisième partie ».
On appelle X la variable aléatoire qui donne le nombre de fois où le joueur perd lors des trois premières parties. On pourra s'aider d'un arbre pondéré.
a) Quelles sont les valeurs prises par X ? *(0,5 point)*
b) Montrer que la probabilité de l'événement $(X=2)$ est égale à 0,031 et que celle de l'événement $(X=3)$ est égale à 0,002. *(0,75 point)*
c) Déterminer la loi de probabilité de X. *(0,5 point)*
d) Calculer l'espérance de X. *(0,25 point)*

▶ **2.** Pour tout entier naturel n non nul, on note E_n l'événement : « Le joueur perd la n-ième partie », $\overline{\mathrm{E}}_n$ l'événement contraire, et on note p_n la probabilité de l'événement E_n.
a) Exprimer, pour tout entier naturel n non nul, les probabilités des événements $\mathrm{E}_n \cap \mathrm{E}_{n+1}$ et $\overline{\mathrm{E}}_n \cap \mathrm{E}_{n+1}$ en fonction de p_n. *(0,5 point)*
b) En déduire que $p_{n+1}=0{,}05p_n+0{,}05$ pour tout entier naturel n non nul. *(0,5 point)*

▶ **3.** On considère la suite (u_n) définie pour tout entier naturel n non nul par : $u_n=p_n-\dfrac{1}{19}$.
a) Montrer que (u_n) est une suite géométrique dont on précisera la raison et le premier terme. *(0,75 point)*
b) En déduire, pour tout entier naturel n non nul, u_n puis p_n en fonction de n. *(0,75 point)*
c) Calculer la limite de p_n quand n tend vers $+\infty$. *(0,5 point)*

Exercice 4 (7 points)

Commun à tous les candidats

▶ **1. Restitution organisée de connaissances**

L'objet de cette question est de démontrer que $\lim\limits_{x\to+\infty}\dfrac{\mathrm{e}^x}{x}=+\infty$.

On supposera connus les résultats suivants :
- la fonction exponentielle est dérivable sur $\mathbb{R}$ et est égale à sa fonction dérivée ;
- $\mathrm{e}^0=1$;

• pour tout réel x, on a $e^x > x$.
• Soient deux fonctions φ et ψ définies sur l'intervalle $[A\ ;\ +\infty[$ où A est un réel positif.
Si pour tout x de $[A\ ;\ +\infty[$ $\psi(x) \leqslant \varphi(x)$ et si $\lim\limits_{x \to +\infty} \psi(x) = +\infty$ alors

$$\lim_{x \to +\infty} \varphi(x) = +\infty.$$

a) On considère la fonction g définie sur $[0\ ;\ +\infty[$ par $g(x) = e^x - \dfrac{x^2}{2}$.
Montrer que pour tout x de $[0\ ;\ +\infty[$, $g(x) \geqslant 0$. *(0,75 point)*

b) En déduire que $\lim\limits_{x \to +\infty} \dfrac{e^x}{x} = +\infty$. *(0,5 point)*

▶ **2.** On appelle f la fonction définie sur $[0\ ;\ +\infty[$ par $f(x) = \dfrac{1}{4} x e^{-\frac{x}{2}}$.
On appelle $\mathscr{C}$ sa courbe représentative dans un repère orthogonal $(O\ ;\ \vec{i}, \vec{j})$.
La courbe $\mathscr{C}$ est représentée en **annexe**.
a) Montrer que f est positive sur $[0\ ;\ +\infty[$. *(0,5 point)*
b) Déterminer la limite de f en $+\infty$.
En déduire une conséquence graphique pour $\mathscr{C}$. *(0,5 point)*
c) Étudier les variations de f puis dresser son tableau de variations sur $[0\ ;\ +\infty[$. *(1 point)*

▶ **3.** On considère la fonction F définie sur $[0\ ;\ +\infty[$ par :

$$F(x) = \int_0^x f(t)\,dt.$$

a) Montrer que F est une fonction strictement croissante sur $[0\ ;\ +\infty[$. *(0,75 point)*
b) Montrer que $F(x) = 1 - e^{-\frac{x}{2}} - \dfrac{x}{2} e^{-\frac{x}{2}}$. *(0,75 point)*
c) Calculer la limite de F en $+\infty$ et dresser le tableau des variations de F sur $[0\ ;\ +\infty[$. *(1 point)*
d) Justifier l'existence d'un unique réel positif α tel que $F(\alpha) = 0{,}5$.
À l'aide de la calculatrice, déterminer une valeur approchée de α à 10^{-2} près par excès. *(0,75 point)*

▶ **4.** Soit n un entier naturel non nul. On note A_n l'aire, en unités d'aire, de la partie du plan située entre l'axe des abscisses, la courbe de f et les droites d'équations $x = 0$ et $x = n$.
Déterminer le plus petit entier naturel n tel que $A_n \geqslant 0{,}5$. *(0,5 point)*

Annexe

LES CLÉS DU SUJET

■ **Exercice 1 • [Durée ± 25 min.]**

Les notions en jeu

– Suites numériques.
– Équations différentielles.
– Géométrie dans l'espace.

Les conseils du correcteur

▶ **1.** Vous pouvez étudier la colinéarité de $\overrightarrow{AH}$ et d'un vecteur normal à (P).
▶ **2.** Résolvez l'équation différentielle $y' = -2y$ puis déterminez une solution particulière de l'équation différentielle proposée.
▶ **3.** Effectuez une démonstration par récurrence.

■ **Exercice 2 (enseignement obligatoire) • [Durée ± 45 min.]**

Les notions en jeu

– Module et argument.
– Applications géométriques.

Les conseils du correcteur

▶ **2. b)** Montrez que A, B, C et D appartiennent au cercle de centre O et de rayon 1.
▶ **4. b)** Montrez que le triangle CDE est équilatéral.

■ **Exercice 2 (enseignement de spécialité) • [Durée ± 45 min.]**

Les notions en jeu

– Similitudes directes ou indirectes.
– Équations de la forme $ax + by = c$.

Les conseils du correcteur

▶ **1.** Montrez que f est une similitude directe de rapport $2\sqrt{2}$ et d'angle de mesure $\frac{\pi}{4}$.
▶ **2. b)** Vous pouvez déterminer un argument de $\frac{b'-c}{a-c}$.
▶ **3.** Déterminez les parties réelle et imaginaire de $\frac{z'-c}{a-c}$ puis concluez.

■ **Exercice 3 • [Durée ± 45 min.]**

Les notions en jeu

– Probabilités conditionnelles.
– Loi de probabilités.
– Suites arithmétiques ou géométriques.
– Convergence.

Les conseils du correcteur

▶ **1.** Dressez un arbre pondéré en indiquant la valeur de X sur chacune des dernières branches.
c) Vérifiez que la somme des probabilités est bien égale à 1.
▶ **2. b)** Utilisez la formule des probabilités totales.

■ **Exercice 4 • [Durée ± 1 heure]**

Les notions en jeu

– Asymptote verticale ou horizontale.
– Limite à l'infini.
– Dérivées usuelles.
– Sens de variation.

MATHÉMATIQUES

– Théorème des valeurs intermédiaires.
– Fonction exponentielle.
– Primitives usuelles.
– Aire d'un domaine plan.

Les conseils du correcteur

▶ **1. a)** Étudiez les variations de g et déduisez-en le signe de g.

▶ **3. a)** Exploitez le signe de f pour conclure.

b) Il vous suffit de vérifier que F est la primitive de f qui s'annule en 0.

d) Utilisez le théorème des valeurs intermédiaires.

▶ **4.** Exploitez le résultat obtenu à la question **3. d)**.

CORRIGÉ SUJET 5

Exercice 1

▶ **1.** Soit (P) le plan d'équation cartésienne $2x+y-3z+1=0$ et A le point de coordonnées $(1\ ;\ 11\ ;\ 7)$.
Soit H le point de coordonnées $(0\ ;\ 2\ ;\ 1)$.

Nous avons $\overrightarrow{\mathrm{AH}}\begin{pmatrix}0-1\\2-11\\1-7\end{pmatrix}=\begin{pmatrix}-1\\-9\\-6\end{pmatrix}$ et un vecteur normal au plan (P) est $\vec{n}\begin{pmatrix}2\\1\\-3\end{pmatrix}$.

Un vecteur normal $\vec{n}$ au plan d'équation cartésienne $ax+by+cz+d=0$ admet pour coordonnées $\begin{pmatrix}a\\b\\c\end{pmatrix}$.

Les vecteurs $\overrightarrow{\mathrm{AH}}$ et $\vec{n}$ ne sont pas colinéaires car il n'existe pas de réel k tel que :

$$\begin{cases}-1=2k\\-9=k\\-6=-3k\,.\end{cases}$$

On peut donc affirmer que (AH) n'est pas perpendiculaire à (P) et donc que le projeté orthogonal de A sur (P) est distinct de H.

La proposition 1 est fausse.

▶ **2.** L'équation différentielle $y'=-2y$ admet pour ensemble de solutions l'ensemble des fonctions définies pour tout $x\in\mathbb{R}$ par $f(x)=C\mathrm{e}^{-2x}$ où $C\in\mathbb{R}$.

Déterminons une solution particulière de l'équation $y'=2-2y$ de la forme $f(x)=k(x)\mathrm{e}^{-2x}$ où k est une fonction dérivable sur $\mathbb{R}$.

Nous avons, pour tout $x\in\mathbb{R}$,

$$f'(x)=-2k(x)\mathrm{e}^{-2x}+k'(x)\mathrm{e}^{-2x}$$

pour tout $x\in\mathbb{R}$, $f'(x)=2-f(x)$ équivaut à :

$$-2k(x)\mathrm{e}^{-2x}+k'(x)\mathrm{e}^{-2x}=2-2k(x)\mathrm{e}^{-2x}$$

$$k'(x)\mathrm{e}^{-2x}=2 \quad\text{soit}\quad k'(x)=2\mathrm{e}^{2x} \quad\text{soit}\quad k(x)=\mathrm{e}^{2x}.$$

On en déduit que l'ensemble des solutions de l'équation $y'=2-2y$ est l'ensemble des fonctions f définies pour tout $x\in\mathbb{R}$ par :

$$f(x)=c\mathrm{e}^{-2x}+\mathrm{e}^{2x}\times\mathrm{e}^{-2x}$$

$$f(x)=c\mathrm{e}^{-2x}+1\,.$$

$f(0) = 0$ équivaut à :

$$c + 1 = 0 \qquad \text{soit} \qquad c = -1$$

donc la solution de l'équation $y' = 2 - y$ telle que $y(0) = 0$ est la fonction u définie pour tout $x \in \mathbb{R}$ par :

$$u(x) = 1 - e^{-2x}.$$

Nous avons alors :

$$u\left(\frac{1}{2}\ln 2\right) = 1 - e^{-2 \times \frac{1}{2}\ln 2}$$

$$u\left(\frac{1}{2}\ln 2\right) = 1 - e^{\ln\left(\frac{1}{2}\right)}$$

$$u\left(\frac{1}{2}\ln 2\right) = 1 - \frac{1}{2} \qquad \text{soit} \qquad u\left(\frac{1}{2}\ln 2\right) = \frac{1}{2}.$$

Pour tout $a > 0$, $e^{\ln(a)} = a$.

La proposition 2 est donc vraie.

▶ **3.** Soit (u_n) la suite définie par $u_0 = 2$ et, pour tout $n \in \mathbb{N}$,

$$u_{n+1} = \sqrt{7u_n}.$$

On effectue une démonstration par récurrence.

Nous avons $0 \leqslant u_0 \leqslant 7$.
Supposons que, pour un entier naturel k donné, on ait $0 \leqslant u_k \leqslant 7$.
Nous avons $u_{k+1} = \sqrt{7u_k}$ soit $u_{k+1} = \sqrt{7} \times \sqrt{u_k}$ et la fonction $x \mapsto \sqrt{x}$ est strictement croissante sur $[0\,;+\infty[$.
Par conséquent :

$$0 \leqslant \sqrt{u_k} \leqslant \sqrt{7} \qquad \text{soit} \qquad 0 \leqslant u_{k+1} \leqslant 7$$

ce qui prouve que, pour tout $n \in \mathbb{N}$, on a $0 \leqslant u_n \leqslant 7$.
La proposition 3 est vraie.

Exercice 2

Candidats n'ayant pas suivi l'enseignement de spécialité

▶ **1.** Soit A le point d'affixe $z_A = i$ et B le point d'affixe $z_B = e^{-i\frac{5\pi}{6}}$.
Soit r la rotation de centre O et d'angle $\frac{2\pi}{3}$.
Soit C l'image de B par r.

La rotation r de centre Ω d'affixe ω et d'angle de mesure α admet pour écriture complexe $z' - \omega = e^{i\alpha}(z + \omega)$.

a) r associe à tout point M d'affixe z le point M′ d'affixe z' définie par :

$$\boxed{z' = e^{i\frac{2\pi}{3}}z.}$$

b) L'affixe z_C de C est :

$$z_C = e^{i\frac{2\pi}{3}} \times e^{-i\frac{5\pi}{6}} \qquad \text{soit} \qquad z_C = e^{i\left(\frac{2\pi}{3} - \frac{5\pi}{6}\right)}$$

$$\boxed{z_C = e^{-i\frac{\pi}{6}}.}$$

c) Nous avons :

$$z_B = \left(\cos\left(-\frac{5\pi}{6}\right) + i \sin\left(-\frac{5\pi}{6}\right)\right)$$

$$\boxed{z_B = -\frac{\sqrt{3}}{2} - \frac{1}{2}\,i}$$

et $$z_C = \cos\left(-\frac{\pi}{6}\right) + i \sin\left(-\frac{\pi}{6}\right)$$

$$\boxed{z_C = \frac{\sqrt{3}}{2} - \frac{i}{2}.}$$

Pour tout réel θ, $e^{i\theta} = \cos\theta + i\sin\theta$.

d) Voir figure ci-après.

▶ **2.** Soit D le barycentre du système de points pondérés $\{(A\,;\,2), (B\,;\,-1), (C\,;\,2)\}$.

a) D existe car $2 - 1 + 2 \neq 0$ et son affixe z_D est donnée par :

$$z_D = \frac{2z_A - z_B + 2z_C}{2 - 1 + 2}$$

$$z_D = \frac{2i + \frac{\sqrt{3}}{2} + \frac{1}{2}\,i + \sqrt{3} - i}{2 - 1 + 2}$$

$$z_D = \frac{\frac{3i}{2} + \frac{3\sqrt{3}}{2}}{3} \quad \text{soit} \quad \boxed{z_D = \frac{\sqrt{3}}{2} + \frac{1}{2}\,i.}$$

b) Nous avons $OA = |z_A|$ soit $OA = 1$.

De la même façon, nous avons :

$$OB = \left|e^{-i\frac{5\pi}{6}}\right|$$
$$OB = 1$$
$$OC = \left|e^{-i\frac{\pi}{6}}\right|$$
$$OC = 1$$

et $$OD = \left|\frac{\sqrt{3}}{2} + \frac{1}{2}\,i\right|$$
$$OD = \left|e^{i\frac{\pi}{6}}\right|$$
$$OD = 1$$

Pour tout réel θ, $|e^{i\theta}| = 1$.

donc **A, B, C et D appartiennent au cercle de centre O et de rayon 1.**

▶ **3.** Soit h l'homothétie de centre A et de rapport 2 et soit E l'image de D par h.

a) h associe à tout point M d'affixe z le point M′ d'affixe z' donnée par :

$$z' - z_A = 2(z - z_A)$$
$$z' - i = 2z - 2i$$
$$\boxed{z' = 2z - i.}$$

b) Soit z_E l'affixe de E.

Nous avons : $$z_E = 2 \times \left(\frac{\sqrt{3}}{2} + \frac{1}{2}\,i\right) - i$$

$$\boxed{z_E = \sqrt{3}.}$$

Voir figure ci-après.

▶ **4. a)** Nous avons :

$$\frac{z_D - z_C}{z_E - z_C} = \frac{\frac{\sqrt{3}}{2} + \frac{1}{2}\,i - \frac{\sqrt{3}}{2} + \frac{i}{2}}{\sqrt{3} - \frac{\sqrt{3}}{2} + \frac{i}{2}}$$

$$\frac{z_D - z_C}{z_E - z_C} = \frac{i}{\frac{i}{2} + \frac{\sqrt{3}}{2}}$$

$$\frac{z_D - z_C}{z_E - z_C} = \frac{e^{i\frac{\pi}{2}}}{e^{i\frac{\pi}{6}}} \quad \text{soit} \quad \frac{z_D - z_C}{z_E - z_C} = e^{i\left(\frac{\pi}{2} - \frac{\pi}{6}\right)}$$

$$\boxed{\frac{z_D - z_C}{z_E - z_C} = e^{i\frac{\pi}{3}}.}$$

On écrit la forme exponentielle des numérateur et dénominateur et on exploite la propriété $\frac{e^{i\theta}}{e^{i\theta'}} = e^{i(\theta-\theta')}$.

b) Du résultat précédent, on déduit que :

$$z_D - z_C = e^{i\frac{\pi}{3}}(z_E - z_C)$$

ce qui signifie que D est l'image de E par la rotation de centre C et d'angle de mesure $\frac{\pi}{3}$.

On reconnaît ici l'écriture complexe de la rotation de centre C et d'angle de mesure $\frac{\pi}{3}$.

Par suite, **le triangle CED est équilatéral direct.**

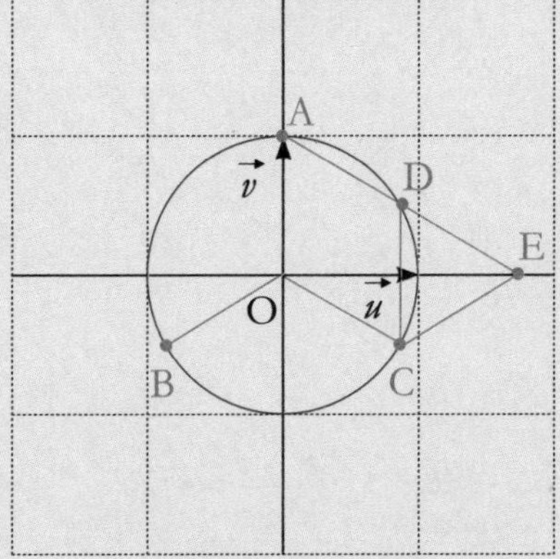

Exercice 2

Candidats ayant suivi l'enseignement de spécialité

Soit A, B et C les points d'affixes respectives $a = 3 + 5i$, $b = -4 + 2i$ et $c = 1 + 4i$. Soit f la transformation qui à tout point M d'affixe z associe le point M′ d'affixe $z' = (2 - 2i)z + 1$.

▸ **1.** f admet une écriture complexe de la forme $z' = \alpha z + \beta$ où $(\alpha\,;\,\beta) \in \mathbb{C}^2$, donc f est une similitude directe.

$z = (2-2\text{i})z + 1$ équivaut à :

$$z(1-2+2\text{i}) = 1 \quad \text{soit} \quad z(-1+2\text{i}) = 1$$

$$z = \frac{1}{-1+2\text{i}} \quad \text{soit} \quad z = \frac{-1-2\text{i}}{(-1)^2+2^2}$$

$$z = \frac{-1-2\text{i}}{5} \quad \text{soit} \quad \boxed{z = -\frac{1}{5} - \frac{2}{5}\,\text{i}.}$$

Le point invariant de s est l'unique solution de l'équation $z' = z$.

Le centre Ω de f admet pour affixe $\omega = -\frac{1}{5} - \frac{2}{5}\,\text{i}$.

Nous avons :

$$2-2\text{i} = 2\sqrt{2}\left(\frac{1}{\sqrt{2}} - \frac{1}{\sqrt{2}}\,\text{i}\right)$$

$$2-2\text{i} = 2\sqrt{2}\left(\cos\left(-\frac{\pi}{4}\right) + \text{i}\sin\left(-\frac{\pi}{4}\right)\right)$$

$$2-2\text{i} = 2\sqrt{2}\,\text{e}^{-\text{i}\frac{\pi}{4}}.$$

f est de rapport $2\sqrt{2}$ et d'angle de mesure $-\frac{\pi}{4}$.

▸ **2. a)** Soit b' l'affixe du point B′ image du point B par f.

$$b' = (2-2\text{i})(-4+2\text{i}) + 1$$

$$b' = -8 + 4\text{i} + 8\text{i} + 4 + 1$$

$$\boxed{b' = -3 + 12\text{i}.}$$

B′ admet pour affixe $-3 + 12\text{i}$.

b) Nous avons :

$$\frac{b'-c}{a-c} = \frac{-3+12\text{i}-1-4\text{i}}{3+5\text{i}-1-4\text{i}}$$

$$\frac{b'-c}{a-c} = \frac{-4+8\text{i}}{2+\text{i}}$$

$$\frac{b'-c}{a-c} = \frac{4\text{i}(2+\text{i})}{2+\text{i}} \quad \text{soit} \quad \frac{b'-c}{a-c} = 4\text{i}$$

donc

$$\arg\left(\frac{b'-c}{a-c}\right) = \arg(4\text{i}) \quad [2\pi]$$

$$(\overrightarrow{\text{CA}}\,;\,\overrightarrow{\text{CB}'}) = \frac{\pi}{2} \quad [2\pi]$$

On montre que $\arg\left(\frac{b'-c}{a-c}\right) = \frac{\pi}{2}\,[\pi]$ pour prouver que les droites (CA) et (CB') sont orthogonales.

Les droites (CA) et (CB′) sont donc perpendiculaires.

▸ **3.** Soit M le point d'affixe $z = x + \text{i}y$ où $(x\,;\,y) \in \mathbb{Z}^2$.

Nous avons :

$$\frac{z'-c}{a-c} = \frac{(2-2\text{i})(x+\text{i}y)+1-1-4\text{i}}{3+5\text{i}-1-4\text{i}}$$

$$\frac{z'-c}{a-c} = \frac{2x+2y+\text{i}(2y-2x)-4\text{i}}{2+\text{i}}$$

$$\frac{z'-c}{a-c} = \frac{(2x+2y+\text{i}(2y-2x)-4\text{i})(2-\text{i})}{5}$$

$$\frac{z'-c}{a-c}=\frac{4x-2\mathrm{i}x+4y-2\mathrm{i}y+4\mathrm{i}y-4\mathrm{i}x+2y-2x-8\mathrm{i}-4}{5}$$

$$\frac{z'-c}{a-c}=\frac{2x+6y+2\mathrm{i}y-6\mathrm{i}x-8\mathrm{i}-4}{5}$$

$$\frac{z'-c}{a-c}=\frac{1}{5}((2x+6y-4)+\mathrm{i}(-6x+2y-8)).$$

Les vecteurs $\overrightarrow{CM'}$ et $\overrightarrow{CA}$ sont orthogonaux si et seulement si $\dfrac{z'-c}{a-c}$ est imaginaire pur, c'est-à-dire si et seulement si :

$\overrightarrow{CM}$' et $\overrightarrow{CA}$ admettent pour affixes respectives $z'-c$ et $a-c$.

$$\frac{1}{5}\,(2x+6y-4)=0$$

$$2x+6y-4=0 \qquad \text{soit} \qquad x+3y-2=0$$

$$\boxed{x+3y=2.}$$

▶ **4.** Soit (E) l'équation $x+3y=2$.

a) Nous avons : $-4+3\times 2=2$

donc **le couple $(-4\ ;\ 2)$ est solution de (E).**

b) (E) équivaut donc à :

$$x+3y=-4+3\times 2$$

$$x+4=3(2-y)$$

3 divise $x+4$ donc il existe $k\in\mathbb{Z}$ tel que $x+4=3k$.

On utilise ici le théorème de Gauss.

On en déduit que : $x=3k-4$

et $3k=3(2-y)$

$$2-y=k$$

$$y=2-k$$

L'ensemble des solutions de l'équation (E) est l'ensemble des couples $(3k-4\ ;\ 2-k)$ où k décrit $\mathbb{Z}$.

c) $x\in[-5\ ;\ 5]$ et $y\in[-5\ ;\ 5]$ et $\overrightarrow{CM'}$ et $\overrightarrow{CA}$ sont orthogonaux si et seulement si :

$-5\leqslant 3k-4\leqslant 5$ et $-5\leqslant 2-k\leqslant 5$

$-1\leqslant 3k\leqslant 9$ et $-7\leqslant -k\leqslant 3$

$0\leqslant k\leqslant 3$ et $-3\leqslant k\leqslant 7$

$k\in\mathbb{Z}$ et $k\in[0\ ;\ 3]$.

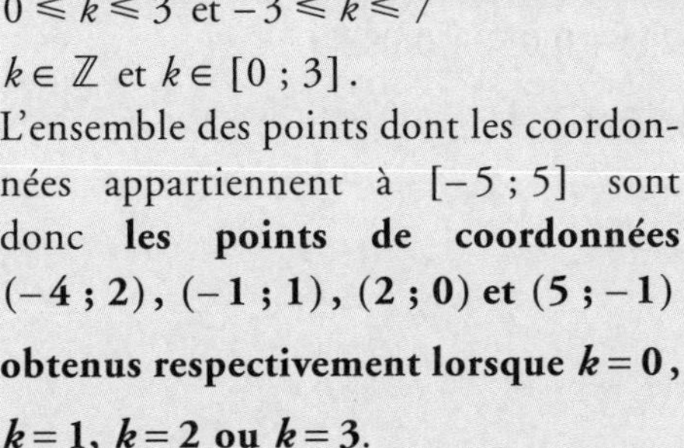

L'ensemble des points dont les coordonnées appartiennent à $[-5\ ;\ 5]$ sont donc **les points de coordonnées $(-4\ ;\ 2)$, $(-1\ ;\ 1)$, $(2\ ;\ 0)$ et $(5\ ;\ -1)$ obtenus respectivement lorsque $k=0$, $k=1$, $k=2$ ou $k=3$.**

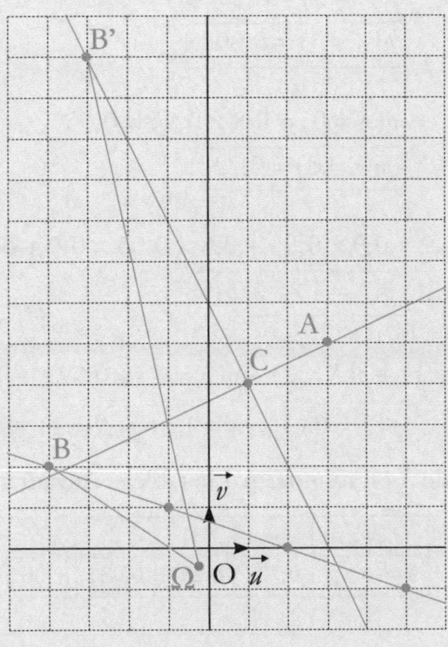

MATHÉMATIQUES

Exercice 3

▶ **1.** Soit E_i (i entier compris entre 1 et 3) l'événement « Le joueur perd la $i^{\text{ème}}$ partie ».

a) L'ensemble des valeurs prises par la variable aléatoire X donnant le nombre de fois où le joueur a perdu à l'issue des trois parties est $\{0 ; 1 ; 2 ; 3\}$.
Un arbre pondéré résumant la situation est le suivant :

On distingue l'ensemble des éventualités en indiquant la valeur prise par X.

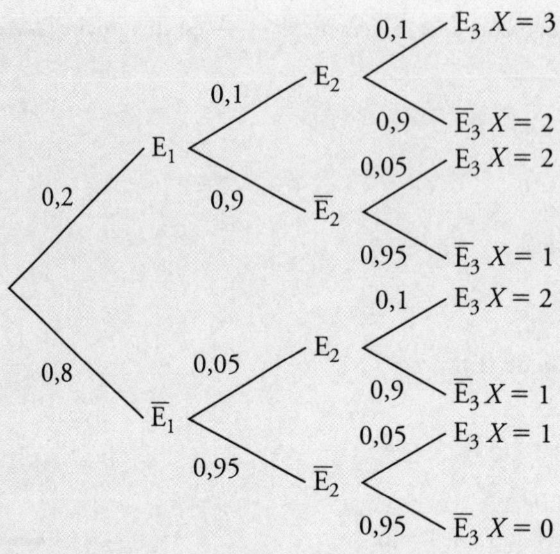

b) De l'arbre pondéré, on déduit que :

$$p(X=2) = 0{,}2 \times 0{,}1 \times 0{,}9 + 0{,}2 \times 0{,}9 \times 0{,}05 + 0{,}8 \times 0{,}05 \times 0{,}1$$

$$\boxed{p(X=2) = 0{,}031.}$$

De la même façon, nous avons :

$$p(X=3) = 0{,}2 \times 0{,}1 \times 0{,}1$$

$$\boxed{p(X=3) = 0{,}002.}$$

c) Nous avons :

$$p(X=0) = 0{,}8 \times 0{,}95 \times 0{,}95$$

$$\boxed{p(X=0) = 0{,}722}$$

et

$$p(X=1) = 0{,}2 \times 0{,}9 \times 0{,}95 + 0{,}8 \times 0{,}05 \times 0{,}9 + 0{,}8 \times 0{,}95 \times 0{,}05$$

$$\boxed{p(X=1) = 0{,}245.}$$

On exploite l'incompatibilité des éventualités, les probabilités étant obtenues par produit des probabilités issues de chaque nœud.

Remarquons que l'on a bien :

$$p(X=0) + p(X=1) + p(X=2) + p(X=3) = 0{,}722 + 0{,}245 + 0{,}031 + 0{,}002$$

$$p(X=0) + p(X=1) + p(X=2) + p(X=3) = 1$$

La loi de probabilité de X est résumée par le tableau suivant :

x_i	0	1	2	3
$p(X=x_i)$	0,722	0,245	0,031	0,002

d) L'espérance mathématique de X est :

$$E(X) = 0 \times p(X=0) + 1 \times p(X=1) + 2 \times p(X=2) + 3 \times p(X=3)$$

$$E(X) = 0{,}245 + 2 \times 0{,}031 + 3 \times 0{,}002$$

$$\boxed{E(X) = 0{,}313.}$$

▶ **2. a)** Pour tout $n \in \mathbb{N}^*$, on a :

$$p(\mathrm{E}_n \cap \mathrm{E}_{n+1}) = p_{\mathrm{E}_n}(\mathrm{E}_{n+1}) \times p(\mathrm{E}_n)$$

$$\boxed{p(\mathrm{E}_n \cap \mathrm{E}_{n+1}) = 0{,}1 \times p_n}$$

et

$$p(\overline{\mathrm{E}}_n \cap \mathrm{E}_{n+1}) = p_{\overline{\mathrm{E}}_n}(\mathrm{E}_{n+1}) \times p(\overline{\mathrm{E}}_n)$$

$$p(\overline{\mathrm{E}}_n \cap \mathrm{E}_{n+1}) = 0{,}05 \times (1 - p(\mathrm{E}_n))$$

$$\boxed{p(\overline{\mathrm{E}}_n \cap \mathrm{E}_{n+1}) = 0{,}05 - 0{,}05p_n.}$$

b) Les événements E_n et $\overline{\mathrm{E}}_n$ formant une partition, la formule des probabilités totales permet d'affirmer que, pour tout $n \in \mathbb{N}^*$,

$$p(\mathrm{E}_{n+1}) = p(\mathrm{E}_n \cap \mathrm{E}_{n+1}) + p(\overline{\mathrm{E}}_n \cap \mathrm{E}_{n+1})$$

$$p_{n+1} = 0{,}1p_n + 0{,}05 - 0{,}05p_n$$

$$\boxed{p_{n+1} = 0{,}05p_n + 0{,}05.}$$

▶ **3.** Soit (u_n) la suite définie pour tout $n \in \mathbb{N}^*$ par $u_n = p_n - \frac{1}{19}$.

a) Pour tout $n \in \mathbb{N}^*$, $u_{n+1} = p_{n+1} - \frac{1}{19}$

On cherche à montrer que, pour tout $n \in \mathbb{N}$, $u_{n+1} = q\,u_n$ où q est un réel non nul donné.

$$u_{n+1} = 0{,}05p_n + 0{,}05 - \frac{1}{19}$$

$$u_{n+1} = 0{,}05\left(p_n + 1 - \frac{1}{19 \times 0{,}05}\right)$$

$$u_{n+1} = 0{,}05\left(p_n + \frac{19 \times 0{,}05 - 1}{19 \times 0{,}05}\right)$$

$$u_{n+1} = 0{,}05\left(p_n - \frac{1 - 19 \times \frac{1}{20}}{19 \times \frac{1}{20}}\right)$$

$$u_{n+1} = 0{,}05\left(p_n - \frac{\frac{1}{20}}{19 \times \frac{1}{20}}\right)$$

$$u_{n+1} = 0{,}05\left(p_n - \frac{1}{19}\right)$$

$$\boxed{u_{n+1} = 0{,}05u_n.}$$

On en déduit que (u_n) est la suite géométrique de raison 0,05 et de premier terme :

$$u_1 = p_1 - \frac{1}{19} \quad \text{soit} \quad u_1 = \frac{2}{10} - \frac{1}{19}$$

$$u_1 = \frac{14}{95}.$$

MATHÉMATIQUES

b) Du résultat précédent, on déduit que, pour tout $n \in \mathbb{N}^*$,

$$u_n = \frac{14}{95} \times (0{,}05)^{n-1}$$

$$p_n - \frac{1}{19} = \frac{14}{95} \times (0{,}05)^{n-1}$$

$$\boxed{p_n = \frac{14}{95} \times (0{,}05)^{n-1} + \frac{1}{19}.}$$

c) Nous avons $\lim\limits_{n \to +\infty} (0{,}05)^{n-1} = 0$ car $0 < 0{,}05 < 1$.

On en déduit que :

$$\boxed{\lim_{n \to +\infty} p_n = \frac{1}{19}.}$$

Exercice 4

▶ **1.** Soit g la fonction définie pour tout $x \in [0 ; +\infty[$ par $g(x) = e^x - \frac{x^2}{2}$.

a) Pour tout $x \in [0 ; +\infty[$,

$$g'(x) = e^x - x.$$

Or, on sait que, pour tout $x \in [0 ; +\infty[$, $e^x > x$, donc, pour tout $[0 ; +\infty[$, $g'(x) > 0$.

On en déduit que g est strictement croissante sur $[0 ; +\infty[$.

Puisque $g(0) = 1$, on peut affirmer que, pour tout $x \in [0 ; +\infty[$, $g(x) \geqslant g(0)$, soit $g(x) \geqslant 1$.

Ainsi, **pour tout $x \in [0 ; +\infty[$, $g(x) \geqslant 0$**.

Vous pouvez montrer que, pour tout $x \in \mathbb{R}$, $e^x > x$ en étudiant les variations de la fonction $x \mapsto e^x - x$ et en montrant que son minimum est 0.

b) Du résultat précédent, on déduit que, pour tout $x \in [0 ; +\infty[$,

$$e^x - \frac{x^2}{2} \geqslant 0 \qquad \text{soit} \qquad e^x \geqslant \frac{x^2}{2}$$

donc pour tout $x \in]0 ; +\infty[$,

$$\frac{e^x}{x} \geqslant \frac{x}{2}.$$

Or, $$\lim_{x \to +\infty} \frac{x}{2} = +\infty.$$

Par conséquent, $$\boxed{\lim_{x \to +\infty} \frac{e^x}{x} = +\infty.}$$

On utilise ici les théorèmes de comparaison.

▶ **2.** Soit f la fonction définie pour tout $x \in [0 ; +\infty[$ par :

$$f(x) = \frac{1}{4} x e^{-\frac{x}{2}}.$$

a) Pour tout $x \in [0 ; +\infty[$, $\frac{1}{4} x \geqslant 0$ et, pour tout $X \in \mathbb{R}$, $e^X > 0$, par conséquent,

pour tout $x \in [0 ; +\infty[$, $f(x) \geqslant 0$.

b) Pour tout $x \in [0 ; +\infty[$,

$$f(x) = \frac{1}{4} \frac{x}{e^{\frac{x}{2}}} \text{ et } f(x) = \frac{1}{2} \times \frac{\frac{x}{2}}{e^{\frac{x}{2}}}.$$

Posons $X = \frac{x}{2}$. Nous avons $\lim_{x \to +\infty} \frac{x}{2} = +\infty$ et $\lim_{X \to +\infty} \frac{X}{e^X} = 0$ puisque $\lim_{X \to +\infty} \frac{e^X}{X} = +\infty$.

On en déduit que :

$$\boxed{\lim_{x \to +\infty} f(x) = 0.}$$

Ainsi, l'**axe des abscisses est asymptote à $\mathscr{C}$ au voisinage de $+\infty$**.

c) Pour tout $x \in [0 \,;\, +\infty[$,

$$f'(x) = \frac{1}{4}\left(1 \times e^{-\frac{x}{2}} + x \times \left(-\frac{1}{2}\, e^{-\frac{x}{2}}\right)\right)$$

$$f'(x) = \frac{1}{4}\, e^{-\frac{x}{2}}\left(1 - \frac{x}{2}\right)$$

$$\boxed{f'(x) = \frac{1}{8}\, e^{-\frac{x}{2}}(2 - x).}$$

On utilise ici la formule de dérivation d'un produit de deux fonctions dérivables.

$f'(x)$ est du signe de $2 - x$ car, pour tout $x \in [0 \,;\, +\infty[$, $\frac{1}{8}\, e^{-\frac{x}{2}} > 0$.

On en déduit que :

– pour tout $x \in [0 \,;\, 2[$, $f'(x) > 0$;

– pour tout $x \in \,]2 \,;\, +\infty[$, $f'(x) < 0$;

– $f'(2) = 0$.

f est donc strictement croissante sur $[0 \,;\, 2]$ et strictement décroissante sur $[2 \,;\, +\infty[$.

Nous avons : $f(0) = 0$

et $f(2) = \frac{1}{2e}$.

Le tableau des variations de f sur $[0 \,;\, +\infty[$ est le suivant :

x	0		2		$+\infty$
Signe de $f'(x)$		$+$	0	$-$	
Variations de f	0	↗	$\frac{1}{2e}$	↘	0

▶ **3.** Soit F la fonction définie pour tout $x \in [0 \,;\, +\infty[$ par :

$$F(x) = \int_0^x f(t)\, dt.$$

F ainsi définie est la primitive de *f* sur [0 ; + ∞[qui s'annule en *x* = 0.

a) Pour tout $x \in [0 \,;\, +\infty[$, $F'(x) = f(x)$ et nous avons montré que f est strictement positive sur $]0 \,;\, +\infty[$.

Il s'ensuit que, pour tout $x \in \,]0 \,;\, +\infty[$, $F'(x) > 0$, ce qui prouve que F est strictement croissante sur $[0 \,;\, +\infty[$.

b) Soit G la fonction définie pour tout $x \in [0 \,;\, +\infty[$ par :

$$G(x) = 1 - e^{-\frac{x}{2}} - \frac{x}{2}\, e^{-\frac{x}{2}}.$$

Montrons que G est la primitive de f qui s'annule en 0.

Nous avons $G(0) = 1 - 1 - 0$ soit $G(0) = 0$.

D'autre part,

$$G'(x) = -\left(-\frac{1}{2}\right)e^{-\frac{x}{2}} - \frac{1}{2}e^{-\frac{x}{2}} - \frac{x}{2} \times \left(-\frac{1}{2}e^{-\frac{x}{2}}\right)$$

$$G'(x) = \frac{1}{2}e^{-\frac{x}{2}} - \frac{1}{2}e^{-\frac{x}{2}} + \frac{1}{4}xe^{-\frac{x}{2}}$$

$$G'(x) = f(x)$$

Si u est une fonction dérivable sur un intervalle I, alors e^u est dérivable sur I, et, sur I, $(e^u)' = u'\, e^u$.

donc G est la primitive de f qui s'annule en 0 donc $G = F$.
Par suite, on en déduit que, pour tout $x \in [0\,;+\infty[$,

$$\boxed{F(x) = 1 - e^{-\frac{x}{2}} - \frac{x}{2}e^{-\frac{x}{2}}.}$$

c) Nous avons $\lim\limits_{x \to +\infty}\left(-\frac{x}{2}\right) = -\infty$ et $\lim\limits_{X \to -\infty} e^X = 0$ donc $\lim\limits_{x \to +\infty} e^{-\frac{x}{2}} = 0$.
D'autre part, pour tout $x \in [0\,;+\infty[$,

$$\frac{x}{2}e^{-\frac{x}{2}} = \frac{\frac{x}{2}}{e^{\frac{x}{2}}}.$$

Nous avons $\lim\limits_{x \to +\infty} \frac{x}{2} = +\infty$ et $\lim\limits_{X \to +\infty} \frac{X}{e^X} = 0$ donc $\lim\limits_{x \to +\infty} \frac{x}{2}e^{-\frac{x}{2}} = 0$.

$\lim\limits_{X \to +\infty} \frac{e^X}{X} = +\infty$ (croissances comparées), donc $\lim\limits_{X \to +\infty} \frac{X}{e^X} = 0$.

Par suite,

$$\boxed{\lim_{x \to +\infty} F(x) = 1.}$$

Le tableau des variations de F sur $[0\,;+\infty[$ est le suivant :

x	0	$+\infty$
Signe de $f(x)$	+	
Variations de F	0 ↗	1

d) F est continue et strictement croissante sur $[0\,;+\infty[$.
L'image de $[0\,;+\infty[$ est l'intervalle $[0\,;1[$.
Puisque $0{,}5 \in [0\,;1[$, le théorème des valeurs intermédiaires permet d'affirmer qu'il existe un unique réel $\alpha > 0$ tel que $F(\alpha) = 0{,}5$.
Une valeur approchée de α à 10^{-2} près par excès, obtenue à l'aide de la calculatrice, est $\alpha = 3{,}36$.

▶ **4.** Soit $n \in \mathbb{N}^*$ et A_n l'aire, exprimée en unités d'aire, du domaine plan délimité par l'axe des abscisses, $\mathscr{C}$ et les droites d'équations $x = 0$ et $x = n$.
Puisque f est positive sur $[0\,;+\infty[$, nous avons, pour tout $n \in \mathbb{N}^*$,

$$A_n = \int_0^n f(t)\,dt$$

$$A_n = F(n).$$

Or, nous avons montré que F est strictement croissante sur $[0\,;+\infty[$ et $F(\alpha) = 0{,}5$.
Il s'ensuit que **le plus petit entier naturel n tel que $A_n \geqslant 0{,}5$ est $n = 4$.**

Exercice 1 (4 points)

Commun à tous les candidats

L'espace est rapporté au repère orthonormal $(O ; \vec{i}, \vec{j}, \vec{k})$.
On considère le plan $\mathcal{P}$ d'équation $2x+y-2z+4=0$ et les points A de coordonnées $(3 ; 2 ; 6)$, B de coordonnées $(1 ; 2 ; 4)$, et C de coordonnées $(4 ; -2 ; 5)$.

▶ **1. a)** Vérifier que les points A, B et C définissent un plan. *(0,25 point)*
b) Vérifier que ce plan est le plan $\mathcal{P}$. *(0,25 point)*

▶ **2. a)** Montrer que le triangle ABC est rectangle. *(0,25 point)*
b) Écrire un système d'équations paramétriques de la droite Δ passant par O et perpendiculaire au plan $\mathcal{P}$. *(0,25 point)*
c) Soit K le projeté orthogonal de O sur $\mathcal{P}$. Calculer la distance OK. *(0,5 point)*
d) Calculer le volume du tétraèdre OABC. *(0,5point)*

▶ **3.** On considère, dans cette question, le système de points pondérés :

$$S=\{(O ; 3) ; (A ; 1) ; (B ; 1) ; (C ; 1)\}.$$

a) Vérifier que ce système admet un barycentre, qu'on notera G. *(0,25 point)*
b) On note I le centre de gravité du triangle ABC. Montrer que G appartient à (OI). *(0,5 point)*
c) Déterminer la distance de G au plan $\mathcal{P}$. *(0,5 point)*

▶ **4.** Soit Γ l'ensemble des points M de l'espace vérifiant :

$$\|3\overrightarrow{MO}+\overrightarrow{MA}+\overrightarrow{MB}+\overrightarrow{MC}\|=5.$$

Déterminer Γ. Quelle est la nature de l'ensemble des points communs à $\mathcal{P}$ et Γ ? *(0,75 point)*

Exercice 2 (5 points)

Candidats n'ayant pas suivi l'enseignement de spécialité

▶ **1.** *Dans cette question, il est demandé au candidat d'exposer des connaissances.*
Le plan complexe est rapporté au repère orthonormal direct $(O ; \vec{u}, \vec{v})$.
Soit R la rotation du plan de centre Ω, d'affixe ω et d'angle de mesure θ. L'image par R d'un point du plan est donc définie de la manière suivante :
– $R(\Omega)=\Omega$;
– pour tout point M du plan, distinct de Ω, l'image M′ de M est définie par $\Omega M'=\Omega M$ et $(\overrightarrow{\Omega M} ; \overrightarrow{\Omega M'})=\theta \ [2\pi]$.

On rappelle que, pour des points A et B d'affixes respectives a et b, $AB=|b-a|$ et $(\vec{u} ; \overrightarrow{AB})=\arg(b-a) \ [2\pi]$.
Montrer que les affixes z et z' d'un point quelconque M du plan et de son image M′ par la rotation R, sont liées par la relation :

$$z'-\omega=e^{i\theta}(z-\omega). \ \textit{(1 point)}$$

MATHÉMATIQUES

▶ **2.** On considère les points I et B d'affixes respectives $z_I = 1 + i$ et $z_B = 2 + 2i$. Soit R la rotation de centre B et d'angle de mesure $\frac{\pi}{3}$.

a) Donner l'écriture complexe de R. *(0,5 point)*

b) Soit A l'image de I par R. Calculer l'affixe z_A de A. *(0,5 point)*

c) Montrer que O, A et B sont sur un même cercle de centre I. En déduire que OAB est un triangle rectangle en A. Donner une mesure de l'angle $(\overrightarrow{OA}\ ;\ \overrightarrow{OB})$. *(1 point)*

d) En déduire une mesure de l'angle $(\vec{u}\ ;\ \overrightarrow{OA})$. *(0,5 point)*

▶ **3.** Soit T la translation de vecteur $\overrightarrow{IO}$. On pose $A' = T(A)$.

a) Calculer l'affixe $z_{A'}$ de A'. *(0,5 point)*

b) Quelle est la nature du quadrilatère OIAA' ? *(0,5 point)*

c) Montrer que $-\frac{\pi}{12}$ est un argument de $z_{A'}$. *(0,5 point)*

Exercice 2 (5 points)

Candidats ayant suivi l'enseignement de spécialité

▶ **1.** *Dans cette question, il est demandé au candidat d'exposer des connaissances.*

On suppose connus les résultats suivants :

– La composée de deux similitudes planes est une similitude plane.

– La transformation réciproque d'une similitude plane est une similitude plane.

– Une similitude plane qui laisse invariants trois points non alignés du plan est l'identité du plan.

Soient A, B et C trois points non alignés du plan et s et s' deux similitudes du plan telles que : $s(A) = s'(A)$, $s(B) = s'(B)$ et $s(C) = s'(C)$.

Montrer que $s = s'$. *(1 point)*

▶ **2.** Le plan complexe est rapporté au repère orthonormal $(O\ ;\ \vec{u}, \vec{v})$. La figure sera complétée au fur et à mesure. On donne les points A d'affixe 2, E d'affixe $1 + i$, F d'affixe $2 + i$ et G d'affixe $3 + i$.

a) Calculer les longueurs des côtés des triangles OAG et OEF.

En déduire que ces triangles sont semblables. *(1 point)*

b) Montrer que OEF est l'image de OAG par une similitude indirecte S, en déterminant l'écriture complexe de S. *(1 point)*

c) Soit h l'homothétie de centre O et de rapport $\frac{1}{\sqrt{2}}$. On pose $A' = h(A)$ et $G' = h(G)$, et on appelle I le milieu de $[EA']$. On note σ la symétrie orthogonale d'axe (OI). Montrer que $S = \sigma \circ h$. *(2 points)*

Exercice 3 (5 points)

Commun à tous les candidats

On considère la fonction f définie sur $[0\ ;\ +\infty[$ par $f(x) = \frac{\ln(x+3)}{x+3}$.

▶ **1.** Montrer que f est dérivable sur $[0\ ;\ +\infty[$. Étudier le signe de sa fonction dérivée f', sa limite éventuelle en $+\infty$, et dresser le tableau de ses variations. *(1 point)*

▶ **2.** On définit la suite $(u_n)_{n \geqslant 0}$ par son terme général $u_n = \int_n^{n+1} f(x)\, dx$.

a) Montrer que, si $n \leqslant x \leqslant n + 1$, alors $f(n + 1) \leqslant f(x) \leqslant f(n)$. *(0,25 point)*

b) Montrer, sans chercher à calculer u_n, que, pour tout entier naturel n,

$$f(n+1) \leqslant u_n \leqslant f(n). \text{ (0,5 point)}$$

c) En déduire que la suite (u_n) est convergente et déterminer sa limite. *(0,5 point)*

▶ **3.** Soit F la fonction définie sur $[0\ ;+\infty[$ par $F(x) = (\ln(x+3))^2$.

a) Justifier la dérivabilité sur $[0\ ;+\infty[$ de la fonction F et déterminer, pour tout réel positif x, le nombre $F'(x)$. *(1 point)*

b) On pose, pour tout entier naturel n, $\mathrm{I}_n = \int_0^n f(x)\,\mathrm{d}x$. Calculer I_n. *(1 point)*

▶ **4.** On pose, pour tout entier naturel n, $\mathrm{S}_n = u_0 + u_1 + \ldots + u_{n-1}$.
Calculer S_n. La suite (S_n) est-elle convergente ? *(0,75 point)*

Exercice 4 (6 points)

Commun à tous les candidats

Pour réaliser une enquête, un employé interroge des personnes prises au hasard dans une galerie commerçante. Il se demande si trois personnes au moins accepteront de répondre.

▶ **1.** Dans cette question, on suppose que la probabilité qu'une personne choisie au hasard accepte de répondre est 0,1. L'employé interroge 50 personnes de manière indépendante. On considère les événements :
A : « Au moins une personne accepte de répondre »
B : « Moins de trois personnes acceptent de répondre »
C : « Trois personnes ou plus acceptent de répondre ».
Calculer les probabilités des événements A, B et C. On arrondira au millième. *(1,5 point)*

▶ **2.** Soit n un entier naturel supérieur ou égal à 3. Dans cette question, on suppose que la variable aléatoire X qui, à tout groupe de n personnes interrogées indépendamment, associe le nombre de personnes ayant accepté de répondre, suit la loi de probabilité définie par :

$$\begin{cases} \text{Pour tout entier } k \text{ tel que } 0 \leqslant k \leqslant n-1,\ p(\mathrm{X}=k) = \dfrac{\mathrm{e}^{-a}a^k}{k!}, \\ \text{et } p(\mathrm{X}=n) = 1 - \displaystyle\sum_{k=1}^{n-1} \dfrac{\mathrm{e}^{-a}a^k}{k!}, \\ \text{formules dans lesquelles } a = \dfrac{n}{10}. \end{cases}$$

a) Montrer que la probabilité qu'au moins trois personnes répondent est donnée par :

$$f(a) = 1 - \mathrm{e}^{-a}\left(1 + a + \frac{a^2}{2}\right). \text{ (0,75 point)}$$

b) Calculer $f(5)$. En donner l'arrondi au millième. Cette modélisation donne-t-elle un résultat voisin de celui obtenu à la question **1.** ? *(0,75 point)*

▶ **3.** On conserve le modèle de la question **2.** On souhaite déterminer le nombre minimum de personnes à interroger pour que la probabilité que trois d'entre elles au moins répondent soit supérieure ou égale à 0,95.

a) Étudier les variations de la fonction f définie sur $\mathbb{R}^+$ par $f(x) = 1 - \mathrm{e}^{-x}\left(1 + x + \dfrac{x^2}{2}\right)$ ainsi que sa limite en $+\infty$. Dresser son tableau de variations. *(1,5 point)*

b) Montrer que l'équation $f(x) = 0{,}95$ admet une solution unique sur $\mathbb{R}^+$, et que cette solution est comprise entre 6,29 et 6,3. *(1 point)*

c) En déduire le nombre minimum de personnes à interroger. *(0,5 point)*

■ Exercice 1 • [Durée ± 35 min.]

Les notions en jeu

- Barycentre.
- Géométrie dans l'espace.

Les conseils du correcteur

▶ **1. a)** Montrez que les points A, B et C ne sont pas alignés en étudiant la colinéarité des vecteurs $\overrightarrow{AB}$ et $\overrightarrow{AC}$.

▶ **2. a)** Utilisez la réciproque du théorème de Pythagore après avoir calculé AB, AC et BC.
b) Utilisez les barycentres partiels pour conclure.

▶ **4.** Comparez le rayon de Γ et la distance de G au plan $\mathcal{P}$.

■ Exercice 2 (enseignement obligatoire) • [Durée ± 45 min.]

Les notions en jeu

- Module et argument.
- Applications géométriques.
- Rotations.

Les conseils du correcteur

▶ **2. c)** Calculez OI, AI et BI.
Montrez que $[OB]$ est un diamètre du cercle en question pour conclure.
Exploitez la nature du triangle OAB pour déterminer une mesure de l'angle $(\overrightarrow{OA}\,;\,\overrightarrow{OB})$.
d) Utilisez la relation de Chasles.

■ Exercice 2 (enseignement de spécialité) • [Durée ± 45 min.]

Les notions en jeu

- Similitudes directes ou indirectes.
- Module et argument.
- Applications géométriques.

Les conseils du correcteur

▶ **1.** Utilisez la similitude réciproque de s pour répondre à la question, en exploitant les trois résultats énoncés dans la question.

▶ **2. a)** Montrez que les côtés des deux triangles sont de longueurs proportionnelles.
b) S admet une écriture complexe de la forme $z' = a\bar{z} + b$ où a et b sont deux nombres complexes...

■ Exercice 3 • [Durée ± 45 min.]

Les notions en jeu

- Sens de variation d'une suite.
- Convergence.
- Limite à l'infini.
- Dérivées usuelles.
- Sens de variation.
- Fonction logarithme népérien.
- Primitives usuelles.

Les conseils du correcteur

▶ **1.** Calculez $\lim_{h \to 0} \frac{f(h)-f(0)}{h}$ pour étudier la dérivabilité de f en 0.

Étudiez le signe de $e-3$ avant de conclure pour les variations de f.

▶ **2. a)** Exploitez les variations de f.

c) Exploitez la limite de f en $+\infty$ pour conclure.

▶ **3. a)** Montrez que, pour tout $x \in [0\ ;+\infty[$, $F'(x)=2f(x)$.

▶ **4.** Montrez que, pour tout $n \in \mathbb{N}$, $S_n = I_n$.

■ Exercice 4 • [Durée ± 50 min.]

Les notions en jeu

- Dénombrement, combinatoire.
- Loi de probabilité.
- Limite à l'infini.
- Dérivées usuelles.
- Sens de variation.
- Théorème des valeurs intermédiaires.
- Fonction exponentielle.

Les conseils du correcteur

▶ **1.** Vous pouvez commencer par calculer la probabilité de l'événement contraire de A.
Montrez que le nombre de personnes acceptant de répondre suit une loi binomiale dont vous préciserez les paramètres.

▶ **3. a)** Montrez que f est strictement croissante sur $\mathbb{R}^+$.

b) Utilisez le théorème des valeurs intermédiaires.

CORRIGÉ SUJET 6

■ Exercice 1

Soit $\mathcal{P}$ le plan d'équation cartésienne $2x+y-2z+4=0$ et A, B, C les points de coordonnées respectives $(3\ ;2\ ;6)$, $(1\ ;2\ ;4)$ et $(4\ ;-2\ ;5)$.

▶ **1. a)** $\overrightarrow{AB}$ admet pour coordonnées $\begin{pmatrix}1-3\\2-2\\4-6\end{pmatrix}=\begin{pmatrix}-2\\0\\-2\end{pmatrix}$ et $\overrightarrow{AC}$ admet pour coordonnées $\begin{pmatrix}4-3\\-2-2\\5-6\end{pmatrix}=\begin{pmatrix}1\\-4\\-1\end{pmatrix}$.

$\overrightarrow{AC}=t\overrightarrow{AB}$ équivaut à :

$$\begin{cases}1=-2t\\-4=0\\-1=-2t\end{cases}$$

donc il n'existe pas de réel t tel que $\overrightarrow{AC}=t\overrightarrow{AB}$; ce qui prouve que les vecteurs $\overrightarrow{AB}$ et $\overrightarrow{AC}$ ne sont pas colinéaires et donc que les points A, B, C ne sont pas alignés.
Par suite, **les points A, B, C définissent un unique plan.**

Trois points non alignés définissent un plan unique.

b) Nous avons $2 \times 3 + 2 - 2 \times 6 + 4 = 0$ donc A appartient à $\mathcal{P}$.
$2 \times 1 + 2 - 2 \times 4 + 4 = 0$ donc B appartient à $\mathcal{P}$.
Enfin, $2 \times 4 + (-2) - 2 \times 5 + 4 = 0$ donc C appartient à $\mathcal{P}$.
Puisque les points A, B, C définissent un unique plan, on en déduit que le plan (ABC) est le plan $\mathcal{P}$.

▶ **2. a)** Nous avons :

$$AB = \sqrt{(-2)^2 + 0^2 + (-2)^2}$$
$$AB = 2\sqrt{2}$$
$$AC = \sqrt{1^2 + (-4)^2 + (-1)^2}$$
$$AC = 3\sqrt{2}.$$

si $\vec{u}\begin{pmatrix} x \\ y \\ z \end{pmatrix}$ alors $\|\vec{u}\| = \sqrt{x^2 + y^2 + z^2}$.

$\overrightarrow{BC}$ admet pour coordonnées $\begin{pmatrix} 4-1 \\ -2-2 \\ 5-4 \end{pmatrix} = \begin{pmatrix} 3 \\ -4 \\ 1 \end{pmatrix}$ donc :

$$BC = \sqrt{3^2 + (-4)^2 + 1^2}$$
$$BC = \sqrt{26}.$$

Ainsi, $BC^2 = 26$
et $AB^2 = 8$
$AC^2 = 18$
donc $AB^2 + AC^2 = BC^2$.

La réciproque du théorème de Pythagore permet donc d'affirmer que **le triangle ABC est rectangle en A**.

b) Un vecteur normal au plan (ABC) est $\vec{n}\begin{pmatrix} 2 \\ 1 \\ -2 \end{pmatrix}$.

Un vecteur normal $\vec{n}$ au plan d'équation cartésienne $ax + by + cz + d = 0$ admet pour coordonnées $\begin{pmatrix} a \\ b \\ c \end{pmatrix}$.

Pour tout point M de coordonnées $(x\,;\,y\,;\,z)$ de la droite Δ passant par O et perpendiculaire à $\mathcal{P}$, les vecteurs $\overrightarrow{OM}\begin{pmatrix} x \\ y \\ z \end{pmatrix}$ et $\vec{n}$ sont colinéaires, ce qui signifie qu'il existe $t \in \mathbb{R}$ tel que $\overrightarrow{OM} = t\vec{n}$ soit :

$$\begin{cases} x = 2t \\ y = t \\ z = -2t. \end{cases}$$

Un système d'équations paramétriques de la droite Δ est :

$$\boxed{\begin{cases} x = 2t \\ y = t \\ z = -2t \\ t \in \mathbb{R}. \end{cases}}$$

c) Soit K le projeté orthogonal de O sur $\mathcal{P}$.
Nous avons :

$$OK = \frac{|2 \times 0 + 0 - 2 \times 0 + 4|}{\sqrt{2^2 + 1^2 + (-2)^2}}$$

$$\boxed{OK = \frac{4}{3}.}$$

Si A admet pour coordonnées $(x_A ; y_A ; z_A)$ et si $\mathcal{P}$ admet pour équation cartésienne $ax + by + cz + d = 0$ alors la distance d de A à $\mathcal{P}$ est donnée par $d = \frac{|ax_A + by_A + cz_A + d|}{\sqrt{a^2 + b^2 + c^2}}$.

d) Du résultat précédent, on déduit que le volume $\mathcal{V}$ du tétraèdre OABC est :

$$\mathcal{V} = \frac{1}{3} \times \text{Aire (ABC)} \times OK$$

$$\mathcal{V} = \frac{1}{3} \times \frac{AB \times AC}{2} \times \frac{4}{3}$$

$$\mathcal{V} = \frac{1}{3} \times \frac{2\sqrt{2} \times 3\sqrt{2}}{2} \times \frac{4}{3}$$

$$\boxed{\mathcal{V} = \frac{8}{3}.}$$

▶ **3.** Soit S le système de points pondérés :

$$\{(O ; 3) ; (A ; 1) ; (B ; 1) ; (C ; 1)\}.$$

a) Nous avons $3 + 1 + 1 + 1 = 6$ et $6 \neq 0$ donc **S admet un barycentre G.**

b) Soit I le centre de gravité du triangle ABC.

Nous avons :

$$3\overrightarrow{OG} + \overrightarrow{AG} + \overrightarrow{BG} + \overrightarrow{CG} = \vec{0}$$

$$3\overrightarrow{OG} + 3\overrightarrow{IG} = \vec{0}$$

$$6\overrightarrow{OG} = 3\overrightarrow{OI} \quad \text{soit} \quad 2\overrightarrow{OG} = \overrightarrow{OI}$$

donc **les vecteurs $\overrightarrow{OG}$ et $\overrightarrow{OI}$ sont colinéaires et G appartient à (OI).**

c) G admet pour coordonnées :

$$\left(\frac{3 \times 0 + 3 + 1 + 4}{6} ; \frac{3 \times 0 + 2 + 2 + (-2)}{6} ; \frac{3 \times 0 + 6 + 4 + 5}{6}\right) = \left(\frac{4}{3} ; \frac{1}{3} ; \frac{5}{2}\right).$$

On en déduit que :

$$d(G ; P) = \frac{\left|2 \times \frac{4}{3} + \frac{1}{3} - 2 \times \frac{5}{2} + 4\right|}{\sqrt{2^2 + 1^2 + (-2)^2}}$$

$$\boxed{d(G ; P) = \frac{2}{3}.}$$

On a $3\,\overrightarrow{GO} + \overrightarrow{GA} + \overrightarrow{GB} + \overrightarrow{GC} = \vec{0}$ car G est le barycentre de S.

▶ **4.** Soit Γ l'ensemble des points M de l'espace tels que :

$$\|3\overrightarrow{MO} + \overrightarrow{MA} + \overrightarrow{MB} + \overrightarrow{MC}\| = 5.$$

$\|3\overrightarrow{MO} + \overrightarrow{MA} + \overrightarrow{MB} + \overrightarrow{MC}\| = 5$ équivaut à :

$$\|6\overrightarrow{MG} + 3\overrightarrow{GO} + \overrightarrow{GA} + \overrightarrow{GB} + \overrightarrow{GC}\| = 5$$

$$\|6\overrightarrow{MG}\| = 5$$

$$\boxed{MG = \frac{5}{6}.}$$

Donc Γ est la sphère de centre G et de rayon $\frac{5}{6}$.

$\frac{5}{6} > d(G ; P)$ donc Γ **est sécante à $\mathcal{P}$ en un cercle.**

Exercice 2

Candidats n'ayant pas suivi l'enseignement de spécialité

▶ **1.** Soit R la rotation de centre Ω, d'affixe ω et d'angle de mesure θ.
Soit M un point quelconque d'affixe z, d'image M′ d'affixe z' par R.
Nous avons, pour tout point M distinct de Ω,

$$\begin{cases}(\overrightarrow{\Omega M} ; \overrightarrow{\Omega M'}) = \theta \ [2\pi] \\ \Omega M' = \Omega M\end{cases}$$

$$\begin{cases}(\overrightarrow{\Omega M} ; \vec{u}) + (\vec{u} ; \overrightarrow{\Omega M'}) = \theta \ [2\pi] \\ |z' - \omega| = |z - \omega|\end{cases}$$

$$\begin{cases}(\vec{u} ; \overrightarrow{\Omega M'}) - (\vec{u} ; \overrightarrow{\Omega M}) = \theta \ [2\pi] \\ |z' - \omega| = |z - \omega|\end{cases}$$

$$\begin{cases}\arg (z' - \omega) - \arg (z - \omega) = \theta \ [2\pi] \\ \dfrac{|z' - \omega|}{|z - \omega|} = 1\end{cases}$$

$$\begin{cases}\arg \left(\dfrac{z' - \omega}{z - \omega}\right) = \theta \ [2\pi] \\ \left|\dfrac{z' - \omega}{z - \omega}\right| = 1\end{cases}$$

donc $$\frac{z' - \omega}{z - \omega} = e^{i\theta}$$

$$\boxed{z' - \omega = e^{i\theta}(z - \omega).}$$

On rappelle que pour tous vecteurs $\vec{u}$, $\vec{v}$ et $\vec{w}$ non nuls, $(\vec{u}, \vec{v}) + (\vec{v}, \vec{w}) = (\vec{u}, \vec{w})[2\pi]$.

D'autre part, si $M = \Omega$, on a $M' = \Omega$ et $z' - \omega = 0$, $e^{i\theta}(z - \omega) = 0$ donc $z' - \omega = e^{i\theta}(z - \omega)$.
Ainsi, pour tout point M d'affixe z d'image M′ d'affixe z' par R, on a :

$$\boxed{z' - \omega = e^{i\theta}(z - \omega).}$$

▶ **2.** Soit I et B les points d'affixes respectives $z_I = 1 + i$ et $z_B = 2 + 2i$.
Soit R la rotation de centre B et d'angle de mesure $\dfrac{\pi}{3}$.

a) Pour tout point M d'affixe z, d'image M′ d'affixe z' par R, on a :

Pour tout réel θ, $e^{i\theta} = \cos\theta + i \sin\theta$.

$$z' - 2 - 2i = e^{i\frac{\pi}{3}}(z - 2 - 2i)$$

$$\boxed{z' - 2 - 2i = \left(\frac{1}{2} + i\,\frac{\sqrt{3}}{2}\right)(z - 2 - 2i).}$$

b) Soit A le point d'affixe z_A image de I par R. On a :

$$z_A - 2 - 2i = \left(\frac{1}{2} + i\,\frac{\sqrt{3}}{2}\right)(1 + i - 2 - 2i)$$

$$z_A - 2 - 2i = \left(\frac{1}{2} + i\,\frac{\sqrt{3}}{2}\right)(-1 - i)$$

$$z_A = -\frac{1}{2} - \frac{1}{2}\,i - \frac{\sqrt{3}}{2}\,i + \frac{\sqrt{3}}{2} + 2 + 2i$$

$$\boxed{z_A = \frac{3}{2} + \frac{\sqrt{3}}{2} + \left(\frac{3}{2} - \frac{\sqrt{3}}{2}\right)i.}$$

c) Nous avons :

$$OI = |1 + i|$$

$$\boxed{OI = \sqrt{2}.}$$

$$AI = \left|\frac{3}{2} + \frac{\sqrt{3}}{2} + \left(\frac{3}{2} - \frac{\sqrt{3}}{2}\right)i - 1 - i\right|$$

$$AI = \left|\frac{1}{2} + \frac{\sqrt{3}}{2} + \left(\frac{1}{2} - \frac{\sqrt{3}}{2}\right)i\right|$$

$$AI = \sqrt{\left(\frac{1}{2} + \frac{\sqrt{3}}{2}\right)^2 + \left(\frac{1}{2} - \frac{\sqrt{3}}{2}\right)^2}$$

$$AI = \sqrt{1 + \frac{\sqrt{3}}{2} + 1 - \frac{\sqrt{3}}{2}}$$

$$\boxed{AI = \sqrt{2}}$$

et $BI = |2 + 2i - 1 - i|$

$$BI = |1 + i|$$

$$\boxed{BI = \sqrt{2}}$$

Pour tous $a \in \mathbb{R}$ et $b \in \mathbb{R}$, $|a + ib| = \sqrt{a^2 + b^2}$.

donc O, A et B appartiennent au cercle Γ de centre I et de rayon $\sqrt{2}$.

I est le milieu de [OB] car $z_I = \dfrac{z_O + z_B}{2}$.

On peut donc affirmer que [OB] est un diamètre de Γ.
Par suite, le triangle OAB est un triangle rectangle en A.

Nous avons $(\overrightarrow{BO}\,;\,\overrightarrow{BA}) = (\overrightarrow{BI}\,;\,\overrightarrow{BA})\ [2\pi]$

donc : $(\overrightarrow{BO}\,;\,\overrightarrow{BA}) = \dfrac{\pi}{3}\ [2\pi]$.

Par ailleurs, $(\overrightarrow{OA}\,;\,\overrightarrow{OB}) + (\overrightarrow{AB}\,;\,\overrightarrow{BO}) + (\overrightarrow{AB}\,;\,\overrightarrow{AO}) = \pi\ [2\pi]$

donc : $(\overrightarrow{OA}\,;\,\overrightarrow{OB}) + \pi - \dfrac{\pi}{3} + \dfrac{\pi}{2} = \pi\ [2\pi]$

$$(\overrightarrow{OA}\,;\,\overrightarrow{OB}) = -\frac{\pi}{3} + \frac{\pi}{2}\ [2\pi]$$

$$\boxed{(\overrightarrow{OA}\,;\,\overrightarrow{OB}) = \frac{\pi}{6}\ [2\pi].}$$

On utilise ici la relation de Chasles sur les angles orientés.

d) Nous avons :

$$z_B = 2\sqrt{2}\left(\frac{1}{\sqrt{2}} + \frac{1}{\sqrt{2}}\,i\right)$$

$$z_B = 2\sqrt{2}\,e^{i\frac{\pi}{4}}$$

donc $(\vec{u}\,;\,\overrightarrow{OB}) = \dfrac{\pi}{4}\ [2\pi]$.

D'autre part,

$$(\vec{u}\,;\overrightarrow{OA}) = (\vec{u}\,;\overrightarrow{OB}) + (\overrightarrow{OB}\,;\overrightarrow{OA})\quad [2\pi]$$

$$(\vec{u}\,;\overrightarrow{OA}) = \frac{\pi}{4} - \frac{\pi}{6}\quad [2\pi]$$

donc

$$\boxed{(\vec{u}\,;\overrightarrow{OA}) = \frac{\pi}{12}\quad [2\pi].}$$

On exploite la relation de Chasles.

▶ **3.** Soit T la translation de vecteur $\overrightarrow{IO}$. On pose $A' = T(A)$.

a) L'affixe de $\overrightarrow{IO}$ est $z_I = 1 + i$.

On en déduit que :

$$z_{A'} = 1 + i + \frac{3}{2} + \frac{\sqrt{3}}{2} + \left(\frac{3}{2} - \frac{\sqrt{3}}{2}\right)i$$

$$\boxed{z_{A'} = \frac{5}{2} + \frac{\sqrt{3}}{2} + \left(\frac{5}{2} - \frac{\sqrt{3}}{2}\right)i.}$$

Car $\overrightarrow{AA'} = \overrightarrow{IO}$.

b) Nous avons $\overrightarrow{AA'} = \overrightarrow{IO}$ donc **OIAA′ est un parallélogramme.**

D'autre part, $OI = IA$ donc **OIAA′ est un losange.**

Un parallélogramme ayant deux côtés consécutifs de même longueur est un losange.

c) Du résultat précédent, on déduit que :

$$(\overrightarrow{OI}\,;\overrightarrow{OA}) = (\overrightarrow{OA}\,;\overrightarrow{OA'})\quad [2\pi]$$

$$-\frac{\pi}{6} = (\overrightarrow{OA}\,;\vec{u}) + (\vec{u}\,;\overrightarrow{OA'})\quad [2\pi]$$

$$(\vec{u}\,;\overrightarrow{OA'}) = (\vec{u}\,;\overrightarrow{OA}) - \frac{\pi}{6}\quad [2\pi]$$

$$(\vec{u}\,;\overrightarrow{OA'}) = \frac{\pi}{12} - \frac{\pi}{6}\quad [2\pi]$$

$$\boxed{(\vec{u}\,;\overrightarrow{OA'}) = -\frac{\pi}{12}\quad [2\pi].}$$

Exercice 2

Candidats ayant suivi l'enseignement de spécialité

▶ **1.** Soit A, B, C trois points non alignés et s, s' deux similitudes du plan telles que $s(A) = s'(A)$, $s(B) = s'(B)$ et $s(C) = s'(C)$.

Soit s^{-1} la similitude réciproque de s.

Nous avons :

$$\begin{cases} s^{-1}\circ s(A) = s^{-1}\circ s'(A) \\ s^{-1}\circ s(B) = s^{-1}\circ s'(B) \\ s^{-1}\circ s(C) = s^{-1}\circ s'(C) \end{cases}$$

$$\begin{cases} A = s^{-1}\circ s'(A) \\ B = s^{-1}\circ s'(B) \\ C = s^{-1}\circ s'(C) \end{cases}$$

$s^{-1} \circ s'$ est une similitude laissant invariants trois points non alignés du plan donc $s^{-1} \circ s' = \text{Id}$. On a donc :

$$s \circ s^{-1} \circ s' = s \circ \text{Id}$$

$$\boxed{s' = s.}$$

▶ **2.** Soit A, E, F, G les points d'affixes respectives 2, $1 + \text{i}$, $2 + \text{i}$ et $3 + \text{i}$.

a) Nous avons :

$$\text{OA} = |2|$$

$$\boxed{\text{OA} = 2.}$$

$$\text{OG} = |3 + \text{i}|$$

$$\text{OG} = \sqrt{3^2 + 1^2}$$

$$\boxed{\text{OG} = \sqrt{10}.}$$

et
$$\text{AG} = |3 + \text{i} - 2|$$

$$\text{AG} = |1 + \text{i}|$$

$$\text{AG} = \sqrt{1^2 + 1^2}$$

$$\boxed{\text{AG} = \sqrt{2}.}$$

D'autre part,

$$\text{OE} = |1 + \text{i}|$$

$$\boxed{\text{OE} = \sqrt{2}}$$

$$\text{OF} = |2 + \text{i}|$$

$$\text{OF} = \sqrt{2^2 + 1^2} \text{ donc } \boxed{\text{OF} = \sqrt{5}}$$

$$\text{EF} = |2 + \text{i} - 1 - \text{i}|$$

$$\text{EF} = |1| \text{ donc } \boxed{\text{EF} = 1}.$$

On en déduit que :
$$\frac{\text{OA}}{\text{OE}} = \frac{2}{\sqrt{2}}$$

$$\frac{\text{OA}}{\text{OE}} = \sqrt{2}$$

$$\frac{\text{OG}}{\text{OF}} = \frac{\sqrt{10}}{\sqrt{5}}$$

$$\frac{\text{OG}}{\text{OF}} = \sqrt{2} \text{ et } \frac{\text{AG}}{\text{EF}} = \sqrt{2}.$$

donc les longueurs des côtés des triangles OAG et OEF sont proportionnelles, ce qui permet d'affirmer que **les triangles OAG et OEF sont semblables.**

b) Cherchons s'il existe une similitude indirecte S transformant le triangle OAG en le triangle OEF. Si S existe, à tout point M d'affixe z, S associe le point M′ d'affixe $z' = a\bar{z} + b$ où $(a\,;\,b) \in \mathbb{C}^2$.

$S(\text{O}) = \text{O}$ équivaut à $b = 0$.

$S(\text{A}) = \text{E}$ équivaut à $1 + \text{i} = 2a$ donc $a = \frac{1}{2} + \frac{1}{2}\,\text{i}$.

L'écriture complexe de S est donc nécessairement $z' = \left(\frac{1}{2} + \frac{1}{2}\,\text{i}\right)\bar{z}$.

On calcule ici les différentes longueurs des triangles pour montrer que ces dernières sont deux à deux proportionnelles.

L'expression complexe d'une similitude indirecte est $z' = a\bar{z} + b$ où a et b sont deux nombres complexes.

D'autre part, nous avons bien :

$$\left(\frac{1}{2}+\frac{1}{2}\,\mathrm{i}\right)\overline{3+\mathrm{i}}=\frac{1}{2}\,(1+\mathrm{i})(3-\mathrm{i})$$

$$\left(\frac{1}{2}+\frac{1}{2}\,\mathrm{i}\right)\overline{3+\mathrm{i}}=\frac{1}{2}\,(3-\mathrm{i}+3\mathrm{i}+1)$$

$$\left(\frac{1}{2}+\frac{1}{2}\,\mathrm{i}\right)\overline{3+\mathrm{i}}=2+\mathrm{i}$$

donc $\boxed{S(\mathrm{G})=\mathrm{F}.}$

Par conséquent, **il existe une similitude indirecte *S* qui transforme le triangle OAG en le triangle OEF.**

c) Soit h l'homothétie de centre O et de rapport $\dfrac{1}{\sqrt{2}}$.

Soit $\mathrm{A}'=h(\mathrm{A})$ et $\mathrm{G}'=h(\mathrm{G})$ et soit I le milieu de $[\mathrm{EA}']$.
Soit σ la symétrie orthogonale d'axe (OI).

À tout point M d'affixe z, h associe le point M′ d'affixe $z'=\dfrac{1}{\sqrt{2}}\,z$.

L'homothétie de centre Ω d'affixe ω et de rapport $k\in\mathbb{R}$ admet pour expression complexe $z'-\omega=k(z-\omega)$.

On en déduit que A′ admet pour affixe $a'=\dfrac{1}{\sqrt{2}}\times 2$ soit $a'=\sqrt{2}$ et G′ admet pour affixe $g'=\dfrac{1}{\sqrt{2}}\,(3+\mathrm{i})$.

Le milieu I de $[\mathrm{EA}']$ admet pour affixe $\dfrac{1+\mathrm{i}+\sqrt{2}}{2}$ et σ admet pour écriture complexe $z'=a\bar{z}+b$. Puisque $\sigma(\mathrm{O})=\mathrm{O}$, on en déduit que $b=0$.

$\sigma(\mathrm{I})=\mathrm{I}$ équivaut à : $\dfrac{1+\mathrm{i}+\sqrt{2}}{2}=a\,\dfrac{1-\mathrm{i}+\sqrt{2}}{2}$

$$a=\frac{1+\mathrm{i}+\sqrt{2}}{1-\mathrm{i}+\sqrt{2}} \quad \text{soit} \quad a=\frac{(1+\mathrm{i}+\sqrt{2})^2}{(1+\sqrt{2})^2+1}$$

$$a=\frac{(2+2\mathrm{i})+(2+2\mathrm{i})\sqrt{2}}{4+2\sqrt{2}}$$

$$a=\frac{(1+\mathrm{i})(1+\sqrt{2})}{2+\sqrt{2}} \quad \text{soit} \quad a=\frac{(1+\mathrm{i})(1+\sqrt{2})}{\sqrt{2}(\sqrt{2}+1)}$$

On résout donc l'équation $z'=z$.

$$a=\frac{1+\mathrm{i}}{\sqrt{2}}.$$

On en déduit que σ admet pour écriture complexe $z'=\dfrac{1+\mathrm{i}}{\sqrt{2}}\,\bar{z}$.

Ainsi, $\sigma\circ h$ admet pour écriture complexe :

$$z'=\frac{1+\mathrm{i}}{\sqrt{2}}\,\overline{\frac{1}{\sqrt{2}}\,z}$$

$$z'=\left(\frac{1}{2}+\frac{1}{2}\,\mathrm{i}\right)\bar{z} \text{ : on reconnaît l'écriture complexe de } S$$

donc $S=\sigma\circ h$.

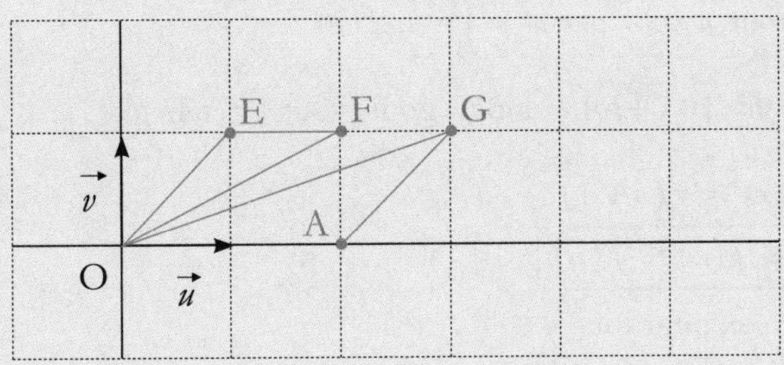

Exercice 3

Soit f la fonction définie pour tout $x \in [0\ ;+\infty[$ par :

$$f(x)=\frac{\ln(x+3)}{x+3}.$$

▶ **1.** Pour tout $x \in [0\ ;+\infty[$, $x+3>0$ donc la fonction $x \mapsto u(x)=x+3$ est dérivable sur $[0\ ;+\infty[$ et la fonction composée $x \mapsto \ln[u(x)]$ est dérivable sur $[0\ ;+\infty[$. Donc la fonction f est dérivable sur $[0\ ;+\infty[$ comme quotient de deux fonctions dérivables.

Pour tout $x \in]0\ ;+\infty[$,

$$f'(x)=\frac{\frac{1}{x+3}\times(x+3)-\ln(x+3)\times 1}{(x+3)^2}$$

$$\boxed{f'(x)=\frac{1-\ln(x+3)}{(x+3)^2}.}$$

La dérivée de $g : x \mapsto \ln(ax+b)$ est $g' : x \mapsto \frac{a}{ax+b}$ et si u, v sont deux fonctions dérivables sur I tel que, pour tout $x \in$ I, $v(x) \neq 0$, alors $\left(\frac{u}{v}\right)'=\frac{u'v-uv'}{v^2}$.

$f'(x)$ est du signe de $1-\ln(x+3)$ car, pour tout $x \in]0\ ;+\infty[$, $\frac{1}{(x+3)^2}>0$.

Puisque $1-\ln(x+3)>0$ équivaut successivement à :

$$\ln(x+3)<1$$
$$x+3<\mathrm{e}$$
$$x<\mathrm{e}-3$$

et $\mathrm{e}-3<0$, on en déduit que pour tout $x \in]0\ ;+\infty[$, $f'(x)<0$.

Ainsi, f est strictement décroissante sur $[0\ ;+\infty[$.

Nous avons $\lim\limits_{x\to+\infty}(x+3)=+\infty$ et $\lim\limits_{X\to+\infty}\frac{\ln(X)}{X}=0$ (croissances comparées) donc :

En posant $X=x+3$.

$$\boxed{\lim_{x\to+\infty} f(x)=0.}$$

L'axe des abscisses est asymptote à la courbe représentative de f au voisinage de $+\infty$.

Le tableau des variations de f sur $[0\ ;+\infty[$ est le suivant :

x	0	$+\infty$
Signe de $f'(x)$	$-$	
Variations de f	$\frac{\ln(3)}{3}$ ↘	0

▶ **2.** Soit (u_n) la suite définie pour tout $n \in \mathbb{N}$ par $u_n = \int_n^{n+1} f(x)\,\mathrm{d}x$.

a) Soit $n \in \mathbb{N}$.

f est strictement décroissante sur $[0\,;+\infty[$ donc, pour tout x tel que $n \leqslant x \leqslant n+1$, on a :

$$f(n) \geqslant f(x) \geqslant f(n+1)$$

$$\boxed{f(n+1) \leqslant f(x) \leqslant f(n).}$$

b) Du résultat précédent, on déduit que, pour tout $n \in \mathbb{N}$,

$$\int_n^{n+1} f(n+1)\,\mathrm{d}x \leqslant \int_n^{n+1} f(x)\,\mathrm{d}x \leqslant \int_n^{n+1} f(n)\,\mathrm{d}x$$

$$f(n+1)\times(n+1-n) \leqslant u_n \leqslant f(n)\times(n+1-n)$$

$$\boxed{f(n+1) \leqslant u_n \leqslant f(n).}$$

c) Nous avons $\lim\limits_{n\to+\infty} f(n+1) = 0$ et $\lim\limits_{n\to+\infty} f(n) = 0$ donc :

$$\boxed{\lim_{n\to+\infty} u_n = 0.}$$

Il s'agit du théorème dit « des gendarmes ».

▶ **3.** Soit F la fonction définie pour tout $x \in [0\,;+\infty[$ par $F(x) = (\ln(x+3))^2$.

a) Pour tout $x \in [0\,;+\infty[$, $x+3>0$ et la fonction ln est dérivable sur $]0\,;+\infty[$ donc $x \mapsto \ln(x+3)$ est dérivable sur $[0\,;+\infty[$.

Puisque la fonction carré est dérivable sur $[0\,;+\infty[$, on en déduit que F est dérivable sur $[0\,;+\infty[$.

Pour tout $x \in [0\,;+\infty[$,

$$F'(x) = 2 \times \frac{1}{x+3} \times \ln(x+3)$$

$$F'(x) = 2\,\frac{\ln(x+3)}{x+3}$$

$$\boxed{F'(x) = 2f(x).}$$

b) On pose, pour tout $n \in \mathbb{N}$, $\mathrm{I}_n = \int_0^n f(x)\,\mathrm{d}x$.

Du résultat précédent, on déduit que, pour tout $n \in \mathbb{N}$,

$$\mathrm{I}_n = \frac{1}{2}\int_0^n F'(x)\,\mathrm{d}x$$

$$\mathrm{I}_n = \frac{1}{2}\,[F(x)]_0^n$$

$$\boxed{\mathrm{I}_n = \frac{1}{2}\left((\ln(n+3))^2 - (\ln(3))^2\right).}$$

▶ **4.** On pose, pour tout $n \in \mathbb{N}$, $\mathrm{S}_n = u_0 + u_1 + \ldots + u_{n-1}$.

Nous avons, pour tout $n \in \mathbb{N}$,

$$\mathrm{S}_n = \int_0^1 f(x)\,\mathrm{d}x + \int_1^2 f(x)\,\mathrm{d}x + \ldots + \int_{n-1}^n f(x)\,\mathrm{d}x$$

$$\mathrm{S}_n = \int_0^n f(x)\,\mathrm{d}x \text{ grâce à la relation de Chasles}$$

$$\mathrm{S}_n = \mathrm{I}_n$$

Si f est continue sur un intervalle I et si a, b, c sont trois réels de I, alors

$$\int_a^b f(x)dx + \int_b^c f(x)dx = \int_a^c f(x)dx.$$

donc, pour tout $n \in \mathbb{N}$,

$$\boxed{\mathrm{S}_n = \frac{1}{2}\left((\ln(n+3))^2 - (\ln(3))^2\right).}$$

Nous avons $\lim_{n\to+\infty}(n+3)=+\infty$ et $\lim_{N\to+\infty}\ln^2(N)=+\infty$ donc :

$$\lim_{n\to+\infty}(\ln^2(n+3)-\ln^2(3))=+\infty.$$

Par suite,

$$\boxed{\lim_{n\to+\infty}S_n=+\infty}$$

ce qui montre que (S_n) est divergente.

Exercice 4

▶ **1.** Soit A l'événement « Au moins une personne accepte de répondre ».
L'événement contraire de A est $\overline{A}$: « Aucune personne n'accepte de répondre » et :

$$p(\overline{A})=(1-0,1)^{50}$$

car les 50 personnes sont interrogées de façon indépendante.

$$p(\overline{A})=0,005 \text{ arrondi au millième}$$

donc

$$p(A)=1-p(\overline{A})$$

$$\boxed{p(A)=0,995 \text{ arrondi au millième.}}$$

La probabilité qu'au moins une personne accepte de répondre est égale à 0,995 arrondi au millième.

Soit B l'événement « Moins de trois personnes acceptent de répondre ».
Soit X la variable aléatoire correspondant au nombre de personnes acceptant de répondre. Puisque les choix sont effectués de façon indépendante, X suit la loi binomiale $\mathcal{B}(50\ ;\ 0,1)$.
Par suite, pour tout entier naturel $k\leqslant 50$,

$$p(X=k)=\binom{50}{k}\times(0,1)^k\times 0,9^{50-k}.$$

Si X est une variable aléatoire suivant la loi binomiale $\mathcal{B}(n, p)$, alors, pour tout entier $k\leqslant n$, $p(X=k)=\binom{n}{k}\times p^k\times(1-p)^{n-k}$.

Nous avons alors $p(B)=p(X\leqslant 2)$ donc

$$p(B)=p(X=0)+p(X=1)+p(X=2)$$

$$p(B)=\binom{50}{0}\times 0,9^{50}+\binom{50}{1}\times 0,1\times 0,9^{49}+\binom{50}{2}\times 0,1^2\times 0,9^{48}$$

$$p(B)=1\times 0,9^{50}+50\times 0,1\times 0,9^{49}+1225\times 0,1^2\times 0,9^{48}$$

$$\boxed{p(B)=0,112 \text{ arrondi au millième.}}$$

La probabilité que moins de trois personnes acceptent de répondre est égale à 0,112 arrondi au millième.

« Moins de trois personnes acceptent de répondre » signifie qu'il y en a soit aucune, soit une, soit deux qui acceptent de répondre.

Soit C l'événement « Trois personnes ou plus acceptent de répondre ».
Nous avons $C=\overline{B}$ donc :

$$p(C)=1-p(B)$$

$$\boxed{p(C)=0,888 \text{ arrondi au millième.}}$$

La probabilité que trois personnes ou plus acceptent de répondre est égale à 0,888 arrondi au millième.

▶ **2.** Soit n un entier naturel tel que $n\geqslant 3$.

a) La probabilité $f(a)$ qu'au moins trois personnes répondent est :

$$f(a)=1-p(X=0)-p(X=1)-p(X=2)$$

MATHÉMATIQUES

$$f(a) = 1 - \frac{e^{-a}a^0}{0!} - \frac{e^{-a}a^1}{1!} - \frac{e^{-a}a^2}{2!}$$

$$\boxed{f(a) = 1 - e^{-a}\left(1 + a + \frac{a^2}{2}\right).}$$

b) Nous avons :

$$f(5) = 1 - e^{-5}\left(1 + 5 + \frac{25}{2}\right)$$

$$f(5) = 1 - e^{-5} \times \frac{37}{2}$$

$$\boxed{f(5) = 0{,}875 \text{ arrondi au millième.}}$$

Nous avons $\left| f(5) - p(\mathrm{C}) \right| \leqslant 0{,}01$ donc cette modélisation donne un résultat voisin de celui obtenu à la question **1.**

▶ **3.** Soit f la fonction définie pour tout $x \in [0 ; +\infty[$ par :

$$f(x) = 1 - e^{-x}\left(1 + x + \frac{x^2}{2}\right).$$

a) Pour tout $x \in \mathbb{R}^+$,

$$f'(x) = -(-e^{-x}) \times \left(1 + x + \frac{x^2}{2}\right) - e^{-x}(1 + x)$$

$$f'(x) = e^{-x}\left(1 + x + \frac{x^2}{2} - x - 1\right)$$

$$\boxed{f'(x) = \frac{x^2}{2} e^{-x}.}$$

On utilise ici la formule de dérivation du produit de deux fonctions dérivables.

Pour tout $x > 0$, $f'(x) > 0$ donc f est strictement croissante sur $[0 ; +\infty[$ et $f'(0) = 0$.

Pour tout $x \geqslant 0$,

$$f(x) = 1 - e^{-x} - \frac{x}{e^x} - \frac{x^2}{2e^x}.$$

Or, $\lim\limits_{x \to +\infty} e^{-x} = 0$, $\lim\limits_{x \to +\infty} \frac{x}{e^x} = 0$ (croissances comparées) et $\lim\limits_{x \to +\infty} \frac{x^2}{2e^x} = 0$ (croissances comparées) donc :

$$\boxed{\lim_{x \to +\infty} f(x) = 1.}$$

Le tableau des variations de f sur $[0 ; +\infty[$ est le suivant :

x	0 $+\infty$
Signe de $f'(x)$	+
Variations de f	0 ↗ 1

On utilise ici le théorème des valeurs intermédiaires.

b) f est continue et strictement croissante sur $[0 ; +\infty[$ à valeurs dans $[0 ; 1[$ et $0{,}95 \in [0 ; 1[$, donc l'équation $f(x) = 0{,}95$ admet une unique solution sur $\mathbb{R}^+$. D'autre part, nous avons $f(6{,}29) = 0{,}949\ 788$ (arrondi à 10^{-6}) et $f(6{,}3) = 0{,}950\ 154$ arrondi à 10^{-6}, donc cette solution appartient à $[6{,}29 ; 6{,}3]$.

c) Du résultat précédent, on déduit que le nombre minimum de personnes à interroger est $10 \times 6{,}3$ soit **63 personnes**.

Exercice 1 (4 points)

Commun à tous les candidats

Pour tout cet exercice, l'espace est muni d'un repère orthonormal $(O ; \vec{i}, \vec{j}, \vec{k})$.

▶ **1. Question de cours**

Établir l'équation cartésienne d'un plan dont on connaît un vecteur normal $\vec{n}(a ; b ; c)$ et un point $M_0(x_0 ; y_0 ; z_0)$. *(0,5 point)*

▶ **2.** On considère les points $A(1 ; 2 ; -3)$, $B(-3 ; 1 ; 4)$ et $C(2 ; 6 ; -1)$.

a) Montrer que les points A, B et C déterminent un plan. *(0,5 point)*

b) Vérifier qu'une équation cartésienne du plan (ABC) est $2x - y + z + 3 = 0$. *(0,5 point)*

c) Soit I le point de coordonnées $(-5 ; 9 ; 4)$. Déterminer un système d'équations paramétriques de la droite $\mathcal{D}$ passant par I et perpendiculaire au plan (ABC). *(0,5 point)*

d) Déterminer les coordonnées du point J, intersection de la droite $\mathcal{D}$ et du plan (ABC). *(1 point)*

e) En déduire la distance du point I au plan (ABC). *(1 point)*

Exercice 2 (4 points)

Commun à tous les candidats

Pour chaque question une seule des quatre propositions est exacte. Le candidat indiquera sur la copie le numéro de la question et la lettre correspondant à la réponse choisie. Aucune justification n'est demandée. Une réponse exacte rapporte les points attribués à la question, une réponse inexacte enlève la moitié des points attribués à la question, l'absence de réponse est comptée 0 point. Si le total est négatif, la note est ramenée à 0.

PARTIE A

Un sac contient 3 boules blanches, 4 boules noires et 1 boule rouge, indiscernables au toucher. On tire, au hasard, successivement, trois boules du sac, en remettant chaque boule tirée dans le sac avant le tirage suivant.

▶ **1.** La probabilité de tirer trois boules noires est *(1 point)* :

a) $\dfrac{\binom{4}{3}}{\binom{8}{3}}$

b) $\dfrac{9}{8}$

c) $\left(\dfrac{1}{2}\right)^3$

d) $\dfrac{4 \times 3 \times 2}{8 \times 7 \times 6}$

▶ **2.** Sachant que Jean a tiré 3 boules de la même couleur, la probabilité qu'il ait tiré 3 boules rouges est *(1 point)* :

a) 0

b) $\left(\dfrac{1}{8}\right)^3$

c) $\dfrac{23}{128}$

d) $\dfrac{1}{92}$

PARTIE B

Soit f la fonction définie sur $[0 ; 1]$ par $f(x) = x + m$ où m est une constante réelle.

▶ **3.** f est une densité de probabilité sur l'intervalle $[0 ; 1]$ lorsque *(1 point)* :

a) $m = -1$

b) $m = \dfrac{1}{2}$

c) $m = e^{\frac{1}{2}}$

d) $m = e^{-1}$

PARTIE C

La durée de vie en années d'un composant électronique suit une loi exponentielle de paramètre 0,2.

▶ **4.** La probabilité que ce composant électronique ait une durée de vie strictement supérieure à 5 ans est *(1 point)* :

a) $1 - \dfrac{1}{e}$

b) $\dfrac{1}{e}$

c) $\dfrac{1}{5e}$

d) $\dfrac{1}{0,2}(e - 1)$

Exercice 3 (5 points)

Candidats ayant suivi l'enseignement de spécialité

Pour coder un message, on procède de la manière suivante : à chacune des 26 lettres de l'alphabet, on commence par associer un entier n de l'ensemble $\Omega = \{0 ; 1 ; 2 ; ... ; 24 ; 25\}$ selon le tableau ci-dessous :

A	B	C	D	E	F	G	H	I	J	K	L	M	N	O	P	Q	R	S	T	U	V	W	X	Y	Z
0	1	2	3	4	5	6	7	8	9	10	11	12	13	14	15	16	17	18	19	20	21	22	23	24	25

a et b étant deux entiers naturels donnés, on associe à tout entier n de Ω le reste de la division euclidienne de $(an + b)$ par 26 ; ce reste est alors associé à la lettre correspondante.
Exemple : Pour coder la lettre P avec $a = 2$ et $b = 3$, on procède de la manière suivante :
Étape 1 : on lui associe l'entier $n = 15$.
Étape 2 : le reste de la division de $2 \times 15 + 3 = 33$ par 26 est 7.
Étape 3 : on associe 7 à H. Donc P est codé par la lettre H.

▶ **1.** Que dire alors du codage obtenu lorsque l'on prend $a = 0$? *(0,25 point)*

▶ **2.** Montrer que les lettres A et C sont codées par la même lettre lorsque l'on choisit $a = 13$. *(0,5 point)*

▶ **3.** Dans toute la suite de l'exercice, on prend $a = 5$ et $b = 2$.
a) On considère deux lettres de l'alphabet associées respectivement aux entiers n et p. Montrer que si $5n + 2$ et $5p + 2$ ont le même reste dans la division par 26 alors $n - p$ est un multiple de 26. En déduire que $n = p$. *(0,75 point)*
b) Coder le mot AMI. *(0,5 point)*

▶ **4.** On se propose de décoder la lettre E.
a) Montrer que décoder la lettre E revient à déterminer l'élément n de Ω tel que $5n - 26y = 2$, où y est un entier. *(0,5 point)*
b) On considère l'équation $5x - 26y = 2$, avec x et y entiers relatifs.
1. Donner une solution particulière de l'équation $5x - 26y = 2$. *(0,5 point)*
2. Résoudre alors l'équation $5x - 26y = 2$. *(1 point)*
3. En déduire qu'il existe un unique couple $(x ; y)$ solution de l'équation précédente, avec $0 \leqslant x \leqslant 25$. *(0,5 point)*
c) Décoder alors la lettre E. *(0,5 point)*

Exercice 4 (7 points)

Commun à tous les candidats

Soit (u_n) la suite définie sur $\mathbb{N}^*$ par :

$$u_n = \sum_{k=n}^{2n} \frac{1}{k} = \frac{1}{n} + \frac{1}{n+1} + \ldots + \frac{1}{2n}.$$

PARTIE A

▶ **1.** Montrer que pour tout n de $\mathbb{N}^*$:

$$u_{n+1} - u_n = \frac{-3n-2}{n(2n+2)(2n+1)}.\ \textit{(0,5 point)}$$

▶ **2.** En déduire le sens de variation de la suite (u_n). *(0,25 point)*

▶ **3.** Établir alors que (u_n) est une suite convergente. *(0,5 point)*
L'objectif de la partie **B** est de déterminer la valeur de la limite de la suite (u_n).

PARTIE B

▶ Soit f la fonction définie sur l'intervalle $]0 ; +\infty[$ par :

$$f(x) = \frac{1}{x} + \ln\left(\frac{x}{x+1}\right).$$

▶ **1. a)** Justifier pour tout entier naturel n non nul l'encadrement :

$$\frac{1}{n+1} \leqslant \int_n^{n+1} \frac{1}{x}\,\mathrm{d}x \leqslant \frac{1}{n}. \textit{ (0,5 point)}$$

b) Vérifier que :

$$\int_n^{n+1} \frac{1}{x}\,\mathrm{d}x = \frac{1}{n} - f(n). \textit{ (0,75 point)}$$

c) En déduire que pour tout entier naturel n non nul,

$$0 \leqslant f(n) \leqslant \frac{1}{n(n+1)}. \textit{ (0,5 point)}$$

▶ **2.** On considère la suite (S_n) définie sur $\mathbb{N}^*$ par :

$$S_n = \sum_{k=n}^{2n} \frac{1}{k(k+1)} = \frac{1}{n(n+1)} + \frac{1}{(n+1)(n+2)} + \ldots + \frac{1}{2n(2n+1)}.$$

a) Montrer que pour tout entier naturel n non nul,

$$0 \leqslant f(n) + f(n+1) + \ldots + f(2n) \leqslant S_n. \textit{ (0,5 point)}$$

b) Déterminer les réels a et b tels que pour tout réel x distinct de -1 et de 0, on ait :

$$\frac{1}{x(x+1)} = \frac{a}{x} + \frac{b}{x+1}. \textit{ (0,75 point)}$$

c) En déduire l'égalité :

$$S_n = \frac{n+1}{n(2n+1)}. \textit{ (0,5 point)}$$

d) En utilisant les questions précédentes, déterminer alors la limite quand n tend vers $+\infty$ de :

$$\sum_{k=n}^{2n} f(k) = f(n) + f(n+1) + \ldots + f(2n). \textit{ (0,75 point)}$$

e) Vérifier que pour tout entier $n \geqslant 1$,

$$f(n) + f(n+1) + \ldots + f(2n) = u_n - \ln\left(2 + \frac{1}{n}\right). \textit{ (0,75 point)}$$

f) Déterminer la limite de la suite (u_n). *(0,75 point)*

LES CLÉS DU SUJET

■ Exercice 1 • [Durée ± 35 min.]

La notion en jeu

– Géométrie dans l'espace.

Les conseils du correcteur

▶ **2. a)** Montrez que les points A, B et C ne sont pas alignés en étudiant la colinéarité des vecteurs $\overrightarrow{AB}$ et $\overrightarrow{AC}$.

b) Vérifiez que les coordonnées des points A, B et C vérifient l'équation cartésienne proposée.

c) Commencez par déterminer les coordonnées d'un vecteur normal au plan (ABC).

e) La distance du point I au plan (ABC) est égale à IJ.

■ Exercice 2 • [Durée ± 35 min.]

Les notions en jeu

– Dénombrement, combinatoire.
– Probabilités conditionnelles.
– Loi de probabilité.

Les conseils du correcteur

Partie A

▶ **1.** Utilisez le fait que les tirages sont indépendants pour conclure.

▶ **2.** Commencez par calculer la probabilité que les trois boules tirées soient de la même couleur.

Partie B

▶ **3.** Déterminez le réel m tel que $\int_0^1 f(x)\,dx = 1$.

■ Exercice 3 (enseignement de spécialité) • [Durée ± 45 min.]

Les notions en jeu

– Théorème de Bézout.

– Théorème de Gauss.

– Équations de la forme $ax + by = c$.

■ Exercice 4 • [Durée ± 1 heure]

Les notions en jeu

– Sens de variation d'une suite.

– Convergence.

– Fonction logarithme népérien.

– Primitives usuelles.

Les conseils du correcteur

Partie A

▶ **2.** et **3.** Montrez que (u_n) est décroissante et minorée.

Partie B

▶ **2. f)** Montrez que $\lim_{n \to +\infty} u_n = \ln 2$.

CORRIGÉ SUJET 7

Exercice 1

▶ **1.** Soit $\vec{n}\begin{pmatrix} a \\ b \\ c \end{pmatrix}$ un vecteur normal au plan $\mathscr{P}$ passant par le point $M_0(x_0 ; y_0 ; z_0)$.

Pour tout point $M(x ; y ; z)$ appartient à $\mathscr{P}$ si et seulement si

$$\overrightarrow{M_0M} \cdot \vec{n} = 0$$

$$a(x - x_0) + b(y - y_0) + c(z - z_0) = 0$$

$$\boxed{ax + by + cz - (ax_0 + by_0 + cz_0) = 0.}$$

Si deux vecteurs $\vec{u}$ et $\vec{v}$ admettent pour coordonnées respectives $\begin{pmatrix} x \\ y \\ z \end{pmatrix}$ et $\begin{pmatrix} x' \\ y' \\ z' \end{pmatrix}$ dans l'espace muni d'un repère orthonormal, alors $\vec{u} \cdot \vec{v} = xx' + yy' + zz'$.

Une équation cartésienne du plan $\mathscr{P}$ de vecteur normal $\vec{n}\begin{pmatrix} a \\ b \\ c \end{pmatrix}$ et passant par le point $M_0(x_0 ; y_0 ; z_0)$ est $ax + by + cz - (ax_0 + by_0 + cz_0) = 0$.

▶ **2.** Soit A, B, C les points de coordonnées respectives $(1\ ;\ 2\ ;\ -3)$, $(-3\ ;\ 1\ ;\ 4)$ et $(2\ ;\ 6\ ;\ -1)$.

a) Les points A, B et C déterminent un plan si et seulement si ces trois points ne sont pas alignés.

Or $\overrightarrow{AB}\begin{pmatrix}-4\\-1\\7\end{pmatrix}$ et $\overrightarrow{AC}\begin{pmatrix}1\\4\\2\end{pmatrix}$. $\overrightarrow{AB}$ et $\overrightarrow{AC}$ sont colinéaires si et seulement si il existe un réel t tel que $\overrightarrow{AC} = t\overrightarrow{AB}$ soit :

Trois points A, B et C sont alignés si et seulement si les vecteurs $\overrightarrow{AB}$ et $\overrightarrow{AC}$ sont colinéaires.

$$\begin{cases}1=-4t\\4=-t\\2=7t\end{cases} \quad \text{d'où} \quad \begin{cases}t=-\dfrac{1}{4}\\t=-4\\t=\dfrac{2}{7}\end{cases} \text{ ce qui est impossible.}$$

Donc les vecteurs $\overrightarrow{AB}$ et $\overrightarrow{AC}$ ne sont pas colinéaires, ce qui signifie que les points A, B et C ne sont pas alignés et donc que **les points A, B et C définissent un plan et un seul.**

b) Soit $\mathcal{P}$ le plan d'équation cartésienne $2x-y+z+3=0$.

Puisque les points A, B, et C ne sont pas alignés, il suffit de montrer que ces trois points appartiennent à $\mathcal{P}$.

Nous avons :

$$2\times 1-2+(-3)+3=0$$

donc A appartient à $\mathcal{P}$.

$$2\times(-3)-1+4+3=0$$

donc B appartient à $\mathcal{P}$.

Enfin,

$$2\times 2-6+(-1)+3=0$$

donc C appartient à $\mathcal{P}$.

Puisque les points A, B et C définissent un unique plan, on en déduit que $\mathcal{P}$ et (ABC) sont confondus et qu'**une équation cartésienne du plan (ABC) est $\boldsymbol{2x-y+z+3=0}$.**

c) Soit I le point de coordonnées $(-5\ ;\ 9\ ;\ 4)$ et $\mathcal{D}$ la droite passant par I et perpendiculaire au plan (ABC).

Un vecteur normal au plan (ABC) est $\vec{n}\begin{pmatrix}2\\-1\\1\end{pmatrix}$ et, pour tout point $M(x\ ;\ y\ ;\ z)$ de $\mathcal{D}$, les vecteurs $\overrightarrow{IM}$ et $\vec{n}$ sont colinéaires. On en déduit que, pour tout point $M(x\ ;\ y\ ;\ z)$ de $\mathcal{D}$, il existe $t\in\mathbb{R}$ tel que $\overrightarrow{IM}=t\vec{n}$ soit :

$$\begin{cases}x+5=2t\\y-9=-t\\z-4=t\end{cases}$$

$$\boxed{\begin{cases}x=2t-5\\y=-t+9\\z=t+4.\end{cases}}$$

d) Le point d'intersection de $\mathscr{D}$ et (ABC) admet pour triplet de coordonnées le triplet (x, y, z) solution du système :

$$\begin{cases} x = 2t - 5 \\ y = -t + 9 \\ z = t + 4 \\ 2x - y + z + 3 = 0 \end{cases}$$

Il faut résoudre ce système de 4 équations à 4 inconnues qui traduit l'appartenance d'un point M(x, y, z) à $\mathscr{D}$ et (ABC).

$$\begin{cases} x = 2t - 5 \\ y = -t + 9 \\ z = t + 4 \\ 2x - y + z + 3 = 0 \end{cases} \quad \text{équivaut à} \quad \begin{cases} x = 2t - 5 \\ y = -t + 9 \\ z = t + 4 \\ 2(2t - 5) + t - 9 + t + 4 + 3 = 0 \end{cases}$$

$$\begin{cases} x = 2t - 5 \\ y = -t + 9 \\ z = t + 4 \\ 6t - 12 = 0 \end{cases}$$

$$\begin{cases} x = -1 \\ y = 7 \\ z = 6 \\ t = 2 \end{cases}$$

donc **J admet pour coordonnées $(-1 ; 7 ; 6)$**.

e) Soit d la distance du point I au plan (ABC).
Nous avons :

$d = \text{IJ}$ car J est le projeté orthogonal de I sur le plan (ABC)

$$d = \sqrt{(-1 - (-5))^2 + (7 - 9)^2 + (6 - 4)^2}$$

$$d = \sqrt{16 + 4 + 4}$$

$$\boxed{d = 2\sqrt{6}.}$$

Si A et B sont deux points de coordonnées respectives $(x_A ; y_A ; z_A)$ et $(x_B ; y_B ; z_B)$ dans l'espace muni d'un repère orthonormal, alors

$AB = \sqrt{(x_B - x_A)^2} + \sqrt{(y_B - y_A)^2} + \sqrt{(z_B - z_A)^2}$.

Exercice 2

PARTIE A

▶ **1.** La boule tirée étant remise dans le sac, les tirages sont indépendants, et la probabilité de tirer une boule noire à l'issue d'un tirage est égale à $\frac{4}{8} = \frac{1}{2}$.

On en déduit que la probabilité de tirer trois boules noires est égale à $\left(\frac{1}{2}\right)^3$.

La réponse correcte est la réponse c.

MATHÉMATIQUES

▶ **2.** La probabilité que Jean ait tiré trois boules blanches est $\left(\frac{3}{8}\right)^3 = \frac{27}{512}$.

La probabilité qu'il ait tiré trois boules rouges est égale à $\left(\frac{1}{8}\right)^3 = \frac{1}{512}$.

On en déduit que la probabilité que Jean ait tiré trois boules de la même couleur est égale à $\frac{27}{512} + \frac{1}{512} + \left(\frac{1}{2}\right)^3 = \frac{23}{128}$.

Par suite, la probabilité que Jean ait tiré trois boules rouges sachant qu'il a tiré trois boules de la même couleur est $\frac{\frac{1}{512}}{\frac{23}{128}} = \frac{1}{92}$.

La réponse correcte est la réponse d.

Les événements « tirer trois boules rouges » et « trois boules blanches » sont incompatibles et si A et B sont deux événements incompatibles alors $p(A \cup B) = p(A) + p(B)$

Si A et B sont deux événements d'un même univers tels que $p(A \cap B) \neq 0$, alors $p_A(B) = \frac{p(A \cap B)}{p(B)}$.

PARTIE B

Soit f la fonction définie sur $[0\ ;\ 1]$ par $f(x) = x + m$.

▶ **3.** f est une densité de probabilité sur $[0\ ;\ 1]$ si et seulement si pour tout $x \in [0\ ;\ 1]$, $f(x) \geqslant 0$ et :

$\int_0^1 f(x)\,\mathrm{d}x = 1$ donc $\left[\frac{1}{2}x^2 + mx\right]_0^1 = 1$ et $\frac{1}{2} + m = 1$

$m = \frac{1}{2}$ et pour $m = \frac{1}{2}$, on a bien, pour tout $x \in [0\ ;\ 1]$, $f(x) \geqslant 0$.

La réponse correcte est la réponse b.

PARTIE C

▶ **4.** Nous avons $p(t > 5) = \mathrm{e}^{-0,2\times 5}$ car $p(t \geqslant t_0) = 1 - p(t \leqslant t_0)$

$$p(t \geqslant t_0) = 1 - (1 - \mathrm{e}^{-\lambda t_0})$$

$$p(t \geqslant t_0) = \mathrm{e}^{-\lambda t_0}$$

soit $p(t > 5) = \frac{1}{\mathrm{e}}$.

La réponse correcte est la réponse b.

Exercice 3

Candidats ayant suivi l'enseignement de spécialité

▶ **1.** Si $a = 0$, alors le reste de la division euclidienne de $an + b$ par 26 est le reste de la division euclidienne de b par 26, donc toutes les lettres sont codées par la même lettre.

▶ **2.** Si $a = 13$, alors A est codé à partir du reste de $13 \times 0 + b = b$ par 26.
C est codé à partir du reste de $2 \times 13 + b = 26 + b$ par 26 donc **C et A sont codés par la même lettre.**

▶ **3.** On suppose $a = 5$ et $b = 2$.

a) Soit r le reste de la division euclidienne de $5n + 2$ et $5p + 2$ par 26.
Il existe $k \in \mathbb{N}$ et $k' \in \mathbb{N}$ tels que $5n + 2 = 26k + r$ et $5p + 2 = 26k' + r$.
Par suite,

$$5n + 2 - 26k = 5p + 2 - 26k'$$
$$5(n - p) = 26(k - k')$$

Or, 26 et 5 sont premiers entre eux donc $n - p$ est un multiple de 26.
Puisque n et p sont deux entiers inférieurs à 25, on en déduit que :

$$n - p = 0$$

soit $\boldsymbol{n = p}$.

b) Nous avons $2 \times 0 + 5 = 5$ et $5 \equiv 5 \quad [26]$ donc A est codé par la lettre E.
La lettre M est associée au nombre 12 et $2 \times 12 + 5 \equiv 3 \quad [26]$ donc la lettre M est codée par la lettre D.
La lettre I est associée au nombre 8 et $2 \times 8 + 5 = 21$ et $21 \equiv 21 \quad [26]$ donc la lettre I est codée par la lettre V.
Le mot AMI est donc codé par le mot EDV.

▶ **4. a)** La lettre E est associée au nombre 4.
L'élément initial n permettant d'obtenir E vérifie donc :

$$5n + 2 = 26y + 4 \text{ où } y \in \mathbb{N} \text{ et } n \in \Omega$$
$$\boxed{5n - 26y = 2}$$

b) 1. Nous avons $5 \times (-10) - 26 \times (-2) = 2$ donc **une solution particulière de l'équation $5x - 26y = 2$ est $(-10 ; -2)$.**

On peut utiliser l'algorithme d'Euclide pour obtenir une solution particulière.

2. $5x - 26y = 2$ équivaut à :

$$5x - 26y = 5 \times (-10) - 26 \times (-2)$$
$$5(x + 10) = 26(y + 2).$$

5 et 26 sont premiers entre eux donc 26 divise $x + 10$.
Il existe $k \in \mathbb{Z}$ tel que :

$$x + 10 = 26k$$

et $5 \times 26k = 26(y + 2)$ équivaut à :

$$5k = y + 2$$
$$y = 5k - 2.$$

L'ensemble des solutions de l'équation $5x - 26y = 2$ est l'ensemble des couples $(26k - 10 ; 5k - 2)$ où $k \in \mathbb{Z}$.

3. $0 \leqslant 26k - 10 \leqslant 25$ équivaut à :

$$\frac{10}{26} \leqslant k \leqslant \frac{35}{26}$$
$$k = 1$$

donc **l'unique couple $(x ; y)$ solution de l'équation $5x - 26y = 2$ tel que $x \in [0 ; 25]$ est $(16 ; 3)$.**

On peut aussi représenter le système $\begin{cases} 5x - 26y = 2 \\ 0 \leqslant x \leqslant 25 \end{cases}$ pour vérifier le résultat.

c) Du résultat précédent, on déduit que $n = 16$ et donc que **la lettre Q est codée en la lettre E.**

Exercice 4

PARTIE A

Soit (u_n) la suite définie pour tout $n \in \mathbb{N}^*$ par $u_n = \sum_{k=n}^{2n} \frac{1}{k}$.

▶ **1.** Pour tout $n \in \mathbb{N}^*$,

$$u_{n+1} - u_n = \sum_{k=n+1}^{2n+2} \frac{1}{k} - \sum_{k=n}^{2n} \frac{1}{k}$$

$$u_{n+1} - u_n = \left(\sum_{k=n}^{2n+2} \frac{1}{k}\right) - \frac{1}{n} - \sum_{k=n}^{2n} \frac{1}{k}$$

$$u_{n+1} - u_n = \frac{1}{2n+1} + \frac{1}{2n+2} - \frac{1}{n}$$

$$u_{n+1} - u_n = \frac{n(2n+2) + n(2n+1) - (2n+1)(2n+2)}{n(2n+2)(2n+1)}$$

$$u_{n+1} - u_n = \frac{2n^2 + 2n + 2n^2 + n - 4n^2 - 6n - 2}{n(2n+2)(2n+1)}$$

$$\boxed{u_{n+1} - u_n = \frac{-3n-2}{n(2n+2)(2n+1)}.}$$

$$\sum_{k=n}^{2n+2} \frac{1}{k} - \sum_{k=n}^{2n} \frac{1}{k} = \sum_{k=2n+1}^{2n+2} \frac{1}{k}.$$

▶ **2.** Pour tout $n \in \mathbb{N}^*$, $n > 0$, $2n + 2 > 0$, $2n + 1 > 0$ et $-3n - 2 < 0$, donc, pour tout $n \in \mathbb{N}^*$, $u_{n+1} - u_n < 0$, soit $\boldsymbol{u_{n+1} < u_n}$.
On en déduit que **la suite (u_n) est décroissante.**

▶ **3.** Pour tout $n \in \mathbb{N}^*$, $u_n > 0$; la suite (u_n) est décroissante et minorée par 0 donc **(u_n) est convergente.**

PARTIE B

Soit f la fonction définie pour tout $x \in]0 ; +\infty[$ par :

$$f(x) = \frac{1}{x} + \ln\left(\frac{x}{x+1}\right).$$

▶ **1. a)** Pour tout $n \in \mathbb{N}^*$ et, pour tout $x \in [n ; n+1]$, on a :

$$\frac{1}{n+1} \leqslant \frac{1}{x} \leqslant \frac{1}{n}.$$

Car la fonction inverse est strictement décroissante sur $[n ; n+1]$.

Il s'ensuit que, pour tout $n \in \mathbb{N}^*$,

$$\int_n^{n+1} \frac{1}{n+1}\,\mathrm{d}x \leqslant \int_n^{n+1} \frac{1}{x}\,\mathrm{d}x \leqslant \int_n^{n+1} \frac{1}{n}\,\mathrm{d}x$$

$$\frac{1}{n+1}(n+1-n) \leqslant \int_n^{n+1} \frac{1}{x}\,\mathrm{d}x \leqslant \frac{1}{n}(n+1-n)$$

$$\boxed{\frac{1}{n+1} \leqslant \int_n^{n+1} \frac{1}{x}\,\mathrm{d}x \leqslant \frac{1}{n}.}$$

b) Pour tout $n \in \mathbb{N}^*$,

$$\int_n^{n+1} \frac{1}{x}\,\mathrm{d}x = [\ln(x)]_n^{n+1}$$

$$\int_n^{n+1} \frac{1}{x}\,\mathrm{d}x = \ln(n+1) - \ln(n)$$

$$\int_n^{n+1} \frac{1}{x}\,\mathrm{d}x = \frac{1}{n} - \frac{1}{n} - \ln\left(\frac{n}{n+1}\right)$$

$$\int_n^{n+1} \frac{1}{x}\,dx = \frac{1}{n} - \left(\frac{1}{n} + \ln\left(\frac{n}{n+1}\right)\right)$$

$$\boxed{\int_n^{n+1} \frac{1}{x}\,dx = \frac{1}{n} - f(n).}$$

c) Nous avons montré que, pour tout $n \in \mathbb{N}^*$,

$$\frac{1}{n+1} \leqslant \int_n^{n+1} \frac{1}{x}\,dx \leqslant \frac{1}{n}$$

donc, pour tout $n \in \mathbb{N}^*$,

$$\frac{1}{n+1} \leqslant \frac{1}{n} - f(n) \leqslant \frac{1}{n}$$

$$\frac{1}{n+1} - \frac{1}{n} \leqslant -f(n) \leqslant 0$$

$$\frac{n-n-1}{n(n+1)} \leqslant -f(n) \leqslant 0$$

$$\boxed{0 \leqslant f(n) \leqslant \frac{1}{n(n+1)}}.$$

▶ **2.** Soit (S_n) la suite définie pour tout $n \in \mathbb{N}^*$ par $S_n = \sum_{k=n}^{2n} \frac{1}{k(k+1)}$.

a) Nous avons montré que, pour tout $k \in \mathbb{N}^*$, $0 \leqslant f(k) \leqslant \frac{1}{k(k+1)}$.

Il s'ensuit que, pour tout $n \in \mathbb{N}^*$,

$$0 \leqslant f(n) + f(n+1) + \ldots + f(2n) \leqslant \frac{1}{n(n+1)} + \frac{1}{(n+1)(n+2)} + \ldots + \frac{1}{2n(2n+1)}$$

$$\boxed{0 \leqslant f(n) + f(n+1) + \ldots + f(2n) \leqslant S_n}.$$

On utilise ici le résultat de la question précédente pour tout entier *k* compris entre *n* et 2*n*.

b) Pour tout $x \neq 0$ et $x \neq -1$,

$$\frac{a}{x} + \frac{b}{x+1} = \frac{ax + a + bx}{x(x+1)}$$

$$\frac{a}{x} + \frac{b}{x+1} = \frac{(a+b)x + a}{x(x+1)}.$$

On procède par identification en égalisant les coefficients de même degré.

On en déduit que, pour tout $x \neq 0$ et $x \neq -1$, $\frac{a}{x} + \frac{b}{x+1} = \frac{1}{x(x+1)}$ équivaut à :

$$\begin{cases} a+b=0 \\ a=1 \end{cases} \quad \text{et à} \quad \begin{cases} b=-1 \\ a=1. \end{cases}$$

Ainsi, pour tout $x \neq 0$ et $x \neq -1$,

$$\boxed{\frac{1}{x(x+1)} = \frac{1}{x} - \frac{1}{x+1}.}$$

c) Du résultat précédent, on déduit que, pour tout $n \in \mathbb{N}^*$,

$$S_n = \sum_{k=n}^{2n} \left(\frac{1}{k} - \frac{1}{k+1}\right)$$

$$S_n = \sum_{k=n}^{2n} \frac{1}{k} - \sum_{k=n}^{2n} \frac{1}{k+1}$$

$$S_n = \sum_{k=n}^{2n} \frac{1}{k} - \sum_{k=n+1}^{2n+1} \frac{1}{k}$$

$$S_n = \frac{1}{n} - \frac{1}{2n+1}$$

$$S_n = \frac{2n+1-n}{n(2n+1)} \text{ donc } \boxed{S_n = \frac{n+1}{n(2n+1)}.}$$

$$\sum_{k=n}^{2n} u_k - \sum_{k=n+1}^{2n+1} u_k = \sum_{k=n}^{2n} u_k - \left(u_{n+1} + \sum_{k=n}^{2n} u_k + u_{2n+1}\right).$$

d) Nous avons, pour tout $n \in \mathbb{N}^*$, $S_n = \frac{1}{2n+1} \times \left(1 + \frac{1}{n}\right)$ et $\lim_{n \to +\infty} \frac{1}{2n+1} = 0$, $\lim_{n \to +\infty} \left(1 + \frac{1}{n}\right) = 1$ donc :

$$\boxed{\lim_{n \to +\infty} S_n = 0.}$$

Puisque, pour tout $n \in \mathbb{N}^*$, $0 \leqslant \sum_{k=n}^{2n} f(k) \leqslant S_n$

on en déduit que : $\boxed{\lim_{n \to +\infty} \sum_{k=n}^{2n} f(k) = 0.}$

e) Pour tout $k \in \mathbb{N}^*$,

$$f(k) = \frac{1}{k} + \ln\left(\frac{k}{k+1}\right)$$

donc, pour tout $n \in \mathbb{N}^*$,

$$f(n) + f(n+1) + \ldots + f(2n) = \frac{1}{n} + \ln\left(\frac{n}{n+1}\right) + \frac{1}{n+1} + \ln\left(\frac{n+1}{n+2}\right) + \ldots + \frac{1}{2n} + \ln\left(\frac{2n}{2n+1}\right)$$

$$f(n) + f(n+1) + \ldots + f(2n) = \left(\frac{1}{n} + \frac{1}{n+1} + \ldots + \frac{1}{2n}\right) + \ln\left(\frac{n}{n+1} \times \frac{n+1}{n+2} \times \ldots \times \frac{2n}{2n+1}\right)$$

$$f(n) + f(n+1) + \ldots + f(2n) = u_n + \ln\left(\frac{n}{2n+1}\right)$$

$$f(n) + f(n+1) + \ldots + f(2n) = u_n - \ln\left(\frac{2n+1}{n}\right)$$

$$\boxed{f(n) + f(n+1) + \ldots + f(2n) = u_n - \ln\left(2 + \frac{1}{n}\right).}$$

f) Nous avons montré que $\lim_{n \to +\infty} [f(n) + f(n+1) + \ldots + f(2n)] = 0$ et $\lim_{n \to +\infty} \ln\left(2 + \frac{1}{n}\right) = \ln 2$ donc : $\boxed{\lim_{n \to +\infty} u_n = \ln 2.}$

Par limite d'une somme de deux suites convergentes.

Exercice 1 (5 points)

Commun à tous les candidats

Soit $(O ; \vec{i}, \vec{j}, \vec{k})$ un repère orthonormal de l'espace.
On considère les points $A(2 ; 4 ; 1)$, $B(0 ; 4 ; -3)$, $C(3 ; 1 ; -3)$, $D(1 ; 0 ; -2)$, $E(3 ; 2 ; -1)$, $I\left(\frac{3}{5} ; 4 ; -\frac{9}{5}\right)$.

Pour chacune des cinq affirmations suivantes, dire, sans le justifier, si elle est vraie ou si elle est fausse. Pour chaque question, il est compté 1 point si la réponse est exacte et 0 sinon.

▶ **1.** Une équation du plan (ABC) est : $2x + 2y - z - 11 = 0$. *(1 point)*

▶ **2.** Le point E est le projeté orthogonal de D sur le plan (ABC). *(1 point)*

▶ **3.** Les droites (AB) et (CD) sont orthogonales. *(1 point)*

▶ **4.** La droite (CD) est donnée par la représentation paramétrique suivante :

$$(CD) : \begin{cases} x = -1 + 2t \\ y = -1 + t \\ z = 1 - t \end{cases} \quad (t \in \mathbb{R}). \textit{ (1 point)}$$

▶ **5.** Le point I est sur la droite (AB). *(1 point)*

Exercice 2 (5 points)

Commun à tous les candidats

▶ **1.** Soit f la fonction définie sur $\mathbb{R}$ par : $f(x) = x^2 e^{1-x}$. On désigne par $\mathscr{C}$ sa courbe représentative dans un repère orthonormal $(O ; \vec{i}, \vec{j})$ d'unité graphique 2 cm.

a) Déterminer les limites de f en $-\infty$ et en $+\infty$; quelle conséquence graphique pour $\mathscr{C}$ peut-on en tirer ? *(0,5 point)*

b) Montrer que f est dérivable sur $\mathbb{R}$.
Déterminer sa fonction dérivée f'. *(0,75 point)*

c) Dresser le tableau des variations de f et tracer la courbe $\mathscr{C}$. *(0,75 point)*

▶ **2.** Soit n un entier naturel non nul.

On considère l'intégrale I_n définie par $I_n = \int_0^1 x^n e^{1-x}\, dx$.

a) Établir une relation entre I_{n+1} et I_n. *(1 point)*

b) Calculer I_1, puis I_2. *(0,5 point)*

c) Donner une interprétation graphique du nombre I_2. On la fera apparaître sur le graphique de la question **1. c)**. *(0,5 point)*

▶ **3. a)** Démontrer que pour tout nombre réel x de $[0\ ;\ 1]$ et pour tout entier naturel n non nul, on a l'inégalité suivante : $x^n \leqslant x^n e^{1-x} \leqslant e x^n$. *(0,5 point)*
b) En déduire un encadrement de I_n puis la limite de I_n quand n tend vers $+\infty$. *(0,5 point)*

Exercice 3 (5 points)

Candidats n'ayant pas suivi l'enseignement de spécialité

On considère le plan complexe $\mathcal{P}$ rapporté à un repère orthonormal direct $(O\ ;\ \vec{u}, \vec{v})$.
Dans tout l'exercice $\mathcal{P} \setminus \{O\}$ désigne le plan $\mathcal{P}$ privé du point origine O.

▶ **1. Question de cours**

On prend comme pré-requis les résultats suivants :
– Si z et z' sont deux nombres complexes non nuls, alors :

$$\arg(zz') = \arg(z) + \arg(z')$$

à $2k\pi$ près, avec k entier relatif.
– Pour tout vecteur $\vec{w}$ non nul d'affixe z on a : $\arg(z) = (\vec{u}\ ;\ \vec{w})$ à $2k\pi$ près, avec k entier relatif.

a) Soit z et z' des nombres complexes non nuls, démontrer que :

$$\arg\left(\frac{z}{z'}\right) = \arg(z) - \arg(z')$$

à $2k\pi$ près, avec k entier relatif. *(0,5 point)*

b) Démontrer que si A, B, C sont trois points du plan, deux à deux distincts, d'affixes respectives a, b, c, on a : $\arg\left(\frac{c-a}{b-a}\right) = (\overrightarrow{AB}, \overrightarrow{AC})$ à $2k\pi$ près, avec k entier relatif. *(0,5 point)*

▶ **2.** On considère l'application f de $\mathcal{P} \setminus \{O\}$ dans $\mathcal{P} \setminus \{O\}$ qui, au point M du plan d'affixe z, associe le point M′ d'affixe z' définie par : $z' = \frac{1}{\bar{z}}$. On appelle U et V les points du plan d'affixes respectives 1 et i.

a) Démontrer que pour $z \neq 0$, on a $\arg(z') = \arg(z)$ à $2k\pi$ près, avec k entier relatif.
En déduire que, pour tout point M de $\mathcal{P} \setminus \{O\}$ les points M et $M' = f(M)$ appartiennent à une même demi-droite d'origine O. *(0,5 point)*

b) Déterminer l'ensemble des points M de $\mathcal{P} \setminus \{O\}$ tels que $f(M) = M$. *(0,5 point)*

c) M est un point du plan $\mathcal{P}$ distinct de O, U et V ; on admet que M′ est aussi distinct de O, U et V.

Établir l'égalité $\frac{z'-1}{z'-i} = \frac{1}{i}\left(\frac{\bar{z}-1}{\bar{z}+i}\right) = -i\overline{\left(\frac{z-1}{z-i}\right)}$.

En déduire une relation entre $\arg\left(\frac{z'-1}{z'-i}\right)$ et $\arg\left(\frac{z-1}{z-i}\right)$. *(1,5 point)*

▶ **3. a)** Soit z un nombre complexe tel que $z \neq 1$ et $z \neq i$ et soit M le point d'affixe z. Démontrer que M est sur la droite (UV) privée de U et de V si et seulement si $\frac{z-1}{z-i}$ est un nombre réel non nul. *(0,75 point)*

b) Déterminer l'image par f de la droite (UV) privée de U et de V. *(0,75 point)*

Exercice 3 (5 points)

Candidats ayant suivi l'enseignement de spécialité

PARTIE A

Question de cours

▶ **1.** Énoncer le théorème de Bézout et le théorème de Gauss. *(0,5 point)*

▶ **2.** Démontrer le théorème de Gauss en utilisant le théorème de Bézout. *(0,5 point)*

PARTIE B

Il s'agit de résoudre dans $\mathbb{Z}$ le système $(\mathcal{S})$: $\begin{cases} n \equiv 13 \ \ (19) \\ n \equiv 6 \ \ (12) \end{cases}$.

▶ **1.** Démontrer qu'il existe un couple $(u\ ;\ v)$ d'entiers relatifs tel que :

$$19u + 12v = 1\,.$$

(On ne demande pas dans cette question de donner un exemple d'un tel couple.)
Vérifier que, pour un tel couple, le nombre $N = 13 \times 12v + 6 \times 19u$ est une solution de $(\mathcal{S})$. *(1 point)*

▶ **2. a)** Soit n_0 une solution de $(\mathcal{S})$, vérifier que le système $(\mathcal{S})$ équivaut à :

$$\begin{cases} n \equiv n_0 \ \ (19) \\ n \equiv n_0 \ \ (12) \end{cases}.$$ *(0,5 point)*

b) Démontrer que le système $\begin{cases} n \equiv n_0 \ \ (19) \\ n \equiv n_0 \ \ (12) \end{cases}$ équivaut à :

$$n \equiv n_0 \ \ (12 \times 19)\,.$$ *(0,5 point)*

▶ **3. a)** Trouver un couple $(u\ ;\ v)$ solution de l'équation $19u + 12v = 1$ et calculer la valeur de N correspondante. *(0,75 point)*
b) Déterminer l'ensemble des solutions de $(\mathcal{S})$ (on pourra utiliser la question **2. b**). *(0,5 point)*

▶ **4.** Un entier naturel n est tel que lorsqu'on le divise par 12 le reste est 6 et lorsqu'on le divise par 19 le reste est 13.
On divise n par $228 = 12 \times 19$. Quel est le reste r de cette division ? *(0,75 point)*

Exercice 4 (5 points)

Commun à tous les candidats

▶ **1.** Dans un stand de tir, un tireur effectue des tirs successifs pour atteindre un ballon afin de le crever. À chacun de ces tirs, il a la probabilité 0,2 de crever le ballon. Le tireur s'arrête quand le ballon est crevé. Les tirs successifs sont supposés indépendants.
a) Quelle est la probabilité qu'au bout de deux tirs le ballon soit intact ? *(0,5 point)*
b) Quelle est la probabilité que deux tirs suffisent pour crever le ballon ? *(0,5 point)*
c) Quelle est la probabilité p_n que n tirs suffisent pour crever le ballon ? *(0,5 point)*
d) Pour quelles valeurs de n a-t-on : $p_n > 0{,}99$? *(0,75 point)*

▶ **2.** Ce tireur participe au jeu suivant :
Dans un premier temps, il lance un dé tétraédrique régulier dont les faces sont numérotées de 1 à 4 (la face obtenue avec un tel dé est la face cachée) ; soit k le numéro de la face obtenue. Le tireur se rend alors au stand de tir et il a droit à k tirs pour crever le ballon.
Démontrer que, si le dé est bien équilibré, la probabilité de crever le ballon est égale à 0,4096 (on pourra utiliser un arbre pondéré). *(1,5 point)*

▶ **3.** Le tireur décide de tester le dé tétraédrique afin de savoir s'il est bien équilibré ou s'il est pipé. Pour cela, il lance 200 fois ce dé et il obtient le tableau suivant :

Face k	1	2	3	4
Nombre de sorties de la face k	58	49	52	41

a) Calculer les fréquences de sortie f_k observées pour chacune des faces. *(0,25 point)*

b) On pose $d^2 = \sum_{k=1}^{4} \left(f_k - \frac{1}{4}\right)^2$. Calculer d^2. *(0,5 point)*

c) On effectue maintenant 1000 simulations des 200 lancers d'un dé tétraédrique bien équilibré et on calcule pour chaque simulation le nombre d^2. On obtient pour la série statistique des 1000 valeurs de d^2 les résultats suivants :

Minimum	**D_1**	**Q_1**	**Médiane**	**Q_3**	**D_9**	**Maximum**
0,00124	0,00192	0,00235	0,00281	0,00345	0,00452	0,01015

Au risque de 10 %, peut-on considérer que ce dé est pipé ? *(0,5 point)*

LES CLÉS DU SUJET

■ Exercice 1 • [Durée ± 45 min.]

La notion en jeu

– Géométrie dans l'espace.

Les conseils du correcteur

▶ **1.** Vérifiez que les points appartiennent ou non à ce plan.
▶ **2.** Vous devez vérifier que (DE) est orthogonale au plan (ABC).
▶ **4.** Vérifiez que les points C et D appartiennent ou non à la droite dont une représentation paramétrique est donnée.
▶ **5.** Étudiez la colinéarité des vecteurs $\overrightarrow{AI}$ et $\overrightarrow{AB}$.

■ Exercice 2 • [Durée ± 45 min.]

Les notions en jeu

– Convergence.
– Asymptote verticale ou horizontale.
– Limite à l'infini.
– Dérivées usuelles.
– Sens de variation.
– Fonction exponentielle.
– Primitives usuelles.
– Intégration par parties.
– Aire d'un domaine plan.

Les conseils du correcteur

▶ **1. a)** et **b)** Vérifiez graphiquement les résultats obtenus.

2. a) et **b)** Effectuez une intégration par parties.

■ Exercice 3 (enseignement obligatoire) • [Durée ± 45 min.]

Les notions en jeu

– Module et argument.

– Applications géométriques.

Les conseils du correcteur

▶ **1. a)** Utilisez la première relation dans le cas particulier où $z' = \frac{1}{z}$, puis utilisez cette même propriété en remarquant que $\frac{z}{z'} = z \times \frac{1}{z'}$.

▶ **2. b)** Résolvez l'équation $z' = z$.

▶ **3. a)** Traduisez l'appartenance de M à la droite (UV) en terme de relation d'angles entre $\overrightarrow{UM}$ et $\overrightarrow{VM}$.

■ Exercice 3 (enseignement de spécialité) • [Durée ± 45 min.]

Les notions en jeu

– Théorème de Bézout.

– Théorème de Gauss.

– Divisibilité.

Les conseils du correcteur

Partie B

▶ **1.** Utilisez le théorème de Bézout.

▶ **2. b)** Utilisez le théorème de Gauss.

▶ **3. a)** Déterminez un couple solution à l'aide de l'algorithme d'Euclide.

■ Exercice 4 • [Durée ± 45 min.]

La notion en jeu

– Loi de probabilité.

Les conseils du correcteur

▶ **1. b)** Attention ! On demande la probabilité que deux tirs suffisent pour crever le ballon et non la probabilité que deux tirs soient nécessaires pour le crever.

▶ **2.** Utilisez la formule des probabilités totales, en calculant tout d'abord la probabilité de l'événement contraire associé.

▶ **3. c)** Vous devez exploiter les résultats concernant l'adéquation à une loi équirépartie.

CORRIGÉ SUJET 8

Exercice 1

▶ **1.** Soit $\mathcal{P}$ le plan d'équation cartésienne $2x + 2y - z - 11 = 0$.
Nous avons :

$$2 \times 2 + 2 \times 4 - 1 - 11 = 0$$

donc le point A de coordonnées $(2 ; 4 ; 1)$ appartient à $\mathcal{P}$.

$$2 \times 0 + 2 \times 4 + 3 - 11 = 0$$

donc le point B de coordonnées $(0 ; 4 ; -3)$ appartient à $\mathcal{P}$.

On a supposé que les points A, B et C n'étaient pas alignés. Il suffit donc de vérifier que les coordonnées de ces trois points vérifient l'équation cartésienne proposée.

MATHÉMATIQUES

Enfin, $2 \times 3 + 2 \times 1 + 3 - 11 = 0$
donc le point C de coordonnées $(3 ; 1 ; -3)$ appartient à $\mathcal{P}$.
On en déduit qu'une équation cartésienne du plan (ABC) est :

$$2x + 2y - z - 11 = 0.$$

La proposition est vraie.

▶ **2.** Puisque :

$$2 \times 3 + 2 \times 2 + 1 - 11 = 0$$

nous pouvons affirmer que le point E appartient au plan (ABC).

D'autre part, $\overrightarrow{DE}$ admet pour coordonnées $\begin{pmatrix} 3-1 \\ 2-0 \\ -1+2 \end{pmatrix} = \begin{pmatrix} 2 \\ 2 \\ 1 \end{pmatrix}$ et un vecteur normal $\vec{n}$ au plan $\mathcal{P}$ admet pour coordonnées $\begin{pmatrix} 2 \\ 2 \\ -1 \end{pmatrix}$.

Un vecteur normal $\vec{n}$ au plan $\mathcal{P}$ d'équation cartésienne $ax + by + cz + d = 0$ admet pour coordonnées $\begin{pmatrix} a \\ b \\ c \end{pmatrix}$.

Les vecteurs $\overrightarrow{DE}$ et $\vec{n}$ n'étant pas colinéaires, la droite (DE) n'est pas orthogonale au plan $\mathcal{P}$ et E n'est pas le projeté orthogonal de D sur le plan (ABC).
La proposition est fausse.

▶ **3.** $\overrightarrow{AB}$ admet pour coordonnées $\begin{pmatrix} 0-2 \\ 4-4 \\ -3-1 \end{pmatrix} = \begin{pmatrix} -2 \\ 0 \\ -4 \end{pmatrix}$ et $\overrightarrow{CD}$ admet pour coordonnées $\begin{pmatrix} 1-3 \\ 0-1 \\ -2+3 \end{pmatrix} = \begin{pmatrix} -2 \\ -1 \\ 1 \end{pmatrix}$.

Nous avons :

$$\overrightarrow{AB} \cdot \overrightarrow{CD} = -2 \times (-2) + 4 \times (0) - 4 \times 1$$

$$\overrightarrow{AB} \cdot \overrightarrow{CD} = 0$$

donc $\overrightarrow{AB} \cdot \overrightarrow{CD} = 0$ et les vecteurs $\overrightarrow{AB}$ et $\overrightarrow{CD}$ sont orthogonaux donc les droites (AB) et (CD) sont orthogonales.
La proposition est vraie.

▶ **4.** Soit $\mathcal{D}$ la droite de représentation paramétrique $\begin{cases} x = -1 + 2t \\ y = -1 + t \\ z = 1 - t. \end{cases}$

$\begin{cases} x = -1 + 2t \\ y = -1 + t \\ z = 1 - t \end{cases}$ équivaut à $\begin{cases} x + 1 = 2t \\ y + 1 = t \\ z - 1 = t \end{cases}$ donc $\mathcal{D}$ est la droite passant par le point de coordonnées $(1 ; 1 ; -1)$ et de vecteur directeur de coordonnées $\begin{pmatrix} 2 \\ 1 \\ -1 \end{pmatrix}$.

C appartient à $\mathcal{D}$ si et seulement si il existe $t \in \mathbb{R}$ tel que :

$$\begin{cases} 3 = -1 + 2t \\ 1 = -1 + t \\ -3 = 1 - t \end{cases}$$

$$\begin{cases} 2 = t \\ 2 = t \\ 4 = t. \end{cases}$$

Cela est impossible donc C n'appartient pas à cette droite.
La proposition est fausse.

▶ **5.** $\overrightarrow{AI}$ admet pour coordonnées $\begin{pmatrix} \frac{3}{5}-2 \\ 4-4 \\ -\frac{9}{5}-1 \end{pmatrix} = \begin{pmatrix} -\frac{7}{5} \\ 0 \\ -\frac{14}{5} \end{pmatrix}$ et $\overrightarrow{AB}$ admet pour coordonnées $\begin{pmatrix} -2 \\ 0 \\ -4 \end{pmatrix}$. I appartient à la droite (AB) si et seulement si $\overrightarrow{AI}$ et $\overrightarrow{AB}$ sont colinéaires, c'est-à-dire si et seulement si il existe $t \in \mathbb{R}$ tel que $\overrightarrow{AI} = t\overrightarrow{AB}$ soit :

$$\begin{cases} -\frac{7}{5} = -2t \\ 0 = 0 \times t \\ -\frac{14}{5} = -4t \end{cases}$$

$$\begin{cases} \frac{7}{10} = t \\ \frac{7}{10} = t. \end{cases}$$

I appartient à la droite (AB).

La proposition est vraie.

Exercice 2

▶ **1.** Soit f la fonction définie pour tout $x \in \mathbb{R}$ par $f(x) = x^2 e^{1-x}$.

a) Nous avons :

$\lim\limits_{x \to -\infty} (1-x) = +\infty$ et $\lim\limits_{X \to +\infty} e^X = +\infty$ donc $\lim\limits_{x \to -\infty} e^{1-x} = +\infty$.

On utilise le théorème relatif à la limite d'une fonction composée.

D'autre part, $\lim\limits_{x \to -\infty} x^2 = +\infty$.

Il s'ensuit que :

$$\boxed{\lim_{x \to -\infty} f(x) = +\infty.}$$

Pour tout $x \in \mathbb{R}$, $f(x) = \frac{e}{\frac{e^x}{x^2}}$ et $\lim\limits_{x \to +\infty} \frac{e^x}{x^2} = +\infty$ (croissances comparées) donc :

$$\boxed{\lim_{x \to +\infty} f(x) = 0.}$$

L'axe des abscisses est asymptote à la courbe représentative de f au voisinage de $+\infty$.

b) La fonction affine $x \mapsto 1-x$ est dérivable sur $\mathbb{R}$ et la fonction exponentielle aussi, donc la fonction $x \mapsto e^{1-x}$ est dérivable sur $\mathbb{R}$ et son produit avec la fonction carré est dérivable sur $\mathbb{R}$.

f est dérivable sur $\mathbb{R}$.

En utilisant la dérivée du produit de deux fonctions dérivables et la dérivée d'une fonction composée.

Pour tout $x \in \mathbb{R}$,

$$f'(x) = 2x\mathrm{e}^{1-x} - x^2\mathrm{e}^{1-x}$$

$$\boxed{f'(x) = x(2-x)\mathrm{e}^{1-x}.}$$

c) Pour tout $x \in \mathbb{R}$, $\mathrm{e}^{1-x} > 0$ donc $f'(x)$ est du signe de $x(2-x)$.
Le trinôme $p : x \mapsto x(2-x) = -x^2 + 2x$ est du signe de $a = -1$ à l'extérieur de ses racines 0 et 2.

On peut aussi dresser le tableau de signes de $x(2-x)$.

On en déduit que :
– pour tout $x \in]-\infty ; 0[\cup]2 ; +\infty[$, $f'(x) < 0$;
– pour tout $x \in]0 ; 2[$; $f'(x) > 0$;
– $f'(x) = 0$ pour $x \in \{0 ; 2\}$.
f est strictement décroissante sur $]-\infty ; 0]$, strictement croissante sur $[0 ; 2]$ et strictement décroissante sur $[2 ; +\infty[$.
Le tableau des variations de f est le suivant :

x	$-\infty$		0		2		$+\infty$
Signe de $f'(x)$		$-$	0	$+$	0	$-$	
Variations de f	$+\infty$	↘	0	↗	$\frac{4}{\mathrm{e}}$	↘	0

Voir représentation graphique ci-après.

▶ **2.** Pour tout $n \in \mathbb{N}^*$ on pose $I_n = \int_0^1 x^n\mathrm{e}^{1-x}\,\mathrm{d}x$.

a) Nous avons, pour tout $n \in \mathbb{N}$,

$$I_{n+1} = \int_0^1 x^{n+1}\mathrm{e}^{1-x}\,\mathrm{d}x.$$

Effectuons une intégration par parties en posant, pour tout $x \in [0 ; 1]$,

$$\begin{cases} u(x) = x^{n+1} \\ v'(x) = \mathrm{e}^{1-x}. \end{cases}$$

Nous avons, pour tout $x \in [0 ; 1]$,

$$\begin{cases} u'(x) = (n+1)x^n \\ v(x) = -\mathrm{e}^{1-x} \end{cases}$$

et les fonctions u, v, u' et v' sont continues sur $[0 ; 1]$.
Il s'ensuit que, pour tout $n \in \mathbb{N}^*$,

Si u, v sont deux fonctions dérivables sur un intervalle I, de dérivées continues sur I, alors pour tous $a \in \mathrm{I}$, $b \in \mathrm{I}$,
$\int_a^b u'(x)v(x)\mathrm{d}x$
$= [u(x)v(x)]_a^b$
$- \int_a^b u(x)v'(x)\mathrm{d}x$.

$$I_{n+1} = [u(x)v(x)]_0^1 - \int_0^1 u'(x)v(x)\,\mathrm{d}x$$

$$I_{n+1} = [-x^{n+1}\mathrm{e}^{1-x}]_0^1 + (n+1)\int_0^1 x^n\mathrm{e}^{1-x}\,\mathrm{d}x$$

$$\boxed{I_{n+1} = (n+1)\mathrm{I}_n - 1.}$$

b) Nous avons :

$$I_1 = \int_0^1 x\mathrm{e}^{1-x}\,\mathrm{d}x.$$

Posons : $\begin{cases} u(x) = x \\ v'(x) = \mathrm{e}^{1-x}. \end{cases}$

Nous avons, pour tout $x \in [0\ ;\ 1]$,

$$\begin{cases} u'(x) = 1 \\ v(x) = -\,\mathrm{e}^{1-x} \end{cases}$$

et les fonctions u, v, u' et v' sont continues sur $[0\ ;\ 1]$.
Par conséquent,

$$I_1 = [-x\mathrm{e}^{1-x}]_0^1 + \int_0^1 \mathrm{e}^{1-x}\,\mathrm{d}x$$

$$I_1 = -1 + [-\mathrm{e}^{1-x}]_0^1$$

$$I_1 = -1 - 1 + \mathrm{e}$$

$$\boxed{I_1 = \mathrm{e} - 2.}$$

f est positive sur [0 ; 1]. On doit donc avoir $I_1 \geqslant 0$.

c) Du résultat établi dans la question précédente, on déduit que :

$$I_2 = 2\mathrm{I}_1 - 1$$

$$I_2 = 2\mathrm{e} - 4 - 1$$

$$\boxed{I_2 = 2\mathrm{e} - 5.}$$

Nous avons $I_2 = \int_0^1 f(x)\,\mathrm{d}x$ et le tableau des variations de f permet d'affirmer que f est positive sur $[0\ ;\ 1]$.
On peut donc affirmer que I_2 est l'aire, exprimée en unités d'aire, du domaine plan délimité par $\mathscr{C}$, l'axe des abscisses et les droites d'équations $x = 0$ et $x = 1$.

Représentation graphique

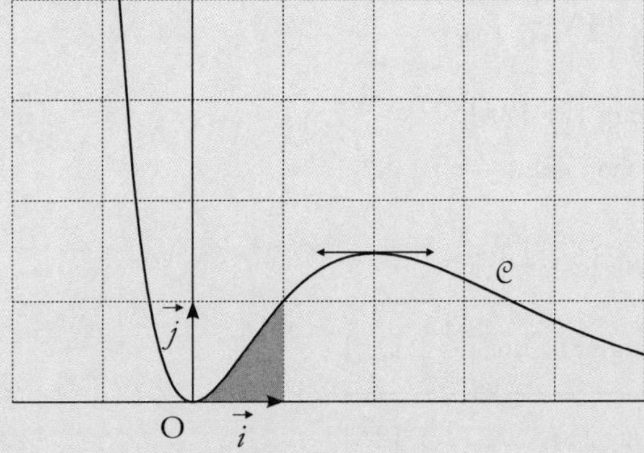

On a $I_2 = 0{,}44$ à 10^{-2} près, ce qui est conforme à ce qu'on obtient par lecture graphique.

▶ **3. a)** Pour tout $x \in [0\ ;\ 1]$, on a :

$$0 \leqslant x \leqslant 1$$

$$-1 \leqslant -x \leqslant 0$$

$$0 \leqslant 1 - x \leqslant 1$$

$\mathrm{e}^0 \leqslant \mathrm{e}^{1-x} \leqslant \mathrm{e}^1$ car la fonction exponentielle est strictement croissante sur $[0\ ;\ 1]$

$$1 \leqslant \mathrm{e}^{1-x} \leqslant \mathrm{e}$$

$$\boxed{x^n \leqslant x^n\mathrm{e}^{1-x} \leqslant x^n\mathrm{e}}$$

car, pour tout $x \in [0\ ;\ 1]$ et pour tout $n \in \mathbb{N}^*$, $x^n \geqslant 0$.

MATHÉMATIQUES

b) Du résultat précédent, on déduit que pour tout $n \in \mathbb{N}^*$,

$$\int_0^1 x^n \, dx \leqslant \int_0^1 x^n e^{1-x} \, dx \leqslant e \int_0^1 x^n \, dx$$

$$\left[\frac{1}{n+1} x^{n+1}\right]_0^1 \leqslant I_n \leqslant e\left[\frac{1}{n+1} x^{n+1}\right]_0^1$$

$$\boxed{\frac{1}{n+1} \leqslant I_n \leqslant \frac{e}{n+1}.}$$

Puisque $\lim\limits_{n \to +\infty} \dfrac{1}{n+1} = 0$ et $\lim\limits_{n \to +\infty} \dfrac{e}{n+1} = 0$, on en déduit que :

$$\boxed{\lim_{n \to +\infty} I_n = 0.}$$

On exploite ici le théorème dit « des gendarmes ».

Exercice 3

Candidats n'ayant pas suivi l'enseignement de spécialité

▶ **1. a)** Soit z un nombre complexe non nul.

Nous avons :

$$\arg\left(z \times \frac{1}{z}\right) = \arg(z) + \arg\left(\frac{1}{z}\right) \quad [2\pi]$$

$$\arg(1) = \arg(z) + \arg\left(\frac{1}{z}\right) \quad [2\pi].$$

Or, $\arg(1) = (\vec{u}\,;\vec{u}) \quad [2\pi]$ donc $\arg(1) = 0 \quad [2\pi]$.

Par suite, pour tout $z \in \mathbb{C}^*$,

$$\arg(z) + \arg\left(\frac{1}{z}\right) = 0 \quad [2\pi]$$

$$\arg\left(\frac{1}{z}\right) = -\arg(z) \quad [2\pi].$$

Soit z et z' deux nombres complexes non nuls.

Nous avons :

$$\arg\left(\frac{z}{z'}\right) = \arg\left(z \times \frac{1}{z'}\right) \quad [2\pi]$$

$$\arg\left(\frac{z}{z'}\right) = \arg(z) + \arg\left(\frac{1}{z'}\right) \quad [2\pi]$$

$$\boxed{\arg\left(\frac{z}{z'}\right) = \arg(z) - \arg(z') \quad [2\pi].}$$

b) Soit A, B et C trois points deux à deux distincts d'affixes respectives a, b et c.

On a :

$$\arg\left(\frac{c-a}{b-a}\right) = \arg(c-a) - \arg(b-a) \quad [2\pi]$$

$$\arg\left(\frac{c-a}{b-a}\right) = (\vec{u}\,;\overrightarrow{AC}) - (\vec{u}\,;\overrightarrow{AB}) \quad [2\pi]$$

$$\arg\left(\frac{c-a}{b-a}\right) = (\overrightarrow{AB}\,;\vec{u}) + (\vec{u}\,;\overrightarrow{AC}) \quad [2\pi]$$

$$\boxed{\arg\left(\frac{c-a}{b-a}\right) = (\overrightarrow{AB}\,;\overrightarrow{AC}) \quad [2\pi].}$$

On utilise ici la relation de Chasles.

▶ **2.** Soit f l'application qui, à tout point M d'affixe $z \neq 0$, associe le point M′ d'affixe z' définie par $z' = \dfrac{1}{\overline{z}}$.

Soit U et V les points d'affixes respectives 1 et i.

a) Pour tout $z \neq 0$, nous avons :

$$\arg(z') = \arg\left(\frac{1}{\overline{z}}\right) \ [2\pi]$$

$$\arg(z') = -\arg(\overline{z}) \ [2\pi]$$

soit, pour tout $z \neq 0$,

$$\boxed{\arg(z') = \arg(z) \ [2\pi].}$$

On en déduit que, pour tout point M distinct de O d'image M′ par f, on a :

$$(\vec{u}\,;\overrightarrow{\mathrm{OM}'}) = (\vec{u}\,;\overrightarrow{\mathrm{OM}}) \ [2\pi]$$

$$(\vec{u}\,;\overrightarrow{\mathrm{OM}'}) - (\vec{u}\,;\overrightarrow{\mathrm{OM}}) = 0 \ [2\pi]$$

$$\boxed{(\overrightarrow{\mathrm{OM}}\,;\overrightarrow{\mathrm{OM}'}) = 0 \ [2\pi]}$$

donc les vecteurs $\overrightarrow{\mathrm{OM}}$ et $\overrightarrow{\mathrm{OM}'}$ sont colinéaires et de même sens.

M et M′ appartiennent donc à une même demi-droite d'origine O.

$(\overrightarrow{\mathrm{OM}}\,;\overrightarrow{\mathrm{OM}'}) = 0[\pi]$ signifie que les vecteurs $\overrightarrow{\mathrm{OM}}$ et $\overrightarrow{\mathrm{OM}'}$ ont même direction et donc que O, M et M′ sont alignés.

b) Soit M un point distinct de O d'affixe $z \neq 0$.

$\mathrm{M} = f(\mathrm{M})$ équivaut à :

$$z = \frac{1}{\overline{z}} \quad \text{et } z \neq 0$$

$$\frac{z\overline{z} - 1}{\overline{z}} = 0 \quad \text{et } z \neq 0$$

$$|z|^2 = 1 \quad \text{et } z \neq 0$$

$$\mathrm{OM} = 1.$$

Pour tout point M d'affixe z, $\mathrm{OM} = |z|$.

L'ensemble des points invariants par f est donc le cercle de centre O et de rayon 1.

c) Soit M un point du plan d'affixe $z \neq 0$.

On admet que son image M′ d'affixe z' par f est distincte de O, U et V.

Nous avons :

$$\frac{z'-1}{z'-\mathrm{i}} = \frac{\dfrac{1}{\overline{z}} - 1}{\dfrac{1}{\overline{z}} - \mathrm{i}}$$

$$\frac{z'-1}{z'-\mathrm{i}} = \frac{\dfrac{1-\overline{z}}{\overline{z}}}{\dfrac{1-\mathrm{i}\overline{z}}{\overline{z}}}$$

$$\frac{z'-1}{z'-\mathrm{i}} = \frac{1-\overline{z}}{\overline{z}} \times \frac{\overline{z}}{1-\mathrm{i}\overline{z}}$$

$$\frac{z'-1}{z'-\mathrm{i}} = \frac{1-\overline{z}}{1-\mathrm{i}\overline{z}}$$

soit

$$\frac{z'-1}{z'-\mathrm{i}} = \frac{1}{\mathrm{i}} \times \frac{1-\overline{z}}{-\mathrm{i}-\overline{z}}$$

$$\frac{z'-1}{z'-\mathrm{i}}=\frac{1}{\mathrm{i}}\times\frac{1-\bar{z}}{-(\bar{z}+\mathrm{i})}$$

$$\boxed{\frac{z'-1}{z'-\mathrm{i}}=\frac{1}{\mathrm{i}}\times\frac{\bar{z}-1}{\bar{z}+\mathrm{i}}}$$

c'est-à-dire :

$$\frac{z'-1}{z'-\mathrm{i}}=-\mathrm{i}\times\frac{\overline{z-1}}{\overline{z-\mathrm{i}}}$$

Pour tous $a \in \mathbb{C}$ et $b \in \mathbb{C}^*$, $\overline{\left(\frac{a}{b}\right)}=\frac{\bar{a}}{\bar{b}}$.

$$\boxed{\frac{z'-1}{z'-\mathrm{i}}=-\mathrm{i}\times\overline{\left(\frac{z-1}{z-\mathrm{i}}\right)}.}$$

Il s'ensuit que :

$$\arg\left(\frac{z'-1}{z'-\mathrm{i}}\right)=\arg\left(-\mathrm{i}\times\overline{\left(\frac{z-1}{z-\mathrm{i}}\right)}\right)\ [2\pi]$$

$$\arg\left(\frac{z'-1}{z'-\mathrm{i}}\right)=\arg\left(-\mathrm{i}\right)+\arg\overline{\left(\left(\frac{z-1}{z-\mathrm{i}}\right)\right)}\ [2\pi]$$

$$\boxed{\arg\left(\frac{z'-1}{z'-\mathrm{i}}\right)=-\frac{\pi}{2}-\arg\left(\frac{z-1}{z-\mathrm{i}}\right)\ [2\pi].}$$

▶ **3. a)** Soit $z \in \mathbb{C}$ tel que $z \neq 1$ et $z \neq \mathrm{i}$.

M appartient à la droite (UV) privée des points U et V si et seulement si les vecteurs $\overrightarrow{\mathrm{UM}}$ et $\overrightarrow{\mathrm{VM}}$ sont colinéaires et M est distinct de U et V, c'est-à-dire si et seulement si :

$$(\overrightarrow{\mathrm{VM}}\,;\,\overrightarrow{\mathrm{UM}})=0\ [2\pi] \quad \text{et} \quad \mathrm{M}\neq\mathrm{U},\quad \mathrm{M}\neq\mathrm{V}$$

$$\arg\left(\frac{z-1}{z-\mathrm{i}}\right)=0\ [2\pi] \quad \text{et} \quad z\neq 1,\quad z\neq\mathrm{i}$$

c'est-à-dire si et seulement si :

$$\boxed{\frac{z-1}{z-\mathrm{i}}\in\mathbb{R}^* \ \text{et}\ z\neq 1,\, z\neq\mathrm{i}.}$$

b) M appartient à la droite (UV) privée des points U et V si et seulement si :

$$\frac{z-1}{z-\mathrm{i}}\in\mathbb{R}^* \quad \text{et}\ z\neq 1,\ z\neq\mathrm{i}$$

$$\arg\left(\frac{z-1}{z-\mathrm{i}}\right)=0\ [\pi]$$

$$-\arg\left(\frac{z-1}{z-\mathrm{i}}\right)=0\ [2\pi]$$

$$-\frac{\pi}{2}-\arg\left(\frac{z-1}{z-\mathrm{i}}\right)=-\frac{\pi}{2}\ [2\pi]$$

c'est-à-dire si et seulement si :

$$\arg\left(\frac{z'-1}{z'-\mathrm{i}}\right)=-\frac{\pi}{2}\ [2\pi].$$

L'image de la droite (UV) privée des points U et V est donc l'ensemble des points M′ distincts de U et V (invariants par *f*) tels que

$$(\overrightarrow{\mathrm{UM}'}\,;\,\overrightarrow{\mathrm{VM}'})=-\frac{\pi}{2}\ [2\pi]$$

Le triangle UVM' est rectangle en M.

c'est-à-dire **le demi-cercle de diamètre [UV] tel que :**

$$(\overrightarrow{\mathbf{UM}'} ; \overrightarrow{\mathbf{VM}'}) = -\frac{\pi}{2} \; [2\pi].$$

Exercice 3

Candidats ayant suivi l'enseignement de spécialité

PARTIE A

Question de cours

▶ **1. Énoncés des théorèmes de Bézout et de Gauss**

Théorème de Bézout : Deux entiers naturels non nuls a et b sont premiers entre eux si et seulement si il existe un couple $(u ; v)$ d'entiers relatifs tels que $au + bv = 1$.

Théorème de Gauss : Soient a, b, c trois entiers naturels non nuls. Si a et b sont premiers entre eux et si a divise le produit bc, alors a divise c.

▶ **2. Démonstration du théorème de Gauss à l'aide du théorème de Bézout**

Soient a, b, c trois entiers naturels non nuls tel que a divise le produit bc. Si a et b sont premiers entre eux, d'après le théorème de Bézout il existe un couple $(a ; b)$ d'entiers relatifs tels que $au + bv = 1$; alors $acu + bcv = c$.

Or, a divise le produit ac, donc il divise le produit acu et a divise le produit bc donc il divise le produit bcv.

a divise donc la somme de ces deux nombres ; donc a divise c.

PARTIE B

▶ **1.** Les deux nombres entiers 19 et 12 sont premiers entre eux, car 19 est un nombre premier et 12 ne divise pas 19 ; d'après le théorème de Bézout, il existe donc un couple (u, v) d'entiers relatifs tels que $19u + 12v = 1$.

En écrivant cette relation sous la forme $19u = 1 - 12v$, on peut affirmer que $19u \equiv 1 \pmod{12}$.

Si a, b, q, r sont entiers et $a = bq + r$ alors $a \equiv r[b]$.

De même, en écrivant la relation de Bézout sous la forme $12v = 1 + 19u$, on en déduit que $12v \equiv 1 \pmod{19}$.

Considérons alors le nombre $N = 13 \times 12v + 6 \times 19u$.

Puisque $19u \equiv 1 \pmod{12}$, il en résulte que $6 \times 19u \equiv 6 \pmod{12}$ et d'autre part que $13 \times 12v \equiv 0 \pmod{12}$, car $13 \times 12v$ est un multiple de 12.

Si $a \equiv b[c]$, alors pour tout entier n, $an \equiv bn[c]$.

Par conséquent, $N \equiv 6 \pmod{12}$, d'après la compatibilité de la relation de congruence avec l'addition.

De même, puisque $12v \equiv 1 \pmod{19}$, il en résulte que :

$$13 \times 12v \equiv 13 \pmod{19}$$

et d'autre part que $6 \times 19v \equiv 0 \pmod{19}$ car $6 \times 19v$ est un multiple de 19. Par conséquent, $N \equiv 13 \pmod{19}$.

Ces deux congruences prouvent que N est une solution de $(\mathcal{S})$.

▶ **2. a)** Soit n_0 une solution de $(\mathcal{S})$; alors le système $(\mathcal{S})$ est équivalent à

$$\begin{cases} n \equiv 13 \pmod{19} \text{ et } n_0 \equiv 13 \pmod{19} \\ n \equiv 6 \pmod{12} \text{ et } n_0 \equiv 6 \pmod{12} \end{cases}$$

ce qui équivaut à $\begin{cases} n \equiv n_0 \pmod{19} \\ n \equiv n_0 \pmod{12} \end{cases}$.

b) Considérons le système $(\mathcal{S}')$ $\begin{cases} n \equiv n_0 \pmod{19} \\ n \equiv n_0 \pmod{12}. \end{cases}$

Si n est une solution de $(\mathcal{S}')$, cela signifie qu'il existe deux entiers relatifs k et k' tels que $n - n_0 = 19k$ et $n - n_0 = 12k'$.

On a alors $19k = 12k'$; par conséquent, le nombre 12 divise le produit $19k$. Or, 12 et 19 sont premiers entre eux ; d'après le théorème de Gauss, 12 divise k ; donc $k = 12k''$, ainsi $n - n_0 = 19 \times 12k''$.

Cela se traduit par : $\boldsymbol{n \equiv n_0[\text{mod } (12 \times 19)]}$.

On a $n = n_0 + 19 \times 12 \times k''$ avec $k'' \in \mathbb{N}$ donc $n \equiv n_0\ [19 \times 12]$.

Réciproquement : Si n vérifie la congruence $n \equiv n_0[\text{mod } (12 \times 19)]$, cela signifie que $n - n_0 = p \times 12 \times 19$ où $p \in \mathbb{Z}$; donc $n - n_0$ est un multiple de 12 et de 19

donc $\begin{cases} n \equiv n_0 \pmod{19} \\ n \equiv n_0 \pmod{12} \end{cases}$

donc n est solution de $(\mathcal{S}')$.

Donc le système $(\mathcal{S}')$ est équivalent à $\boldsymbol{n \equiv n_0[\text{mod } (12 \times 19)]}$.

▶ **3. a)** Écrivons l'algorithme d'Euclide pour la recherche du PGCD des nombres 19 et 12.

L'algorithme d'Euclide permet de déterminer une solution particulière.

$19 = 12 \times 1 + 7$ donc $\mathbf{7 = 19 \times 1 - 12 \times 1}$.

$12 = 7 \times 1 + 5$ donc $5 = 12 \times 1 - 7 \times 1 = 12 \times 1 - (19 \times 1 - 12 \times 1)$

donc $\mathbf{5 = 12 \times 2 - 19 \times 1}$.

$7 = 5 \times 1 + 2$ donc $2 = 7 - 5 \times 1 = (19 \times 1 - 12 \times 1) - (12 \times 2 - 19 \times 1)$

donc $\mathbf{2 = 19 \times 2 - 12 \times 3}$.

$5 = 2 \times 2 + 1$ donc $1 = 5 - 2 \times 2 = (12 \times 2 - 19 \times 1) - 2(19 \times 2 - 12 \times 3)$

donc $\mathbf{1 = 19 \times (-5) + 12 \times 8}$.

Nous avons donc trouvé un couple $(u\ ;\ v)$ solution de l'équation $19u + 12v = 1$; il s'agit du couple $(u\ ;\ v) = (-5\ ;\ 8)$.

Ainsi, la valeur de N qui lui correspond est :

$N = 13 \times 12v + 6 \times 19u$ soit $\mathbf{N = 678}$.

b) On a prouvé à la question **2** que le système $(\mathcal{S})$ est équivalent à la seule équation $n \equiv n_0 \pmod{(12 \times 19)}$ et ici $n_0 = N = 678$.

Par conséquent, l'ensemble des solutions de $(\mathcal{S})$ est l'ensemble des entiers relatifs n tels que $n \equiv 678 \pmod{228}$,

c'est-à-dire **l'ensemble des entiers relatifs $\boldsymbol{n = 678 + k228}$ où $\boldsymbol{k \in \mathbb{Z}}$.**

▶ **4.** $n \in \mathbb{N}$; les hypothèses de cette question se traduisent par :

$$\begin{cases} n \equiv 13 \pmod{19} \\ n \equiv 6 \pmod{12} \end{cases}$$

donc d'après ce qui précède, $n = 678 + k228$ avec $k \in \mathbb{Z}$ et $n \in \mathbb{N}$.

Déterminons le reste r de la division de n par 228 ; autrement dit, déterminons le nombre entier r tel que $\begin{cases} 0 \leqslant r \leqslant 228 \\ n \equiv r \pmod{228}. \end{cases}$

Il suffit pour cela de calculer le reste de la division euclidienne de 678 par 228. Or, $678 = 228 \times 2 + 222$ avec $0 < 222 < 228$.

Donc $\boldsymbol{n \equiv 222 \pmod{228}}$ et $\boldsymbol{r = 222}$.

Exercice 4

▶ **1. a)** Les tirs étant supposés indépendants, la probabilité que le ballon soit intact à l'issue des deux tirs est $(1-0{,}2)^2$ soit $0{,}8^2=0{,}64$.

La probabilité que le ballon soit intact à l'issue des deux tirs est égale à 0,64.

b) La probabilité que le ballon ne soit pas crevé à l'issue des deux tirs est $0{,}8^2=0{,}64$. On en déduit que la probabilité que deux tirs suffisent pour crever le ballon est égale à $1-0{,}64$, c'est-à-dire 0,36.

La probabilité que deux tirs suffisent pour crever le ballon est égale à 0,36.

Car les événements sont indépendants.

c) Soit $n \in \mathbb{N}^*$.

La probabilité que le ballon ne soit pas crevé à l'issue des n tirs est $0{,}8^n$.

On en déduit que **la probabilité p_n que n tirs suffisent pour crever le ballon est égale à $1-0{,}8^n$.**

d) $p_n > 0{,}99$ équivaut à :

$$1-(0{,}8)^n > 0{,}99$$

$$(0{,}8)^n < 0{,}01$$

$$\ln\,[0{,}8]^n < \ln\,(0{,}01) \quad \text{car la fonction ln est strictement croissante sur }]0\,;+\infty[$$

$$n \ln\,(0{,}8) < \ln\,(0{,}01)$$

$$n > \frac{\ln\,(0{,}01)}{\ln\,(0{,}8)} \quad (\text{car } \ln 0{,}8 < 0)$$

Or, $\dfrac{\ln\,(0{,}01)}{\ln\,(0{,}8)} = 20{,}6$ arrondi au dixième,

donc **$p_n > 0{,}99$ pour tout entier naturel n supérieur ou égal à 21.**

▶ **2.** Calculons la probabilité de ne pas crever le ballon et notons X la variable aléatoire correspondant à la valeur affichée à l'issue du lancer de dé.

L'ensemble des valeurs prises par X est $\{1\,;2\,;3\,;4\}$,

et, pour tout $k \in \{1\,;2\,;3\,;4\}$,

$$p(X=k)=\frac{1}{4}$$

puisque le dé est supposé équilibré.

La probabilité de ne pas crever le ballon sachant que la face obtenue est k est égale à $0{,}8^k$. On en déduit que, pour tout $k \in \{1\,;2\,;3\,;4\}$, la probabilité d'obtenir la valeur k et de ne pas crever le ballon est égale à $\frac{1}{4}\times(0{,}8)^k$.

Les événements $X=1$, $X=2$, $X=3$ et $X=4$ forment une partition de l'univers. On en déduit que la probabilité p_1 de ne pas crever le ballon est :

$$p_1 = \sum_{k=1}^{4} \frac{1}{4}\times(0{,}8)^k$$

$$p_1 = \frac{1}{4}\times 0{,}8 \times \frac{1-(0{,}8)^4}{1-0{,}8}$$

car $\sum_{k=1}^{4} \frac{1}{4}\times(0{,}8)^k$ est la somme des quatre premiers termes consécutifs de la suite géométrique de premier terme $\frac{1}{4}\times 0{,}8$ et de raison 0,8.

Si (u_n) est la suite géométrique de premier terme u_0 et de raison $q \neq 1$, alors $\sum_{k=0}^{n} u_k = u_k \dfrac{1-q^{n+1}}{1-q}$.

$$\boxed{p_1 = 0{,}5904.}$$

MATHÉMATIQUES

« Crever le ballon » est l'événement contraire de « Ne pas crever le ballon », donc la probabilité p_2 de cet événement est :

$$p_2 = 1 - p_1$$

$$\boxed{p_2 = 0{,}4096.}$$

▶ **3. a)** Les fréquences, données au millième, de sortie associées à chacune des faces sont résumées dans le tableau suivant :

k	1	2	3	4
Fréquence f_k	0,290	0,245	0,260	0,205

b) On pose $d^2 = \sum_{k=1}^{4} \left(f_k - \frac{1}{4}\right)^2$.

Nous avons :

$$d^2 = (0{,}29 - 0{,}25)^2 + (0{,}245 - 0{,}25)^2 + (0{,}26 - 0{,}25)^2 + (0{,}205 - 0{,}25)^2$$

$$\boxed{d^2 = 0{,}00375.}$$

c) Nous avons $D_9 = 0{,}00452$ donc $d^2 < D_9$.

Au risque de 10 %, on peut maintenir l'hypothèse que le dé est équilibré et donc qu'il n'est pas pipé.

SOMMAIRE

Cochez les sujets sur lesquels vous vous êtes entraînés.

Évolution des systèmes mécaniques

Mouvements dans le champ de pesanteur

Mouvements des planètes et des satellites

Mouvements oscillants

Spécialité

Optique

Sons

Télécommunications

Descriptif de l'épreuve

Le programme

Enseignement obligatoire

Introduction à l'évolution temporelle des systèmes
Propagation d'une onde - ondes progressives Les ondes mécaniques progressives – Ondes progressives mécaniques périodiques – La lumière, modèle ondulatoire.
Transformations nucléaires Décroissance radioactive - Noyaux, masse, énergie.
Évolution des systèmes électriques Cas d'un dipôle RC – Cas du dipôle RL : la bobine – Oscillations libres dans un circuit RLC série.
Évolution temporelle des systèmes mécaniques Étude de cas : chute verticale d'un solide – Systèmes oscillants : présentation de divers systèmes oscillants mécaniques – Aspects énergétiques – L'atome et la mécanique de Newton : ouverture au monde quantique.
L'évolution temporelle des systèmes et la mesure du temps

Enseignement de spécialité

Produire des images, observer
Formation d'une image – Quelques instruments d'optique.
Produire des sons, écouter Production d'un son par un instrument de musique – Modes de vibrations – Interprétation ondulatoire – Acoustique musicale et physique des sons.
Produire des signaux, communiquer Les ondes électromagnétiques – Modulation d'amplitude – Réalisation d'un dispositif (réception d'une émission radio en modulation d'amplitude).

Nature et conditions de l'épreuve

L'épreuve écrite

- **Durée de l'épreuve** : 3 heures 30.
- **Coefficient** : 6 ou 8 pour les élèves ayant choisi les sciences physiques en spécialité.
- **Composition** : Pour tous les candidats, l'épreuve écrite est notée sur 16 points et comporte trois exercices.

Pour ceux qui ont choisi la spécialité physique-chimie, deux des exercices sont communs avec l'épreuve d'enseignement obligatoire et notés sur 12 points, tandis que le troisième exercice porte sur l'enseignement de spécialité et est noté sur 4 points. 60 % des points environ concernent la physique.

L'épreuve expérimentale

- **Durée de l'épreuve** : 1 heure.
- **Composition** : L'objectif de l'épreuve pratique d'évaluation des capacités expérimentales est de **suivre un protocole expérimental et d'en rédiger un compte-rendu**. Elle est notée sur 20 points.

Le jour de l'évaluation, vous tirez au sort **une activité de physique ou de chimie**. Si vous avez choisi l'enseignement de spécialité, vous pouvez avoir à réaliser une activité spécifique de l'enseignement de spécialité ou bien une activité appartenant à une partie du programme du tronc commun.

➡ La note finale N, sur 20 points, de l'épreuve de sciences physiques au baccalauréat est obtenue en tenant compte de la note N_1 (l'épreuve écrite) et de la note N_2 (l'épreuve expérimentale) : $N = \frac{5N_1 + N_2}{5}$.

Conseils de méthode

L'épreuve écrite

Une préparation tout au long de l'année

Pour bien réussir l'épreuve écrite, il faut vous préparer tout au long de l'année **en axant vos efforts sur les exercices.**

• Le premier exercice à faire à propos d'un chapitre de physique-chimie est d'**apprendre le cours** correspondant.
Faites **les exercices au fur et à mesure de l'avancement du cours** sans attendre le contrôle ou, pire, la fin de l'année…

• Lorsque vous voulez traiter un exercice, commencez par **lire très attentivement l'énoncé** dans sa totalité. Il contient des données, des définitions, voire des indications, qui pourront vous mettre sur la voie de sa résolution.
N'hésitez pas à surligner au marqueur ce qui vous paraît important dans l'énoncé.

• Commencez toujours par chercher vous-même l'exercice, puis une fois que vous l'avez résolu, **étudiez attentivement le corrigé.** Un corrigé ne se lit pas ; il s'étudie. Il faut donc le travailler avec une feuille de papier et un stylo à la main.
Vous devez l'étudier sous trois aspects :
– la solution proprement dite, les calculs, les résultats ;
– la méthode de résolution pour pouvoir l'utiliser à nouveau dans d'autres exercices ;
– la rédaction de la solution. Celle-ci doit être structurée et argumentée.

Quelques conseils pour le jour J

1. Munissez-vous de votre calculatrice mais également de votre matériel de dessin (règle, compas, etc.).
2. Ne recopiez ni l'énoncé, ni les questions. Utilisez la numérotation de l'énoncé et écrivez lisiblement.
3. Utilisez les **notations de l'énoncé**, et précisez celles que vous employez si elles ne sont pas imposées par le texte.
4. **Rédigez votre réponse**, sans faire une paraphrase de l'énoncé, **en détaillant votre raisonnement.**
5. Faites aussi souvent que possible des **schémas soignés** qui vous faciliteront la résolution des exercices. Ne négligez pas l'emploi de la couleur.
6. Essayez de mener **les calculs littéralement, puis** faites **l'application numérique.** Encadrez l'expression littérale finale et soulignez le résultat numérique. Évitez les calculs intermédiaires s'ils ne sont pas nécessaires et, le cas échéant, reprenez une valeur non arrondie conservée dans votre calculatrice pour faire le calcul suivant. Arrondissez vos résultats en conservant autant de chiffres significatifs que la donnée la moins précise.
7. Faites preuve d'esprit critique, et **interrogez-vous toujours sur la vraisemblance de vos résultats numériques.** N'oubliez pas de toujours bien préciser l'unité d'un résultat (quand il en a une).
8. Utilisez une nouvelle copie pour chaque exercice.
9. Réservez 15 minutes à la relecture.

L'épreuve expérimentale

Une préparation tout au long de l'année

• **Soyez actif à chaque séance de travaux pratiques.** Essayez de manipuler tous les matériels. Ce sont les mêmes que vous aurez à utiliser en fin d'année.

• **Repérez les savoir-faire expérimentaux** mis en œuvre dans chaque séance, et apprenez à les exécuter avec soin.

• Ne négligez pas la rédaction des **comptes-rendus**, qui consignent vos résultats. Ils vous permettent de raisonner sur les expériences réalisées et de conclure.

Quelques conseils pour le jour J

1. Munissez-vous de votre blouse, de votre calculatrice ainsi que de votre matériel de dessin (règle, compas, etc.).
2. Surveillez l'heure, pour bien répartir le temps à consacrer à toutes les étapes de l'épreuve.
3. **Notez vos observations** au fur et à mesure de l'expérience, **de façon précise.**
4. Pensez à relever les valeurs des grandeurs que vous mesurez avec la plus grande précision possible, compte-tenu de l'instrument utilisé, sans en oublier l'unité.
5. Vos **conclusions** doivent explicitement **s'appuyer sur les résultats de vos expériences.**

DURÉE : 3 HEURES 30 • COEFFICIENT : OBLIGATOIRE 6, SPÉCIALITÉ 8

Le sujet comporte un exercice de chimie et deux exercices de physique. Le candidat doit traiter les trois exercices dans l'ordre qu'il souhaite, ceux-ci étant indépendants les uns des autres.

Le premier exercice de cette épreuve, traitant de la chimie, est abordé en tête de la partie Chimie de cet ouvrage.

OBLIGATOIRE ET SPÉCIALITÉ • Thème : Systèmes électriques
EXERCICE 2 • 5,5 POINTS

Un réveil en douceur

On commercialise aujourd'hui des réveils « éveil lumière / éveil douceur ». Le concept utilisé est le suivant : lorsque l'heure du réveil programmée est atteinte, la lampe diffuse une lumière dont l'intensité lumineuse augmente progressivement jusqu'à une valeur maximale. On évite de cette façon un réveil trop brutal. La durée nécessaire pour atteindre la luminosité maximale est modifiable.
Lors d'un atelier scientifique, deux élèves décident de construire un circuit électronique permettant de faire varier doucement la luminosité d'une lampe, en utilisant les propriétés électriques d'une bobine.

Dans une première partie, ces propriétés sont mises en évidence de façon qualitative. Dans une seconde partie, les élèves déterminent l'inductance de la bobine utilisée. Le fonctionnement est ensuite étudié expérimentalement à l'aide d'une acquisition informatique.

Certaines données ne sont pas utiles à la résolution de l'exercice.

1. INFLUENCE D'UNE BOBINE DANS UN CIRCUIT ÉLECTRIQUE

Les élèves réalisent le circuit représenté sur la **figure 1**. Ce circuit est constitué d'une source de tension idéale de force électromotrice (f.é.m.) E_1, d'une bobine d'inductance L et de résistance r, d'un conducteur ohmique de résistance R_1 de même valeur que r et de deux lampes identiques L_1 et L_2.

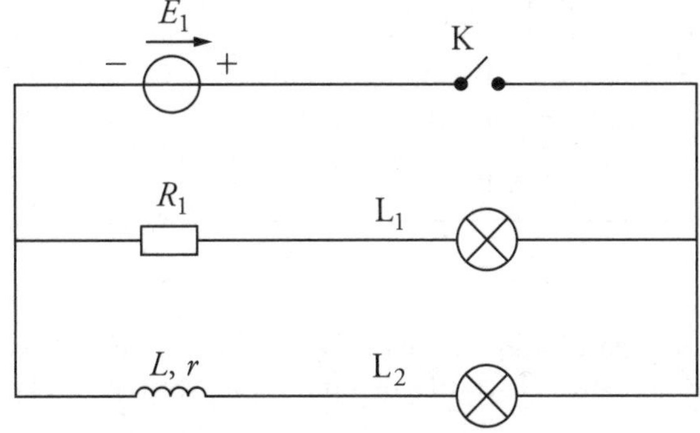

Figure 1

PHYSIQUE

Données

- Valeur de la f.é.m. : $E_1 = 24$ V.
- Valeurs données par le constructeur : $L = 1$ H ; $r = R_1 = 7\ \Omega$.

Dans cette partie seulement, pour simplifier l'analyse qualitative, on suppose que chaque lampe a le même comportement électrique qu'un conducteur ohmique de résistance R_{Lampe}.

❶ Immédiatement après la fermeture de l'interrupteur K, les deux lampes ne s'allument pas simultanément : une lampe brille quasi-instantanément, l'autre brille avec retard.
Quelle lampe s'allume la première ? Pourquoi l'autre lampe s'allume-t-elle avec retard ?

❷ Dans la branche du circuit contenant la bobine, on peut observer successivement deux régimes différents pour le courant électrique.
Nommer ces deux régimes.

❸ Que peut-on dire de la luminosité des deux lampes en fin d'expérience ? Justifier.

❹ On appelle τ la constante de temps caractérisant l'évolution temporelle de l'intensité du courant électrique lors de l'association en série d'un conducteur ohmique de résistance R et d'une bobine d'inductance L. Dans le cas étudié, $R = r + R_{Lampe}$. La durée nécessaire pour atteindre la luminosité maximale est de l'ordre de 5 τ.

1. Exprimer la constante de temps τ en fonction de l'inductance L et de la résistance R.

2. Vérifier par analyse dimensionnelle, que l'expression obtenue est bien homogène à un temps.

3. Justifier par un calcul d'ordre de grandeur le fait que ce phénomène est détectable par un observateur. On prendra $R \approx 10\ \Omega$.
On précise que l'œil est capable de distinguer deux images consécutives séparées d'au moins 0,1 s.

2. VÉRIFICATION DE LA VALEUR DE L'INDUCTANCE *L* DE LA BOBINE UTILISÉE

Dans cette partie, les élèves cherchent à déterminer précisément la valeur de l'inductance L de la bobine qui est utilisée. Ils réalisent le montage, représenté sur la **figure 2**, permettant d'enregistrer la décharge d'un condensateur de capacité $C = 22\ \mu$F à travers la bobine. Le condensateur est initialement chargé sous une tension $E_2 = 6{,}0$ V (commutateur en position 1).

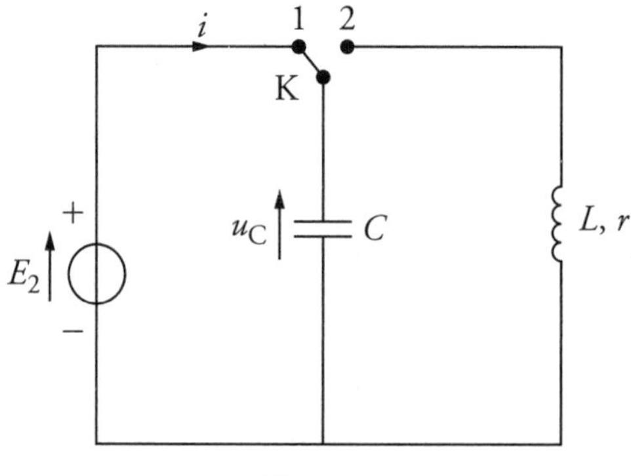

Figure 2

Après avoir basculé le commutateur en position 2, on enregistre l'évolution de la tension aux bornes du condensateur au cours du temps ; la courbe obtenue est représentée sur la **figure 3**.

❶ Comment nomme-t-on le régime correspondant à cette évolution de la tension $u_C(t)$ aux bornes du condensateur ?

❷ Quelle est la cause, en termes d'énergie, de l'amortissement des oscillations observé sur l'enregistrement donné en **figure 3** ?

❸ Qualifier l'évolution temporelle de l'énergie totale emmagasinée dans le circuit en choisissant un ou plusieurs adjectifs parmi : périodique ; croissante ; décroissante ; sinusoïdale.

❹ On rappelle que la période propre T_0 d'un circuit LC est égale à $T_0 = 2\pi\sqrt{LC}$ et que dans le cas où l'amortissement est faible, la pseudo-période T des oscillations est proche de la période propre T_0. Déterminer la valeur de la pseudo-période T des oscillations puis l'inductance L de la bobine.

❺ La valeur de l'inductance L calculée est-elle compatible avec les données du constructeur ?

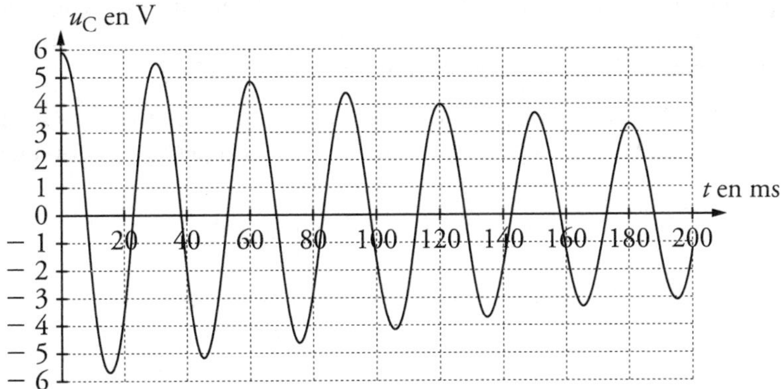

Figure 3

3. ÉTUDE EXPÉRIMENTALE DE LA LUMINOSITÉ D'UNE LAMPE DANS UN CIRCUIT ÉLECTRIQUE CONTENANT UNE BOBINE

La luminosité de la lampe est liée à la puissance électrique qu'elle reçoit. On rappelle l'expression, en convention récepteur, de la puissance électrique instantanée $p(t)$ reçue par un dipôle soumis à la tension $u(t)$ et traversé par un courant d'intensité $i(t)$: $\boldsymbol{p(t) = u(t).\, i(t)}$.
Pour étudier l'évolution temporelle de la puissance électrique reçue par la lampe, les élèves réalisent maintenant le circuit représenté sur la **figure** 4 et procèdent à une acquisition informatique des données à l'aide d'une interface possédant deux bornes d'entrée notées Y_1 et Y_2 et une masse notée M. Ils utilisent la lampe L_1, la bobine d'inductance L, un conducteur ohmique dont la résistance a pour valeur $R_0 = 1\ \Omega$ et une source de tension continue de f.é.m. E.

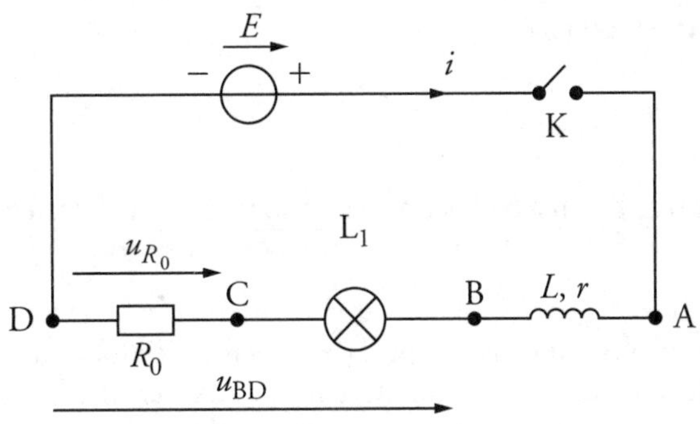

Figure 4

❶ De quelle(s) manière(s) l'énergie électrique reçue par la lampe est-elle transférée à l'environnement ?

❷ À quels points du circuit (A, B, C ou D) peut-on brancher Y_1, Y_2 et M pour enregistrer les tensions u_{R_0} et u_{BD} sur l'interface d'acquisition ?

❸ Les élèves souhaitent suivre l'évolution temporelle de la puissance électrique reçue par la lampe L_1. À partir des grandeurs mesurées u_{R_0}, u_{BD} et de la résistance R_0, exprimer :

1. la tension $u(t) = u_{BC}$ aux bornes de la lampe ;

2. l'intensité $i(t)$ du courant électrique ;

3. la puissance électrique $p(t)$ reçue par la lampe.

❹ Pourquoi les élèves ont-ils choisi un conducteur ohmique dont la valeur de résistance est très faible ?

❺ La **figure 5** représente l'évolution temporelle de la puissance électrique $p(t)$ reçue par la lampe L_1. On estime que pour réveiller un individu, la lumière est suffisante lorsque cette puissance atteint 90 % de sa valeur maximale.
À partir de cette courbe, déterminer la durée nécessaire pour permettre le réveil.

❻ Cette durée est-elle compatible avec l'utilisation d'un tel montage pour une « lampe à diffusion douce » ? Quels paramètres faudrait-il pouvoir modifier pour contrôler la durée du phénomène ?

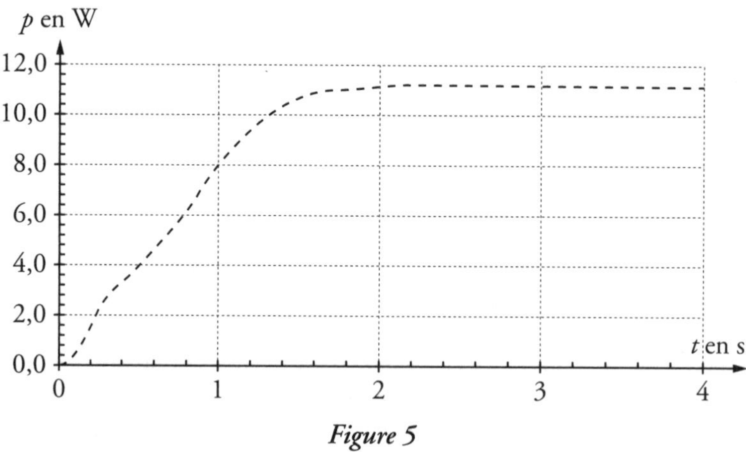

Figure 5

OBLIGATOIRE ET SPÉCIALITÉ • Thème : Réactions nucléaires
EXERCICE 3 • 4 POINTS

La Terre, une machine thermique

Les parties 1 et 2 sont indépendantes.

1. TRANSFERT THERMIQUE ET RADIOACTIVITÉ DU GLOBE TERRESTRE

Document

Dès l'Antiquité, les premiers mineurs ont constaté que la température du sol augmente avec la profondeur. L'intérieur de la Terre est donc chaud. Comme le transfert thermique a toujours lieu des corps chauds vers les corps froids, il y a une fuite constante d'énergie de la Terre vers l'espace. Vers 1860, Lord Kelvin avait calculé le temps mis par le globe terrestre pour se refroidir complètement, à partir de la perte d'énergie constatée : quelques centaines de millions d'années au plus. Or, la Terre est beaucoup plus vieille, et elle n'est pas froide. L'énergie qui s'échappe est donc, pour une grande part, produite par la Terre elle-même. C'est la radioactivité naturelle qui est à l'origine de l'essentiel de cette énergie. Toutes les couches de la Terre contiennent de l'uranium, du thorium et du potassium 40. Ces noyaux radioactifs produisent de l'énergie en se désintégrant.

D'après *Enseigner la géologie*, Nathan.

Données

• À l'état naturel, il existe trois isotopes du potassium : les isotopes 39, 40 et 41. Le potassium 40 est radioactif et se transforme en argon 40.

	argon ^{40}Ar	potassium ^{40}K	calcium ^{40}Ca
Numéro atomique Z	18	19	20
Masse des noyaux (kg)	$m(Ar) = 6{,}635913 \times 10^{-26}$	$m(K) = 6{,}636182 \times 10^{-26}$	$m(Ca) = 6{,}635948 \times 10^{-26}$

• Masse d'un électron et d'un positon (ou positron) : $m_e = 9{,}1 \times 10^{-31}$ kg.

• Célérité de la lumière dans le vide : $c = 3{,}0 \times 10^{8}$ m.s^{-1}.

• 1 eV = $1{,}6 \times 10^{-19}$J.

❶ Le potassium 40 et le diagramme (N, Z)

Les noyaux dont le numéro atomique vérifie $Z \leqslant 20$ et tels que le nombre de neutrons vérifie $N = Z$ sont stables (sauf exceptions).

1. Sur la figure représentée en **annexe** (à rendre avec la copie), tracer la droite sur laquelle se situent ces noyaux stables.

2. Placer sur le diagramme (N, Z) les positions respectives des noyaux de potassium 40 et de calcium 40. À partir de ces positions, indiquer lesquels de ces noyaux sont stables ou instables.

3. Écrire l'équation de la désintégration du potassium 40 en calcium 40 en précisant les lois de conservation utilisées. Déterminer le type de radioactivité correspondant à cette désintégration.

❷ Autre désintégration du potassium 40

Le potassium 40 peut également se désintégrer en argon 40 selon l'équation $^{40}_{19}K \rightarrow {}^{40}_{18}Ar + {}^{0}_{1}e$.

1. Quel est le type de radioactivité correspondant à cette désintégration ?

2. Déterminer la valeur de l'énergie libérée lors de cette désintégration ; exprimer le résultat en joules et en mégaélectronvolts (MeV).

2. ÉVOLUTION TEMPORELLE ET DYNAMIQUE INTERNE DU GLOBE TERRESTRE

Document

L'énergie thermique produite par le globe terrestre est évacuée par des courants de convection dans le manteau qui se traduisent en surface par la tectonique des plaques.

Le nombre de noyaux radioactifs diminue régulièrement au cours du temps, par simple décroissance radioactive. Par exemple, la quantité d'uranium 238 présente dans la Terre diminue de moitié tous les 4,5 milliards d'années.

Mais la diminution du nombre de noyaux radioactifs dans le manteau s'est intensifiée il y a environ deux milliards d'années, à l'époque où s'est formée la majorité du matériel continental de la croûte terrestre. En effet, celui-ci intégra, au fur et à mesure de sa formation, une quantité croissante d'uranium, thorium et potassium, appauvrissant ainsi le manteau en noyaux radioactifs.

D'après *Enseigner la géologie*, Nathan.

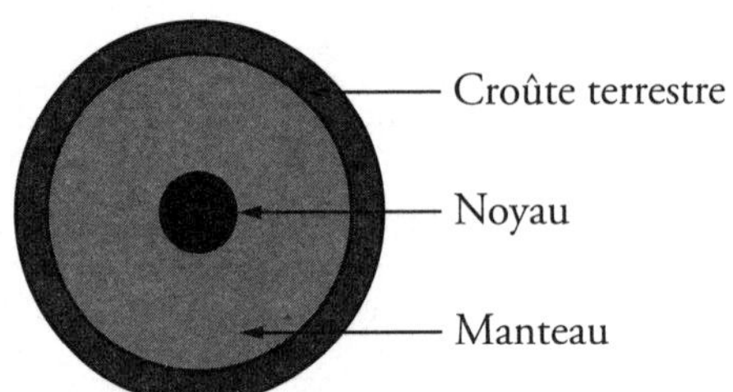

Schéma très simplifié du globe terrestre

1 Choisir le ou les adjectif(s) relatif(s) à la désintégration d'un noyau radioactif donné :
a) prévisible dans le temps ; **b)** spontanée ; **c)** aléatoire.

2 Le nombre de noyaux radioactifs ... diminue ... par simple décroissance radioactive ».
On s'intéresse à une espèce de noyaux radioactifs. On note N le nombre de noyaux radioactifs présents à l'instant t, et N_0 le nombre de noyaux radioactifs présents à l'instant t_0 choisi comme origine des dates. Soit λ la constante radioactive de l'ensemble des noyaux considérés.

1. Donner l'expression de la loi de décroissance radioactive du nombre de noyaux N au cours du temps. Rappeler l'unité de la constante radioactive λ dans les unités du système international.

2. Tracer l'allure de la courbe représentant les variations du nombre de noyaux N au cours du temps. Placer quelques points remarquables (au moins deux points).

3. À quel instant la décroissance radioactive est-elle la plus rapide ? Justifier à partir du graphique tracé.

3 Déterminer, en utilisant le texte, la durée au bout de laquelle les trois quarts des noyaux d'uranium 238 présents aujourd'hui auront disparu par désintégration.

4 Choisir la proposition correcte en justifiant par une courte phrase issue en partie du texte introduisant cette **partie 2**.
La croissance des continents explique :
a) l'augmentation du nombre de noyaux radioactifs dans le manteau ;
b) une diminution plus rapide du nombre de noyaux radioactifs dans le manteau ;
c) la décroissance radioactive par désintégration de l'uranium dans le manteau.

Annexe

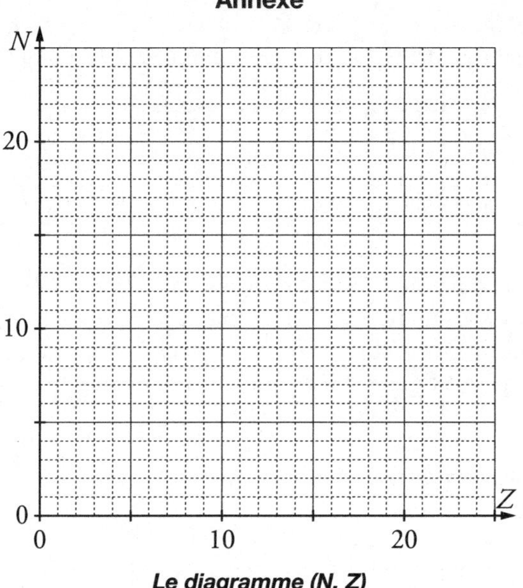

Le diagramme (N, Z)

SPÉCIALITÉ • Thème : Sons
EXERCICE 3 • 4 POINTS

Vous avez dit « wha-wha » ?

Document

La guitare électrique est pourvue d'un corps le plus souvent plein, autorisant les luthiers à lui conférer des formes originales. Elle produit des sons grâce à des micros captant et transformant les vibrations des cordes en signal électrique. Ce signal peut ensuite être modifié électroniquement par divers accessoires comme des pédales d'effets, puis amplifié (voir figure ci-dessous).

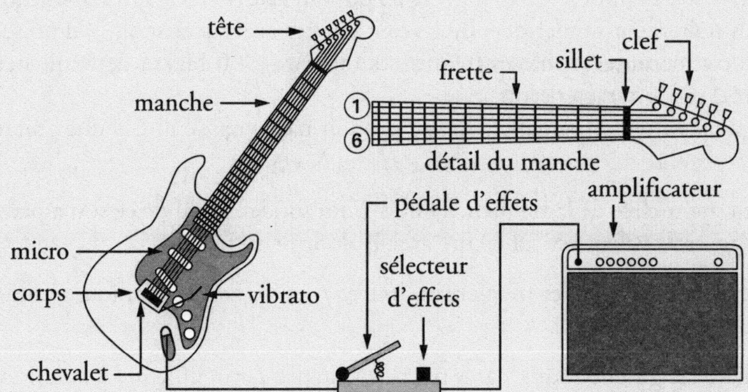

La guitare électrique est composée de six cordes métalliques de longueur utile entre le sillet et le chevalet 63,0 cm. L'accord traditionnel à vide est, de la note la plus grave à la plus aiguë : mi_1 la_1 $ré_2$ sol_2 si_2 mi_3, le chiffre en indice indiquant le numéro de l'octave. Une corde est dite « à vide » lorsqu'elle vibre sur toute sa longueur. Les fréquences des notes produites à vide par les cordes pincées de la guitare sont données dans le tableau suivant :

n° de corde	1	2	3	4	5	6
note	mi_1	la_1	$ré_2$	sol_2	si_2	mi_3
fréquence (Hz)	82,4	110,0	146,8	196,0	246,9	329,6

Une guitare basse électrique fonctionne sur le même principe avec des notes plus graves. La diversité des effets possibles avec une guitare électrique en fait un instrument polyvalent et riche musicalement. Parmi la multitude d'effets accessibles grâce à une pédale d'effets on peut citer l'effet « wha-wha » popularisé par le célèbre guitariste Jimi Hendrix.

Aucune connaissance musicale préalable n'est nécessaire pour traiter cet exercice.

1. ANALYSE TEMPORELLE D'UNE NOTE DE MUSIQUE

Un système d'acquisition informatisé permet l'enregistrement et la visualisation des tensions électriques associées aux différentes notes que peut produire une guitare électrique. Les **figures 1 et 2** présentent les signaux enregistrés pour la même note de musique jouée par une guitare électrique (**figure 1**) et par une guitare basse (**figure 2**).

❶ Quelle est la qualité physiologique commune des deux sons enregistrés ? Nommer la grandeur physique associée à cette qualité physiologique.

❷ Mesurer cette grandeur physique en précisant la méthode utilisée. En tenant compte de l'imprécision de la mesure, en déduire la note de musique jouée par les deux instruments.

❸ Quelle qualité physiologique permet de distinguer ces deux sons ?

2. MODES PROPRES DE VIBRATION DE LA CORDE 6

L'analyse spectrale est un précieux outil pour les ingénieurs du son. Elle permet, après une acquisition informatisée et un traitement numérique, de révéler la « signature acoustique » d'un son en faisant apparaître les composantes de basses fréquences (80 Hz - 900 Hz) et de fréquences élevées (900 Hz - 16 kHz) qui le caractérisent.
La **figure 3** correspond au spectre en fréquence du son produit par la corde n° 6 d'une guitare électrique jouée à vide.

❶ Déterminer la valeur approchée de la fréquence notée f_1 du fondamental de ce son à partir de la **figure 3**. Vérifier que cette valeur est cohérente avec la donnée du texte.

❷ Déterminer les valeurs approchées des fréquences, notées f_2 et f_3, des harmoniques immédiatement supérieurs au fondamental.

❸ Le sillet et le chevalet de la guitare sont séparés par une distance $L = 63{,}0$ cm. La condition entre λ et L traduisant la condition d'existence d'une onde stationnaire entre ces deux points fixes est :

$$2L = k\lambda \qquad \text{où } k \text{ est un entier positif.}$$

En déduire l'expression de la longueur d'onde λ du mode fondamental. Calculer cette longueur d'onde.

4 Écrire la relation entre la longueur d'onde λ, la célérité v et la fréquence f d'une onde sinusoïdale.

5 En déduire la célérité des ondes dans cette corde.

6 En jouant, le guitariste bloque la corde sur l'une des barrettes placées sur le manche, appelées frettes, afin d'obtenir la note désirée. Quel est l'effet produit sur le son ? Justifier.
On admet que la célérité des ondes le long de la corde est constante.

3. L'EFFET « WHA-WHA »

Les **figures** 4 et 5 représentent les spectres en fréquence du son de la **figure** 3 sur lequel on a appliqué l'effet pour deux positions extrêmes de la pédale d'effets.
En comparant ces trois spectres, préciser quels sont les effets de la pédale « wha-wha » sur les propriétés physiologiques du son produit dans les mêmes conditions d'attaque de la corde.

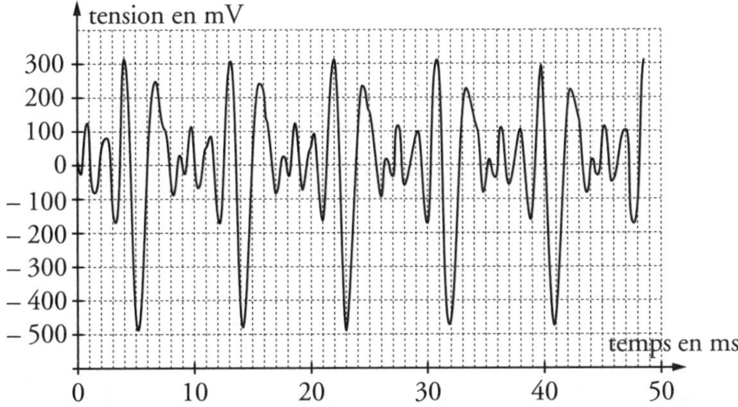

Figure 1. Oscillogramme du son émis par la guitare électrique

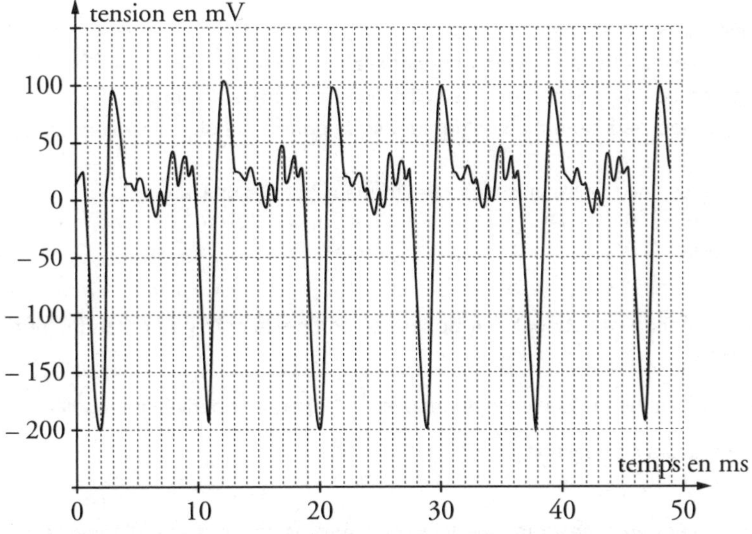

Figure 2. Oscillogramme du son émis par la guitare basse

Spectres en fréquence du son à vide de la corde 6

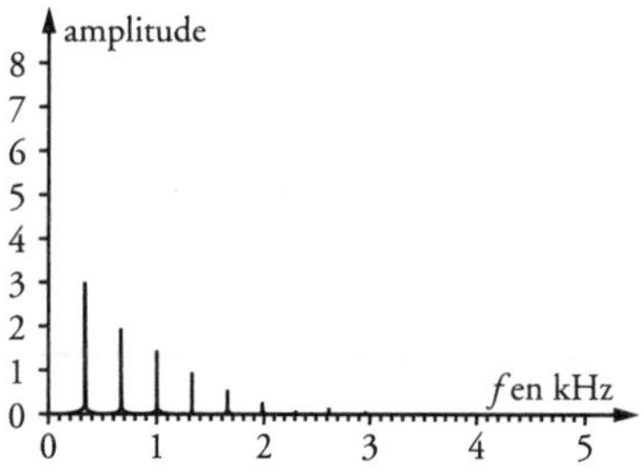

Figure 3. Sans effet « wha-wha »

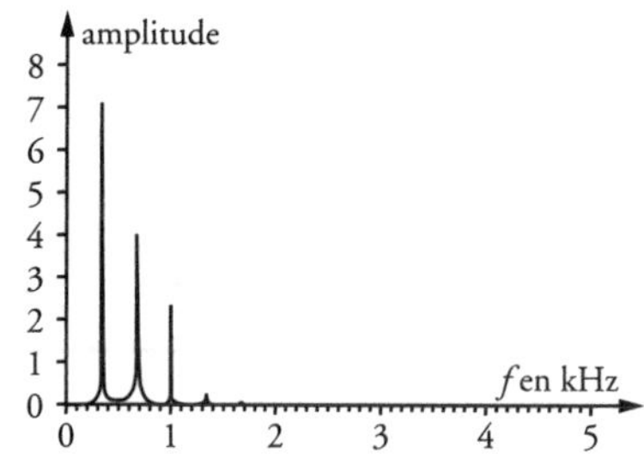

Figure 4. Avec l'effet « wha-wha » activé (pédale en position 1)

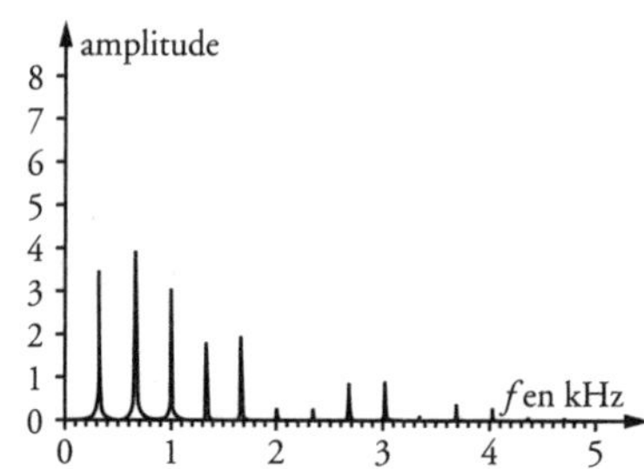

Figure 5. Avec l'effet « wha-wha » activé (pédale en position 2)

LES CLÉS DU SUJET

OBLIGATOIRE ET SPÉCIALITÉ
EXERCICE 2

Notions et compétences en jeu

– Influence d'une bobine sur l'établissement du courant.
– Constante de temps d'un circuit *RL*, analyse dimensionnelle.
– Circuit *RLC*, interprétation de l'amortissement des oscillations en termes d'énergie.
– Détermination d'une pseudo-période à partir d'un graphique pour en déduire la valeur d'une inductance.
– Loi d'additivité des tensions, loi d'Ohm, puissance électrique reçue par une lampe.

Conseils du correcteur

Partie 1

❸ Souvenez-vous qu'en régime permanent une bobine se comporte comme un conducteur ohmique de résistance *r*.

❹ **2.** La dimension de $\frac{di}{dt}$ est la même que celle du rapport $\frac{i}{t}$. L'opérateur dérivée ne modifie en rien la dimension des grandeurs en question.

Partie 3

❷ Remémorez-vous qu'un appareil mesurant une tension U mesure toujours une différence de potentiel entre sa borne d'entrée, notée ici Y, et sa borne de masse, notée M : $U = V_Y - V_M$.
❻ Il faut augmenter la constante de temps.

OBLIGATOIRE
EXERCICE 3

■ Notions et compétences en jeu

– Composition d'un noyau, utilisation d'un diagramme (*N*, *Z*).
– Écrire l'équation d'une réaction de désintégration nucléaire, identifier le type de radioactivité mise en jeu.
– Calculer l'énergie libérée lors d'une désintégration radioactive et l'exprimer en MeV.
– Loi de décroissance radioactive, temps de demi-vie.

■ Conseils du correcteur

Partie 1

❶ **2.** Le nombre placé derrière le nom d'un élément chimique indique le nombre de nucléons (protons + neutrons) contenus dans le noyau.

Partie 2

❷ **3.** Pensez que la décroissance radioactive est d'autant plus importante que la valeur absolue du taux de variation du nombre de noyaux radioactifs est importante.
❸ Quand les trois quarts des noyaux d'uranium 238 initialement présents auront disparu, c'est qu'il en restera un quart de ceux qui étaient initialement présents.

SPÉCIALITÉ
EXERCICE 3

■ Notions et compétences en jeu

– Qualités physiologiques d'un son et grandeurs physiques associées.
– Exploitation et comparaison de spectres en fréquence.
– Relation entre longueur d'onde, fréquence et célérité ; lien avec la longueur d'une corde.

■ Conseils du correcteur

Partie 2

❶ Sur un spectre en fréquence, le fondamental correspond au pic de plus basse fréquence d'amplitude non nulle.
❷ La fréquence f_n de l'harmonique de rang *n* est telle que : $f_n = n \cdot f_1$.
❻ Nous considérons implicitement que la célérité des ondes n'est pas modifiée lorsque le guitariste place son doigt sur les cordes.

CORRIGÉ SUJET 1

OBLIGATOIRE ET SPÉCIALITÉ
EXERCICE 2

1. INFLUENCE D'UNE BOBINE DANS UN CIRCUIT ÉLECTRIQUE

❶ **La lampe L_1 s'allume la première.** La lampe L_2 s'allume avec retard car la branche du circuit dans laquelle elle se trouve contient **une bobine qui s'oppose transitoirement à l'établissement du courant.**

Plus généralement, une bobine s'oppose aux variations de l'intensité du courant dans le circuit où elle se trouve.

❷ Le courant électrique présente deux régimes : l'un **transitoire** pendant lequel l'intensité du courant varie, l'autre **permanent** pendant lequel l'intensité du courant reste constante.

❸ En fin d'expérience, lorsque le régime permanent est atteint, la bobine se comporte comme un conducteur ohmique de résistance $r = R_1$. Les deux branches du circuit placées en dérivation ont donc des résistances identiques puisque les lampes L_1 et L_2 sont identiques. En conséquence, chacune des branches est parcourue par le même courant d'intensité I : **les lampes ont donc la même luminosité.**

Soit u_L la tension positive aux bornes de la bobine : $u_L = ri + L \cdot \frac{di}{dt}$. Donc avec $\frac{dI}{dt} = 0 \text{ A} \cdot \text{s}^{-1}$ en régime permanent où I = cte, nous obtenons : $u_L = rI$.

❹ **1.** La constante de temps a pour expression :

$$\boxed{\tau = \frac{L}{R}}$$

2. Effectuons l'analyse dimensionnelle de la constante de temps :

$$[\tau] = \frac{[L]}{[R]} = \left[\frac{u}{\frac{di}{dt}}\right] \times \left[\frac{u}{i}\right]^{-1} = [u] \times [u]^{-1} \times [i] \times [i]^{-1} \times [t] = \text{T}.$$

Ne confondez pas unité et dimension. Une distance a toujours la dimension d'une longueur, notée L. En revanche, elle peut s'exprimer à l'aide de diverses unités : mètres, années-lumière, miles… etc.

L'expression de la constante de temps est bien **homogène à un temps.**

3. Calculons la valeur de la constante de temps avec $L = 1$ H et $R = 10\ \Omega$:

$$\tau = 0{,}1 \text{ s}.$$

En conséquence, la durée nécessaire pour que la lampe soit la plus lumineuse est voisine de $5 \times \tau = 0{,}5$ s. Cette durée est de l'**ordre de grandeur de la seconde**, ce qui rend **le phénomène parfaitement détectable** par l'œil humain dont la persistance rétinienne est en moyenne de 0,1 s.

2. VÉRIFICATION DE LA VALEUR DE L'INDUCTANCE *L* DE LA BOBINE UTILISÉE

❶ Le graphique de la **figure 3** montre que l'évolution de la tension u_C aux bornes du condensateur correspond à un **régime pseudo-périodique.**

❷ L'amortissement des oscillations est dû **aux pertes d'énergie par effet Joule sous forme de transfert thermique** au niveau des éléments résistifs du circuit, c'est-à-dire principalement dans la bobine et de façon plus marginale dans les fils de connexion.

❸ Lors de cette décharge oscillante du condensateur dans la bobine, il y a transfert d'énergie électrique du condensateur vers la bobine puis inversement, avec perte progressive d'énergie due à l'effet Joule. Ainsi, l'évolution temporelle de l'énergie totale emmagasinée dans le circuit est **décroissante**.

❹ Sur la **figure 3**, nous pouvons mesurer la durée correspondant à six pseudo-périodes T, soit : $6 \times T = 180$ ms d'où $\boxed{T = 30 \text{ ms.}}$

Considérant que l'amortissement des oscillations est faible, nous avons alors :

$$T \approx T_0 = 2\pi\sqrt{LC}$$

soit en élevant cette égalité au carré :

$$T^2 \approx 4\pi^2 \times LC \text{ donc } L \approx \frac{T^2}{(4\pi^2 \times C)}$$

Numériquement, avec $T = 30 \times 10^{-3}$ s et $C = 22 \times 10^{-6}$ F, nous calculons :

$$\boxed{L \approx 1{,}0 \text{ H.}}$$

Pensez à mesurer un grand nombre de pseudo-périodes (ou périodes) afin de minimiser l'erreur de lecture. Sur un tel graphe, une erreur de lecture de 2 ms est moins préjudiciable sur la lecture d'une valeur de $6 \times T = 180$ ms que sur la lecture de $T = 30$ ms.

5 Cette valeur d'inductance est **parfaitement compatible** avec les données du constructeur car elles sont identiques.

3. ÉTUDE EXPÉRIMENTALE DE LA LUMINOSITÉ D'UNE LAMPE DANS UN CIRCUIT ÉLECTRIQUE CONTENANT UNE BOBINE

1 L'énergie électrique reçue par la lampe est transférée sous forme **thermique** (chaleur) et **lumineuse** (rayonnement électromagnétique) à l'environnement.

2 La tension u_{R_0} fléchée correspond à la tension u_{CD}. Afin de la mesurer, nous devons relier **la borne Y_1 de l'interface au point *C* et la borne M au point D.**

Par convention, $u_{AB} = V_A - V_B$.

Par analogie, pour mesurer la tension u_{BD}, nous relions **la borne Y_2 de l'interface au point B et la borne M au point D.**

3 **1.** Appliquons la loi d'additivité des tensions :

$$u(t) = u_{BC} = u_{BD} + u_{DC} \text{ or } u_{DC} = -u_{CD} = -u_{R_0}$$

donc :

$$\boxed{u(t) = u_{BD} - u_{R_0}.}$$

2. Utilisons la loi d'Ohm appliquée au conducteur ohmique de résistance R_0 :

$$u_{R_0} = R_0 i(t) \text{ d'où } \boxed{i(t) = \frac{u_{R_0}}{R_0}.}.$$

3. La puissance électrique reçue par la lampe s'exprime alors :

$$p(t) = u(t) \cdot i(t) \text{ soit } \boxed{p(t) = (u_{BD} - u_{R_0}) \cdot \frac{u_{R_0}}{R_0}.}$$

4 La relation que nous venons d'établir montre que plus la résistance R_0 du conducteur ohmique est faible et plus la puissance électrique $p(t)$ dissipée dans la lampe est importante. Ainsi, avec un tel choix, **les élèves obtiendront une luminosité plus importante de la lampe.**

5 Notons t_R la durée nécessaire pour permettre le réveil, c'est-à-dire pour que la puissance électrique reçue par la lampe atteigne 90 % de sa valeur maximale, soit :

$$p(t_R) = 0{,}90 \times p_{max}.$$

Nous déterminons donc graphiquement la valeur de t_R qui est l'abscisse du point de la courbe $p = f(t)$ ayant pour ordonnée $0{,}90 \times p_{max} = 0{,}90 \times 11{,}2 = 10$ W.

On lit : $\boxed{t_R = 1{,}3 \text{ s.}}$

6 Avec les réglages actuels d'un tel dispositif, le réveil est plutôt brutal car il s'effectue en 1,3 s ! **Ce montage est en l'état inutilisable pour une « lampe à diffusion douce ».**
Pour augmenter la durée du régime transitoire de manière à avoir un réveil « en douceur », il faut augmenter la valeur de la constante de temps τ. Dans cette optique, nous pouvons augmenter la valeur de l'inductance L de la bobine et/ou diminuer la valeur de la résistance R_0 du conducteur ohmique.

PHYSIQUE

OBLIGATOIRE
EXERCICE 3

1. TRANSFERT THERMIQUE ET RADIOACTIVITÉ DU GLOBE TERRESTRE

❶ **1.** Les noyaux stables se trouvent sur la droite d'équation $N = Z$ pour $Z \leqslant 20$ (voir graphique ci-après).

2. Le noyau de potassium 40 a pour nombre de masse $A = 40$ et pour numéro atomique $Z = 19$. Son nombre de neutrons N s'obtient alors par différence :

$$N = A - Z = \mathbf{21\ neutrons.}$$

Le noyau de calcium 40 a pour nombre de masse $A = 40$ et pour numéro atomique $Z = 20$. Son nombre de neutrons N s'obtient alors par différence :

$$N = A - Z = \mathbf{20\ neutrons.}$$

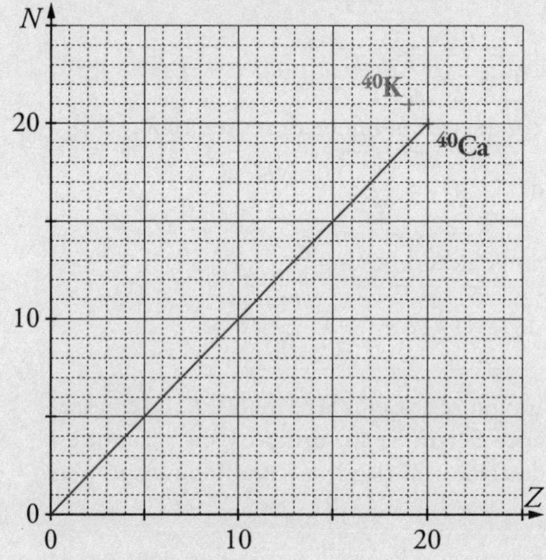

Le noyau de calcium 40 est donc stable car il se trouve sur la droite tracée au **1.** alors que **le noyau de potassium 40 est instable** car situé hors de cette droite.

3. L'équation de désintégration du potassium 40 en calcium 40 s'écrit :

$$^{40}_{19}\text{K} \rightarrow \,^{40}_{20}\text{Ca} + \,^{a}_{z}y$$

où y est une particule émise lors de la désintégration.

Le fait que ce soit le potassium 40 qui se désintègre confirme notre réponse au ❶ **2.**

Cette réaction vérifie la loi de conservation du nombre de nucléons :

$$40 = 40 + a \text{ donc } a = 0,$$

et la loi de conservation de la charge électrique :

$$19 = 20 + z \text{ donc } z = -1.$$

La particule émise est un électron, il s'agit alors de **radioactivité β^-**.
L'équation de la réaction s'écrit donc :

$$\boxed{^{40}_{19}\text{K} \rightarrow \,^{40}_{20}\text{Ca} + \,^{0}_{-1}\text{e}}$$

❷ **1.** La particule émise lors de la désintégration du potassium 40 est ici un positron (ou positon), il s'agit donc de **radioactivité β^+**.

2. La variation d'énergie ΔE du système lors de cette désintégration peut s'exprimer à l'aide du postulat d'équivalence masse-énergie proposé par Einstein :

$$\Delta E = \Delta m \cdot c^2 = [m_e + m(\text{Ar}) - m(\text{K})] \cdot c^2$$

soit numériquement, avec $m_e = 9{,}1 \times 10^{-31}$ kg, $m(\text{Ar}) = 6{,}635\,913 \times 10^{-26}$ kg, $m(\text{K}) = 6{,}636\,182 \times 10^{-26}$ kg et $c = 3{,}0 \times 10^{8}$ m·s^{-1}, nous calculons :

$$\Delta E = -\,1{,}6 \times 10^{-13}\ \text{J}$$

d'où en divisant par $1{,}6 \times 10^{-19}$ J pour obtenir le résultat exprimé en électronvolts :

$$\Delta E = -\,1{,}0 \times 10^{6}\ \text{eV} = -\,1{,}0\ \text{MeV}$$

ce qui correspond à une énergie libérée E telle que :

$$\boxed{E = |\Delta E| = 1{,}0\ \text{MeV.}}$$

$\Delta E < 0$, donc le système perd de l'énergie, laquelle est libérée vers le milieu extérieur.

2. ÉVOLUTION TEMPORELLE ET DYNAMIQUE INTERNE DU GLOBE TERRESTRE

❶ La désintégration d'un noyau radioactif est un processus **spontané** et **aléatoire.**

En revanche, il est possible de prévoir l'évolution temporelle d'une population de noyaux radioactifs identiques.

❷ **1.** La loi de décroissance radioactive s'exprime par :

$$\boxed{N(t) = N_0 \cdot e^{-\lambda t}}$$

où la constante radioactive λ **s'exprime en s^{-1}** dans le SI.

2. La courbe représentant la décroissance du nombre de noyaux radioactifs a l'allure d'une exponentielle décroissante où le nombre de noyaux est divisé par deux après chaque durée correspondant à une demi-vie $t_{1/2}$:

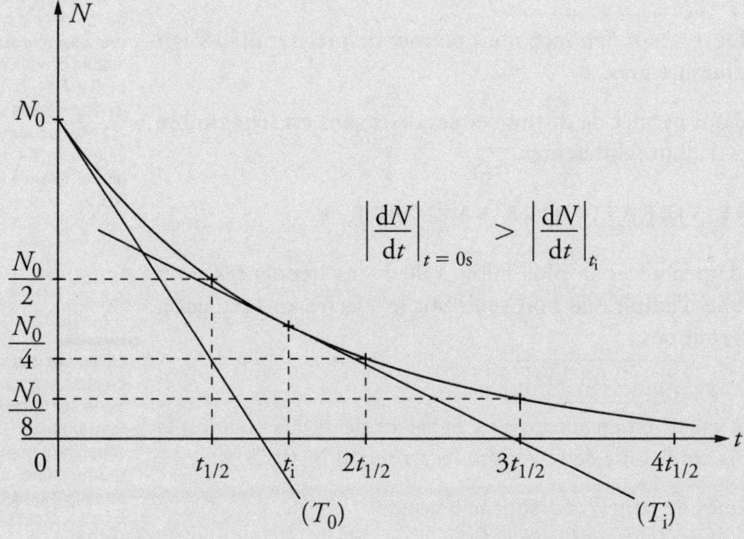

3. À un instant de date t_i donné, la décroissance radioactive est d'autant plus importante que $\left|\frac{dN}{dt}\right|_{t_i}$ est élevé. Ce terme est égal à la valeur absolue du coefficient directeur de la tangente (T_i) à la courbe $N = f(t)$ à l'instant de date t_i.

Les tangentes à la courbe de décroissance radioactive étant de moins en moins inclinées par rapport à l'horizontale, nous en déduisons que **la décroissance radioactive est la plus importante à $t = 0$ s.**

PHYSIQUE

❸ Le texte précise que « *la quantité d'uranium 238 présente dans la Terre diminue de moitié tous les 4,5 milliards d'années* », nous en déduisons donc que la demi-vie $t_{1/2}$ de l'uranium 238 est de 4,5 milliards d'années.
Ainsi, les trois quarts des noyaux d'uranium 238 présents aujourd'hui auront disparu lorsqu'il n'en restera plus qu'un quart de la quantité initialement présente, soit après une durée de $2 \times t_{1/2}$ = **9,0 milliards d'années.**

❹ La proposition correcte est la **b**).
En effet, le texte indique que « *[...] la diminution du nombre de noyaux radioactifs dans le manteau s'est intensifiée il y a environ deux milliards d'années, à l'époque où s'est formée la majorité du matériel continental de la croûte terrestre* ».

SPÉCIALITÉ
EXERCICE 3

1. ANALYSE TEMPORELLE D'UNE NOTE DE MUSIQUE

❶ Les deux sons enregistrés ont comme qualité physiologique commune la même **hauteur** puisqu'il s'agit d'une même note jouée par deux instruments différents. La grandeur physique associée à cette qualité physiologique est **la fréquence** du son.

❷ Nous mesurons la durée correspondant à cinq périodes sur l'une ou l'autre des **figures 1 et 2**, soit :

$$5 \times T = 45 \text{ ms} = 45 \times 10^{-3} \text{ s}$$

et sachant que $f = \frac{1}{T}$, nous calculons avec $T = 9{,}0 \times 10^{-3}$ s :

$$\boxed{f = 1{,}1 \times 10^{2} \text{ Hz.}}$$

La consultation du tableau fourni dans l'énoncé nous permet de préciser qu'il s'agit d'un la_1, aux incertitudes de mesure près.

Pensez à mesurer un grand nombre de périodes afin de minimiser l'erreur relative de lecture. Sur un tel graphe, une erreur de lecture de 0,5 ms est moins préjudiciable sur la lecture d'une valeur de $5 \times T = 45$ ms (erreur relative de 1,1 %) que sur la lecture de $T = 9{,}0$ ms (erreur relative de 5,6 %).

❸ La qualité physiologique qui permet de distinguer ces deux sons est **leur timbre** qui se traduit par des signaux d'allures différentes.

2. MODES PROPRES DE VIBRATION DE LA CORDE 6

❶ La fréquence f_1 du fondamental est la plus faible valeur des fréquences pour laquelle nous observons un pic d'amplitude non nulle sur le spectre en fréquence. Grâce à la **figure 3**, nous déterminons :

$$\boxed{f_1 = 0{,}33 \text{ kHz.}}$$

Nous vérifions bien que cette valeur est en accord avec la valeur de 329,6 Hz pour la fréquence d'un mi_3 joué par la corde 6 de cette guitare (écart relatif de 0,12 %).

La lecture des valeurs en abscisse n'est pas aisée sur le graphe. Remarquez cependant que l'harmonique de rang 3 telle que $f_3 = 3 \times f_1$ est située à 1,0 kHz.

❷ Les valeurs des harmoniques de rang 2 et 3 sont telles que :

$$f_2 = 2 \times f_1 \text{ et } f_3 = 3 \times f_1$$

alors, avec f_1 = 0,33 kHz, nous obtenons :

$$\boxed{f_2 = 0{,}66 \text{ kHz et } f_3 = 0{,}99 \text{ kHz.}}$$

❸ Dans le cas du mode fondamental de vibration $k = 1$, alors :

$$\lambda = 2 \times L.$$

Numériquement, avec $L = 63{,}0 \times 10^{-2}$ m, nous trouvons :

$$\boxed{\lambda = 126 \times 10^{-2} \text{ m} = 126 \text{ cm.}}$$

4 La longueur d'onde λ correspond à la distance parcourue par l'onde à la célérité v pendant une durée égale à sa période T, d'où :

$$\lambda = v \cdot T \text{ soit avec } T = \frac{1}{f} \text{ nous aboutissons à } \boxed{\lambda = \frac{v}{f}.}$$

5 La célérité des ondes dans cette corde s'exprime alors :

$$v = \lambda \cdot f$$

soit numériquement, avec $\lambda = 126 \times 10^{-2}$ m et $f = f_1 = 0{,}33 \times 10^3$ Hz pour le mode fondamental, nous calculons :

$$\boxed{v = 4{,}2 \times 10^2 \text{ m} \cdot \text{s}^{-1}.}$$

6 En plaçant ses doigts sur les frettes, le guitariste **diminue la longueur de la corde** pouvant vibrer, ainsi, puisque :

$$\lambda = 2 \times L \text{ et } \lambda = \frac{v}{f} \text{ soit } f = \frac{v}{2 \times L} \text{ pour le mode fondamental,}$$

la fréquence du son émis augmente. Le son devient alors **plus aigu**.

3. L'EFFET « WHA-WHA »

La comparaison du spectre de la **figure 4** avec celui de la **figure 3** montre que l'activation de l'effet « wha-wha » (**pédale en position 1**) a pour conséquences d'**augmenter l'intensité du son émis** vu l'amplitude plus importante des premiers pics, mais aussi de **supprimer les harmoniques de fréquences élevées**, c'est-à-dire les plus aiguës.
La comparaison du spectre de la **figure 5** avec celui de la **figure 3** montre que l'activation de l'effet « wha-wha » (**pédale en position 2**) a pour conséquence d'**amplifier les harmoniques de fréquences élevées**, c'est-à-dire les plus aiguës.
Dans chacune des positions de la pédale d'effets, la fréquence du fondamental est inchangée. La pédale « wha-wha » permet donc de **modifier l'intensité et le timbre** d'un son **sans changer sa hauteur**.

THÈME Ondes

Ondes ultrasonores et deux applications

L'usage de la calculatrice n'est pas autorisé.

*Cet exercice a pour objectifs de déterminer, dans la partie **A**, quelques grandeurs caractéristiques des ultrasons puis, dans la partie **B**, d'étudier deux applications des ultrasons : le nettoyage par cavitation acoustique et l'échogramme du cerveau.*

PARTIE A

Au cours d'une séance de travaux pratiques, un élève dispose du matériel suivant :
- un émetteur d'ultrasons E et son alimentation électrique ;
- deux récepteurs d'ultrasons R_1 et R_2 ;
- un oscilloscope ;
- une règle graduée.

Il réalise le montage suivant :

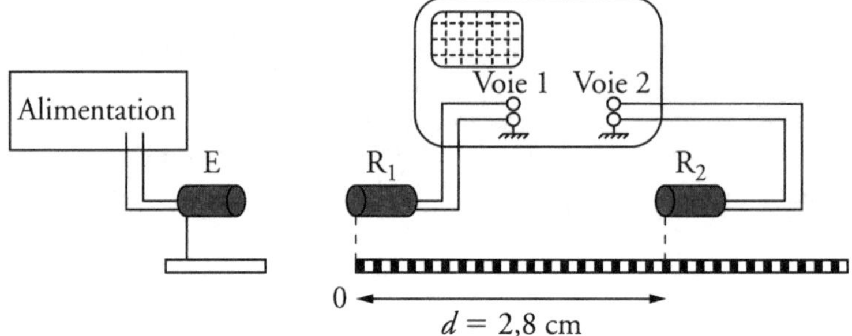

L'émetteur E génère une onde ultrasonore progressive sinusoïdale qui se propage dans l'air jusqu'aux récepteurs R_1 et R_2. L'émetteur et les deux récepteurs sont alignés.
Le récepteur R_1 est placé au zéro de la règle graduée.
Les signaux captés par les récepteurs R_1 et R_2 sont appliqués respectivement sur les voies 1 et 2 d'un oscilloscope pour être visualisés sur l'écran de celui-ci.
Lorsque le récepteur R_2 est situé à $d = 2,8$ cm du récepteur R_1, les signaux reçus par les deux récepteurs sont en phase. On observe l'oscillogramme ci-dessous sur l'écran.

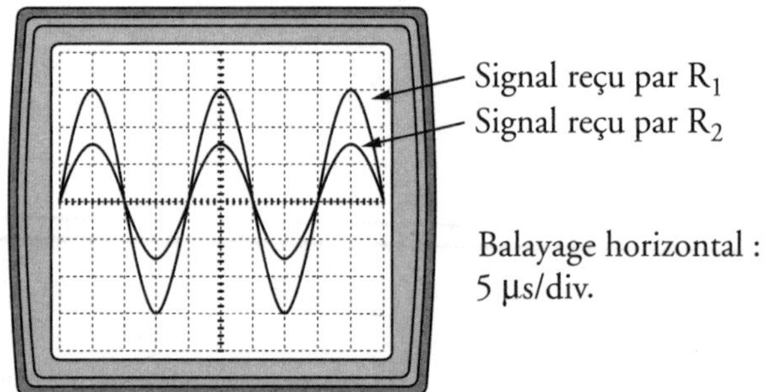

1. Déterminer la fréquence f des ultrasons émis.

On éloigne lentement R_2 le long de la règle ; on constate que le signal reçu par R_2 se décale vers la droite ; on continue à éloigner R_2 jusqu'à ce que les signaux reçus par R_1 et R_2 soient à nouveau en phase. Soit R_2' la nouvelle position occupée par R_2. On relève la distance d' séparant désormais R_1 de R_2' : on lit $d' = 3{,}5$ cm .

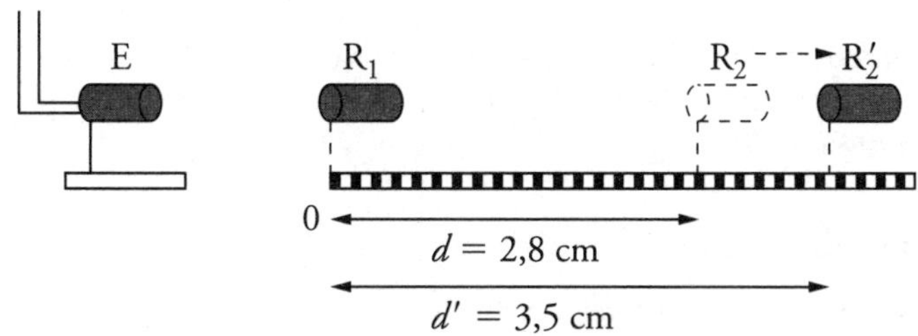

2. Définir en une phrase la longueur d'onde λ ; écrire la relation entre la longueur d'onde λ, la célérité v des ultrasons dans le milieu et la période T des ultrasons.

3. Exprimer en fonction de la période T des ultrasons le retard τ du signal reçu par R_2' par rapport à celui reçu par R_2. En déduire la longueur d'onde.

4. Calculer la célérité des ultrasons dans l'air.

5. On immerge, en veillant à leur étanchéité, l'émetteur et les deux récepteurs R_1 et R_2 dans l'eau contenue dans une cuve de dimensions suffisantes. Sans changer la fréquence f de l'émetteur, on constate que pour observer deux signaux successifs captés par R_2 en phase, il faut éloigner R_2 de R_1 sur une distance 4 fois plus grande que dans l'air.
Déterminer la célérité des ultrasons dans l'eau.

PHYSIQUE

PARTIE B

❶ Le nettoyage par cavitation acoustique

Le nettoyage par ultrasons est mis en œuvre dans de très nombreux secteurs d'activités : industrie mécanique, horlogerie, bijouterie, optique... Il repose sur le phénomène de cavitation acoustique : la cavitation est produite en émettant des ultrasons de forte puissance dans un liquide.
L'émetteur est un disque constitué d'un matériau piézoélectrique sur les faces duquel sont déposées deux électrodes métallisées. Lorsqu'une tension électrique sinusoïdale est appliquée entre ces deux électrodes, le matériau se dilate et se contracte périodiquement. Ces déplacements périodiques du disque provoquent des successions de dépressions-surpressions du liquide qui est en son contact. Cette perturbation se propage ensuite de proche en proche dans l'ensemble du fluide : c'est l'onde ultrasonore.

Lors du passage de l'onde dans une « tranche » de liquide, le phénomène de cavitation se produit si la puissance de l'onde est suffisante : des microbulles de vapeur dont le diamètre peut atteindre 100 μm apparaissent. Les microbulles de vapeur sont transitoires. Elles implosent en moins d'une microseconde. Les ondes de choc émises par l'implosion nettoient la surface d'un solide plongé dans le liquide.

1. L'onde ultrasonore est une onde mécanique progressive.
Définir une telle onde.

2. S'agit-il d'une onde longitudinale ou transversale ?

3. Interpréter brièvement la formation suivie de l'implosion des microbulles dans une tranche de liquide.

Données
• La température d'ébullition d'un liquide diminue quand la pression diminue.
• Définition d'une implosion : écrasement brutal d'un corps creux sous l'effet d'une pression extérieure supérieure à la pression intérieure.

2 L'échogramme du cerveau

Une sonde, jouant le rôle d'émetteur et de récepteur, envoie une impulsion ultrasonore de faible durée et de faible puissance en direction du crâne d'un patient. L'onde sonore pénètre dans le crâne, s'y propage et s'y réfléchit chaque fois qu'elle change de milieu. Les signaux réfléchis génèrent des échos qui, au retour sur la sonde, y engendrent une tension électrique très brève. Un oscilloscope relié à la sonde permet la détection à la fois de l'impulsion émettrice et des divers échos.

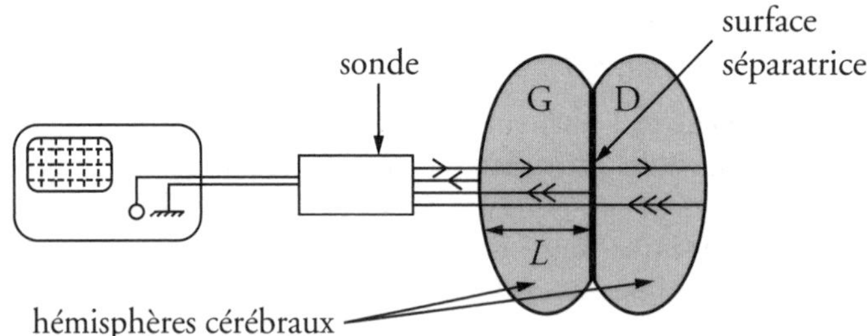

L'oscillogramme obtenu sur un patient permet de tracer l'échogramme ci-dessous : les tensions électriques étant redressées, seule la partie positive de celles-ci est envoyée sur l'oscilloscope ; la durée d'émission de l'impulsion étant très brève ainsi que celle des échos, on observe sur l'écran des pics verticaux : P_0, P_1, P_2, P_3.

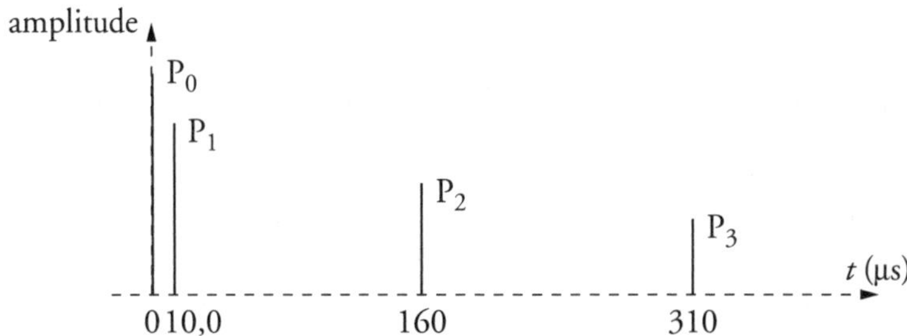

P_0 correspond à l'émission à l'instant de date $t = 0$ s de l'impulsion ; P_1 à l'écho dû à la réflexion sur la surface externe de l'hémisphère gauche (G sur le schéma) ; P_2 à l'écho sur la surface de séparation des deux hémisphères ; P_3 à l'écho sur la surface interne de l'hémisphère droit (D sur le schéma).
La célérité des ultrasons dans les hémisphères est $v = 1\ 500\ \text{m} \cdot \text{s}^{-1}$.

1. Quelle est la durée Δt du parcours de l'onde ultrasonore dans l'hémisphère gauche ainsi que dans le droit ?

2. En déduire la largeur L de chaque hémisphère.
Aide au calcul : $15 \times 15 = 225$.

LES CLÉS DU SUJET

■ Notions et compétences en jeu

– Fréquence, longueur d'onde d'une onde ultrasonore.
– Notion de retard.
– Déterminations expérimentales de la longueur d'onde d'une onde ultrasonore et de sa célérité dans l'eau à l'aide d'un oscilloscope.
– Définir une onde mécanique progressive.

■ Conseils du correcteur

Partie A

3. Après le déplacement du récepteur R_2 d'une distance $d'-d$, si les deux signaux sont de nouveau en phase alors $d'-d=\lambda$.

4. Vous devez avoir en tête l'ordre de grandeur de la célérité d'une onde sonore dans l'air à 20 °C : environ 340 $m \cdot s^{-1}$, ce qui doit vous permettre d'avoir un regard critique sur le résultat de votre calcul.

Partie B

❷ **2.** Pensez bien que les échos reçus par la sonde le sont après que l'onde ultrasonore ait effectué un aller et retour entre la sonde et la surface qui l'a réfléchie.

PHYSIQUE

CORRIGÉ SUJET 2

PARTIE A

1. Les signaux visualisés sur l'écran de l'oscilloscope nous permettent de déterminer la période T des ultrasons émis :

$$T = k' \cdot X$$

où k' est le coefficient de balayage horizontal et X le nombre de divisions représentant une période des signaux. La fréquence f des signaux électriques, et de l'onde ultrasonore, s'exprime alors :

$$f = \frac{1}{T} = \frac{1}{k'X} = \frac{1}{5 \times 10^{-6} \times 4} = 10^5 \times \frac{1}{2}$$

$$\boxed{f = 5 \times 10^4 \text{ Hz} = 5 \times 10^1 \text{ kHz}}$$

2. La longueur d'onde λ d'une onde mécanique périodique est **la plus petite distance** séparant deux points du milieu matériel **vibrant en phase.** Elle correspond à la distance parcourue par l'onde à la célérité v pendant une durée égale à sa période T :

$$\boxed{\lambda = vT}$$

Deux points du milieu vibrent en phase si leurs mouvements ont les mêmes caractéristiques au même instant.

3. Remarque : l'énoncé prête à confusion en nommant tantôt R l'objet physique qu'est le récepteur, tantôt le point qu'il occupe.

Le retard τ du signal reçu par R_2 à la position R_2' par rapport à celui reçu par R_2 à sa position initiale correspond à la durée que met l'onde ultrasonore pour parcourir la distance $d'-d$, qui sépare le récepteur à la position R_2 du récepteur à la position R_2', à la célérité v, donc :

$$\tau = \frac{d'-d}{v}$$

Or il est précisé dans l'énoncé qu'à la distance d' les signaux sont de nouveau en phase. Le retard correspond donc a une période :

$$\boxed{\tau = T}$$

Les deux positions du récepteur sont séparées d'une distance égale à la longueur d'onde de l'onde ultrasonore, soit :

$$\lambda = d' - d = 3{,}5 - 2{,}8 \text{ donc } \boxed{\lambda = 0{,}7 \text{ cm}}$$

Attention aux chiffres significatifs. Lors d'une différence ou d'une somme, le résultat ne doit pas comporter plus de décimales que la donnée qui en possède le moins.

4. La longueur d'onde des ultrasons peut aussi s'exprimer en fonction de leur fréquence :

$$\lambda = \frac{v}{f} \text{ donc } v = \lambda \cdot f = 0{,}7 \times 10^{-2} \times 5 \times 10^{4} \text{ soit } \boxed{v = 4 \times 10^{2} \text{ m} \cdot \text{s}^{-1}}$$

5. L'expérience réalisée dans l'eau montre que la longueur d'onde des ultrasons quadruple pour devenir $\lambda' = 4 \times \lambda$ dans ce milieu. La fréquence étant inchangée, nous pouvons alors déterminer la nouvelle célérité des ondes ultrasonores dans ce nouveau milieu :

$$v' = \lambda' \cdot f = 4 \times \lambda \cdot f = 4 \times 0{,}7 \times 10^{-2} \times 5 \times 10^{4} = 0{,}7 \times 20 \times 10^{2}$$

$$\boxed{v' = 1 \times 10^{3} \text{ m} \cdot \text{s}^{-1}}$$

PARTIE B

❶ 1. Une onde mécanique progressive est le phénomène de propagation d'une perturbation de proche en proche dans un milieu matériel, sans transport de matière.

2. L'onde ultrasonore est **longitudinale** car sa direction de propagation est **identique** à la direction de déformation du milieu dans lequel elle se propage.

3. Au sein du liquide existent plusieurs zones de dépression lorsque l'onde ultrasonore s'y propage. Dans ces zones la température d'ébullition du liquide y est plus faible car la pression qui y règne est également plus faible. Des micro-bulles de gaz se forment alors lorsque le liquide se vaporise.
L'arrivée d'une zone de surpression fait imploser ces micro-bulles car la pression régnant à l'extérieur de celles-ci devient alors très nettement supérieure à la pression du gaz en leur sein.

❷ 1. La durée de parcours de l'onde ultrasonore dans l'hémisphère gauche correspond à la durée séparant le pic P_2 du pic P_1, à savoir :

$$\Delta t = 160 - 10{,}0 \text{ donc } \boxed{\Delta t = 150 \text{ µs}}$$

Pour obtenir le pic P_1, l'onde ultrasonore parcourt la distance $2 \times \ell$.

La durée de parcours de l'onde ultrasonore dans l'hémisphère droit correspond à la durée séparant le pic P_3 du pic P_2, à savoir :

$$\Delta t = 310 - 160 \text{ donc } \boxed{\Delta t = 150 \text{ µs}}$$

2. La largeur L de chaque hémisphère est la même puisque les parcours de l'onde ultrasonore dans ceux-ci s'effectuent pendant les mêmes durées et à la même célérité. Focalisons notre attention sur la détermination de la largeur de l'hémisphère gauche.

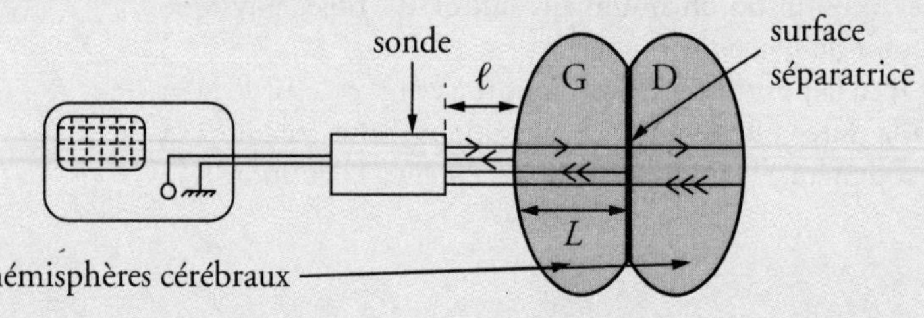

À l'instant de date t_1 où le premier écho est perçu (pic P_1), l'onde ultrasonore a parcouru la distance $2 \times \ell$. En revanche, à l'instant de date t_2 où le deuxième écho est perçu (pic P_2), l'onde ultrasonore a parcouru la distance $2 \times \ell + 2 \times L$. Ainsi, pendant l'intervalle de temps $\Delta t = t_2 - t_1$ l'onde ultrasonore aura parcouru la distance $2 \times L$ à la célérité v, d'où :

$$2 \times L = v \cdot \Delta t \text{, soit } L = \frac{v \cdot \Delta t}{2} = \frac{1\,500 \times 150 \times 10^{-6}}{2} = \frac{15 \times 15 \times 10^{-3}}{2}$$

$$\boxed{L = 113 \times 10^{-3} \text{ m} = 11,3 \text{ cm}}$$

Pendant la durée Δt la distance parcourue par l'onde s'exprime : $(2 \times \ell + 2 \times L) - (2 \times \ell) = 2 \times L$.

SUJET 3 — NOUVELLE-CALÉDONIE • NOVEMBRE 2005

ENSEIGNEMENT OBLIGATOIRE

4 POINTS

THÈME Ondes

PHYSIQUE

Propagation des ondes

Cet exercice est un questionnaire à réponses ouvertes courtes. À chaque question peuvent correspondre aucune, une ou plusieurs propositions exactes. Pour chacune des questions, plusieurs réponses ou affirmations sont proposées.

*Inscrire en toutes lettres « vrai » ou « faux » dans la case correspondante du tableau en **annexe**. Donner une justification ou une explication dans la case prévue à cet effet. Une réponse fausse ou une absence de réponse sera évaluée de la même façon.*

*Les **parties 1, 2, 3 et 4** sont indépendantes et peuvent être traitées séparément.*

1. ONDES INFRASONORES

Les éléphants émettent des infrasons (dont la fréquence est inférieure à 20 Hz). Cela leur permet de communiquer sur de longues distances et de se rassembler. Un éléphant est sur le bord d'une étendue d'eau et désire indiquer à d'autres éléphants sa présence. Pour cela, il émet un infrason. Un autre éléphant, situé à une distance $L = 24,0$ km, reçoit l'onde au bout d'une durée $\Delta t = 70,6$ s.

La valeur de la célérité de l'infrason dans l'air v est :

❶ $v = 34,0 \text{ km} \cdot \text{s}^{-1}$; ❷ $v = 340 \text{ km} \cdot \text{s}^{-1}$; ❸ $v = 340 \text{ m} \cdot \text{s}^{-1}$.

2. ONDES À LA SURFACE DE L'EAU

Au laboratoire, on dispose d'une cuve à onde contenant de l'eau immobile à la surface de laquelle flotte un petit morceau de polystyrène. On laisse tomber une goutte d'eau au-dessus de la cuve, à l'écart du morceau de polystyrène. Une onde se propage à la surface de l'eau.

❶ Ceci correspond :

1. à une onde mécanique ;

2. à une onde longitudinale ;

3. à une onde transversale.

❷ L'onde atteint le morceau de polystyrène.

1. Celui-ci se déplace parallèlement à la direction de propagation de l'onde.

2. Celui-ci se déplace perpendiculairement à la direction de propagation de l'onde.

3. Celui-ci monte et descend verticalement.

4. Celui-ci reste immobile.

3. ONDES LE LONG D'UNE CORDE

L'extrémité gauche d'une corde est reliée à un vibreur effectuant des oscillations sinusoïdales entretenues à partir d'un instant de date $t_0 = 0$ s. Les **graphiques** 1 et 2 représentent l'état de la corde à une date donnée. Les élongations y et les abscisses x sont graduées en cm. On néglige tout amortissement dans la totalité des questions de cette **partie** 3.

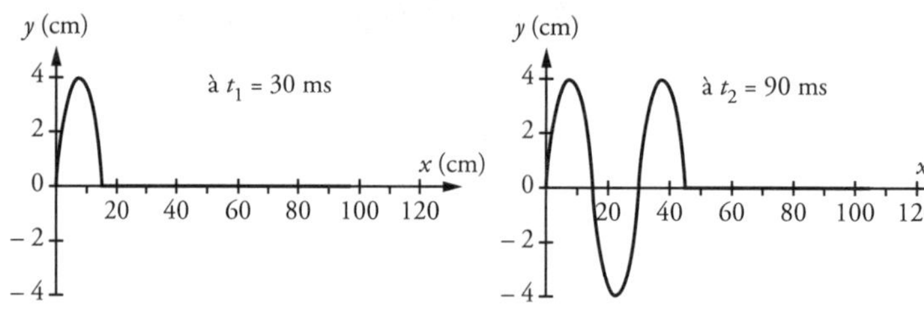

Graphique 1 *Graphique 2*

❶ Le **graphique** 2 ci-dessus permet de déterminer la valeur numérique de la longueur d'onde λ. On trouve :

1. $\lambda = 20$ cm ; **2.** $\lambda = 30$ cm ; **3.** $\lambda = 46$ cm.

❷ À partir des **graphiques** 1 et 2, déterminer la valeur de la période temporelle T :

1. $T = 30$ ms ; **2.** $T = 60$ ms ; **3.** $T = 18$ ms.

❸ La célérité de l'onde dans la corde est :

1. $v = 5{,}0 \text{ m} \cdot \text{s}^{-1}$; **2.** $v = 10{,}0 \text{ m} \cdot \text{s}^{-1}$; **3.** $v = 15{,}0 \text{ m} \cdot \text{s}^{-1}$.

❹ Dans la même expérience, parmi les **graphes** 3, 4, 5 et 6 ci-après, celui représentant l'aspect de la corde à l'instant de date $t = 180$ ms est le :

1. graphe 3 ; **2.** graphe 4 ; **3.** graphe 5 ; **4.** graphe 6.

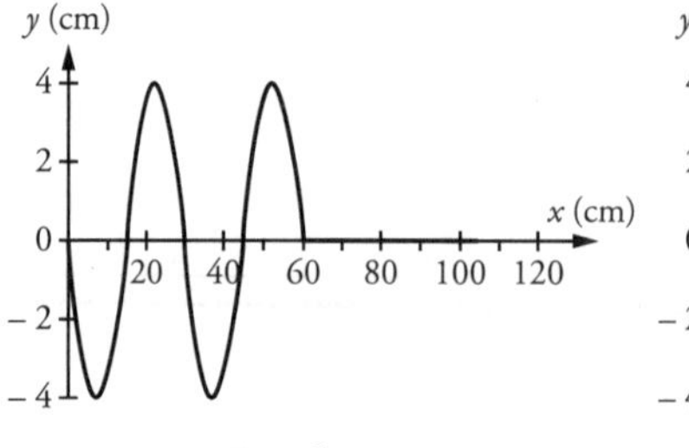

Graphique 3

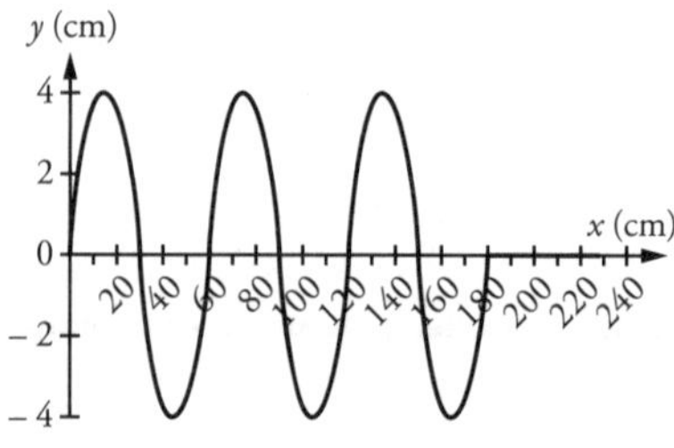

Graphique 4

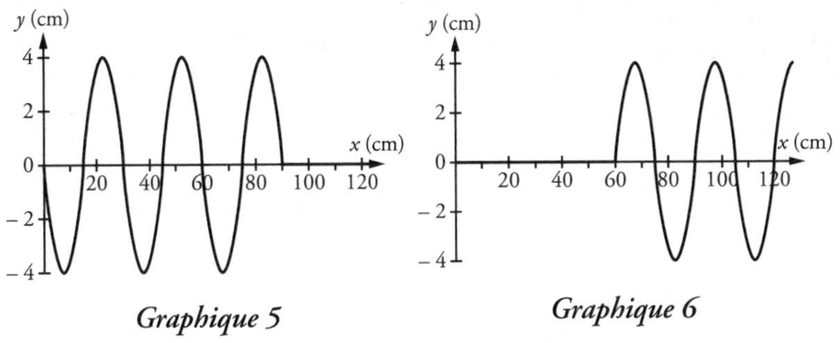

Graphique 5

Graphique 6

4. ONDES LUMINEUSES

❶ La propagation de la lumière visible :

1. montre que c'est une onde mécanique ;

2. s'effectue avec une célérité plus petite dans l'eau que dans le vide (indice de réfraction de l'eau : $n = 1{,}3$) ;

3. s'effectue avec la même célérité, dans un milieu dispersif donné, quelle que soit la fréquence de la radiation.

❷ La lumière rouge :

1. correspond à des longueurs d'onde plus grandes que celles de la lumière bleue ;

2. se situe dans un domaine de fréquences plus petites que celles du domaine de l'infrarouge ;

3. est moins énergétique que la lumière bleue.

❸ La lumière visible peut être diffractée.

1. Le phénomène de diffraction de la lumière visible par une fente est plus marqué pour une fente de largeur 0,5 µm que pour une fente de largeur 5 µm.

2. Pour une lumière monochromatique, l'écart angulaire du faisceau diffracté par une fente est proportionnel à la largeur de la fente.

3. L'écart angulaire du faisceau diffracté par une fente de largeur donnée est plus petit pour une radiation rouge que pour une radiation bleue.

Annexe

Proposition	Répondre vrai ou faux	Justification ou explication
1.❶		
1.❷		
1.❸		
2.❶ 1.		
2.❶ 2.		
2.❶ 3.		
2.❷ 1.		Pas de justification
2.❷ 2.		
2.❷ 3.		
2.❷ 4.		

Proposition	Répondre vrai ou faux	Justification ou explication
3. ❶ 1.		
3. ❶ 2.		
3. ❶ 3.		
3. ❷ 1.		
3. ❷ 2.		
3. ❷ 3.		
3. ❸ 1.		
3. ❸ 2.		
3. ❸ 3.		
3. ❹ 1.		Pas de justification
3. ❹ 2.		
3. ❹ 3.		
3. ❹ 4.		
4. ❶ 1.		
4. ❶ 2.		
4. ❶ 3.		
4. ❷ 1.		
4. ❷ 2.		
4. ❷ 3.		
4. ❸ 1.		
4. ❸ 2.		
4. ❸ 3.		

LES CLÉS DU SUJET

■ Notions et compétences en jeu

– Célérité d'une onde.
– Définitions : onde mécanique, onde transversale ou longitudinale.
– Onde mécanique progressive sinusoïdale, relation $\lambda = vT$.
– Modèle ondulatoire de la lumière : dispersion, diffraction, couleur et longueur d'onde dans le vide.

■ Conseils du correcteur

Partie 3

❷ Aucun des deux graphiques ne permet à lui seul de déterminer la période T des oscillations car ils ne représentent pas $y = f(t)$. En revanche, ils nous donnent un aperçu de la corde entre deux instants séparés d'une durée $\Delta t = 60$ ms.

Partie 4

❶ Remémorez-vous la définition de l'indice de réfraction d'un milieu homogène et transparent : $n = \frac{c}{v}$.

❷ Apprenez que l'énergie d'un photon associé à une onde électromagnétique se propageant dans le vide est liée, entre autres, à sa longueur d'onde : $E = \frac{hc}{\lambda}$.

❸ Vous devez savoir que l'écart angulaire θ du faisceau diffracté est lié à la dimension *a* de l'objet diffractant et à la longueur d'onde λ de l'onde électromagnétique : $\theta \approx \frac{\lambda}{a}$.

CORRIGÉ SUJET 3

Proposition	Répondre Vrai ou faux	Justification ou explication
1. ❶	Faux	La célérité v de l'infrason s'exprime par : $v = \frac{L}{\Delta t}$. Numériquement, avec $L = 24{,}0 \times 10^3$ m et $\Delta t = 70{,}6$ s, nous calculons : $v = 340 \text{ m} \cdot \text{s}^{-1}$.
1. ❷	Faux	
1. ❸	Vrai	
2. ❶ 1.	Vrai	Il s'agit d'une onde mécanique car nous observons la propagation d'une perturbation dans un milieu matériel.
2. ❶ 2.	Faux	Cette onde est transversale car la direction de déformation du milieu matériel est perpendiculaire à la direction de propagation de l'onde.
2. ❶ 3.	Vrai	
2. ❷ 1.	Faux	PAS DE JUSTIFICATION
2. ❷ 2.	Vrai	
2. ❷ 3.	Vrai	
2. ❷ 4.	Faux	
3. ❶ 1.	Faux	La longueur d'onde est la plus petite distance séparant deux points du milieu matériel, ici la corde, qui vibrent en phase (où dans le même état vibratoire) : 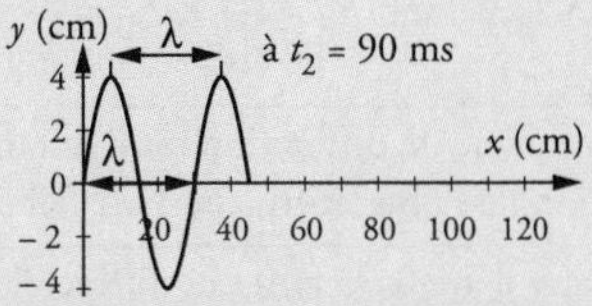 Nous lisons $\lambda = 30$ cm.
3. ❶ 2.	Vrai	
3. ❶ 3.	Faux	
3. ❷ 1.	Faux	La période temporelle T de l'onde est la durée que met celle-ci à parcourir une distance égale à sa longueur d'onde. La perturbation visible sur le graphique 1 à l'instant de date $t_1 = 30$ ms a progressé d'une longueur d'onde sur le graphique 2 à l'instant de date $t_2 = 90$ ms, donc : $T = t_2 - t_1 = 60$ ms.
3. ❷ 2.	Vrai	
3. ❷ 3.	Faux	

La période temporelle est aussi la plus petite durée pour qu'un point du milieu matériel se retrouve dans le même état vibratoire.

Proposition	Répondre Vrai ou faux	Justification ou explication
3. ❸ 1.	Vrai	L'onde parcourt la distance λ pendant la durée T, d'où sa célérité : $v = \frac{\lambda}{T}$. Numériquement, avec $\lambda = 30 \times 10^{-2}$ m et $T = 60 \times 10^{-3}$ s, nous calculons : $v = 5{,}0 \text{ m} \cdot \text{s}^{-1}$.
3. ❸ 2.	Faux	
3. ❸ 3.	Faux	
3. ❹ 1.	Faux	PAS DE JUSTIFICATION
3. ❹ 2.	Faux	
3. ❹ 3.	Vrai	
3. ❹ 4.	Faux	
4. ❶ 1.	Faux	La lumière visible n'est pas une onde mécanique car elle ne nécessite pas de milieu matériel pour sa propagation. Elle peut se propager dans le vide.
4. ❶ 2.	Vrai	La célérité v de la lumière dans l'eau est plus faible que sa célérité c dans le vide comme l'indique la valeur de l'indice de réfraction de l'eau : $n = \frac{c}{v} > 1$ donc $v < c$.
4. ❶ 3.	Faux	Un milieu est dit dispersif si la célérité d'une onde qui s'y propage dépend justement de sa fréquence.
4. ❷ 1.	Vrai	La lumière rouge correspond à des longueurs d'onde λ_R de l'ordre de 800 nm, les plus élevées du domaine visible, contre environ 400 nm pour la lumière bleue.
4. ❷ 2.	Vrai	L'infrarouge s'étend dans un domaine de longueurs d'onde λ_{IR} supérieures aux longueurs d'onde λ_R de la lumière rouge, donc les fréquences de ces rayonnements sont telles que : $\lambda_{IR} > \lambda_R$ soit $\frac{c}{\lambda_{IR}} < \frac{c}{\lambda_R}$ donc $\nu_{IR} < \nu_R$.
4. ❷ 3.	Vrai	Un photon de longueur d'onde λ dans le vide possède une énergie telle que : $E = \frac{hc}{\lambda}$. Or $\lambda_R > \lambda_B$, donc $E_R = \frac{hc}{\lambda_R} < E_B = \frac{hc}{\lambda_B}$.
4. ❸ 1.	Vrai	Le phénomène de diffraction est d'autant plus marqué que la dimension de l'objet diffractant est faible.
4. ❸ 2.	Faux	L'écart angulaire θ du faisceau diffracté est inversement proportionnel à la largeur a de la fente puisque : $\theta \approx \frac{\lambda}{a}$ pour une radiation monochromatique de longueur d'onde λ.
4. ❸ 3.	Faux	En considérant une radiation bleue et une radiation rouge, de longueurs d'onde telles que $\lambda_R > \lambda_B$, nous obtenons : $\theta_R \approx \frac{\lambda_R}{a} > \theta_B \approx \frac{\lambda_B}{a}$

Il s'agit là des valeurs des longueurs d'onde dans le vide ; elles dépendent du milieu considéré. Seules les fréquences associées à ces longueurs d'onde sont constantes quel que soit le milieu de propagation, car elles ne dépendent que de la source lumineuse.

THÈME Ondes

Comment déterminer le relief du fond marin avec un sondeur ?

Les trois parties de l'exercice sont indépendantes.

1. ÉTUDE DE L'ONDE ULTRASONORE DANS L'EAU DE MER

❶ Définir une onde mécanique progressive.

❷ L'onde ultrasonore est-elle une onde longitudinale ou transversale ? Justifier la réponse.

❸ La lumière est une onde progressive périodique mais elle n'est pas mécanique.

1. Citer un fait expérimental qui permet de décrire la lumière comme une onde.

2. Quelle observation permet de montrer que la lumière n'est pas une onde mécanique ?

2. DÉTERMINATION DE LA CÉLÉRITÉ DES ONDES ULTRASONORES DANS L'EAU

La célérité des ultrasons dans l'air $v_{air} = 340 \text{ m} \cdot \text{s}^{-1}$ est plus faible que la célérité des ultrasons dans l'eau de mer v_{eau}.
Un émetteur produit simultanément des salves d'ondes ultrasonores dans un tube rempli d'eau de mer et dans l'air (voir **figure 1**). À une distance d de l'émetteur d'ondes ultrasonores, sont placés deux récepteurs, l'un dans l'air et l'autre dans l'eau de mer.
Le récepteur A est relié à l'entrée A du système d'acquisition d'un ordinateur et le récepteur B à l'entrée B. L'acquisition commence lorsqu'un signal est reçu sur l'entrée B du système.

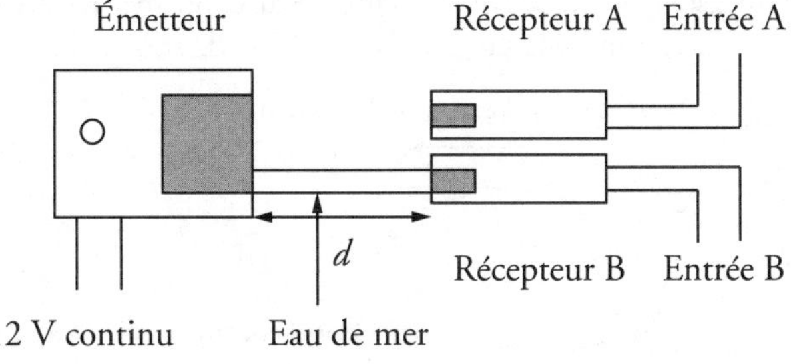

Figure 1

❶ Pourquoi est-il nécessaire de déclencher l'acquisition lorsqu'un signal est reçu sur l'entrée B ?

❷ Donner l'expression du retard Δt entre la réception des ultrasons par les deux récepteurs en fonction de t_A et t_B, durées que mettent les ultrasons pour parcourir respectivement la distance d dans l'air et dans l'eau de mer.

❸ On détermine Δt pour différentes distances d entre l'émetteur et les récepteurs. On traite les données avec un tableur et on obtient le graphe $\Delta t = f(d)$ ci-après.

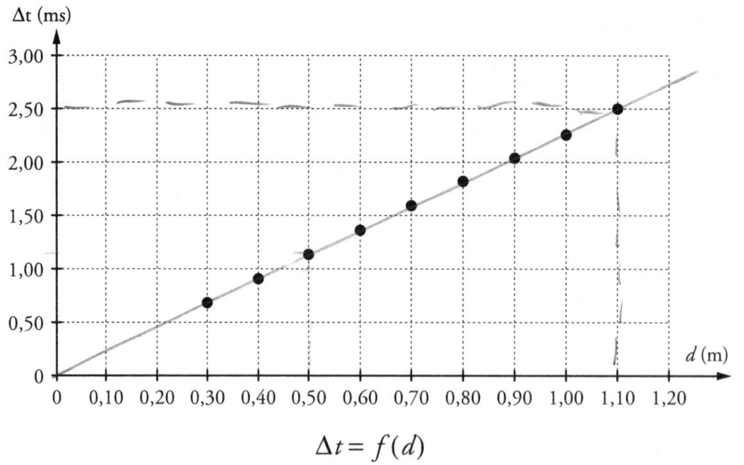

$\Delta t = f(d)$

1. Donner l'expression de Δt en fonction de d, v_{air}, v_{eau}.

2. Justifier l'allure de la courbe obtenue.

3. Déterminer graphiquement le coefficient directeur de la droite $\Delta t = f(d)$. En déduire la valeur de la célérité v_{eau} des ultrasons dans l'eau de mer en prenant $v_{air} = 340 \text{ m} \cdot \text{s}^{-1}$.

3. DÉTERMINATION DU RELIEF DES FONDS MARINS

Dans cette partie on prendra $v_{eau} = 1{,}50 \times 10^3 \text{ m} \cdot \text{s}^{-1}$.
Un sondeur acoustique classique est composé d'une sonde comportant un émetteur et un récepteur d'onde ultrasonore de fréquence $f = 200$ kHz et d'un boîtier de contrôle ayant un écran qui visualise le relief des fonds sous-marins.
La sonde envoie des salves d'ultrasons verticalement en direction du fond à des intervalles de temps réguliers ; cette onde ultrasonore se déplace dans l'eau à une vitesse constante v_{eau}. Quand elle rencontre un obstacle, une partie de l'onde est réfléchie et renvoyée vers la source. La détermination du retard entre l'émission et la réception du signal permet de calculer la profondeur p.
Un bateau se déplace en ligne droite suivant un axe $x'x$ en explorant le fond depuis le point A $x_A = 0$ m jusqu'au point B $x_B = 50$ m (**figure** 2).
Le sondeur émet des salves d'ultrasons à intervalles de temps égaux, on mesure à l'aide d'un oscilloscope la durée Δt séparant l'émission de la salve de la réception de son écho.

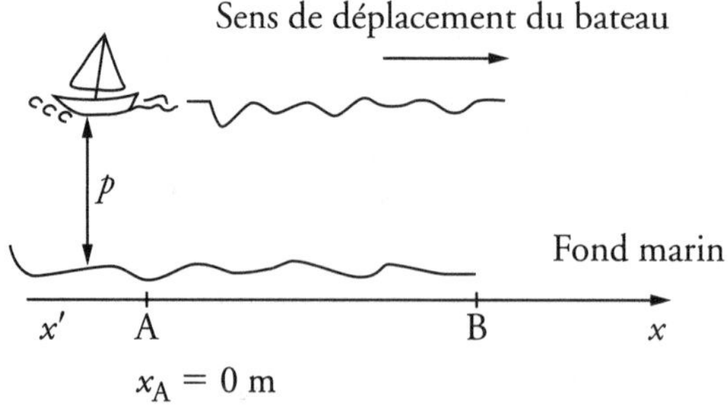

Figure 2

❶ L'oscillogramme ci-après montre l'écran de l'oscilloscope lorsque le bateau se trouve en A ($x_A = 0$ m). L'une des voies représente le signal émis, l'autre le signal reçu par le récepteur. Sur l'oscillogramme, on a décalé la voie 2 vers le bas pour distinguer nettement les deux signaux.

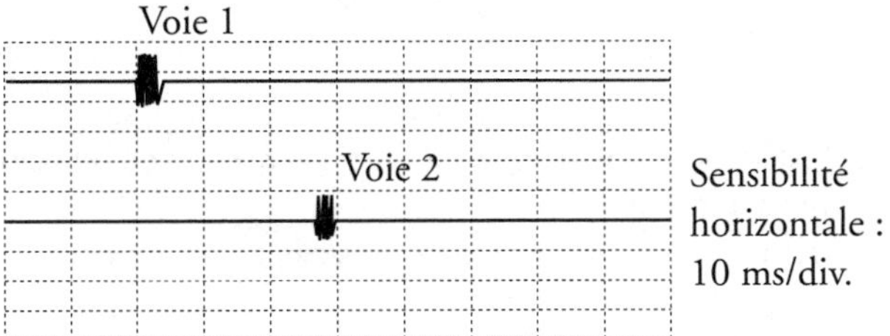

Oscillogramme

La **figure 3** se trouvant sur l'**annexe** (à rendre avec la copie) représente $\Delta t = f(x)$ lorsque le bateau se déplace de A vers B.

1. Identifier les signaux observés sur chaque voie, en justifiant.

2. À partir de l'oscillogramme, déterminer la durée Δt entre l'émission de la salve et la réception de son écho.

3. En déduire la graduation de l'axe des ordonnées de la **figure 3** se trouvant sur l'**annexe** représentant la durée Δt en fonction de la position x du bateau.

❷ Déterminer la relation permettant de calculer la profondeur p en fonction de Δt et v_{eau}.

❸ Tracer sur la **figure** 4 se trouvant sur l'**annexe**, l'allure du fond marin exploré en précisant la profondeur p en mètres en fonction de la position x du bateau.

❹ Le sondeur envoie des salves d'ultrasons à intervalles de temps réguliers T. Pour une bonne réception, le signal émis et son écho ne doivent pas se chevaucher. Le sondeur est utilisable jusqu'à une profondeur de 360 m.
Déterminer la période minimale T_m des salves d'ultrasons permettant ce fonctionnement.

Annexe

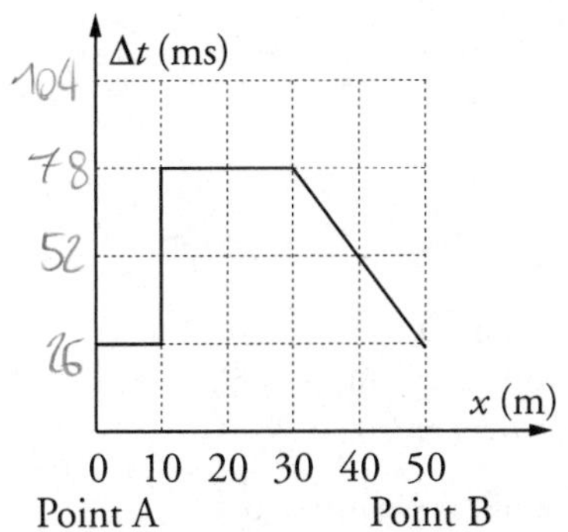

Figure 3

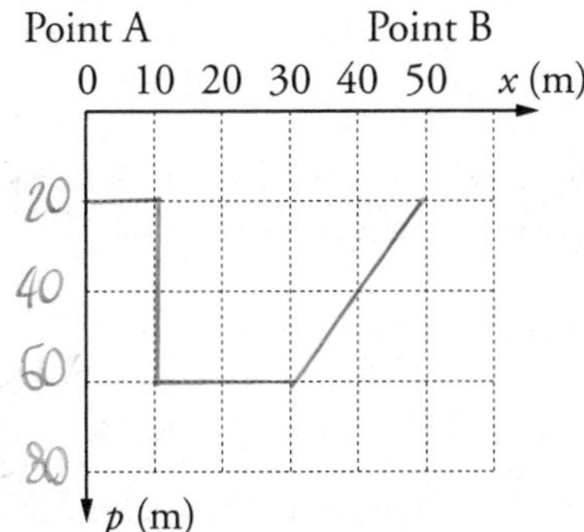

Figure 4

LES CLÉS DU SUJET

■ Notions et compétences en jeu

- Onde mécanique progressive, sinusoïdale.
- Onde lumineuse.
- Notion de retard, célérité d'une onde.
- Principe du sonar.

PHYSIQUE

■ Conseils du correcteur

Partie 2

❸ **2.** Remémorez-vous qu'une droite passant par l'origine traduit une relation de proportionnalité entre les deux grandeurs figurant sur le graphique.
3. Utilisez des points appartenant à la droite moyenne, les plus éloignés possible les uns des autres, et dont les coordonnées sont faciles à déterminer.

Partie 3

❹ La durée de l'aller et retour de la salve d'ultrasons doit être plus faible que la période d'émission des salves : $\Delta t < T$.

CORRIGÉ SUJET 4

1. ÉTUDE DE L'ONDE ULTRASONORE DANS L'EAU DE MER

❶ Une onde mécanique progressive est le phénomène de propagation d'une perturbation dans un milieu matériel sans transport de matière.

La propagation de la perturbation se fait de proche en proche.

❷ Une onde ultrasonore est **longitudinale** car sa direction de propagation est parallèle à la direction de déformation du milieu dans lequel elle se propage.

❸ **1.** La lumière peut être diffractée par un obstacle ou une ouverture de faible dimension, ce qui permet de la décrire comme une onde.

Le phénomène est d'autant plus marqué que la dimension de l'obstacle ou de l'ouverture est petite devant la longueur d'onde de la lumière diffractée.

2. À la différence des ondes mécaniques, la lumière peut se propager dans le vide. En effet, c'est grâce à cette propriété que nous pouvons recevoir la lumière émise ou diffusée par les astres après qu'elle se soit propagée dans le vide de l'espace.

2. DÉTERMINATION DE LA CÉLÉRITÉ DES ONDES ULTRASONORES DANS L'EAU

❶ L'acquisition doit commencer lorsque le premier signal est reçu. Or, les ultrasons se propageant plus vite dans l'eau de mer que dans l'air, c'est donc sur l'entrée B que sera reçu le premier signal. Il faut donc déclencher l'acquisition sur l'entrée B.

❷ Le retard Δt entre la réception des ultrasons par les deux récepteurs s'exprime par :

$$\boxed{\Delta t = t_A - t_B > 0}$$

car la célérité des ultrasons dans l'air étant plus faible que dans l'eau, la durée de parcours de la même distance d sera plus élevée dans l'air que dans l'eau.

❸ **1.** Les durées t_A et t_B s'expriment respectivement par :

$$t_A = \frac{d}{v_{air}} \text{ et } t_B = \frac{d}{v_{eau}}$$

donc sachant que $\Delta t = t_A - t_B$:

$$\boxed{\Delta t = d \cdot \left(\frac{1}{v_{air}} - \frac{1}{v_{eau}}\right) = d \cdot \frac{v_{eau} - v_{air}}{v_{air} \cdot v_{eau}}}$$

2. Le terme $\dfrac{1}{v_{air}} - \dfrac{1}{v_{eau}}$ étant constant, le retard Δt est proportionnel à la distance d qui sépare l'émetteur des récepteurs. Il est donc cohérent d'observer une droite passant par l'origine pour la représentation graphique de $\Delta t = f(d)$.

3. Le calcul du coefficient directeur de la droite, qui s'identifie à $\dfrac{1}{v_{air}} - \dfrac{1}{v_{eau}}$, se fait en utilisant les coordonnées de deux points appartenant à la droite, par exemple O(0 ; 0) et P(1,10 m ; $2{,}5 \times 10^{-3}$ s) :

$$\frac{1}{v_{air}} - \frac{1}{v_{eau}} = \frac{\Delta t_P - \Delta t_O}{d_P - d_O}$$

donc :

$$\frac{1}{v_{eau}} = \frac{1}{v_{air}} - \frac{\Delta t_P - \Delta t_O}{d_P - d_O}$$

et par suite :

$$v_{eau} = \frac{v_{air} \cdot (d_P - d_O)}{d_P - d_O - v_{air} \cdot (\Delta t_P - \Delta t_O)}.$$

Numériquement, avec $v_{air} = 340 \text{ m} \cdot \text{s}^{-1}$, nous obtenons :

$$\boxed{v_{eau} = 1{,}5 \times 10^3 \text{ m} \cdot \text{s}^{-1} = 1{,}5 \text{ km} \cdot \text{s}^{-1}}$$

Pensez que l'expression d'un coefficient directeur en physique fait rarement appel à des grandeurs notées *y* et *x* comme en mathématiques. Exprimez-le alors avec les grandeurs figurant effectivement en ordonnée et en abscisse.

3. DÉTERMINATION DU RELIEF DES FONDS MARINS

❶ **Remarque :** la valeur donnée dans l'énoncé pour v_{eau} est en parfait accord avec notre précédent résultat.

1. L'émission du signal ayant lieu avant sa réception ! le signal émis est visualisé sur la voie 1 alors que le signal reçu après réflexion est visualisé sur la voie 2.

2. Les débuts de chacun des signaux sont séparés de X divisions qui correspondent à une durée Δt telle que :

$$\Delta t = k' \cdot X$$

où k' est la sensibilité horizontale.
Numériquement, avec $X = 2{,}6$ div et $k' = 10 \times 10^{-3} \text{ s} \cdot \text{div}^{-1}$, nous trouvons :

$$\boxed{\Delta t = 26 \times 10^{-3} \text{ s} = 26 \text{ ms}}$$

pour la durée séparant l'émission de la salve et la réception de son écho.

L'axe horizontal d'un écran d'oscilloscope est donc un « axe des temps ».

3. Au point A d'abscisse $x_A = 0$ m nous venons de déterminer que $\Delta t_A = 26$ ms, ceci nous permet d'affirmer que chacune des graduations de l'axe vertical de la **figure 3** correspond à 26 ms puisque Δt_A est représenté par un carreau sur cette figure.

❷ En effectuant un aller et retour entre le bateau et le fond marin les ultrasons parcourent la distance $2 \times p$ à la célérité v_{eau} pendant la durée Δt, donc :

$$2 \times p = v_{eau} \cdot \Delta t \text{ et finalement } \boxed{p = \frac{v_{eau} \cdot \Delta t}{2}}$$

❸ La relation précédente montre que la profondeur p est proportionnelle à la durée Δt. Le relief du fond marin a donc la même allure que le graphe $\Delta t = f(x)$ après une symétrie par rapport à l'axe (Ox).
En particulier avec $v_{eau} = 1{,}50 \times 10^3 \text{ m} \cdot \text{s}^{-1}$ et $\Delta t_A = 26 \times 10^{-3}$ s nous calculons :

$$\boxed{p_A = 20 \text{ m}}$$

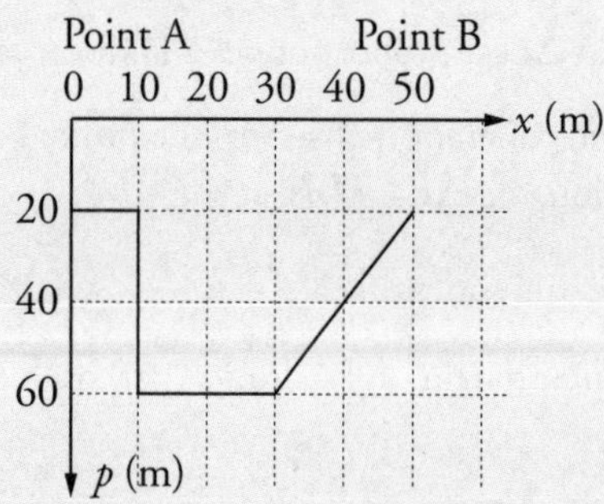

❹ Afin que le signal émis et son écho ne se chevauchent pas, il faut que la salve ait le temps d'effectuer un aller et retour entre la surface et le fond marin en une durée inférieure à T, soit :

$$T \geqslant \Delta t = \frac{2 \times p}{v_{eau}}$$

ainsi la période minimale T_m des salves d'ultrasons dépend de la profondeur qui doit être mesurée :

$$T_m = \frac{2 \times p_{max}}{v_{eau}}$$

Numériquement, avec $p_{max} = 360$ m et $v_{eau} = 1{,}50 \times 10^3$ m · s^{-1}, nous obtenons :

$$\boxed{T_m = 0{,}48 \text{ s}}$$

Nous ne prenons pas en compte ici la durée d'émission de la salve qui est d'environ 5 ms. Cette durée est effectivement négligeable devant la valeur de T_m.

SUJET 5

POLYNÉSIE FRANÇAISE • SEPTEMBRE 2006

ENSEIGNEMENT OBLIGATOIRE

5,5 POINTS

THÈME **Réactions nucléaires**

Au soleil d'Iter (International Thermonuclear Experimental Reactor)

D'où peut bien provenir l'énergie du Soleil ?

C'est seulement en 1920 que le voile est levé, par les Britanniques Francis William Aston et Arthur Eddington : les noyaux d'atomes d'hydrogène, le principal constituant solaire, se transforment en hélium en fusionnant. Une réaction qui libère une énergie faramineuse.

L'objectif du projet ITER est de démontrer la possibilité scientifique et technologique de la production d'énergie par la fusion des atomes.

La fusion contrôlée représente un défi scientifique et technologique majeur qui pourrait répondre au problème crucial de disposer, à plus ou moins long terme, de nouvelles ressources énergétiques. À côté de l'énergie de fission, l'énergie de fusion représente l'espoir d'avoir une source d'énergie propre et abondante au cours du XXIe siècle. À l'heure où la raréfaction des énergies fossiles est prévue d'ici 50 ans, il est d'une importance vitale d'explorer le potentiel de toutes les autres sources d'énergie.

1. ÉTUDE DE LA RÉACTION DE FUSION

« Le concept solaire de production d'énergie est basé sur une réaction dont la probabilité de se réaliser est extrêmement faible sur notre planète. Mais l'idée reste bonne ! Il "suffit" de remplacer l'hydrogène par des noyaux qui ont un maximum de chance de fusionner sur Terre, en l'occurrence, ceux de **deutérium** et de **tritium**, deux isotopes de l'hydrogène [...] en les chauffant à des températures très élevées, de l'ordre de 100 millions de degrés. »
C'est donc sur cette réaction que se concentrent les recherches concernant la fusion contrôlée :

$$^{2}_{1}H + ^{3}_{1}H \rightarrow ^{4}_{2}He + ^{1}_{0}n .$$

Données

	deutérium	tritium	hélium	neutron
Symbole	$^{2}_{1}H$	$^{3}_{1}H$	$^{4}_{2}He$	$^{1}_{0}n$
Masse du noyau (en u)	2,013 55	3,015 50	4,001 50	1,008 66

$1 \text{ u} = 1{,}660\ 54 \times 10^{-27}$ kg.
$1 \text{ MeV} = 1{,}602 \times 10^{-13}$ J.
Célérité de la lumière dans le vide : $c = 2{,}998 \times 10^{8}\ \text{m} \cdot \text{s}^{-1}$.
$N_A = 6{,}023 \times 10^{23}\ \text{mol}^{-1}$.

❶ Calculer la variation de masse au cours de la réaction de fusion d'un noyau de deutérium et d'un noyau de tritium. Donner sa valeur en kilogrammes et commenter son signe.

❷ Déterminer l'énergie produite par cette réaction de fusion, donner le résultat en MeV.

❸ Vérifier que le nombre de noyaux présents dans 1,0 g de noyaux de deutérium est $3{,}0 \times 10^{23}$ noyaux.

❹ Vérifier qu'il en est de même dans 1,5 g de noyaux de tritium.

❺ En déduire l'énergie, en MeV puis en joules, que l'on pourrait espérer obtenir si on réalisait la réaction de fusion de 1,0 g de noyaux de deutérium avec 1,5 g de noyaux de tritium dans le réacteur ITER.

❻ La tonne d'équivalent pétrole (tep) est une unité d'énergie utilisée dans l'industrie et en économie. Elle sert à comparer les énergies obtenues à partir de sources différentes.
1 tep représente $4{,}2 \times 10^{10}$ J, c'est-à-dire l'énergie libérée en moyenne par la combustion d'une tonne de pétrole.

1. Calculer, en tep, l'énergie libérée par la fusion de 1,0 g de deutérium et de 1,5 g de tritium.

2. Sachant que dans une centrale nucléaire classique, la fission de 1,0 g d'uranium libère une énergie de 1,8 tep, expliquer en quoi ITER est un progrès et un espoir pour la production d'énergie.

2. QUELQUES PRÉCISIONS SUR LE TRITIUM

Le deutérium est naturellement présent sur Terre alors que le tritium, lui, est très rare. Il est donc obtenu à partir du lithium $^{6}_{3}Li$ très abondant dans la croûte terrestre et les océans.

Pour ce faire, un échantillon de lithium $^{6}_{3}Li$ est bombardé par des neutrons, il se forme de l'hélium $^{4}_{2}He$ et du tritium $^{3}_{1}H$.

❶ Écrire l'équation de cette réaction nucléaire.

❷ Le tritium est radioactif β^-.
Écrire l'équation de la désintégration envisagée sachant qu'il se forme un isotope de l'hélium.

❸ On veut étudier l'évolution au cours du temps du nombre de noyaux présents dans un échantillon de tritium. On sait que le nombre de désintégrations au cours du temps est proportionnel au nombre de noyaux présents :

$$\frac{\Delta N(t)}{\Delta t} = -\lambda N(t) \qquad \textbf{(1)}$$

où λ est la constante radioactive du tritium.
On prendra $\lambda = 5{,}65 \times 10^{-2}\ \text{an}^{-1} = 1{,}79 \times 10^{-9}\ \text{s}^{-1}$.
La méthode d'Euler est une méthode numérique qui permet de calculer de façon approchée le nombre N de noyaux présents à différentes dates en utilisant la relation suivante :

$$N(t + \Delta t) = N(t) + \Delta N(t) \qquad \textbf{(2)}$$

1. En utilisant les relations **(1)** et **(2)**, trouver l'expression de $N(t + \Delta t)$ en fonction de $N(t)$, λ et Δt. (Δt est le pas de résolution.)

2. À l'instant initial, l'échantillon étudié contient $3{,}0 \times 10^{23}$ noyaux de tritium.
Compléter le tableau donné en **annexe** (à rendre avec la copie) en prenant $\Delta t = 1$ an. Détailler les calculs sur la copie.

3. La méthode d'Euler donne le graphique lissé fourni en **annexe**.
a) À partir de la valeur de la constante radioactive λ, calculer la valeur du temps de demi-vie $t_{1/2}$.
b) Retrouver la valeur du temps de demi-vie à partir du graphe.

4. L'un des objectifs d'ITER est de maintenir les réactions de fusion dans son réacteur pendant au moins 1 000 secondes (soit 16 minutes 40 secondes).
En considérant toujours que l'échantillon initial contient $N_0 = 3{,}0 \times 10^{23}$ noyaux de tritium, calculer le nombre de noyaux de tritium qui se désintègrent naturellement en 1 000 s, puis la masse de tritium correspondante.
Doit-on alors tenir compte de la désintégration naturelle du tritium ?

Annexe

Date t (ans)	0	1	2
N	$3{,}0 \times 10^{23}$	$2{,}8 \times 10^{23}$	$2{,}6 \times 10^{23}$

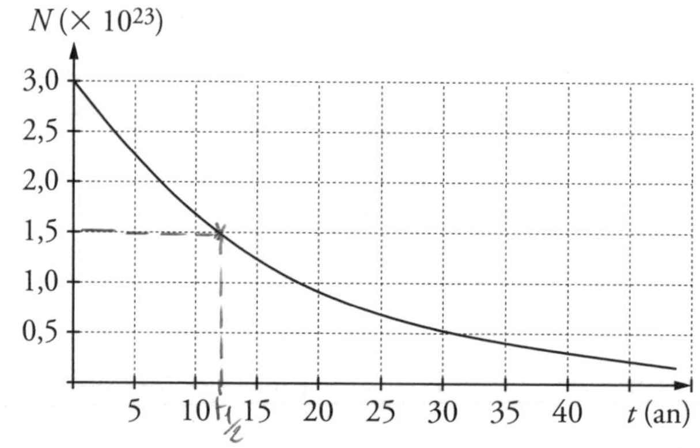

LES CLÉS DU SUJET

■ Notions et compétences en jeu

– Variation de masse et énergie libérée lors d'une réaction de fusion.
– Conversions d'énergie.
– Radioactivité β^-, temps de demi-vie.
– Méthode d'Euler.

■ Conseils du correcteur

Partie 1

❷ Utilisez l'équivalence masse-énergie postulée par Einstein.

❺ L'énergie libérée par la réaction de fusion est proportionnelle au nombre de noyaux de deutérium (ou de tritium) qui fusionnent.

Partie 2

❷ Écrivez ${}_{2}^{A}\text{He}$ l'isotope de l'hélium inconnu.

CORRIGÉ SUJET 5

PHYSIQUE

1. ÉTUDE DE LA RÉACTION DE FUSION

❶ Exprimons la variation de masse Δm lors de la réaction de fusion d'un noyau de deutérium et d'un noyau de tritium :

$$\Delta m = m({}_{0}^{1}\text{n}) + m({}_{2}^{4}\text{He}) - [m({}_{1}^{2}\text{H}) + m({}_{1}^{3}\text{H})].$$

Soit, numériquement, avec

$m({}_{0}^{1}\text{n}) = 1{,}008\ 66\ \text{u}$, $m({}_{2}^{4}\text{He}) = 4{,}001\ 50\ \text{u}$, $m({}_{1}^{2}\text{H}) = 2{,}013\ 55\ \text{u}$,
$m({}_{1}^{3}\text{H}) = 3{,}015\ 50\ \text{u}$ et $1\,\text{u} = 1{,}660\ 54 \times 10^{-27}\ \text{kg}$,
nous calculons :

$$\boxed{\Delta m = -3{,}136\ 76 \times 10^{-29}\ \text{kg}}$$

Les données ont tant de chiffres significatifs qu'il ne faut pas hésiter, à refaire deux fois ce type de calcul pour s'assurer de la bonne utilisation de votre calculatrice.

La variation de masse du système étant négative, celui-ci perd de la masse au cours de la réaction.

❷ La perte de masse du système engendre une libération d'énergie telle que :

$$|\Delta E| = |\Delta m| \cdot c^2$$

soit, avec $c = 2{,}998 \times 10^8\ \text{m} \cdot \text{s}^{-1}$, nous obtenons :

$$|\Delta E| = 2{,}819 \times 10^{-12}\ \text{J}.$$

Or, puisque $1\ \text{MeV} = 1{,}602 \times 10^{-13}\ \text{J}$, alors :

$$\boxed{|\Delta E| = 17{,}60\ \text{MeV}}$$

Une énergie produite, ou libérée, est toujours comptée positivement, malgré la perte d'énergie pour le système considéré ; la variation d'énergie est négative pour celui-ci.

$|\Delta E| = \dfrac{2{,}819 \times 10^{-12}}{1{,}602 \times 10^{-13}}$ en réutilisant le résultat « machine » pour la valeur de $|\Delta E|$ exprimée en joule.

❸ Le nombre de noyaux de deutérium $N({}_{1}^{2}\text{H})$ contenus dans une masse m_{D} de noyaux de deutérium s'exprime par :

$$N({}_{1}^{2}\text{H}) = \frac{m_{\text{D}}}{m({}_{1}^{2}\text{H})}.$$

Nous calculons alors, avec $m_D = 1{,}0 \times 10^{-3}$ kg et

$$m({}_1^2\text{H}) = 2{,}013\ 55 \times 1{,}660\ 54 \times 10^{-27}\ \text{kg}$$

$$\boxed{N({}_1^2\text{H}) = 3{,}0 \times 10^{23}\ \text{noyaux}}$$

ce qui est bien la valeur donnée dans l'énoncé.

❹ Par analogie avec ce qui précède nous obtenons :

$$N({}_1^3\text{H}) = \frac{m_T}{m({}_1^3\text{H})}$$

en notant m_T la masse de noyaux de tritium.
Numériquement, avec $m_T = 1{,}5 \times 10^{-3}$ kg et

$$m({}_1^3\text{H}) = 3{,}015\ 50 \times 1{,}660\ 54 \times 10^{-27}\ \text{kg}$$

nous calculons :

$$\boxed{N({}_1^3\text{H}) = 3{,}0 \times 10^{23}\ \text{noyaux}}$$

❺ Sachant que la fusion d'un noyau de deutérium avec un noyau de tritium libère l'énergie $|\Delta E|$ calculée au **1.** ❷, la fusion de $3{,}0 \times 10^{23}$ de chacun de ces noyaux dégage une énergie : $|\Delta E'| = N({}_1^2\text{H}) \times |\Delta E|$
soit numériquement :

$$\boxed{|\Delta E'| = 5{,}3 \times 10^{24}\ \text{MeV} = 8{,}5 \times 10^{11}\ \text{J}}$$

❻ **1.** Sachant que 1 tep représente $4{,}2 \times 10^{10}$ J nous calculons :

$$\boxed{|\Delta E'| = 20\ \text{tep}}$$

$|\Delta E'| = \dfrac{8{,}5 \times 10^{11}}{4{,}2 \times 10^{10}}$.

La fusion de 1,0 g de noyaux de deutérium avec 1,5 g de noyaux de tritium libère autant d'énergie que la combustion de 20 tonnes de pétrole !

2. ITER constitue donc un espoir pour la production d'énergie car, pour une **même masse** de réactifs que celle intervenant dans une centrale nucléaire, l'énergie libérée est plus de **quatre fois plus importante** que lors de la fission de l'uranium.

2. QUELQUES PRÉCISIONS SUR LE TRITIUM

❶ L'équation de la réaction s'écrit :

$${}_3^6\text{Li} + x\,{}_0^1\text{n} \rightarrow {}_2^4\text{He} + {}_1^3\text{H}\,.$$

La conservation du nombre de nucléons impose alors : $6 + x = 4 + 3$ donc $x = 1$, d'où :

$$\boxed{{}_3^6\text{Li} + {}_0^1\text{n} \rightarrow {}_2^4\text{He} + {}_1^3\text{H}}$$

❷ La désintégration du tritium se fait avec émission d'un électron (particule β^-) et production d'un isotope de l'hélium selon :

$${}_1^3\text{H} \rightarrow {}_{-1}^{\ 0}\text{e} + {}_2^A\text{He}\,.$$

La conservation de nombre de nucléons conduit alors à : $3 = 0 + A$ soit $A = 3$ d'où :

$$\boxed{{}_1^3\text{H} \rightarrow {}_{-1}^{\ 0}\text{e} + {}_2^3\text{He}}$$

Deux noyaux isotopes ont même numéro atomique Z et donc même symbole chimique.

3 **1.** Nous tirons de la relation (1) :

$$\Delta N(t) = -\lambda N(t)\Delta t.$$

En reportant cette expression de $\Delta N(t)$ dans la relation (2) nous aboutissons à :

$$N(t+\Delta t) = N(t) - \lambda N(t)\Delta t$$

soit :

$$\boxed{N(t+\Delta t) = N(t)\cdot(1-\lambda\Delta t)}$$

L'idée qui doit vous guider est de faire disparaître $\Delta N(t)$ de la relation (2).

2. Calculons le nombre de noyaux radioactifs encore présents après $\Delta t = 1$ an :

$$N(0+1\text{ an}) = N(1\text{ an}) = N(0)\cdot(1-\lambda\Delta t)$$

$$= 3{,}0\times 10^{23}\times(1-5{,}65\times 10^{-2}\times 1)$$

$$\boxed{N(1\text{ an}) = 2{,}8\times 10^{23}\text{ noyaux}}$$

et par suite, après 2 ans :

$$N(2\text{ ans}) = N(1\text{ an})\cdot(1-\lambda\Delta t) = 2{,}8\times 10^{23}\times(1-5{,}65\times 10^{-2}\times 1)$$

$$\boxed{N(2\text{ ans}) = 2{,}7\times 10^{23}\text{ noyaux}}$$

3. a) Le temps de demi-vie s'exprime en fonction de la constante radioactive :

$$t_{1/2} = \frac{\ln 2}{\lambda}$$

soit avec $\lambda = 5{,}65\times 10^{-2}\text{ an}^{-1}$, nous obtenons :

$$\boxed{t_{1/2} = 12{,}3\text{ ans}}$$

b) Le temps de demi-vie correspond à l'abscisse du point de la courbe dont l'ordonnée vaut $\dfrac{N(0)}{2}$, donc graphiquement nous lisons :

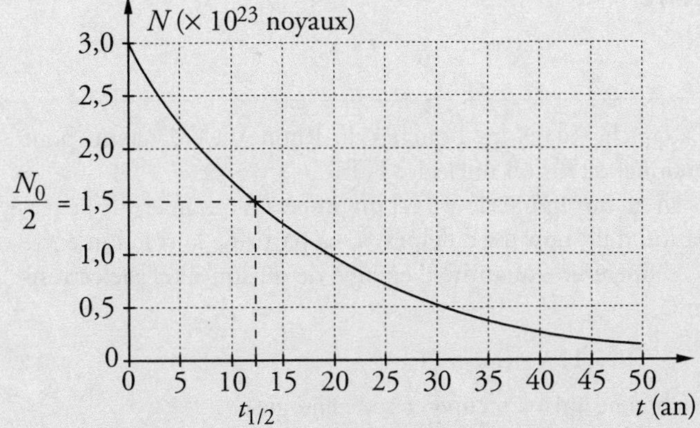

$$\boxed{t_{1/2} = 12{,}0\text{ ans}}$$

ce qui est en bon accord avec le calcul de la question précédente (écart relatif de 2,4 %).

Pensez à faire un calcul d'écart relatif lorsqu'il s'agit de vérifier si deux valeurs numériques sont en bon accord.

4. Le nombre de noyaux de tritium $N_d({}^3_1\text{H})$ se désintégrant pendant une durée $\Delta t = 1\ 000$ s peut se calculer en utilisant la loi de décroissance radioactive :

$$N_d({}^3_1\text{H}) = |N(\Delta t) - N_0| = |N_0 e^{-\lambda\Delta t} - N_0| = N_0(1-e^{-\lambda\Delta t}).$$

Numériquement, avec $N_0 = 3{,}0\times 10^{23}$ noyaux, $\Delta t = 1\ 000$ s et $\lambda = 1{,}79\times 10^{-9}\text{ s}^{-1}$ nous trouvons :

$$\boxed{N_d({}^3_1\text{H}) = 5{,}4\times 10^{17}\text{ noyaux}}$$

Ceci correspond à une masse m'_T de tritium désintégrée telle que :

$$m'_T = N_d({}^3_1H) \times m({}^3_1H)$$

alors, avec $m({}^3_1H) = 3{,}015\ 50 \times 1{,}660\ 54 \times 10^{-27}$ kg, nous calculons :

$$m'_T = 2{,}7 \times 10^{-9}\ \text{kg} = 2{,}7 \times 10^{-6}\ \text{g} = 2{,}7\ \mu\text{g}.$$

Cette masse est négligeable devant la masse $m_T = 1{,}5$ g de tritium mise en jeu, en conséquence de quoi la désintégration naturelle du tritium n'est pas à prendre en compte.

SUJET 6

NOUVELLE-CALÉDONIE • MARS 2007

ENSEIGNEMENT OBLIGATOIRE

5,5 POINTS

THÈME Réactions nucléaires

Contrôler la fusion nucléaire

Document

Le 28 juin 2005, le site de Cadarache (dans les Bouches-du-Rhône) a été retenu pour l'implantation du projet international de fusion nucléaire ITER.

La fusion de deux noyaux légers en un noyau plus lourd est un processus qui libère de l'énergie. C'est le cas lors de la formation d'un noyau « d'hélium 4 » à partir de la réaction entre le deutérium et le tritium. On récupère une quantité d'énergie de quelques mégaélectronvolts (MeV), suivant la réaction :

$${}^2_1H + {}^3_1H \rightarrow {}^4_2He + {}^1_0n \qquad (1)$$

Des problèmes se posent si l'on cherche ainsi à récupérer cette énergie :

– pour initier la réaction, les noyaux doivent avoir la possibilité de s'approcher l'un de l'autre à moins de 10^{-14} m. Cela leur impose de vaincre la répulsion électrostatique. Pour ce faire, on porte la matière à une température de plus de 100 millions de degrés ;

– à la fin de la vie du réacteur de fusion, les matériaux constituant la structure du réacteur seront radioactifs. Toutefois, le choix d'éléments de structure conduisant à des produits radioactifs à temps de décroissance rapide permet de minimiser les quantités de déchets radioactifs. Cent ans après l'arrêt définitif du réacteur, la majorité voire la totalité des matériaux peut être considérée comme des déchets de très faible activité.

D'après le livre « *Le monde subatomique* »,
de Luc Valentin et le site Internet du CEA.

Les cinq parties sont indépendantes.

Données

- Masse du neutron : $m(\text{n}) = 1{,}674\ 927 \times 10^{-27}$ kg.
- Masse du proton : $m(\text{p}) = 1{,}672\ 622 \times 10^{-27}$ kg.
- Masse d'un noyau de deutérium : $m(^2_1\text{H}) = 3{,}344\ 497 \times 10^{-27}$ kg.
- Masse d'un noyau de tritium : $m(^3_1\text{H}) = 5{,}008\ 271 \times 10^{-27}$ kg.
- Masse d'un noyau d'« hélium 4 » : $m(^4_2\text{He}) = 6{,}646\ 483 \times 10^{-27}$ kg.
- Célérité de la lumière dans le vide : $c = 3{,}00 \times 10^8\ \text{m} \cdot \text{s}^{-1}$.
- $1\ \text{eV} = 1{,}60 \times 10^{-19}$ J.

Les « combustibles » utilisés dans le réacteur de fusion ne nécessitent pas de transport de matière radioactive. En effet, le deutérium n'est pas radioactif. Le tritium est fabriqué sur site, à partir d'un élément Y non radioactif suivant la réaction :

$$\text{Y} + ^1_0\text{n} \rightarrow ^4_2\text{He} + ^3_1\text{H}$$

1. LE TRITIUM

Donner la composition et le symbole du noyau Y en précisant les règles de conservation.
On donne un extrait de la classification périodique : H $(Z = 1)$, He $(Z = 2)$, Li $(Z = 3)$, Be $(Z = 4)$, B $(Z = 5)$.

2. LE NOYAU DE DEUTÉRIUM

❶ Donner la composition du noyau de deutérium ^2_1H.

❷ Le deutérium et le tritium sont des isotopes. Justifier cette affirmation.

❸ Donner l'expression littérale, puis la valeur du défaut de masse $\Delta m(^2_1\text{H})$ du noyau de deutérium.

❹ En déduire l'énergie $E(^2_1\text{H})$ correspondant à ce défaut de masse en J, puis en MeV et donner sa signification physique.

3. ÉTUDE DE LA RÉACTION DE FUSION

On considère la réaction de fusion traduite par l'équation (1) dans le texte. Donner l'expression littérale de l'énergie libérée par cette réaction en fonction des données de l'énoncé.
Calculer cette énergie en MeV.

4. RESSOURCES EN DEUTÉRIUM

On trouve le deutérium en abondance dans l'eau de mer. La ressource dans les océans est estimée à $4{,}6 \times 10^{13}$ tonnes.
La réaction (1) libère une énergie de 17,6 MeV.
On assimile la masse d'un atome de deutérium à la masse de son noyau.

❶ **1.** Déterminer le nombre N de noyaux présents dans la masse $m = 1{,}0$ kg de deutérium.

2. En déduire l'énergie E libérée par une masse $m = 1{,}0$ kg de deutérium.

❷ La consommation annuelle énergétique mondiale actuelle est d'environ 4×10^{20} J. On fait l'hypothèse simplificatrice selon laquelle le rendement d'une centrale à fusion est équivalent à

celui d'une centrale nucléaire. Ceci revient à considérer que seul 33 % de l'énergie libérée par la réaction de fusion est réellement convertie en électricité.
Estimer en années, la durée Δt nécessaire pour épuiser la réserve de deutérium disponible dans les océans répondant à la consommation annuelle actuelle.
Les ressources en combustible sont en fait limitées par le lithium, utilisé pour fabriquer le tritium. L'utilisation du lithium contenu dans l'eau de mer ramène les limites à quelques millions d'années.

5. LE TEMPS DE DEMI-VIE DES DÉCHETS

Les centrales nucléaires actuelles produisent de l'énergie par des réactions de **fission nucléaire**. Ces réactions produisent des déchets radioactifs qui sont classés par catégories, suivant leur demi-vie et la valeur de leur activité. Ainsi, les déchets dits de « moyenne activité » (catégorie B) ont pour particularité d'avoir une demi-vie supérieure à 30 ans et d'émettre un rayonnement α d'activité supérieure à $3{,}7 \times 10^3$ Bq pour 1 gramme de noyaux radioactifs.
L'« américium 241 » fait partie des éléments contenus dans les déchets générés par une centrale nucléaire.
Le graphique ci-dessous représente le nombre de noyaux d'un échantillon de 1,0 g d'« américium 241 ».
L'équation de la courbe est donnée par : $N = N_0 \cdot e^{-\lambda t}$ avec $\lambda = 5{,}1 \times 10^{-11}$ SI.

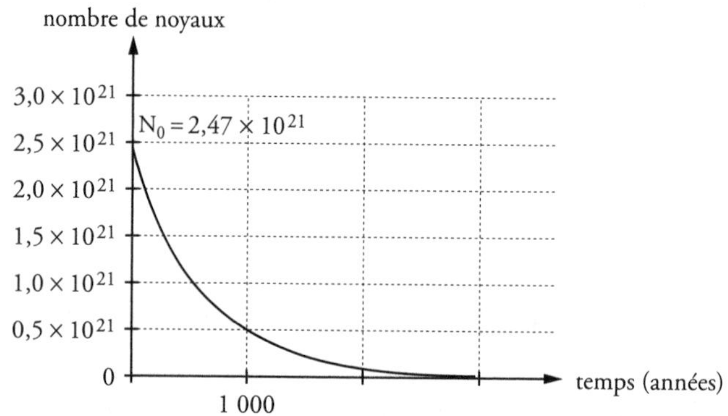

❶ Définir le temps de demi-vie $t_{1/2}$ de l'« américium 241 ».

❷ En utilisant la courbe précédente et en précisant la méthode utilisée, déterminer ce temps de demi-vie.

❸ L'« américium 241 » se désintègre suivant la réaction :

$$^{241}_{95}\text{Am} \rightarrow {}^{4}_{2}\text{He} + {}^{237}_{93}\text{Np}$$

De quel type de radioactivité s'agit-il ? Justifier la réponse.

❹ L'activité A est reliée au nombre de noyaux de l'échantillon par la relation $A = \lambda \cdot N$.

1. En utilisant l'équation de la courbe, déterminer la durée t_1 en années, au bout de laquelle un gramme d'« américium 241 » a une activité égale à $3{,}7 \times 10^3$ Bq.
Au bout de cette durée, l'« américium 241 » issu d'une centrale nucléaire peut être considéré comme un déchet de fission dit de « faible activité ».

2. L'ordre de grandeur de t_1 est de 10^4 ans.
Préciser en quoi, dans le domaine des déchets, la fusion représente un avantage sur la fission.

LES CLÉS DU SUJET

Notions et compétences en jeu

- Composition d'un noyau, écriture d'une réaction nucléaire.
- Défaut de masse, équivalence masse-énergie.
- Temps de demi-vie, radioactivité α.
- Utilisation de la loi de décroissance.

Conseils du correcteur

Partie 2

❸ Souvenez-vous qu'un défaut de masse est toujours positif.

Partie 3

L'énergie libérée est proportionnelle à la variation de masse du système lors de la réaction.

Partie 4

❷ Reprenez les étapes du **4.** ❶ avec $4{,}6 \times 10^6$ kg de deutérium.

Partie 5

❹ **1.** L'unité SI de la constante radioactive λ est s^{-1}.

CORRIGÉ SUJET 6

PHYSIQUE

1. LE TRITIUM

Utilisons la **loi de conservation du nombre de nucléons** pour cette réaction en notant A celui du noyau-fils Y :

$$A + 1 = 4 + 3 \text{ donc } A = 6$$

puis la **loi de conservation de la charge électrique** en notant Z le numéro atomique du noyau-fils Y :

$$Z + 0 = 2 + 1 \text{ donc } Z = 3.$$

L'élément Y de numéro atomique $Z = 3$ est **le lithium.** Le noyau ${}^{6}_{3}\mathrm{Li}$ possède **3 protons** et $N = A - Z = 3$ **neutrons.**

2. LE NOYAU DE DEUTÉRIUM

❶ Le noyau de deutérium ${}^{2}_{1}\mathrm{H}$ possède $Z = 1$ **proton** et $N = A - Z = 2 - 1 = 1$ **neutron.**

❷ Le deutérium ${}^{2}_{1}\mathrm{H}$ et le tritium ${}^{3}_{1}\mathrm{H}$ sont isotopes car ils possèdent le même nombre de protons (ou même numéro atomique Z) mais des nombres de nucléons A différents.

❸ Par définition du défaut de masse, celui du noyau de deutérium s'exprime par :

$$\boxed{\Delta m({}^{2}_{1}\mathrm{H}) = m(\mathrm{n}) + m(\mathrm{p}) - m({}^{2}_{1}\mathrm{H})}$$

Numériquement, avec $m(\mathrm{n}) = 1{,}674\ 927 \times 10^{-27}$ kg, $m(\mathrm{p}) = 1{,}672\ 622 \times 10^{-27}$ kg et $m({}^{2}_{1}\mathrm{H}) = 3{,}344\ 497 \times 10^{-27}$ kg, nous calculons :

$$\boxed{\Delta m({}^{2}_{1}\mathrm{H}) = 3{,}052 \times 10^{-30}\ \mathrm{kg}}$$

Par définition, le défaut de masse correspond à la variation de masse d'un système constitué d'un noyau qui se dissocie en ses nucléons constitutifs, tous étant pris au repos.

❹ D'après l'équivalence masse-énergie postulée par Einstein, ce défaut de masse correspond à une énergie telle que :

$$E({}_1^2\mathrm{H}) = \Delta m({}_1^2\mathrm{H}) \cdot c^2 .$$

Avec $c = 3{,}00 \times 10^8\ \mathrm{m \cdot s^{-1}}$, nous obtenons :

$$\boxed{E({}_1^2\mathrm{H}) = 2{,}75 \times 10^{-13}\ \mathrm{J} = 1{,}72\ \mathrm{MeV}}$$

Ceci correspond à l'énergie qu'il faut fournir au noyau de deutérium pris immobile dans le référentiel terrestre supposé galiléen pour le dissocier en ses deux nucléons constitutifs, également au repos, dans ce même référentiel.

3. ÉTUDE DE LA RÉACTION DE FUSION

La réaction de fusion traduite par l'équation (1) entraîne une variation d'énergie $\Delta E'$ du système telle que :

La variation d'une grandeur physique est toujours la différence entre sa valeur finale et sa valeur initiale.

$$\Delta E' = [m(\mathrm{n}) + m({}_2^4\mathrm{He}) - m({}_1^2\mathrm{H}) - m({}_1^3\mathrm{H})] \cdot c^2 .$$

Ce qui correspond à une énergie libérée $E' = |\Delta E'|$ qui, avec

$m(\mathrm{n}) = 1{,}674\ 927 \times 10^{-27}\ \mathrm{kg}$, $m({}_2^4\mathrm{He}) = 6{,}646\ 483 \times 10^{-27}\ \mathrm{kg}$,

$m({}_1^2\mathrm{H}) = 3{,}344\ 497 \times 10^{-27}\ \mathrm{kg}$, $m({}_1^3\mathrm{H}) = 5{,}008\ 271 \times 10^{-27}\ \mathrm{kg}$ et

$c = 3{,}00 \times 10^8\ \mathrm{m \cdot s^{-1}}$, vaut :

$$\boxed{E' = 2{,}82 \times 10^{-12}\ \mathrm{J} = 17{,}6\ \mathrm{MeV}}$$

4. RESSOURCES EN DEUTÉRIUM

❶ **1. Remarque** : l'énoncé confirme notre précédent résultat.

Le nombre de noyaux N de deutérium contenus dans une masse m de deutérium est telle que :

$$N = \frac{m}{m({}_1^2\mathrm{H})}$$

soit, avec $m = 1{,}0\ \mathrm{kg}$ et $m({}_1^2\mathrm{H}) = 3{,}344\ 497 \times 10^{-27}\ \mathrm{kg}$, nous calculons :

$$\boxed{N = 3{,}0 \times 10^{26}\ \text{noyaux}}$$

2. L'énergie E libérée par une masse $m = 1{,}0\ \mathrm{kg}$ de deutérium est alors N fois supérieure à celle libérée par la fusion d'un unique noyau de deutérium avec un noyau de tritium, soit :

$$E = NE' .$$

Remarque : ceci suppose implicitement que le tritium est introduit en quantité suffisante pour faire réagir tout le deutérium.

Numériquement, avec les valeurs calculées précédemment, nous trouvons :

$$\boxed{E = 5{,}3 \times 10^{27}\ \mathrm{MeV}}$$

❷ Soit E_T l'énergie totale susceptible d'être libérée par la fusion de la masse m_T de deutérium océanique, alors :

Pensez à décomposer votre raisonnement en plusieurs étapes.

$$E_\mathrm{T} = \frac{m_\mathrm{T}}{m} \cdot E .$$

Or, si seul 33 % de cette énergie libérée est réellement convertie en électricité, nous pouvons espérer récupérer une énergie électrique $E_{él}$ telle que :

$$E_{él} = 0{,}33 \times E_T = 0{,}33 \times \frac{m_T}{m} \cdot E.$$

Ce qui permet d'envisager une durée Δt d'approvisionnement en électricité telle que :

Donnez un symbole à chaque nouvelle grandeur introduite.

$$\Delta t = \frac{E_{él}}{E_{an}} = 0{,}33 \times \frac{m_T}{m} \cdot \frac{E}{E_{an}}$$

où E_{an} correspond à la consommation annuelle énergétique mondiale.

Numériquement, avec $m_T = 4{,}6 \times 10^{16}$ kg,

$E = 5{,}3 \times 10^{27} \times 1{,}6 \times 10^{-19}$ J, $m = 1$ kg, et $E_{an} = 4 \times 10^{20}$ J, nous calculons :

$$\boxed{\Delta t = 3 \times 10^{10} \text{ans}}$$

soit trente milliards d'années !

5. LE TEMPS DE DEMI-VIE DES DÉCHETS

❶ Le temps de demi-vie $t_{1/2}$ de l'américium 241 est la durée nécessaire pour que la moitié des noyaux d'américium 241 initialement présents dans un échantillon se soient désintégrés.

❷ La durée $t_{1/2}$ correspond donc à l'abscisse du point de la courbe dont l'ordonnée vaut $\frac{N_0}{2}$ noyaux. Graphiquement, nous lisons :

$$\boxed{t_{1/2} = 4{,}3 \times 10^2 \text{ ans}}$$

❸ Lors de la réaction de désintégration, un noyau d'hélium 4 est émis : il s'agit donc de **radioactivité α**.

❹ **1.** L'activité de l'échantillon d'américium 241 est proportionnelle au nombre de noyaux d'américium 241 qu'il contient, car :

Remémorez-vous la relation qui lie l'activité *A* d'un échantillon et le nombre *N* de noyaux radioactifs qu'il contient.

$$A(t_1) = \lambda N(t_1)$$

or la loi de décroissance radioactive nous donne :

$$N(t) = N_0 e^{-\lambda t}$$

donc : $$N(t_1) = N_0 e^{-\lambda t_1} \quad \text{et} \quad A(t_1) = \lambda N_0 e^{-\lambda t_1}$$

alors : $$-\lambda t_1 = \ln \frac{A(t_1)}{\lambda N_0} \quad \text{et} \quad t_1 = \frac{1}{\lambda} \ln \frac{\lambda N_0}{A(t_1)}.$$

Numériquement, avec $A(t_1) = 3{,}7 \times 10^3$ Bq, $\lambda = 5{,}1 \times 10^{-11}$ SI, et $N_0 = 2{,}47 \times 10^{21}$ noyaux, nous calculons :

$$\boxed{t_1 = 3{,}4 \times 10^{11} \text{ s} = 1{,}1 \times 10^4 \text{ ans}}$$

2. Remarque : nous obtenons bien le bon ordre de grandeur pour t_1.

La fusion nucléaire, comme la fission nucléaire, produit également des déchets radioactifs, mais la décroissance de ceux-ci est plus rapide que pour ceux issus de la fission. Ainsi, cent ans après l'arrêt d'un réacteur de fusion, les déchets sont de « faible activité » alors qu'il faut une durée cent fois plus importante pour que l'américium 241, par exemple, issu de la fission nucléaire, devienne de « faible activité ».

THÈME **Réactions nucléaires**

Nucléosynthèse des éléments chimiques

L'usage de la calculatrice n'est pas autorisé.

Le but de cet exercice est d'étudier les réactions nucléaires qui se produisent dans l'univers, notamment dans les étoiles, et qui engendrent la synthèse des éléments chimiques.

Données

- Masse d'un noyau d'hydrogène ou d'un proton : $m_p = 1{,}67 \times 10^{-27}$ kg.
- Masse d'un positron (ou positon) : m_e.
- Célérité de la lumière dans le vide : $c = 3{,}00 \times 10^8$ m · s^{-1}.
- Constante radioactive du « béryllium 8 » : $\lambda \approx 1 \times 10^{16}$ s^{-1}.
- 1 eV = $1{,}60 \times 10^{-19}$ J.
- Constante de Planck : $h = 6{,}63 \times 10^{-34}$ J · s.

Certaines aides au calcul peuvent comporter des résultats ne correspondant pas au calcul à effectuer.

1. LES PREMIERS ÉLÉMENTS PRÉSENTS DANS L'UNIVERS

Selon le modèle du big-bang, quelques secondes après l'explosion originelle, les seuls éléments chimiques présents étaient l'hydrogène (90 %), l'hélium et le lithium, ce dernier en quantité très faible. Les physiciens ont cherché à comprendre d'où provenaient les autres éléments existant dans l'univers.

❶ Déterminer la composition des noyaux des atomes d'hélium ${}^{4}_{2}\mathrm{He}$ et ${}^{3}_{2}\mathrm{He}$ ainsi que celle de l'ion hélium ${}^{4}_{2}\mathrm{He}^{2+}$.

❷ La synthèse des éléments chimiques plus lourds se fait par des réactions nucléaires. Pourquoi cette synthèse ne peut-elle pas se faire par des réactions chimiques ?

2. FUSION DE L'HYDROGÈNE

Sous l'action de la force gravitationnelle les premiers éléments (hydrogène, hélium...) se rassemblent, formant des nuages gazeux en certains endroits de l'univers. Puis le nuage s'effondre sur lui-même et la température centrale atteint environ 10^7 K. À cette température démarre la première réaction de fusion de l'hydrogène dont le bilan peut s'écrire :

$$4\,{}^{1}_{1}\mathrm{H} \rightarrow {}^{4}_{2}\mathrm{He} + 2\,{}^{0}_{1}\mathrm{e}.$$

Une étoile est née.

❶ En notant m_{He} la masse d'un noyau d'« hélium 4 », écrire l'expression littérale de l'énergie $|\Delta E|$ libérée lors de cette réaction de fusion des 4 noyaux d'hydrogène.
L'application numérique donne une valeur voisine de $|\Delta E| \approx 4 \times 10^{-12}$ J.

❷ Cas du Soleil

1. À sa naissance, on peut estimer que le Soleil avait une masse d'environ $M_S = 2 \times 10^{30}$ kg. Seul un dixième de cette masse est constituée d'hydrogène suffisamment chaud pour être le siège des réactions de fusion. On considère que l'essentiel de l'énergie produite vient de la réaction de fusion précédente.
Montrer que l'énergie totale E_T pouvant être produite par ces réactions de fusion est voisine de $E_T \approx 10^{44}$ J.

2. Des physiciens ont mesuré la quantité d'énergie reçue par la Terre et en ont déduit l'énergie E_S libérée par le Soleil en une année : $E_S \approx 10^{34}$ J · an^{-1}.
En déduire la durée Δt nécessaire pour que le Soleil consomme toutes ses réserves d'hydrogène.

3. UN PRODUIT DE LA FUSION DE L'HÉLIUM

D'autres réactions de nucléosynthèse peuvent se produire au cœur d'une étoile. Selon les modèles élaborés par les physiciens, l'accumulation par gravitation des noyaux d'hélium formés entraîne une contraction du cœur de l'étoile et une élévation de sa température. Lorsqu'elle atteint environ 10^8 K, la fusion de l'hélium commence : ${}^4_2\text{He} + {}^4_2\text{He} \rightarrow {}^8_4\text{Be}$. Il se forme ainsi des noyaux de « béryllium 8 » radioactifs de très courte durée de vie.
On s'intéresse à la radioactivité du « béryllium 8 ». Soit $N(t)$ le nombre de noyaux de « béryllium 8 » présents dans l'échantillon à l'instant de date t, et N_0 celui à l'instant de date $t_0 = 0$ s.

❶ En utilisant la loi de décroissance radioactive, démontrer la relation entre la demi-vie $t_{1/2}$ et la constante radioactive λ : $t_{1/2} = \dfrac{\ln 2}{\lambda}$.

❷ Calculer le temps de demi-vie $t_{1/2}$ du « béryllium 8 ».
Aide au calcul : $\ln 2 \approx 0{,}7$.

❸ En déduire le rapport $\dfrac{N(t_1)}{N_0}$ à l'instant de date $t_1 = 1{,}4 \times 10^{-16}$ s.

4. VERS DES ÉLÉMENTS PLUS LOURDS

Dans les étoiles de masse au moins 4 fois supérieure à celle du Soleil, d'autres éléments plus lourds peuvent ensuite être formés par fusion, par exemple le carbone ^{12}C, l'oxygène ^{16}O, le magnésium ^{24}Mg, le soufre ^{32}S (...) et le fer ^{56}Fe.

❶ Donner l'expression littérale de l'énergie de liaison par nucléon $\dfrac{E_\ell}{A}$ d'un noyau de fer ${}^{56}_{26}\text{Fe}$, en fonction des masses du neutron m_n, du proton m_p, du noyau de « fer 56 » m_{Fe} et de la célérité de la lumière dans le vide c.

❷ Indiquer sur la courbe d'Aston représentée en **annexe** (à rendre avec la copie) le point correspondant à la position du noyau de « fer 56 ».

❸ En s'aidant de la courbe précédente, dire où se situent les noyaux capables de libérer de l'énergie lors d'une réaction de fusion.

Dans certaines étoiles, à la fin de la période des fusions, une explosion se produit libérant de l'énergie. Des noyaux de fer ${}^{56}_{26}\text{Fe}$ sont dissociés et d'autres sont recréés par désintégration radioactive des noyaux de cobalt ${}^{56}_{27}\text{Co}$. Les noyaux de fer, formés dans un état excité, émettent alors des rayonnements d'énergie bien déterminée, tels que le satellite SMM a pu en détecter en 1987 en observant une supernova dans le nuage de Magellan.

1 Lors de la désintégration radioactive du noyau de cobalt ${}^{56}_{27}\text{Co}$ il se forme, en plus du fer ${}^{56}_{26}\text{Fe}$, une autre particule.

Écrire l'équation de cette désintégration et nommer la particule formée.

2 L'un des rayonnements détectés a une énergie de 1 238 keV.

1. Quelle est l'origine de ce rayonnement émis par le fer ?

2. Ce rayonnement a une énergie bien déterminée. Que peut-on en déduire concernant les niveaux d'énergie du noyau de fer ?

3. Ce rayonnement est-il un rayonnement X ou γ ? Justifier.
On pourra s'aider de la gamme de longueurs d'onde donnée sur la **figure 1**.

Aide au calcul :

- $\dfrac{6{,}63}{3{,}00 \times 1{,}238} \approx 1{,}8$
- $\dfrac{1{,}238 \times 6{,}63}{3{,}00} \approx 2{,}7$
- $\dfrac{3{,}00 \times 6{,}63}{1{,}238} \approx 16$

Remarque : l'énergie libérée lors de l'explosion de l'étoile permet de former les éléments de nombre de masse supérieur à 56.

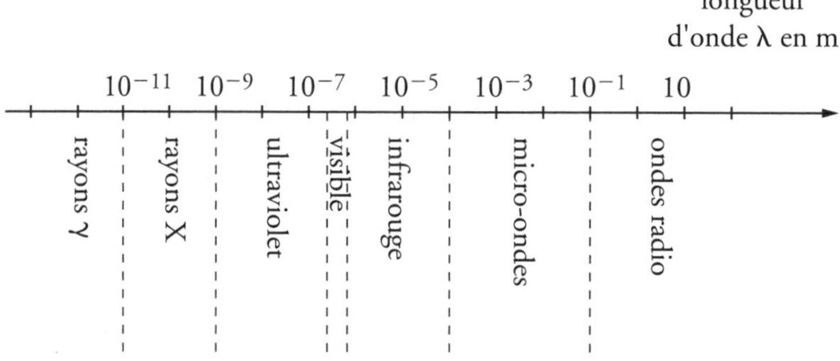

Figure 1. Gamme de longueurs d'onde

Annexe

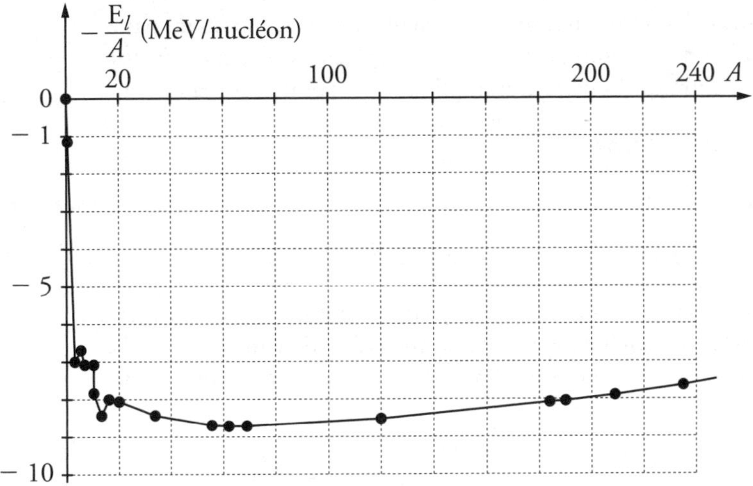

Courbe d'Aston

LES CLÉS DU SUJET

■ Notions et compétences en jeu

– Énergie libérée par une réaction de fusion.
– Loi de décroissance radioactive, temps de demi-vie.
– Énergie de liaison par nucléon, courbe d'Aston.

■ Conseils du correcteur

Partie 2

❶ Utilisez l'équivalence masse-énergie postulée par Einstein.
❷ **1.** L'énergie libérée est proportionnelle à la masse de noyaux d'hydrogène engagée dans la réaction de fusion.

Partie 3

❸ Comparez t_1 à $t_{1/2}$.

PHYSIQUE

CORRIGÉ SUJET 7

1. LES PREMIERS ÉLÉMENTS PRÉSENTS DANS L'UNIVERS

❶ Les atomes d'hélium et l'ion hélium ont tous le même numéro atomique $Z = 2$, leur noyau contient donc **deux protons**.
Le nombre de nucléons A (ou nombre de masse) permet ensuite de déduire leur nombre de neutrons N, puisque $N = A - Z$, ainsi :

$${}^{4}_{2}\text{He} \text{ et } {}^{4}_{2}\text{He}^{2+} \text{ possèdent } N = 4 - 2 = \mathbf{2\ neutrons},$$

$${}^{3}_{2}\text{He possède } N = 3 - 2 = \mathbf{1\ neutron}.$$

2 Les réactions chimiques ne mettent en jeu que les électrons externes des espèces chimiques et non les particules de leur noyau. En particulier, elles ne modifient pas le nombre de protons, c'est-à-dire le numéro atomique qui caractérise chaque élément, or la synthèse d'éléments chimiques plus lourds implique une modification du noyau.

Les travaux des premiers alchimistes qui souhaitaient transformer chimiquement le plomb en or étaient inéluctablement voués à l'échec.

2. FUSION DE L'HYDROGÈNE

1 L'énergie libérée lors de la réaction de fusion s'écrit :

$$\boxed{|\Delta E| = |m_{\text{He}} + 2m_{\text{e}} - 4m_{\text{p}}| \cdot c^2}$$

Une énergie libérée est toujours comptée positivement.

2 **1.** L'énergie de la réaction de fusion calculée précédemment implique seulement la masse de quatre protons. Lorsqu'une masse de protons d'un dixième de fois celle du Soleil est engagée, l'énergie totale pouvant être libérée augmente proportionnellement à cette masse et devient telle que :

$$E_{\text{T}} = \frac{M_{\text{S}}}{10} \times \frac{|\Delta E|}{4m_{\text{p}}} = \frac{2 \times 10^{30}}{10} \times \frac{4 \times 10^{-12}}{4 \times 1{,}67 \times 10^{-27}} = \frac{2}{1{,}67} \times 10^{44}$$

soit :

$$\boxed{E_{\text{T}} \approx 1 \times 10^{44}\ \text{J}}$$

2. La durée nécessaire pour que le Soleil consomme toutes ses réserves d'hydrogène vaut :

$$\Delta t = \frac{E_{\text{T}}}{E_{\text{S}}} \approx \frac{1 \times 10^{44}}{1 \times 10^{34}} \qquad \boxed{\Delta t \approx 1 \times 10^{10}\ \text{ans}}$$

3. UN PRODUIT DE LA FUSION DE L'HÉLIUM

1 Après une durée correspondant à une demi-vie $t_{1/2}$, le nombre de noyaux radioactifs de béryllium 8 a diminué de moitié. La loi de décroissance radioactive nous donne alors :

$$N(t_{1/2}) = \frac{N_0}{2} = N_0 \mathrm{e}^{-\lambda t_{1/2}}$$

soit :

$$\frac{1}{2} = \mathrm{e}^{-\lambda t_{1/2}}, \quad \text{et} \quad \ln \frac{1}{2} = -\lambda t_{1/2}$$

par conséquent :

$$\boxed{t_{1/2} = \frac{\ln 2}{\lambda}}$$

2 Numériquement, nous calculons :

$$\boxed{t_{1/2} = \frac{1}{1 \times 10^{16}} \times \ln 2 \approx 0{,}7 \times 10^{-16}\ \text{s}}$$

3 Nous remarquons que l'instant de date t_1 est tel que $t_1 = 2 \times t_{1/2}$, en conséquence, à cet instant, le nombre de noyaux de béryllium 8 aura encore diminué de moitié par rapport à celui de l'instant de date $t_{1/2}$, donc :

$$N(t_1) = \frac{N(t_{1/2})}{2} = \frac{N_0}{4}$$

alors :

$$\boxed{\frac{N(t_1)}{N_0} = \frac{1}{4}}$$

4. VERS DES ÉLÉMENTS PLUS LOURDS

❶ L'énergie de liaison du noyau de fer 56 s'écrit :

$$E_\ell({}^{56}_{26}\text{Fe}) = [26m_\text{p} + (56-26)m_\text{n} - m_\text{Fe}] \cdot c^2$$

d'où l'expression de l'énergie de liaison par nucléon du noyau de fer ${}^{56}_{26}\text{Fe}$ possédant $A = 56$ nucléons :

$$\boxed{\frac{E_\ell}{A}({}^{56}_{26}\text{Fe}) = \frac{1}{56} \times [26m_\text{p} + (56-26)m_\text{n} - m_\text{Fe}] \cdot c^2}$$

Cette énergie de liaison est toujours positive car elle représente la variation d'énergie du noyau auquel il faut fournir de l'énergie pour le dissocier en ses nucléons constitutifs.

❷ Sur la courbe d'Aston, le point correspondant à la position du noyau de « fer 56 » est celui dont l'abscisse vaut $A = 56$, soit :

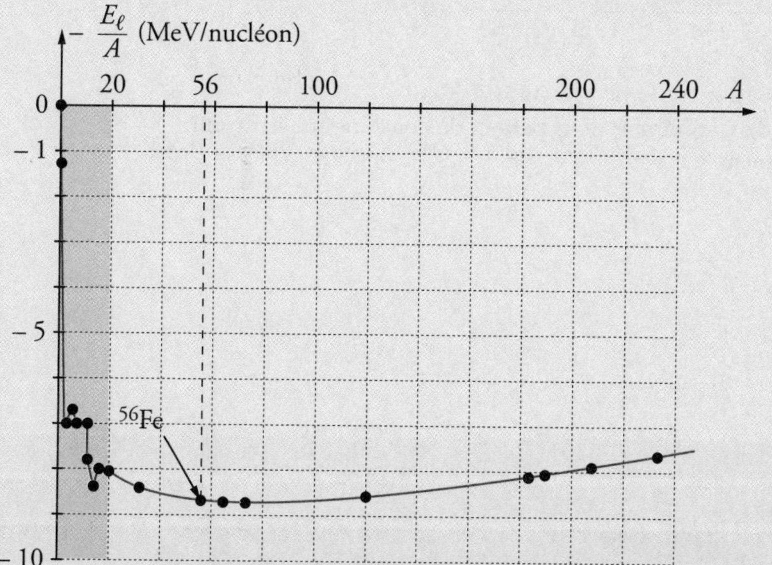

❸ Les réactions de fusion ont lieu à partir de noyaux légers pour donner des noyaux plus lourds et plus stables. C'est donc au début de la classification périodique, pour les éléments dont les noyaux ont un faible nombre de nucléons (zone colorée sur la courbe d'Aston), que se situent les noyaux capables de libérer de l'énergie lors d'une réaction de fusion.

Les noyaux lourds se situant dans la partie droite de la courbe d'Aston sont ceux susceptibles de subir des réactions de fission.

5. L'ÉLÉMENT FER

❶ La désintégration radioactive du noyau de cobalt 56 peut s'écrire :

$${}^{56}_{27}\text{Co} \rightarrow {}^{56}_{26}\text{Fe} + {}^{a}_{z}x$$

où ${}^{a}_{z}x$ est une autre particule.
La conservation du nombre de nucléons impose alors :

$$56 = 56 + a \text{ donc } a = 0$$

et la conservation de la charge électrique impose :

$$27 = 26 + z \text{ donc } z = 1$$

La particule formée est donc **un positon** (ou positron) suivant l'équation :

$$\boxed{{}^{56}_{27}\text{Co} \rightarrow {}^{56}_{26}\text{Fe} + {}^{0}_{1}\text{e}}$$

2 **1.** Le noyau fils $^{56}_{26}Fe$ formé se trouve fréquemment dans un état excité. Le retour vers son état fondamental se fait par libération d'énergie sous forme de rayonnement.

Il s'agit d'un rayonnement γ, très énergétique.

2. Ce rayonnement a une énergie bien déterminée, ce qui implique que l'écart entre les niveaux d'énergie du noyau de fer 56 possède lui aussi une valeur bien déterminée. Les écarts entre les niveaux d'énergie sont quantifiés.

3. Calculons la longueur d'onde dans le vide de ce rayonnement :

$$E = \frac{hc}{\lambda}$$

soit :

$$\lambda = \frac{hc}{E} = \frac{6{,}63 \times 10^{-34} \times 3{,}00 \times 10^{8}}{1\,238 \times 10^{3} \times 1{,}60 \times 10^{-19}}$$

$$= \frac{6{,}63 \times 3{,}00}{1{,}238} \times \frac{10^{-13}}{1{,}60} \approx \frac{16}{1{,}60} \times 10^{-13}$$

donc :

$$\lambda \approx 10 \times 10^{-13}\ \text{m} \approx 1{,}0 \times 10^{-12}\ \text{m}.$$

La gamme des longueurs d'onde fournie nous permet de conclure que le rayonnement émis est un **rayonnement** γ.

SUJET 8

NOUVELLE-CALÉDONIE • NOVEMBRE 2006

ENSEIGNEMENT OBLIGATOIRE

4 POINTS

THÈME Évolution des systèmes électriques

Évolution énergétique d'un circuit *RLC* série

L'usage de la calculatrice n'est pas autorisé.

Au cours d'une séance de travaux pratiques, un élève réalise le circuit schématisé ci-après (**figure 1**). Ce circuit est constitué des éléments suivants :
– un générateur délivrant une tension continue constante de valeur $E = 4{,}0$ V ;
– une résistance R réglable ;
– un condensateur de capacité $C = 2{,}0\ \mu$F ;
– une bobine d'inductance L et de résistance r.
Un commutateur (K) permet de relier le dipôle (RC) soit au générateur, soit à la bobine.
L'entrée Y_1 d'une interface, reliée à un ordinateur, est connectée à la borne A ; l'autre entrée Y_2 est connectée à la borne D. La masse de l'interface est connectée à la borne B.
Les entrées Y_1, Y_2 et la masse de l'interface sont équivalentes respectivement aux entrées Y_1, Y_2 et à la masse d'un oscilloscope.

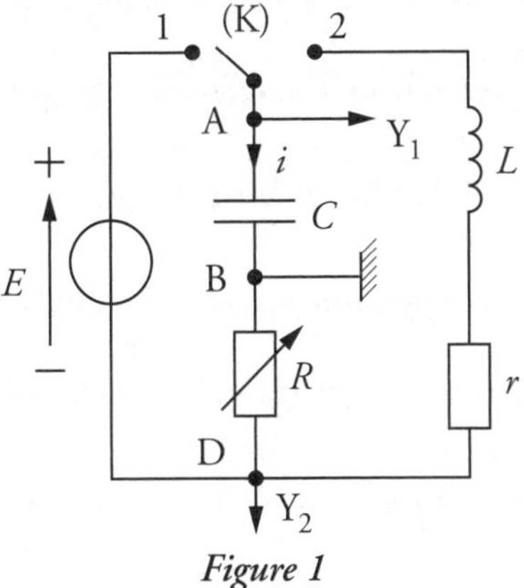

Figure 1

1. ÉTUDE ÉNERGÉTIQUE DU CONDENSATEUR

Au cours de cette question, on étudie la charge du condensateur. À l'instant de date $t = 0$ s, le condensateur est déchargé et on bascule le commutateur en position 1.

❶ Tensions

Représenter, sur la **figure 3** en **annexe** (à rendre avec la copie), par des flèches :
– la tension $u_{DB}(t)$ aux bornes de la résistance ;
– la tension $u_{AB}(t)$ aux bornes du condensateur.

❷ Charge du condensateur

1. Donner, en le justifiant, le signe de la charge q portée par l'armature A du condensateur au cours de sa charge et la relation existant entre la charge q et la tension u_{AB}.

2. En tenant compte de l'orientation du circuit, donner la relation vérifiée à chaque instant par l'intensité $i(t)$ du courant et la charge $q(t)$.

3. À partir des expressions des tensions aux bornes des trois dipôles, établir l'équation différentielle vérifiée par $u_{AB}(t)$.

4. Vérifier que l'expression suivante de $u_{AB}(t)$ est solution de cette équation différentielle :

$$u_{AB}(t) = E \cdot \left(1 - e^{-\frac{t}{RC}}\right).$$

❸ Énergie électrique E_e emmagasinée par le condensateur

1. Donner en fonction de $u_{AB}(t)$ l'expression littérale de l'énergie électrique E_e emmagasinée par le condensateur.

2. En déduire l'expression littérale $E_{e\,max}$ de sa valeur maximale et calculer sa valeur.

2. ÉTUDE ÉNERGÉTIQUE DU CIRCUIT *RLC*

❶ Une fois le condensateur chargé, l'élève bascule rapidement le commutateur (K) de la position 1 à la position 2 : il prend l'instant du basculement comme nouvelle origine des dates. Le condensateur se décharge alors dans la bobine.

L'acquisition informatisée des tensions permet de visualiser l'évolution des tensions $u_{AB}(t)$ et $u_{DB}(t)$ en fonction du temps.
Après transfert des données vers un tableur-grapheur, l'élève souhaite étudier l'évolution des différentes énergies au cours du temps.

1. Exprimer littéralement, en fonction de $i(t)$, l'énergie magnétique E_m emmagasinée dans la bobine.

2. À partir de l'une des tensions enregistrées $u_{AB}(t)$ et $u_{DB}(t)$, donner l'expression de l'intensité instantanée $i(t)$.
En déduire l'expression de l'énergie magnétique emmagasinée dans la bobine en fonction de l'une des tensions enregistrées.

3. En déduire l'expression de l'énergie totale E_T du circuit en fonction des tensions $u_{AB}(t)$ et $u_{DB}(t)$.

2 À partir du tableur-grapheur, l'élève obtient le graphe ci-dessous (**figure 2**) qui montre l'évolution, en fonction du temps, des trois énergies : E_e énergie électrique, E_m énergie magnétique et E_T énergie totale.

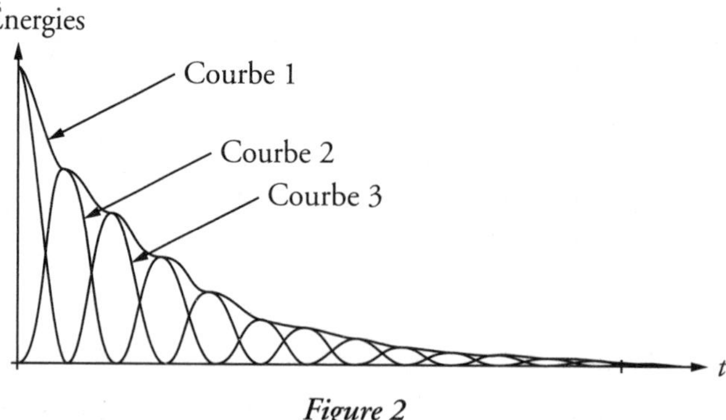

Figure 2

Identifier chaque courbe en justifiant. Quel phénomène explique la décroissance de la courbe 1 ?

3. ENTRETIEN DES OSCILLATIONS

Pour entretenir les oscillations, on ajoute en série dans le circuit précédent un dispositif assurant cette fonction. On refait alors une acquisition informatisée.

1 Tracer sur la **figure 4** en **annexe**, les deux courbes manquantes. Préciser ce que chacune des trois courbes représente.

2 Pourquoi un tel régime est-il qualifié d'entretenu ?

Annexe

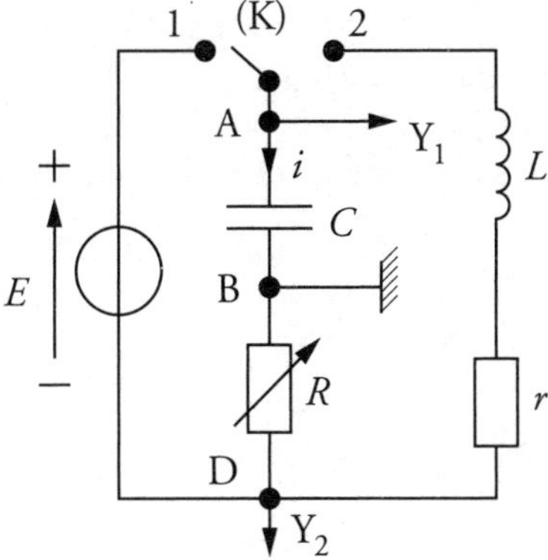

Figure 3

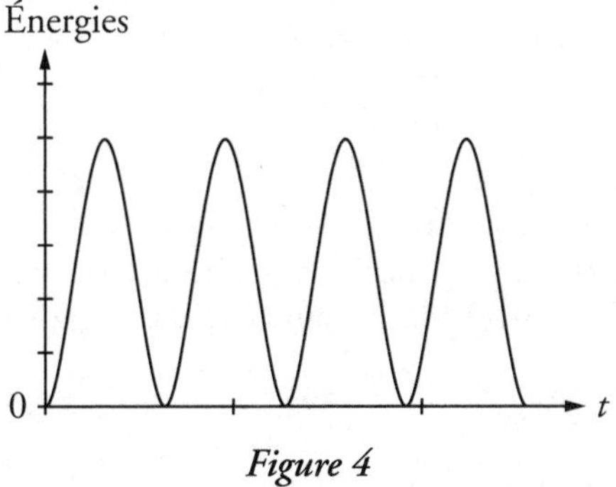

Figure 4

LES CLÉS DU SUJET

■ Notions et compétences en jeu

- Relations charge-tension et charge-intensité en convention récepteur.
- Application de la loi d'additivité des tensions pour établir une équation différentielle.
- Énergies emmagasinées dans un condensateur et dans une bobine.
- Décharge oscillante d'un condensateur dans une bobine, entretien des oscillations.

■ Conseils du correcteur

Partie 1

❶ Remémorez-vous la convention d'orientation d'une flèche tension.

❷ **1.** et **2.** Là aussi, tout n'est affaire que de conventions.

Partie 2

❷ Focalisez votre attention sur l'instant de date $t = 0\,\text{s}$. Réfléchissez aux valeurs que prennent E_e et E_m à cet instant.

1. ÉTUDE ÉNERGÉTIQUE DU CONDENSATEUR

❶ Une flèche tension pointe toujours vers la première lettre du nom de la tension considérée, donc :

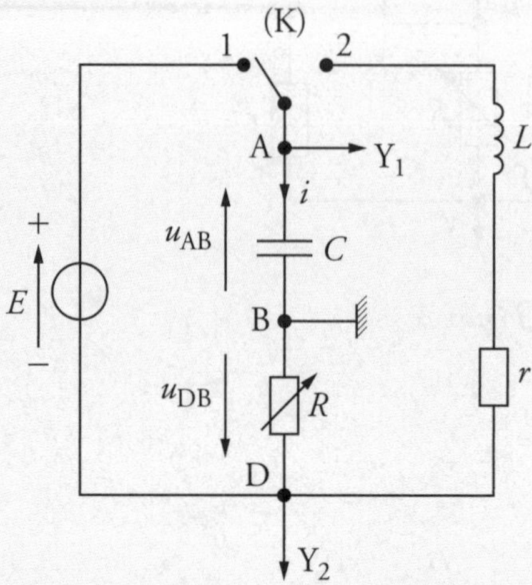

❷ **1.** Lors de la charge du condensateur, le courant circule effectivement dans le sens représenté sur le circuit alors que les électrons se déplacent en sens inverse, de ce fait la charge $q = q_A$ est **positive**. La relation charge-tension aux bornes du condensateur s'écrit alors, en convention récepteur :

$$\boxed{q = Cu_{AB}}$$

2. Compte tenu de l'orientation du circuit, nous avons également :

$$\boxed{i(t) = \frac{dq(t)}{dt}}$$

Par convention, la charge q qui apparaît dans cette expression est celle portée par l'armature du condensateur sur laquelle pointe la flèche indiquant le sens du courant.

3. Appliquons la loi d'additivité des tensions :

$$u_{AD} = u_{AB} + u_{BD}$$

or $u_{BD} = Ri$ d'après la loi d'Ohm et $u_{AD} = E$, de plus :

$$i = \frac{dq}{dt} = \frac{d}{dt}\,[Cu_{AB}] = C\,\frac{du_{AB}}{dt}$$

alors :

$$E = u_{AB} + RC\,\frac{du_{AB}}{dt}$$

qui peut aussi s'écrire :

$$\boxed{\frac{du_{AB}}{dt} + \frac{1}{RC}\,u_{AB} = \frac{E}{RC}}$$

4. Si l'expression analytique fournie est bien solution de l'équation différentielle, elle doit vérifier cette dernière :

$$\frac{d}{dt}\left[E\left(1 - e^{-\frac{t}{RC}}\right)\right] + \frac{1}{RC}\,E\left(1 - e^{-\frac{t}{RC}}\right) = \frac{E}{RC}\,e^{-\frac{t}{RC}} + \frac{E}{RC} - \frac{E}{RC}\,e^{-\frac{t}{RC}} = \frac{E}{RC}$$

Nous montrons bien que $\frac{\mathrm{d}u_{AB}}{\mathrm{d}t} + \frac{1}{RC}\,u_{AB} = \frac{E}{RC}$ avec l'expression de u_{AB} donnée dans l'énoncé.

3 **1.** Nous admettons en Terminale que :

$$\boxed{E_e = \frac{1}{2} \times Cu_{AB}^2}$$

2. La valeur de l'énergie électrique est maximale lorsque la tension aux bornes du condensateur est maximale, soit $u_{AB} = U_{AB} = \text{cte}$. L'équation différentielle est alors toujours vérifiée, donc :

$$\frac{\mathrm{d}U_{AB}}{\mathrm{d}t} + \frac{1}{RC}\,U_{AB} = \frac{E}{RC}, \text{ avec } \frac{\mathrm{d}U_{AB}}{\mathrm{d}t} = 0, \text{ soit } U_{AB} = E.$$

Alors l'énergie $E_{e\,max}$ s'écrit :

$$\boxed{E_{e\,max} = \frac{1}{2} \times CE^2}$$

Numériquement, nous calculons :

$$E_{e\,max} = \frac{1}{2} \times 2{,}0 \times 10^{-6} \times (4{,}0)^2 = 16 \times 10^{-6}\ \mathrm{J}$$

$$\boxed{E_{e\,max} = 16\ \mu\mathrm{J}}$$

2. ÉTUDE ÉNERGÉTIQUE DU CIRCUIT *RLC*

1 **1.** Nous admettons en Terminale que :

$$\boxed{E_m = \frac{1}{2} \times Li^2}$$

2. L'utilisation de la loi d'Ohm permet d'écrire :

$$u_{DB}(t) = -Ri(t)$$

donc :

$$\boxed{i(t) = -\frac{u_{DB}(t)}{R}}$$

L'énergie magnétique s'exprime alors aussi :

$$\boxed{E_m = \frac{1}{2} \times \frac{L}{R^2}\,u_{DB}^2}$$

3. L'énergie totale du circuit a pour expression :

$$E_T = E_e + E_m$$

soit ici :

$$\boxed{E_T = \frac{1}{2} \times Cu_{AB}^2 + \frac{1}{2} \times \frac{L}{R^2}\,u_{DB}^2}$$

La loi d'Ohm ne permet d'exprimer la tension qu'aux bornes d'un conducteur ohmique.

2 Au nouvel instant de date $t = 0$, le condensateur est chargé et commence à se décharger, nous en déduisons que l'énergie électrique E_e diminue initialement et va jusqu'à s'annuler lorsque le condensateur est totalement déchargé.
Parallèlement à cela, l'intensité du courant, initialement nulle, augmente, tout comme l'énergie magnétique. **La courbe 3 représente donc $E_e(t)$, la courbe 2 montre les variations de $E_m(t)$** alors que la courbe 1 représente $E_T(t)$. Cette dernière décroît du fait des pertes d'énergie du circuit par **effet Joule.**

L'effet Joule correspond à une dissipation d'énergie, sous forme de chaleur, au niveau des parties résistives du circuit.

3. ENTRETIEN DES OSCILLATIONS

❶ Dans le cas où un dispositif compense les pertes d'énergie par effet Joule, l'énergie totale du circuit reste constante et les énergies E_e et E_m varient en sens inverse :

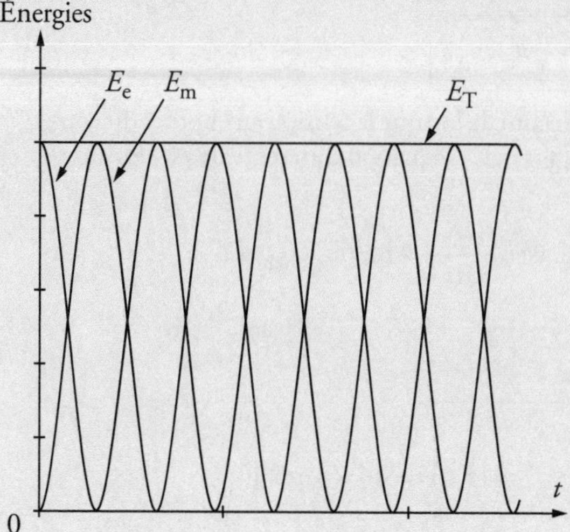

❷ Le régime est entretenu car **un dispositif extérieur fournit de l'énergie au système** afin de maintenir les oscillations électriques.

SUJET 9 — PONDICHÉRY • MARS 2007 — ENSEIGNEMENT OBLIGATOIRE

5 POINTS

THÈME **Évolution des systèmes électriques**

Étude d'un « super condensateur »

Le but de cet exercice est d'étudier les composants nommés Ultra Caps et en français « super condensateurs » : il s'agit de condensateurs à très forte capacité. Les condensateurs usuels ont en effet une capacité qui se chiffre en micro ou millifarads. Les « super condensateurs » ont une capacité qui peut dépasser le millier de farads ! Il s'agit en fait de composants intermédiaires entre des condensateurs et des accumulateurs électrochimiques.

La firme Bombardier (notamment fabricant de tramways), associée à MVV Verkehr AG de Mannheim, a développé le projet Mitrac Energy Saver : il s'agit d'équiper un tramway de « super condensateurs ». Ceux-ci, logés dans le toit du véhicule, sont capables d'emmagasiner une énergie importante, largement récupérée lors des freinages. Ces « super condensateurs » ne sont donc pas qu'une simple curiosité de laboratoire.

1. CHARGE DU CONDENSATEUR À L'AIDE D'UNE SOURCE DE TENSION CONSTANTE

On dispose d'un condensateur sur lequel le fabricant a indiqué « 1 F ». Pour vérifier la valeur de la capacité, on réalise le circuit suivant :

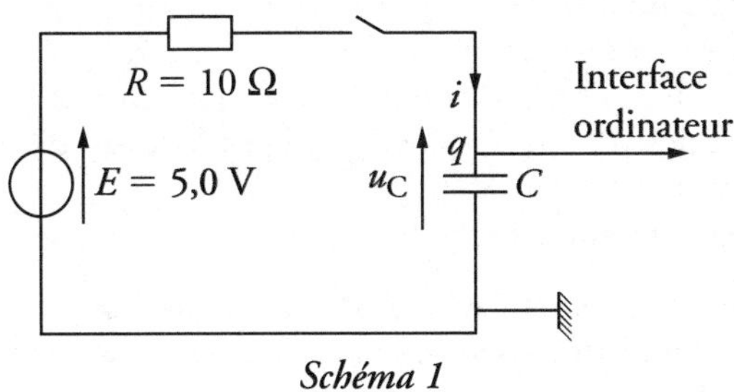

Schéma 1

L'ensemble RC est attaqué par un générateur de tension $E = 5,0$ V.
Le sens positif du courant et les tensions sont indiqués sur le schéma.
On relie le condensateur à une interface de saisie de données.
À l'instant $t = 0$, on ferme l'interrupteur et on relève la tension aux bornes du condensateur. On obtient la courbe reproduite en **annexe** : **enregistrement 1**.

❶ En utilisant la loi d'additivité des tensions, établir la relation qui existe entre $u_C(t)$ et sa dérivée par rapport au temps (équation différentielle vérifiée par u_C).

❷ Sachant que $u_C(t) = E\left(1 - e^{-\frac{t}{\tau}}\right)$ est solution de l'équation différentielle précédente, déterminer l'expression de τ en fonction des caractéristiques du circuit.
Vérifier que $u_C(t)$ satisfait la condition initiale $u_C = 0$ à $t = 0$.

❸ À partir de l'enregistrement et par une méthode de votre choix (à détailler), déterminer la valeur de la capacité C du condensateur étudié (**enregistrement 1** : utiliser l'**annexe** à rendre avec la copie). Comparer avec la valeur donnée par le fabricant.

2. RESTITUTION DE L'ÉNERGIE ET DÉCHARGE À COURANT CONSTANT

Pour la suite de l'exercice, nous admettrons que la valeur de C est $C = 1,0$ F.

Le condensateur est incorporé au montage suivant (**schéma 2**) :

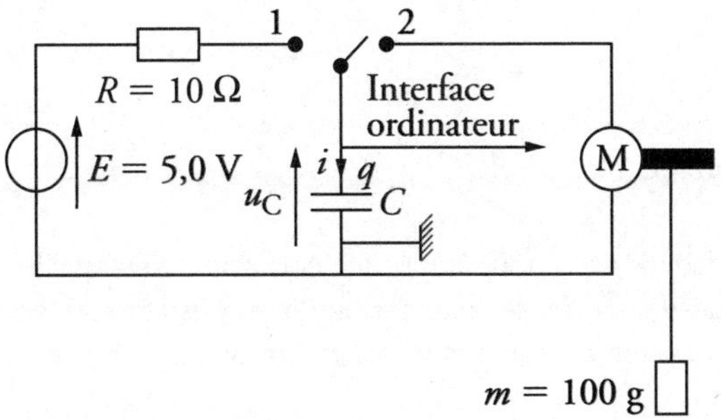

Schéma 2

Le schéma précise le sens positif du courant, la définition des tensions E et u_C et l'armature du condensateur portant la charge $q(t)$.

M est un moteur sur l'axe duquel est enroulée une ficelle soutenant à son extrémité une masse marquée de valeur $m = 100$ g.

❶ À l'instant $t = 0$ pris comme nouvelle origine du temps, on bascule l'interrupteur en voie 2. Le condensateur se décharge et le moteur se met en mouvement entraînant la charge $m = 100$ g. Celle-ci monte d'une hauteur $h = 3{,}10$ m en 18 s.
Les valeurs enregistrées par le logiciel sont les suivantes :
$t = 0$ (démarrage du moteur), $u_C(0) = 4{,}9$ V ; $t = 18$ s (arrêt du moteur), $u_C(18) = 1{,}5$ V.
L'enregistrement de $u_C(t)$ par le logiciel donne une courbe qui peut être assimilée à une droite représentée par : $u_C(t) = at + b$, avec $a < 0$, et $b > 0$.
Calculer les valeurs numériques des constantes a et b.

❷ Déterminer l'expression de la charge instantanée $q(t)$ du condensateur en fonction du temps. En déduire la valeur de l'intensité du courant i. Que pensez-vous du signe de i ?

❸ Calculer successivement :
– l'énergie stockée dans le condensateur à $t = 0$;
– l'énergie restant à $t = 18$ s ;
– l'énergie cédée par le condensateur ;
– l'énergie mécanique (potentielle) reçue par la masse marquée, on prendra $g = 9{,}8$ m · s^{-2} ;
– le rendement du dispositif (en pourcentage).

Annexe

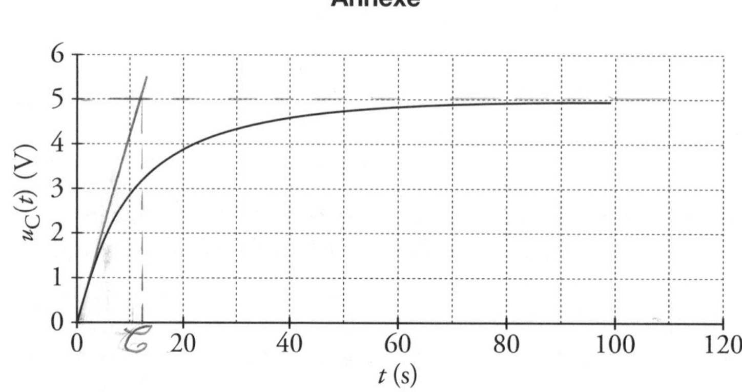

Enregistrement 1

LES CLÉS DU SUJET

■ Notions et compétences en jeu

- Dipôle *RC*.
- Utilisation de la loi d'additivité des tensions pour établir une équation différentielle.
- Exploiter une équation différentielle pour établir l'expression de la constante de temps.
- Énergie stockée dans un condensateur, énergie potentielle de pesanteur.

■ Conseils du correcteur

Partie 1

❷ Remplacez l'expression de $u_C(t)$ dans l'équation différentielle afin de trouver la condition à satisfaire pour que cette fonction vérifie l'équation différentielle.

Partie 2

❷ Dérivez l'expression analytique de $q(t)$ par rapport au temps pour obtenir celle de $i(t)$.

❸ Le rendement du dispositif est le rapport entre l'énergie réellement utilisée et celle potentiellement utilisable.

CORRIGÉ SUJET 9

1. CHARGE DU CONDENSATEUR À L'AIDE D'UNE SOURCE DE TENSION CONSTANTE

❶ Notons u_R la tension, fléchée dans le sens opposé au sens de circulation du courant, aux bornes du conducteur ohmique. Appliquons la loi d'additivité des tensions au circuit après fermeture de l'interrupteur :

$$E = u_R + u_C$$

or, d'après la loi d'Ohm, $u_R = Ri$, et par ailleurs, conventionnellement, $i = \frac{dq}{dt}$ avec $q = Cu_C$ ce qui implique donc $i = C\frac{du_C}{dt}$ car C est une constante.

Finalement, nous aboutissons à l'équation différentielle vérifiée par u_C :

$$\boxed{E = RC\frac{du_C}{dt} + u_C}$$

❷ Puisque $u_C(t) = E\left(1 - e^{-\frac{t}{\tau}}\right)$ est solution de l'équation différentielle, cette fonction doit vérifier cette équation, soit :

$$E = RC\frac{du_C}{dt} + u_C = RC\frac{d}{dt}\left[E\left(1 - e^{-\frac{t}{\tau}}\right)\right] + E\left(1 - e^{-\frac{t}{\tau}}\right)$$

alors :

$$\frac{RCE}{\tau}e^{-\frac{t}{\tau}} + E - Ee^{-\frac{t}{\tau}} = E$$

$$\left(\frac{RC}{\tau} - 1\right)Ee^{-\frac{t}{\tau}} = 0.$$

Pour que cette égalité soit vérifiée quel que soit $t \geqslant 0$ s, il faut que :

$$\frac{RC}{\tau} = 1 \quad \text{donc} \quad \boxed{\tau = RC}$$

La solution $E = 0$ V, bien que mathématiquement acceptable, ne correspond pas à la réalité physique.

Par ailleurs, à $t = 0$ s la solution analytique de $u_C(t)$ nous donne :

$$u_C(0) = E\left(1 - e^{-\frac{0}{\tau}}\right) = E \times (1 - 1) = 0$$

ce qui vérifie bien la condition initiale.

❸ L'enregistrement nous permet de déterminer la valeur de la constante de temps τ. En effet, celle-ci correspond à l'abscisse du point de la courbe $u_C = f(t)$ dont l'ordonnée vaut $u_C(\tau) = 0{,}63 \times u_{C\,max}$.

Graphiquement, nous lisons : $u_{C\,max} = 4{,}9$ V soit $u_C(\tau) = 3{,}1$ V
et nous déterminons $\tau = 12$ s.

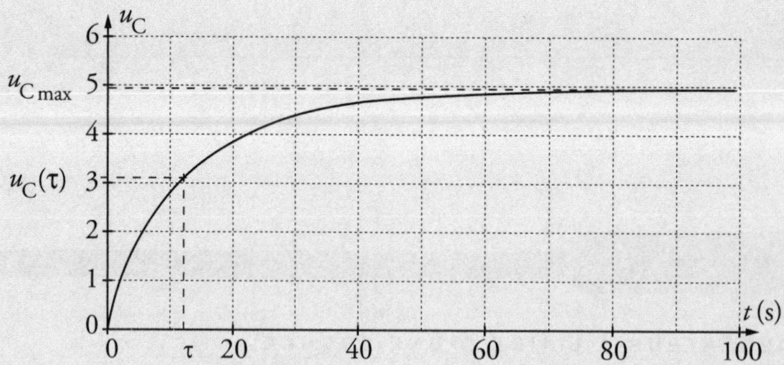

Par suite, puisque $C = \dfrac{\tau}{R}$, nous calculons, avec $R = 10\ \Omega$:

$$\boxed{C = 1{,}2\ \text{F}}$$

soit un écart relatif de 20 % avec la valeur annoncée par le fabricant, ce qui est plutôt élevé.

En effet, la valeur annoncée par le fabricant est fréquemment donnée à 10 % près au maximum.

2. RESTITUTION DE L'ÉNERGIE ET DÉCHARGE À COURANT CONSTANT

❶ La connaissance de deux valeurs de la tension u_C à deux instants de date donnés nous permet d'établir un système de deux équations à deux inconnues :

$$u_C(0) = 4{,}9\ \text{V} = a \times 0 + b$$
$$u_C(18\ \text{s}) = 1{,}5\ \text{V} = a \times 18 + b$$

d'où nous tirons :

$$\boxed{b = 4{,}9\ \text{V}} \quad \text{et} \quad \boxed{a = -0{,}19\ \text{V} \cdot \text{s}^{-1}}$$

Pensez bien que les termes *a* et *b* ont ici une unité.

❷ Nous avons rappelé au **1.** ❶ que :

$$q(t) = Cu_C(t)$$

soit avec $u_C(t) = -0{,}19 \times t + 4{,}9$ et $C = 1{,}0$ F nous obtenons :

$$\boxed{q(t) = -0{,}19 \times t + 4{,}9}$$

Par ailleurs, puisque $i(t) = \dfrac{\mathrm{d}q(t)}{\mathrm{d}t}$ alors $i(t) = \dfrac{\mathrm{d}}{\mathrm{d}t}(-0{,}19 \times t + 4{,}9)$, donc :

$$\boxed{i(t) = -0{,}19\ \text{A}}$$

L'intensité du courant est donc constante durant les dix-huit premières secondes de décharge du condensateur dans le moteur, et vaut $I = -0{,}19$ A. La valeur négative obtenue nous indique que **le courant circule, en réalité, dans le sens opposé à celui choisi pour orienter le circuit.**

❸ L'énergie E_C emmagasinée dans le condensateur s'exprime par :

$$E_C = \frac{1}{2} \times Cu_C^2$$

soit avec $C = 1{,}0$ F, $u_C(0) = 4{,}9$ V et $u_C(18\ \text{s}) = 1{,}5$ V, nous calculons :

$$\boxed{E_C(0) = 12\ \text{J}} \quad \text{et} \quad \boxed{E_C(18\ \text{s}) = 1{,}1\ \text{J}}$$

Ceci correspond à une énergie cédée telle que :

$$E_{\text{C cédée}} = |\Delta E_{\text{C}}| = |E_{\text{C}}(18 \text{ s}) - E_{\text{C}}(0)|$$

donc $\boxed{E_{\text{C cédée}} = 11 \text{ J}}$

Durant cette phase, la masse marquée s'est élevée d'une hauteur h, d'où la variation de son énergie potentielle de pesanteur :

$$\Delta E_{\text{PP}} = mgh$$

soit avec $m = 100 \times 10^{-3}$ kg, $g = 9{,}8 \text{ m} \cdot \text{s}^{-2}$ et $h = 3{,}10$ m, nous calculons :

$$\boxed{\Delta E_{\text{PP}} = 3{,}0 \text{ J}}$$

Attention de ne pas oublier de convertir la valeur de la masse en kilogramme.

Le rendement r du dispositif est défini par le rapport :

$$r = \frac{\Delta E_{\text{PP}}}{E_{\text{C cédée}}}$$

soit, numériquement : $\boxed{r = 0{,}28}$ ou 28 %.

SUJET 10 — POLYNÉSIE FRANÇAISE • JUIN 2007

ENSEIGNEMENT OBLIGATOIRE

7 POINTS

THÈME Évolution des systèmes électriques

Physique, chimie et stimulateur cardiaque

Document

Un stimulateur cardiaque est un dispositif hautement perfectionné et très miniaturisé, relié au cœur humain par des électrodes (appelées les sondes). Le stimulateur est actionné grâce à une pile intégrée, généralement au lithium ; il génère de petites impulsions électriques de basse tension qui forcent le cœur à battre à un rythme régulier et suffisamment rapide. Il comporte donc deux parties : le boîtier, source des impulsions électriques, et les sondes, qui conduisent le courant.
Le générateur d'impulsions du stimulateur cardiaque peut être modélisé par le circuit représenté ci-dessous :

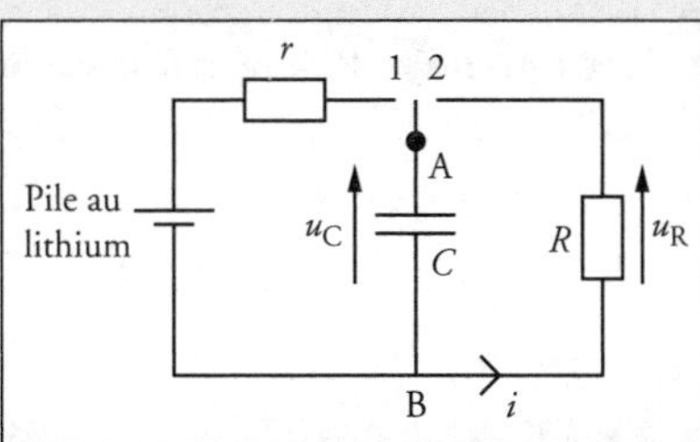

La valeur de r est très faible, de telle sorte que le condensateur se charge très rapidement lorsque l'interrupteur (en réalité un dispositif électronique) est en position 1. Lorsque la charge

PHYSIQUE

est terminée, l'interrupteur bascule en position 2. Le condensateur se décharge lentement dans la résistance R, de valeur élevée.
Quand la tension aux bornes de R atteint une valeur donnée (e^{-1} fois sa valeur initiale, avec $\ln(e) = 1$), le boîtier envoie au cœur une impulsion électrique par l'intermédiaire des sondes. L'interrupteur bascule simultanément en position 1 et la recharge du condensateur se fait quasiment instantanément à travers r. Le processus recommence.

D'après *Physique, Terminale S*, Bréal.

*Les **parties 1** et **2** sont indépendantes.*
*Voir la partie Chimie, sujet 10, pour la **partie 2** de cet exercice.*

1. ÉTUDE DU GÉNÉRATEUR D'IMPULSIONS

Pour déterminer la valeur de la résistance R, on insère le condensateur préalablement chargé sous la tension E dans le circuit schématisé ci-contre.
La valeur de la capacité C du condensateur utilisé est : $C = 0{,}40\ \mu\text{F}$.
On enregistre alors l'évolution de la tension u_C aux bornes du condensateur. La courbe obtenue est fournie sur l'**annexe** (à rendre avec la copie).

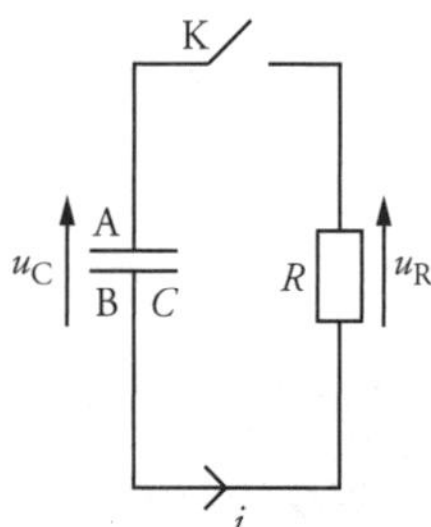

❶ Exploitation de la courbe

1. Déterminer graphiquement la valeur de la tension E.
2. Déterminer graphiquement la valeur de la constante de temps τ correspondant à la décharge du condensateur, en justifiant brièvement.

❷ Détermination de *R*

1. En respectant les notations du schéma ci-dessus, donner :
a) la relation liant l'intensité du courant i et la charge q de l'une des armatures du condensateur, que l'on précisera ;
b) la relation liant u_R et i.

2. En déduire que la tension u_C aux bornes du condensateur vérifie l'équation différentielle :

$$\frac{du_C}{dt} + \frac{1}{RC} u_C = 0.$$

3. Montrer que cette équation différentielle admet une solution de la forme :

$$u_C(t) = \text{A} \exp\left(-\frac{t}{\tau}\right).$$

Donner les expressions de A et τ en fonction de E, C et R.

4. En utilisant la valeur de τ déterminée à la question ❶ **2.**, calculer la valeur de R.

❸ Les impulsions

On admet pour la suite que, tant que le condensateur se décharge, l'évolution de u_R en fonction du temps est donnée par :

$$u_R(t) = 5{,}6 \exp\left(-\frac{t}{0{,}80}\right).$$

On rappelle qu'une impulsion électrique est envoyée au cœur lorsque la tension aux bornes de R atteint e^{-1} fois sa valeur initiale.

1. Calculer la valeur de u_R qui déclenche l'envoi d'une impulsion vers le cœur.

2. À quelle date après le début de la décharge du condensateur, cette valeur est-elle atteinte ?

3. Que se passe-t-il après cette date ? Représenter l'allure de l'évolution de u_R au cours du temps lors de la génération des impulsions. Préciser les valeurs remarquables.

4. Déterminer la fréquence des impulsions de tension ainsi générées. On exprimera le résultat en hertz, puis en impulsions par minute. Vérifier que le résultat est bien compatible avec une fréquence cardiaque normale.

Annexe

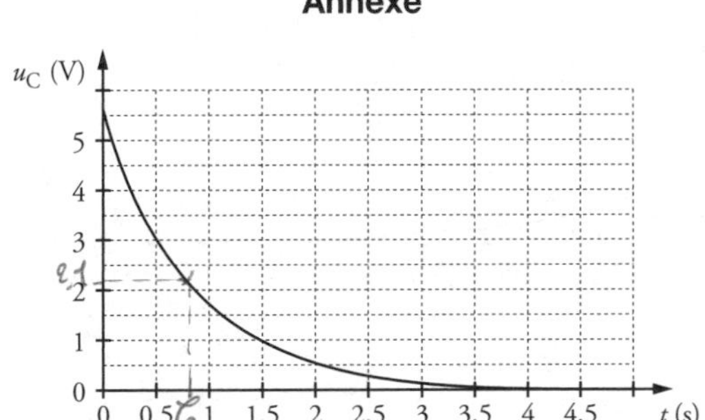

Évolution de la tension u_C aux bornes de C en fonction du temps

LES CLÉS DU SUJET

■ Notions et compétences en jeu

– Dipôle *RC*.

– Détermination graphique de la constante de temps.

– Application de la loi d'additivité des tensions pour établir l'équation différentielle vérifiée par la tension aux bornes du condensateur, exploitation de la solution de l'équation différentielle.

■ Conseils du correcteur

❷ **2.** Revoyez l'expression de la loi d'Ohm en convention récepteur, et regardez bien le sens du courant et des flèches-tensions.

3. La solution analytique de u_C proposée doit vérifier l'équation différentielle établie.

❸ **4.** La fréquence cardiaque normale pour un individu au repos se situe entre 60 et 90 pulsations par minute.

CORRIGÉ SUJET 10

❶ **1.** À l'instant de date $t = 0$ s, le condensateur est chargé sous la tension E. La lecture graphique de la valeur de l'ordonnée du point de la courbe $u_C = f(t)$ à cet instant nous donne donc la valeur de la tension E :

$$\boxed{u_C(0) = E = 5{,}6 \text{ V}}$$

2. La constante de temps τ est l'abscisse du point de la courbe dont l'ordonnée vaut $u_C(\tau) = 0{,}37 \times u_C(0) = 0{,}37 \times 5{,}6 = 2{,}1$ V :

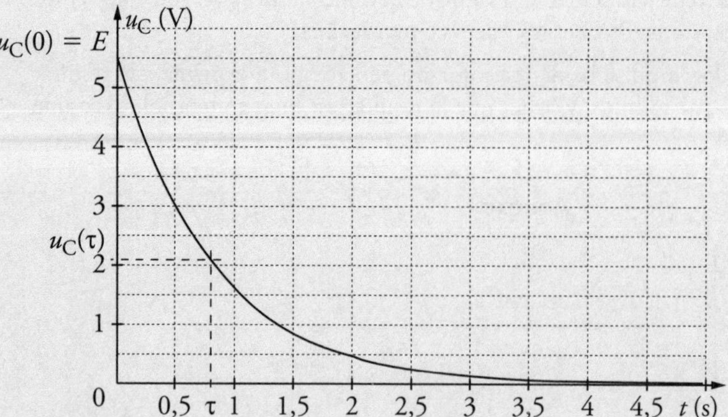

Graphiquement nous lisons :

$$\boxed{\tau = 0{,}8 \text{ s}}$$

Remarque : τ est aussi l'abscisse du point d'intersection de la tangente à l'origine à la courbe $u_C = f(t)$ avec l'asymptote horizontale à cette dernière, ici l'axe des abscisses.

❷ 1. a) Le courant circule en arrivant sur l'armature A du condensateur qui porte la charge $q_A = q$, donc :

$$\boxed{i = \frac{dq_A}{dt} = \frac{dq}{dt}}$$

b) La loi d'Ohm nous permet d'exprimer la tension aux bornes du conducteur ohmique :

$$\boxed{u_R = -Ri}$$

Le signe « moins » résulte du fait que la flèche tension représentant u_R et le sens de circulation du courant sont identiques.

2. Appliquons la loi d'additivité des tensions au circuit :

$$u_C = u_R \text{ soit } u_C = -Ri = -R\frac{dq}{dt}$$

or avec $q = Cu_C$ nous aboutissons à :

$$u_C = -RC\frac{du_C}{dt} \quad \text{car } C \text{ est une constante}$$

Là aussi, en convention récepteur nous avons : $q_A = C \cdot u_C$ (soit $q_B = -C \cdot u_C$) compte tenu de la flèche tension représentant u_C.

et finalement :

$$\boxed{\frac{du_C}{dt} + \frac{1}{RC}u_C = 0}$$

3. Si l'expression analytique proposée est bien solution de l'équation différentielle que nous avons établie, alors cette fonction doit vérifier l'équation différentielle, donc :

$$\frac{d}{dt}\left[A \exp\left(\frac{-t}{\tau}\right)\right] + \frac{1}{RC} \cdot A \exp\left(\frac{-t}{\tau}\right) = 0$$

$$\frac{-A}{\tau} \exp\left(\frac{-t}{\tau}\right) + \frac{A}{RC}\exp\left(\frac{-t}{\tau}\right) = 0$$

$$A \exp\left(\frac{-t}{\tau}\right) \cdot \left(\frac{-1}{\tau} + \frac{1}{RC}\right) = 0.$$

Cette égalité est vérifiée quel que soit $t \geqslant 0$ si :

$$\boxed{\tau = RC}$$

En effet, un produit de facteurs est nul si et seulement si un des facteurs est nul.

Remarque : la solution $A = 0$, mathématiquement acceptable, ne correspond pas à la réalité physique décrite, car alors $u_C(t) = 0$ quel que soit $t \geqslant 0$ s.
Par ailleurs, connaissant les conditions initiales du système, nous pouvons écrire :

$$u_C(0) = E = A \exp\left(\frac{-0}{\tau}\right) \text{ donc } \boxed{A = E}$$

4. La valeur de la résistance R du conducteur ohmique peut s'exprimer :

$$R = \frac{\tau}{C}$$

Ce qui conduit numériquement, avec $\tau = 0{,}8$ s et $C = 0{,}40 \times 10^{-6}$ F, à :

$$\boxed{R = 2 \times 10^6\ \Omega = 2\ \text{M}\Omega}$$

❸ Remarque : les valeurs figurant dans l'expression numérique de $u_C(t)$ confirment nos résultats trouvés pour E et τ au **❶1.** et **❶2.**

1. Soit $u_{\text{R imp}}$ la valeur de u_R qui déclenche l'envoi d'une impulsion :

$$u_{\text{R imp}} = u_R(0) \times e^{-1}.$$

Numériquement, avec $u_R(0) = 5{,}6$ V, nous calculons :

$$\boxed{u_{\text{R imp}} = 2{,}1 \text{ V}}$$

2. Notons t_{imp} la date à laquelle la valeur $u_{\text{R imp}}$ est atteinte :

$$u_{\text{R imp}} = u_R(t_{\text{imp}}) = 5{,}6 \exp\left(\frac{-t_{\text{imp}}}{0{,}80}\right)$$

donc :

$$\frac{-t_{\text{imp}}}{0{,}80} = \ln \frac{u_R(t_{\text{imp}})}{5{,}6} \quad \text{et} \quad t_{\text{imp}} = 0{,}80 \times \ln \frac{5{,}6}{u_R(t_{\text{imp}})} = 0{,}80 \times \ln e$$

$$\boxed{t_{\text{imp}} = 0{,}80 \text{ s}}$$

3. Après cette date l'interrupteur bascule simultanément en position 1 et la recharge du condensateur se fait quasiment instantanément à travers le conducteur ohmique de très faible résistance r. La tension $u_R(t)$ présente donc les variations suivantes :

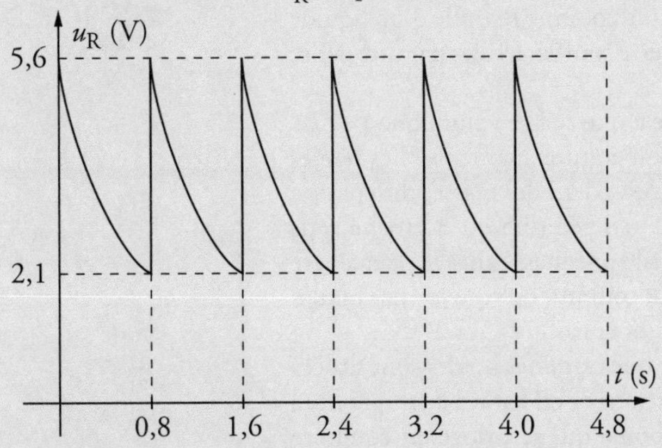

La recharge du condensateur étant quasi instantanée, nous la représentons par un trait vertical toutes les 0,8 s.

PHYSIQUE

4. Les impulsions sont donc délivrées avec une période $T = 0{,}80$ s, ce qui correspond à une fréquence f telle que :

$$f = \frac{1}{T} \quad \text{soit} \quad \boxed{f = 1{,}3\ \text{Hz} = 1{,}3\ \text{impulsions} \cdot \text{s}^{-1}}$$

soit en multipliant ce résultat par soixante :

$$\boxed{f = 75\ \text{impulsions} \cdot \text{min}^{-1}}$$

Cette fréquence est bien de l'ordre de la fréquence cardiaque normale chez un individu au repos.

SUJET 11 — AMÉRIQUE DU SUD • NOVEMBRE 2006 — ENSEIGNEMENT OBLIGATOIRE

5 POINTS

THÈME Évolution des systèmes mécaniques

Thermomètre de Galilée

Galileo Galilei, dit Galilée (1564-1642) était un mathématicien, physicien et astronome italien. Célèbre pour ses travaux sur la chute des corps et pour ses observations célestes, il travailla aussi sur la mesure de la température. C'est à partir de l'une de ses idées qu'a été confectionné le thermomètre dit de Galilée.

Cet exercice vise à comprendre le fonctionnement de ce thermomètre.

Cet objet décoratif est constitué d'une colonne remplie d'un liquide incolore et de plusieurs boules en verre soufflé, lestées par une petite masse métallique.

Le liquide contenu dans la colonne a une masse volumique $\rho_\ell(T)$ qui décroît fortement lorsque la température augmente. Les boules ont chacune le même volume mais possèdent des masses différentes. Un petit médaillon indiquant une température est accroché sous chacune d'elles. Chaque boule possède une masse ajustée de manière précise. Pour un modèle commercial courant, on trouve onze boules indiquant des températures comprises entre 17 °C et 27 °C.

Dans cet appareil, on peut observer que certaines boules sont situées en bas de la colonne et que d'autres flottent en haut. La température de la colonne est indiquée par la boule qui se trouve en équilibre dans le liquide, c'est-à-dire par la plus basse des boules situées en haut de la colonne.

© J. Riby / Archives Hatier

1. PRINCIPE DE FONCTIONNEMENT

On décide de construire un thermomètre. On utilise une éprouvette remplie d'une huile de masse volumique $\rho_\ell(T)$ dans laquelle on place des boules de même volume V_b mais de masses volumiques différentes. On constate que certaines boules flottent et d'autres coulent.
On s'intéresse dans cette partie à la boule 1 de volume V_b et de masse volumique ρ. On peut supposer que la masse volumique et le volume de cette boule sont quasiment indépendants de la température contrairement à ceux du liquide dans lequel elle est immergée. La boule 1 est immobile, en équilibre dans l'huile.

❶ Faire un inventaire des forces s'exerçant sur la boule 1. Les représenter sur un schéma sans souci d'échelle.

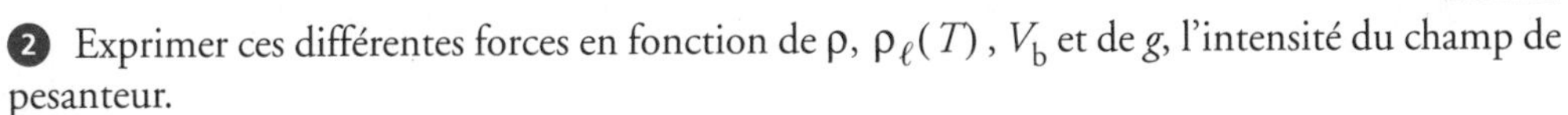

❷ Exprimer ces différentes forces en fonction de ρ, $\rho_\ell(T)$, V_b et de g, l'intensité du champ de pesanteur.

❸ Établir l'expression littérale de la masse volumique ρ que doit avoir la boule 1 pour rester immobile.

❹ Expliquer pourquoi, hormis la boule 1, les boules restent les unes en haut de la colonne, les autres en bas.

❺ Lorsque la température du liquide s'élève, la boule 1 se met en mouvement. Justifier dans quel sens.

2. ÉTUDE DU MOUVEMENT D'UNE BOULE

On utilise le même liquide que précédemment et on y place une seule boule de masse m de centre d'inertie G. Le liquide contenu dans l'éprouvette est à 18 °C ; on constate qu'à cette température, la boule flotte. On chauffe alors légèrement le liquide jusqu'à 20 °C, on plonge à nouveau la boule à l'intérieur et on constate qu'elle descend le long de l'éprouvette. On prend pour origine des dates ($t = 0$ s) l'instant où on a plongé la boule dans le liquide. On modélise la valeur f de la force de frottement fluide du liquide sur la boule par $f = k \cdot v$, avec v, la vitesse du centre d'inertie de la boule et k le coefficient de frottement. On définit un axe Oz dirigé vers le bas, le point O coïncide avec le centre d'inertie de la boule à l'instant de date $t = 0$ s.

❶ Représenter, à l'aide d'un schéma, sans souci d'échelle, mais de façon cohérente, les forces s'exerçant sur la boule en mouvement.

❷ En utilisant la deuxième loi de Newton, montrer que la vitesse $v(t)$ du centre d'inertie de la boule obéit à une équation différentielle de la forme : $\frac{dv}{dt} = A - B \cdot v$. Donner les expressions littérales de A et de B en fonction de m, g, k, $\rho_\ell(T)$ et V_b.

❸ Établir l'expression littérale de la vitesse limite atteinte par la boule.
On donne $A = 9{,}5 \times 10^{-3}$ m · s^{-2} et $B = 7{,}3 \times 10^{-1}$ s^{-1}. Calculer sa valeur.

❹ On se propose de résoudre l'équation différentielle $\frac{dv}{dt} = A - B \cdot v$ et de construire la courbe $v = f(t)$ en utilisant la méthode d'Euler. Cette méthode itérative permet de calculer, pas à pas, de façon approchée, les valeurs de la vitesse instantanée de la boule à différentes dates.

On utilise la relation suivante :

$$v(t_n) = v(t_{n-1}) + \Delta v(t_{n-1}) \quad \text{avec} \quad \Delta v(t_{n-1}) = a(t_{n-1}) \cdot \Delta t$$

$t_n = t_{n-1} + \Delta t$ où Δt est le pas d'itération du calcul.

En utilisant l'équation différentielle et la relation d'Euler, recopier sur la copie le tableau suivant et le compléter :

Dates t en s	Vitesse $v(t_n)$ en $m \cdot s^{-1}$	$\Delta v(t_n)$ en $m \cdot s^{-1}$
$t_0 = 0$	0	
$t_1 = 0{,}10$		$8{,}8 \times 10^{-4}$
$t_2 = 0{,}20$		

La courbe $v = f(t)$ que l'on obtient par la méthode d'Euler lorsqu'on utilise un tableur est reproduite ci-dessous :

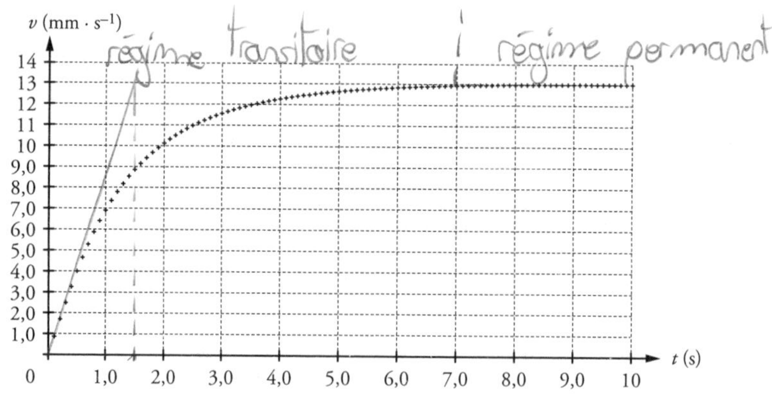

5 Indiquer les différents régimes observés sur la courbe $v = f(t)$.

6 Déterminer graphiquement, en prenant soin d'expliquer votre méthode, le temps caractéristique τ.

7 Justifier le choix de la valeur du pas utilisé $\Delta t = 0{,}10$ s.

Données

- Rayon de la boule : $R = 1{,}50 \times 10^{-2}$ m.
- Volume de la boule : $V_b = \frac{4}{3} \cdot \pi \cdot R^3$.
- Masse de la boule : $m = 12{,}0 \times 10^{-3}$ kg.
- Masse volumique du liquide à 20 °C : $\rho_\ell(20\ °C) = 848\ kg \cdot m^{-3}$.
- Coefficient de frottement : $k = 8{,}8 \times 10^{-3}\ kg \cdot s^{-1}$.
- Intensité de la pesanteur : $g = 9{,}80\ m \cdot s^{-2}$.

LES CLÉS DU SUJET

■ **Notions et compétences en jeu**

– Analyser une situation physique en faisant l'inventaire des forces s'exerçant sur le système.
– Appliquer la deuxième loi de Newton à un corps en chute verticale dans un fluide pour établir l'équation différentielle qui régit son mouvement, l'expression de la force de frottement étant donnée.
– Méthode d'Euler.

■ **Conseils du correcteur**

Partie 1

❷ Pensez que dans l'expression du poids de la boule, c'est la masse volumique ρ de celle-ci qui intervient, alors que dans l'expression de la poussée d'Archimède, c'est la masse volumique ρ_ℓ qui est en jeu.

❺ Appuyez-vous sur l'énoncé qui précise : « Le liquide [...] a une masse volumique $\rho_\ell(T)$ qui décroît fortement lorsque la température augmente. »

Partie 2

❸ Rappelez-vous que la vitesse limite est telle que $v_{\text{lim}} = \text{cte}$ donc $\dfrac{dv_{\text{lim}}}{dt} = 0$.

CORRIGÉ SUJET 11

1. PRINCIPE DE FONCTIONNEMENT

❶ La boule est soumise à son poids $\vec{P}$ et à la poussée d'Archimède $\vec{F}_A$ exercée par l'huile. La boule étant immobile dans le référentiel terrestre supposé galiléen alors, d'après le principe d'inertie :

$$\vec{P} + \vec{F}_A = \vec{0} \quad \text{soit} \quad \vec{P} = -\vec{F}_A.$$

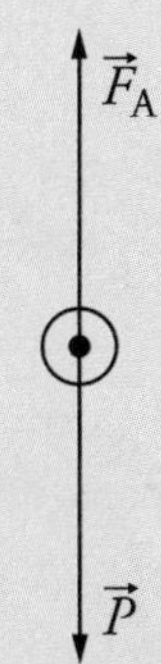

❷ Le poids de la boule s'exprime par :

$$\boxed{\vec{P} = \rho V_b \vec{g}} \text{ soit } \boxed{P = \rho V_b g}$$

et la poussée d'Archimède exercée par l'huile a pour expression :

$$\boxed{\vec{F}_A = -\rho_\ell(T) V_b \vec{g}} \text{ soit } \boxed{F_A = \rho_\ell(T) V_b g}$$

La masse de la boule est liée à sa masse volumique ρ, alors que la poussée d'Archimède dépend de celle du fluide ρ_ℓ.

❸ La boule étant immobile dans le référentiel terrestre supposé galiléen, l'utilisation de la première loi de Newton conduit à :

$$\vec{P} = -\vec{F}_A \text{ soit } P = F_A \text{ alors } \rho V_b g = \rho_\ell(T) V_b g$$

donc :

$$\boxed{\rho = \rho_\ell(T)}$$

PHYSIQUE

❹ Chacune des boules possède le même volume V_b mais une masse différente, ainsi leurs masses volumiques diffèrent les unes des autres. À une température T donnée, la relation $\rho = \rho_\ell(T)$ ne peut être vérifiée pour plusieurs boules, et une seule d'entre elles, au mieux, peut donc être immobile dans la colonne. Pour les autres, soit :

$\rho > \rho_\ell(T)$ et les boules restent en bas de la colonne (cas où $P > F_A$)

soit :

$\rho < \rho_\ell(T)$ et les boules restent en haut de la colonne (cas où $P < F_A$).

❺ La masse volumique de l'huile décroît fortement lorsque la température augmente alors, pour la boule 1, la situation devient telle que :

$$\rho > \rho_\ell(T) \text{ soit } P > F_A$$

La boule 1 **descend** donc vers le fond de la colonne.

2. ÉTUDE DU MOUVEMENT D'UNE BOULE

Remarque : la description de l'expérience confirme notre réponse au ❺.

❶ Des trois forces s'exerçant sur la boule, seul le poids est dirigé vers le bas, c'est-à-dire dans le sens où se fait le mouvement vertical. Par conséquent, sa valeur est supérieure à la somme des valeurs de la poussée d'Archimède et de la force de frottement, soit $P > F_A + f$, donc :

Remarque : pour plus de clarté, les points d'application des forces ont été légèrement décalés du point G.

❷ Appliquons la deuxième loi de Newton à la boule dans le référentiel terrestre supposé galiléen :

$$\vec{P} + \vec{F}_A + \vec{f} = m\vec{a}.$$

Soit en projetant cette relation sur l'axe (Oz) :

$$P_z + F_{Az} + f_z = ma_z$$

$$mg - \rho_\ell(T) V_b\, g - kv_z = m\,\frac{dv_z}{dt}$$

or, puisque le mouvement est uniquement vertical suivant (Oz), et que l'axe est orienté dans le sens du mouvement, alors $v = v_z$, donc :

$$mg - \rho_\ell(T) V_b\, g - kv = m\,\frac{dv}{dt}$$

alors :
$$\frac{dv}{dt} = g\left(1 - \frac{\rho_\ell(T) V_b}{m}\right) - \frac{k}{m}\,v.$$

La projection d'une somme vectorielle suivant un axe du repère conduit à une somme des coordonnées des vecteurs de cette somme suivant cet axe. Interrogez-vous ensuite sur le signe de ces coordonnées.

Mouvement vertical suivant (Oz), donc $v_x = v_y = 0$ m·s^{-1}. Orientation de (Oz) dans le sens du mouvement, donc dans le sens du vecteur vitesse, alors $v_z > 0$ d'où $v = v_z$.

Cette équation différentielle est bien de la forme $\frac{dv}{dt} = A - Bv$, et par identification nous pouvons écrire :

$$\boxed{A = g\left(1 - \frac{\rho_\ell(T)V_b}{m}\right)} \quad \text{et} \quad \boxed{B = \frac{k}{m}}$$

❸ Lorsque la vitesse limite v_{lim} est atteinte par la boule, l'équation différentielle est toujours vérifiée mais $\frac{dv_{lim}}{dt} = 0 \text{ m} \cdot \text{s}^{-2}$, alors :

La vitesse limite est une constante.

$$0 = A - Bv_{lim}$$

donc :

$$\boxed{v_{lim} = \frac{A}{B}}$$

Numériquement, avec $A = 9{,}5 \times 10^{-3} \text{ m} \cdot \text{s}^{-2}$ et $B = 7{,}3 \times 10^{-1} \text{ s}^{-1}$ nous obtenons : $\boxed{v_{lim} = 1{,}3 \times 10^{-2} \text{ m} \cdot \text{s}^{-1}}$

❹ Exprimons $\Delta v(t_0)$:

Suivez scrupuleusement les indications de l'énoncé.

$$\Delta v(t_0) = a(t_0) \cdot \Delta t$$

or $a(t_0) = \left(\frac{dv}{dt}\right)_{t_0} = A = 9{,}5 \times 10^{-3} \text{ m} \cdot \text{s}^{-2}$ puisque $v(t_0) = 0 \text{ m} \cdot \text{s}^{-1}$, donc avec $\Delta t = 0{,}10 \text{ s}$:

$$\boxed{\Delta v(t_0) = 9{,}5 \times 10^{-4} \text{ m} \cdot \text{s}^{-1}}$$

Il s'ensuit que :

$$\boxed{v(t_1) = v(t_0) + \Delta v(t_0) = \Delta v(t_0) = 9{,}5 \times 10^{-4} \text{ m} \cdot \text{s}^{-1}}$$

et de même nous pouvons calculer :

$$v(t_2) = v(t_1) + \Delta v(t_1)$$

avec $\Delta v(t_1) = 8{,}8 \times 10^{-4} \text{ m} \cdot \text{s}^{-1}$, nous obtenons :

$$\boxed{v(t_2) = 1{,}8 \times 10^{-3} \text{ m} \cdot \text{s}^{-1}}$$

puis :

$$\Delta v(t_2) = a(t_2) \cdot \Delta t = \left(\frac{dv}{dt}\right)_{t_2} \cdot \Delta t = [A - Bv(t_2)] \cdot \Delta t$$

$$\boxed{\Delta v(t_2) = 8{,}2 \times 10^{-4} \text{ m} \cdot \text{s}^{-1}}$$

Dates t en s	**Vitesse $v(t_n)$ en $\text{m} \cdot \text{s}^{-1}$**	**$\Delta v(t_n)$ en $\text{m} \cdot \text{s}^{-1}$**
$t_0 = 0$	0	$9{,}5 \times 10^{-4}$
$t_1 = 0{,}10$	$9{,}5 \times 10^{-4}$	$8{,}8 \times 10^{-4}$
$t_2 = 0{,}20$	$1{,}8 \times 10^{-3}$	$8{,}2 \times 10^{-4}$

❺ Nous observons un régime **transitoire** pendant lequel la vitesse varie (jusqu'à l'instant de date $t = 7{,}0$ s environ), puis un régime **permanent**, ou asymptotique, pendant lequel la vitesse ne varie plus.

❻ τ est l'abscisse du point d'intersection de la tangente à l'origine à la courbe $v = f(t)$ avec l'asymptote horizontale $v = v_{lim} = 13 \text{ mm} \cdot \text{s}^{-1}$ à cette même courbe. Nous déterminons donc graphiquement :

$$\boxed{\tau = 1{,}5 \text{ s}}$$

PHYSIQUE

Remarque : τ est aussi l'abscisse du point de la courbe $v = f(t)$ dont l'ordonnée vaut $v(\tau) = 0{,}63 \times v_{\text{lim}}$.

❼ La méthode d'Euler est d'autant plus précise que le pas d'itération Δt est faible devant la constante de temps τ (ou temps caractéristique) du phénomène étudié. C'est bien le cas ici puisque :

$$\frac{\tau}{\Delta t} = \left(\frac{1{,}5}{0{,}10}\right) = 15 \quad \text{soit} \quad \tau = 15 \times \Delta t.$$

SUJET 12 — FRANCE MÉTROPOLITAINE • JUIN 2007
ENSEIGNEMENT OBLIGATOIRE
7 POINTS

THÈME **Évolution des systèmes mécaniques**

La galiote

L'usage de la calculatrice n'est pas autorisé.

Document

La galiote était un navire de guerre qui fit son apparition à la fin du XVIIe siècle, sous le règne de Louis XIV. Les galiotes possédaient de lourds canons, fixés au pont, projetant des boulets de 200 livres (environ 100 kg) portant jusqu'à 1 200 toises (environ 2 400 m).
Selon la description détaillée de Renau, Inspecteur général de la Marine, ces bâtiments sont destinés à emporter des canons en mer. Ils sont de moyenne grandeur et à fond plat. De par leur fabrication, l'angle de tir des canons est fixe et a pour valeur $\alpha = 45°$, ce qui permet de tirer à la plus grande distance possible.
La structure d'une galiote doit être très robuste **pour résister à la réaction considérable du boulet** et leur échantillon[1] est ordinairement aussi fort que celui d'un vaisseau de 50 canons.

D'après le site Internet de l'Institut de stratégie comparée.

1. Dimension et épaisseur des pièces utilisées pour la construction.

*Les **parties 1, 2** et **3** de cet exercice sont indépendantes.*
Certaines aides au calcul peuvent comporter des résultats ne correspondant pas au calcul à effectuer.
*Voir la partie Chimie, sujet 13, pour la **partie 3** de cet exercice.*

1. ACTION DE LA POUDRE DE CANON SUR LE BOULET

L'éjection du boulet est provoquée par la combustion de la poudre. Une force de poussée est donc exercée sur le boulet par l'ensemble {galiote + canon + gaz}.

Justifier l'expression en gras dans le texte encadré ci-dessus, à l'aide d'une des trois lois de Newton. Énoncer cette loi. (On pourra s'aider d'un schéma.)

2. LA TRAJECTOIRE DU BOULET

On souhaite étudier la trajectoire du centre d'inertie G du boulet de masse m. L'étude est faite dans le référentiel terrestre considéré comme galiléen. Le repère d'étude est $(O\ ;\ \vec{i}, \vec{j})$ et l'origine des dates est choisie à l'instant où le boulet part du point O (voir **figure** ci-dessous).
Le vecteur vitesse initiale $\vec{v}_0$ du point G est incliné d'un angle α (appelé angle de tir) par rapport à l'horizontale. **Une fois le boulet lancé, la force de poussée de la partie précédente n'intervient plus.**

Données

- Volume du boulet : $V = 16\ \text{dm}^3 = 16\ \text{L}$.
- Masse du boulet : $m = 100\ \text{kg}$.
- Valeur du champ de pesanteur : $g = 10\ \text{m} \cdot \text{s}^{-2}$.
- Masse volumique de l'air : $\rho = 1{,}3\ \text{kg} \cdot \text{m}^{-3}$.

Aide au calcul		
$1{,}6 \times 1{,}3 = 2{,}1$	$\sqrt{2{,}4} \approx 1{,}5$	
$\dfrac{1{,}6}{1{,}3} = 1{,}2$	$\dfrac{1{,}3}{1{,}6} = 0{,}81$	$\sqrt{24} \approx 4{,}9$

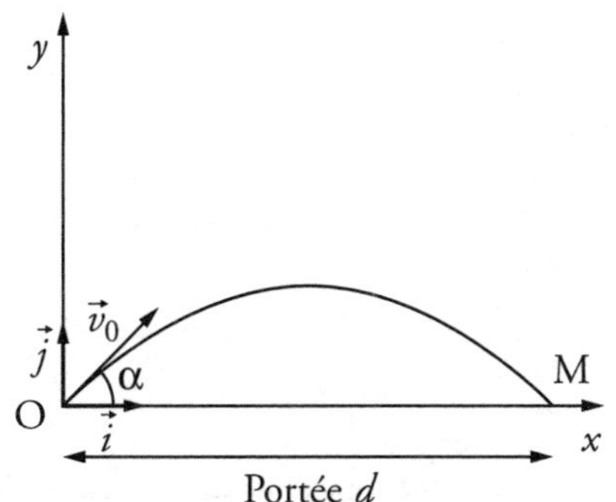

❶ Inventaire des forces agissant sur le boulet après son lancement

1. La poussée d'Archimède
Donner l'expression littérale de la valeur F_A de la poussée d'Archimède puis la calculer.

2. Le poids
Calculer la valeur P du poids du boulet après avoir précisé son expression littérale.

3. Dans cet exercice, on pourra négliger la poussée d'Archimède devant le poids si la valeur de ce dernier est au moins cent fois plus grande que celle de la poussée d'Archimède.
Montrer que l'on est dans cette situation.

4. Pendant le vol, compte tenu de la masse, de la vitesse et de la forme du boulet, on fait l'hypothèse que les forces de frottement dans l'air sont négligeables devant le poids.
En tenant compte de la remarque et des résultats précédents, établir le bilan des forces exercées sur le système {boulet} pendant le vol.

❷ Équation de la trajectoire

Dans toute cette partie, on négligera la poussée d'Archimède et on ne tiendra pas compte des forces de frottement dues à l'air.

1. En appliquant la deuxième loi de Newton, montrer que les équations horaires du mouvement du point G s'écrivent :

$$x(t) = (v_0 \cdot \cos \alpha) \cdot t$$

$$y(t) = -\frac{1}{2} g \cdot t^2 + (v_0 \cdot \sin \alpha) \cdot t$$

2. Montrer que l'équation de la trajectoire peut se mettre sous la forme $y(x) = Ax^2 + Bx$. On donnera les expressions littérales de A et B et on précisera leurs unités respectives.

❸ Portée du tir

L'équation de la trajectoire du boulet peut se mettre sous la forme :

$$y(x) = x \cdot (Ax + B).$$

Au cours d'un tir d'entraînement, un boulet tombe dans l'eau. Dans ces conditions, la distance entre le point de départ du boulet et son point M d'impact sur l'eau est appelée portée (voir **figure** précédente).
On négligera la différence d'altitude entre les points O et M devant les autres distances.

1. Exprimer la portée d du tir en fonction de A et B.

2. L'expression littérale de la portée d en fonction de v_0, α et g est :

$$d = \frac{v_0^2 \cdot \sin 2\alpha}{g}.$$

Retrouver, en la justifiant, la valeur $\alpha = 45°$ donnée dans le texte, pour laquelle la portée est maximale, pour une vitesse v_0 donnée.

3. À partir de la question précédente et des données, calculer la vitesse initiale du boulet pour atteindre la portée maximale donnée dans le texte.

4. En fait, les frottements dans l'air ne sont pas négligeables.
Avec un angle de tir restant égal à 45°, la vitesse initiale du boulet doit-elle être supérieure ou inférieure à celle trouvée à la question **2.❸ 3.** pour obtenir la même portée maximale ? Justifier sans calcul.

LES CLÉS DU SUJET

■ Notions et compétences en jeu

- Troisième loi de Newton.
- Expression de la poussée d'Archimède.
- Application de la deuxième loi de Newton pour établir les équations horaires du mouvement.
- Équation de la trajectoire, portée d'un tir.

■ Conseils du correcteur

Partie 2

❶ **3.** Calculez le rapport $\frac{P}{F_A}$.

❷ **2.** Effectuez une analyse dimensionnelle des constantes A et B pour déterminer leur unité SI.

CORRIGÉ SUJET 12

1. ACTION DE LA POUDRE DE CANON SUR LE BOULET

Le système {galiote + canon + gaz} exerce une action sur le boulet : il s'agit de la force de poussée. D'après la troisième loi de Newton, le boulet exerce alors une **action réciproque** sur le système, modélisée par une force de mêmes valeur et direction que la force de poussée, mais de sens opposé. Cette force est souvent nommée la réaction du boulet.
En effet, la **troisième loi de Newton** stipule que lorsqu'un corps A exerce une force $\vec{F}_{A/B}$ sur un corps B, alors le corps B exerce une force $\vec{F}_{B/A}$ sur le corps A de même valeur, même direction mais de sens opposé :

$$\vec{F}_{A/B} = -\vec{F}_{B/A}.$$

2. LA TRAJECTOIRE DU BOULET

❶ **1.** La poussée d'Archimède s'exprime par :

$$\boxed{F_A = \rho V g}$$

et vaut ici :

$$F_A = 1{,}3 \times 16 \times 10^{-3} \times 10 = 1{,}3 \times 1{,}6 \times 10^{1} \times 10^{-2}$$

$$\boxed{F_A = 2{,}1 \times 10^{-1}\ \text{N}}$$

Utilisez les puissances de dix pour faire apparaître les nombres qui sont donnés dans l'aide au calcul : 1,6 et 1,3.

2. Le poids du boulet s'exprime par :

$$\boxed{P = mg}$$

et vaut ici :

$$P = 100 \times 10$$

$$\boxed{P = 1{,}0 \times 10^{3}\ \text{N}}$$

3. Effectuons le rapport $\frac{P}{F_A}$:

$$\frac{P}{F_A} = \frac{1{,}0 \times 10^{3}}{2{,}1 \times 10^{-1}} \approx 0{,}50 \times 10^{4}$$

$$\boxed{\frac{P}{F_A} \approx 50 \times 10^{2}} \quad \text{ou} \quad P \approx 50 \times 10^{2} \times F_A$$

La poussée d'Archimède est donc bien négligeable devant le poids puisque $\frac{P}{F_A} > 100$.

Cette notion est bien sûr éminemment subjective.

4. La seule force à prendre en considération pendant le vol du boulet est son poids $\vec{P}$. Le boulet est donc en chute libre.

❷ **1.** Appliquons la deuxième loi de Newton au centre d'inertie G du boulet dans le référentiel terrestre supposé galiléen :

$$m\vec{a} = \vec{P} = m\vec{g} \quad \text{soit} \quad \vec{a} = \vec{g}.$$

La projection de cette relation sur les deux axes du repère nous donne :

$$\vec{a}(t)\begin{cases} a_x(t) = 0 \\ a_y(t) = -g \end{cases}$$

Nous intégrons ces deux expressions par rapport au temps pour obtenir les coordonnées du vecteur vitesse du boulet :

$$\vec{v}(t)\begin{cases} v_x(t) = C_x \\ v_y(t) = -gt + C_y \end{cases}$$

où C_x et C_y sont des constantes que nous déterminons en utilisant les conditions initiales :

$$v_x(0) = C_x = v_0 \cdot \cos\alpha \text{ et } v_y(0) = C_y = v_0 \cdot \sin\alpha$$

donc : $$\vec{v}(t)\begin{cases} v_x(t) = v_0 \cdot \cos\alpha \\ v_y(t) = -gt + v_0 \cdot \sin\alpha \end{cases}$$

Après une nouvelle intégration par rapport au temps nous aboutissons aux coordonnées du vecteur position :

$$\overrightarrow{\mathrm{OG}}(t)\begin{cases} x(t) = (v_0 \cdot \cos\alpha) \cdot t + C'_x \\ y(t) = -\dfrac{1}{2}gt^2 + (v_0 \cdot \sin\alpha) \cdot t + C'_y \end{cases}$$

où C'_x et C'_y sont des constantes que nous déterminons en utilisant les conditions initiales :

$$x(0) = C'_x = 0 \text{ et } y(0) = C'_y = 0$$

donc : $$\boxed{\overrightarrow{\mathrm{OG}}(t)\begin{cases} x(t) = (v_0 \cdot \cos\alpha) \cdot t \\ y(t) = -\dfrac{1}{2}gt^2 + (v_0 \cdot \sin\alpha) \cdot t \end{cases}}$$

Ce sont les équations horaires du mouvement du point G.

2. L'expression de $x(t)$ nous permet d'écrire :

$$t = \frac{x}{v_0 \cdot \cos\alpha}$$

que nous introduisons dans l'expression de y pour obtenir l'équation de la trajectoire du boulet dans le repère donné :

$$y(x) = -\frac{1}{2}g\left(\frac{x}{v_0 \cdot \cos\alpha}\right)^2 + (v_0 \cdot \sin\alpha) \cdot \frac{x}{v_0 \cdot \cos\alpha}$$

$$\boxed{y(x) = -\frac{gx^2}{2 \times v_0^2 \cdot \cos^2\alpha} + \tan\alpha \cdot x}$$

Par identification avec la forme $y(x) = Ax^2 + Bx$ nous déterminons que :

$$\boxed{A = \frac{-g}{2 \times v_0^2 \cdot \cos^2\alpha}} \quad \text{et} \quad \boxed{B = \tan\alpha}$$

Regardez bien l'orientation des axes du repère pour déterminer si les coordonnées du vecteur que vous projetez sont positives ou négatives. En particulier, lorsque la composante d'un vecteur suivant un axe est de sens opposé à l'orientation positive choisi pour cet axe, la coordonnée est négative.

Nous pouvons alors déterminer les unités de A et B en utilisant l'analyse dimensionnelle :

$$[A] = \frac{[g]}{[2 \times v_0^2 \cdot \cos^2 \alpha]} = \frac{L \times T^{-2}}{L^2 \times T^{-2}} = L^{-1}$$

$[B] = [\tan \alpha] = 1$

La constante A **s'exprime donc en m^{-1}** dans le SI puisqu'elle a la dimension de l'inverse d'une longueur, et la constante B **est sans unité.**

Ne confondez pas unité et dimension. Une grandeur n'a qu'une dimension mais elle peut s'exprimer avec plusieurs unités. Par exemple, une distance est toujours homogène à une longueur mais peut être exprimée en diverses unités : mètre (SI), année-lumière, miles ou pieds... etc.

3 **1.** Pour déterminer l'abscisse $x = d$ du point d'impact, nous cherchons la valeur de x, non nulle, telle que $y(d) = 0$ m, soit :
$y(d) = d \cdot (Ad + B) = 0$ m.
La solution évidente $d = 0$ m étant exclue, la portée d du tir est alors telle que :

$$Ad + B = 0 \text{ m donc } \boxed{d = \frac{-B}{A}}$$

2. Pour une vitesse initiale v_0 donnée, et sachant que g est constant dans les conditions expérimentales, la portée d du tir est maximale lorsque le terme $\sin 2\alpha$ est maximal, soit :

$$2\alpha = 90° \text{ et donc } \boxed{\alpha = 45°}$$

3. La relation exprimant la portée donnée dans l'énoncé nous permet d'écrire :

$$v_0^2 = \frac{dg}{\sin 2\alpha}.$$

Ainsi, pour atteindre la portée maximale, la vitesse initiale du boulet doit être telle que :

$$v_0^2 = \frac{d_{max}\, g}{\sin 2\alpha} = \frac{2\ 400 \times 10}{1} = 2{,}4 \times 10^4 \text{ m}^2 \cdot \text{s}^{-2}$$

donc :

$$v_0 = \sqrt{2{,}4 \times 10^4} = \sqrt{2{,}4} \times 10^2$$

$$\boxed{v_0 \approx 1{,}5 \times 10^2 \text{ m} \cdot \text{s}^{-1}}$$

4. En présence de forces de frottement non négligeables, **la vitesse initiale du boulet devra être plus importante** pour qu'il atteigne la même portée car ces forces vont s'opposer à son mouvement.

PHYSIQUE

THÈME **Évolution des systèmes mécaniques**

Galileo

Document

Connaître sa position exacte dans l'espace et dans le temps, autant d'informations qu'il sera nécessaire d'obtenir de plus en plus fréquemment avec une grande fiabilité. Dans quelques années, ce sera possible avec le système de radionavigation par satellite Galileo, initiative lancée par l'Union européenne et l'Agence spatiale européenne (ESA). Ce système mondial assurera une complémentarité avec le système actuel GPS (Global Positioning System).
Galileo repose sur une constellation de trente satellites et des stations terrestres permettant de fournir des informations concernant leur positionnement à des usagers de nombreux secteurs (transport, services sociaux, justice, etc.).
Le premier satellite du programme, Giove-A, a été lancé le 28 décembre 2005.

D'après le site http://www.cnes.fr/.

Données

• Constante de gravitation : $G = 6{,}67 \times 10^{-11}\ m^3 \cdot kg^{-1} \cdot s^{-2}$.

• La Terre est supposée sphérique et homogène. On appelle O son centre, sa masse $M_T = 5{,}98 \times 10^{24}$ kg et son rayon $R_T = 6{,}38 \times 10^3$ km.

• Le satellite Giove-A est assimilé à un point matériel G de masse $m_{sat} = 700$ kg. Il est supposé soumis à la seule interaction gravitationnelle due à la Terre, et il décrit de façon uniforme un cercle de centre O, à l'altitude $h = 23{,}6 \times 10^3$ km.

1. MOUVEMENT DU SATELLITE GIOVE-A AUTOUR DE LA TERRE

❶ **1.** Sans souci d'échelle, faire un schéma représentant la Terre, le satellite sur sa trajectoire et la force exercée par la Terre sur le satellite.

2. En utilisant les notations du texte, donner l'expression vectorielle de cette force.
On notera $\vec{u}$ le vecteur unitaire dirigé de O vers G.

❷ **1.** Dans quel référentiel le mouvement du satellite est-il décrit ?

2. Quelle hypothèse concernant ce référentiel faut-il faire pour appliquer la seconde loi de Newton ?

3. En appliquant la seconde loi de Newton au satellite, déterminer l'expression du vecteur-accélération $\vec{a}$ du point G.

❸ **1.** Donner les caractéristiques du vecteur accélération $\vec{a}$ d'un point matériel ayant un mouvement circulaire uniforme.

2. Montrer alors que la vitesse v du satellite est telle que :

$$v^2 = G\,\frac{M_T}{R} \quad \text{avec} \quad R = R_T + h.$$

4 **1.** Définir la période de révolution T du satellite.
Donner son expression en fonction de G, M_T et R.

2. Calculer la période T.

2. COMPARAISON AVEC D'AUTRES SATELLITES TERRESTRES

Il existe actuellement deux systèmes de positionnement par satellites : le système américain GPS et le système russe GLONASS.
Le tableau fourni en **annexe** (à rendre avec la copie) rassemble les périodes T et les rayons R des trajectoires des satellites correspondants, ainsi que les données relatives aux satellites de type Météosat.
Ces données permettent de tracer la courbe donnant T^2 en fonction de R^3.

1 **1.** Compléter la ligne du tableau relative au satellite Giove-A (Galileo).

2. Placer le point correspondant dans le système d'axes proposés en **annexe** et tracer la courbe donnant T^2 en fonction de R^3.

2 **1.** Que peut-on déduire du tracé précédent ? Justifier.

2. Montrer que le résultat de la question **1.** **4** **1.** est conforme au tracé obtenu.

3. Comment nomme-t-on la loi ainsi mise en évidence ?

Annexe

Satellite	Rayon de la trajectoire R (km)	Période de révolution T (s)	R^3 (km^3)	T^2 (s^2)
GPS	$20,2 \times 10^3$	$2,88 \times 10^4$	$8,24 \times 10^{12}$	$8,29 \times 10^8$
GLONASS	$25,5 \times 10^3$	$4,02 \times 10^4$	$1,66 \times 10^{13}$	$1,62 \times 10^9$
Galileo	$30,0 \times 10^3$	$5,16 \times 10^4$	$2,70 \times 10^{13}$	$2,66 \times 10^9$
Météosat	$42,1 \times 10^3$	$8,58 \times 10^4$	$7,46 \times 10^{13}$	$7,36 \times 10^9$

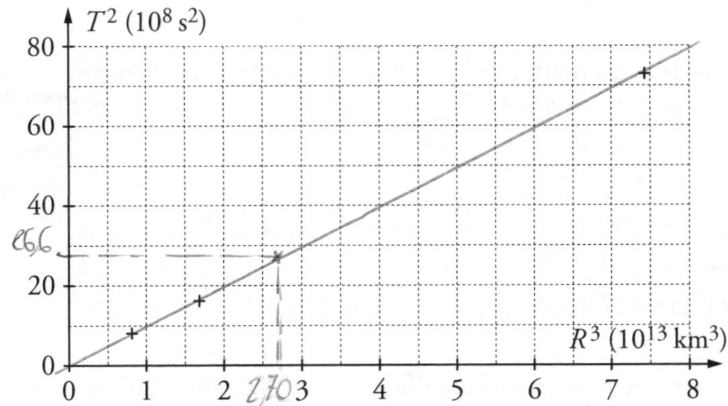

Courbe donnant T^2 en fonction de R^3

PHYSIQUE

LES CLÉS DU SUJET

■ Notions et compétences en jeu

– Force gravitationnelle, application de la deuxième loi de Newton.
– Mouvement circulaire uniforme, expressions de la vitesse et de la période de révolution.
– Troisième loi de Kepler.

■ Conseils du correcteur

Partie 1

❸ **2.** Égalisez les deux expressions de la valeur de l'accélération tirées des questions précédentes.
❹ **1.** Le périmètre d'un cercle de rayon R vaut $2\pi R$.
2. Pensez à convertir toutes les distances en mètres.

CORRIGÉ SUJET 13

1. MOUVEMENT DU SATELLITE GIOVE-A AUTOUR DE LA TERRE

❶ **1.** Représentons le satellite soumis à la seule force d'attraction gravitationnelle de la Terre :

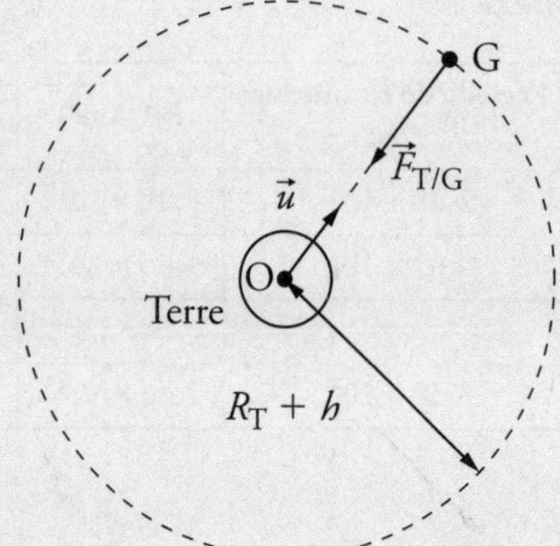

2. Soit $\vec{F}_{T/G}$ la force d'interaction gravitationnelle qu'exerce la Terre sur le satellite Giove-A :

$$\boxed{\vec{F}_{T/G} = -G\frac{M_T m_{sat}}{(R_T + h)^2} \cdot \vec{u}}$$

Le signe « moins » traduit le fait que $\vec{F}_{T/G}$ et $\vec{u}$ sont de sens opposé.

❷ **1.** Le mouvement du satellite est décrit par rapport au centre O de la Terre, c'est-à-dire dans le référentiel **géocentrique.**

2. Pour appliquer la deuxième loi de Newton il faut faire l'hypothèse que ce référentiel est **galiléen.**

3. Appliquons la deuxième loi de Newton, au centre d'inertie G du satellite dans le référentiel géocentrique supposé galiléen :

$$m_{sat}\vec{a} = \vec{F}_{T/G} = -G\frac{M_T m_{sat}}{(R_T + h)^2} \cdot \vec{u}$$

donc : $$\vec{a} = -G\frac{M_T}{(R_T+h)^2}\cdot\vec{u}$$

❸ **1.** Dans le cas d'un mouvement circulaire et uniforme autour d'un point O, le vecteur accélération d'un point matériel G est **radial** et **centripète**. Ses caractéristiques sont les suivantes :
– point d'application : centre d'inertie G ;
– direction : celle de la droite OG ;
– sens : de G vers O ;
– valeur : $a = \frac{v^2}{OG}$ avec $OG = R_T + h$ pour le satellite Giove-A.

2. Égalisons les expressions de a tirées du ❷ **3.** et du ❸ **1.** :

$$G\frac{M_T}{(R_T+h)^2} = \frac{v^2}{R_T+h}$$

donc : $$v^2 = G\frac{M_T}{R_T+h}$$

d'où en posant $R = R_T + h$, nous aboutissons bien à :

$$v^2 = G\frac{M_T}{R}$$

❹ **1.** La période de révolution T du satellite est la durée que met celui-ci à parcourir un tour complet de sa trajectoire autour de la Terre.
Ici, nous considérons que le satellite parcourt une trajectoire circulaire de longueur $2\pi R$ à la vitesse constante v, d'où :

$$T = \frac{2\pi R}{v} \quad \text{soit} \quad T = 2\pi\sqrt{\frac{R^3}{GM_T}}$$

Ne confondez pas période de révolution du satellite (durée d'un tour de son orbite) et période de rotation (durée d'un tour sur lui-même).

2. Numériquement, avec
$R = R_T + h = 6{,}38\times10^6 + 23{,}6\times10^6 = 3{,}00\times10^7$ m,
$G = 6{,}67\times10^{-11}$ m$^3\cdot$kg$^{-1}\cdot$s^{-2} et $M_T = 5{,}98\times10^{24}$ kg,
nous calculons :

$$T = 5{,}17\times10^4 \text{ s}$$

2. COMPARAISON AVEC D'AUTRES SATELLITES TERRESTRES

❶ **1.** Le tableau complété est le suivant :

Satellite	Rayon de la trajectoire R (km)	Période de révolution T (s)	R^3	T^2 (s^2)
GPS	$20{,}2\times10^3$	$2{,}88\times10^4$	$8{,}24\times10^{12}$	$8{,}29\times10^8$
GLONASS	$25{,}5\times10^3$	$4{,}02\times10^4$	$1{,}66\times10^{13}$	$1{,}62\times10^9$
Galileo	$30{,}0\times10^3$	$5{,}17\times10^4$	$2{,}69\times10^{13}$	$2{,}67\times10^9$
Météosat	$42{,}1\times10^3$	$8{,}58\times10^4$	$7{,}46\times10^{13}$	$7{,}36\times10^9$

2. Le graphique complété nous donne :

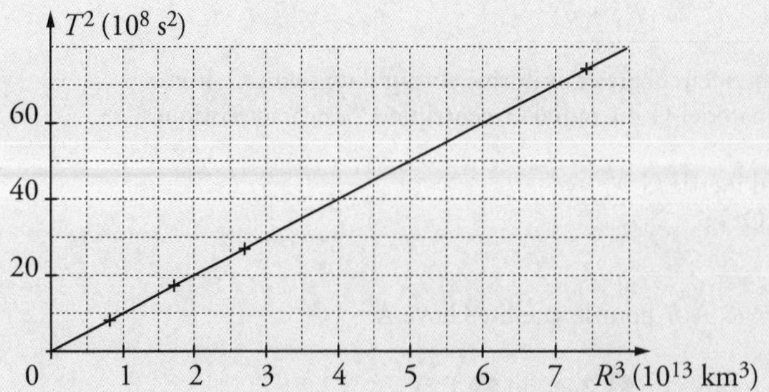

La courbe tracée doit modéliser au mieux le nuage de points, mais elle ne passe pas nécessairement par tous les points.

❷ **1.** La courbe précédente est une droite passant par l'origine. Nous en déduisons alors que les grandeurs T^2 **et** R^3 portées sur les axes **sont proportionnelles.**

2. Si nous élevons au carré l'égalité obtenue au **1.** ❹ **1.** nous tirons :

$$T^2 = \frac{4\pi^2}{GM_T} R^3 \text{ donc } \boxed{T^2 = k \cdot R^3} \text{ avec } k = \frac{4\pi^2}{GM_T} = \text{cte.}$$

Ce qui traduit bien le fait que T^2 et R^3 sont proportionnelles.

3. Cette loi est la **troisième loi de Kepler.**

SUJET 14 — FRANCE MÉTROPOLITAINE • JUIN 2005 — ENSEIGNEMENT OBLIGATOIRE

5,5 POINTS

THÈME Évolution des systèmes mécaniques

Quatre satellites terrestres artificiels parmi bien d'autres

L'usage de la calculatrice n'est pas autorisé.

Passionné d'astronomie, un élève a collecté sur le réseau Internet de nombreuses informations concernant les satellites artificiels terrestres. Il met en œuvre ses connaissances de physique pour les vérifier et les approfondir.

Dans tout l'exercice, on notera :

- Masse de la Terre : M_T (répartition de masse à symétrie sphérique de centre O)
- Rayon de la Terre : R_T
- Masse du satellite étudié : m_S
- Altitude du satellite étudié : h
- Constante de gravitation universelle : G.

*Les **parties 2** et **3** sont indépendantes.*

1. LE PREMIER SATELLITE ARTIFICIEL

Si la possibilité théorique de mettre un satellite sur orbite autour de la Terre fut signalée en 1687 par Isaac Newton, il a fallu attendre le 4 octobre 1957 pour voir le lancement du premier satellite artificiel, Spoutnik 1, par les Soviétiques.

❶ Exprimer vectoriellement la force exercée par la Terre sur Spoutnik 1, supposé ponctuel, et la représenter sur un schéma.

❷ L'étude se fait dans un référentiel géocentrique considéré comme galiléen.
En appliquant la deuxième loi de Newton, établir l'expression vectorielle de l'accélération du satellite.

2. LES SATELLITES ARTIFICIELS À ORBITES CIRCULAIRES

Le télescope spatial Hubble, qui a permis de nombreuses découvertes en astronomie depuis son lancement en 1990, est en orbite circulaire à 600 km d'altitude et il effectue un tour complet de la Terre en 100 minutes.

❶ Étude du mouvement du satellite Hubble dans un référentiel géocentrique

1. En reprenant les résultats de la partie **1**, montrer sans calcul que le mouvement circulaire de Hubble est uniforme.

2. Exprimer littéralement sa vitesse en fonction des grandeurs M_T, R_T, h et G.

3. Exprimer la période T de son mouvement en fonction des grandeurs précédentes puis retrouver la troisième loi de Kepler appliquée à ce mouvement circulaire (l'énoncé de cette loi n'est pas demandé ici).

❷ Cas d'un satellite géostationnaire

Les satellites météorologiques comme Météosat sont des appareils d'observation géostationnaires.

1. Qu'appelle-t-on satellite géostationnaire ?

2. On propose trois trajectoires hypothétiques de satellite en mouvement circulaire uniforme autour de la Terre.

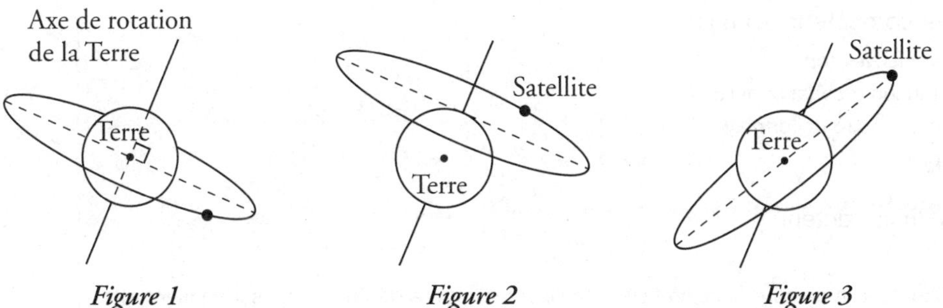

Figure 1 *Figure 2* *Figure 3*

a) Montrer que, seule, l'une de ces trajectoires est incompatible avec les lois de la mécanique.
b) Quelle est la seule trajectoire qui peut correspondre au satellite géostationnaire ? Justifier la réponse.

PHYSIQUE

3. LES SATELLITES ARTIFICIELS À ORBITES ELLIPTIQUES

Les satellites peuvent être placés sur différentes orbites, en fonction de leur mission. Un incident lors de leur satellisation peut modifier l'orbite initialement prévue. Hipparcos, un satellite d'astrométrie lancé par la fusée Ariane le 8 août 1989, n'a jamais atteint son orbite prévue. Un moteur n'ayant pas fonctionné, il est resté sur une orbite elliptique entre 36 000 km et 500 km d'altitude.

❶ Les satellites artificiels obéissent aux lois de Kepler.
La deuxième loi de Kepler, dite « loi des aires », précise que « des aires balayées par le rayon, reliant le satellite à l'astre attracteur, pendant des durées égales, sont égales ».
Énoncer les deux autres lois dans le cas général d'une orbite elliptique.

❷ Sans souci exagéré d'échelle ni d'exactitude de la courbe mathématique, dessiner l'allure de l'orbite du satellite Hipparcos. Placer sur ce schéma le centre d'inertie de la Terre et les points A et P correspondant respectivement aux valeurs 36 000 km et 500 km données dans le texte.

❸ En appliquant la loi des aires au schéma précédent montrer, sans calcul, que la vitesse d'Hipparcos sur son orbite n'est pas constante.

❹ Préciser en quels points de son orbite sa vitesse est maximale, minimale.

4. LES MISSIONS DES SATELLITES ARTIFICIELS

Aujourd'hui, plus de 2 600 satellites gravitent autour de la Terre. Ils interviennent dans de nombreux domaines : téléphonie, télévision, localisation, géodésie, télédétection, météorologie, astronomie... Leur spectre d'observation est vaste : optique, radar, infrarouge, ultraviolet, écoute de signaux radioélectriques...

❶ Sachant que le spectre optique correspond à la lumière visible, donner les limites des longueurs d'onde dans le vide de ce spectre et situer l'infrarouge et l'ultraviolet.

❷ La célérité de la lumière dans le vide est $3{,}0 \times 10^8\ \text{m} \cdot \text{s}^{-1}$, en déduire les limites en fréquence de la lumière visible.

❸ Pourquoi doit-on préciser « dans le vide » pour donner les valeurs des longueurs d'onde ?

LES CLÉS DU SUJET

■ Notions et compétences en jeu

- Deuxième loi de Newton.
- Force d'attraction gravitationnelle.
- Mouvement circulaire uniforme.
- Lois de Kepler.

■ Conseils du correcteur

Partie 2

❶ **1.** et **2.** Exprimez le vecteur accélération en utilisant le repère de Frenet, puis identifier cette expression à celle obtenue à la question précédente.
❷ **2.** Dans le cas d'un mouvement circulaire uniforme le vecteur accélération est radial et centripète. Ici, de plus, il doit être dans la même direction que la force d'attraction gravitationnelle puisque c'est la seule force qui s'exerce sur le système.

Partie 4

❸ Remémorez-vous que la célérité d'une onde dépend de son milieu de propagation.

1. LE PREMIER SATELLITE ARTIFICIEL

1 Soit la force $\vec{F}_{T/S}$ exercée par la Terre sur Spoutnik I :

$$\vec{F}_{T/S} = -G\,\frac{mM_T}{(R_T + h)^2}\,\vec{u}_{TS}$$

que nous pouvons représenter sur le schéma suivant.

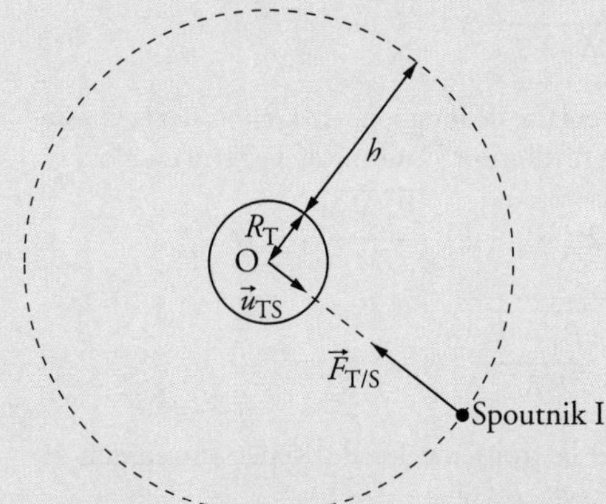

2 Appliquons la deuxième loi de Newton au satellite de masse m dans le référentiel géocentrique supposé galiléen : $\vec{F}_{T/S} = m\vec{a}$

soit : $$-G\,\frac{mM_T}{(R_T + h)^2}\,\vec{u}_{TS} = m\vec{a}$$

donc : $$\vec{a} = -G\,\frac{M_T}{(R_T + h)^2}\,\vec{u}_{TS}$$

L'accélération est radiale et centripète.

Remarque : nous observons que l'accélération du satellite est indépendante de sa masse.

2. LES SATELLITES ARTIFICIELS À ORBITES CIRCULAIRES

1 **1.** L'accélération du satellite peut aussi s'exprimer dans le repère de Frenet :

$$\vec{a} = a_T \cdot \vec{T} + a_N \cdot \vec{N} = \frac{dv}{dt}\,\vec{T} + \frac{v^2}{R_T + h}\,\vec{N}$$

avec $\vec{u}_{TS} = -\vec{N}$.

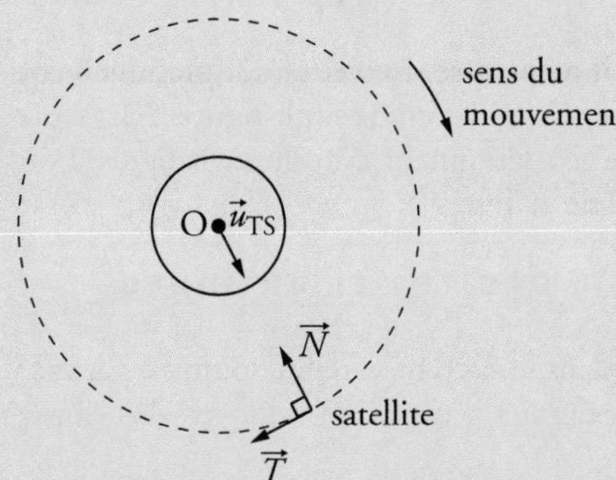

PHYSIQUE

Par identification avec l'expression obtenue à la question ❷ de la 1re partie nous obtenons :

$$a_T = \frac{dv}{dt} = 0 \quad \text{ce qui implique} \quad \boxed{v = \text{cte}}$$

Le mouvement circulaire est bien **uniforme.**

2. En poursuivant l'identification nous obtenons également :

$$a_N = \frac{v^2}{R_T + h} = \frac{GM_T}{(R_T + h)^2}$$

donc : $$\boxed{v = \sqrt{\frac{GM_T}{R_T + h}}}$$

3. Le satellite parcourt donc son orbite circulaire de longueur $2\pi(R_T + h)$ à la vitesse v constante. L'expression de sa période de révolution T autour de la Terre est alors :

$$T = \frac{2\pi(R_T + h)}{v} = 2\pi(R_T + h)\sqrt{\frac{R_T + h}{GM_T}}$$

donc : $$\boxed{T = 2\pi\sqrt{\frac{(R_T + h)^3}{GM_T}}}$$

Nous retrouvons l'expression littérale de la troisième loi de Kepler en élevant la période au carré : $$T^2 = 4\pi^2 \frac{(R_T + h)^3}{GM_T}$$

d'où $$\boxed{\frac{T^2}{(R_T + h)^3} = \frac{4\pi^2}{GM_T}}$$

Notez que le satellite accélère bien que la valeur de la vitesse soit constante. En effet, le vecteur vitesse varie puisqu'il change de direction au cours du temps, ainsi $\vec{a} = \frac{d\vec{v}}{dt} \neq \vec{0}$.

Ce rapport conserve la même valeur quel que soit le satellite terrestre considéré.

❷ **1.** Un satellite géostationnaire est un satellite qui se trouve toujours à la verticale d'un même point à la surface de la Terre. Il est immobile dans le référentiel terrestre.

2. a) L'expression de la deuxième loi de Newton appliquée au satellite de masse m donne :

$$\vec{a} = \frac{\vec{F}_{T/S}}{m}.$$

Le vecteur accélération est donc dirigé dans la même direction et le même sens que la force qu'exerce la Terre sur le satellite car $m > 0$.

Par ailleurs, dans le cas d'un mouvement circulaire uniforme, le vecteur accélération est radial et centripète, c'est-à-dire dirigé vers le centre de la trajectoire. Il a la même direction et le même sens que le vecteur $\vec{N}$.

Nous constatons que la situation représentée sur la **figure** 2 ne permet pas de satisfaire ces deux contraintes.

b) Pour que le satellite soit géostationnaire il ne peut se trouver tantôt pratiquement au-dessus du pôle Nord, tantôt au-dessus du pôle Sud comme sur la **figure** 3. La seule trajectoire qui peut correspondre au satellite géostationnaire est celle de la **figure** 1 où celle-ci est contenue dans le plan équatorial de la Terre.

3. LES SATELLITES ARTIFICIELS À ORBITES ELLIPTIQUES

❶ La première loi de Kepler indique que, dans le cas d'un satellite soumis à l'attraction gravitationnelle d'un astre attracteur, ce dernier occupe l'un des foyers de l'ellipse que décrit le satellite.

La troisième loi de Kepler précise que le carré de la période de révolution T de satellites, autour d'un astre attracteur, divisée par le cube du demi grand axe a de leur orbite elliptique est une constante :

$$\boxed{\frac{T^2}{a^3} = \text{cte}}$$

❷ Le point A correspond à l'apogée et le point P au périgée de la trajectoire (voir schéma).

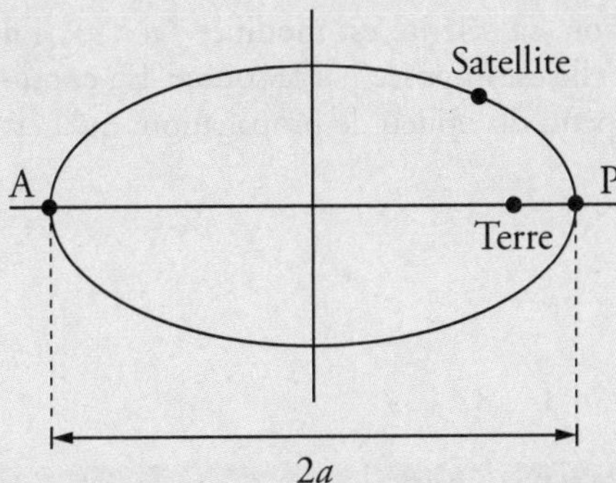

❸ Pour que des aires égales soient balayées, les distances S_1S_2 et S_3S_4 doivent être différentes. Or, d'après la deuxième loi de Kepler, le satellite parcourt ces deux distances différentes pendant la même durée. Cela n'est donc possible que si la vitesse du satellite n'est pas constante.

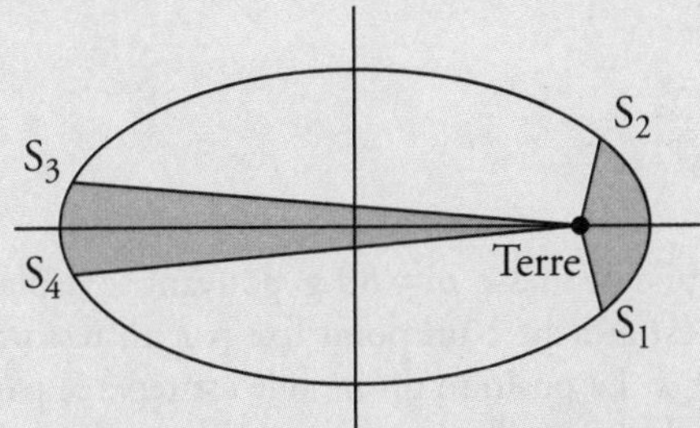

❹ La vitesse du satellite sera **maximale au périgée** et **minimale à l'apogée.**

4. LES MISSIONS DES SATELLITES ARTIFICIELS

❶ Dans le vide, le domaine visible est délimité par les longueurs d'onde 400 nm et 800 nm. En deçà de 400 nm se trouve l'ultraviolet, au-delà de 800 nm se situe l'infrarouge.

Ces valeurs de longueurs d'onde s'entendent implicitement dans le vide.

❷ La lumière visible est délimitée par les fréquences ν_R et ν_V telles que :

$$\nu_R = \frac{c}{\lambda_R} \text{ et } \nu_V = \frac{c}{\lambda_V}.$$

Avec $c = 3{,}0 \times 10^8 \text{ m} \cdot \text{s}^{-1}$, $\lambda_R = 800 \times 10^{-9}$ m et $\lambda_V = 400 \times 10^{-9}$ m, nous calculons :

$$\nu_R = \frac{3{,}0 \times 10^8}{800 \times 10^{-9}} = \frac{3{,}0}{8{,}0} \times 10^{15} = 0{,}375 \times 10^{15} \text{ Hz}$$

$$\boxed{\nu_R = 3{,}8 \times 10^{14} \text{ Hz}}$$

Utilisez les puissances de dix pour faire apparaître des rapports « simples » dans vos calculs. Il n'est pas inutile de connaître les valeurs approchées des rapports 1/2, 1/3, 1/4, …, jusqu'à 1/10.

et : $$\nu_V = \frac{3{,}0 \times 10^8}{400 \times 10^{-9}} = \frac{3{,}0}{4{,}0} \times 10^{15} = 2f_R = 0{,}750 \times 10^{15} \text{ Hz}$$

$$\boxed{\nu_V = 7{,}5 \times 10^{14} \text{ Hz}}$$

❸ La longueur d'onde λ d'une onde électromagnétique se propageant dans le vide s'exprime par :

$$\lambda = \frac{c}{\nu}.$$

Or, si l'onde change de milieu de propagation, sa célérité est modifiée $(v < c)$. En revanche, sa fréquence est inchangée puisqu'elle est imposée par la source. En conséquence, la valeur d'une longueur d'onde dépend du milieu de propagation, qu'il est donc nécessaire de préciser.

SUJET 15

PONDICHÉRY • AVRIL 2007

ENSEIGNEMENT OBLIGATOIRE

4 POINTS

THÈME Évolution des systèmes mécaniques

Oscillateur mécanique horizontal

Un pendule élastique est constitué d'un mobile de masse $m = 80$ g pouvant se déplacer sur un banc à coussin d'air horizontal. Ce mobile est attaché à un point fixe par un ressort de masse négligeable à spires non jointives, de raideur k. La position du mobile est repérée par l'abscisse x sur l'axe $(O\ ;\ \vec{i})$. À l'équilibre, la position du centre d'inertie G coïncide avec le point O, origine des abscisses.

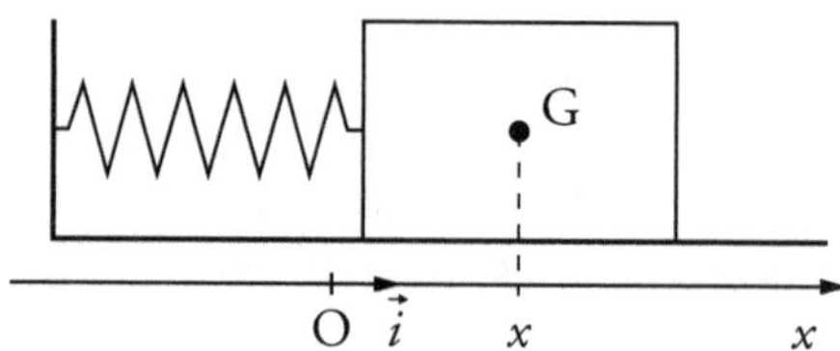

1. ÉTUDE DE L'OSCILLATEUR PARFAIT (NON AMORTI)

Dans cette partie, on considère que le mobile n'est soumis à aucune force de frottement.

❶ Indiquer l'expression vectorielle de la force $\vec{F}$ de rappel du ressort en fonction de l'abscisse x du centre d'inertie du mobile et de $\vec{i}$ vecteur unitaire.

❷ Faire l'inventaire des forces qui s'exercent sur le mobile. Reproduire le schéma ci-dessus et représenter ces forces.

❸ À l'aide de la deuxième loi de Newton, établir l'équation différentielle du mouvement (relation entre l'abscisse $x(t)$ et ses dérivées par rapport au temps).

❹ Un dispositif d'enregistrement de la position x du mobile permet de mesurer la valeur T_0 de la période du mouvement : $T_0 = 0{,}20$ s. Quelle est la valeur numérique de la raideur k du ressort sachant que $T_0 = 2\pi\sqrt{\dfrac{m}{k}}$?

2. ÉTUDE DE L'OSCILLATEUR AVEC AMORTISSEMENT

Le dispositif est modifié et les frottements deviennent plus importants. L'équation différentielle du mouvement a maintenant l'expression suivante : $a + \alpha \cdot v + \beta \cdot x = 0$.

$a = \dfrac{d^2x}{dt^2}$ est l'accélération de G, $v = \dfrac{dx}{dt}$ sa vitesse.

❶ À l'aide de l'analyse dimensionnelle, déterminer les unités de α et β dans le système international (SI).
On a pu déterminer que $\alpha = 60$ SI et $\beta = 1{,}00 \times 10^3$ SI.

❷ La méthode numérique itérative d'Euler permet de résoudre cette équation différentielle. Un extrait de feuille de calcul pour cette résolution est représenté ci-après :

Indice *t, a, v, x*	**Instant** *t* **(s)**	**Accélération** *a* **(m/s²)**	**Vitesse** *v* **(m/s)**	**Abscisse** *x* **(m)**
0	0	– 30,0	0,00	0,030
1	0,01	– 12,0	– 0,30	0,030
2	0,02	– 1,8	– 0,42	0,027
3	0,03	3,5	– 0,44	0,023
4	0,04	5,8	– 0,40	0,018
5	0,05	6,3	– 0,35	0,014
6	0,06	6,0	– 0,28	0,011
7	0,07	a_7	– 0,22	0,008
8	0,08		v_8	x_8

Calculer la valeur numérique de l'accélération a_7 à l'instant $t_7 = 0{,}07$ s à l'aide de l'équation différentielle.

❸ Calculer les valeurs de la vitesse v_8 et de l'abscisse x_8 à l'instant $t_8 = 0{,}08$ s en utilisant la méthode d'Euler.

❹ Tracer la courbe donnant l'abscisse x en fonction du temps sur un papier millimétré à rendre avec la copie.
Échelles : 1 cm pour $t = 0{,}01$ s et 1 cm pour $x = 0{,}002$ m.

❺ Quels sont les noms des deux régimes possibles d'un oscillateur ?
La courbe précédente permet-elle d'affirmer dans quel régime se trouve l'oscillateur étudié ?

LES CLÉS DU SUJET

■ Notions et compétences en jeu

- Force de rappel d'un ressort.
- Utilisation de la deuxième loi de Newton pour établir l'équation différentielle d'un mouvement.
- Analyse dimensionnelle.
- Méthode d'Euler.

■ Conseils du correcteur

Partie 1

❶ Pensez que la force de rappel du ressort est toujours dirigée vers la position d'équilibre du système.

Partie 2

❶ Utilisez le fait que tous les termes de l'équation différentielle sont homogènes : $[a]=[\alpha v]=[\beta x]$.

❸ Chacune des valeurs se déduit des précédentes :

$$v_{xi}=v_{xi-1}+a_{xi-1}\cdot\Delta t \quad \text{et} \quad x_i=x_{i-1}+v_{xi-1}\cdot\Delta t.$$

CORRIGÉ SUJET 15

1. ÉTUDE DE L'OSCILLATEUR PARFAIT (NON AMORTI)

❶ La force de rappel du ressort s'exprime par :

$$\boxed{\vec{F}=-kx\cdot\vec{i}}$$

Cette expression reste valable que *x* soit positif ou négatif.

❷ En l'absence de force de frottement (oscillateur non amorti), le mobile n'est soumis qu'à son poids $\vec{P}$, à la force de rappel $\vec{F}$ du ressort, et à l'action normale $\vec{R}_n$ du coussin d'air :

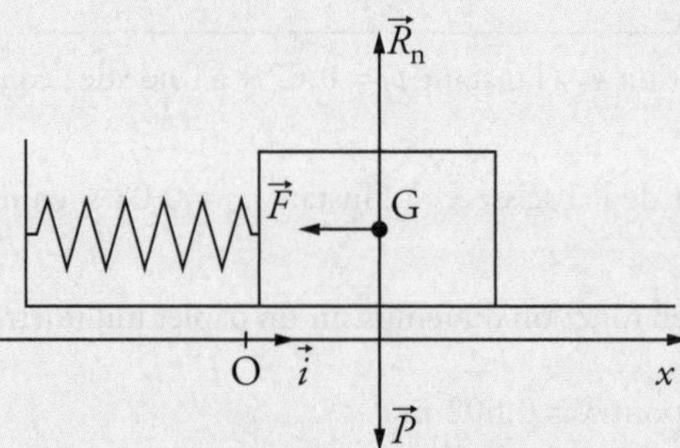

Remarque : pour plus de clarté, le centre d'inertie G du système a été choisi comme point d'application de toutes les forces.

❸ Appliquons la deuxième loi de Newton au centre d'inertie G du système dans le référentiel terrestre supposé galiléen :

$$\vec{P}+\vec{F}+\vec{R}_n=m\vec{a}.$$

Soit en projetant cette relation sur l'axe (Ox) :

$$P_x + F_x + R_{nx} = ma_x \quad \text{d'où} \quad -kx = m\frac{d^2x}{dt^2}$$

ou encore : $$\boxed{\frac{d^2x}{dt^2} + \frac{k}{m}x = 0}$$

qui est l'équation différentielle du mouvement.

❹ Élevons au carré l'expression de la période propre T_0 :

$$T_0^2 = 4\pi^2 \cdot \frac{m}{k} \quad \text{donc} \quad k = 4\pi^2 \cdot \frac{m}{T_0^2}.$$

Numériquement, avec $m = 80 \times 10^{-3}$ kg et $T_0 = 0{,}20$ s, nous calculons :

$$\boxed{k = 79 \text{ kg} \cdot \text{s}^{-2} \text{ (ou } 79 \text{ N} \cdot \text{m}^{-1})}$$

2. ÉTUDE DE L'OSCILLATEUR AVEC AMORTISSEMENT

❶ **Remarque :** l'énoncé manque de rigueur. En effet, les coordonnées $a_x = \frac{d^2x}{dt^2}$ et $v_x = \frac{dx}{dt}$ sont des grandeurs algébriques alors que l'accélération a et la vitesse v sont des grandeurs exclusivement positives.

Les trois termes sommés dans l'équation différentielle doivent être homogènes donc :

Chaque terme d'une somme ou d'une différence doit avoir la même dimension.

$$[a] = [\alpha v] \quad \text{soit} \quad [\alpha] = \frac{[a]}{[v]} = \frac{\text{L} \times \text{T}^{-2}}{\text{L} \times \text{T}^{-1}} = \text{T}^{-1}$$

$$[a] = [\beta x] \quad \text{soit} \quad [\beta] = \frac{[a]}{[x]} = \frac{\text{L} \times \text{T}^{-2}}{\text{L}} = \text{T}^{-2}$$

Ainsi, α est homogène à l'inverse d'une durée et s'exprime donc en s^{-1} dans le système international, alors que β est homogène à l'inverse d'une durée au carré et s'exprime donc en s^{-2} dans le système international.

❷ **Remarque :** là encore, il faut lire a_x et v_x dans le tableau à la place respectivement de a et v.

L'équation différentielle nous permet d'écrire :

$$a_{x7} = -\alpha v_{x7} - \beta x_7$$

soit numériquement, avec :

$\alpha = 60$ SI, $\beta = 1{,}00 \times 10^3$ SI, $v_{x7} = -0{,}22 \text{ m} \cdot \text{s}^{-1}$ et $x_7 = 0{,}008$ m,

nous calculons :

$$\boxed{a_{x7} = 5{,}2 \text{ m} \cdot \text{s}^{-2}}$$

❸ La coordonnée du vecteur vitesse v_{x8} à l'instant de date t_8 s'exprime par :

$$v_{x8} = v_{x7} + \Delta v_{x7} = v_{x7} + a_{x7} \cdot \Delta t$$

et l'abscisse x_8 du centre d'inertie G au même instant est telle que :

$$x_8 = x_7 + \Delta x_7 = x_7 + v_{x7} \cdot \Delta t.$$

Numériquement, avec $v_{x7} = -0{,}22 \text{ m} \cdot \text{s}^{-1}$, $\Delta t = 0{,}01$ s, et $x_7 = 0{,}008$ m, nous obtenons :

$$\boxed{v_{x8} = -0{,}17 \text{ m} \cdot \text{s}^{-1}} \quad \text{et} \quad \boxed{x_8 = 0{,}006 \text{ m}}$$

❹ **Remarque :** le format de cet ouvrage ne nous permet pas de respecter l'échelle imposée dans l'énoncé.

Représentons graphiquement $x = f(t)$:

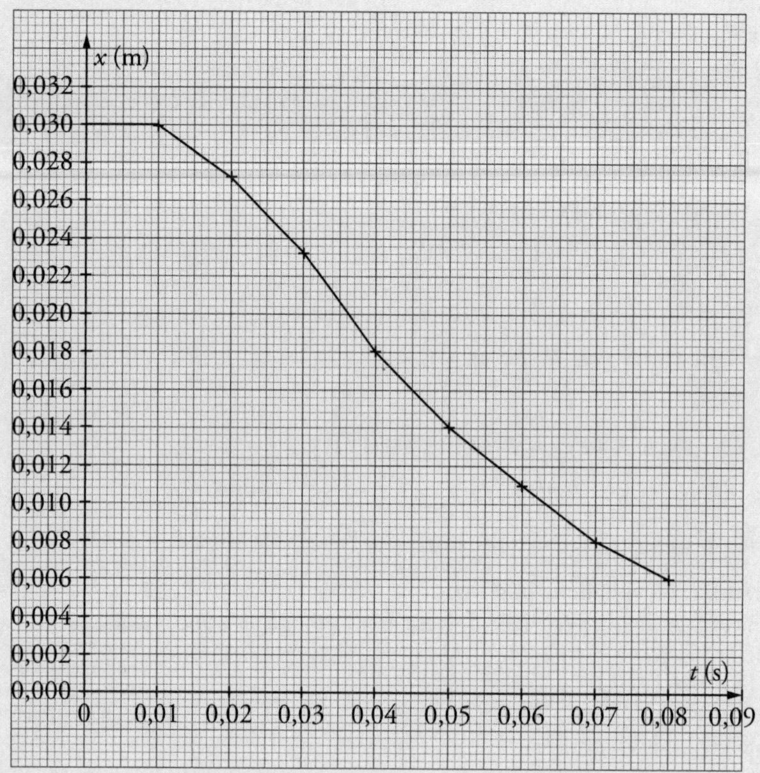

❺ En Terminale, un oscillateur peut présenter deux régimes qui sont soit **pseudo-périodique** (voire **périodique** dans les cas idéaux), soit **apériodique**.
L'allure de la courbe obtenue tend à nous faire penser que l'oscillateur se trouve en **régime apériodique** car il semble retourner vers sa position d'équilibre $x = 0$ m sans osciller. Néanmoins, il faudrait poursuivre l'étude sur une plus grande durée pour s'assurer qu'il n'y a effectivement aucune oscillation autour de la position d'équilibre.

SUJET 16

AMÉRIQUE DU SUD • NOVEMBRE 2005

ENSEIGNEMENT OBLIGATOIRE

5,5 POINTS

THÈME **Évolution des systèmes mécaniques**

Les oscillateurs mécaniques

L'usage de la calculatrice n'est pas autorisé.

Les ***parties 1 et 2*** *sont indépendantes. Dans tout ce qui suit, les frottements sont négligés.*

On étudie un pendule simple constitué d'une masse ponctuelle m, attachée à l'une des extrémités d'un fil inextensible, de masse négligeable et de longueur L.
Ce pendule est placé dans le champ de pesanteur dans le référentiel terrestre considéré comme galiléen.

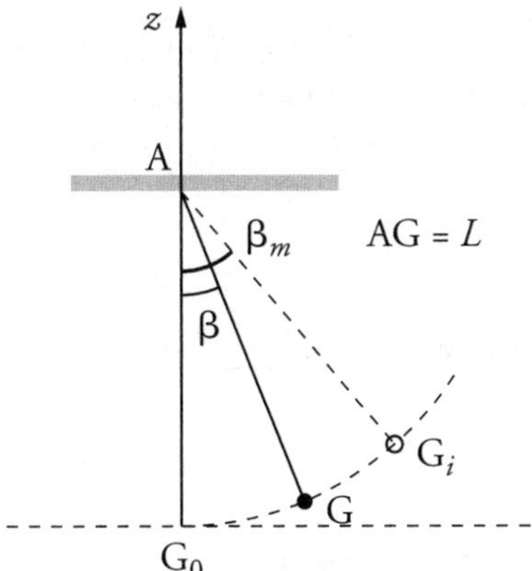

L'autre extrémité du fil est attachée en un point fixe A.
Écarté de sa position d'équilibre G_0, le pendule oscille sans frottements avec une amplitude β_m.
G_i est la position initiale à partir de laquelle le pendule est abandonné sans vitesse.
Une position quelconque G est repérée par β, élongation angulaire mesurée à partir de la position d'équilibre.

❶ Étude énergétique

1. Donner l'expression de l'énergie cinétique en G.

2. On prendra l'origine des énergies potentielles en G_0, origine de l'axe des z. On montre que, dans ce cas, l'énergie potentielle en G peut se mettre sous la forme :

$$E_p = mgL(1 - \cos \beta).$$

Donner l'expression de l'énergie mécanique en fonction de m, g, L, v et β. Pourquoi l'énergie mécanique se conserve-t-elle ?

3. Exploitation.
Exprimer la vitesse au passage par la position d'équilibre en fonction de g, L et β_m. Calculer sa valeur.

Données
• $g = 10 \text{ m} \cdot \text{s}^{-2}$; • $L = 1{,}0 \text{ m}$; • $\cos \beta_m = 0{,}95$.

❷ Isochronisme

1. Énoncer la loi d'isochronisme des petites oscillations.

2. Choisir l'expression correcte de la période parmi les suivantes, en justifiant par une analyse dimensionnelle :

$$T_0 = 2\pi\sqrt{\frac{g}{L}} \;;\quad T_0 = 2\pi\sqrt{\frac{\beta_m}{L}} \;;\quad T_0 = 2\pi\sqrt{\frac{L}{g}} \;;\quad T_0 = 2\pi\sqrt{\frac{m}{L}}.$$

PHYSIQUE

Un solide (S) de masse m, de centre d'inertie G, peut glisser sans frottements sur une tige horizontale. Il est accroché à un ressort (R) à spires non jointives, de raideur $k = 4{,}0\ \text{N} \cdot \text{m}^{-1}$. L'ensemble constitue un oscillateur élastique horizontal, non amorti.
La masse du ressort est négligeable devant m, et (S) entoure la tige de telle sorte que G se trouve sur l'axe de celle-ci (voir **schéma** ci-après).
On étudie le mouvement de translation du solide (S) dans le référentiel terrestre supposé galiléen. Lorsque le solide (S) est à l'équilibre, son centre d'inertie G se situe à la verticale du point O, origine de l'axe des abscisses. Le solide est écarté de 10 cm de sa position d'équilibre et abandonné sans vitesse initiale à la date $t = 0$ s.

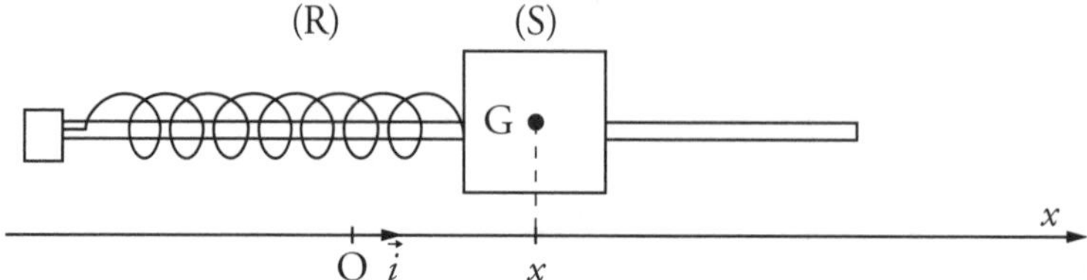

Dispositif expérimental

On procède à l'enregistrement des positions successives de G au cours du temps par un dispositif approprié. On obtient la courbe ci-dessous.

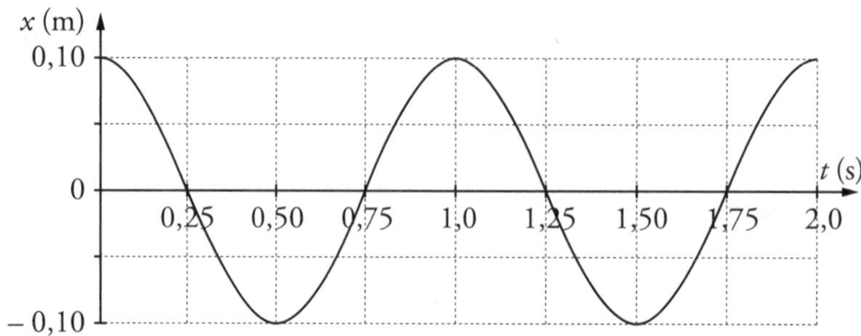

Enregistrement

❶ Étude dynamique

1. Reproduire sur la copie le schéma du dispositif expérimental ci-dessus. Représenter et nommer les forces en G, sans souci d'échelle, s'exerçant sur le solide (S).

2. En appliquant la deuxième loi de Newton au solide (S), établir l'équation différentielle (relation entre x et ses dérivées par rapport au temps) régissant le mouvement de son centre d'inertie G.

3. Une solution de l'équation différentielle peut s'écrire sous la forme :

$$x(t) = X_m \cos\left(\frac{2\pi t}{T_0} + \varphi\right).$$

(X_m est l'amplitude et φ la phase initiale.)
Retrouver l'expression de la période T_0 en fonction de m et de k.

❷ Étude énergétique

L'énergie potentielle de pesanteur est choisie nulle dans le plan horizontal passant par G.

1. Donner l'expression littérale de l'énergie mécanique du système {ressort + solide}, en fonction de k, m, x et sa dérivée première.

2. À partir de l'**enregistrement** de la page précédente, trouver pour quelles dates l'énergie potentielle élastique du système {ressort + solide} est maximale. Que vaut alors l'énergie cinétique ?

3. Calculer la valeur de l'énergie mécanique du système.

3. COMPARAISON DES PÉRIODES

Les comportements des deux pendules précédents sont maintenant envisagés sur la Lune. Parmi les hypothèses ci-dessous, choisir pour chaque pendule celle qui est correcte. Justifier.

Hypothèse 1	Hypothèse 2	Hypothèse 3
T_0 ne varie pas	T_0 augmente	T_0 diminue

LES CLÉS DU SUJET

■ Notions et compétences en jeu

– Pendule simple : aspects énergétiques, isochronisme des petites oscillations.
– Justification de la forme de l'expression de la période propre par analyse dimensionnelle.
– Dispositif solide-ressort horizontal.
– Application de la deuxième loi de Newton pour établir l'équation différentielle du mouvement.
– Utilisation de la solution analytique de l'équation différentielle pour retrouver l'expression de la période propre T_0 des oscillations.
– Aspects énergétiques.

■ Conseils du correcteur

Partie 1

❶ **3.** Utilisez le fait que l'énergie mécanique se conserve entre les points G_i et G_0, soit $E_m(G_0) = E_m(G_i)$, avec au point G_i : $\beta = \beta_m$ et $v_i = 0 \text{ m} \cdot \text{s}^{-1}$, et au point G_0 : $\beta_0 = 0°$.

Partie 2

❶ **3.** Puisque la fonction $x = f(t)$ est solution de l'équation différentielle, elle vérifie cette équation différentielle. Remplacez x dans l'équation différentielle par la fonction fournie pour trouver l'expression de la période propre T_0.

❷ **1.** Souvenez-vous que $v_x = \frac{dx}{dt}$.

Partie 3

La seule force s'exerçant sur les pendules à être modifiée lors du passage de la Terre à la Lune est le poids, car l'intensité de la pesanteur g diminue lors de ce passage $(g_L < g_T)$.

CORRIGÉ SUJET 16

1. PENDULE SIMPLE

❶ **1.** L'énergie cinétique du pendule simple au point G est liée à sa vitesse v dans le référentiel terrestre supposé galiléen :

$$\boxed{E_c = \frac{1}{2} mv^2}$$

2. L'énergie mécanique E_m du pendule simple est la somme de son énergie cinétique E_c et de son énergie potentielle de pesanteur E_p en tout point. Dans le cas où la masse se trouve au point G nous avons alors :

$$E_m = E_c + E_p = \frac{1}{2}mv^2 + mgL(1 - \cos\beta)$$

$$\boxed{E_m = m\left[\frac{1}{2}v^2 + gL(1 - \cos\beta)\right]}$$

Nous pouvons admettre que l'énergie mécanique se conserve car le pendule est supposé osciller sans frottement.

Essayez toujours de donner l'expression la plus « compacte » d'une expression littérale en la factorisant au maximum. Ceci facilitera souvent les calculs ultérieurs.

3. L'énergie mécanique étant ici constante au cours du mouvement nous pouvons alors écrire pour les positions G_0 et G_i :

$$E_m(G_0) = E_m(G_i)$$

soit :

$$m\left[\frac{1}{2}v_0^2 + gL(1 - \cos\beta_0)\right] = m\left[\frac{1}{2}v_i^2 + gL(1 - \cos\beta_m)\right]$$

$$\frac{1}{2}v_0^2 = \frac{1}{2}v_i^2 + gL(\cos\beta_0 - \cos\beta_m)$$

$$\boxed{v_0 = \sqrt{v_i^2 + 2gL(\cos\beta_0 - \cos\beta_m)}}$$

Numériquement, avec $v_i = 0\ \mathrm{m\cdot s^{-1}}$, $\beta_0 = 0°$, $g = 10\ \mathrm{m\cdot s^{-2}}$, $L = 1{,}0\ \mathrm{m}$ et $\cos\beta_m = 0{,}95$ nous calculons :

$$v_0 = \sqrt{0^2 + 2 \times 10 \times 1{,}0 \times (1 - 0{,}95)} = \sqrt{20 \times 0{,}050} = \sqrt{1{,}0}$$

$$\boxed{v_0 = 1{,}0\ \mathrm{m\cdot s^{-1}}}$$

Ayez toujours un regard critique sur la valeur de vos résultats numériques en vous interrogeant sur leur vraisemblance.

2 **1.** Dans le cas de « petites oscillations », c'est-à-dire d'amplitude β_m relativement faible, la période propre d'oscillation T_0 du pendule simple est indépendante de l'amplitude des oscillations.

2. Remarque : ne confondez pas dimension et unité. La dimension d'une grandeur est justement indépendante de l'unité utilisée.

Effectuons l'analyse dimensionnelle de chaque expression proposée sachant que celle à retenir doit être homogène à un temps :

Un temps peut cependant s'exprimer à l'aide de diverses unités : seconde (SI), jour, lunaison… etc.

$$\left[2\pi\sqrt{\frac{g}{L}}\right] = [2\pi] \times [g]^{\frac{1}{2}} \times [L]^{-\frac{1}{2}} = 1 \times (\mathrm{L} \times \mathrm{T}^{-2})^{\frac{1}{2}} \times \mathrm{L}^{-\frac{1}{2}} = \mathrm{L}^{\frac{1}{2}} \times \mathrm{T}^{-1} \times \mathrm{L}^{-\frac{1}{2}} = \mathrm{T}^{-1}$$

$$\left[2\pi\sqrt{\frac{\beta_m}{L}}\right] = [2\pi] \times [\beta_m]^{\frac{1}{2}} \times [L]^{-\frac{1}{2}} = 1 \times 1^{\frac{1}{2}} \times \mathrm{L}^{-\frac{1}{2}} = \mathrm{L}^{-\frac{1}{2}}$$

$$\left[2\pi\sqrt{\frac{L}{g}}\right] = [2\pi] \times [L]^{\frac{1}{2}} \times [g]^{-\frac{1}{2}} = 1 \times \mathrm{L}^{\frac{1}{2}} \times (\mathrm{L} \times \mathrm{T}^{-2})^{-\frac{1}{2}} = \mathrm{L}^{\frac{1}{2}} \times \mathrm{L}^{-\frac{1}{2}} \times \mathrm{T}^{1} = \mathrm{T}$$

$$\left[2\pi\sqrt{\frac{m}{L}}\right] = [2\pi] \times [m]^{\frac{1}{2}} \times [L]^{-\frac{1}{2}} = 1 \times \mathrm{M}^{\frac{1}{2}} \times \mathrm{L}^{-\frac{1}{2}} = \mathrm{M}^{\frac{1}{2}} \times \mathrm{L}^{-\frac{1}{2}}$$

Nous retiendrons donc l'expression :

$$\boxed{T_0 = 2\pi\sqrt{\frac{L}{g}}}$$

2. OSCILLATEUR ÉLASTIQUE

1 **1.** Les forces qui s'exercent sur le solide (S) qui constitue le système étudié sont : son poids $\vec{P}$; l'action normale $\vec{R}_N$ de la tige horizontale (pas de frottement) et la force de rappel $\vec{F}$ du ressort.
Représentons-les toutes, appliquées au centre d'inertie G du solide :

Le choix de représenter tous les points d'application des forces en G, plutôt qu'aux points traditionnellement utilisés, ne modifie en rien les résultas des calculs qui suivent. Vérifiez-le pour vous en convaincre.

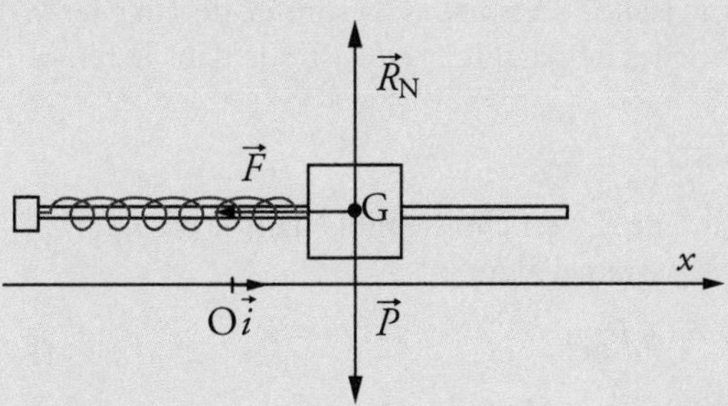

2. Appliquons la deuxième loi de Newton au solide (S) dans le référentiel terrestre supposé galiléen : $\vec{F}+\vec{P}+\vec{R}_N=m\vec{a}$
qui nous donne en projection sur l'axe (Ox) :

La projection d'une somme vectorielle sur un axe du repère conduit à une somme de coordonnées. C'est ensuite qu'il faut s'interroger sur le signe positif ou négatif de ces coordonnées.

$$F_x+P_x+R_{Nx}=ma_x$$

avec : $$F_x=-kx,\ P_x=R_{Nx}=0 \text{ et } a_x=\frac{d^2x}{dt^2}$$

donc : $$-kx=m\frac{d^2x}{dt^2}$$

soit : $$\boxed{\frac{d^2x}{dt^2}+\frac{k}{m}x=0}$$

à tout instant après que le solide a été laché.
C'est l'équation différentielle régissant le mouvement du centre d'inertie G du solide (S).

3. Puisque la fonction $x(t)=X_m\cos\left(\frac{2\pi}{T_0}t+\varphi\right)$ est solution de l'équation différentielle obtenue, cette fonction doit vérifier cette équation différentielle, c'est-à-dire :

$$\frac{d^2x}{dt^2}+\frac{k}{m}x=0.$$

Or, $$\frac{d^2}{dt^2}\left[X_m\cos\left(\frac{2\pi}{T_0}t+\varphi\right)\right]+\frac{k}{m}X_m\cos\left(\frac{2\pi}{T_0}t+\varphi\right)$$

$$=-X_m\frac{4\pi^2}{T_0^2}\cos\left(\frac{2\pi}{T_0}t+\varphi\right)+\frac{k}{m}X_m\cos\left(\frac{2\pi}{T_0}t+\varphi\right)$$

donc : $$\frac{d^2x}{dt^2}+\frac{k}{m}x=\left[-\frac{4\pi^2}{T_0^2}+\frac{k}{m}\right]\cdot X_m\cos\left(\frac{2\pi}{T_0}t+\varphi\right).$$

Il faut donc que :

$$\left[-\frac{4\pi^2}{T_0^2}+\frac{k}{m}\right]\cdot X_m\cos\left(\frac{2\pi}{T_0}t+\varphi\right)=0 \text{ quel que soit } t\geqslant 0 \text{ s}.$$

Un produit de facteurs est nul si et seulement si l'un des facteurs est nul.

Cette équation est vérifiée quel que soit $t\geqslant 0$ s si : $-\frac{4\pi^2}{T_0^2}+\frac{k}{m}=0$

c'est-à-dire si : $$T_0 = 2\pi\sqrt{\frac{m}{k}}$$

Remarque : la solution $X_m = 0$ n'est pas physiquement acceptable car elle n'est pas en accord avec le fait d'observer des oscillations. En effet, si $X_m = 0$, alors $x(t) = 0$ quel que soit $t \geqslant 0$ s.

❷ **1.** L'énergie mécanique E_m du système {solide + ressort} est la somme de son énergie cinétique E_c et de ses énergies potentielles de pesanteur et élastique dans le référentiel terrestre supposé galiléen :

$$E_m = E_c + E_{pp} + E_{pe}.$$

Or, puisque l'énergie potentielle de pesanteur E_{pp} est choisie nulle dans le plan horizontal passant par G dans lequel évolue le système, alors :

$$E_m = E_c + E_{pe}.$$

Par ailleurs : $$E_c = \frac{1}{2}\,mv^2 = \frac{1}{2}\,mv_x^2$$

car $v = \sqrt{v_x^2}$ puisque le mouvement n'a lieu que suivant l'axe (Ox), et :

$$E_{pe} = \frac{1}{2}\,kx^2$$

alors : $$E_m = \frac{1}{2}\,mv_x^2 + \frac{1}{2}\,kx^2.$$

Donc, avec $v_x^2 = \left(\frac{dx}{dt}\right)^2$, nous obtenons :

$$E_m = \frac{1}{2}\left[m\left(\frac{dx}{dt}\right)^2 + kx^2\right]$$

2. Compte tenu de l'expression de l'énergie potentielle élastique $E_{pe} = \frac{1}{2}\,kx^2$, celle-ci est maximale lorsque l'abscisse x du point G passe par ses extremum, c'est-à-dire pour $x = \pm X_m$. Ceci correspond **aux dates 0 s ; 0,50 s ; 1,0 s ; 1,50 s et 2,0 s**, soit $n \times 0{,}50$ s avec n entier, $0 \leqslant n \leqslant 4$. Nous pouvons considérer qu'en l'absence de frottement, l'énergie mécanique du système se conserve, ce qui implique que lorsque l'énergie potentielle élastique est maximale, **l'énergie cinétique est nulle.**

3. Nous choisissons de considérer l'instant de date $t = 0$ s, alors :

$$E_m(t = 0\text{ s}) = E_c(t = 0\text{ s}) + E_{pe}(t = 0\text{ s}) = 0 + \frac{1}{2}\,kx^2(t = 0\text{ s}).$$

Numériquement, avec $k = 4{,}0\ \text{N}\cdot\text{m}^{-1}$ et $x(t = 0\text{ s}) = 0{,}10$ m, nous calculons :

$$E_m(t = 0\text{ s}) = \frac{1}{2} \times 4{,}0 \times (0{,}10)^2 = 2{,}0 \times (1{,}0 \times 10^{-1})^2$$

$$E_m(t = 0\text{ s}) = 2{,}0 \times 10^{-2}\ \text{J} = 20\ \text{mJ}$$

3. COMPARAISON DES PÉRIODES

Le passage de la Terre à la Lune conduit à une diminution de l'intensité g de la pesanteur.

Ce paramètre n'intervient que dans l'expression de la période propre T_0 des oscillations du pendule simple, puisque :

$$T_0 = 2\pi\sqrt{\frac{L}{g}}$$

donc T_0 augmente lors du passage de la Terre à la Lune (hypothèse 2).
En revanche, pour le dispositif {solide-ressort}, T_0 ne varie pas (hypothèse 1).

SUJET 17 — AMÉRIQUE DU NORD • JUIN 2007

ENSEIGNEMENT DE SPÉCIALITÉ

4 POINTS

THÈME Optique

Étude d'un rétroprojecteur

1. DIFFÉRENTS USAGES D'UNE LENTILLE MINCE

❶ Construire, sur l'**annexe 1** (à rendre avec la copie), les images de l'objet AB dans les situations (a) et (b). Les foyers objet et image sont notés F et F′.

❷ Les situations (a) et (b) illustrent le fonctionnement de deux instruments d'optique : la loupe et l'appareil photographique.
Quelle situation correspond au fonctionnement de la loupe ? Justifier précisément votre choix.

2. UN INSTRUMENT D'OPTIQUE FONCTIONNANT À L'AIDE D'UNE LENTILLE ET D'UN MIROIR PLAN : LE RÉTROPROJECTEUR

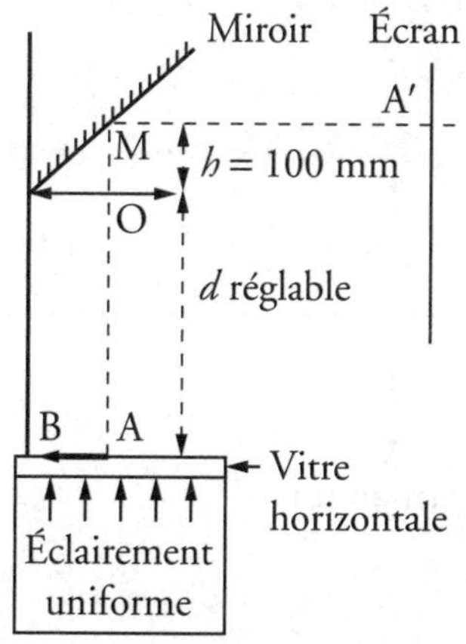

La lentille L donne une image intermédiaire A_1B_1 d'un objet AB et le miroir plan fournit une image définitive $A'B'$ sur l'écran. Le centre optique O de la lentille est situé à une distance $h = 100\ \text{mm}$ du point M du miroir. Lorsque la distance $OA = d$ réglable est fixée à $OA = d = 400\ \text{mm}$, on obtient une image définitive $A'B'$ sur un écran placé à une distance $MA' = 1{,}40\ \text{m}$. Le **schéma** correspondant à cette situation, réalisé à l'échelle 1/17, est donné en **annexe** 2 (à rendre avec la copie) ; y sont représentés l'objet AB, l'image intermédiaire A_1B_1 et l'image définitive $A'B'$.

Donnée du constructeur
Distance focale de la lentille : 315 mm.

❶ Construire, sur le **schéma** donné en **annexe** 2 le trajet suivi par un rayon lumineux issu de B et passant par le centre optique O de la lentille L.

❷ On étudie l'image intermédiaire A_1B_1.

1. Quel rôle joue l'image intermédiaire A_1B_1 pour le miroir ?

2. Justifier la position de l'image intermédiaire A_1B_1 sur le **schéma** donné en **annexe** 2.

3. Définir le grandissement γ pour l'image intermédiaire A_1B_1 donnée par la lentille L. Le déterminer en utilisant le schéma donné en **annexe** 2.

4. En utilisant les données numériques du texte, retrouver, par le calcul, la distance focale de la lentille L. Le résultat est-il conforme avec la donnée du constructeur ?

❸ On veut maintenant effectuer la projection du même objet AB sur un écran vertical placé à une distance $MA'_1 = 4{,}00\ \text{m}$ du miroir. Pour cela, on règle la distance d à une nouvelle valeur d_2 de OA.
Calculer la valeur de d_2 permettant d'obtenir une image nette sur l'écran. En déduire l'évolution de la distance d lorsque la distance miroir-écran augmente.

Annexe 1

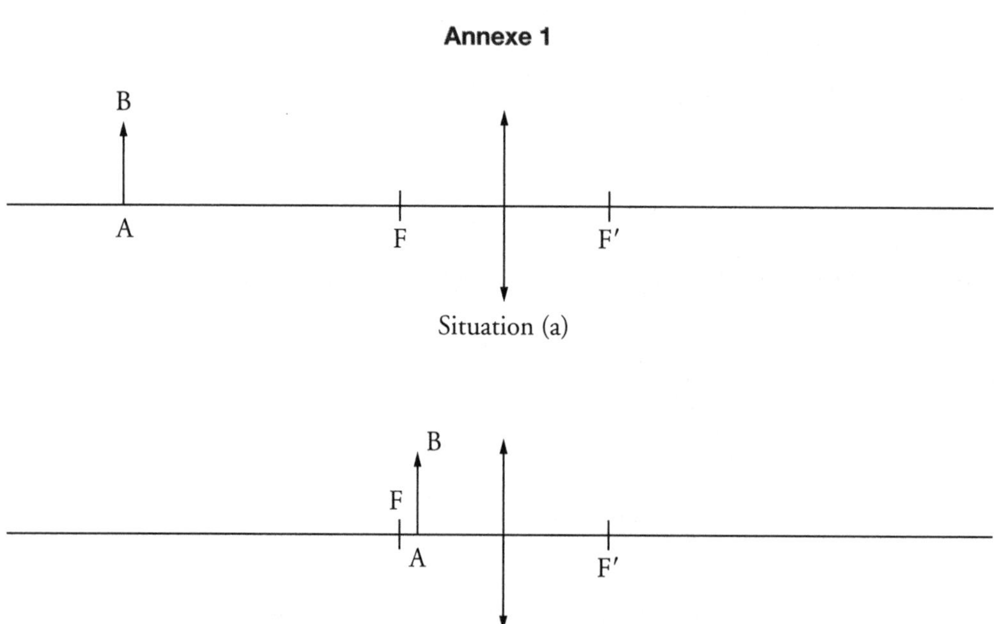

Annexe 2

A_1 - - - - - - - - - - → B_1

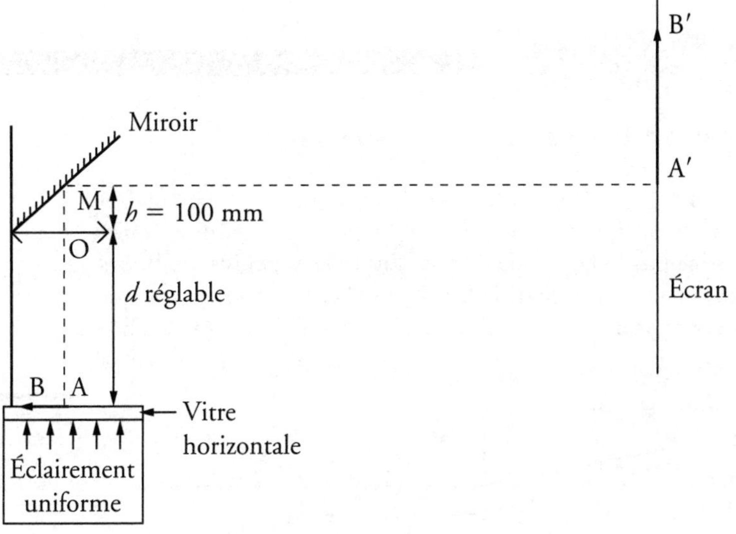

LES CLÉS DU SUJET

■ **Notions et compétences en jeu**

– Construction de l'image d'un objet donnée par une lentille convergente.
– Grandissement et relation de conjugaison.
– Miroir plan.

■ **Conseils du correcteur**

Partie 2

❷ **4.** Utilisez la relation de conjugaison de Descartes.

❸ Là encore, utilisez la relation de conjugaison de Descartes après avoir montré que $\overline{OA_1} = 4{,}10$ m .

CORRIGÉ SUJET 17

1. DIFFÉRENTS USAGES D'UNE LENTILLE MINCE

❶ Le rayon lumineux issu du point-objet B et passant par le centre optique de la lentille n'est pas dévié. Celui issu de B, parallèlement à l'axe optique, émerge de la lentille en passant par le foyer principal image F′ de celle-ci. Enfin, le rayon issu de B, passant par le foyer principal objet F, émerge de la lentille parallèlement à l'axe optique. Le point de concours de ces rayons nous donne le point-image B′ conjugué de B.

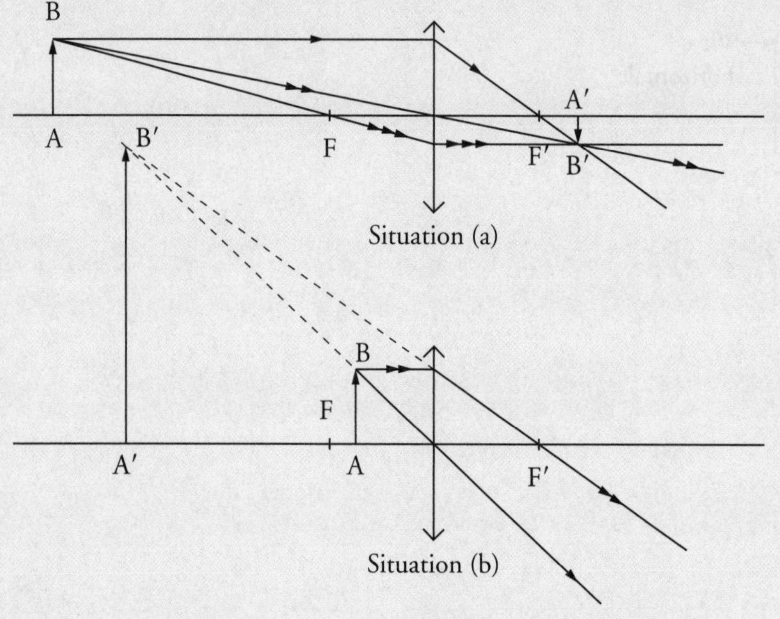

Soignez les tracés des rayons lumineux en utilisant un crayon bien taillé pour qu'ils se coupent effectivement tous trois en un unique point B'.

❷ Une loupe permet d'obtenir une image A′B′ virtuelle (qui ne peut être recueillie sur un écran) droite et agrandie d'un objet AB ; c'est donc la **situation (b)** qui correspond au fonctionnement de la loupe.

2. UN INSTRUMENT D'OPTIQUE FONCTIONNANT À L'AIDE D'UNE LENTILLE ET D'UN MIROIR PLAN : LE RÉTROPROJECTEUR

❶ Nous traçons, par exemple, le trajet suivi par le rayon issu du point-objet B, passant par le centre optique O de la lentille, qui n'est pas dévié. Il passe par le point-image B_1.

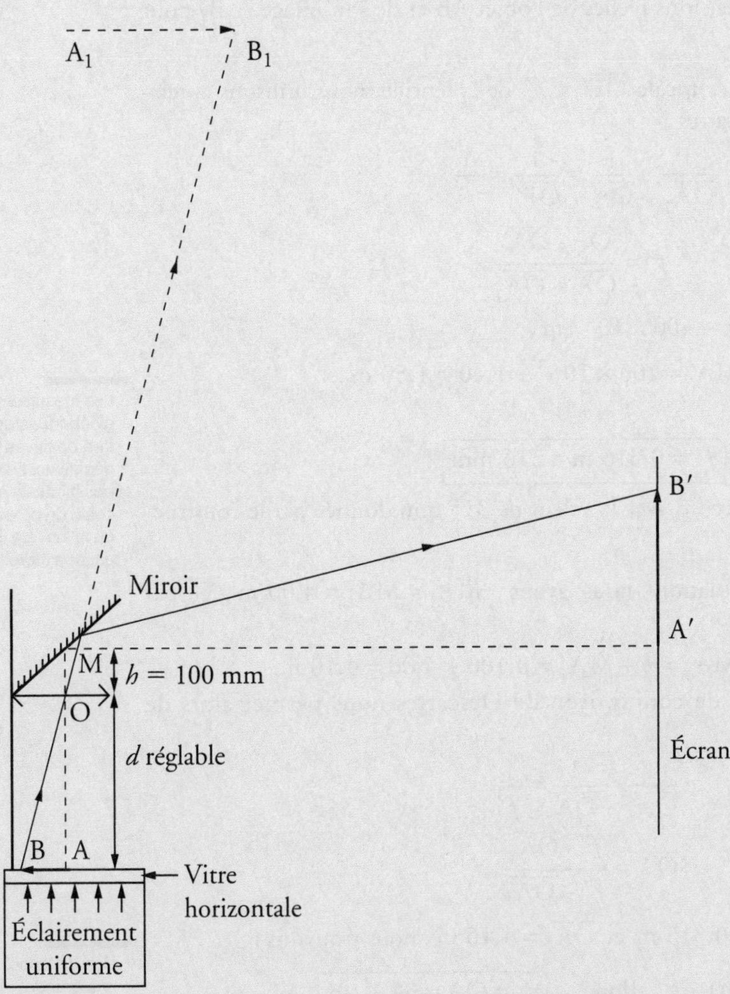

❷ **1.** L'image intermédiaire A_1B_1 joue le rôle **d'objet** pour le miroir plan.

2. L'image intermédiaire A_1B_1 et l'image définitive $A'B'$ sont symétriques l'une de l'autre par rapport au plan du miroir.

3. Par définition, le grandissement γ de la lentille s'exprime par :

$$\boxed{\gamma = \frac{\overline{A_1B_1}}{\overline{AB}} = \frac{\overline{OA_1}}{\overline{OA}}}$$

PHYSIQUE

Sur le schéma, nous mesurons par exemple $\overline{OA_1} = 8{,}65$ cm et $\overline{OA} = -2{,}3$ cm, ce qui nous donne :

$$\boxed{\gamma = -3{,}8}$$

Remarque : ce résultat peut être vérifié par le calcul du rapport $\dfrac{\overline{A_1B_1}}{\overline{AB}}$ même si les mesures sont relativement moins précises sur ces petites distances. Il n'est pas nécessaire de déterminer les dimensions réelles de l'objet AB et de son image A_1B_1 pour ce calcul.

4. Pour déterminer la distance focale $\overline{OF'} = f'$ de la lentille, nous utilisons la relation de conjugaison de Descartes :

$$\frac{1}{\overline{OA_1}} - \frac{1}{\overline{OA}} = \frac{1}{\overline{OF'}} = \frac{1}{f'}$$

soit aussi :

$$f' = \frac{\overline{OA} \cdot \overline{OA_1}}{\overline{OA} - \overline{OA_1}}$$

Numériquement, avec $\overline{OA} = -400 \times 10^{-3}$ m,

$\overline{OA_1} = \overline{OM} + \overline{MA_1} = h + MA' = 100 \times 10^{-3} + 1{,}40 = 1{,}50$ m,

nous calculons :

$$\boxed{f' = 0{,}316 \text{ m} = 316 \text{ mm}}$$

Ce résultat est en très bon accord avec la valeur de 315 mm donnée par le constructeur (écart relatif de 0,3 %).

Les mesures algébriques peuvent être positives ou négatives. Le sens positif choisi est ici celui de propagation de la lumière, soit de gauche à droite.

❸ Dans cette nouvelle situation, nous avons $MA'_1 = MA_1 = 4{,}00$ m, et par conséquent :

$$\overline{OA_1} = OM + MA_1 = h + MA'_1 = 0{,}100 + 4{,}00 = 4{,}10 \text{ m.}$$

L'utilisation de la relation de conjugaison de Descartes nous permet alors de calculer $\overline{OA}$:

$$\frac{1}{\overline{OA_1}} - \frac{1}{\overline{OA}} = \frac{1}{f'}$$

soit :

$$\overline{OA} = \frac{f' \cdot \overline{OA_1}}{f' - \overline{OA_1}}.$$

Numériquement, avec $f' = 0{,}315$ m et $\overline{OA_1} = 4{,}10$ m, nous trouvons :

$$\overline{OA} = -0{,}341 \text{ m} \quad \text{donc} \quad \boxed{d_2 = OA = 34{,}1 \text{ cm}}$$

Une distance est une grandeur positive par essence.

Nous observons que pour une distance $MA' = 1{,}40$ m, la distance d était de 40,0 cm alors qu'**elle diminue** pour passer à 34,1 cm lorsque la distance miroir-écran augmente en passant ici à $MA'_1 = 4{,}00$ m.

THÈME **Optique**

Quelques problèmes en astronomie

On donne la constante c (célérité de la lumière dans le vide) : $c = 3{,}00 \times 10^{8}\ \text{m} \cdot \text{s}^{-1}$.
En astronomie, on cherche à observer les ondes électromagnétiques qui nous parviennent des étoiles. La lumière n'est qu'une petite partie du spectre étudié. Cet exercice se propose d'étudier différents instruments, en particulier du point de vue de leurs performances.

1 Les ondes électromagnétiques couvrent l'ensemble du spectre depuis plus de 1 km de longueur d'onde jusqu'à quelques nanomètres. Donner la relation entre la longueur d'onde λ, la célérité de la lumière c et la fréquence de l'onde N.

2 Ordonner qualitativement les différents domaines des ondes électromagnétiques (radio, ultraviolet, X, infrarouge, visible et gamma) en fonction de leur longueur d'onde.

3 Les radioastronomes s'intéressent par exemple à la fréquence de 470 MHz.
Calculer la longueur d'onde correspondante.
Dans quel domaine de rayonnement se situe-t-on ?

4 Le télescope du Mont Palomar (à 1 800 m d'altitude aux États-Unis) est de type Newton : la lumière réfléchie par le miroir principal est ensuite réfléchie par un petit miroir secondaire.
Le miroir principal est parabolique mais nous ferons l'approximation qu'il s'agit d'un miroir sphérique, de diamètre $D = 5{,}08\ \text{m}$, de distance focale $f = 16{,}3\ \text{m}$.
Le miroir secondaire est plan.

1. La lumière provenant d'un astre situé à l'infini entre dans le télescope parallèlement à l'axe optique de celui-ci. Où se formerait l'image A de l'astre en l'absence du miroir secondaire ? Faire le schéma correspondant.

2. Le miroir secondaire est situé à $d = 14\ \text{m}$ du sommet du miroir principal, et incliné à 45° sur l'axe optique de celui-ci. Quelle est la position de l'image A′ de A donnée par ce miroir ?

3. Faire à l'échelle 1/100 (1 m est représenté par 1 cm) le schéma du parcours d'un rayon lumineux qui entre dans le télescope parallèlement à l'axe.
Préciser notamment ce qui se passe :
– après réflexion sur le miroir principal ;
– après réflexion sur le miroir secondaire.

4. On veut observer cette image A′ à l'aide d'une lentille oculaire (L) de distance focale $f' = 0{,}50\ \text{m}$.
Comment faut-il disposer cette lentille de manière à ce que l'image définitive A″ se forme à l'infini ?
Préciser la position de (L) sur le schéma.

❺ Limites

Une qualité recherchée pour un instrument d'optique est sa capacité à discerner deux détails voisins, par exemple, séparer une étoile double, voir un cratère lunaire de petite dimension ou encore des détails planétaires subtils.
Les lois de l'optique géométrique font que deux points distincts A et B donnent deux images séparées. Mais différents phénomènes (dont la diffraction des ondes) entraînent que l'observateur O ne peut discerner deux images distinctes que si l'angle $\widehat{AOB}$ est supérieur à l'angle α appelé limite de résolution.
A et B donnent pour l'observateur placé en O deux images distinctes.

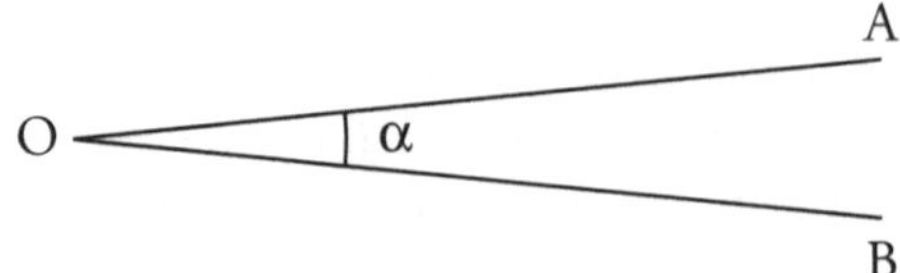

On montre que pour des points à l'infini et un instrument dont le diamètre de l'objectif est D, la limite de résolution, exprimée en radians, pour une lumière de longueur d'onde λ (en mètres) vaut :

$$\alpha = \frac{1,22\lambda}{D}.$$

1. Calculer la limite de résolution α_1 de l'œil humain nu pour une lumière de longueur d'onde $\lambda = 600$ nm, sachant que la pupille a un diamètre de 2,5 mm.

2. Calculer la limite de résolution α_2 du télescope du Mont Palomar pour la même longueur d'onde.

❻ Pour observer dans d'autres domaines spectraux que le visible, et notamment aux grandes longueurs d'onde, on a construit selon les mêmes principes des radiotélescopes.
Dans un cratère météoritique, à Arecibo dans l'île de Porto Rico, le grand radiotélescope possède un réflecteur (miroir principal) parabolique de diamètre 305 m.
Calculer la limite de résolution α_3 de ce radiotélescope pour la radiation électromagnétique de fréquence 470 MHz, envisagée au ❸.
Comparer le résultat à celui obtenu pour le télescope du Mont Palomar.

LES CLÉS DU SUJET

■ Notions et compétences en jeu

- Domaines de longueurs d'onde.
- Principe du télescope de Newton.
- Construction de la marche d'un rayon lumineux.

■ Conseils du correcteur

❹ **1.** Le point-objet de l'astre n'est pas représentable mais il se trouve sur l'axe optique. Il en est donc de même pour son image conjuguée A.

❶ Par définition, dans le cas d'une onde électromagnétique se propageant dans le vide :

$$\boxed{\lambda = \frac{c}{N}}$$

Adaptez-vous aux notations de l'énoncé, même si la fréquence n'est plus guère notée *N* actuellement.

❷ Les différents domaines des ondes électromagnétiques se succèdent dans l'ordre croissant de leurs longueurs d'onde suivant : **gamma, X, ultraviolet, visible, infrarouge et radio.**

❸ Avec $N = 470 \times 10^6$ Hz et $c = 3{,}00 \times 10^8$ m · s^{-1} nous calculons :

$$\boxed{\lambda = 0{,}638 \text{ m} = 638 \text{ mm}}$$

Ce rayonnement se situe dans le domaine des **ondes radio.**

❹ **1.** L'image A de l'astre situé à l'infini, et dont les rayons sont parallèles à l'axe optique du télescope, se formerait au niveau du foyer F′ du miroir sphérique :

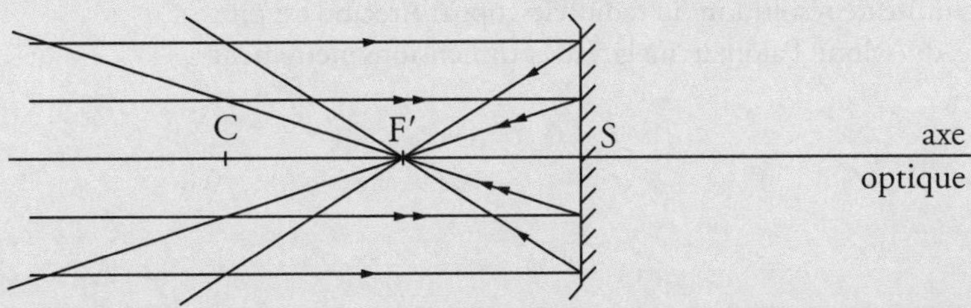

2. L'image A′ est le symétrique de A par rapport au plan du miroir secondaire.

3. Représentons le parcours d'un rayon lumineux qui entre dans le télescope parallèlement à l'axe optique, avec sur le schéma $D = 5{,}08$ cm, $f' = SF' = 16{,}3$ cm et $d_{\text{schéma}} = 14$ cm.

Après réflexion sur le miroir principal, le rayon lumineux se dirige vers le foyer F′. Après réflexion sur le miroir secondaire le rayon lumineux est réfléchi avec un angle égal à l'angle d'incidence ; il se dirige vers le point A′.

4. Pour que l'image définitive A″ se forme à l'infini, il faut que l'image intermédiaire A′ se trouve ici confondue avec le foyer principal objet F de la lentille (L) jouant le rôle d'oculaire.

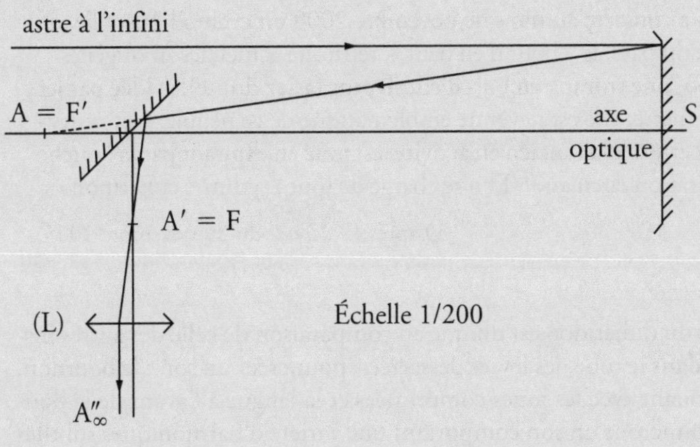

PHYSIQUE

L'axe optique de la lentille est perpendiculaire à l'axe optique du miroir principal.

Remarque : la lentille a été représentée sans souci d'échelle.

❺ **1.** Ici c'est la pupille qui joue le rôle d'objectif de diamètre D. Ainsi, avec $D = 2{,}5 \times 10^{-3}$ m et $\lambda = 600 \times 10^{-9}$ m, nous calculons :

$$\boxed{\alpha_1 = 2{,}9 \times 10^{-4} \text{ rad}}$$

2. Numériquement, avec $D = 5{,}08$ m et $\lambda = 600 \times 10^{-9}$ m, nous calculons :

$$\boxed{\alpha_2 = 1{,}44 \times 10^{-7} \text{ rad}}$$

Le télescope a donc une plus grande capacité à discerner deux points voisins puisque $\alpha_2 < \alpha_1$.

C'est d'ailleurs l'un des intérêts d'une observation au télescope plutôt qu'à l'œil nu.

❻ Par analogie avec ce qui précède, avec $D = 305$ m et $\lambda = 0{,}638$ m nous trouvons :

$$\boxed{\alpha_3 = 2{,}55 \times 10^{-3} \text{ rad}}$$

Ainsi, nous montrons que la limite de résolution du radiotélescope d'Arecibo est plus faible que celle du télescope du Mont Palomar malgré des dimensions nettement supérieures.

SUJET 19 — AMÉRIQUE DU NORD • JUIN 2006 — ENSEIGNEMENT DE SPÉCIALITÉ

4 POINTS

THÈME **Sons**

Le didjéridoo, instrument de musique traditionnel

Document

La Cité de la Musique, à Paris, a consacré au mois de novembre 2005 un cycle à l'Australie, en fait, à une partie septentrionale du pays, le « bout d'en haut », territoire actuel des Aborigènes. La vedette en était le didjéridoo, une trompe en bois d'eucalyptus (assez droite), évidée par les termites. Longue de plus d'un mètre, elle est devenue emblématique de ce peuple. Cet instrument de musique, qui pourrait être le plus ancien en activité, est joué en expirant par la bouche et en inspirant par le nez (respiration circulaire). Et il se charge de tout : rythmes et harmonies.

D'après *Le Monde* du 29 novembre 2005.

La technique utilisée pour jouer du didjéridoo est unique en comparaison de celle des autres instruments à vent. Il faut souffler dans le tube, les lèvres desserrées, pour créer un son : le bourdon, son de base du didjéridoo. En jouant avec les joues comprimées et la langue à l'avant de la bouche, beaucoup de didjéridoos donneront un son comportant une variété d'harmoniques subtiles qui ajoute couleur et richesse à l'effet d'ensemble.

1. UN PREMIER DIDJÉRIDOO

Lorsqu'une onde stationnaire s'établit dans un tuyau sonore, on observe un nœud (N) de vibration à une extrémité si cette extrémité est fermée, et un ventre (V) de vibration si cette extrémité est ouverte.
En simplifiant, on peut représenter le didjéridoo comme un tuyau sonore, de longueur L, fermé à une extrémité et ouvert à l'autre.
Pour le mode fondamental de vibration, les positions du ventre et du nœud sont données sur la **figure 1** ci-dessous, schématisant l'amplitude de la vibration sonore.

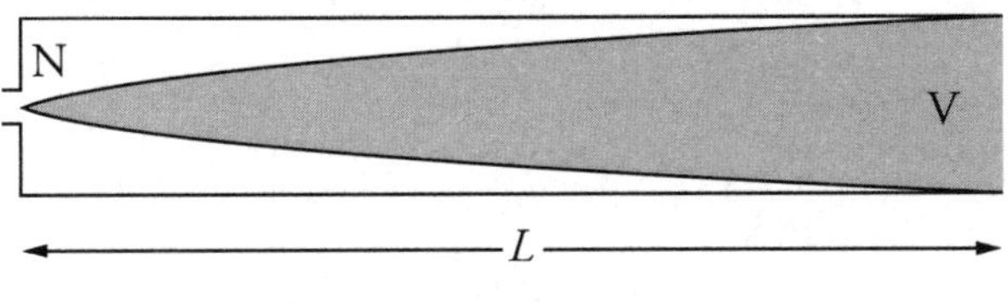

Figure 1

Donnée. Célérité du son dans l'air : $v = 340 \text{ m} \cdot \text{s}^{-1}$.

❶ Les ondes sonores sont-elles des ondes transversales ou longitudinales ? Justifier.

❷ Exprimer la longueur d'onde λ_1, en fonction de la longueur L du tuyau. Justifier.

❸ En déduire que la fréquence f_1 du mode fondamental s'écrit :

$$f_1 = \frac{v}{4L}.$$

❹ Un enregistrement du son de base d'un didjéridoo (le bourdon) donne l'oscillogramme représenté sur la **figure 2a** (**annexe**).

1. Déterminer, à partir de cet oscillogramme, la fréquence f_1 du mode fondamental. La hauteur de ce son correspond-elle à un son grave ou à un son aigu ?

2. En déduire la longueur L du didjéridoo utilisé.

❺ Quelle devrait être la longueur minimale d'un tuyau ouvert aux deux extrémités (type flûte) pour donner une note de même hauteur ?

2. UN DEUXIÈME DIDJÉRIDOO

Avec un deuxième didjéridoo, de longueur différente L', on enregistre un son dont l'oscillogramme est représenté sur la **figure 3a** et son spectre sur la **figure 3b** (voir **annexe**).

❶ En utilisant l'enregistrement de la **figure 3a**, déterminer la fréquence f_1' du mode fondamental.

❷ Comparer la longueur L' de ce deuxième instrument à la longueur L du premier.

❸ En comparant les spectres représentés sur les **figures 2b** et **3b**, indiquer la technique utilisée par l'instrumentiste dans chacun des deux cas.

❹ Sur le spectre de la **figure 3b**, déterminer le rang n de l'harmonique ayant la plus grande amplitude après le fondamental.

❺ **1.** Sur un schéma, analogue à celui de la **figure 1**, représenter les nœuds et les ventres de vibration correspondant à l'harmonique déterminée à la question ❹. Exprimer la longueur L en fonction de la longueur d'onde de cet harmonique.

2. Il existe une relation entre la longueur L du didjéridoo et le rang n de l'harmonique. En utilisant les données et les résultats de la première partie, choisir, parmi les relations suivantes, celle qui convient :

a) $L = \frac{2n-1}{4}\,\lambda_n$ **b)** $L = \frac{n}{2}\,\lambda_n$ **c)** $L = \frac{n}{4}\,\lambda_n$

3. LE CONCERT

Un « concert » est donné avec les deux didjéridoos. Placés à 2 m des musiciens, on mesure le niveau sonore L_s (en décibels acoustiques) produit successivement par chacun des instruments précédents ; on note :

$$L_{S1} = 72 \text{ dB} \quad \text{et} \quad L_{S2} = 75 \text{ dB}.$$

On rappelle que le niveau sonore L_s est donné par la relation :

$$L_S = 10 \log \frac{I}{I_0}$$

où I_0 représente l'intensité sonore de référence égale à 10^{-12} W · m^{-2}.

❶ Déterminer les intensités sonores I_1 et I_2 émises respectivement par chacun des instruments à la distance $d = 2$ m.

❷ On admet que, lorsque les deux sons sont émis simultanément, l'intensité sonore résultante I est la somme des deux intensités sonores. En déduire le niveau sonore L_s perçu à 2 m dans ce cas.

Annexe

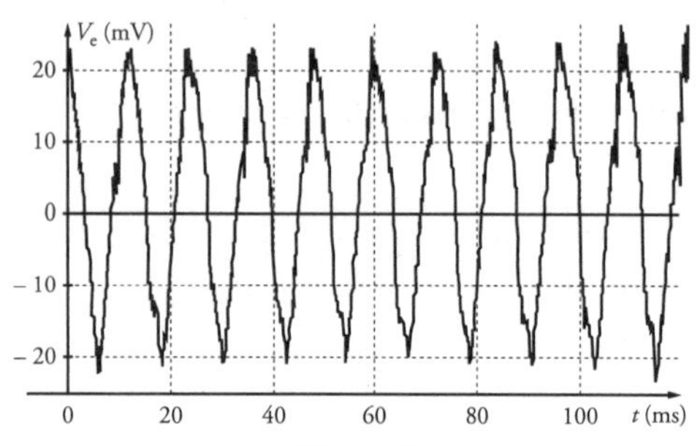

Figure 2a

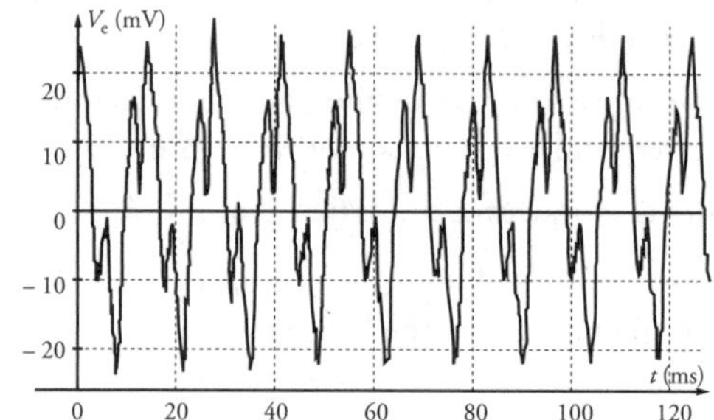

Figure 3a

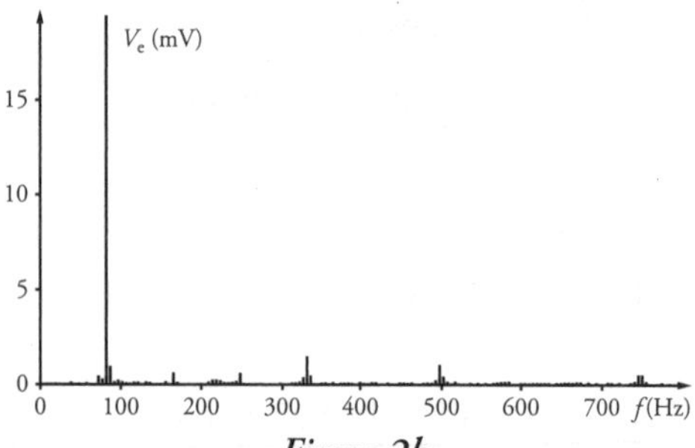

Figure 2b

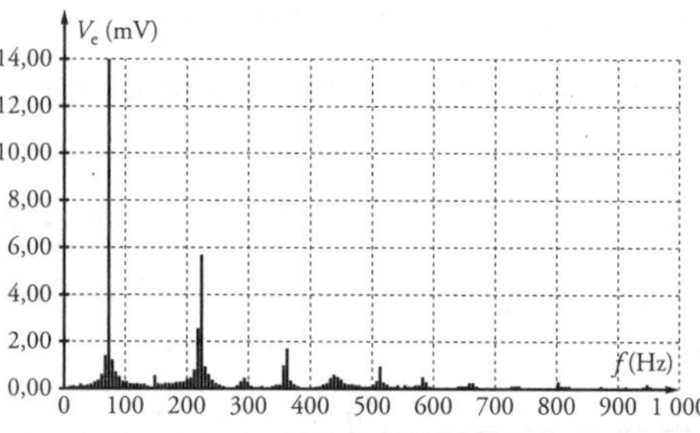

Figure 3b

LES CLÉS DU SUJET

■ Notions et compétences en jeu

– Vibration d'une colonne d'air, modes propres de vibration.
– Sélection des fréquences émises par la longueur de la colonne d'air.
– Domaine des fréquences audibles, niveau sonore.

■ Conseils du correcteur

Partie 1

❷ Seul un quart de l'enveloppe de l'onde apparaît sur le schéma de la figure 1.
❺ Avec un instrument de type flûte, où les deux extrémités sont considérées ouvertes, une onde stationnaire présente un ventre à chacune des extrémités.

Partie 2

❶ La valeur de la fréquence du mode fondamental est celle du signal observé.
❹ Effectuez le rapport entre la valeur de la fréquence correspondant à l'harmonique de rang *n* et la valeur de la fréquence du mode fondamental.

Partie 3

❷ Attention, les niveaux sonores ne s'additionnent pas à la différence des intensités sonores.

PHYSIQUE

CORRIGÉ SUJET 19

1. UN PREMIER DIDJÉRIDOO

❶ Les ondes sonores sont **longitudinales** car la direction de propagation des ondes est identique à celle de déformation du milieu de propagation.

❷ La distance entre deux nœuds (ou deux ventres) consécutifs est toujours égale à $\frac{\lambda}{2}$. Ici nous observons un nœud de vibration au niveau de l'extrémité fermée et un ventre de vibration au niveau de l'extrémité ouverte, soit :

$$L = \frac{\lambda_1}{4}.$$

La longueur d'onde λ_1 associée au mode fondamental de vibration est donc telle que :

$$\boxed{\lambda_1 = 4L}$$

❸ En notant v la célérité de l'onde sonore dans l'air, nous en déduisons l'expression de la fréquence f_1 du mode fondamental :

$$\lambda_1 = vT_1 = \frac{v}{f_1}$$

alors :

$$f_1 = \frac{v}{\lambda_1}$$

donc :

$$\boxed{f_1 = \frac{v}{4L}}$$

4 **1.** Nous pouvons évaluer la durée correspondant à neuf périodes T_1 du mode fondamental :

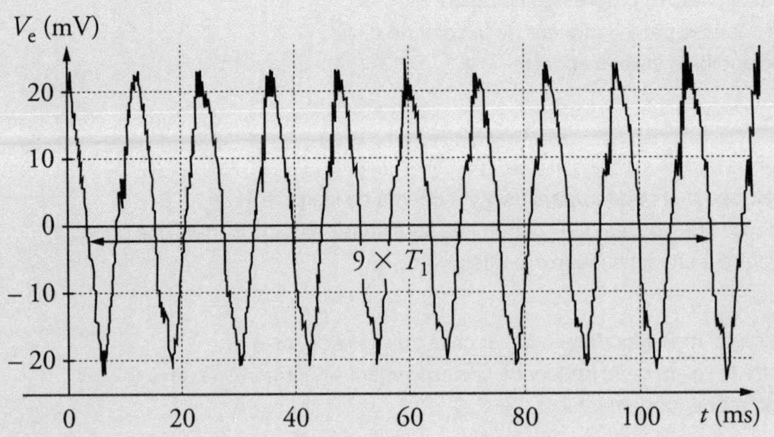

Mesurer la durée d'un grand nombre de périodes conduit à une incertitude relative sur cette mesure plus faible que si nous ne mesurions qu'une seule période.

Graphiquement, nous lisons :

$$9 \times T_1 = 109 \text{ ms} \quad \text{alors} \quad T_1 = 12{,}1 \text{ ms}.$$

Or, la fréquence f_1 du mode fondamental s'exprime : $f_1 = \dfrac{1}{T_1}$, soit numériquement :

$$\boxed{f_1 = 82{,}6 \text{ Hz}}$$

Les fréquences des sons audibles par l'Homme sont comprises entre 20 Hz et 20 kHz. La fréquence de ce son se trouve plutôt vers les basses fréquences de ce domaine, il s'agit d'un son **grave**.

2. La relation établie au **3** permet d'écrire :

$$L = \frac{v}{4 f_1}.$$

Numériquement, avec $v = 340 \text{ m} \cdot \text{s}^{-1}$ et la valeur de f_1 obtenue précédemment, nous calculons :

$$\boxed{L = 1{,}03 \text{ m}}$$

5 Nous considérons donc un tuyau de longueur minimale L_{min} ouvert aux deux extrémités. Pour obtenir une note de même hauteur, c'est-à-dire avec un mode fondamental de vibration de fréquence f_1, il faut qu'il y ait un ventre de vibration à chaque extrémité du tuyau et un nœud en son centre :

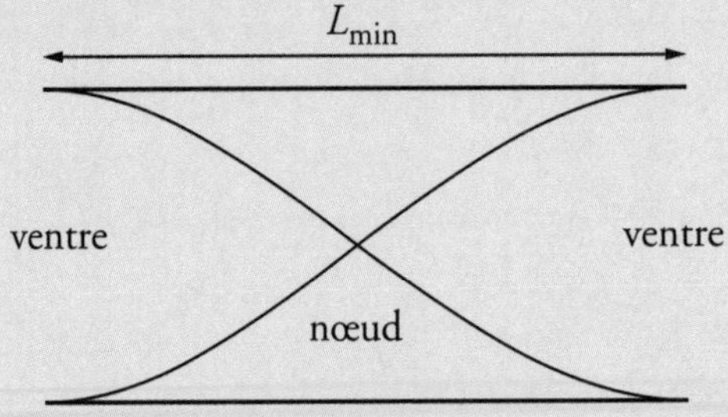

Aidez-vous régulièrement de schémas afin de mieux vous représenter les situations physiques.

alors :

$$\lambda_1 = 2 \times L_{min}$$

soit :

$$L_{\min} = \frac{\lambda_1}{2} = \frac{v}{2f_1} = 2L.$$

Numériquement, avec la valeur de L calculée au ❹ **2.**, nous obtenons :

$$\boxed{L_{\min} = 2{,}06 \text{ m}}$$

2. UN DEUXIÈME DIDJÉRIDOO

❶ L'enregistrement de la **figure 3a** nous permet d'évaluer la durée correspondant à neuf périodes T_1' du mode fondamental :

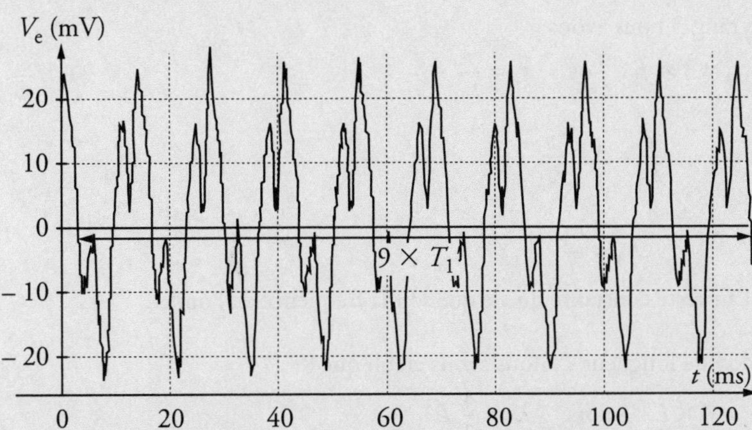

Graphiquement, nous lisons :

$$9 \times T_1' = 124 \text{ ms} \quad \text{alors} \quad T_1' = 13{,}8 \text{ ms}.$$

La fréquence f_1' du mode fondamental s'exprime : $f_1' = \frac{1}{T_1'}$, soit numériquement :

$$\boxed{f_1' = 72{,}5 \text{ Hz}}$$

❷ Par analogie avec la réponse faite au ❹ **2.,** nous avons ici :

$$L' = \frac{v}{4f_1'}.$$

La comparaison de la longueur L' du deuxième didjéridoo à celle du premier donne :

$$\frac{L'}{L} = \frac{\frac{v}{4f_1'}}{\frac{v}{4f_1}} = \frac{f_1}{f_1'}.$$

Efforcez-vous de travailler en utilisant des expressions littérales et d'effectuer le calcul numérique à la fin des simplifications.

Avec les valeurs des fréquences obtenues précédemment, nous obtenons :

$$\boxed{\frac{L'}{L} = 1{,}14 \text{ soit } L' = 1{,}14 \times L}$$

Le deuxième didjéridoo est donc plus long que le premier.

❸ Le spectre présenté sur la **figure 2b** ne présente qu'un seul pic d'amplitude notable. Le son produit est donc quasiment un son pur ; il s'agit du bourdon qui est le son de base. L'instrumentiste le joue en soufflant dans le didjéridoo les lèvres desserrées. Le spectre présenté sur la **figure 3b** présente plusieurs pics d'amplitude notable. Il s'agit du spectre d'un son complexe contenant plusieurs harmoniques. L'instrumentiste utilise le didjéridoo en jouant avec les joues comprimées et la langue à l'avant de la bouche.

PHYSIQUE

❹ Soit f_n' la fréquence de l'harmonique de rang n, dont la valeur est liée à celle du fondamental par la relation :

$$f_n' = n \cdot f_1' \quad \text{soit} \quad n = \frac{f_n'}{f_1'}$$

avec n un entier naturel non nul désignant le rang de l'harmonique.
Par lecture graphique, nous obtenons :

$$f_n' = 220 \text{ Hz}$$

pour l'harmonique ayant la plus grande amplitude après le fondamental.
Numériquement, avec la valeur de f_1' obtenue au **2.** ❶, nous calculons :

$$\boxed{n = 3{,}03 \approx 3}$$

n est par définition un entier naturel non nul.

❺ **1.** Pour l'harmonique de rang 3 nous avons :

$$f_3 = 3 \times f_1 \quad \text{or} \quad f_n = \frac{v}{\lambda_n}$$

alors :

$$\frac{v}{\lambda_3} = 3 \times \frac{v}{\lambda_1}$$

donc :

$$\lambda_3 = \frac{\lambda_1}{3}$$

car la célérité v du son dans l'air reste constante quelle que soit la fréquence de l'onde sonore.
Par ailleurs, dans un didjéridoo de longueur L, nous avons établi que :

$$\lambda_1 = 4 \times L \quad \text{alors} \quad \lambda_3 = \frac{4}{3} L$$

soit :

$$\boxed{L = \frac{3}{4} \lambda_3}$$

Nous pouvons ainsi représenter, sur un schéma analogue à celui de la **figure 1**, les nœuds et les ventres de vibration correspondant à l'harmonique de rang 3 :

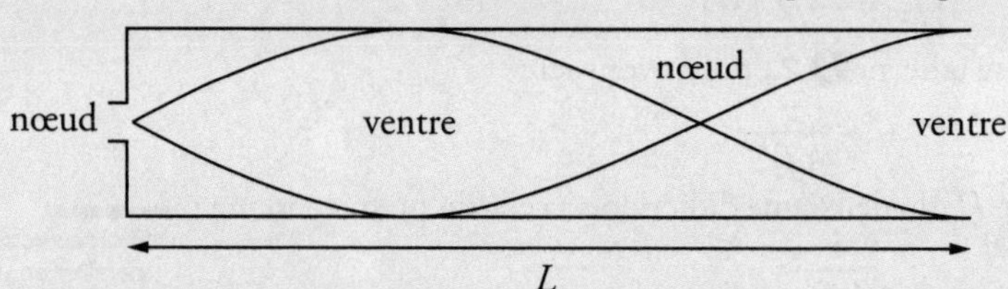

2. Reprenons les expressions de la longueur L du didjéridoo en fonction de la longueur d'onde λ_n de l'harmonique de rang n :

$$L = \frac{1}{4} \times \lambda_1 \text{ comme démontré dans la première partie}$$

$$\lambda_2 = \frac{\lambda_1}{2} \quad \text{alors} \quad L = \frac{2}{4} \times \lambda_2$$

$$\lambda_3 = \frac{\lambda_1}{3} \quad \text{alors} \quad L = \frac{3}{4} \times \lambda_3 .$$

De même, nous aurions :

$$\lambda_4 = \frac{\lambda_1}{4} \quad \text{alors} \quad L = \frac{4}{4} \times \lambda_4 .$$

Nous constatons donc que seule la **relation c)** permet d'obtenir les quatre expressions ci-dessus.

Remarque : attention, la relation à retenir doit permettre de retrouver toutes les expressions de $L = f(\lambda)$. La **relation a)**, notamment, ne permet d'obtenir que $L = \frac{1}{4} \times \lambda_1$ et donne $L = \frac{3}{4} \times \lambda_2$ pour l'harmonique de rang deux, ce qui est incorrect.

3. LE CONCERT

1 Exprimons l'intensité sonore I en fonction du niveau sonore L_s :

$$\log \frac{I}{I_0} = \frac{L_s}{10} \quad \text{alors} \quad \frac{I}{I_0} = 10^{\frac{L_s}{10}}$$

donc :

$$I = I_0 \times 10^{\frac{L_s}{10}}.$$

Numériquement, avec $I_0 = 10^{-12}\ \text{W} \cdot \text{m}^{-2}$, $L_{s1} = 72$ dB et $L_{s2} = 75$ dB, nous calculons :

$$\boxed{I_1 = 1{,}6 \times 10^{-5}\ \text{W} \cdot \text{m}^{-2} \quad \text{et} \quad I_2 = 3{,}2 \times 10^{-5}\ \text{W} \cdot \text{m}^{-2}}$$

2 Le niveau sonore L_s perçu à 2 m s'exprime par :

$$L_s = 10 \log \frac{I}{I_0} = 10 \log \frac{I_1 + I_2}{I_0}.$$

Soit numériquement, avec $I_0 = 10^{-12}\ \text{W} \cdot \text{m}^{-2}$ et les valeurs de I_1 et I_2 précédentes, nous obtenons :

$$\boxed{L_s = 77\ \text{dB}}$$

PHYSIQUE

SUJET 20 — NOUVELLE-CALÉDONIE • NOVEMBRE 2005

ENSEIGNEMENT DE SPÉCIALITÉ

4 POINTS

THÈME **Sons**

Étude d'une corde de piano

Cet exercice est un questionnaire à réponses ouvertes courtes. À chaque question peuvent correspondre aucune, une ou plusieurs propositions exactes. Pour chacune des questions, chaque proposition doit être étudiée.

Inscrire en toutes lettres « vrai » ou « faux » dans la case correspondante du tableau en ***annexe*** *(à rendre avec la copie). Donner une justification ou une explication dans la case prévue à cet effet.*

Une réponse fausse ou une absence de réponse seront évaluées de la même façon.

Les ***parties 1 et 2*** *sont indépendantes et peuvent être traitées séparément.*

1. ÉTUDE D'UNE CORDE DE PIANO

On étudie le fonctionnement d'une corde de piano placée dans le dispositif simplifié ci-contre (**figure 1**). Accrochée à un support fixe en O, la corde est disposée verticalement. Elle passe en M par le trou d'un support tel que la corde soit immobile en ce point.
On note $OM = L$. La longueur L vaut 42,2 cm. À l'extrémité inférieure de la corde, est accrochée un solide de masse m.
Un électroaimant, alimenté par un générateur basses fréquences délivrant une tension électrique sinusoïdale, permet d'exciter de façon sinusoïdale la corde à une fréquence f réglable. Les fréquences de vibration f qui interviennent dans cet exercice sont toujours celles de la corde. On fait varier la fréquence de vibration f de la corde de 200 à 2 500 Hz.
À la fréquence $f_0 = 523$ Hz, on observe à la lumière du jour un fuseau unique de plus grande amplitude.

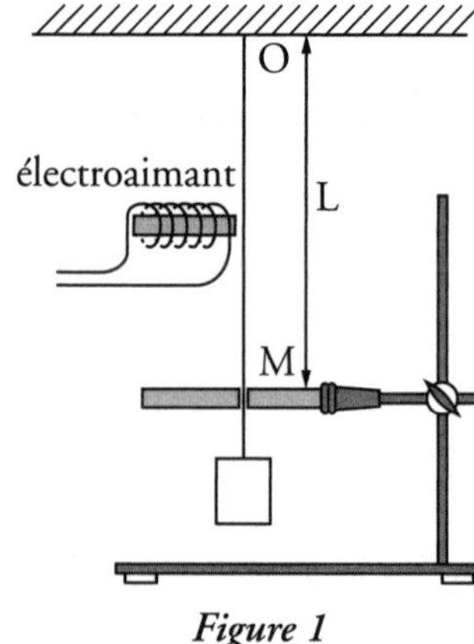

Figure 1

Remarque : on rappelle qu'une harmonique d'ordre n correspond à une fréquence propre de vibration de la corde donnée par nf_0 où f_0 est la fréquence du mode fondamental de vibration de la corde et n un entier positif non nul.

❶ À la fréquence $f_0 = 523$ Hz, on observe :

1. un ventre et deux nœuds ; **2.** un nœud et deux ventres ;

3. trois nœuds et deux ventres ; **4.** un ventre et trois nœuds.

❷ La fréquence $f_0 = 523$ Hz est la fréquence :

1. de l'harmonique d'ordre 1 ; **2.** de l'harmonique d'ordre 2 ;

3. du mode fondamental.

❸ À la fréquence de vibration $f_1 = 1\ 046$ Hz, on observe :

1. toujours 1 fuseau unique mais d'amplitude double ;

2. 2 fuseaux d'amplitudes importantes ;

3. 2 nœuds.

❹ La quantification des modes propres est donnée par la relation (avec n nombre entier) :

1. $n\lambda = 2L$; **2.** $n\lambda = L$; **3.** $n\lambda = \frac{L}{2}$.

❺ À la fréquence $f_0 = 523$ Hz, la célérité des ondes sur la corde vaut :

1. $340\ \text{m} \cdot \text{s}^{-1}$; **2.** $3{,}00 \times 10^8\ \text{m} \cdot \text{s}^{-1}$;

3. $441\ \text{m} \cdot \text{s}^{-1}$; **4.** $221\ \text{m} \cdot \text{s}^{-1}$.

2. ÉTUDE D'UNE CORDE PLACÉE DANS UN PIANO

Les extrémités d'une corde placée dans un piano sont reliées à une caisse de résonance en bois. L'expression de la célérité des ondes sur la corde en fonction de sa masse linéique (μ) et de sa tension (F) est :

$$v = \sqrt{\frac{F}{\mu}}.$$

❶ La caisse de résonance permet :

1. d'augmenter la hauteur du son produit par la corde ;

2. d'augmenter le niveau sonore du son ;

3. d'entretenir les vibrations de la corde.

❷ Pour augmenter la hauteur du son émis par la corde en vibration, il faut :

1. tendre davantage la corde ; **2.** détendre la corde.

3. ÉTUDE DE LA NOTE ÉMISE PAR UN PIANO

Dans cette partie, on néglige tout phénomène d'amortissement.
On étudie une corde de longueur $L = 42{,}2$ cm présente dans un piano, reliée à la touche « do_4 » de l'instrument. Le pianiste en appuyant sur la touche « do_4 » frappe cette corde par l'intermédiaire d'un marteau. Celle-ci oscille alors librement. On effectue l'enregistrement de la tension électrique $u(t)$ aux bornes d'un microphone placé à côté de la corde oscillante à l'aide d'un dispositif d'acquisition informatisé.
On obtient l'enregistrement simplifié (**figure** 2) ci-dessous.

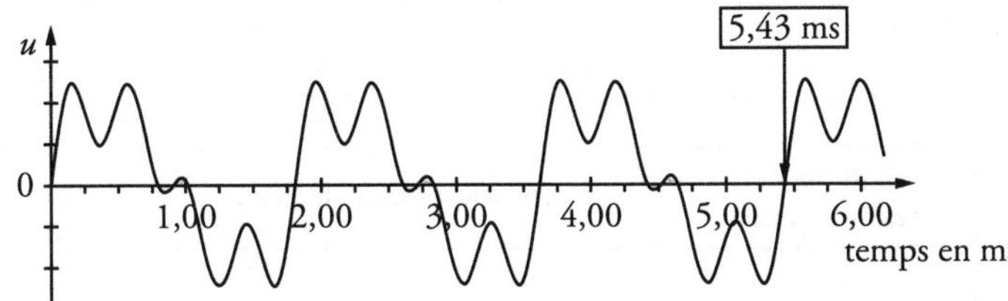

Figure 2

❶ Le mode fondamental de la corde correspond à la fréquence :
1. 184 Hz ; **2.** 276 Hz ; **3.** 552 Hz ; **4.** 1 104 Hz.

❷ Le spectre de fréquence correspondant au son émis par la corde de piano est l'un des spectres proposés ci-après (**figures 3.a, 3.b, 3.c ou 3.d**) où *r* est le rapport de l'amplitude de l'harmonique considéré sur l'amplitude harmonique fondamentale.

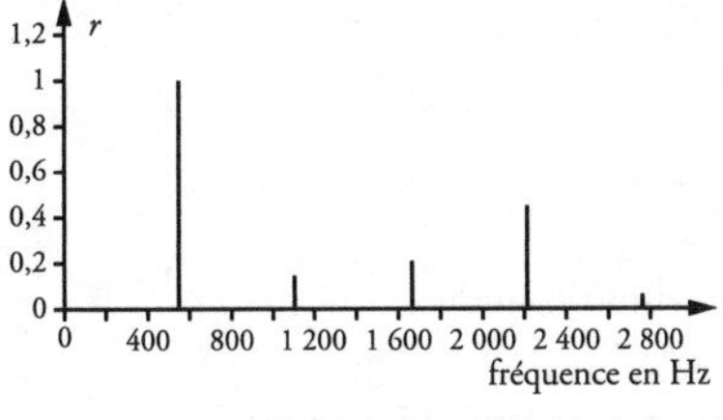

Figure 3.a

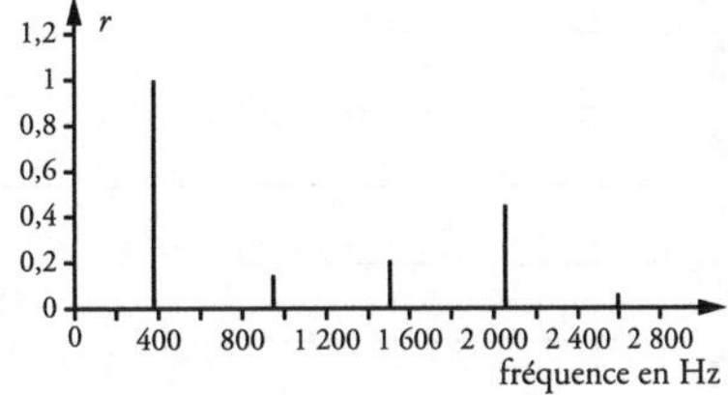

Figure 3.b

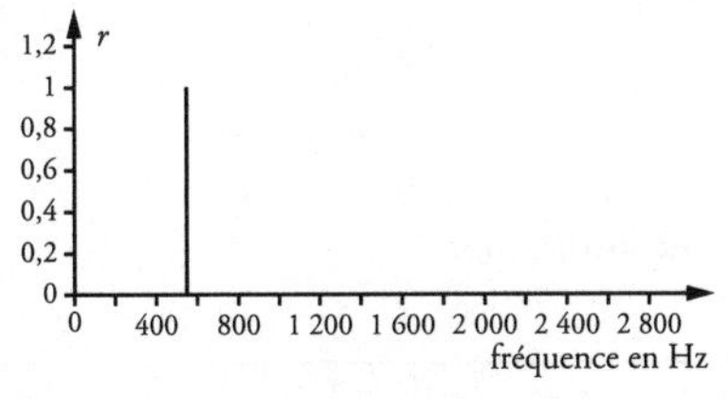

Figure 3.c

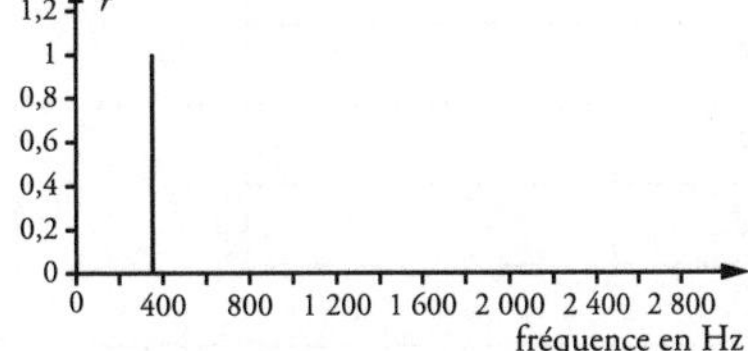

Figure 3.d

PHYSIQUE

Le son émis par la corde reliée à la touche « do_4 » est un son complexe.
Le spectre de fréquences correspond :

1. à la figure 3.a ; **2.** à la figure 3.b ;

3. à la figure 3.c ; **4.** à la figure 3.d.

❸ Le tableau ci-dessous récapitule les fréquences, en hertz, de notes de quelques cordes bien accordées du piano.

si_3	494
la_3	440
sol_3	392
fa_3	349
mi_3	330
$ré_3$	294
do_3	262

si_4	988
la_4	880
sol_4	784
fa_4	698
mi_4	659
$ré_4$	587
do_4	523

si_5	1 976
la_5	1 760
sol_5	1 568
fa_5	1 397
mi_5	1 318
$ré_5$	1 175
do_5	1 046

Des réponses données précédemment, on peut affirmer que :
1. la corde étudiée est bien accordée ;
2. la corde étudiée est mal accordée.

Annexe

Proposition	Répondre vrai ou faux	Justification ou explication
1. ❶ 1.		
1. ❶ 2.		
1. ❶ 3.		
1. ❶ 4.		
1. ❷ 1.		
1. ❷ 2.		
1. ❷ 3.		
1. ❸ 1.		
1. ❸ 2.		
1. ❸ 3.		
1. ❹ 1.		
1. ❹ 2.		Pas de justification
1. ❹ 3.		
1. ❺ 1.		
1. ❺ 2.		
1. ❺ 3.		
1. ❺ 4.		
2. ❶ 1.		
2. ❶ 2.		Pas de justification
2. ❶ 3.		
2. ❷ 1.		
2. ❷ 2.		

Proposition	Répondre vrai ou faux	Justification ou explication
3. ❶ 1.		
3. ❶ 2.		
3. ❶ 3.		
3. ❶ 4.		
3. ❷ 1.		
3. ❷ 2.		
3. ❷ 3.		
3. ❷ 4.		
3. ❸ 1.		
3. ❸ 2.		

LES CLÉS DU SUJET

■ Notions et compétences en jeu

- Vibration d'une corde tendue entre deux points fixes.
- Mode fondamental de vibration et harmoniques, quantification des modes propres.
- Nœuds et ventres de vibration.
- Spectre de fréquences.

■ Conseils du correcteur

Partie 1

❷ Lisez attentivement les dernières lignes de l'énoncé.

Partie 2

❷ Un son est d'autant plus haut que sa fréquence *f* est élevée. Exprimez donc *f* en fonction de la tension *F* de la corde.

Partie 3

❶ Un son complexe a la même fréquence que son mode fondamental de vibration.

CORRIGÉ SUJET 20

Proposition	Répondre Vrai ou Faux	Justification ou explication
1. ❶ 1.	Vrai	À la fréquence $f_0 = 523$ Hz on observe un fuseau unique, soit :
1. ❶ 2.	Faux	
1. ❶ 3.	Faux	
1. ❶ 4.	Faux	O (nœud) (ventre) M (nœud)

Proposition	Répondre Vrai ou Faux	Justification ou explication
1. ❷ 1.	Vrai	f_0 est la fréquence pour laquelle on observe un fuseau unique de grande amplitude : c'est la fréquence du mode fondamental, c'est aussi celle de l'harmonique d'ordre 1.
1. ❷ 2.	Faux	
1. ❷ 3.	Vrai	
1. ❸ 1.	Faux	Le fait de doubler la fréquence de vibration de la corde avec $f_1 = 2 \times f_0$ conduit à observer l'harmonique de rang 2 avec deux fuseaux (deux ventres et trois nœuds).
1. ❸ 2.	Vrai	
1. ❸ 3.	Faux	
1. ❹ 1.	Vrai	PAS DE JUSTIFICATION
1. ❹ 2.	Faux	
1. ❹ 3.	Faux	
1. ❺ 1.	Faux	À la fréquence f_0 la célérité v de l'onde est telle que $v = \lambda f_0 = 2Lf_0$. Numériquement, avec : $L = 42{,}2 \times 10^{-2}$ m et $f_0 = 523$ Hz, nous calculons : $v = 441\ \mathrm{m \cdot s^{-1}}$.
1. ❺ 2.	Faux	
1. ❺ 3.	Vrai	
1. ❺ 4.	Faux	
2. ❶ 1.	Faux	PAS DE JUSTIFICATION
2. ❶ 2.	Vrai	
2. ❶ 3.	Faux	
2. ❷ 1.	Vrai	Augmenter la hauteur du son consiste à augmenter sa fréquence fondamentale, or $v = 2\,Lf_0$ donc $\sqrt{\frac{F}{\mu}} = 2\,Lf_0$, soit $f_0 = \frac{1}{2L}\sqrt{\frac{F}{\mu}}$. Une augmentation de la tension F de la corde permet d'augmenter la hauteur du son émis par la corde en vibration.
2. ❷ 2.	Faux	
3. ❶ 1.	Faux	Le mode fondamental de la corde a la même fréquence que celle du son complexe émis par la corde. La fréquence de ce son complexe est celle de la tension u aux bornes du microphone qui détecte ce son donc : $$f_0 = \frac{1}{T_0}$$ Numériquement, par lecture sur la **figure 2**, avec $3 \times T_0 = 5{,}43 \times 10^{-3}$ s, nous calculons : $f_0 = 552$ Hz.
3. ❶ 2.	Faux	
3. ❶ 3.	Vrai	
3. ❶ 4.	Faux	
3. ❷ 1.	Vrai	Le « do_4 » est un son complexe, c'est-à-dire composé de plusieurs harmoniques qui apparaissent sous forme de plusieurs pics sur le spectre de fréquences. De surcroît, la plus faible des fréquences doit être celle du fondamental $f_0 = 552$ Hz.
3. ❷ 2.	Faux	
3. ❷ 3.	Faux	
3. ❷ 4.	Faux	
3. ❸ 1.	Faux	La corde est mal accordée car la fréquence de la note qu'elle joue est de 552 Hz au lieu de 523 Hz lorsque la corde est bien accordée pour jouer un « do_4 ».
3. ❸ 2.	Vrai	

Attention aux notations chiffrées. L'indice i correspond à l'harmonique de rang i + 1.

La mesure de plusieurs périodes, ici trois, conduit à minimiser l'erreur relative de lecture. Pensez-y aussi lors de l'épreuve expérimentale.

THÈME Télécommunications

Transmission d'un signal modulé en amplitude

L'usage de la calculatrice n'est pas autorisé.

On veut transmettre, entre des points éloignés, des signaux (sons ou images par exemple) dont la portée est très limitée. La modulation d'amplitude permet cette transmission.
On envisage dans cet exercice un signal à transporter, sinusoïdal, correspondant à un son audible. Ce signal sonore est utilisé pour produire une tension électrique sinusoïdale, de même fréquence, qui sert à moduler en amplitude une tension également sinusoïdale, dite porteuse. Cette tension modulée génère une onde électromagnétique.
L'émission (comme la réception) du signal modulé se fait avec une antenne métallique. Dans le cas d'une antenne linéaire, on montre qu'un bon fonctionnement de l'ensemble impose à l'antenne d'être d'une taille comparable à la longueur d'onde du signal émis.

Données

- Célérité de la lumière dans l'air $c = 3{,}0 \times 10^8 \text{ m} \cdot \text{s}^{-1}$.
- Domaine de fréquences des sons audibles : $[20 \text{ Hz} ; 20 \text{ kHz}]$.

1. UNE DES RAISONS DE LA MODULATION

❶ Si une station émettait directement un signal électromagnétique de même fréquence que le signal sonore, à quel intervalle de longueurs d'onde appartiendrait ce signal électromagnétique ?

❷ En se servant du texte introductif, avancer une raison pour laquelle les stations de radio n'émettent pas directement un signal électromagnétique de même fréquence que le signal sonore.

2. ÉTUDE DE LA MODULATION

Lors d'une séance de travaux pratiques, un élève réalise des expériences qui illustrent l'émission et la réception d'un signal sinusoïdal de fréquence $f_m = 500$ Hz.

❶ Recopier la phrase suivante en la complétant par les termes convenables choisis dans la liste suivante : affine, faible, sinusoïdal(e), modulant(e), élevé(e), modulé(e).
L'onde porteuse est un signal sinusoïdal de fréquence f_P …… . Le signal modulé a une amplitude qui est une fonction …… du signal …… .

❷ Pour réaliser une modulation d'amplitude, les élèves utilisent un montage multiplieur (représenté sur la figure ci-après) agissant sur les tensions $u_1(t)$ et $u_2(t)$ dont les expressions sont :

$$u_1(t) = U_0 + U_m \cos(2\pi f_m t)$$

$$u_2(t) = U_P \cos(2\pi f_P t)$$

avec $U_m \cos(2\pi f_m t)$ la tension modulante, U_0 une tension constante positive et $u_2(t) = U_P \cos(2\pi f_P t)$ la tension porteuse.
Ce montage délivre une tension de sortie $s(t)$ telle que $s(t) = k \cdot u_1(t) \cdot u_2(t)$, où k est un coefficient caractéristique du multiplieur.

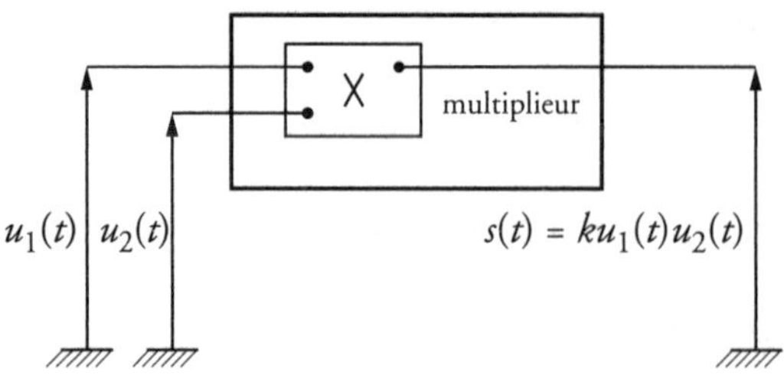

1. Quelle est l'unité du coefficient k ?

2. La tension de sortie $s(t)$ peut se mettre sous la forme :

$$s(t) = A[1 + m\cos(2\pi f_m t)]\cos(2\pi f_P t)$$

$$\text{avec } A = kU_0U_P \text{ et } m = \frac{U_m}{U_0} \text{ (taux de modulation).}$$

On veut éviter la surmodulation qui se produit lorsque l'amplitude du signal modulant est supérieure à U_0.
Dans quel intervalle de valeurs doit se situer le taux de modulation m pour réaliser une bonne modulation d'amplitude ?

3 L'élève visualise la tension $s(t)$ à l'aide d'un oscilloscope. Il obtient la courbe suivante :

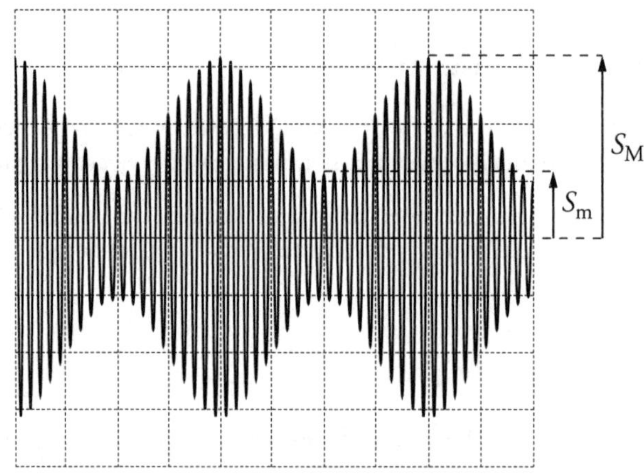

Figure 1

Réglages de l'oscilloscope :
– balayage : 0,5 ms/div ;
– sensibilité verticale : 0,5 V/div.
On montre que le taux de modulation m peut s'exprimer selon la relation :

$$m = \frac{S_M - S_m}{S_M + S_m}.$$

Les grandeurs S_M et S_m sont représentées sur la **figure 1**.

1. À partir de la **figure 1**, déduire une valeur numérique approchée de m.

2. Vérifier que la fréquence de la porteuse utilisée est $f_P = 10$ kHz.

La tension $s(t)$ est appliquée à une antenne qui émet alors un signal électromagnétique reproduisant les mêmes variations que $s(t)$.
Un peu plus loin, l'élève place une antenne réceptrice servant à capter le signal. Cette antenne est reliée à un circuit électrique (voir **figure 2**) comportant plusieurs parties aux fonctions distinctes. On appelle $u_f(t)$ la tension mesurée en bout de chaîne.

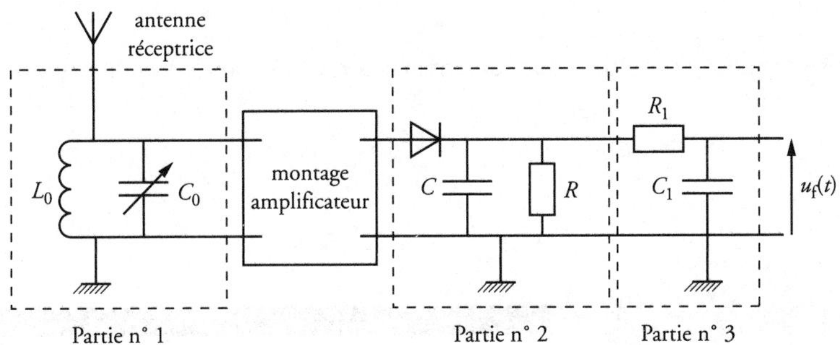

Figure 2

❶ La partie n° 1 est constituée d'une bobine d'inductance $L_0 = 2{,}5$ mH et d'un condensateur de capacité C_0 ajustable, l'ensemble constituant un dipôle L_0C_0 en dérivation. Ce dipôle oscille avec une fréquence propre dont l'expression est $f_0 = \dfrac{1}{2\pi\sqrt{L_0C_0}}$.

On rappelle que la fréquence de la porteuse est 10 kHz et celle du signal modulant 500 Hz.

1. Quelle est la fonction de cette partie dans le montage ?

2. Quelle valeur doit-on choisir pour C_0 pour que cette fonction soit effectivement remplie ?

Aide au calcul
$\pi^2 \approx 10$.

❷ La partie n° 2 comprend une diode, un conducteur ohmique de résistance R et un condensateur de capacité C. Cet ensemble constitue ce que l'on appelle un détecteur de crête. Sa fonction est d'obtenir une tension proportionnelle à la tension $u_1(t)$ introduite à la question **2.**
Pour obtenir une bonne démodulation, la constante de temps du dipôle RC doit être très supérieure à la période du signal porteur et inférieure à la période du signal modulant.
Sachant que $C = 500$ nF, choisir parmi les valeurs suivantes, en justifiant le choix, la valeur de R qui vous paraît la mieux convenir pour remplir convenablement cette fonction :

20 Ω ; 200 Ω ; 2,0 kΩ ; 20 kΩ.

❸ Quel est le rôle de la partie n° 3 ?

PHYSIQUE

LES CLÉS DU SUJET

■ Notions et compétences en jeu

- Modulation et démodulation d'amplitude.
- Exploiter l'oscillogramme relatif à une modulation d'amplitude.
- Taux de modulation.

■ Conseils du correcteur

Partie 2

❷ **1.** Effectuez l'analyse dimensionnelle de *k* pour déterminer son unité dans le système international.

CORRIGÉ SUJET 21

1. UNE DES RAISONS DE LA MODULATION

❶ Les sons audibles ayant des fréquences ν comprises entre 20 Hz et 20×10^3 Hz, les longueurs d'onde λ associées aux signaux électriques de mêmes fréquences et de célérité c se trouvent être telles que :

$$\lambda = \frac{c}{\nu}$$

c'est-à-dire, avec $c = 3{,}0 \times 10^8 \text{ m} \cdot \text{s}^{-1}$, comprises entre :

$$\lambda = \frac{3{,}0 \times 10^8}{20} = \frac{3{,}0}{2{,}0} \times 10^7 = 1{,}5 \times 10^7 \text{ m}$$

soit :

$$\boxed{\lambda = 15 \text{ Mm}}$$

Le préfixe méga, symbole M, correspond au facteur multiplicateur 10^6.

et

$$\lambda' = \frac{3{,}0 \times 10^8}{20 \times 10^3} = \frac{3{,}0}{2{,}0} \times 10^4 = 1{,}5 \times 10^4 \text{ m}$$

soit :

$$\boxed{\lambda' = 15 \text{ km}}$$

❷ Les stations de radio n'émettent pas directement un signal électromagnétique de même fréquence que le signal sonore car leur « **portée est très limitée** ».

2. ÉTUDE DE LA MODULATION

❶ L'onde porteuse est un signal sinusoïdal de fréquence f_p **élevée.** Le signal modulé a une amplitude qui est une fonction **sinusoïdale** du signal **modulant.**

❷ **1. Remarque** : ne confondez pas dimension et unité. La dimension d'une grandeur est justement indépendante de l'unité choisie.
Effectuons l'analyse dimensionnelle de k :

$$[k] = \left[\frac{s(t)}{u_1(t) \cdot u_2(t)}\right] = \left[\frac{1}{u(t)}\right] = [u(t)]^{-1}$$

k est donc homogène à l'inverse d'une tension, il s'exprime donc **en V^{-1}** dans le SI.

2. La surmodulation se produit lorsque $U_m > U_0$, ainsi pour éviter ce phénomène il faut être dans des conditions où :

$$U_m < U_0 \quad \text{soit} \quad \frac{U_m}{U_0} < 1$$

Nous en déduisons que le taux de modulation m doit être tel que :

$$\boxed{0 < m < 1}$$

Remarque : U_m et U_0 sont des grandeurs positives.

❸ **1.** Pour calculer le taux de modulation, nous mesurons les longueurs des segments fléchés ℓ_{S_M} et ℓ_{S_m} sur la **figure 1**, lesquelles sont proportionnelles aux valeurs de grandeurs S_M et S_m, ainsi :

$$m = \frac{S_M - S_m}{S_M + S_m} = \frac{\ell_{S_M} - \ell_{S_m}}{\ell_{S_M} + \ell_{S_m}}$$

Nous mesurons $\ell_{S_M} = 2{,}25$ cm et $\ell_{S_m} = 0{,}8$ cm donc :

$$m = \frac{2{,}25 - 0{,}8}{2{,}25 + 0{,}8} = \frac{1{,}45}{3{,}05} = \frac{145 \times 10^{-2}}{305 \times 10^{-2}} = \frac{5 \times 29}{5 \times 61} \approx 0{,}50$$

Exprimez les valeurs sous la forme $n \times 10^x$ avec $n \in \mathbb{N}^*$, puis décomposez n en nombres premiers pour effectuer les simplifications qui s'imposent.

Remarque : la valeur du taux de modulation reste approximative compte tenu de la faible précision des mesures sur l'oscillogramme.

2. Nous observons sur la **figure 1** que $X = 4$ div contiennent vingt périodes T_p de la porteuse, d'où :

$$T_p = \frac{kX}{20} \text{ où } k \text{ est le coefficient de balayage.}$$

Par suite :

$$f_p = \frac{1}{T_p} = \frac{20}{kX}$$

soit avec $k = 0{,}5 \times 10^{-3}$ s · div^{-1} et $X = 4$ div, nous calculons :

$$f_p = \frac{20}{0{,}5 \times 10^{-3} \times 4} = \frac{2{,}0 \times 10}{2{,}0 \times 10^{-3}} = 1{,}0 \times 10^4 \text{ Hz}$$

$$\boxed{f_p = 10 \text{ kHz}}$$

3. RÉCEPTION DU SIGNAL MODULÉ ET DÉMODULATION

❶ **1.** Cette partie du montage permet de réceptionner une onde électromagnétique de fréquence f_p donnée en la sélectionnant parmi toutes celles qui atteignent l'antenne réceptrice.

2. Afin que cette fonction soit effectivement remplie il faut que la fréquence propre f_0 du dipôle L_0C_0 soit ajustée sur la fréquence f_p de la porteuse, soit :

$$f_p = f_0 = \frac{1}{2\pi\sqrt{L_0 C_0}}$$

d'où :

$$f_p^2 = \frac{1}{4\pi^2 L_0 C_0} \quad \text{et donc} \quad C_0 = \frac{1}{4\pi^2 L_0 f_p^2}.$$

Nous calculons alors :

$$C_0 \approx \frac{1}{4 \times 10 \times 2{,}5 \times 10^{-3} \times (10 \times 10^3)^2} = \frac{1}{10 \times 10^{-2} \times 10^8}$$

$$\boxed{C_0 \approx 1{,}0 \times 10^{-7}\ \text{F} = 0{,}10\ \mu\text{F}}$$

❷ L'énoncé nous précise que pour obtenir une bonne démodulation la constante de temps τ du dipôle RC doit être telle que :

$$T_\text{p} \ll \tau < T_\text{m} \quad \text{soit} \quad T_\text{p} \ll RC < T_\text{m}$$

donc :

$$\frac{T_\text{p}}{C} \ll R < \frac{T_\text{m}}{C} \quad \text{ou} \quad \frac{1}{f_\text{p}C} \ll R < \frac{1}{f_\text{m}C}.$$

Numériquement, nous obtenons alors :

$$\frac{1}{10 \times 10^3 \times 500 \times 10^{-9}} \ll R < \frac{1}{500 \times 500 \times 10^{-9}}$$

$$\frac{1}{5{,}0} \times 10^3 \ll R < \frac{1}{25} \times 10^5$$

$$\frac{10}{5{,}0} \times 10^2 \ll R < \frac{100}{25} \times 10^3$$

$$2{,}0 \times 10^2\ \Omega \ll R < 4{,}0 \times 10^3\ \Omega.$$

C'est donc le conducteur ohmique de résistance **2,0 kΩ** qui convient le mieux pour assurer cette fonction.

❸ La dernière partie du montage permet de **supprimer la composante continue** U_0 du signal.

SOMMAIRE

Cochez les sujets sur lesquels vous vous êtes entraînés.

Descriptif de l'épreuve

Le programme

Enseignement obligatoire

Introduction : les questions qui se posent au chimiste
La transformation d'un système chimique est-elle toujours rapide ? Transformations lentes et rapides – Suivi temporel d'une transformation – Quelle interprétation donner au niveau microscopique ?
La transformation d'un système chimique est-elle toujours totale ? Une transformation chimique n'est pas toujours totale et la réaction a lieu dans les deux sens – État d'équilibre d'un système – Transformations associées à des réactions acido-basiques en solution aqueuse.
Le sens « spontané » d'évolution d'un système est-il prévisible ? Le sens d'évolution d'un système chimique peut-il être inversé ? Un système chimique évolue spontanément vers l'état d'équilibre – Les piles, dispositifs mettant en jeu des transformations spontanées permettant de récupérer de l'énergie – Exemples de transformations forcées.
Comment le chimiste contrôle-t-il les transformations de la matière ? Exemples pris dans les sciences de l'ingénieur et dans les sciences de la vie Les réactions d'estérification et d'hydrolyse – Des exemples de contrôle de l'évolution de systèmes chimiques pris dans l'industrie chimique et dans les sciences de la vie.

Enseignement de spécialité

Extraire et identifier des espèces chimiques Extraction - Chromatographie.
Créer et reproduire des espèces chimiques
Effectuer des contrôles de qualité Étalonnage - Titrage direct (d), indirect (i) - Réaction d'oxydoréduction - Réaction acido-basique - Autres réactions.
Élaborer un « produit » de consommation : de la matière première à la formulation Séparer – Électrolyser – Formuler, conditionner.

Nature et conditions de l'épreuve

Cf. partie Physique p. 139.

CHIMIE

DURÉE : 3 HEURES 30 • COEFFICIENT : OBLIGATOIRE 6, SPÉCIALITÉ 8

Le sujet comporte un exercice de chimie et deux exercices de physique. Le candidat doit traiter les trois exercices dans l'ordre qu'il souhaite, ceux-ci étant indépendants les uns des autres.

OBLIGATOIRE ET SPÉCIALITÉ • Thème : Équilibres chimiques...
EXERCICE 1 • 6,5 POINTS

Les couleurs du bleu de bromothymol

Les indicateurs colorés sont des entités chimiques étonnantes qui ont la propriété de changer de couleur en fonction du pH de la solution aqueuse qui les contient.
Utilisé au XVIIIe siècle pour des dosages acido-basiques, le premier indicateur coloré fut un extrait de tournesol. Plusieurs autres indicateurs naturels furent utilisés comme le chou rouge, l'artichaut ou la betterave. Le XIXe siècle voit l'essor considérable de la chimie organique et la mise au point de nouvelles substances qui serviront d'indicateurs colorés.
Dans cet exercice, l'indicateur coloré acido-basique étudié est le bleu de bromothymol que l'on note souvent BBT. Il constitue un couple acide/base dont la forme acide, notée HIn, et la forme basique, notée In^-, ont des teintes différentes en solution aqueuse.

L'objectif de cet exercice est d'étudier un titrage acido-basique en présence de bleu de bromothymol, puis de caractériser cet indicateur coloré.
Dans tout l'exercice, la température des solutions est égale à 25 °C.

1. TITRAGE ACIDO-BASIQUE AVEC LE BLEU DE BROMOTHYMOL

Au laboratoire, un flacon de solution aqueuse d'hydroxyde de sodium (Na^+ + HO^-) a une concentration molaire inconnue. L'objectif de cette partie est de déterminer par titrage la concentration molaire c_B d'hydroxyde de sodium dans cette solution notée S. On admettra dans cette partie que le bleu de bromothymol convient pour ce titrage.

Protocole
On prélève avec précision un volume V_S = 10,0 mL de la solution S que l'on verse dans un erlenmeyer. On titre cet échantillon par de l'acide chlorhydrique (H_3O^+ + Cl^-) dont la concentration molaire est $c_A = 1{,}00 \times 10^{-1}$ mol.L^{-1}, en présence de quelques gouttes de bleu de bromothymol comme indicateur de fin de titrage. Il faut verser un volume V_E = 12,3 mL de la solution titrante pour atteindre l'équivalence.

❶ Écrire l'équation de la réaction support du titrage.

❷ Identifier les couples acide/base mis en jeu dans cette réaction.

❸ Définir l'équivalence d'un titrage.

❹ À partir des résultats expérimentaux, déterminer la concentration molaire c_B d'hydroxyde de sodium de la solution S.

2. QUESTIONS AUTOUR DU COUPLE ACIDO-BASIQUE DU BLEU DE BROMOTHYMOL

❶ Écrire l'équation de la réaction de l'acide HIn avec l'eau.

❷ Rappeler la définition de la constante d'acidité K_A du couple $HIn(aq)/In^-(aq)$. Donner son expression à partir de l'équation de la réaction précédente.

3. DÉTERMINATION DU pK_A DU BLEU DE BROMOTHYMOL

❶ À l'aide d'un spectrophotomètre, on relève les variations de l'absorbance *A* des formes acide et basique d'une solution de bleu de bromothymol en fonction de la longueur d'onde λ de la radiation lumineuse traversant la solution. On obtient les courbes suivantes (**figure 1**) :

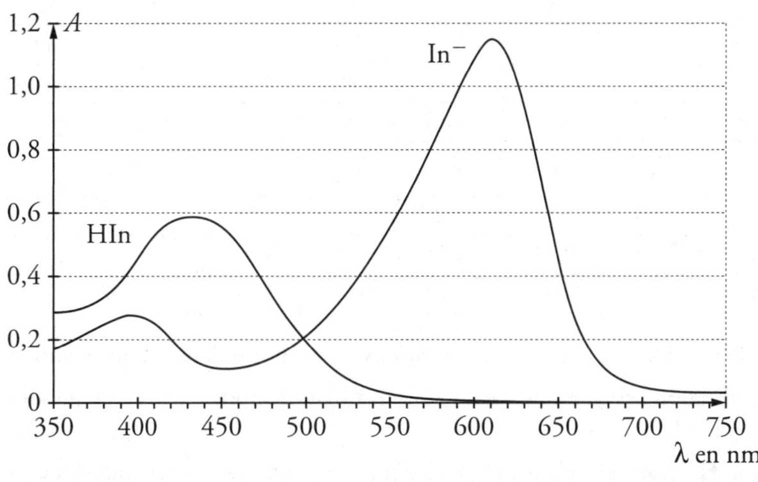

Figure 1

La forme acide HIn du bleu de bromothymol donne en solution aqueuse une coloration jaune. On rappelle qu'une solution est colorée si elle absorbe une partie des radiations de la lumière blanche.

Sur l'étoile ci-contre (**figure 2**), la lumière perçue (c'est-à-dire la couleur de la solution) est la couleur diamétralement opposée à la couleur absorbée.

1. Pour quelle longueur d'onde l'absorbance de la forme basique In^- du bleu de bromothymol est-elle maximale ?

2. Quelle est la couleur de la lumière absorbée correspondante ?

3. En déduire la couleur donnée par la forme basique In^- du bleu de bromothymol en solution aqueuse.

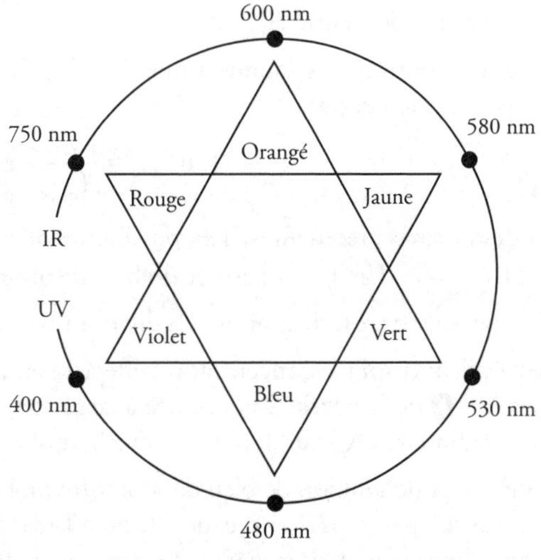

Figure 2

❷ À quelle longueur d'onde λ_0 faut-il régler le spectrophotomètre afin que l'absorbance de la forme acide soit quasiment nulle et celle de la forme basique du bleu de bromothymol soit maximale ?

3 On a préparé treize échantillons de solutions de volume $V = 10,0$ mL dont les valeurs du pH sont croissantes (voir **tableau** ci-après). À chacun des échantillons, on ajoute un volume $V_0 = 1,0$ mL de solution S_0 de bleu de bromothymol de concentration molaire $c_0 = 3,0 \times 10^{-4}$ mol.L^{-1}.

On appelle c la concentration molaire du bleu de bromothymol apporté dans ces solutions.

On rappelle : $c = [HIn]_{éq} + [In^-]_{éq}$

Après réglage du zéro du spectrophotomètre, on peut admettre que l'absorbance de telles solutions s'exprime par : $A = A_{HIn} + A_{In^-}$

où A_{HIn} et A_{In^-} sont les absorbances respectives des espèces HIn et In^-.

On mesure alors le pH de chacune de ces solutions et après avoir réglé un spectrophotomètre à la longueur d'onde λ_0 précédemment déterminée, on mesure l'absorbance A de chacune de ces solutions en utilisant des cuves identiques. Les résultats sont regroupés dans les **tableaux** ci-après.

Solution	S_1	S_2	S_3	S_4	S_5	S_6	S_7
pH	4,0	4,8	5,2	5,8	6,1	6,7	7,0
Absorbance *A*	0	0	0	0,004	0,008	0,260	0,420
Couleur de la solution	jaune	jaune	jaune	jaune	jaune	verte	verte

Solution	S_8	S_9	S_{10}	S_{11}	S_{12}	S_{13}
pH	7,3	7,6	8,2	8,7	8,8	9,5
Absorbance *A*	0,630	0,794	1,050	1,090	1,094	$A_{max} = 1,094$
Couleur de la solution	verte	verte	bleue	bleue	bleue	bleue

1. Calculer la quantité de matière n_{BBT} en bleu de bromothymol apporté dans chaque solution.

2. Montrer que la concentration molaire c en bleu de bromothymol apporté dans chaque solution vaut $c = 2,7 \times 10^{-5}$ mol.L^{-1}.

3. En utilisant la question **2**, montrer qu'à la longueur d'onde d'étude λ_0 l'absorbance des solutions peut s'écrire $A = A_{In^-}$

On peut montrer que l'absorbance des solutions est alors donnée par :

$A = A_{In^-} = k\,[In^-]_{éq}$ où k est une constante de proportionnalité.

4. Dans la solution S_{13}, l'absorbance est maximale et a pour valeur A_{max}. On peut alors supposer que la concentration effective en HIn dans cette solution est négligeable devant celle en In^-. Quelle est alors la relation entre A_{max} et c ?

5. À partir des questions **3** et **4**, montrer que dans les solutions étudiées, la concentration effective en In^- peut se calculer par :

$$[In^-]_{éq} = \frac{A}{A_{max}} \cdot c$$

4 À partir des mesures précédentes, il est possible de calculer les concentrations effectives des formes acide ($[HIn]_{éq} = c - [In^-]_{éq}$) et basique du bleu de bromothymol dans chacun des treize échantillons et ainsi de construire le diagramme de distribution des espèces du couple HIn/In^- (**figure 3**).

1. Pour quelle valeur de pH la concentration effective en HIn est-elle égale à celle en In^- ? À partir de la question **2** de la **partie 2** appliquée à ce cas particulier, trouver la relation entre le pH et le pK_A. En déduire le pK_A du bleu de bromothymol à 25 °C.

2. On considère qu'une solution de bleu de bromothymol, éclairée en lumière blanche, prend « sa teinte acide » lorsque $pH < pK_A - 1$ et qu'elle prend « sa teinte basique » lorsque $pH > pK_A + 1$. Donner le diagramme de prédominance des espèces acide et basique du bleu de bromothymol. Ajouter sur le diagramme les couleurs respectives de la solution de bleu de bromothymol.

3. Quelle est la couleur de la solution de bleu de bromothymol dans la zone de virage ?

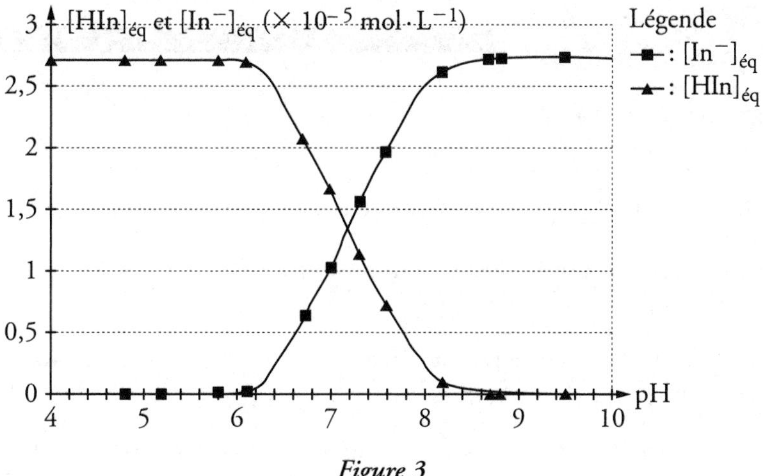

Figure 3

4. UTILISATION DU BLEU DE BROMOTHYMOL POUR LE TITRAGE DE LA PARTIE 1

❶ Quelle est la couleur de la solution contenue dans l'erlenmeyer avant l'équivalence ? Comment repère-t-on l'équivalence ?

❷ Lors de ce titrage, le pH du mélange réactionnel à l'équivalence est égal à 7. Pourquoi peut-on affirmer que le bleu de bromothymol convient pour ce titrage ?

Les exercices 2 et 3 de cette épreuve, traitant de la physique, sont abordés en tête de la partie Physique de cet ouvrage.

LES CLÉS DU SUJET

OBLIGATOIRE ET SPÉCIALITÉ
EXERCICE 1

■ Les notions en jeu

- Titrage acido-basique, calcul d'une concentration à partir du volume versé à l'équivalence.
- Étude spectrophotométrique d'un indicateur coloré.
- Établir la relation liant le pH d'une solution et le pK_A du couple contenu dans celle-ci.
- Diagrammes de distribution et de prédominance.
- Choix d'un indicateur coloré pour repérer l'équivalence d'un titrage.

■ Conseils du correcteur

Partie 1

❷ Souvenez-vous que dans une réaction acido-basique, l'acide d'un couple réagit toujours avec la base d'un autre couple pour donner respectivement la base et l'acide conjugués de ces espèces chimiques.

Partie 3

❸ **2.** Prenez bien en considération le volume total de l'échantillon, soit $V + V_0$.
❹ **1.** Prenez l'opposé du logarithme décimal de chaque membre de l'égalité et développez le terme faisant intervenir les concentrations sachant que log $(a{\cdot}b)$ = log a + log b.
3. Dans la zone de virage de l'indicateur coloré, l'œil perçoit la superposition des deux couleurs correspondant à la forme acide et à la forme basique : que donne le mélange du jaune et du bleu ?

OBLIGATOIRE ET SPÉCIALITÉ

EXERCICE 1

1. TITRAGE ACIDO-BASIQUE AVEC LE BLEU DE BROMOTHYMOL

❶ L'équation de la réaction acido-basique support du titrage s'écrit :

$$\boxed{H_3O^+ + HO^-_{(aq)} = 2\ H_2O_{(\ell)}.}$$

❷ Les deux couples acide/base mis en jeu dans cette réaction sont :

$$\boxed{H_3O^+/H_2O \text{ et } H_2O/HO^-.}$$

L'eau est l'acide d'un couple et la base d'un autre couple ; il s'agit d'une espèce amphotère. L'eau est un ampholyte.

❸ L'équivalence est l'état du système à partir duquel il y a changement de réactif limitant.

Remarque : c'est aussi l'état du système obtenu lorsque les réactifs titrant et à titrer ont été introduits dans les mêmes proportions que celles définies par les nombres stœchiométriques de l'équation de la réaction.

❹ Dressons le tableau d'évolution du système chimique lors du titrage :

Équation chimique		H_3O^+ +	HO^- =	$2\ H_2O$
État du système	**Avancement**	**Quantités de matière (mol)**		
État initial	$x = 0$ mol	$c_A V_E$	$c_B V_S$	solvant
État à l'équivalence	x_E	$c_A V_E - x_E$	$c_B V_S - x_E$	solvant

À l'équivalence, les quantités de matière des réactifs titrant et à titrer sont nulles, d'où :
$n(H_3O^+)_E = 0$ mol $= c_A V_E - x_E$ donc $x_E = c_A V_E$
et $n(HO^-)_E = 0$ mol $= c_B V_S - x_E$ donc $x_E = c_B V_S$.
Par égalisation des deux expressions de l'avancement à l'équivalence, nous obtenons :

$$c_B V_S = c_A V_E \text{ alors } c_B = \frac{c_A V_E}{V_S}.$$

Numériquement, avec $c_A = 1{,}00 \times 10^{-1}$ mol·L^{-1}, $V_E = 12{,}3 \times 10^{-3}$ L et $V_S = 10{,}0 \times 10^{-3}$ L, nous calculons :

$$\boxed{c_B = 1{,}23 \times 10^{-1}\ \text{mol·L}^{-1} = 123\ \text{mmol·L}^{-1}.}$$

2. QUESTIONS AUTOUR DU COUPLE ACIDO-BASIQUE DU BLEU DE BROMOTHYMOL

❶ La réaction de l'acide HIn avec l'eau est aussi une réaction acido-basique d'équation :

$$\boxed{HIn_{(aq)} + H_2O_{(\ell)} = In^-_{(aq)} + H_3O^+.}$$

Comme toute constante d'équilibre, la constante d'acidité K_A ne dépend que de la température.

❷ La constante d'acidité K_A du couple HIn/In$^-$ est **la constante d'équilibre** associée à l'équation de la réaction de l'acide HIn avec l'eau, soit d'après l'équation écrite au ❶ :

$$\boxed{K_A = \frac{[In^-]_{éq} \cdot [H_3O^+]_{éq}}{[HIn]_{éq}}.}$$

3. DÉTERMINATION DU pK_A DU BLEU DE BROMOTHYMOL

❶ **1.** Nous lisons graphiquement l'abscisse du point correspondant à l'absorbance maximale de la courbe $A = f(\lambda)$ pour l'espèce In^- :

$$\boxed{\lambda_{max} = 610 \text{ nm.}}$$

2. La couleur correspondant à une lumière absorbée ayant une longueur d'onde voisine de 610 nm **est l'orange.**
3. La couleur donnée à la solution par la forme basique In^- du bleu de bromothymol, c'est-à-dire la couleur de la lumière perçue par l'œil d'un observateur, est celle diamétralement opposée à l'orange sur l'étoile fournie dans l'énoncé. **Il s'agit du bleu.**

❷ Nous pouvons constater que pour la longueur d'onde $\lambda_{max} = 610$ nm déterminée précédemment, l'absorbance est nulle pour la forme acide HIn, tout en étant maximale pour la forme In^-, ainsi :

$$\boxed{\lambda_0 = \lambda_{max} = 610 \text{ nm.}}$$

❸ **1.** Exprimons la quantité de matière n_{BBT} de bleu de bromothymol apportée dans chaque solution :
$$n_{BBT} = c_0 V_0$$
soit numériquement, avec $c_0 = 3{,}0 \times 10^{-4}$ mol·L^{-1} et $V_0 = 1{,}0 \times 10^{-3}$ L, nous obtenons :

$$\boxed{n_{BBT} = 3{,}0 \times 10^{-7} \text{ mol.}}$$

2. Exprimons la concentration molaire c de chaque échantillon en bleu de bromothymol apporté :
$$c = \frac{n_{BBT}}{V + V_0}$$
soit numériquement, avec $n_{BBT} = 3{,}0 \times 10^{-7}$ mol, $V = 10{,}0 \times 10^{-3}$ L et $V_0 = 1{,}0 \times 10^{-3}$ L, nous calculons :

$$\boxed{c = 2{,}7 \times 10^{-5} \text{ mol·L}^{-1} = 27 \text{ µmol·L}^{-1}.}$$

3. L'absorbance A d'une solution contenant du bleu de bromothymol s'exprime d'une manière générale par :
$$A = A_{HIn} + A_{In-}$$
or, nous avons vu à la question ❷ que l'absorbance due à la forme acide est nulle ($A_{HIn} = 0$) à la longueur d'onde λ_0, donc :

$$\boxed{A = A_{In-}.}$$

4. En considérant négligeable la concentration molaire effective de la forme acide du bleu de bromothymol devant celle de la forme basique dans la solution S_{13}, nous pouvons écrire :
$$c = [HIn]_{éq} + [In^-]_{éq} \simeq [In^-]_{éq}.$$
Ainsi, l'absorbance A_{max} de la solution S_{13} peut s'exprimer en fonction de c, puisque :

$A_{max} = A_{In-} = k \cdot [In^-]_{éq}$ donc $\boxed{A_{max} = k \cdot c}$

à la longueur d'onde λ_0.

5. Effectuons le rapport des expressions obtenues aux **3** et **4**, il vient :

$$\frac{A}{A_{max}} = \frac{k \cdot [In^-]_{éq}}{k \cdot c} \text{ soit } \boxed{[In^-]_{éq} = \frac{A}{A_{max}} \cdot c.}$$

CHIMIE

❹ **1.** La valeur du pH pour laquelle les concentrations effectives des espèces HIn et In^- sont les mêmes est l'abscisse du point d'intersection des deux courbes. Nous déterminons graphiquement :

$$\boxed{pH = 7{,}2.}$$

Prenons ensuite le logarithme décimal de chaque membre de l'égalité obtenue au **2** ❷.

$$-\log K_A = -\log \frac{[In^-]_{éq} \cdot [H_3O^+]_{éq}}{[HIn]_{éq}}$$

$$= -\log [H_3O^+]_{éq} - \log \frac{[In^-]_{éq}}{[HIn]_{éq}}$$

Ainsi, sachant que par définition, $pK_A = -\log K_A$ et $pH = -\log [H_3O^+]_{éq}$, nous aboutissons à :

$$\boxed{pK_A = pH - \log \frac{[In^-]_{éq}}{[HIn]_{éq}}.}$$

Soit encore : $pH = pK_A + \log \frac{[In^-]_{éq}}{[HIn]_{éq}}$.

Nous en déduisons numériquement que, lorsque $[HIn]_{éq} = [In^-]_{éq}$

soit $\frac{[In^-]_{éq}}{[HIn]_{éq}} = 1$ et $\log \frac{[In^-]_{éq}}{[HIn]_{éq}} = 0$:

$$\boxed{pK_A = pH = 7{,}2.}$$

2. Traçons le diagramme de prédominance des formes acide et basique du bleu de bromothymol :

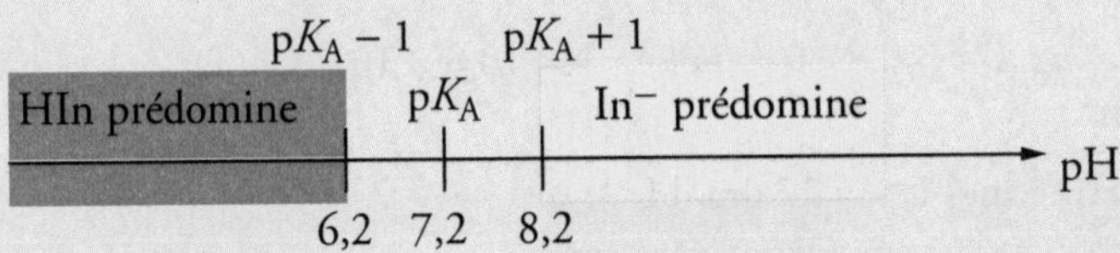

HIn prédomine devant In^- dès que $[HIn]_{éq} > [In^-]_{éq}$, soit dès que : $pH < pK_A$.

3. Dans sa zone de virage, l'indicateur coloré prend sa teinte sensible qui résulte de la superposition des teintes acide et basique. Le bleu de bromothymol est donc **vert** dans sa zone de virage.

Notre réponse est confirmée par les observations faites des couleurs des échantillons S_6 à S_9.

4. UTILISATION DU BLEU DE BROMOTHYMOL POUR LE TITRAGE DE LA PARTIE 1

❶ Avant l'équivalence du titrage, les ions hydroxyde prédominent dans le milieu réactionnel devant les ions oxonium ; la solution contenue dans l'erlenmeyer est donc basique (pH > 7 à 25 °C), et par conséquent de **couleur bleue** en présence de bleu de bromothymol.
L'équivalence est repérée par le changement de couleur du milieu réactionnel qui devient **vert**.

❷ Pour que le bleu de bromothymol puisse être utilisé pour repérer l'équivalence d'un titrage, il faut que sa zone de virage contienne le pH_E du point équivalent. C'est effectivement le cas ici puisque $pH_E = 7$ et que cette valeur est bien comprise dans l'intervalle [6,2 ; 8,2] qui correspond à la zone de virage du bleu de bromothymol.

THÈME Cinétique chimique

Corrosion des gouttières

Document

Les précipitations sont naturellement acides en raison du dioxyde de carbone présent dans l'atmosphère. Par ailleurs, la combustion des matières fossiles (charbon, pétrole et gaz) produit du dioxyde de soufre et des oxydes d'azote qui s'associent à l'humidité de l'air pour libérer de l'acide sulfurique et de l'acide nitrique. Ces acides sont ensuite transportés loin de leur source avant d'être précipités par les pluies, le brouillard, la neige ou sous forme de dépôts secs.
Très souvent, les pluies s'écoulant des toits sont recueillies par des gouttières métalliques, constituées de zinc.

Données

- Masse molaire atomique du zinc : $M(\text{Zn}) = 65{,}4\ \text{g} \cdot \text{mol}^{-1}$
- Loi des gaz parfaits : $PV = nRT$
- Couples acide/base :

$H_3O^+/H_2O_{(\ell)}$

$H_2O_{(\ell)}/HO^-_{(aq)}$

$CO_2, H_2O_{(\ell)}/HCO^-_{3(aq)}$

- Le zinc est un métal qui réagit en milieu acide selon la réaction d'équation :

$$Zn_{(s)} + 2\,H_3O^+ = Zn^{2+}_{(aq)} + H_{2(g)} + 2\,H_2O_{(\ell)}$$

1. SUIVI CINÉTIQUE DE LA TRANSFORMATION

Pour étudier cette transformation, considérée comme totale, on réalise l'expérience dont le schéma simplifié est représenté **figure 1** ci-après.
À l'instant de date $t = 0$ s, on verse rapidement, sur 0,50 g de poudre de zinc, 75,0 mL de solution d'acide sulfurique de concentration en ions oxonium H_3O^+ égale à $0{,}40\ \text{mol} \cdot \text{L}^{-1}$.

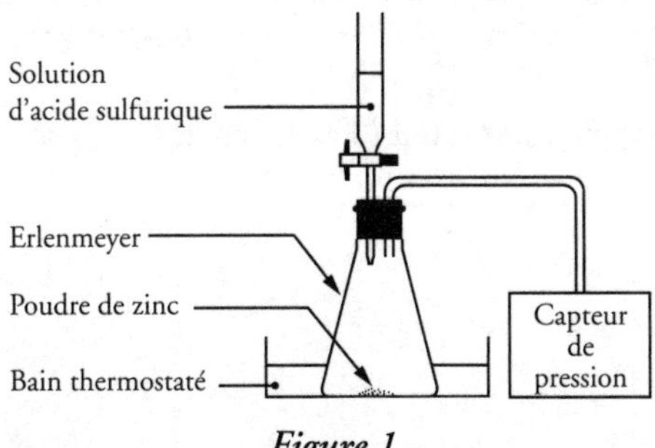

Figure 1

La pression mesurée à cet instant par le capteur est $P_i = 1\ 020$ hPa.
La formation de dihydrogène crée une surpression qui s'additionne à la pression de l'air initialement présent.
Les valeurs de la pression, mesurée à différentes dates par le capteur de pression, sont reportées dans le **tableau** ci-dessous.

t (min)	0	1,0	3,0	5,0	7,0	9,0	11,0	15,0	20,0	25,0	30,0	35,0
P (hPa)	1 020	1 030	1 060	1 082	1 101	1 120	1 138	1 172	1 215	1 259	1 296	1 335

t (min)	45,0	50,0	60,0	70,0	80,0	90,0	110,0	140,0	160,0	190,0	240,0	300,0
P (hPa)	1 413	1 452	1 513	1 565	1 608	1 641	1 697	1 744	1 749	1 757	1 757	1 757

❶ Compléter le **tableau** d'évolution du système en **annexe** (à rendre avec la copie).

❷ En déduire la valeur de l'avancement maximal x_{max}. Quel est le réactif limitant ?

❸ On considère que le dihydrogène libéré par la réaction est un gaz parfait. À chaque instant, la surpression $(P - P_i)$ est proportionnelle à la quantité $n(H_2)$ de dihydrogène formé et inversement proportionnelle au volume V_{gaz} de gaz contenu dans l'erlenmeyer :

$$(P - P_i)V_{gaz} = n(H_2)RT$$

où P_i représente la pression mesurée à la date $t = 0$ s, P la pression mesurée par le capteur et T la température du milieu (maintenue constante pendant l'expérience).

1. Quelle est la relation donnant l'avancement x de la réaction en fonction de $(P - P_i)$, V_{gaz}, R et T ?

2. On note P_{max} la pression mesurée à l'état final.
Écrire la relation donnant l'avancement x_{max} en fonction de P_{max}, P_i, V_{gaz}, R et T. En déduire la relation donnant l'avancement x :

$$x = x_{max}\left(\frac{P - P_i}{P_{max} - P_i}\right).$$

La **courbe** donnant l'évolution de l'avancement x en fonction du temps est représentée en **annexe** (à rendre avec la copie).

3. Vérifier à l'aide de la courbe la valeur x_{max} trouvée au ❷.

4. À l'aide du tableau des résultats, déterminer la valeur de l'avancement à la date $t = 50{,}0$ min. Vérifier cette valeur sur la courbe.

❹ Comment peut-on déduire de la **courbe** en **annexe** l'évolution de la vitesse volumique de réaction au cours de la transformation chimique étudiée ?
Décrire qualitativement cette évolution.
On rappelle l'expression de la vitesse volumique de la réaction :

$$v = \frac{1}{V}\frac{dx}{dt}$$

V est le volume de la solution, supposé constant durant l'expérience.

❶ Influence de la concentration en ions oxonium

On reprend le montage précédent (**figure 1**) et on réalise les trois expériences suivantes.

	Expérience 1	**Expérience 2**	**Expérience 3**
Température	25 °C	25 °C	25 °C
Masse initiale de zinc	0,50 g	0,50 g	0,50 g
Forme du zinc	poudre	poudre	poudre
Volume de la solution d'acide sulfurique versée	75 mL	75 mL	75 mL
Concentration initiale en ions oxonium	$0{,}50\ mol \cdot L^{-1}$	$0{,}25\ mol \cdot L^{-1}$	$0{,}40\ mol \cdot L^{-1}$

Pour chacune des expériences 1, 2 et 3, on a tracé sur la **figure 2** ci-après les trois courbes ⓐ, ⓑ et ⓒ représentant l'avancement de la réaction lors des 50 premières minutes.

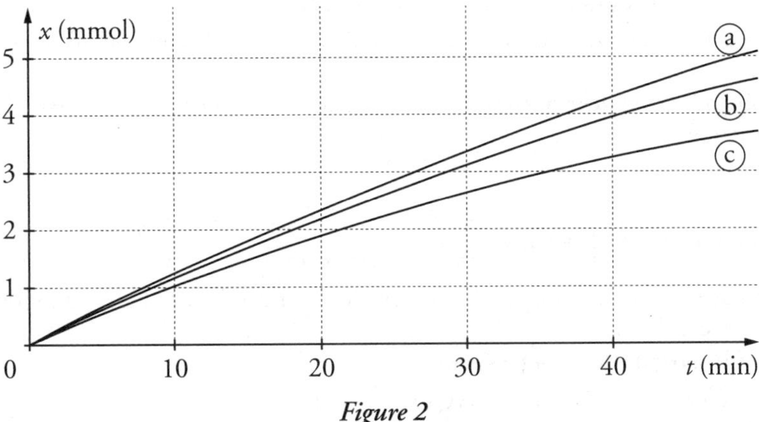

Figure 2

Associer à chacune des courbes de la **figure 2** le numéro de l'expérience 1, 2 ou 3 correspondante. Justifier.

❷ Influence de l'état de surface et de la division du zinc

On reprend le montage de la **figure 1** et on réalise trois nouvelles expériences :
– avec de la poudre de zinc ;
– avec de la grenaille de zinc récemment fabriquée ;
– avec de la grenaille de zinc de fabrication ancienne.

	Expérience 4	**Expérience 5**	**Expérience 6**
Température	25 °C	25 °C	25 °C
Masse initiale de zinc	0,50 g	0,50 g	0,50 g
Forme du zinc	poudre	grenaille	grenaille de zinc de fabrication ancienne recouverte d'une couche de carbonate de zinc
Volume de la solution d'acide sulfurique versé	75 mL	75 mL	75 mL
Concentration initiale en ions oxonium	$0{,}50\ mol \cdot L^{-1}$	$0{,}50\ mol \cdot L^{-1}$	$0{,}50\ mol \cdot L^{-1}$

On trace les courbes $x = f(t)$ pour les trois expériences et on obtient la **figure 3** ci-après.

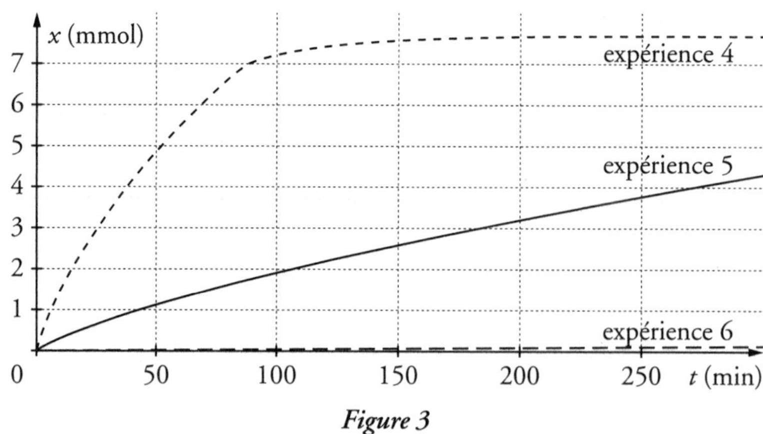

Figure 3

1. À partir des courbes obtenues lors des expériences 4 et 5, indiquer quelle est l'influence de la surface du zinc en contact avec la solution sur la vitesse de réaction.
2. En milieu humide, le zinc se couvre d'une mince couche de carbonate de zinc qui lui donne un aspect patiné.
À partir des courbes obtenues, indiquer quelle est l'influence de cette couche de carbonate de zinc sur la vitesse de réaction.

3. PLUIES ACIDES ET GOUTTIÈRES

Les précipitations naturelles et non polluées ont un pH acide. Leur acidité est due au dioxyde de carbone qui se dissout dans l'eau.
L'équation entre l'eau et le dioxyde de carbone s'écrit :

$$CO_{2(aq)} + 2\,H_2O_{(\ell)} = HCO^-_{3(aq)} + H_3O^+$$

En France, le pH moyen annuel des eaux de pluie est de l'ordre de 5.

❶ À partir de la valeur du pH citée ci-dessus, déterminer la valeur moyenne de la concentration en ions oxonium H_3O^+ rencontrés dans les eaux de pluie.

❷ Les trois facteurs cinétiques étudiés dans la partie **2** permettent-ils d'expliquer la longévité des gouttières en zinc dans les habitations ?

Annexe

Équation chimique		$Zn_{(s)}$	$+\ 2\,H_3O^+_{(aq)}$	$= Zn^{2+}_{(aq)}$	$+\ H_{2(g)}$	$+\ 2\,H_2O_{(\ell)}$
État du système	**Avancement (mol)**	**Quantités de matière (mol)**				
État initial	0	$n(Zn)_i$	$n(H_3O^+)_i$	0	0	en excès
État en cours de transformation	x					en excès
État final	x_{max}					en excès

Tableau

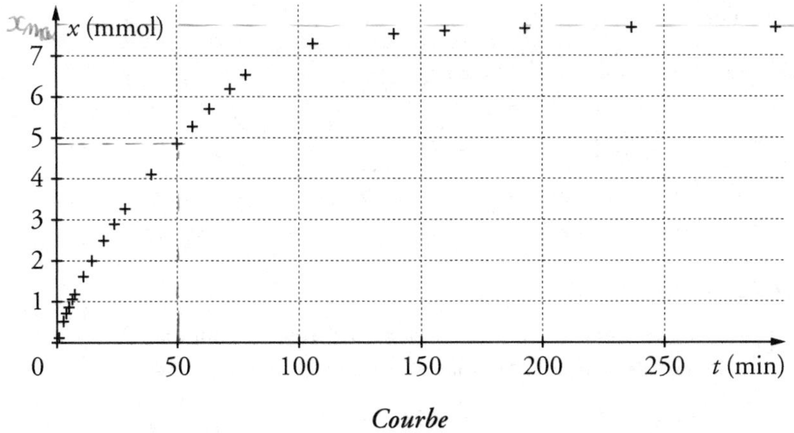

Courbe

LES CLÉS DU SUJET

■ **Notions et compétences en jeu**

– Exploiter des résultats expérimentaux.

– Interpréter qualitativement la variation de la vitesse de réaction à l'aide d'une courbe d'évolution tracée.

■ **Conseils du correcteur**

Partie 1

❸ **2.** Exprimez le produit *RT* en fonction de x_{max} puis remplacez-le dans l'expression de *x*.

Partie 2

❷ **1.** La grenaille de zinc se présente sous forme de grains grossiers.

CORRIGÉ SUJET 2

1. SUIVI CINÉTIQUE DE LA TRANSFORMATION

❶ Complétons le tableau d'évolution du système chimique.

Équation chimique		$Zn_{(s)}$ +	$2\,H_3O^+_{(aq)}$ =	$Zn^{2+}_{(aq)}$ +	$H_{2(g)}$ +	$2\,H_2O_{(\ell)}$
État du système	Avancement (mol)	Quantités de matière (mol)				
État initial	0	$n(Zn)_i$	$n(H_3O^+)_i$	0	0	solvant
État en cours de transformation	x	$n(Zn)_i - x$	$n(H_3O^+)_i - 2x$	x	x	solvant
État final	x_{max}	$n(Zn)_i - x_{max}$	$n(H_3O^+)_i - 2x_{max}$	x_{max}	x_{max}	solvant

2 Quel que soit l'état du système les quantités de matière des réactifs sont des grandeurs positives ou nulles, alors :

$$n(\mathrm{Zn})_\mathrm{i} - x \geqslant 0 \quad \text{donc} \quad x \leqslant n(\mathrm{Zn})_\mathrm{i} = \frac{m(\mathrm{Zn})_\mathrm{i}}{M(\mathrm{Zn})}$$

et $$n(\mathrm{H_3O^+})_\mathrm{i} - 2x \geqslant 0 \quad \text{donc} \quad x \leqslant \frac{n(\mathrm{H_3O^+})_\mathrm{i}}{2} = \frac{[\mathrm{H_3O^+}]_\mathrm{i} V}{2}$$

Numériquement, avec $m(\mathrm{Zn})_\mathrm{i} = 0{,}50$ g, $M(\mathrm{Zn}) = 65{,}4\ \mathrm{g \cdot mol^{-1}}$, $[\mathrm{H_3O^+}]_\mathrm{i} = 0{,}40\ \mathrm{mol \cdot L^{-1}}$ et $V = 75{,}0 \times 10^{-3}$ L, nous aboutissons aux inéquations :

$$x \leqslant 7{,}6 \times 10^{-3}\ \mathrm{mol} \quad \text{et} \quad x \leqslant 1{,}5 \times 10^{-2}\ \mathrm{mol}$$

Les quantités de matière des réactifs sont donc simultanément positives ou nulles tant que $x \leqslant 7{,}6 \times 10^{-3}$ mol, donc l'avancement maximal est tel que :

$$\boxed{x_\mathrm{max} = 7{,}6 \times 10^{-3}\ \mathrm{mol}}$$

Le réactif limitant est alors le **zinc** dont la quantité de matière est nulle dans l'état final.

3 **1.** Le sujet nous indique que :

$$(P - P_\mathrm{i})V_\mathrm{gaz} = n(\mathrm{H_2})RT$$

or, d'après le tableau d'évolution, nous lisons :

$$n(\mathrm{H_2}) = x \quad \text{donc} \quad (P - P_\mathrm{i})V_\mathrm{gaz} = xRT$$

soit : $$\boxed{x = \frac{(P - P_\mathrm{i})V_\mathrm{gaz}}{RT}}$$

En effet, seule la différence de pression $P - P_\mathrm{i}$ est imputable au dihydrogène formé.

2. Lorsque l'avancement maximal est atteint, la pression dans l'erlenmeyer est P_max, d'où :

$$\boxed{x_\mathrm{max} = \frac{(P_\mathrm{max} - P_\mathrm{i})V_\mathrm{gaz}}{RT}}$$

Cette expression permet d'écrire :

$$RT = \frac{(P_\mathrm{max} - P_\mathrm{i})V_\mathrm{gaz}}{x_\mathrm{max}}$$

En remplaçant le produit RT par cette relation dans l'expression de x obtenue au **1.**, nous obtenons :

$$x = \frac{(P - P_\mathrm{i})V_\mathrm{gaz}}{\dfrac{(P_\mathrm{max} - P_\mathrm{i})V_\mathrm{gaz}}{x_\mathrm{max}}}$$

Une autre méthode consiste à faire le rapport des expressions de x sur x_max qui ont été encadrées.

donc : $$\boxed{x = x_\mathrm{max}\left(\frac{P - P_\mathrm{i}}{P_\mathrm{max} - P_\mathrm{i}}\right)}$$

qui est bien la relation donnée dans le sujet.

3. Par lecture graphique, nous obtenons :

$$\boxed{x_\mathrm{max} = 7{,}6\ \mathrm{mmol} = 7{,}6 \times 10^{-3}\ \mathrm{mol}}$$

4. À l'instant de date $t = 50{,}0$ min, nous calculons la valeur de l'avancement $x(50{,}0\ \mathrm{min})$, sachant que $P = 1\ 452 \times 10^2$ Pa, $P_\mathrm{i} = 1\ 020 \times 10^2$ Pa, $P_\mathrm{max} = 1\ 757 \times 10^2$ Pa et $x_\mathrm{max} = 7{,}6 \times 10^{-3}$ mol :

$$\boxed{x(50{,}0\ \mathrm{min}) = 4{,}5 \times 10^{-3}\ \mathrm{mol} = 4{,}5\ \mathrm{mmol}}$$

Là encore, cette valeur calculée est identique à celle déterminée sur la courbe.

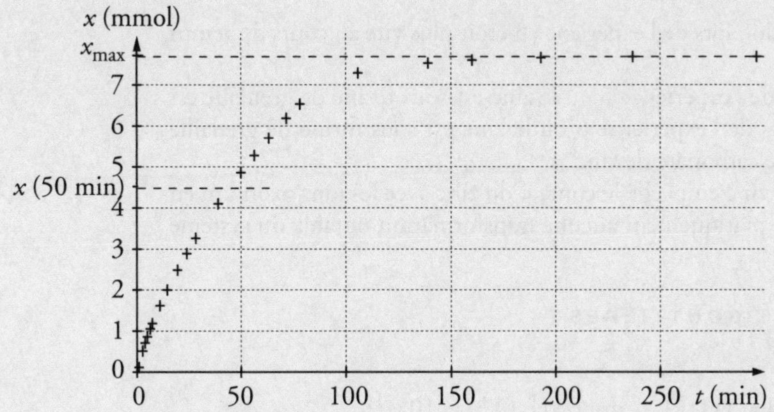

4 L'expression de la vitesse volumique de réaction montre que celle-ci est proportionnelle, au facteur $\frac{1}{V}$ près, au coefficient directeur $\left(\frac{\mathrm{d}x}{\mathrm{d}t}\right)$ de la tangente à la courbe $x = f(t)$ en tout point de celle-ci.

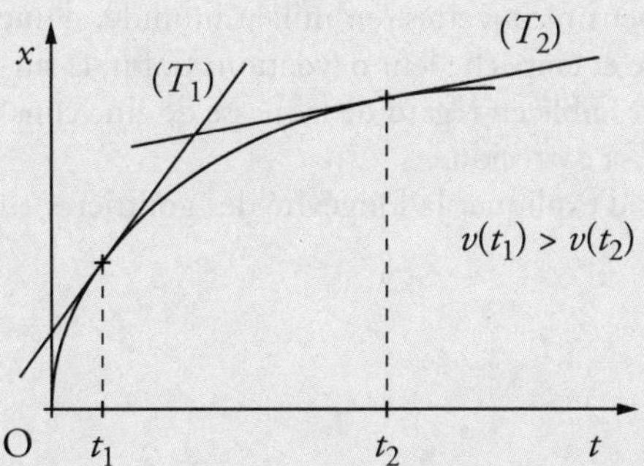

Les tangentes à la courbe $x = f(t)$ étant de moins en moins inclinées par rapport à l'horizontale au cours du temps, nous en déduisons que la vitesse volumique de réaction décroît au cours du temps (voir courbe précédente).

2. FACTEURS CINÉTIQUES

1 Les conditions initiales de chaque expérience ne diffèrent que par la concentration initiale en ions oxonium. Or, la concentration des réactifs est un facteur cinétique dont l'augmentation conduit à une augmentation de la vitesse de réaction.
Nous observons que l'avancement de la réaction augmente plus vite au cours du temps, d'où une plus grande vitesse de réaction pour la courbe (a), que pour la courbe (b) et la courbe (c). Ainsi :

à l'expérience 1 est associée la courbe (a)
à l'expérience 2 est associée la courbe (b)
à l'expérience 3 est associée la courbe (c)

Pour étudier l'influence d'un paramètre sur un phénomène, il faut ne faire varier que lui entre les différentes expériences.

2 **1.** L'avancement de la réaction lors de l'expérience 4 croît plus vite au cours du temps que lors de l'expérience 5.
La vitesse de réaction lors de l'expérience 4 où le zinc est en poudre est donc supérieure à celle lors de l'expérience 5 où le zinc est sous forme de grenaille.

Ainsi, plus la surface de zinc en contact avec la solution est importante, plus la vitesse de réaction l'est aussi.
2. L'avancement de la réaction lors de l'expérience 5 croît plus vite au cours du temps que lors de l'expérience 6.
La vitesse de réaction lors de l'expérience 5 où le zinc est sous forme de grenaille est donc supérieure à celle lors de l'expérience 6 où le zinc est sous forme de grenaille recouverte d'une couche de carbonate de zinc.
La couche de carbonate de zinc empêche le contact du zinc avec les ions oxonium en solution, si bien qu'il n'y a pratiquement aucune transformation notable du système chimique.

3. PLUIES ACIDES ET GOUTTIÈRES

1 Par définition :

$$pH = -\log [H_3O^+] \text{ donc } [H_3O^+] = 10^{-pH}$$

Numériquement, avec $pH = 5$, nous obtenons :

$$\boxed{[H_3O^+] = 1 \times 10^{-5}\ \text{mol} \cdot \text{L}^{-1}}$$

2 Lorsqu'il pleut, les gouttières en zinc se trouvent au contact d'une solution peu concentrée en ions oxonium, ce qui limite leur corrosion.
Par ailleurs, ces gouttières sont naturellement recouvertes, en milieu humide, d'une couche de carbonate de zinc qui les protège et empêche leur oxydation. Enfin, la surface de contact offerte aux eaux de pluie est faible en regard de la masse de zinc constituant la gouttière, ce qui limite là encore sa corrosion.
Ainsi, les trois facteurs étudiés permettent d'expliquer la longévité des gouttières en zinc des habitations.

SUJET 3

AFRIQUE • JUIN 2007
ENSEIGNEMENT OBLIGATOIRE
4 POINTS

THÈME Cinétique chimique

Étude cinétique d'une réaction

1. LA TRANSFORMATION ÉTUDIÉE

Le 2-chloro-2-méthylpropane réagit sur l'eau pour donner naissance à un alcool. Cet alcool est le 2-méthylpropan-2-ol. La réaction est lente et totale.
On peut modéliser cette transformation par :

$$(CH_3)_3C{-}Cl_{(\ell)} + 2\,H_2O_{(\ell)} = (CH_3)_3C{-}OH_{(\ell)} + H_3O^+ + Cl^-_{(aq)}$$

Données

• Masse molaire du 2-chloro-2-méthylpropane : $M = 92,0\ \text{g} \cdot \text{mol}^{-1}$; masse volumique : $\rho = 0,85\ \text{g} \cdot \text{mL}^{-1}$.

• La conductivité d'un mélange est donnée par $\sigma = \sum_i \lambda_i^0 [X_i]$ où $[X_i]$ désigne la concentration des espèces ioniques présentes dans le mélange, exprimée en $\text{mol} \cdot \text{m}^{-3}$.

• Conductivités molaires ioniques :
$\lambda_0(H_3O^+) = 349,8 \times 10^{-4}\ \text{S} \cdot \text{m}^2 \cdot \text{mol}^{-1}$;
$\lambda_0(Cl^-) = 76,3 \times 10^{-4}\ \text{S} \cdot \text{m}^2 \cdot \text{mol}^{-1}$.

Protocole observé

Dans une fiole jaugée, on introduit 1,0 mL de 2-chloro-2-méthylpropane et de l'acétone afin d'obtenir un volume de 25,0 mL d'une solution S.
Dans un becher, on place 200,0 mL d'eau distillée dans laquelle est immergée la sonde d'un conductimètre. Puis à l'instant $t = 0$ min, on déclenche un chronomètre en versant 5,0 mL de la solution S dans le becher. Un agitateur magnétique permet d'homogénéiser la solution obtenue ; on relève la valeur de la conductivité du mélange au cours du temps.

❶ Montrer que la quantité initiale de 2-chloro-2-méthylpropane introduite dans le dernier mélange est $n_0 = 1,8 \times 10^{-3}$ mol.

❷ Compléter le **tableau d'avancement** donné en **annexe 1** (à rendre avec la copie). Quelle relation lie $[H_3O^+]$ et $[Cl^-_{(aq)}]$ à chaque instant ?

❸ Donner l'expression de la conductivité σ du mélange en fonction de $[H_3O^+]$ et des conductivités molaires ioniques.

❹ Donner l'expression de la conductivité σ du mélange en fonction de l'avancement x de la réaction, du volume V du mélange réactionnel et des conductivités molaires ioniques des ions présents dans la solution.

❺ Pour un temps très grand, la conductivité notée σ_∞ du mélange ne varie plus.

Sachant que $\sigma_\infty = 0,374\ \text{S} \cdot \text{m}^{-1}$, vérifier que la transformation envisagée est bien totale.

❻ Exprimer le rapport $\frac{\sigma}{\sigma_\infty}$. En déduire l'expression de l'avancement x en fonction de σ, σ_∞ et de l'avancement maximal x_{max} de la réaction.

❼ Pour $\sigma = 0,200\ \text{S} \cdot \text{m}^{-1}$, quelle est la valeur de x ?

2. EXPLOITATION DES RÉSULTATS

L'expression établie en **1.** ❻ permet de construire la courbe montrant les variations de l'avancement x de la réaction en fonction du temps. La **courbe** est donnée en **annexe 2** (à rendre avec la copie).
La vitesse volumique v de réaction est donnée par la relation : $v = \frac{1}{V}\frac{dx}{dt}$ où V est le volume de la solution et x l'avancement de la réaction.

❶ Expliquer la méthode qui permettrait d'évaluer graphiquement cette vitesse à un instant donné.

❷ À l'aide de la courbe, indiquer comment évolue cette vitesse au cours du temps.

❸ Quel facteur cinétique permet de justifier cette évolution ?

❹ Définir le temps de demi-réaction et estimer graphiquement sa valeur.

❺ On réalise maintenant la même expérience à une température plus élevée.

1. Dessiner qualitativement sur le **graphique** de l'**annexe 2** l'allure de la courbe montrant les variations de l'avancement x au cours du temps.

2. La valeur du temps de demi-réaction est-elle identique, inférieure ou supérieure à la valeur précédente ? Justifier.

Annexe 1

Équation chimique		$(CH_3)_3C{-}Cl_{(\ell)}$ +	$2\,H_2O_{(\ell)}$ =	$(CH_3)_3C{-}OH_{(\ell)}$ +	H_3O^+ +	$Cl^-_{(aq)}$
État du système	**Avancement (mol)**	**Quantités de matière (en mol)**				
État initial	0	n_0	excès			
État intermédiaire	x		excès			
État final	x_{max}		excès			

Tableau d'avancement

Annexe 2

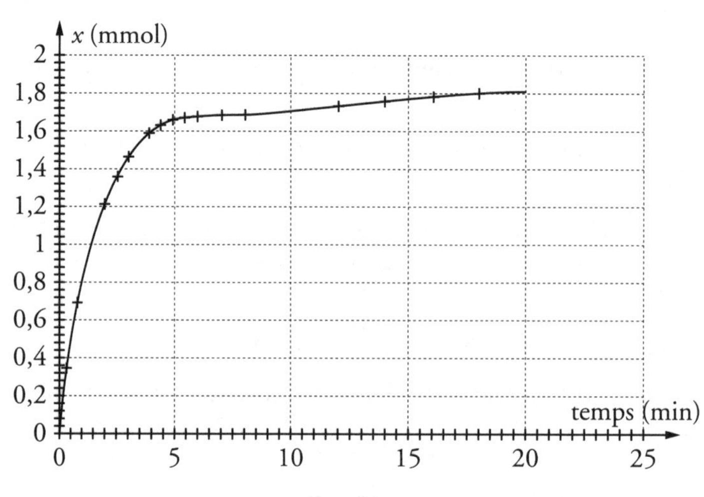

Graphique

LES CLÉS DU SUJET

■ **Notions et compétences en jeu**

– Conductimétrie.
– Avancement d'une réaction et avancement maximal.
– Vitesse volumique de réaction, évaluation graphique de cette vitesse.
– Facteurs cinétiques, temps de demi-réaction.

■ **Conseils du correcteur**

Partie 1

❺ N'oubliez pas d'exprimer le volume de la solution dans l'unité SI, c'est-à-dire en m^3.

Partie 2

❶ À un instant de date t_i donné, le terme $\left(\frac{dx}{dt}\right)_{t_i}$ dans l'expression de la vitesse correspond au coefficient directeur de la tangente à la courbe $x = f(t)$ au point d'abscisse t_i.

CORRIGÉ SUJET 3

1. LA TRANSFORMATION ÉTUDIÉE

❶ Nous noterons n_0' la quantité de matière de 2-chloro-2-méthylpropane contenue dans la solution S de volume $V_S = 25{,}0\ \text{mL}$. La concentration molaire c_S en 2-chloro-2-méthylpropane de la solution S s'exprime alors :

$$c_S = \frac{n_0'}{V_S} = \frac{m_0'}{M \cdot V_S} = \frac{\rho V_0}{M \cdot V_S}$$

en notant V_0 le volume de 2-chloro-2-méthylpropane introduit.
Sachant que seul un volume V_{pS} de la solution S est prélevé pour être versé dans le becher, nous pouvons déterminer la quantité de matière de 2-chloro-2-méthylpropane introduite dans le dernier mélange :

$$n_0 = c_S \cdot V_{pS} = \frac{\rho V_0 \cdot V_{pS}}{M \cdot V_S}$$

Pensez à donner un symbole à chaque grandeur que vous utilisez si celui-ci n'est pas imposé dans le sujet.

Numériquement, avec $\rho = 0{,}85 \times 10^3\ \text{g} \cdot \text{L}^{-1}$, $V_0 = 1{,}0 \times 10^{-3}\ \text{L}$, $V_{pS} = 5{,}0 \times 10^{-3}\ \text{L}$, $M = 92{,}0\ \text{g} \cdot \text{mol}^{-1}$ et $V_S = 25{,}0 \times 10^{-3}\ \text{L}$, nous calculons :

$$\boxed{n_0 = 1{,}8 \times 10^{-3}\ \text{mol}}$$

Il s'agit bien de la valeur fournie dans l'énoncé.

❷ Complétons le tableau d'évolution du système chimique :

Équation chimique		$(CH_3)_3C{-}Cl_{(\ell)} + 2\,H_2O_{(\ell)} = (CH_3)_3C{-}OH_{(\ell)} + H_3O^+ + Cl^-_{(aq)}$				
État du système	**Avancement (mol)**	**Quantités de matière (en mol)**				
État initial	0	n_0	excès	0	0	0
État intermédiaire	x	$n_0 - x$	excès	x	x	x
État final	x_{max}	$n_0 - x_{max}$	excès	x_{max}	x_{max}	x_{max}

Le tableau montre que :

$$n(H_3O^+) = n(Cl^-) = x \quad \text{donc} \quad \boxed{[H_3O^+] = [Cl^-]}$$

❸ La conductivité d'une solution est liée à la concentration molaire de toutes les espèces ioniques qu'elle contient :

$$\sigma = \lambda(H_3O^+) \cdot [H_3O^+] + \lambda(Cl^-) \cdot [Cl^-]$$

$$= \lambda(H_3O^+) \cdot [H_3O^+] + \lambda(Cl^-) \cdot [H_3O^+]$$

donc : $$\boxed{\sigma = (\lambda(H_3O^+) + \lambda(Cl^-)) \cdot [H_3O^+]}$$

Des ions hydroxyde sont également présents mais leur concentration est si faible que leur contribution à la conductivité du mélange est négligeable devant celle des autres ions.

❹ La concentration molaire du mélange en ions oxonium a pour expression :

$$[H_3O^+] = \frac{x}{V}$$

d'où : $$\boxed{\sigma = (\lambda(H_3O^+) + \lambda(Cl^-)) \cdot \frac{x}{V}}$$

❺ Calculons la valeur de l'avancement x_∞ atteint après une durée suffisamment longue :

$$x_\infty = \frac{\sigma_\infty V}{\lambda(H_3O^+) + \lambda(Cl^-)}$$

CHIMIE

soit numériquement, avec $\sigma_\infty = 0{,}374\ \text{S}\cdot\text{m}^{-1}$, $V = 205\times10^{-6}\ \text{m}^3$,

$\lambda(H_3O^+) = 349{,}8\times10^{-4}\ \text{S}\cdot\text{m}^2\cdot\text{mol}^{-1}$ et

$\lambda(Cl^-) = 76{,}3\times10^{-4}\ \text{S}\cdot\text{m}^2\cdot\text{mol}^{-1}$:

$$\boxed{x_\infty = 1{,}80\times10^{-3}\ \text{mol}}$$

Or, dans l'hypothèse d'une transformation totale, puisque ici le 2-chloro-2-méthylpropane est le réactif limitant, nous aurions :

$$n((CH_3)_3C{-}Cl)_f = n_0 - x_{max} = 0\ \text{mol}$$

soit $x_{max} = n_0 = 1{,}8\times10^{-3}\ \text{mol}$.
Ainsi, nous montrons que $x_\infty = x_{max}$ ce qui permet de vérifier que **la transformation est bien totale.**

❻ À l'aide des réponses aux questions ❹ et ❺ nous exprimons le rapport demandé :

$$\boxed{\frac{\sigma}{\sigma_\infty} = \frac{x}{x_\infty}}$$

qui nous permet de déduire la relation donnant l'avancement en fonction de σ, σ_∞ et de l'avancement maximal x_{max} qui s'identifie à x_∞ :

$$\boxed{x = x_{max}\cdot\frac{\sigma}{\sigma_\infty}}$$

❼ Numériquement, avec $\sigma = 0{,}200\ \text{S}\cdot\text{m}^{-1}$, $\sigma_\infty = 0{,}374\ \text{S}\cdot\text{m}^{-1}$ et $x_{max} = 1{,}8\times10^{-3}\ \text{mol}$, nous trouvons :

$$\boxed{x = 9{,}6\times10^{-4}\ \text{mol}}$$

2. EXPLOITATION DES RÉSUTATS

❶ Pour déterminer la vitesse de la réaction $v(t_1)$ à un instant de date t_1, il suffit de tracer la tangente à la courbe $x = f(t)$ au point d'abscisse t_1 et d'en calculer le coefficient directeur. Celui-ci correspond au terme $\left(\frac{dx}{dt}\right)_{t_1}$ à l'instant de date t_1 qui apparaît dans l'expression de la vitesse. En divisant la valeur de ce coefficient directeur par le volume du mélange réactionnel V, nous aboutissons à la valeur de la vitesse.

❷ La vitesse de réaction est proportionnelle au coefficient directeur de chacune des tangentes à la courbe $x = f(t)$. Si nous traçons plusieurs tangentes à la courbe $x = f(t)$, nous constatons que celles-ci sont de moins en moins inclinées par rapport à l'horizontale. Leur coefficient directeur diminue donc au cours du temps, ce qui nous permet d'affirmer que **la vitesse de réaction diminue au cours du temps.**

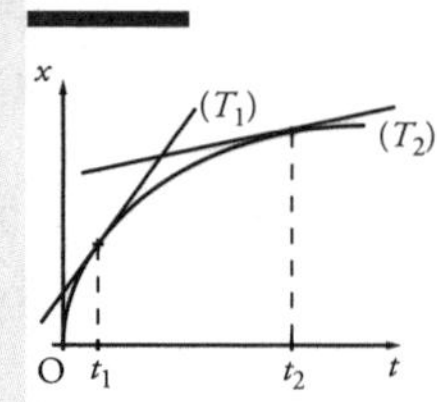

❸ C'est **la concentration des réactifs** qui est le facteur cinétique permettant de justifier cette évolution. En effet, lorsque la concentration des réactifs diminue, la vitesse de la réaction diminue.

❹ Le temps de demi-réaction $t_{1/2}$ est la durée au bout de laquelle l'avancement de la réaction atteint la moitié de l'avancement final :

$$x(t_{1/2}) = \frac{x_f}{2}$$

❺ **1.** La température est un facteur cinétique qui, lorsqu'elle augmente, conduit à une augmentation de la vitesse de réaction. Ainsi ici, la valeur de l'avancement maximal sera atteinte plus rapidement que dans l'expérience précédente. L'allure de la courbe est alors la suivante :

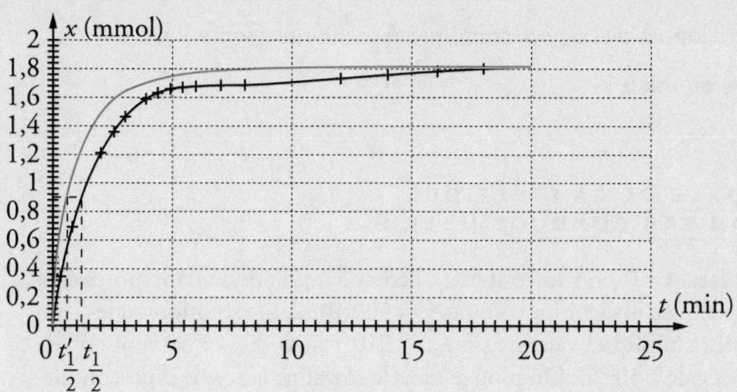

À température plus élevée, l'état final est atteint plus tôt.

2. L'avancement final, ici maximal, est toujours le même, mais les variations de l'avancement étant plus importantes au cours du temps, la moitié de l'avancement final est aussi atteinte plus rapidement. La valeur du temps de demi-réaction $t'_{1/2}$ est donc **inférieure** à la valeur précédente.

CHIMIE

SUJET 4

AMÉRIQUE DU SUD • NOVEMBRE 2005

ENSEIGNEMENT OBLIGATOIRE

6,5 POINTS

THÈME Cinétique chimique

Cinétique de la saponification de l'éthanoate d'éthyle

L'usage de la calculatrice n'est pas autorisé.

1. L'ÉTHANOATE D'ÉTHYLE

L'éthanoate d'éthyle ($C_4H_8O_2$) est un liquide incolore de formule semi-développée :

$$CH_3-C(=O)-O-CH_2-CH_3$$

❶ Recopier la formule semi-développée sur la copie et entourer le groupement fonctionnel.

❷ À quelle famille de composés organiques l'éthanoate d'éthyle appartient-il ?

2. SAPONIFICATION DE L'ÉTHANOATE D'ÉTHYLE

C'est la réaction entre l'éthanoate d'éthyle et une solution de soude (par exemple).
L'équation chimique associée à la réaction s'écrit :

$$C_4H_8O_{2(aq)} + Na^+_{(aq)} + HO^-_{(aq)} = Na^+_{(aq)} + A^-_{(aq)} + B_{(aq)}.$$

❶ Écrire la formule semi-développée de l'espèce chimique A^-. Donner son nom.

❷ La réaction est-elle limitée ou totale ?

3. ÉTUDE EXPÉRIMENTALE DE LA CINÉTIQUE DE LA SAPONIFICATION PAR CONDUCTIMÉTRIE

À un instant choisi comme date $t = 0$, on introduit de l'éthanoate d'éthyle dans un becher contenant une solution de soude. On obtient un volume $V = 100{,}0$ mL de solution où les concentrations de toutes les espèces chimiques valent $c_0 = 1{,}0 \times 10^{-2}$ mol · L^{-1} = 10 mol · m^{-3}. La température est maintenue égale à 30 °C. On plonge dans le mélange la sonde d'un conductimètre qui permet de mesurer à chaque instant la conductivité σ de la solution.
Le tableau ci-dessous regroupe quelques valeurs.

t **en min**	0	5	9	13	20	27	∞
σ **en** S · m^{-1}	0,250	0,210	0,192	0,178	0,160	0,148	0,091

❶ Évolution de la transformation

Soit $x(t)$ l'avancement de la transformation à un instant t.
Compléter le tableau fourni en **annexe** (à rendre avec la copie).
Dans ce tableau, $t = \infty$ correspond à un instant de date très grande où la transformation chimique est supposée terminée.

❷ La conductimétrie

1. Quelles sont les espèces chimiques responsables du caractère conducteur de la solution ?

2. Pourquoi la conductivité de la solution diminue-t-elle ?

Données
Conductivités molaires ioniques λ en S · m^2 · mol^{-1}
ion $Na^+_{(aq)}$: $\lambda_{Na^+} = 5{,}0 \times 10^{-3}$; ion $HO^-_{(aq)}$: $\lambda_{HO^-} = 2{,}0 \times 10^{-2}$; ion $A^-_{(aq)}$: $\lambda_{A^-} = 4{,}1 \times 10^{-3}$.

3. Exprimer σ_t, valeur de la conductivité de la solution à un instant t en fonction de c_0, V, $x(t)$ et des conductivités molaires ioniques.

4. Les expressions de σ_0 et σ_∞, valeurs de la conductivité de la solution à l'instant $t = 0$ et au bout d'une durée très grande, sont :

$$\sigma_0 = (\lambda_{Na^+} + \lambda_{HO^-})c_0 \ ; \quad \sigma_\infty = (\lambda_{Na^+} + \lambda_{A^-})c_0 .$$

Justifier ces expressions.

5. Montrer que l'avancement $x(t)$ peut être calculé par l'expression :

$$x(t) = c_0 V \frac{\sigma_0 - \sigma_t}{\sigma_0 - \sigma_\infty}.$$

❸ Étude cinétique

La relation trouvée au ❷ **5** permet de calculer les valeurs de l'avancement $x(t)$ à chaque instant. Le graphe fourni en **annexe** représente l'évolution de l'avancement $x(t)$ en fonction du temps.

1. Donner l'expression de la vitesse volumique de réaction en précisant les unités.

2. Expliquer la méthode permettant d'évaluer graphiquement cette vitesse à un instant donné.

3. Comment évolue cette vitesse au cours de la transformation chimique ? Quel est le facteur cinétique mis en jeu ?

4. Calculer l'avancement maximal.

5. Définir le temps de demi-réaction. Trouver sa valeur à partir du graphe fourni en **annexe**.

6. On reproduit la même expérience à une température de 20 °C. Tracer, sur ce graphe, l'allure de la courbe obtenue. On justifiera le tracé.

Annexe

Réaction		$C_4H_8O_2$ +	$Na^+_{(aq)}$ +	$HO^-_{(aq)}$ =	$Na^+_{(aq)}$ +	$A^-_{(aq)}$ +	B
Instant	**Avancement**	**Quantités de matière**					
0	0	c_0V	c_0V	c_0V	c_0V	0	0
t	$x(t)$		c_0V		c_0V		
∞	x_{max}		c_0V		c_0V		

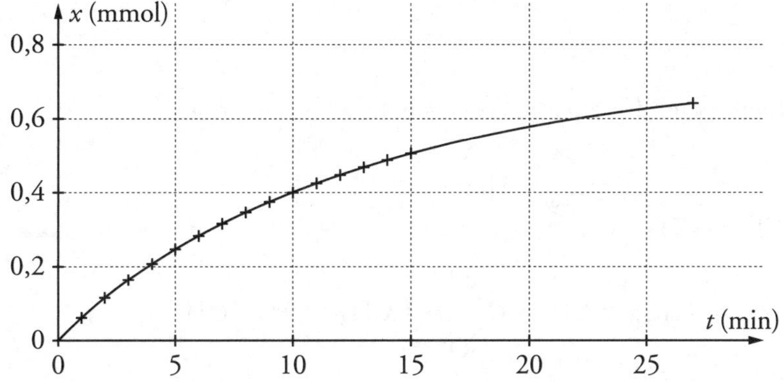

LES CLÉS DU SUJET

■ Notions et compétences en jeu

– Hydrolyse basique des esters.
– Suivi cinétique par conductimétrie.
– Avancement d'une réaction.
– Vitesse volumique de réaction, méthode d'évaluation.
– Facteurs cinétiques et temps de demi-réaction.

■ Conseils du correcteur

Partie 3

❷ **3.** Pensez bien à prendre en compte la concentration molaire de tous les ions en solution dans l'expression de la conductivité, même celle des ions « spectateurs » comme Na^+.

5. Remplacez σ_0, σ_t et σ_∞ par leur expression dans la relation donnée et menez le calcul littéralement pour montrer que le terme de droite de la relation est bien égal à $x(t)$.

❸ **4.** L'avancement est maximal lorsque $t \to +\infty$ car la transformation est totale, soit $x(\infty) = x_{max}$. Remplacez donc σ_t par σ_∞ dans la relation du ❷ **5** pour obtenir $x(\infty)$.

CORRIGÉ SUJET 4

1. L'ÉTHANOATE D'ÉTHYLE

❶ L'éthanoate d'éthyle possède le groupe caractéristique **carboxyle** —O—CO— entouré ci-dessous :

$$CH_3-C(=O)-O-CH_2-CH_3$$

❷ Lorsque, dans une molécule comme l'éthanoate d'éthyle, l'atome d'oxygène du groupe carboxyle est lié à un atome de carbone, la molécule appartient à la famille **des esters.**

Il faut que l'atome de carbone en question soit tétragonal, sans quoi il peut s'agir d'un anhydride d'acide.

2. SAPONIFICATION DE L'ÉTHANOATE D'ÉTHYLE

❶ En utilisant les formules semi-développées, l'équation de la réaction s'écrit :

$$CH_3-C(=O)-O-CH_2-CH_3 + Na^+_{(aq)} + HO^-_{(aq)}$$

$$= Na^+_{(aq)} + CH_3-C(=O)-O^- + CH_3-CH_2-OH$$

Tous les produits de la réaction sont solubles dans l'eau.

où l'espèce chimique $A^-_{(aq)}$ est **l'ion éthanoate.**

❷ La réaction évoquée ici est une réaction de saponification (ou hydrolyse basique) qui est associée à une transformation **totale.**

3. ÉTUDE EXPÉRIMENTALE DE LA CINÉTIQUE DE LA SAPONIFICATION PAR CONDUCTIMÉTRIE

❶ Complétons le tableau d'évolution du système chimique fourni.

Équation chimique		$C_4H_8O_2 +$	$Na^+_{(aq)} +$	$HO^-_{(aq)}$	$= Na^+_{(aq)} +$	$A^-_{(aq)} +$	B
Instant	**Avancement**						
0	0	c_0V	c_0V	c_0V	c_0V	0	0
t	$x(t)$	$c_0V-x(t)$	c_0V	$c_0V-x(t)$	c_0V	$x(t)$	$x(t)$
∞	x_{max}	c_0V-x_{max}	c_0V	c_0V-x_{max}	c_0V	x_{max}	x_{max}

❷ **1.** Seules les espèces chimiques **ioniques** sont responsables du caractère conducteur de la solution. Ici, il s'agit des ions Na^+, HO^- et A^-.

2. La conductivité σ de la solution est liée aux concentrations molaires effectives des différentes espèces chimiques ioniques en solution et à leur conductivité :

$$\sigma = \sum_i \lambda_{X_i}[X_i].$$

Lors de la réaction de saponification, nous assistons au remplacement en solution des ions hydroxyde par des ions éthanoate dans le rapport $1/1$ au cours du temps. La concentration molaire des ions sodium reste constante. Or, la conductivité des ions éthanoate étant bien plus faible que celle des ions hydroxyde :

$$\lambda_{A^-} = 4{,}1 \times 10^{-3}\ S \cdot m^2 \cdot mol^{-1} < \lambda_{HO^-} = 2{,}0 \times 10^{-2}\ S \cdot m^2 \cdot mol^{-1}.$$

La conductivité du mélange réactionnel **diminue** au cours du temps.

3. À un instant de date t, la conductivité σ_t de la solution s'exprime par :

$$\sigma_t = \lambda_{Na^+}[Na^+]_t + \lambda_{HO^-}[HO^-]_t + \lambda_{A^-}[A^-]_t$$

$$\sigma_t = \lambda_{Na^+} \cdot \frac{n(Na^+)_t}{V} + \lambda_{HO^-} \cdot \frac{n(HO^-)_t}{V} + \lambda_{A^-} \cdot \frac{n(A^-)_t}{V}$$

$$\sigma_t = \lambda_{Na^+} \cdot \frac{c_0 V}{V} + \lambda_{HO^-} \cdot \frac{c_0 V - x(t)}{V} + \lambda_{A^-} \cdot \frac{x(t)}{V}$$

donc finalement :

$$\boxed{\sigma_t = (\lambda_{Na^+} + \lambda_{HO^-})c_0 + \frac{x(t)}{V}(\lambda_{A^-} - \lambda_{HO^-})}$$

Factorisez toujours au maximum les expressions littérales obtenues.

Remarque : avec $(\lambda_{Na^+} + \lambda_{HO^-})c_0 = \text{cte}$, nous pouvons donc écrire :

$$\sigma_t = \text{cte} + \frac{x(t)}{V}\ (\lambda_{A^-} - \lambda_{HO^-}).$$

Or puisque $x(t)$ augmente au cours du temps et que $(\lambda_{A^-} - \lambda_{HO^-}) < 0$, nous retrouvons bien le fait que σ_t diminue au cours du temps.

4. À l'instant de date $t = 0$, l'avancement de la réaction est nul, soit $x(t = 0) = 0$ mol, donc :

$$\boxed{\sigma(t=0) = \sigma_0 = (\lambda_{Na^+} + \lambda_{HO^-})c_0}$$

Au bout d'une durée très grande, et puisque la transformation est totale, l'avancement maximal est atteint. L'expression de σ_t devient :

$$\sigma_\infty = (\lambda_{Na^+} + \lambda_{HO^-})c_0 + \frac{x_{max}}{V}(\lambda_{A^-} - \lambda_{HO^-}).$$

Or, dans cette situation nous avons :

$$x_\infty = x_{max} = c_0 V$$

donc :

$$\sigma_\infty = (\lambda_{Na^+} + \lambda_{HO^-})c_0 + \frac{c_0 V}{V}(\lambda_{A^-} - \lambda_{HO^-})$$

$$\sigma_\infty = c_0(\lambda_{Na^+} + \lambda_{HO^-} + \lambda_{A^-} - \lambda_{HO^-})$$

soit finalement :

$$\boxed{\sigma_\infty = (\lambda_{Na^+} + \lambda_{A^-})c_0}$$

CHIMIE

5. Montrons que l'expression proposée est bien égale à $x(t)$:

$$c_0V\left(\frac{\sigma_0-\sigma_t}{\sigma_0-\sigma_\infty}\right)=c_0V\cdot\frac{\sigma_0-\left[\sigma_0+\frac{x(t)}{V}(\lambda_{A^-}-\lambda_{HO^-})\right]}{(\lambda_{Na^+}+\lambda_{HO^-})c_0-(\lambda_{Na^+}+\lambda_{A^-})c_0}$$

$$c_0V\left(\frac{\sigma_0-\sigma_t}{\sigma_0-\sigma_\infty}\right)=c_0V\cdot\frac{-\frac{x(t)}{V}(\lambda_{A^-}-\lambda_{HO^-})}{(\lambda_{HO^-}-\lambda_{A^-})c_0}$$

$$c_0V\left(\frac{\sigma_0-\sigma_t}{\sigma_0-\sigma_\infty}\right)=\frac{c_0V}{c_0V}\cdot\frac{(\lambda_{HO^-}-\lambda_{A^-})}{(\lambda_{HO^-}-\lambda_{A^-})}\cdot x(t)$$

donc :

$$\boxed{c_0V\left(\frac{\sigma_0-\sigma_t}{\sigma_0-\sigma_\infty}\right)=x(t)}$$

3 **1.** Par définition, la vitesse volumique de réaction $v(t)$ s'exprime par :

$$\boxed{v(t)=\frac{1}{V}\cdot\frac{dx(t)}{dt}}$$

où le volume du mélange réactionnel V est usuellement exprimé en **litre**, l'avancement x en **mole** et la durée t en **seconde**, ce qui donne une vitesse volumique de réaction exprimée en **mole par litre et par seconde.**

2. À un instant de date t_i, la vitesse volumique de réaction $v(t_i)$ est donc égale au coefficient directeur $\left(\frac{dx(t)}{dt}\right)_{t_i}$ de la tangente (T_i) à la courbe $x=f(t)$ au point d'abscisse t_i divisé par le volume V du mélange réactionnel.

La vitesse volumique de réaction, à un instant de date t_i, est donc proportionnelle au coefficient directeur de la tangente $x = f(t)$ au point d'abscisse t_i.

3. En traçant plusieurs tangentes à la courbe $x=f(t)$, nous observons que celles-ci sont de moins en moins inclinées par rapport à l'horizontale. Les différents coefficients directeurs diminuent donc au cours du temps, il en est donc de même pour la vitesse de réaction.
Le facteur cinétique responsable de cette évolution est la **concentration des réactifs** qui, lorsqu'elle diminue au cours du temps, entraîne une diminution de la vitesse de réaction.

4. Calculons l'avancement maximal :

$$x_{max}=c_0V.$$

Numériquement, avec $c_0=1{,}0\times10^{-2}\ \text{mol}\cdot\text{L}^{-1}$ et $V=100{,}0\times10^{-3}\ \text{L}$, nous obtenons :

$$x_{max}=1{,}0\times10^{-2}\times100{,}0\times10^{-3}$$

$$\boxed{x_{max}=1{,}0\times10^{-3}\ \text{mol}=1{,}0\ \text{mmol}}$$

5. Le temps de demi-réaction est la durée nécessaire pour que l'avancement de la réaction atteigne la moitié de l'avancement final, d'où :

$$x(t_{1/2})=\frac{x_f}{2}$$

soit ici où $x_f = x_{max}$:

$$x(t_{1/2}) = \frac{x_{max}}{2} = \frac{1,0}{2} = 0,50 \text{ mmol}$$

$t_{1/2}$ est donc l'abscisse du point de la courbe $x = f(t)$ dont l'ordonnée vaut 0,50 mmol (voir courbe ci-dessous).

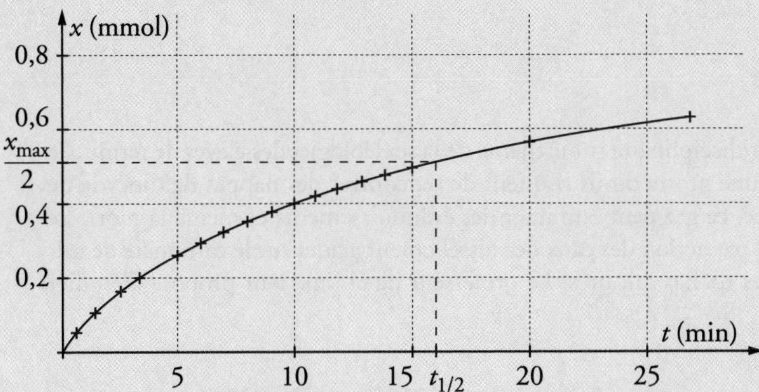

Nous déterminons graphiquement :

$$\boxed{t_{1/2} = 16 \text{ min}}$$

6. La température est un facteur cinétique telle que, lorsque sa valeur diminue, la vitesse de la réaction diminue.
Ici, le fait de réaliser la même expérience à 20 °C au lieu de 30 °C entraîne donc une variation plus faible de l'avancement de la réaction au cours du temps, donc le système atteindra moins vite l'état final.

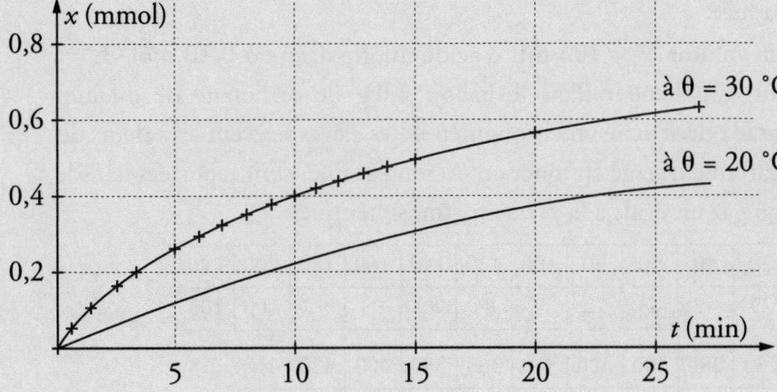

CHIMIE

THÈME **Cinétique chimique**

Chimie et spéléologie

Dans le cadre d'un projet pluridisciplinaire sur le thème de la spéléologie, des élèves de terminale doivent faire l'exploration d'une grotte où ils risquent de rencontrer des nappes de dioxyde de carbone CO_2. À teneur élevée, ce gaz peut entraîner des évanouissements et même la mort. Le dioxyde de carbone est formé par action des eaux de ruissellement acides sur le carbonate de calcium $CaCO_3$ présent dans les roches calcaires. Le professeur de chimie leur propose d'étudier cette réaction.

Données

- Température du laboratoire au moment de l'expérience : 25 °C soit $T = 298$ K.
- Pression atmosphérique : $P_{atm} = 1{,}020 \times 10^5$ Pa.
- Loi des gaz parfaits : $PV = nRT$.
- Constante des gaz parfaits : $R = 8{,}31$ unités SI.
- Masses molaires atomiques, en $g \cdot mol^{-1}$: $M(C) = 12$; $M(H) = 1$; $M(Ca) = 40$.
- Densité d'un gaz par rapport à l'air : $d = \frac{M}{29}$ où M est la masse molaire du gaz.

Dans un ballon, on réalise la réaction entre le carbonate de calcium $CaCO_{3(s)}$ et l'acide chlorhydrique $(H_3O^+_{(aq)} + Cl^-_{(aq)})$. Le dioxyde de carbone formé est recueilli, par déplacement d'eau, dans une éprouvette graduée.

Un élève verse dans le ballon un volume $V_s = 100$ mL d'acide chlorhydrique à $0{,}10 \text{ mol} \cdot L^{-1}$. À la date $t = 0$ s, il introduit rapidement dans le ballon 2,0 g de carbonate de calcium $CaCO_{3(s)}$ tandis qu'un camarade déclenche un chronomètre. Les élèves relèvent les valeurs du volume V_{CO_2} de dioxyde de carbone dégagé en fonction du temps. Elles sont reportées dans le tableau ci-après. La pression du gaz est égale à la pression atmosphérique.

t (s)	0	20	40	60	80	100	120	140	160	180	200	220
V_{CO_2} (mL)	0	29	49	63	72	79	84	89	93	97	100	103

t (s)	240	260	280	300	320	340	360	380	400	420	440
V_{CO_2} (mL)	106	109	111	113	115	117	118	119	120	120	121

La réaction chimique étudiée peut être modélisée par l'équation :

$$CaCO_{3(s)} + 2\,H_3O^+_{(aq)} = Ca^{2+}_{(aq)} + CO_{2(g)} + 3\,H_2O_{(\ell)}.$$

1 Calculer la densité par rapport à l'air du dioxyde de carbone $CO_{2(g)}$. Dans quelles parties de la grotte ce gaz est-il susceptible de s'accumuler ?

2 Déterminer les quantités de matière initiales de chacun des réactifs.

3 Dresser le tableau d'avancement de la réaction. En déduire la valeur x_{max} de l'avancement maximal. Quel est le réactif limitant ?

4 **1.** Exprimer l'avancement x de la réaction à une date t en fonction de V_{CO_2}, T, P_{atm} et R. Calculer sa valeur numérique à la date $t = 20$ s.

2. Calculer le volume maximal de gaz susceptible d'être recueilli dans les conditions de l'expérience. La transformation est-elle totale ?

5 Les élèves ont calculé les valeurs de l'avancement x et reporté les résultats sur le graphe donné en **annexe** (à rendre avec la copie).

1. Donner l'expression de la vitesse volumique de réaction en fonction de l'avancement x et du volume V_s de solution. Comment varie la vitesse volumique au cours du temps ? Justifier à l'aide du graphe.

2. Définir le temps de demi-réaction $t_{1/2}$. Déterminer graphiquement sa valeur sur l'**annexe**.

6 La température de la grotte qui doit être explorée par les élèves est inférieure à 25 °C.

1. Quel est l'effet de cet abaissement de température sur la vitesse volumique de réaction à la date $t = 0$ s ?

2. Tracer, sur l'**annexe**, l'allure de l'évolution de l'avancement en fonction du temps dans ce cas.

7 La réaction précédente peut être suivie en mesurant la conductivité σ de la solution en fonction du temps.

1. Faire l'inventaire des ions présents dans la solution. Quel est l'ion spectateur dont la concentration ne varie pas ?

2. On observe expérimentalement une diminution de la conductivité. Justifier sans calcul ce résultat, connaissant les valeurs des conductivités molaires des ions à 25 °C :
– $\lambda(H_3O^+) = 35{,}0 \text{ mS} \cdot \text{m}^2 \cdot \text{mol}^{-1}$;
– $\lambda(Ca^{2+}) = 12{,}0 \text{ mS} \cdot \text{m}^2 \cdot \text{mol}^{-1}$;
– $\lambda(Cl^-) = 7{,}5 \text{ mS} \cdot \text{m}^2 \cdot \text{mol}^{-1}$.

3. Calculer la conductivité σ de la solution à l'instant de date $t = 0$ s.

4. Montrer que la conductivité est reliée à l'avancement x par la relation :

$$\sigma = 4{,}25 - 580x.$$

5. Calculer la conductivité de la solution pour la valeur maximale de l'avancement.

Annexe

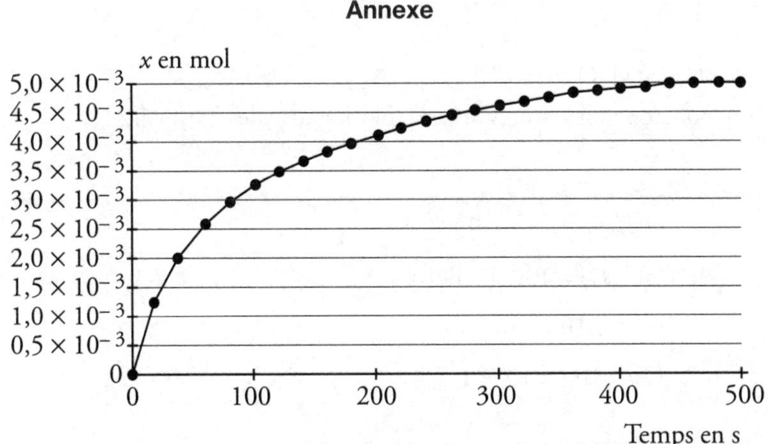

Avancement en fonction du temps

LES CLÉS DU SUJET

■ **Les notions et compétences en jeu**

– Étude quantitative d'une transformation chimique, tableau d'évolution, avancement maximal.
– Définition de la vitesse volumique de réaction, temps de demi-réaction, facteurs cinétiques.
– Conductimétrie.

■ **Conseils du correcteur**

❹ **1.** Pensez à exprimer le volume de gaz en m^3, avec 1 L = 10^{-3} m^3.

❺ **2.** L'avancement de la réaction n'est pas proportionnel au temps donc $t_{1/2} \neq \frac{t_f}{2}$.

❼ **3.** Souvenez-vous que les unités utilisées en conductimétrie sont celles du système international, les volumes sont exprimés en m^3 et les concentrations molaires en mol · m^{-3}.

CORRIGÉ SUJET 5

❶ La masse molaire du dioxyde de carbone a pour expression :

$$M(CO_2) = M(C) + 2M(O)$$

La densité $d(CO_2)$ du dioxyde de carbone par rapport à l'air s'exprime :

$$d(CO_2) = \frac{M(CO_2)}{29} = \frac{M(C) + 2M(O)}{29}$$

soit avec $M(C) = 12 \text{ g} \cdot \text{mol}^{-1}$ et $M(O) = 16 \text{ g} \cdot \text{mol}^{-1}$, nous calculons :

$$\boxed{d(CO_2) = 1{,}5}$$

Le dioxyde de carbone étant plus dense que l'air ($d(CO_2) > 1$), ce gaz va s'accumuler dans les parties basses de la grotte.

❷ Les quantités de matière initiales des réactifs utilisés lors de l'expérience sont telles que :

$$n(CaCO_3)_i = \frac{m(CaCO_3)_i}{M(CaCO_3)}$$

et $$n(H_3O^+)_i = C_S V_S$$

où C_S est la concentration molaire en ions oxonium de la solution d'acide chlorhydrique.
Numériquement, avec :

$$m(CaCO_3)_i = 2{,}0 \text{ g}$$

$$M(CaCO_3) = 100 \text{ g} \cdot \text{mol}^{-1}$$

$$C_S = 0{,}10 \text{ mol} \cdot \text{L}^{-1}$$

$$V_S = 100 \times 10^{-3} \text{ L}$$

nous calculons :

$$\boxed{n(CaCO_3)_i = 2{,}0 \times 10^{-2} \text{ mol} \quad \text{et} \quad n(H_3O^+)_i = 1{,}0 \times 10^{-2} \text{ mol}}$$

❸ Dressons le tableau d'évolution du système chimique :

Équation chimique		$CaCO_3$	+ $2\,H_3O^+$	$= Ca^{2+}$	+ CO_2	+ $3H_2O$
État du système	**Avancement**	**Quantités de matière (mol)**				
État initial	$x = 0$ mol	$2{,}0 \times 10^{-2}$	$1{,}0 \times 10^{-2}$	0	0	solvant
État intermédiaire	x	$2{,}0 \times 10^{-2} - x$	$1{,}0 \times 10^{-2} - 2x$	x	x	solvant
État final	$x_f = x_{max}$	$2{,}0 \times 10^{-2} - x_{max}$	$1{,}0 \times 10^{-2} - 2x_{max}$	x_{max}	x_{max}	solvant

Sachant que les quantités de matière des réactifs sont des grandeurs nécessairement positives ou nulles, nous obtenons :

$$n(CaCO_3) = 2{,}0 \times 10^{-2} - x \geqslant 0 \text{ mol donc } x \leqslant 2{,}0 \times 10^{-2} \text{ mol}$$

et $n(H_3O^+) = 1{,}0 \times 10^{-2} - 2x \geqslant 0$ mol donc $x \leqslant 0{,}50 \times 10^{-2}$ mol.

L'avancement chimique doit être tel que ces deux inégalités soient simultanément vérifiées, ce qui implique $x \leqslant 0{,}50 \times 10^{-2}$ mol, donc au maximum :

$$\boxed{x_{max} = 0{,}50 \times 10^{-2} \text{ mol} = 5{,}0 \text{ mmol}}$$

Vous pouvez aussi raisonner en faisant successivement les hypothèses que $CaCO_3$ et H_3O^+ constituent le réactif limitant pour calculer l'avancement maximal atteint dans chaque cas. Le réactif effectivement limitant est celui qui conduit à l'avancement maximal le plus faible.

Calculons alors les quantités de matière des réactifs dans l'état final de la transformation considérée totale :

$$n(CaCO_3)_f = 2{,}0 \times 10^{-2} - x_{max} = 1{,}5 \times 10^{-2} \text{ mol}$$

et

$$n(H_3O^+)_f = 0 \text{ mol}$$

Les ions oxonium constituent le réactif limitant puisqu'ils ont totalement disparu dans l'état final de la transformation.

❹ **Remarque** : attention aux unités !

1. Dans le cas de la réaction étudiée, à chaque instant, l'avancement s'identifie à la quantité de matière de dioxyde de carbone : $x = n(CO_2)$

Nous assimilons ce gaz à un gaz parfait à la pression atmosphérique, donc :

$$\boxed{x = \frac{p_{atm} V(CO_2)}{RT}}$$

Dans l'équation d'état des gaz parfaits la température est exprimée en kelvin, le volume en mètre cube et la pression en pascal.

Nous pouvons calculer l'avancement $x(20 \text{ s})$ à partir de la valeur du volume de dioxyde de carbone à la date $t = 20$ s fournie dans le tableau de l'énoncé.

En effet, avec $V(CO_2) = 29 \times 10^{-6}$ m^3, $p_{atm} = 1{,}020 \times 10^5$ Pa et $R = 8{,}31$ unités SI et $T = 298$ K, nous trouvons :

$$\boxed{x(20 \text{ s}) = 1{,}2 \times 10^{-3} \text{ mol}}$$

Remarque : vérifiez que $x(20 \text{ s}) \leqslant x_{max}$.

2. Dans le cas où nous supposons la transformation totale, l'avancement maximal x_{max} est atteint. Il est alors possible de calculer le volume maximum de gaz susceptible d'être recueilli, d'où : $V(CO_2)_{max} = \dfrac{x_{max}RT}{p_{atm}}$

soit, avec $x_{max} = 5{,}0 \times 10^{-3}$ mol, $R = 8{,}31$ unités SI, $T = 298$ K et $p_{atm} = 1{,}020 \times 10^5$ Pa, nous calculons :

$$\boxed{V(CO_2)_{max} = 1{,}2 \times 10^{-4} \text{ m}^3 = 1{,}2 \times 10^2 \text{ mL}}$$

C'est effectivement la valeur du volume de gaz recueilli en fin d'expérience. La transformation est bien totale.

❺ **1.** La vitesse volumique $v(t)$ de réaction est la dérivée de l'avancement de la réaction par rapport au temps, divisée par le volume total du mélange réactionnel, soit ici :

$$\boxed{v(t) = \frac{1}{V_S}\left(\frac{dx(t)}{dt}\right)}$$

La vitesse volumique de réaction $v(t_i)$ à l'instant de date t_i est donc proportionnelle au coefficient directeur $\left(\frac{dx(t)}{dt}\right)_{t_i}$ de la tangente (T_i) à la courbe $x = f(t)$ au point d'abscisse t_i. Or, les tangentes à la courbe représentative de $x = f(t)$ sont de moins en moins inclinées par rapport à l'horizontale au cours du temps. La vitesse de la réaction diminue donc au cours du temps.

C'est l'évolution généralement constatée pour la vitesse volumique de réaction.

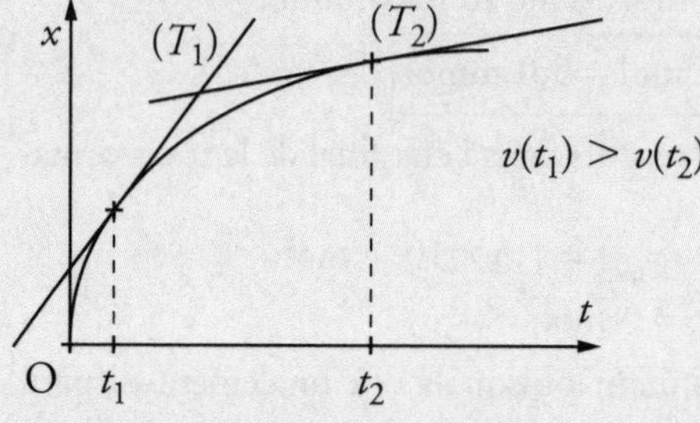

2. Le temps de demi-réaction $t_{1/2}$ est la durée au bout de laquelle l'avancement de la réaction a atteint la moitié de l'avancement final x_f, soit :

$$\boxed{x(t_{1/2}) = \frac{x_f}{2}}$$

Dans le cas particulier d'une transformation totale ceci implique :

$$x(t_{1/2}) = \frac{x_{max}}{2}$$

Le temps de demi-réaction correspond donc à l'abscisse du point de la courbe $x = f(t)$ dont l'ordonnée vaut $\frac{x_{max}}{2} = 2,5 \times 10^{-3}$ mol.

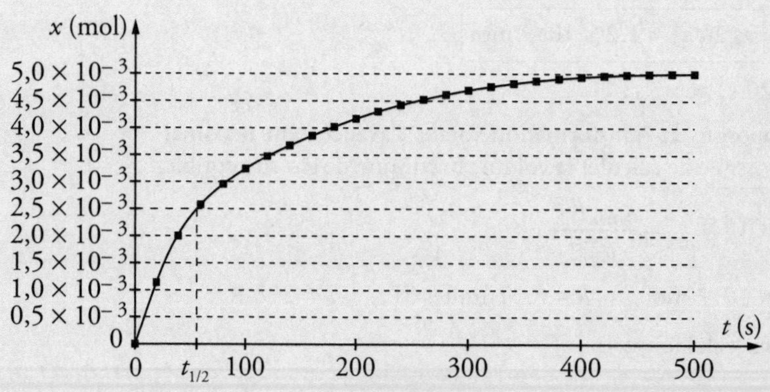

Nous lisons : $\boxed{t_{1/2} = 55 \text{ s}}$

❻ **1.** La température est un facteur cinétique qui diminue la vitesse de réaction lorsqu'elle décroît.

2. Dans le cas d'une température plus faible la courbe représentative de $x = f(t)$ tend plus lentement vers la même asymptote horizontale (voir figure ci-dessous).

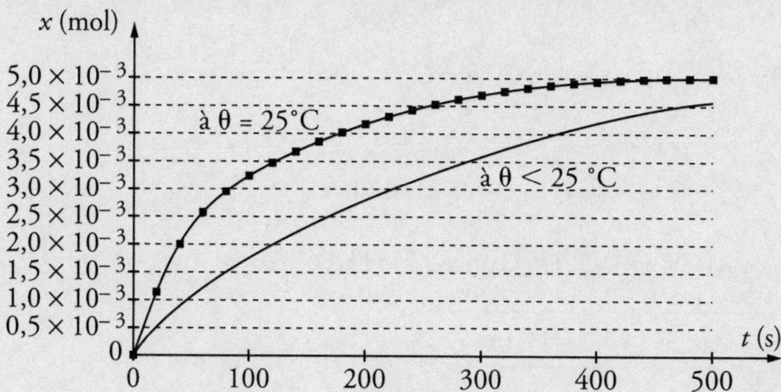

❼ **1.** La solution contient des ions calcium Ca^{2+} qui apparaissent au cours de la réaction et des ions chlorure Cl^- apportés par la solution d'acide chlorhydrique. La réaction ayant lieu en solution aqueuse acide, celle-ci contient nécessairement des ions oxonium H_3O^+, et de plus, suite à l'autoprotolyse de l'eau, elle contient aussi des ions hydroxyde HO^-. Néanmoins, en milieu acide, la contribution des ions HO^- à la conductivité de la solution peut être négligée devant celle des autres ions. Les ions chlorure sont quant à eux spectateurs car ils n'interviennent pas dans l'équation de la réaction étudiée.

2. La conductivité σ du mélange réactionnel s'exprime par :

$$\sigma = \lambda(H_3O^+)[H_3O^+] + \lambda(Ca^{2+})[Ca^{2+}] + \lambda(Cl^-)[Cl^-]$$

où $\lambda(Cl^-)[Cl^-]$ reste constant au cours de la transformation.

Or, d'après le tableau d'évolution du système chimique établi au ❸ la concentration molaire des ions oxonium diminue plus rapidement que n'augmente la concentration molaire des ions calcium, avec de surcroît $\lambda(H_3O^+) > \lambda(Ca^{2+})$. En conséquence, la conductivité σ de la solution diminue au cours du temps.

Le terme $\lambda(HO^-)[HO^-]$ a été négligé devant les autres termes intervenant dans l'expression de σ.

3. Remarque : attention aux unités !

Exprimons les concentrations molaires des ions en solution à l'instant de date $t = 0$ s :

La concentration molaire s'exprime en mole par mètre cube en conductimétrie.

$$[H_3O^+]_0 = C_S, \quad [Ca^{2+}]_0 = \frac{n(Ca^{2+})_i}{V_S} \quad \text{et} \quad [Cl^-]_0 = C_S$$

d'où l'expression de la conductivité initiale σ_0 avec $n(Ca^{2+})_i = 0$ mol :

$$\sigma_0 = \lambda(H_3O^+)C_S + \lambda(Cl^-)C_S$$

$$\sigma_0 = C_S(\lambda(H_3O^+) + \lambda(Cl^-))$$

Numériquement, avec :

$C_S = 0{,}10 \times 10^3$ mol · m^{-3}, $\lambda(H_3O^+) = 35{,}0 \times 10^{-3}$ S · m^2 · mol^{-1}

et $\lambda(Cl^-) = 7{,}5 \times 10^{-3}$ S · m^2 · mol^{-1},

nous calculons :

$$\boxed{\sigma_0 = 4{,}25 \text{ S} \cdot \text{m}^{-1}}$$

CHIMIE

4. Remarque : attention aux unités !
Exprimons les concentrations molaires des ions en solution pour un avancement x quelconque, en utilisant le tableau d'évolution du système chimique :

$$[H_3O^+] = \frac{n(H_3O^+)}{V_S} = \frac{C_S V_S - 2x}{V_S} = C_S - \frac{2x}{V_S}$$

$$[Ca^{2+}] = \frac{n(Ca^{2+})}{V_S} = \frac{x}{V_S} \text{ et } [Cl^-] = C_S$$

Nous pouvons alors écrire :

$$\sigma = \lambda(H_3O^+) \cdot \left(C_S - \frac{2x}{V_S}\right) + \lambda(Ca^{2+}) \cdot \frac{x}{V_S} + \lambda(Cl^-) \cdot C_S$$

$$\sigma = C_S \cdot (\lambda(H_3O^+) + \lambda(Cl^-)) + \frac{x}{V_S} (\lambda(Ca^{2+}) - 2\lambda(H_3O^+))$$

$$\boxed{\sigma = \sigma_0 + \frac{\lambda(Ca^{2+}) - 2\lambda(H_3O^+)}{V_S} \cdot x}$$

Numériquement, avec :

$V_S = 100 \times 10^{-6}$ m^3, $\lambda(H_3O^+) = 35{,}0 \times 10^{-3}$ S · m^2 · mol^{-1}
et $\lambda(Ca^{2+}) = 12{,}0 \times 10^{-3}$ S · m^2 · mol^{-1}, nous obtenons :

$$\boxed{\sigma = 4{,}25 - 580x}$$

5. Calculons la valeur maximale σ_{max} de la conductivité pour $x_{max} = 5{,}0 \times 10^{-3}$ mol :

$$\boxed{\sigma_{max} = 1{,}35 \text{ S} \cdot \text{m}^{-1}}$$

Remarque : nous observons bien que $\sigma_{max} < \sigma_0$ comme prévu au ❼ **2.**

AMÉRIQUE DU NORD • JUIN 2007

SUJET 6

ENSEIGNEMENT OBLIGATOIRE

6,5 POINTS

THÈME Équilibres chimiques et réactions acido-basiques

Détermination de la teneur en élément azote d'un engrais

L'ammonitrate est un engrais azoté solide, bon marché, très utilisé dans l'agriculture. Il est vendu par sac de 500 kg et contient du nitrate d'ammonium $(NH_4NO_{3(s)})$. Sur le sac, on peut lire « pourcentage en masse de l'élément azote N 34,4 % ».
Afin de vérifier l'indication du fabricant, on dose les ions ammonium NH_4^+ présents dans l'engrais à l'aide d'une solution d'hydroxyde de sodium $(Na^+_{(aq)} + HO^-_{(aq)})$.

Données

- Couples acide/base : $NH^+_{4(aq)}/NH_{3(aq)}$; $H_2O_{(\ell)}/HO^-_{(aq)}$.
- Produit ionique de l'eau : $K_e = 1{,}0 \times 10^{-14}$ dans les conditions de l'expérience.

• Masses molaires en $g \cdot mol^{-1}$: azote N : 14 ; oxygène O : 16 ; hydrogène H : 1.
• Le nitrate d'ammonium est très soluble dans l'eau ; sa dissolution dans l'eau est totale selon la réaction : $NH_4NO_{3(s)} = NH^+_{4(aq)} + NO^-_{3(aq)}$.

1. ÉTUDE DE LA RÉACTION DE TITRAGE

L'équation support du titrage est :

$$NH^+_{4(aq)} + HO^-_{(aq)} = NH_{3(aq)} + H_2O_{(\ell)}$$

1 L'ion ammonium $NH^+_{4(aq)}$ est-il un acide ou une base selon Brönsted ? Justifier la réponse.

2 On introduit dans un becher un volume $V = 20{,}0$ mL d'une solution contenant des ions ammonium à la concentration molaire apportée $C = 0{,}15 \text{ mol} \cdot L^{-1}$ et un volume $V_1 = 10{,}0$ mL de solution d'hydroxyde de sodium à la concentration molaire apportée $C_1 = 0{,}15 \text{ mol} \cdot L^{-1}$. Le pH de la solution obtenue est 9,2.

1. Compléter, sans valeur numérique, le **tableau d'avancement** se trouvant en **annexe** (à rendre avec la copie).

2. Calculer les quantités de matière des réactifs initialement introduites dans le becher.

3. À partir de la mesure du pH, déterminer la quantité en ions hydroxyde à l'état final. Montrer que l'avancement final de la réaction x_f vaut $1{,}5 \times 10^{-3}$ mol.

4. Calculer la valeur de l'avancement maximal de la réaction x_{max}.

5. Que peut-on dire de la transformation ?

2. TITRAGE PH-MÉTRIQUE

Une solution d'engrais S est obtenue en dissolvant $m = 6{,}0$ g d'engrais dans une fiole jaugée de volume $V = 250$ mL. On prépare ensuite les deux bechers B_1 et B_2 suivants :

Becher	B_1	B_2
Volume de S (mL)	10	10
Volume d'eau déminéralisée (mL)	0	290
Volume total de la solution (mL)	10	300

Les solutions contenues dans ces bechers sont titrées par une solution d'hydroxyde de sodium $(Na^+_{(aq)} + HO^-_{(aq)})$ à la concentration molaire apportée $C_B = 0{,}20 \text{ mol} \cdot L^{-1}$. On obtient les courbes $pH = f(V_B)$ se trouvant en **annexe** (à rendre avec la copie).

1 Schématiser et légender le montage permettant de réaliser un titrage pH-métrique.

2 Détermination du point équivalent.

1. Parmi les deux courbes se trouvant en **annexe**, quelle est celle qui permet de déterminer les coordonnées du point d'équivalence avec le plus de précision ? Justifier le choix de la courbe.

2. Déterminer graphiquement les coordonnées du point équivalent sur la courbe choisie.

3. L'ajout d'eau déminéralisée a-t-il une influence sur le volume versé à l'équivalence ? Expliquer.

3 Quelle autre méthode, plus précise, peut-on utiliser pour déterminer le point d'équivalence ?

3. DÉTERMINATION DU POURCENTAGE MASSIQUE EN ÉLÉMENT AZOTE DANS L'ENGRAIS

❶ Définir l'équivalence d'un dosage.

❷ Quelles sont les espèces chimiques présentes dans le mélange réactionnel à l'équivalence ? Justifier le pH basique de la solution en ce point.

❸ En vous aidant, éventuellement, d'un tableau descriptif de l'évolution de la réaction, déterminer la relation entre la quantité de matière d'ions ammonium dosés $n_0(NH_4^+)$ et la quantité d'ions hydroxyde versés à l'équivalence $n_e(HO^-)$.

❹ En déduire la valeur de $n_0(NH_4^+)$.

❺ Quelle quantité de matière d'ions ammonium $n(NH_4^+)$ a-t-on dans la fiole jaugée de 250 mL ? En déduire la quantité de nitrate d'ammonium présente dans cette fiole.

❻ Quelle masse d'azote y a-t-il dans une mole de nitrate d'ammonium ? En déduire la masse d'azote présente dans l'échantillon.

❼ Le pourcentage massique en élément azote est le rapport entre la masse d'azote présente dans l'échantillon et la masse de l'échantillon.
Calculer le pourcentage massique en azote de l'échantillon. Le comparer à celui fourni par le fabricant et conclure.

Annexe

Équation chimique		$NH_{4(aq)}^+$ +	$HO_{(aq)}^-$ =	$NH_{3(aq)}$ +	$H_2O_{(\ell)}$
État du système	**Avancement (mol)**	**Quantités de matière (mol)**			
État initial	0				
État au cours de la transformation	x				
État final si la transformation est totale	x_{max}				
État final réel	x_f				

Tableau d'avancement

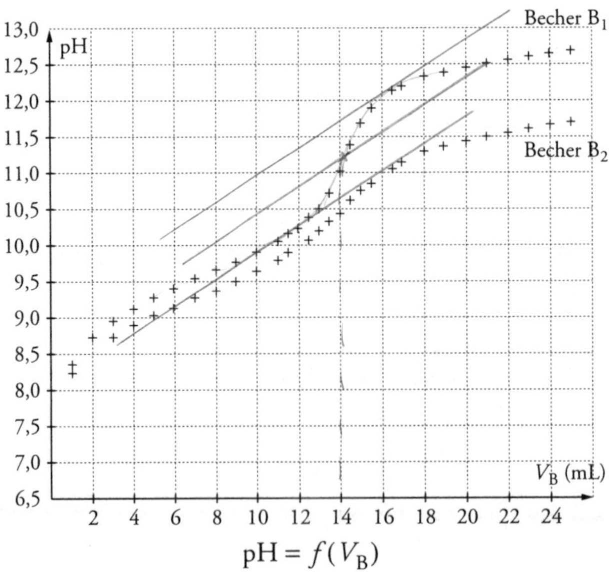

$pH = f(V_B)$

Graphique

LES CLÉS DU SUJET

■ Notions et compétences en jeu

– Réaction acido-basique, utilisation d'un tableau d'évolution, avancements final et maximal, notion de pH.
– Titrage pH-métrique, définition et détermination graphique de l'équivalence.

■ Conseils du correcteur

Partie 1

❶ Souvenez-vous qu'un acide au sens de Brönsted est une espèce chimique capable de céder un proton H^+.

❷ **1.** Exprimez d'abord la concentration en ions hydroxyde en fonction de x_f en vous appuyant sur le tableau d'évolution du système chimique, puis cette même concentration en utilisant la définition du pH et le produit ionique de l'eau $K_e = [H_3O^+]_{éq} \cdot [HO^-]_{éq}$. Enfin, égalisez les deux expressions obtenues pour en tirer $x_f = f(pH)$.

3. Pensez que le volume versé à l'équivalence n'est modifié que si la quantité de matière de l'espèce chimique à titrer dans le becher est différente.

5. Écrivez l'équation de la réaction de dissolution du nitrate d'ammonium pour lier la quantité de matière d'ions ammonium en solution et la quantité de matière de nitrate d'ammonium dissous.

Partie 3

❷ Écrivez l'équation de la réaction de dissolution du nitrate d'ammonium pour lier la quantité de matière d'ions ammonium en solution et la quantité de matière de nitrate d'ammonium dissoute.

CHIMIE

CORRIGÉ SUJET 6

1. ÉTUDE DE LA RÉACTION DE TITRAGE

❶ L'ion ammonium est un acide selon Brönsted car l'équation d'écriture formelle :

$$NH_4^+ = NH_3 + H^+$$

nous montre qu'il cède un proton H^+ pour donner sa base conjuguée NH_3 qui figure dans l'équation support du titrage.

Il s'agit ici d'une demi-équation acido-basique et non d'une équation de réaction.

❷ **1.** Complétons le tableau d'évolution du système chimique :

Équation chimique		$NH_{4(aq)}^+$ +	$HO_{(aq)}^-$ =	$NH_{3(aq)}$ +	$H_2O_{(\ell)}$
État du système	**Avancement (mol)**	**Quantités de matière (mol)**			
État initial	0	CV	C_1V_1	0	solvant
État au cours de la transformation	x	$CV-x$	C_1V_1-x	x	solvant
État final si la transformation est totale	x_{max}	$CV-x_{max}$	$C_1V_1-x_{max}$	x_{max}	solvant
État final réel	x_f	$CV-x_f$	$C_1V_1-x_f$	x_f	solvant

2. Les quantités de matière des réactifs initialement introduites s'expriment par :

$$n(NH_4^+)_i = CV \quad \text{et} \quad n(HO^-)_i = C_1 V_1$$

soit numériquement, avec $C = C_1 = 0{,}15 \text{ mol} \cdot L^{-1}$,
$V = 20{,}0 \times 10^{-3}$ L, et $V_1 = 10{,}0 \times 10^{-3}$ L, nous calculons :

$$\boxed{n(NH_4^+)_i = 3{,}0 \times 10^{-3} \text{ mol}} \quad \text{et} \quad \boxed{n(HO^-)_i = 1{,}5 \times 10^{-3} \text{ mol}}$$

3. En Terminale, le pH est, par définition, lié à la concentration molaire en ions oxonium H_3O^+ d'une solution suivant :

$$pH = -\log [H_3O^+]_{éq} \quad \text{soit} \quad [H_3O^+]_{éq} = 10^{-pH}$$

Par ailleurs, le produit ionique K_e de l'eau étant toujours vérifié en solution aqueuse, nous avons aussi par définition :

$$K_e = [H_3O^+]_{éq} \cdot [HO^-]_{éq} \quad \text{soit} \quad 10^{-pH} = \frac{K_e}{[HO^-]_{éq}}$$

avec ici :

$$[HO^-]_{éq} = \frac{C_1 V_1 - x_f}{V + V_1}$$

N'oubliez pas que le volume du mélange réactionnel augmente tout au long du titrage, d'où le terme $V + V_1$.

donc :

$$10^{-pH} = K_e \cdot \frac{V + V_1}{C_1 V_1 - x_f}$$

d'où nous tirons :

$$x_f = C_1 V_1 - K_e \cdot \frac{V + V_1}{10^{-pH}}$$

Numériquement, avec $C_1 = 0{,}15 \text{ mol} \cdot L^{-1}$, $V = 20{,}0 \times 10^{-3}$ L,
$V_1 = 10{,}0 \times 10^{-3}$ L, pH = 9,2 et $K_e = 1{,}0 \times 10^{-14}$ dans les conditions de l'expérience, nous obtenons :

$$\boxed{x_f = 1{,}5 \times 10^{-3} \text{ mol} = 1{,}5 \text{ mmol}}$$

4. Si nous supposons la transformation totale, et dans l'hypothèse où les ions ammonium constituent le réactif limitant, nous pouvons écrire :

$$n(NH_4^+)_f = CV - x_{max1} = 0 \text{ mol}$$

donc

$$x_{max1} = CV = 3{,}0 \times 10^{-3} \text{ mol}.$$

En revanche, si nous supposons la transformation totale, et dans l'hypothèse où les ions hydroxyde constituent le réactif limitant, nous pouvons écrire :

$$n(HO^-)_f = C_1 V_1 - x_{max2} = 0 \text{ mol}$$

donc $x_{max2} = C_1 V_1 = 1{,}5 \times 10^{-3}$ mol.

Le réactif limitant est celui conduisant à la plus faible valeur de l'avancement maximal. Il s'agit ici des ions hydroxyde puisque $x_{max2} < x_{max1}$, et par conséquent :

$$\boxed{x_{max} = x_{max2} = 1{,}5 \times 10^{-3} \text{ mol} = 1{,}5 \text{ mmol}}$$

5. Nous pouvons conclure que la **transformation est totale** car $x_f = x_{max}$.

2. TITRAGE PH-MÉTRIQUE

❶ Schématisons et légendons le montage permettant de réaliser le titrage pH-métrique décrit :

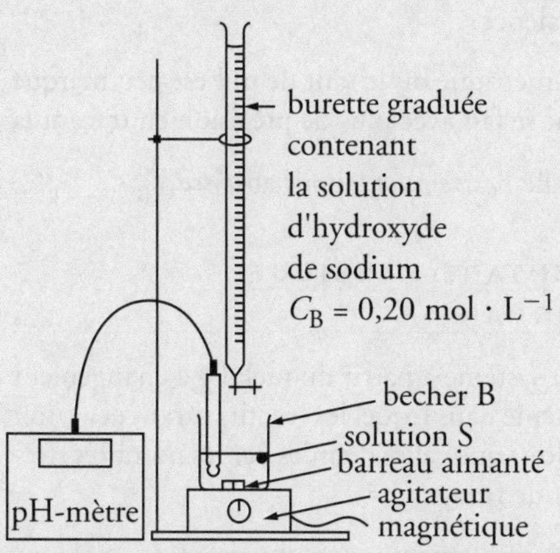

Soignez les schémas et n'oubliez pas d'y faire figurer des légendes.

❷ **1.** La détermination du point équivalent est, *a priori*, plus aisée lorsque le saut de pH est le plus important, c'est-à-dire pour la courbe correspondant au dosage du **becher B_1**.

2. Utilisons la méthode des « tangentes parallèles » pour déterminer la position du point équivalent E (voir schéma ci-après) :

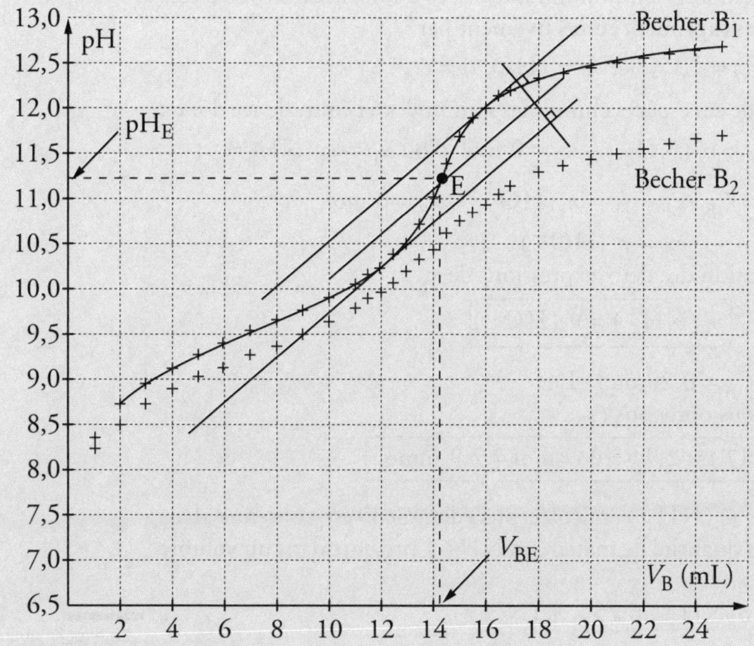

L'utilisation d'une règle et d'une équerre est fortement recommandée pour ce type de construction.

Nous lisons alors graphiquement ses coordonnées :

$\boxed{V_{BE} = 14,3 \text{ mL}}$ et $\boxed{pH_E = 11,25}$

3. L'ajout d'eau distillée **n'a aucune influence** sur le volume versé à l'équivalence car cet ajout ne modifie pas la quantité de matière de l'espèce chimique à titrer dans le becher, à savoir l'ion ammonium NH_4^+ contenu dans l'ammonitrate.
Remarque : notez que la courbe correspondant au dosage du becher B_2 conduit d'ailleurs au même volume versé à l'équivalence.

❸ Lors de la réalisation d'un titrage pH-métrique où le saut de pH est peu marqué comme ici, le repérage du point équivalent se fait avec plus de précision en traçant la courbe dérivée $\frac{\mathrm{dpH}}{\mathrm{d}V_B} = f(V_B)$ pour laquelle l'*extremum* a pour abscisse V_{BE}.

3. DÉTERMINATION DU POURCENTAGE MASSIQUE EN ÉLÉMENT AZOTE DANS L'ENGRAIS

❶ L'équivalence d'un dosage est l'état du système à partir duquel il y a changement de réactif limitant. C'est aussi l'état du système dans lequel les réactifs titrant et à titrer ont été introduits dans les mêmes proportions que celles définies par les nombres stœchiométriques de l'équation de la réaction de titrage.

❷ À l'équivalence les réactifs ont été totalement consommés et le mélange réactionnel ne contient alors plus que les produits de la réaction de titrage, **l'ammoniac NH_3 et l'eau H_2O** ainsi que **les ions spectateurs Na^+ et NO_3^-**. Or, l'ammoniac étant une espèce chimique basique (base conjuguée de l'ion ammonium), le mélange réactionnel à l'équivalence aura un pH basique, c'est-à-dire supérieur à 7 à 25 °C.

Pour atteindre l'équivalence, nous avons réalisé un mélange stœchiométrique des réactifs.

❸ Les quantités de matière d'ions ammonium à doser et d'ions hydroxyde versées pour atteindre l'équivalence s'expriment respectivement par :

$$n_0(NH_4^+) = CV \quad \text{et} \quad n_e(HO^-) = C_B V_{BE}$$

Or, les quantités de matière de ces espèces chimiques sont nulles à l'équivalence donc :

$$n(NH_4^+)_E = CV - x_E = n_0(NH_4^+) - x_E = 0 \text{ mol} \quad \text{d'où } x_E = n_0(NH_4^+)$$

et

$$n(HO^-)_E = C_B V_{BE} - x_E = n_e(HO^-) - x_E = 0 \text{ mol}$$

d'où

$$x_E = n_e(HO^-)$$

Nous tirons donc par égalisation des deux expressions de x_E :

$$\boxed{n_0(NH_4^+) = n_e(HO^-)}$$

❹ Numériquement, avec $C_B = 0{,}20 \text{ mol} \cdot \text{L}^{-1}$ et $V_{BE} = 14{,}3 \times 10^{-3}$ L, nous obtenons :

$$\boxed{n_0(NH_4^+) = 2{,}9 \times 10^{-3} \text{ mol} = 2{,}9 \text{ mmol}}$$

❺ La quantité de matière $n_0(NH_4^+)$ calculée précédemment est contenue dans 10 mL de solution S, d'où la quantité de matière $n(NH_4^+)$ présente dans un volume $V = 250$ mL :

$$n(NH_4^+) = 25 \times n_0(NH_4^+)$$

soit, numériquement :

$$\boxed{n(NH_4^+) = 7{,}2 \times 10^{-2} \text{ mol} = 72 \text{ mmol}}$$

En effet, la quantité d'ions ammonium est proportionnelle au volume de solution S.

Compte tenu de la stœchiométrie de l'équation de la réaction de dissolution, supposée totale, du nitrate d'ammonium :

$$NH_4NO_{3(s)} = NH^+_{4(aq)} + NO^-_{3(aq)}$$

nous en déduisons la quantité de matière de nitrate d'ammonium contenue dans la fiole jaugée de 250 mL :

$$\boxed{n(NH_4NO_3) = n(NH_4^+) = 7{,}2 \times 10^{-2} \text{ mol}}$$

6 Dans une mole de nitrate d'ammonium NH_4NO_3 il y a deux moles d'azote ce qui correspond à une masse d'azote :

$$m(N) = n(N) \cdot M(N)$$

d'où, numériquement, avec $n(N) = 2$ mol et $M(N) = 14 \text{ g} \cdot \text{mol}^{-1}$, nous tirons :

$$\boxed{m(N) = 28 \text{ g}}$$

qui est la masse d'azote dans une mole de nitrate d'ammonium.
Nous avons déterminé que l'échantillon contenait :

$$n(NH_4NO_3) = 7{,}2 \times 10^{-2} \text{ mol}$$

de nitrate d'ammonium, ce qui correspond alors à une masse $m'(N)$ d'azote dans l'échantillon telle que :

$$\boxed{m'(N) = 28 \times 7{,}2 \times 10^{-2} = 2{,}0 \text{ g}}$$

7 Le pourcentage massique p_N en élément azote est défini par le rapport :

$$p_N = \frac{m'(N)}{m}$$

Numériquement, avec $m'(N) = 2{,}0$ g et $m = 6{,}0$ g, nous calculons :

$$\boxed{p_N = 0{,}33} \quad \text{soit } 33~\%.$$

Cette valeur est en bon accord avec l'indication 34,4 % du fabricant puisque l'écart relatif n'est que de 4 %.

SUJET 7 — POLYNÉSIE FRANÇAISE • JUIN 2007
ENSEIGNEMENT OBLIGATOIRE
4 POINTS

THÈME **Équilibres chimiques et réactions acido-basiques**

À propos du lait

Document

« Naturellement le lait n'est pas qu'eau et matière grasse, car les deux corps ne se mélangent pas : du beurre fondu et de l'eau restent séparés (...). De fait, le lait contient également des protéines et diverses autres molécules "tensioactives", c'est-à-dire qui ont une partie soluble dans l'eau et une partie soluble dans la matière grasse. En plaçant au contact de l'eau leur partie soluble dans l'eau et au contact de la graisse leur partie soluble dans la graisse, ces molécules tensioactives forment un enrobage qui délimite les globules de matière grasse, les stabilise et assure leur dispersion dans l'eau. Cette stabilisation est renforcée par les molécules de caséine, qui, à la surface des globules, assurent une répulsion mutuelle de ceux-ci car elles sont négativement chargées. »

Extrait de *Les secrets de la casserole*, **H. This**, Belin.

Données

• Le lactose est le sucre caractéristique du lait. Sous l'action d'enzymes, le lactose se transforme en acide lactique au cours du temps, augmentant l'acidité naturelle du lait.
• Acide lactique : formule semi-développée : $CH_3—CHOH—COOH$;
masse molaire : $90{,}0\ g \cdot mol^{-1}$.
• Le pK_a du couple acido-basique de l'acide lactique est égal à 3,8.
On notera HA l'acide lactique.

*Les parties **1**, **2** et **3** sont indépendantes.*

1. ÉTUDE DU DOCUMENT

❶ **1.** Reformuler en langage scientifique l'expression : « du beurre fondu et de l'eau restent séparés ».

2. Donner l'adjectif qui permet de qualifier la partie soluble dans l'eau des molécules tensioactives.

❷ Une molécule tensioactive peut être représentée par :

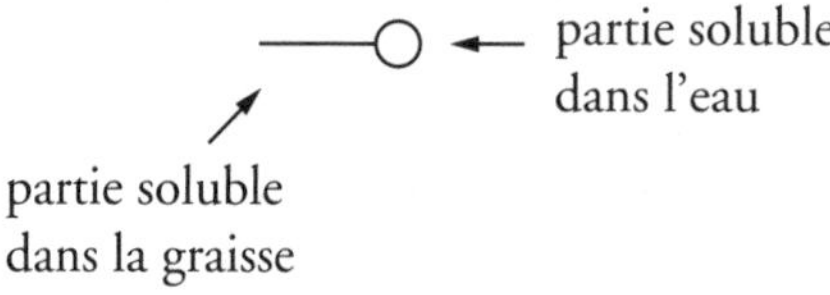

Schématiser un « globule de matière grasse » en suspension dans l'eau.

2. L'ACIDE LACTIQUE

❶ **1.** Donner la formule semi-développée de l'ion lactate, base conjuguée de l'acide lactique.

2. Donner l'expression de la constante d'acidité K_a du couple acide lactique/ion lactate. La mesure au laboratoire du pH d'une solution d'acide lactique de concentration c égale à $1{,}0 \times 10^{-2}\ mol \cdot L^{-1}$ donne $pH = 2{,}9$. On utilisera le **tableau d'avancement n° 1** fourni dans l'**annexe** (à rendre avec la copie).

❷ **1.** Calculer la concentration en ions oxonium dans la solution.
2. Définir, puis calculer le taux d'avancement de la réaction de l'acide lactique avec l'eau. Conclure.

❸ **1.** À partir des résultats expérimentaux précédents, calculer la valeur de la constante K_a du couple de l'acide lactique, puis celle de son pK_a.
2. Quelle peut être la cause du léger écart observé avec la valeur donnée dans le texte ?

3. DOSAGE DE L'ACIDE LACTIQUE DANS UN LAIT

On introduit dans un erlenmeyer 20,0 mL d'un échantillon de lait et quelques gouttes de phénolphtaléine. On ajoute progressivement une solution d'hydroxyde de sodium de concentration $5{,}0 \times 10^{-2}\ mol \cdot L^{-1}$. Le changement de couleur du milieu réactionnel est observé pour un volume de solution d'hydroxyde de sodium ajouté égal à 9,2 mL.

❶ Faire le schéma annoté du montage expérimental.

❷ **1.** Écrire l'équation de la réaction entre l'acide lactique et l'ion hydroxyde (HO^-).

2. Utiliser le **tableau d'avancement n° 2** fourni dans l'**annexe** (à rendre avec la copie) pour déterminer la concentration molaire en acide lactique du lait étudié.

❸ La concentration en acide lactique d'un lait frais ne doit pas dépasser $1{,}8\ g \cdot L^{-1}$.
Conclure quant à la fraîcheur du lait étudié.

Annexe

Équation chimique					
État du système	**Avancement (mol)**	**Quantités de matière (mol)**			
État initial	$x = 0$				
État intermédiaire	x				
État final	x_f				

Tableau d'avancement n° 1

Équation chimique					
État du système	**Avancement (mol)**	**Quantités de matière (mol)**			
État initial	$x = 0$				
État intermédiaire	x				
État final	x_f				

Tableau d'avancement n° 2

CHIMIE

LES CLÉS DU SUJET

■ Notions et compétences en jeu

– Caractères hydrophile et hydrophobe d'une molécule tensioactive.
– Constante d'acidité K_a, taux d'avancement final.
– Dosage acido-basique colorimétrique.

■ Conseils du correcteur

Partie 1

❶ **1.** Une molécule tensioactive a des propriétés amphiphiles, tout comme les ions carboxylate à longue chaîne carbonée.

Partie 2

❷ **2.** Considérez un volume V de solution pour exprimer littéralement la quantité de matière d'acide lactique initialement présente dans le tableau d'évolution du système chimique.

Partie 3

❸ La concentration massique c_m en acide lactique HA d'une solution s'exprime en fonction de sa concentration molaire c en ce même acide :

$$c_m = c \cdot M(\text{HA})$$

1. ÉTUDE DU DOCUMENT

1 **1.** L'expression « du beurre fondu et de l'eau restent séparés » peut être formulée en disant que le beurre fondu et l'eau sont des liquides **non miscibles.**
2. La partie soluble dans l'eau des molécules tensioactives constitue leur partie **hydrophile.**

2 Dans un « globule de matière grasse » les parties solubles dans la graisse (lipophiles mais hydrophobes) des molécules tensioactives ont tendance à se regrouper au sein du globule pour ne pas être en contact avec l'eau, et à ne présenter à celle-ci que leur partie soluble dans l'eau (hydrophile). Le « globule » ou micelle formé peut se représenter ainsi :

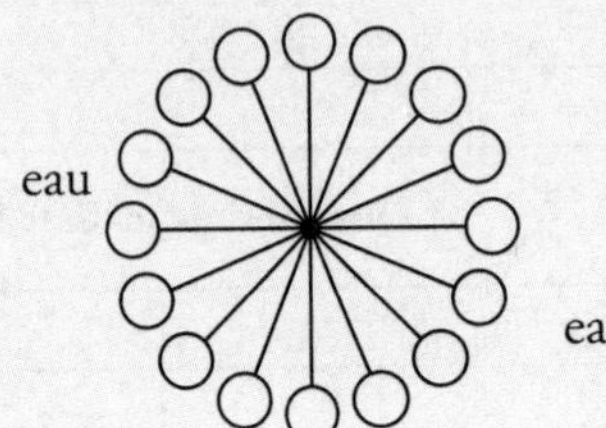

En réalité, la structure du globule est tridimensionnelle.

2. L'ACIDE LACTIQUE

1 **1.** L'ion lactate résulte de la perte d'un proton H^+ de la fonction acide carboxylique de l'acide lactique, d'où sa formule semi-développée :

$$CH_3-\underset{\displaystyle OH}{\underset{|}{CH}}-C\begin{matrix}\nearrow O \\ \searrow O^-\end{matrix}$$

2. Par définition, la constante d'acidité K_a du couple acide lactique / ion lactate est la constante d'équilibre associée à l'équation de la réaction de l'acide lactique avec l'eau :

$$HA_{(aq)} + H_2O_{(\ell)} = A^-_{(aq)} + H_3O^+$$

donc :

$$\boxed{K_a = \frac{[A^-]_{éq} \cdot [H_3O^+]_{éq}}{[HA]_{éq}}}$$

Les concentrations qui figurent dans cette expression doivent être celles à l'équilibre, d'où l'indice « éq ».

2 **1.** La définition du pH vue en Terminale nous permet de calculer la concentration molaire de la solution en ions oxonium :

$$pH = -\log [H_3O^+]_{éq} \quad \text{donc} \quad [H_3O^+]_{éq} = 10^{-pH}$$

ce qui conduit numériquement, avec pH = 2,9 , à :

$$\boxed{[H_3O^+]_{éq} = 1{,}3 \times 10^{-3}\ mol \cdot L^{-1}}$$

2. Le taux d'avancement final τ d'une réaction chimique est défini par :

$$\boxed{\tau = \frac{x_f}{x_{max}}}$$

Complétons le tableau d'évolution du système chimique en notant V le volume de la solution d'acide lactique :

Équation chimique		$HA_{(aq)}$	$+ H_2O_{(\ell)}$	$= A^-_{(aq)}$	$+ H_3O^+$
État du système	**Avancement (mol)**	**Quantités de matière (mol)**			
État initial	$x = 0$	cV	solvant	0	0
État intermédiaire	x	$cV - x$	solvant	x	x
État final	x_f	$cV - x_f$	solvant	x_f	x_f

L'avancement final de la réaction s'exprime alors :

$$x_f = [H_3O^+]_{éq} \cdot V \quad \text{soit} \quad x_f = 10^{-pH} \cdot V$$

et son avancement maximal est tel que $x_{max} = cV$, ce qui conduit à l'expression du taux d'avancement final :

En effet, l'acide lactique est le réactif limitant puisque l'autre réactif constitue le solvant.

$$\tau = \frac{10^{-pH}}{c}$$

Numériquement, avec $pH = 2{,}9$ et $c = 1{,}0 \times 10^{-2}$ mol · L^{-1}, nous calculons :

$$\boxed{\tau = 0{,}13}$$

Puisque $\tau < 1$, la transformation n'est que **limitée** (ou partielle).

3 **1.** Détaillons l'expression de la constante d'acidité K_a en utilisant le tableau d'évolution du système chimique :

$$K_a = \frac{\left(\frac{x_f}{V}\right)^2}{\frac{(cV - x_f)}{V}} = \frac{[H_3O^+]^2_{éq}}{c - [H_3O^+]_{éq}}$$

donc :

$$K_a = \frac{10^{-2 \times pH}}{c - 10^{-pH}}$$

Numériquement, avec $pH = 2{,}9$ et $c = 1{,}0 \times 10^{-2}$ mol · L^{-1}, nous calculons :

$$\boxed{K_a = 1{,}8 \times 10^{-4}} \quad \text{soit} \quad \boxed{pK_a = -\log K_a = 3{,}7}$$

2. Le faible écart relatif (< 3 %) entre la valeur 3,7 déterminée expérimentalement et celle de 3,8 donnée dans le texte provient de la **faible précision des mesures de pH.**

CHIMIE

3. DOSAGE DE L'ACIDE LACTIQUE DANS UN LAIT

❶ Le montage expérimental est le suivant :

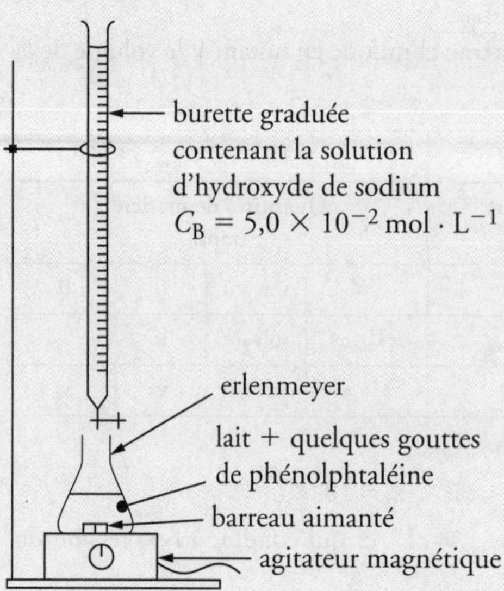

Le fait de faire des schémas contribue à vous donner une vision claire de la situation décrite. Il ne faut pas hésiter à en faire même lorsque ce n'est pas explicitement demandé.

❷ **1.** L'équation de la réaction de dosage s'écrit :

$$\boxed{HA_{(aq)} + HO^-_{(aq)} = A^-_{(aq)} + H_2O_{(\ell)}}$$

2. Complétons le tableau d'évolution du système chimique lors du dosage en notant c' la concentration molaire en acide lactique du lait étudié, V' le volume de l'échantillon prélevé, et V_{BE} le volume de soude versé à l'équivalence :

Équation chimique		$HA_{(aq)}$ +	$HO^-_{(aq)}$	$= A^-_{(aq)}$	$+ H_2O_{(\ell)}$
État du système	**Avancement (mol)**	**Quantités de matière (mol)**			
État initial	$x = 0$	$c'V'$	$c_B V_{BE}$	0	solvant
État intermédiaire	x	$c'V' - x$	$c_B V_{BE} - x$	x	solvant
État final à l'équivalence	$x_f = x_E$	$c'V' - x_E$	$c_B V_{BE} - x_E$	x_E	solvant

À l'équivalence, les quantités de matière des réactifs titrant et à titrer sont nulles, d'où :

$$n(HA)_E = c'V' - x_E = 0 \text{ mol} \quad \text{donc} \quad x_E = c'V'$$

et
$$n(HO^-)_E = c_B V_{BE} - x_E = 0 \text{ mol} \quad \text{donc} \quad x_E = c_B V_{BE}$$

L'égalisation des deux expressions de l'avancement à l'équivalence x_E nous donne alors :

$$c'V' = c_B V_{BE} \quad \text{donc} \quad c' = \frac{c_B V_{BE}}{V'}$$

Numériquement, avec $c_B = 5,0 \times 10^{-2}$ mol · L^{-1}, $V_{BE} = 9,2 \times 10^{-3}$ L et $V' = 20,0 \times 10^{-3}$ L, nous obtenons :

$$\boxed{c' = 2,3 \times 10^{-2} \text{ mol} \cdot \text{L}^{-1} = 23 \text{ mmol} \cdot \text{L}^{-1}}$$

❸ Exprimons la concentration massique c'_m du lait étudié en acide lactique :

$$c'_m = c' \cdot M(\text{HA})$$

qui conduit numériquement, avec $c' = 23 \times 10^{-3}\ \text{mol} \cdot \text{L}^{-1}$ et $M(\text{HA}) = 90{,}0\ \text{g} \cdot \text{mol}^{-1}$, à :

$$\boxed{c'_m = 2{,}1\ \text{g} \cdot \text{L}^{-1}}$$

Le lait étudié n'est donc plus frais car sa concentration massique en acide lactique dépasse $1{,}8\ \text{g} \cdot \text{L}^{-1}$.

SUJET 8 — LIBAN • JUIN 2006

ENSEIGNEMENT OBLIGATOIRE

4 POINTS

THÈME Équilibres chimiques et réactions acido-basiques

pH d'un mélange

Dans cet exercice, on se propose de calculer la valeur du pH d'un mélange de deux solutions de pH connus.

Données

- $\text{p}K_{a1}(\text{HNO}_2/\text{NO}_2^-) = 3{,}3$
- $\text{p}K_{a2}(\text{HCOOH}/\text{HCOO}^-) = 3{,}8$
- $\text{p}K_e = 14{,}0$

1. ÉTUDE DE DEUX SOLUTIONS

Le pH d'une solution aqueuse d'acide nitreux $\text{HNO}_{2(aq)}$, de concentration en soluté apporté $C_1 = 0{,}20\ \text{mol} \cdot \text{L}^{-1}$, a pour valeur $\text{pH}_1 = 1{,}3$. Celui d'une solution aqueuse de méthanoate de sodium $(\text{HCOO}^-_{(aq)} + \text{Na}^+_{(aq)})$, de concentration en soluté apporté $C_2 = 0{,}40\ \text{mol} \cdot \text{L}^{-1}$, a pour valeur $\text{pH}_2 = 8{,}7$.

❶ **1.** Écrire l'équation de la réaction entre l'acide nitreux et l'eau. Donner l'expression de sa constante d'équilibre.

2. Écrire l'équation de la réaction entre l'ion méthanoate et l'eau. Donner l'expression de sa constante d'équilibre.

❷ **1.** Sur l'axe des pH, donné en **annexe** (à rendre avec la copie), placer les domaines de prédominance des deux couples acide/base mis en jeu.

2. Préciser l'espèce prédominante dans chacune des deux solutions précédentes.

❶ On mélange un même volume $v = 200$ mL de chacune des deux solutions précédentes. La quantité de matière d'acide nitreux introduite dans le mélange est $n_1 = 4{,}0 \times 10^{-2}$ mol et celle de méthanoate de sodium est $n_2 = 8{,}0 \times 10^{-2}$ mol.

1. Écrire l'équation de la réaction qui se produit lors du mélange entre l'acide nitreux et l'ion méthanoate.

2. Exprimer, puis calculer, le quotient de réaction $Q_{r,i}$ associé à cette équation, dans l'état initial du système chimique.

3. Exprimer le quotient de réaction dans l'état d'équilibre $Q_{r,éq}$, en fonction des constantes d'acidité des couples, puis le calculer.

4. Conclure sur le sens d'évolution de la réaction écrite en **1.**

❷ **1.** Compléter le tableau d'avancement, donné en **annexe**.

2. La valeur de l'avancement final, dans l'état d'équilibre, est $x_{éq} = 3{,}3 \times 10^{-2}$ mol.

Calculer les concentrations des différentes espèces chimiques présentes à l'équilibre.

3. En déduire la valeur de $Q_{r,éq}$ et la comparer à la valeur obtenue à la question ❶ **3.**

❸ À l'aide de l'un des couples intervenant dans le mélange, vérifier que la valeur du pH du mélange est proche de la valeur $pH_3 = 4$.

Annexe

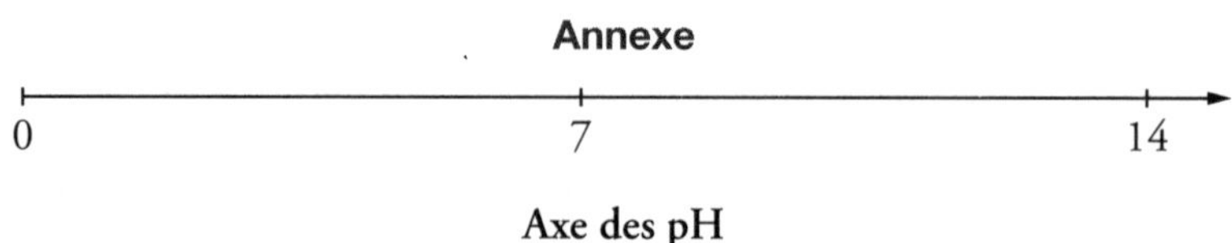

Axe des pH

Équation		…	+ …	= …	+ …
État du système chimique	**Avancement (mol)**	**Quantités de matière (mol)**			
		$n(HNO_{2(aq)})$	$n(HCOO^-_{(aq)})$	…	…
État initial	$x = 0$	n_1	n_2		
État intermédiaire	x				
État d'équilibre	$x = x_{éq}$				

Tableau d'avancement de la transformation entre l'acide nitreux et le méthanoate de sodium

LES CLÉS DU SUJET

■ **Notions et compétences en jeu**

– Écriture de l'équation d'une réaction associée à une transformation acido-basique et de sa constante d'équilibre.
– Diagramme de prédominance, notion de pH.
– Expression littérale du quotient de réaction dans différents états du système.
– Critère d'évolution spontanée.

■ Conseils du correcteur

Partie 1

❶ **1.** et **2.** La concentration de l'eau n'intervient pas dans l'expression de la constante d'équilibre car c'est ici le solvant.

❷ **1.** L'acide HA d'un couple acide/base, noté HA/A^-, prédomine en solution si $[HA] > [A^-]$, soit si $pH < pK_a$.

Partie 2

❶ **2.** Considérez nulle la concentration molaire de chacune des espèces acido-basiques dès lors qu'elle ne prédomine pas en solution.

❸ Utilisez le fait que, quel que soit le couple acide/base HA/A^- considéré en solution, le pH de la solution vérifie toujours $pH = pK_a(HA/A^-) + \log \frac{[A^-]_{éq}}{[HA]_{éq}}$.

CORRIGÉ SUJET 8

CHIMIE

1. ÉTUDE DE DEUX SOLUTIONS

❶ **1.** L'équation de la réaction entre l'acide nitreux et l'eau s'écrit :

$$HNO_{2(aq)} + H_2O_{(\ell)} = H_3O^+ + NO^-_{2(aq)}$$

La constante d'équilibre associée à cette équation s'exprime :

$$K_1 = K_{a1} = \frac{[H_3O^+]_{éq} \cdot [NO_2^-]_{éq}}{[HNO_2]_{éq}}$$

2. L'équation de la réaction entre l'ion méthanoate et l'eau s'écrit :

$$HCOO^-_{(aq)} + H_2O_{(\ell)} = HCOOH_{(aq)} + HO^-_{(aq)}$$

La constante d'équilibre associée à cette équation s'exprime :

$$K_2 = \frac{[HCOOH]_{éq} \cdot [HO^-]_{éq}}{[HCOO^-]_{éq}}$$

❷ **1.** L'acide d'un couple prédomine en solution devant sa base conjuguée lorsque le pH de celle-ci est inférieur au pK_a du couple acide/base considéré, comme on le voit sur l'axe des pH ci-dessous.

L'acide HA prédomine devant la base A⁻ si [HA] > [A⁻].

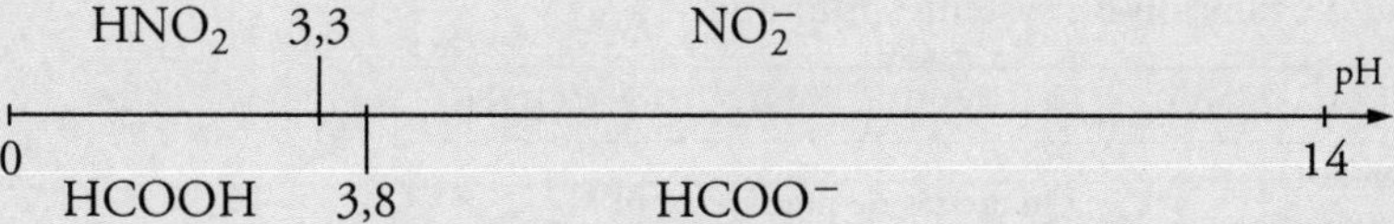

2. Dans la solution d'acide nitreux dont le pH vaut 1,3 c'est l'**acide nitreux HNO_2** qui prédomine car $pH_1 < pK_{a1}$.

Dans la solution de méthanoate de sodium dont le pH vaut 8,7 c'est l'**ion méthanoate $HCOO^-$** qui prédomine car $pH_2 > pK_{a2}$.

2. ÉTUDE D'UN MÉLANGE DE CES SOLUTIONS

1 **1.** La réaction acido-basique qui a lieu entre l'acide nitreux et l'ion méthanoate s'écrit :

$$\boxed{HNO_{2(aq)} + HCOO^-_{(aq)} = NO^-_{2(aq)} + HCOOH_{(aq)}}.$$

2. Le quotient de réaction initial $Q_{r,i}$ associé à cette équation s'écrit :

$$\boxed{Q_{r,i} = \frac{[NO_2^-]_i \cdot [HCOOH]_i}{[HNO_2]_i \cdot [HCOO^-]_i}}$$

Nous faisons l'approximation que :

$$[NO_2^-]_i = [HCOOH]_i \approx 0 \text{ mol} \cdot L^{-1},$$

donc : $\boxed{Q_{r,i} \approx 0}$

Remarque : le calcul rigoureux peut être réalisé en utilisant la relation $pH_i = pK_a + \log \frac{[A^-]_i}{[HA]_i}$ qui nous donne alors $\frac{[NO_2^-]_i}{[HNO_2]_i} = 10^{pH_1 - pK_{a1}}$ et $\frac{[HCOO^-]_i}{[HCOOH]_i} = 10^{pH_2 - pK_{a2}}$. Dans la mesure où le mélange ne modifie pas initialement le rapport des concentrations entre l'acide et sa base conjuguée nous aboutissons à :

$$Q_{r,i} = \frac{10^{pH_1 - pK_{a1}}}{10^{pH_2 - pK_{a2}}} = \frac{10^{1,3-3,3}}{10^{8,7-3,8}} = 10^{-6,9} = 1,3 \times 10^{-7} \approx 0$$

3. Le quotient de réaction dans l'état d'équilibre s'écrit :

$$Q_{r,éq} = \frac{[NO_2^-]_{éq} \cdot [HCOOH]_{éq}}{[HNO_2]_{éq} \cdot [HCOO^-]_{éq}}$$

$$= \frac{[H_3O^+]_{éq} \cdot [NO_2^-]_{éq}}{[HNO_2]_{éq}} \times \frac{[HCOOH]_{éq}}{[H_3O^+]_{éq} \cdot [HCOO^-]_{éq}}$$

soit : $\boxed{Q_{r,éq} = K_{a1} \times \frac{1}{K_{a2}}}$

Multipliez numérateur et dénominateur par $[H_3O^+]_{éq}$ pour faire apparaître les constantes d'acidité associées à chacun des couples intervenant dans l'équation de la réaction.

Numériquement, avec :

$$K_{a1} = 10^{-pK_{a1}} = 10^{-3,3} \quad \text{et} \quad K_{a2} = 10^{-pK_{a2}} = 10^{-3,8},$$

nous calculons : $\boxed{Q_{r,éq} = 3,2}$

4. Le système chimique est dans un état tel que $Q_{r,i} < Q_{r,éq}$, il va donc évoluer spontanément dans le **sens direct** de l'écriture de l'équation de la réaction.

2 **1.** Complétons le tableau d'évolution du système chimique.

Équation		$HNO_{2(aq)}$ +	$HCOO^-_{(aq)}$ =	$NO^-_{2(aq)}$ +	$HCOOH_{(aq)}$
État du système chimique	**Avancement (mol)**	**Quantités de matière (mol)**			
État initial	$x = 0$	n_1	n_2	0	0
État intermédiaire	x	$n_1 - x$	$n_2 - x$	x	x
État d'équilibre	$x = x_{éq}$	$n_1 - x_{éq}$	$n_2 - x_{éq}$	$x_{éq}$	$x_{éq}$

2. Exprimons les concentrations molaires des différentes espèces chimiques, autres que le solvant, présentes à l'équilibre :

$$[NO_2^-]_{éq} = [HCOOH]_{éq} = \frac{x_{éq}}{2v}, \quad [HNO_2]_{éq} = \frac{n_1 - x_{éq}}{2v}$$

et

$$[HCOO^-]_{éq} = \frac{n_2 - x_{éq}}{2v}.$$

Numériquement, avec $x_{éq} = 3,3 \times 10^{-2}$ mol, $v = 200 \times 10^{-3}$ L, $n_1 = 4,0 \times 10^{-2}$ mol et $n_2 = 8,0 \times 10^{-2}$ mol, nous calculons :

$$\boxed{[NO_2^-]_{éq} = [HCOOH]_{éq} = 8,3 \times 10^{-2} \text{ mol} \cdot L^{-1}}$$

$$\boxed{[HNO_2]_{éq} = 1,8 \times 10^{-2} \text{ mol} \cdot L^{-1}}$$

$$\boxed{[HCOO^-]_{éq} = 0,12 \text{ mol} \cdot L^{-1}}$$

3. En utilisant les valeurs non arrondies des concentrations molaires calculées à la question précédente nous obtenons :

$$\boxed{Q_{r,éq} = 3,3}$$

En comparant à la valeur obtenue au ❶ **3**, nous retrouvons bien la même valeur pour le quotient de réaction à l'équilibre.

❸ De l'expression de la constante d'acidité K_{a1} du couple HNO_2/NO_2^-, $K_{a1} = \frac{[H_3O^+]_{éq} \cdot [NO_2^-]_{éq}}{[HNO_2]_{éq}}$, nous tirons :

$$pH = pK_{a1} + \log \frac{[NO_2^-]_{éq}}{[HNO_2]_{éq}}$$

Cette relation est toujours valable dès lors que la solution aqueuse considérée contient les espèces chimiques du couple HNO_2/NO_2^-.

Numériquement, avec $pK_{a1} = 3,3$ et les valeurs des concentrations molaires des espèces HNO_2 et NO_2^- à l'équilibre dans le mélange, nous calculons :

$$\boxed{pH = 4,0}$$

qui est bien la valeur fournie dans le sujet.

CHIMIE

THÈME Équilibres chimiques et réactions acido-basiques

Détermination de la constante d'acidité d'un indicateur coloré : le vert de bromocrésol

Le vert de bromocrésol est un indicateur coloré acido-basique. C'est un couple acide/base dont l'acide HInd et la base Ind^- possèdent deux couleurs différentes : la forme acide est jaune tandis que la forme basique est bleue. Le but de cet exercice est de déterminer la valeur de la constante d'acidité du vert de bromocrésol par deux méthodes différentes.

1. DÉTERMINATION DE LA CONSTANTE D'ACIDITÉ DU VERT DE BROMOCRÉSOL PAR PH-MÉTRIE

On dispose d'une solution commerciale S de vert de bromocrésol à 0,02 % en solution aqueuse. La concentration molaire en soluté apporté de cette solution est $c = 2{,}9 \times 10^{-4}$ mol · L^{-1}. Après avoir étalonné un pH-mètre, on mesure le pH d'un volume $V = 100{,}0$ mL de la solution S, on trouve un pH égal à 4,2.

1 Écrire l'équation de la réaction de l'acide HInd avec l'eau.

2 Calculer la valeur de l'avancement final x_f de la réaction entre l'acide HInd et l'eau (on pourra s'aider d'un tableau descriptif de l'évolution du système chimique).

3 Calculer le taux d'avancement final τ de cette réaction. La transformation de l'acide HInd avec l'eau est-elle totale ?

4 Établir l'expression de la constante d'acidité K_A de l'indicateur en fonction du pH de la solution et de la concentration molaire en soluté apporté c de la solution S.

5 Calculer la valeur de K_A. En déduire la valeur du pK_A du vert de bromocrésol.

2. DÉTERMINATION DE LA CONSTANTE D'ACIDITÉ DU VERT DE BROMOCRÉSOL PAR SPECTROPHOTOMÉTRIE

À l'aide d'un spectrophotomètre, on relève l'absorbance des formes acide et basique du vert de bromocrésol. On obtient les courbes suivantes :

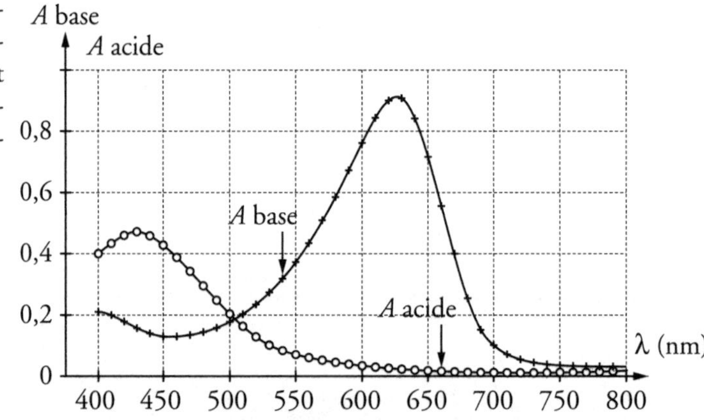

❶ À quelle longueur d'onde λ faut-il régler le spectrophotomètre afin que l'absorbance de la forme acide soit quasiment nulle et celle de la forme basique du vert de bromocrésol soit maximale ?

On utilise seize solutions de volumes identiques mais de pH différents dans lesquelles on ajoute le même volume de la solution commerciale S de vert de bromocrésol. Après avoir réglé le spectrophotomètre, on mesure l'absorbance de ces seize solutions (résultats voir tableau).

Solution n°	1	2	3	4	5	6	7	8
pH	1,5	2,4	2,9	3,1	3,3	3,8	4,3	4,6
Absorbance	0	0	0,013	0,032	0,036	0,094	0,206	0,382
Teinte de la solution	jaune	jaune	jaune	jaune	jaune	verte	verte	verte

Solution n°	9	10	11	12	13	14	15	16
pH	5,0	5,3	6,2	6,7	7,0	8,4	9,2	10,0
Absorbance	0,546	0,746	0,790	0,886	0,962	0,970	0,970	0,970
Teinte de la solution	verte	verte	bleue	bleue	bleue	bleue	bleue	bleue

À partir des mesures du tableau précédent, il est possible de calculer les pourcentages de forme acide et de forme basique présentes dans chacune des seize solutions et ainsi de construire le diagramme de distribution des espèces du couple $HInd/Ind^-$.

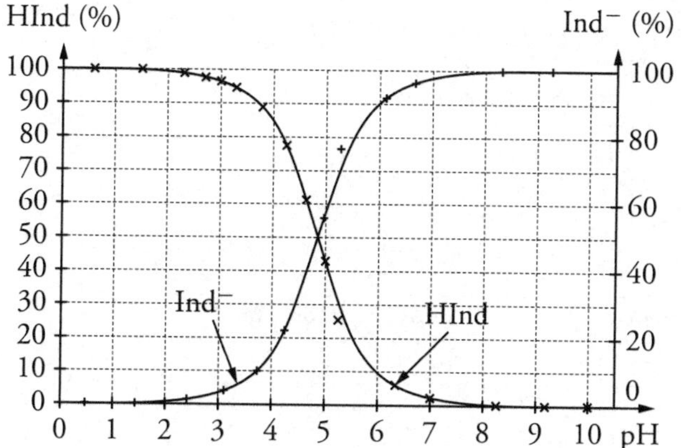

❷ En quel point du diagramme de distribution des espèces a-t-on $[HInd] = [Ind^-]$? En déduire la valeur du pK_A du vert de bromocrésol.

❸ Tracer le diagramme de prédominance du couple $HInd/Ind^-$.

❹ Évaluer, à l'aide du tableau, l'intervalle des valeurs de pH pour lesquelles le vert de bromocrésol prend sa teinte sensible. Comment appelle-t-on cet intervalle ?

On considère que le vert de bromocrésol prend sa teinte acide lorsque $\dfrac{[HInd]}{[Ind^-]} > 10$ et qu'il prend sa teinte basique lorsque $\dfrac{[Ind^-]}{[HInd]} > 10$.

❺ En utilisant la relation $pH = pK_A + \lg \dfrac{[base]}{[acide]}$, déterminer par le calcul l'intervalle de pH pour lequel $[HInd]$ et $[Ind^-]$ sont considérées voisines. Comparer cet intervalle à celui évalué précédemment.

LES CLÉS DU SUJET

■ **Notions et compétences en jeu**

– Taux d'avancement final d'une réaction.
– Définitions du pH et de la constante d'acidité K_A.
– Diagrammes de distribution et de prédominance.

■ **Conseils du correcteur**

Partie 1

❹ Pensez que la concentration molaire en indicateur coloré apporté est telle que :
$c = [\text{Ind}^-]_{\text{éq}} + [\text{HInd}]_{\text{éq}}$ et que $[H_3O^+]_{\text{éq}} = 10^{-\text{pH}} = [\text{Ind}^-]_{\text{éq}}$.

Partie 2

❸ HInd prédomine devant Ind^- lorsque $[\text{HInd}] > [\text{Ind}^-]$.

CORRIGÉ SUJET 9

1. DÉTERMINATION DE LA CONSTANTE D'ACIDITÉ DU VERT DE BROMOCRÉSOL PAR PH-MÉTRIE

❶ Équation de la réaction de l'acide HInd avec l'eau :

$$\boxed{\text{HInd}_{(aq)} + H_2O_{(\ell)} = \text{Ind}^-_{(aq)} + H_3O^+}$$

❷ Dressons le tableau d'évolution du système chimique :

Équation chimique		$\text{HInd}_{(aq)}$ +	$H_2O_{(\ell)}$ =	$\text{Ind}^-_{(aq)}$ +	H_3O^+
État du système	**Avancement**	**Quantités de matière (mol)**			
État initial	$x = 0$ mol	cV	solvant	0	0
État intermédiaire	x	$cV - x$	solvant	x	x
État final	x_f	$cV - x_f$	solvant	x_f	x_f

Nous tirons de celui-ci :

$$n(H_3O^+)_f = x_f = [H_3O^+]_f V \text{ or } [H_3O^+]_f = 10^{-\text{pH}}$$

donc :

$$x_f = 10^{-\text{pH}} V$$

Numériquement, avec pH = 4,2 et $V = 100{,}0 \times 10^{-3}$ L, nous calculons :

$$\boxed{x_f = 6{,}3 \times 10^{-6} \text{ mol}}$$

❸ Le taux d'avancement final de la réaction est défini par :

$$\tau = \frac{x_f}{x_{max}}$$

Or, l'avancement maximal qui serait atteint dans le cas d'une transformation totale est tel que :

$$n(\text{HInd})_f = 0 \text{ mol} = cV - x_{max} \text{ soit } x_{max} = cV$$

HInd est nécessairement le réactif limitant puisque l'autre, l'eau, constitue le solvant qui est, par essence, en très large excès.

donc : $$\tau = \frac{10^{-pH} V}{cV} = \frac{10^{-pH}}{c}$$

Numériquement, avec $c = 2{,}9 \times 10^{-4}$ mol · L^{-1} et pH = 4,2 , nous obtenons :

$$\boxed{\tau = 0{,}22}$$

La transformation de l'acide HInd avec l'eau n'est donc **pas totale** puisque $\tau < 1$.

❹ Par définition, la constante d'acidité K_A de l'indicateur est la constante d'équilibre associée à l'équation de la réaction écrite au ❶, soit :

$$K_A = \frac{[Ind^-]_{éq} \cdot [H_3O^+]_{éq}}{[HInd]_{éq}}$$

Or, $[H_3O^+]_{éq} = 10^{-pH}$, $[Ind^-]_{éq} = [H_3O^+]_{éq}$

et puisque $c = [Ind^-]_{éq} + [HInd]_{éq}$ alors :

$[HInd]_{éq} = c - [Ind^-]_{éq} = c - 10^{-pH}$

donc : $$K_A = \frac{10^{-pH} \times 10^{-pH}}{c - 10^{-pH}}$$

soit : $$\boxed{K_A = \frac{10^{-2pH}}{c - 10^{-pH}}}$$

❺ Numériquement, avec pH = 4,2 et $c = 2{,}9 \times 10^{-4}$ mol · L^{-1}, nous obtenons :

$$\boxed{K_A = 1{,}8 \times 10^{-5}}$$

Soit puisque $pK_A = -\log K_A$:

$$\boxed{pK_A = 4{,}8}$$

2. DÉTERMINATION DE LA CONSTANTE D'ACIDITÉ DU VERT DE BROMOCRÉSOL PAR SPECTROPHOTOMÉTRIE

❶ Le graphique nous montre qu'aux alentours de 625 nm, l'absorbance de la forme acide est quasiment nulle alors que celle de la forme basique est maximale. Il faut donc régler le spectrophotomètre à la longueur d'onde :

$$\boxed{\lambda = 625 \text{ nm}}$$

❷ Les concentrations effectives en acide HInd et en sa base conjuguée Ind^- sont égales lorsque les pourcentages de ces deux formes sont égaux à 50%. Cela correspond au point d'intersection des deux courbes. L'abscisse de ce point est telle que $pH = pK_A$, nous lisons alors :

$$\boxed{pK_A = 4{,}8}$$

En effet, pour $[HInd]_{éq} = [Ind^-]_{éq}$, nous avons $K_A = [H_3O^+]_{éq}$ soit $pK_A = pH$.

La spectrophotométrie est donc une méthode efficace pour déterminer la constante d'acidité (ou le pK_A) d'un couple acide/base lorsque les espèces conjuguées sont de couleurs différentes, c'est-à-dire dans le cas d'indicateurs colorés.

❸ L'acide HInd prédomine devant sa base conjuguée lorsque $[HInd]_{éq} > [Ind^-]_{éq}$ soit lorsque $pH < pK_A$. Ainsi nous traçons :

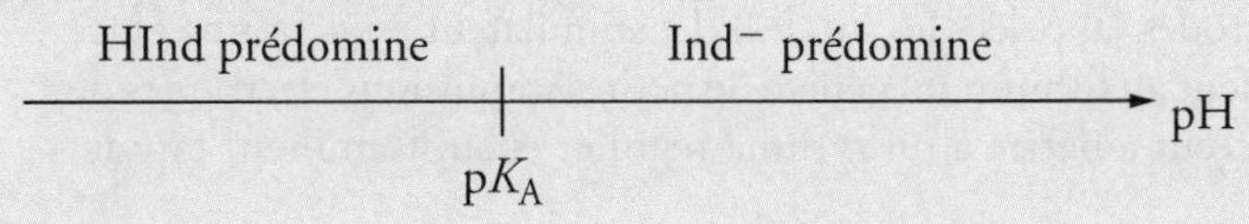

CHIMIE

❹ L'intervalle des valeurs de pH pour lesquelles le vert de bromocresol prend sa teinte sensible, appelé **zone de virage**, correspond au domaine où les mélanges sont de couleur verte, soit :

$$\boxed{3{,}8 \leqslant \text{pH} \leqslant 5{,}3}$$

❺ La teinte de la forme basique est visible lorsque :

$\dfrac{[\text{Ind}^-]_{\text{éq}}}{[\text{HInd}]_{\text{éq}}} > 10$ soit $\log \dfrac{[\text{Ind}^-]_{\text{éq}}}{[\text{HInd}]_{\text{éq}}} > \log 10$ donc

$$\text{p}K_\text{A} + \log \dfrac{[\text{Ind}^-]_{\text{éq}}}{[\text{HInd}]_{\text{éq}}} > \text{p}K_\text{A} + 1$$

d'où :

$$\text{pH} > \text{p}K_\text{A} + 1$$

Cette inégalité n'a rien d'absolu. Elle dépend en fait des teintes des espèces acide et basique conjuguées dont le seuil de perception par notre œil diffère selon les couleurs mises en jeu.

Numériquement avec $\text{p}K_\text{A} = 4{,}8$, la teinte de forme basique est visible si $\text{pH} > 5{,}8$.
Inversement, la teinte de la forme acide est visible lorsque :

$\dfrac{[\text{HInd}]_{\text{éq}}}{[\text{Ind}^-]_{\text{éq}}} > 10$ soit $\dfrac{[\text{Ind}^-]_{\text{éq}}}{[\text{HInd}]_{\text{éq}}} < \dfrac{1}{10}$ donc $\log \dfrac{[\text{Ind}^-]_{\text{éq}}}{[\text{HInd}]_{\text{éq}}} < \log \dfrac{1}{10}$ alors

$\text{p}K_\text{A} + \log \dfrac{[\text{Ind}^-]_{\text{éq}}}{[\text{HInd}]_{\text{éq}}} < \text{p}K_\text{A} - 1$, d'où :

$$\text{pH} < \text{p}K_\text{A} - 1$$

Numériquement avec $\text{p}K_\text{A} = 4{,}8$, la teinte de forme acide est visible si $\text{pH} < 3{,}8$.
Les concentrations $[\text{HInd}]$ et $[\text{Ind}^-]$ sont donc voisines lorsque ni l'espèce acide, ni l'espèce basique ne prédominent, soit lorsque :

$$\boxed{3{,}8 \leqslant \text{pH} \leqslant 5{,}8}$$

Ce qui est en bon accord avec l'intervalle déterminé au ❹.

SUJET 10

POLYNÉSIE FRANÇAISE • JUIN 2007

ENSEIGNEMENT OBLIGATOIRE

7 POINTS

THÈME Piles et électrolyses

Physique, chimie et stimulateur cardiaque

Document

Un stimulateur cardiaque est un dispositif hautement perfectionné et très miniaturisé, relié au cœur humain par des électrodes (appelées les sondes). Le stimulateur est actionné grâce à une pile intégrée, généralement au lithium ; il génère de petites impulsions électriques de basse tension qui forcent le cœur à battre à un rythme régulier et suffisamment rapide.

Il comporte donc deux parties : le boîtier, source des impulsions électriques, et les sondes, qui conduisent le courant.
Le générateur d'impulsions du stimulateur cardiaque peut être modélisé par le circuit représenté ci-dessous :

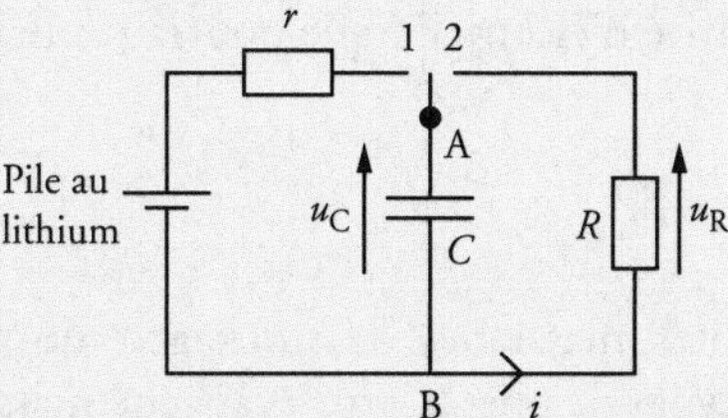

La valeur de r est très faible, de telle sorte que le condensateur se charge très rapidement lorsque l'interrupteur (en réalité un dispositif électronique) est en position 1. Lorsque la charge est terminée, l'interrupteur bascule en position 2. Le condensateur se décharge lentement dans la résistance R, de valeur élevée.
Quand la tension aux bornes de R atteint une valeur donnée (e^{-1} fois sa valeur initiale, avec $\ln(e) = 1$), le boîtier envoie au cœur une impulsion électrique par l'intermédiaire des sondes. L'interrupteur bascule simultanément en position 1 et la recharge du condensateur se fait quasiment instantanément à travers r. Le processus recommence.

D'après *Physique, Terminale S*, Bréal.

*Les **parties 1** et **2** sont indépendantes.*
*Voir la partie Physique, sujet 10, pour la **partie 1** de cet exercice.*

2. ÉTUDE D'UNE PILE AU LITHIUM

Les différents types de piles au lithium ont tous en commun une électrode de lithium et un électrolyte constitué d'un solvant organique contenant entre autres des ions lithium Li^+. L'équation de la réaction qui se produit à cette électrode est : $Li = Li^+ + e^-$.

Données
- Masse molaire du lithium : $6{,}9\ g \cdot mol^{-1}$.
- Valeur du Faraday : $9{,}65 \times 10^4\ C$.

❶ Fonctionnement de la pile

Pour chacune des affirmations suivantes, répondre par **vrai** ou **faux** en justifiant rapidement votre choix.

1. L'électrode de lithium est le pôle négatif de la pile.

2. Lors de son fonctionnement, la pile constitue un système chimique en équilibre.

3. Lors du fonctionnement de la pile, le quotient Q_r de la réaction qui se produit est inférieur à la constante d'équilibre K correspondante.

4. La pile est usée lorsque tous les ions Li^+ ont été consommés.

❷ Quantité maximale d'électricité fournie par la pile

1. Montrer par analyse dimensionnelle qu'une quantité d'électricité peut s'exprimer en ampère · heure $(A \cdot h)$ et justifier l'égalité :
$1\ A \cdot h = 3\ 600\ C$.

2. Calculer en C, puis en $(A \cdot h)$, la quantité d'électricité que pourrait fournir une pile contenant 1,0 g de lithium.

❸ Intérêt du lithium

Le tableau suivant rassemble les « capacités massiques de stockage » de plusieurs éléments entrant dans la composition de différents types de piles. Cette « capacité massique » est la quantité maximale d'électricité que peut débiter la pile par kg d'élément constituant. Elle peut s'exprimer en $A \cdot h \cdot kg^{-1}$.

Élément	Cadmium	Zinc	Argent	Lithium
Capacité massique $(A \cdot h \cdot kg^{-1})$	480	500	820	3 880

1. Pour une même intensité de courant électrique débité, comment évolue la durée de fonctionnement de la pile en fonction de sa « capacité massique » ?

2. Pourquoi utilise-t-on des piles au lithium pour alimenter les stimulateurs cardiaques ?

LES CLÉS DU SUJET

■ Notions et compétences en jeu

– Fonctionnement d'une pile, critère d'évolution spontanée.
– Capacité d'une pile.

■ Conseils du correcteur

❶ **1.** Déterminez, à l'aide des informations du texte, si les électrons arrivent ou partent de l'électrode de lithium.
❷ **2.** Dressez le tableau d'évolution du système chimique au niveau de l'anode pour lier la quantité de matière d'électrons transférés à la quantité de matière de lithium consommée.

CORRIGÉ SUJET 10

2. ÉTUDE D'UNE PILE AU LITHIUM

❶ **1. VRAI.** Au niveau de l'électrode de lithium il y a oxydation des atomes de lithium qui libèrent des électrons, lesquels vont traverser le circuit extérieur. L'électrode de lithium constitue donc le pôle négatif de la pile.

2. FAUX. Lors du fonctionnement de la pile, les électrons qui arrivent au niveau de la cathode et ceux qui partent de l'anode permettent la réalisation de réactions respectivement de réduction et d'oxydation. Le système chimique qui constitue la pile évolue donc.

3. VRAI. Une pile est un système chimique hors équilibre, d'où $Q_r \neq K$.
Remarque : nous ne comprenons pas le sens de l'expression : « le quotient de réaction qui se produit ».

Si le système chimique était à l'équilibre, la pile ne débiterait aucun courant en circuit fermé.

4. FAUX. Lorsque la pile débite un courant, les ions lithium sont formés et non consommés.

❷ 1. Effectuons l'analyse dimensionnelle d'une quantité d'électricité Q :

$$[I] = \left[\frac{Q}{\Delta t}\right] \quad \text{d'où} \quad \boxed{[Q] = [I] \times [\Delta t] = \mathrm{I} \times \mathrm{T}}$$

Par conséquent, une quantité d'électricité a la dimension d'une intensité de courant électrique multipliée par une durée et s'exprime en ampère seconde dans les USI, mais peut aussi s'exprimer en ampère heure.
Le nom de coulomb a été donné à l'unité SI de la charge électrique, ce qui signifie que :

Distinguez bien la dimension d'une grandeur de son unité. La première est unique alors que la seconde peut être diverse.

$$1\ \mathrm{C} = 1\ \mathrm{A \cdot s}, \quad \text{or} \quad 1\ \mathrm{A \cdot h} = 1\ \mathrm{A} \times 3\ 600\ \mathrm{s} = 3\ 600\ \mathrm{A \cdot s}$$

donc :

$$\boxed{1\ \mathrm{A \cdot h} = 3\ 600\ \mathrm{C}}$$

2. Nous considérons ici que le lithium est le réactif limitant la durée de fonctionnement de la pile. À l'anode, le tableau d'évolution du système chimique est le suivant :

Équation chimique		Li	= Li⁺	+ e⁻
État du système	**Avancement**	**Quantités de matière (mol)**		
État initial	$x = 0$ mol	$n(\mathrm{Li})_i$	$n(\mathrm{Li^+})_i$	0
État intermédiaire	x	$n(\mathrm{Li})_i - x$	$n(\mathrm{Li^+})_i + x$	x
État final	x_f	$n(\mathrm{Li})_i - x_f$	$n(\mathrm{Li^+})_i + x_f$	x_f

avec $n(\mathrm{Li})_f = n(\mathrm{Li})_i - x_f = 0$ mol d'où $x_f = n(\mathrm{Li})_i$.
Par ailleurs, le tableau nous permet aussi d'écrire que :

$$n(\mathrm{e^-})_f = x_f = \frac{Q}{F}$$

donc :

$$\frac{Q}{F} = n(\mathrm{Li})_i = \frac{m(\mathrm{Li})_i}{M(\mathrm{Li})} \quad \text{soit} \quad Q = \frac{m(\mathrm{Li})_i \cdot F}{M(\mathrm{Li})}$$

Numériquement, avec $m(\mathrm{Li}) = 1{,}0\ \mathrm{g}$, $M(\mathrm{Li}) = 6{,}9\ \mathrm{g \cdot mol^{-1}}$ et $F = 9{,}65 \times 10^4\ \mathrm{C \cdot mol^{-1}}$, nous trouvons :

$$\boxed{Q = 1{,}4 \times 10^4\ \mathrm{C} = 14\ \mathrm{kC}}$$

soit en divisant par trois mille six cents :

$$\boxed{Q = 3{,}9\ \mathrm{A \cdot h}}$$

❸ 1. Pour une même intensité de courant débité, la durée de fonctionnement d'une pile est d'autant plus importante que sa « capacité massique » est élevée.

2. L'étude du tableau montre que les piles contenant l'élément lithium sont celles dont la « capacité massique » est la plus importante, ce qui permet d'obtenir une longue durée de fonctionnement du stimulateur cardiaque, sans avoir à changer les piles.

THÈME **Piles et électrolyses**

Traitement de l'eau d'une piscine

L'usage de la calculatrice n'est pas autorisé.

Document

Depuis plusieurs décennies, l'acide chlorhydrique et l'hypochlorite de sodium sont utilisés dans les piscines[1]. L'acide chlorhydrique régule l'acidité ou le pH, tandis que l'hypochlorite désinfecte à merveille. Tous deux constituent des garanties pour notre santé. Non seulement l'eau de la piscine est désinfectée mais, en plus, l'hygiène et la propreté des conduites et des filtres sont maintenues sur l'ensemble de son parcours.
L'hypochlorite de sodium est le désinfectant le plus utilisé. Les grandes piscines le stockent en vrac dans de grandes citernes, les plus petites dans des fûts.
Exceptionnellement, on rencontre une installation qui prépare ce produit sur place. Cela s'effectue par électrolyse de la saumure (solution aqueuse de chlorure de sodium), dont résulte du chlore gazeux. Après mélange avec de l'hydroxyde de sodium en solution, on obtient de l'hypochlorite de sodium.

D'après *Le livre blanc du chlore*, juillet 2003 (www.belgochlor.be).

1. En milieu beaucoup plus acide que l'eau de la piscine, les ions hypochlorite et chlorure réagissent et donnent un dégagement de dichlore, gaz toxique.

*Les **parties 1 et 2** traitent de la fabrication de l'hypochlorite de sodium par électrolyse d'une solution de chlorure de sodium. La **partie 3** traite du principe de la régulation du pH d'une eau de piscine. Cette partie est indépendante des **parties 1 et 2**.*

1. ÉLECTROLYSE D'UNE SOLUTION AQUEUSE DE CHLORURE DE SODIUM AU LABORATOIRE

Pour déterminer les produits de l'électrolyse d'une solution de chlorure de sodium, on réalise l'expérience suivante au laboratoire (voir schéma simplifié de la **figure 1** ci-après). Un tube en U contient une solution de chlorure de sodium ($Na^+_{(aq)} + Cl^-_{(aq)}$). Deux électrodes A et B sont reliées chacune à l'une des bornes (positive ou négative) d'un générateur de tension continue G. Après plusieurs minutes de fonctionnement, on effectue des tests d'identification des produits formés.

- À une électrode, il s'est formé un dégagement de dichlore.
- À l'autre électrode, il s'est formé un dégagement de dihydrogène et il est apparu des ions hydroxyde HO^-.

L'équation de la réaction modélisant l'électrolyse est :

$$2\,H_2O + 2\,Cl^-_{(aq)} = H_{2(g)} + Cl_{2(g)} + 2\,HO^-_{(aq)} \qquad \textbf{(équation 1)}$$

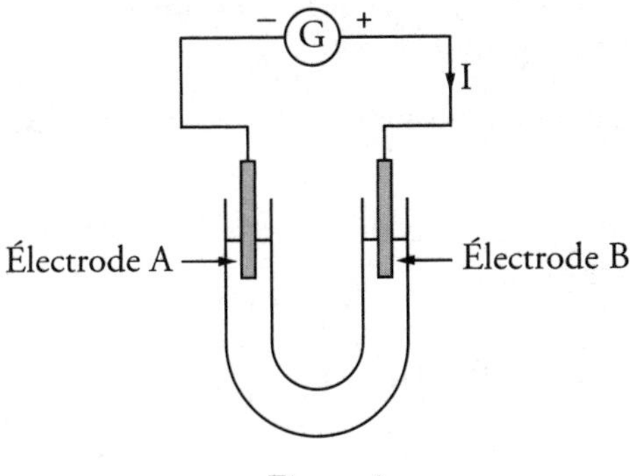

Figure 1

Données

Couples oxydant/réducteur :

$H_2O/H_{2(aq)}$; $Cl_{2(g)}/Cl^-_{(aq)}$; $O_{2(g)}/H_2O$; $ClO^-_{(aq)}/Cl_{2(g)}$.

❶ À partir des indications de l'énoncé, identifier les deux couples oxydant/réducteur mis en jeu dans l'équation 1 modélisant l'électrolyse.

❷ En déduire l'espèce chimique oxydée.

❸ Identifier l'électrode (A ou B) à laquelle se produit l'oxydation. Quel gaz se dégage à cette électrode ?

2. ÉTUDE D'UN ÉLECTROLYSEUR POUR PISCINE

Dans certaines piscines, on ajoute à l'eau de la piscine du chlorure de sodium. Après pompage, l'eau est traitée par électrolyse.

L'électrolyseur peut être représenté par une cellule comprenant deux électrodes et un coffret d'alimentation électrique délivrant une tension continue d'environ 10 V.

Données

- Intensité du courant : 20 A.
- On rappelle que la quantité Q d'électricité débitée pendant la durée Δt et l'intensité I du courant sont liées par la relation :

$$I = \frac{Q}{\Delta t}.$$

Aide au calcul : $N_A e = 1{,}0 \times 10^5\ C \cdot mol^{-1}$ avec N_A constante d'Avogadro et e charge élémentaire.

❶ Dans ce dispositif, l'électrolyse de la solution de chlorure de sodium est modélisée par l'équation 1 précédente :

$$2\,H_2O + 2\,Cl^-_{(aq)} = H_{2(g)} + Cl_{2(g)} + 2\,HO^-_{(aq)} \qquad \textbf{(équation 1)}$$

1. Compléter le tableau d'avancement fourni en **annexe** (à rendre avec la copie).

2. En déduire la relation entre la quantité $n(e^-)$, en mole, d'électrons échangés et la quantité $n_1(Cl_2)$ de dichlore formé lors de la réaction d'**équation 1**.

❷ Dans cet électrolyseur, les ions hydroxyde et le dichlore formé sont consommés lors d'une nouvelle transformation chimique supposée rapide et totale, dont l'équation est la suivante :

$$Cl_{2(g)} + 2\,HO^-_{(aq)} = ClO^-_{(aq)} + Cl^-_{(aq)} + H_2O \qquad \textbf{(équation 2)}$$

Établir la relation entre la quantité $n(ClO^-)$ d'ions hypochlorite formés et la quantité $n_2(Cl_2)$ de dichlore consommé dans la réaction d'**équation 2**.

❸ La transformation associée à l'équation 2 étant supposée totale et rapide, en déduire la relation entre $n(e^-)$ et $n(ClO^-)$.

❹ En déduire et calculer la quantité de matière maximale d'ions hypochlorite que peut fournir cet appareil, en une heure de fonctionnement.

3. RÉGULATION DU pH DE L'EAU DE PISCINE

La régulation du pH est essentielle dans le traitement de l'eau des piscines.
En permanence analysé grâce à une sonde puis corrigé par une pompe (par injection de produit correcteur), le pH est maintenu automatiquement à son niveau idéal (7,2 – 7,6).

Données
On considère toutes les solutions à 25 °C.
Couples acide/base :

- $H_3O^+_{(aq)}/H_2O$ avec $pK_{A_1} = 0$;
- $H_2O/HO^-_{(aq)}$ avec $pK_{A_2} = 14$;
- acide hypochloreux/ion hypochlorite :

$HClO_{(aq)}/ClO^-_{(aq)}$ avec $pK_{A_3} = 7{,}5$.

❶ Lors d'un contrôle de pH, la sonde mesure la valeur $pH = 8{,}5$. Le pH de cette eau, plus élevé que celui de l'humeur aqueuse de l'œil humain, est responsable de l'irritation des yeux.

1. À ce pH, indiquer l'espèce prédominante du couple :

$$HClO_{(aq)}/ClO^-_{(aq)}.$$

2. Calculer le rapport des concentrations en ions hypochlorite et en acide hypochloreux lors de ce contrôle (on ne cherchera pas à déterminer ces deux concentrations).

❷ Pour rétablir la valeur du pH au niveau « idéal », la pompe injecte 0,10 mol d'acide chlorhydrique dans l'eau de la piscine, sans variation notable du volume V de l'eau contenue dans la piscine.
L'équation de la réaction associée à la transformation qui se produit est :

$$ClO^-_{(aq)} + H_3O^+_{(aq)} = HClO_{(aq)} + H_2O \qquad \textbf{(équation 3)}$$

1. Exprimer la constante d'équilibre K de cette réaction en fonction de K_{A_3}. Calculer K.

2. L'état initial du système est défini ainsi :
– le volume de l'eau de la piscine est $V = 1{,}0 \times 10^5$ L ;
– on introduit 0,10 mol d'ions H_3O^+ par ajout d'acide chlorhydrique ;
– le rapport $\frac{[ClO^-]_i}{[HClO]_i}$ est égal à celui calculé au ❶ **2.**

a) Calculer la concentration molaire effective initiale en ions H_3O^+ notée $[H_3O^+]_i$.
b) Calculer le quotient de réaction initial $Q_{r,\,i}$.

3. En appliquant le critère d'évolution spontanée, donner le sens d'évolution de la réaction d'équation 3.

4. À partir de l'expression de la constante d'acidité K_{A_3} du couple acide hypochloreux/ion hypochlorite et du rapport $\frac{[ClO^-]_i}{[HClO]_i}$ calculé au ❶ **2**, montrer que le pH de l'eau de la piscine diminue.

Annexe

État du système	Avancement	$2H_2O$	$+ 2\,Cl^-_{(aq)}$	$= H_{2(g)}$	$+ Cl_{2(g)}$	$+ 2\,HO^-_{(aq)}$	Quantité (en mol) d'électrons échangés
Étal initial	0	excès	$n(Cl^-)_i$	0	0	0	0
État en cours de transformation	x	excès					
État final	x_f	excès					

LES CLÉS DU SUJET

■ Notions et compétences en jeu

– Identifier l'électrode à laquelle se produit une réaction à partir de données.
– Relier les quantités de matière des espèces consommées ou formées à l'intensité du courant et à la durée de fonctionnement d'une électrolyse.
– Constante d'acidité et pH.
– Quotient de réaction initial et critère d'évolution spontanée.

■ Conseils du correcteur

Partie 1

❸ Une réaction d'oxydation est une réaction au cours de laquelle une espèce chimique perd des électrons. Cette perte a lieu au niveau de la surface d'une électrode dans une réaction d'électrolyse.

Partie 2

❹ Un électron transporte une charge élémentaire $-e = -1{,}6 \times 10^{-19}$ C. La quantité d'électricité molaire transportée par des électrons est donc égale à $N_A e = 1{,}0 \times 10^5$ C · mol^{-1}.

Partie 3

❶ **2.** Exprimez la constante d'acidité du couple $HClO/ClO^-$ afin de faire apparaître le rapport demandé.
❷ **2. a)** Commencez par faire le bilan en quantité de matière de tous les ions oxonium présents dans la piscine, ceux présents initialement et ceux injectés.

CHIMIE

CORRIGÉ SUJET 11

1. ÉLECTROLYSE D'UNE SOLUTION AQUEUSE DE CHLORURE DE SODIUM AU LABORATOIRE

❶ Les seules espèces chimiques présentes en début d'électrolyse sont Na^+, Cl^- et H_2O. Nous observons à partir de celles-ci la formation de dichlore Cl_2 et de dihydrogène, ce qui nous conduit à choisir les deux seuls couples oxydant/réducteur présentant toutes ces espèces chimiques :

Couples : H_2O/H_2 et Cl_2/Cl^-

❷ L'espèce chimique qui est oxydée au cours de l'électrolyse est le réducteur qui intervient comme réactif dans l'équation de la réaction d'électrolyse. Il s'agit de **l'ion chlorure** Cl^-.

❸ La réaction d'oxydation des ions chlorure a lieu à l'électrode d'où partent les électrons, lesquels se déplacent dans le sens inverse du courant. **L'électrode B** constitue donc l'anode où s'oxydent les ions chlorure suivant l'équation :

$$\boxed{2\,Cl^-_{(aq)} = Cl_{2(g)} + 2e^-}$$

Il se dégage donc du **dichlore**.

Que la transformation soit spontanée ou forcée (cas de l'électrolyse), c'est toujours un oxydant qui est réduit (gain d'électrons) et un réducteur qui est oxydé (perte d'électrons).

2. ÉTUDE D'UN ÉLECTROLYSEUR POUR PISCINE

❶ **1.** Complétons le tableau d'évolution du système chimique fourni, en observant dans l'équation précédente que l'oxydation de deux moles d'ions chlorure permettent de transférer deux moles d'électrons.

État du système	**Avancement**	$2\,H_2O_{(\ell)}$ +	$2\,Cl^-_{(aq)}$ =	$H_{2(g)}$ +	$Cl_{2(g)}$ +	$2\,HO^-_{(aq)}$	**Quantité (en mol) d'électrons échangés**
État initial	0	excès	$n(Cl^-)_i$	0	0	0	0
État en cours de transformation	x	excès	$n(Cl^-)_i - 2x$	x	x	$2x$	$2x$
État final	x_f	excès	$n(Cl^-)_i - 2x_f$	x_f	x_f	$2x_f$	$2x_f$

2. Le tableau nous montre donc que :

$$n(Cl_2)_f = n_1(Cl_2) = x_f \quad \text{alors que} \quad n(e^-) = 2x_f.$$

Nous pouvons donc écrire :

$$\boxed{n_1(Cl_2) = \frac{n(e^-)}{2}}$$

❷ L'équation de la réaction 2 montre que la quantité de matière d'ions hypochlorite formés est identique à la quantité de matière de dichlore consommé, soit :

$$\boxed{n(ClO^-) = n_2(Cl_2)}$$

❸ La transformation associée à l'équation de la réaction 2 étant supposée totale et rapide, toutes les molécules de dichlore produites par l'électrolyse seront transformées en ions hypochlorite ClO^- :

$$n_1(Cl_2) = n_2(Cl_2) = n(ClO^-)$$

Or, puisque nous avons montré que $n_1(Cl_2) = \frac{n(e^-)}{2}$, alors :

$$\boxed{n(ClO^-) = \frac{n(e^-)}{2}}$$

❹ La quantité de matière maximale d'ions hypochlorite qui peut être produite dépend de la quantité de matière d'électrons traversant le circuit et donc de la charge qui a circulé. En effet :

$$Q = I\Delta t = n(e^-)F$$

avec F la constante de Faraday telle que $F = N_A e$, soit :

$$n(e^-) = \frac{I\Delta t}{N_A e} \quad \text{et donc} \quad n(ClO^-) = \frac{I\Delta t}{2N_A e}.$$

Numériquement, avec $\Delta t = 1 \text{ h} = 3\ 600 \text{ s}$,
$N_A e = 1{,}0 \times 10^5 \text{ C} \cdot \text{mol}^{-1}$ et $I = 20 \text{ A}$, nous calculons :

Le produit $N_A e$ correspond à la constante de Faraday notée F.

$$n(ClO^-) = \frac{20 \times 3\ 600}{2 \times 1{,}0 \times 10^5} = \frac{10 \times 36 \times 10^2}{1{,}0 \times 10^5}$$

$$\boxed{n(ClO^-) = 36 \times 10^{-2} \text{ mol}}$$

3. RÉGULATION DU pH DE L'EAU DE PISCINE

❶ **1.** Le pH de la solution est tel que $pH > pK_{A3}$, c'est donc **l'ion hypochlorite** ClO^- qui prédomine en solution, c'est-à-dire la base du couple $HClO/ClO^-$.

2. L'expression de la constante d'acidité de ce couple s'écrit :

$$K_{A3} = \frac{[ClO^-]_{éq} \cdot [H_3O^+]_{éq}}{[HClO]_{éq}}$$

donc :

$$\frac{[ClO^-]_{éq}}{[HClO]_{éq}} = \frac{K_{A3}}{[H_3O^+]_{éq}}.$$

Or, $K_{A3} = 10^{-pK_{A3}}$ et $[H_3O^+]_{éq} = 10^{-pH}$, alors :

$$\frac{[ClO^-]_{éq}}{[HClO]_{éq}} = \frac{10^{-pK_{A3}}}{10^{-pH}} = 10^{pH - pK_{A3}}.$$

Numériquement, avec $pH = 8{,}5$ et $pK_{A3} = 7{,}5$, nous obtenons :

$$\boxed{\frac{[ClO^-]_{éq}}{[HClO]_{éq}} = 10^{8{,}5-7{,}5} = 1{,}0 \times 10^1 = 10}$$

Remarque : nous retrouvons bien le fait que ClO^- prédomine en solution devant HClO puisque $\frac{[ClO^-]_{éq}}{[HClO]_{éq}} > 1$.

❷ **1.** La constante d'équilibre K de la réaction 3 s'exprime par :

$$\boxed{K = \frac{[HClO]_{éq}}{[ClO^-]_{éq} \cdot [H_3O^+]_{éq}} = \frac{1}{K_{A3}}}$$

donc $K = \frac{1}{10^{-pK_{A3}}} = 10^{pK_{A3}}$.

Numériquement, avec $pK_{A3} = 7{,}5$, nous trouvons :

$$\boxed{K = 10^{7{,}5}}$$

CHIMIE

2. a) La concentration molaire effective initiale des ions oxonium est telle que :

$$[H_3O^+]_i = \frac{n(H_3O^+)_i}{V} = \frac{n_0 + n}{V}$$

où n_0 est la quantité de matière d'ions oxonium déjà présents dans la piscine de volume $V = 1{,}0 \times 10^5$ L lorsque le pH est à 8,5, et n la quantité de matière d'ions oxonium injectés avec l'acide chlorhydrique, soit :

- $n_0 = [H_3O^+]_0 V = 10^{-pH} V = 10^{-8{,}5} \times 1{,}0 \times 10^5 = 1{,}0 \times 10^{-3{,}5}$ mol ;
- $n = 0{,}10$ mol.

Numériquement nous calculons :

$$[H_3O^+]_i = \frac{0{,}10 + 1{,}0 \times 10^{-3{,}5}}{1{,}0 \times 10^5} \approx \frac{0{,}10}{1{,}0 \times 10^5}$$

$$\boxed{[H_3O^+]_i \approx 1{,}0 \times 10^{-6}\ \text{mol} \cdot \text{L}^{-1}}$$

b) Le quotient de réaction initial s'exprime par :

$$Q_{r,i} = \frac{[HClO]_i}{[ClO^-]_i \cdot [H_3O^+]_i}.$$

Numériquement, avec $\frac{[ClO^-]_i}{[HClO]_i} = 10$ établi au ❶ **2**, nous pouvons calculer :

$$Q_{r,i} = \frac{1}{10} \times \frac{1}{1{,}0 \times 10^{-6}}$$

$$\boxed{Q_{r,i} = 1{,}0 \times 10^5}$$

3. Le système chimique est donc dans une situation telle que $Q_{r,i} < K$. Il va donc évoluer dans le **sens direct** de l'écriture de l'équation de la réaction 3.

4. D'après l'expression de la constante d'acidité K_{A3} du couple $HClO/ClO^-$:

$$K_{A3} = \frac{[ClO^-]_{éq} \cdot [H_3O^+]_{éq}}{[HClO]_{éq}}$$

nous pouvons donner l'expression du pH de l'eau de la piscine où ce couple est présent :

$$[H_3O^+]_{éq} = K_{A3} \cdot \frac{[HClO]_{éq}}{[ClO^-]_{éq}}$$

$$-\log [H_3O^+]_{éq} = -\log K_{A3} - \log \frac{[HClO]_{éq}}{[ClO^-]_{éq}}$$

$$pH = pK_{A3} + \log \frac{[ClO^-]_{éq}}{[HClO]_{éq}} \quad \text{donc} \quad pK_{A3} = pH - \log \frac{[ClO^-]_{éq}}{[HClO]_{éq}} = \text{cte}$$

Quelles que soient les autres espèces chimiques présentes en solution aqueuse, le pH de cette solution peut toujours s'exprimer à l'aide de cette expression dès lors qu'elle contient les espèces du couple $HClO/ClO^-$.

Or, le sens d'évolution du système, suite à l'ajout d'acide chlorhydrique, conduit à une augmentation de la concentration de HClO et à une diminution de la concentration de ClO^- puisque la réaction 3 va évoluer dans le sens direct. Par conséquent, le rapport $\frac{[ClO^-]_{éq}}{[HClO]_{éq}}$ diminue, de même que $\log \frac{[ClO^-]_{éq}}{[HClO]_{éq}}$. Il s'ensuit que $-\log \frac{[ClO^-]_{éq}}{[HClO]_{éq}}$ va augmenter. Nous en déduisons alors que le pH de l'eau de la piscine va diminuer puisque pK_{A3} est une constante qui ne dépend que de la température.

THÈME **Piles et électrolyses**

Mission sur Mars

*Ce problème comporte trois parties, indépendantes les unes des autres. Les **parties 1 et 2** de cet exercice, traitant de la physique, ne sont pas abordés ici.*

Un des grands défis de ce siècle (ou du suivant...) sera d'envoyer une mission d'exploration humaine sur la planète Mars. Le but de cet exercice est d'étudier quelques-uns des nombreux problèmes à résoudre avant de pouvoir effectuer une telle mission.

3. PROBLÈME DE L'AIR

Il est inconcevable d'emmener les quantités d'air suffisantes pour la durée de l'exploration de la planète. L'atmosphère de Mars contient surtout du dioxyde de carbone (95,3 %) impropre à la respiration. Il est nécessaire de fabriquer le dioxygène sur place.
Une solution envisageable est l'électrolyse de l'eau extraite du sol.

❶ Principe de l'électrolyse de l'eau

La réaction a pour équation : $2\,H_2O_{(\ell)} = O_{2(g)} + 2\,H_{2(g)}$.

1. Les deux couples mis en jeu étant $O_{2(g)}/H_2O_{(\ell)}$ et $H_2O_{(\ell)}/H_{2(g)}$, compléter le schéma de principe de l'électrolyseur donné en **annexe** (à rendre avec la copie) en indiquant :
– le nom des électrodes ;
– la nature de la réaction (oxydation ou réduction) pour chaque électrode.

2. Rappeler, sans le justifier, si cette électrolyse est une réaction spontanée ou au contraire forcée.

❷ Étude quantitative de l'électrolyse

On souhaite produire par électrolyse, le dioxygène nécessaire à la respiration d'un spationaute.

Données

- Pour les gaz $V_m = 25\ \text{L} \cdot \text{mol}^{-1}$ à 25 °C sous 10^5 Pa.
- 1 faraday (F) = $96\ 500\ \text{C} \cdot \text{mol}^{-1}$.

1. Chaque minute, nos poumons envoient un volume $v = 0{,}30\ \text{L}$ de dioxygène vers les tissus (respiration normale). Calculer la quantité de matière n_{O_2} de dioxygène envoyée par les poumons pendant une heure (on suppose que la température est de 25 °C).

2. Cette quantité de dioxygène est produite grâce à l'électrolyse étudiée dans la première partie. Montrer, en s'aidant au besoin d'un tableau d'avancement d'une demi-réaction, que la quantité de matière d'électrons échangée vaut $n_{e^-} = 2{,}88\ \text{mol}$.

3. En déduire la quantité d'électricité Q mise en jeu.

4. Quelle est l'intensité I du courant nécessaire en supposant qu'elle est constante pendant toute l'heure de fonctionnement ?

5. Si la tension aux bornes du générateur U est de 5,00 V, calculer l'énergie électrique, notée E_{el}, consommée pendant une heure sachant que $E_{el} = UI\Delta t$ où Δt est la durée de fonctionnement.

Annexe

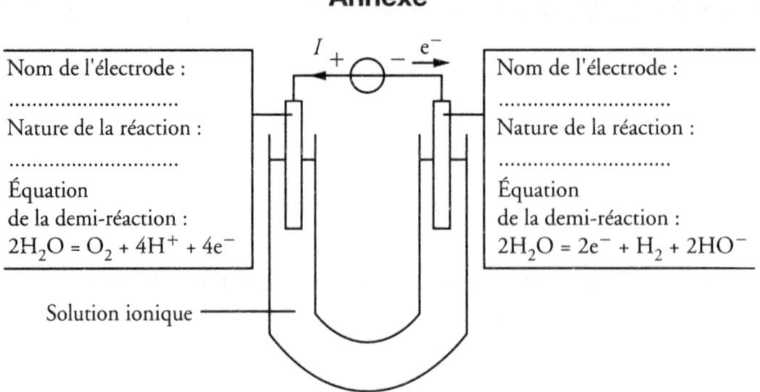

Schéma de principe de l'électrolyseur

LES CLÉS DU SUJET

■ Notions et compétences en jeu

– Étude quantitative d'une réaction d'électrolyse.

– Calculs d'une quantité d'électricité et de l'intensité d'un courant constant.

■ Conseils du correcteur

❷ **1.** Les poumons envoient un volume soixante fois plus important de dioxygène pendant une heure qu'en une minute.

2. Dressez le tableau d'évolution du système chimique au niveau de l'anode pour faire apparaître la quantité de matière d'électrons qui doit circuler dans le circuit.

CORRIGÉ SUJET 12

3. PROBLÈME DE L'AIR

❶ **1.** Schéma de principe de l'électrolyseur :

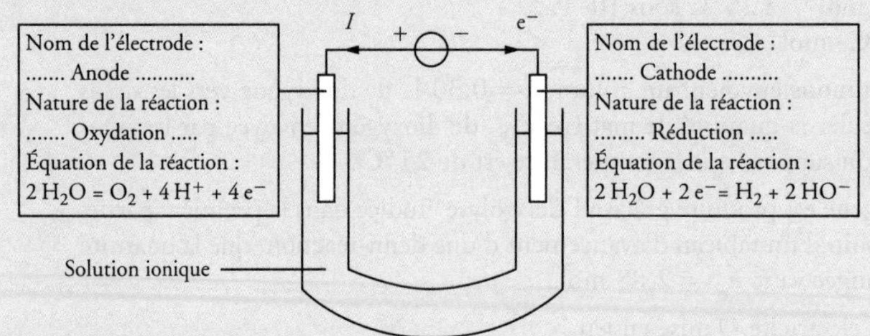

La cathode est toujours l'électrode où a lieu la réaction de réduction.

2. L'électrolyse est une **transformation forcée** du système chimique.

2 **1.** La quantité de matière n de dioxygène envoyée, chaque minute, par nos poumons vers les tissus s'exprime par :

$$n = \frac{v}{V_m}$$

Or, il en parvient soixante fois plus en une heure, soit : $n_{O_2} = 60 \times \frac{v}{V_m}$

donc avec $v = 0{,}30$ L et $V_m = 25\ \text{L} \cdot \text{mol}^{-1}$ à la température de l'expérience :

$$\boxed{n_{O_2} = 0{,}72\ \text{mol}}$$

2. Utilisons le tableau d'évolution du système chimique décrivant ce qu'il se passe à l'anode :

Le choix de l'anode est guidé par le fait que c'est à cette électrode qu'est produit le dioxygène.

Équation chimique		$2\,H_2O_{(\ell)}$ =	$O_{2(g)}$ +	$4\,H^+_{(aq)}$ +	$4e^-$
État du système	**Avancement**	**Quantités de matière (mol)**			
État initial	$x = 0$ mol	n_0	0	0	0
État intermédiaire	x	$n_0 - 2x$	x	$4x$	$4x$
État final	x_f	$n_0 - 2x_f$	x_f	$4x_f$	$4x_f$

La quantité de matière de dioxygène produite est telle que :

$$n(O_2)_f = n_{O_2} = x_f$$

alors que la quantité de matière d'électrons transférée s'exprime par :

$$n(e^-)_f = 4x_f \quad \text{soit} \quad n(e^-)_f = 4n_{O_2}.$$

Nous calculons alors : $\boxed{n(e^-)_f = 2{,}88\ \text{mol}}$

3. La quantité d'électricité mise en jeu a pour expression :

$$Q = n(e^-)_f F$$

soit numériquement, avec $F = 96\ 500\ \text{C} \cdot \text{mol}^{-1}$, nous obtenons :

$$\boxed{Q = 2{,}78 \times 10^5\ \text{C}}$$

4. Une telle quantité d'électricité est débitée par un courant d'intensité constante telle que :

$$I = \frac{Q}{\Delta t}$$

où $\Delta t = 1\ \text{h} = 3\ 600\ \text{s}$, donc : $\boxed{I = 77{,}2\ \text{A}}$

5. Nous pouvons calculer l'énergie électrique consommée pendant $\Delta t = 3\ 600$ secondes avec $U = 5{,}00$ V :

$$\boxed{E_{el} = 1{,}39 \times 10^6\ \text{J} = 1{,}39\ \text{MJ}}$$

CHIMIE

THÈME **Piles et électrolyses**

La galiote

L'usage de la calculatrice n'est pas autorisé.

Document

La galiote était un navire de guerre qui fit son apparition à la fin du XVIIe siècle, sous le règne de Louis XIV. Les galiotes possédaient de lourds canons, fixés au pont, projetant des boulets de 200 livres (environ 100 kg) portant jusqu'à 1 200 toises (environ 2 400 m).
Selon la description détaillée de Renau, Inspecteur général de la Marine, ces bâtiments sont destinés à emporter des canons en mer. Ils sont de moyenne grandeur et à fond plat. De par leur fabrication, l'angle de tir des canons est fixe et a pour valeur $\alpha = 45°$, ce qui permet de tirer à la plus grande distance possible.
La structure d'une galiote doit être très robuste **pour résister à la réaction considérable du boulet** et leur échantillon[1] est ordinairement aussi fort que celui d'un vaisseau de 50 canons.

D'après le site Internet de l'Institut de stratégie comparée.

1. Dimension et épaisseur des pièces utilisées pour la construction.

*Les **parties 1, 2** et **3** de cet exercice sont indépendantes.*
Certaines aides au calcul peuvent comporter des résultats ne correspondant pas au calcul à effectuer.
*Voir la partie Physique, sujet 12 pour les **parties 1** et **2** de cet exercice.*

3. RESTAURATION D'UN BOULET PAR ÉLECTROLYSE

Un boulet est retrouvé par un archéologue, qui le restaure par électrolyse en solution basique. Ce procédé a pour but, notamment :
– d'éliminer la gangue (substance qui forme une enveloppe autour d'une autre matière) qui entoure le boulet ;
– de débarrasser l'objet de tous les ions chlorure qui, au contact de l'humidité de l'air et du dioxygène amènent à la formation d'acide chlorhydrique conduisant à la destruction rapide du boulet. Ces ions chlorure sont également présents dans la gangue.
Le schéma de principe de l'électrolyse est le suivant :

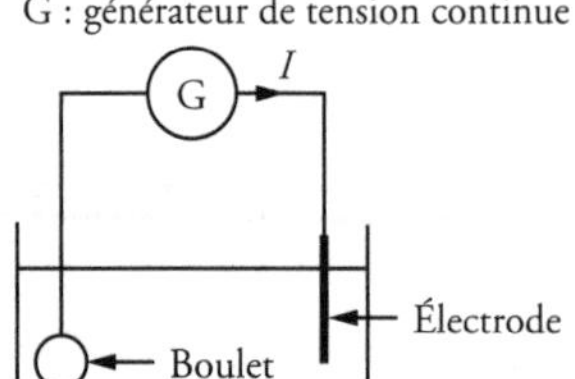

La lente destruction de la gangue libère dans l'électrolyte les ions chlorure qu'elle contenait. L'équation de la réaction modélisant l'électrolyse est :

$$2\,Cl^-_{(aq)} + 2\,H_2O_{(\ell)} = Cl_{2(g)} + H_{2(g)} + 2\,HO^-_{(aq)}$$

Les couples d'oxydoréduction mis en jeu sont : $Cl_{2(g)}/Cl^-_{(aq)}$ et $H_2O_{(\ell)}/H_{2(g)}$.

❶ La réaction se produisant à l'anode est-elle une oxydation ou une réduction ?

❷ Écrire l'équation de la réaction ayant lieu à l'anode. À quelle borne du générateur est reliée cette électrode ?

❸ À l'une des électrodes, on observe un dégagement de dihydrogène. L'équation de la réaction électrochimique associée est :

$$2\,H_2O_{(\ell)} + 2\,e^- = H_{2(g)} + 2\,HO^-_{(aq)} \qquad (1)$$

La pression exercée par le dihydrogène permet de décoller la gangue. L'élimination de la gangue se fait sous une intensité I constante et pendant une durée Δt qui dépendent, entre autres, de la nature de l'objet et de son état de corrosion.

Données

- Charge élémentaire : $e = 1{,}6 \times 10^{-19}$ C
- Intensité du courant : $I = 1{,}0$ A
- Constante d'Avogadro : $N_A = 6{,}0 \times 10^{23}$ mol^{-1}
- Durée de l'électrolyse : $\Delta t = 530$ heures

Aide au calcul

$5{,}3 \times 3{,}6 \approx 19$; $2 \times 1{,}6 \times 6 \approx 19$; $\dfrac{5{,}3}{3{,}6} = 1{,}5$; $\dfrac{2 \times 6}{1{,}6} = 7{,}5$.

On note Q la valeur absolue de la charge électrique totale ayant circulé dans le dispositif pendant la durée Δt de l'électrolyse.

1. Donner l'expression littérale du nombre N d'électrons transférés et celle de la quantité d'électrons $n(e^-)$ en fonction des grandeurs données.

2. Pour simplifier, on fait l'hypothèse que la réaction correspondant à l'équation **(1)** est la seule à se produire au niveau de l'électrode concernée.
En s'aidant éventuellement d'un tableau d'avancement, établir une relation entre la quantité $n(H_2)$ de dihydrogène dégagé et la quantité d'électrons $n(e^-)$ et en déduire que $n(H_2) = \dfrac{1}{2} \cdot \dfrac{I \cdot \Delta t}{e \cdot N_A}$.

3. Calculer la valeur de $n(H_2)$.

4. En déduire quel serait le volume de dihydrogène dégagé dans les conditions de l'expérience. On donne le volume molaire des gaz dans les conditions de l'expérience : $V_M = 24$ L · mol^{-1}.

LES CLÉS DU SUJET

■ Notions et compétences en jeu

– Électrolyse.
– Connaître le nom de l'électrode où a lieu l'oxydation et à quelle borne du générateur elle est reliée.
– Calculer la quantité de matière d'une espèce chimique produite par électrolyse connaissant la durée de celle-ci et l'intensité du courant ayant circulé pendant ce temps.

■ **Conseils du correcteur**

❶ Un moyen mnémotechnique pour associer l'électrode avec la réaction qui s'y déroule : Anode et Oxydation commencent par une voyelle, Cathode et Réduction commencent par une consonne.

❸ **2.** Dressez le tableau d'évolution du système chimique pour la réaction ayant lieu à la cathode, en partant d'un état initial hypothétique dans lequel la quantité de matière initiale d'électrons est celle qui aura circulé dans le dispositif à la fin de l'électrolyse. Dans l'état final du système tous les électrons auront alors été consommés.

CORRIGÉ SUJET 13

3. RESTAURATION DU BOULET PAR ÉLECTROLYSE

❶ Par définition, la réaction se produisant à l'anode est une **oxydation.**

❷ À l'anode il y a oxydation des ions chlorure en dichlore suivant l'équation de la réaction :

$$\boxed{2\,Cl^- = Cl_2 + 2\,e^-}$$

Des électrons sont donc libérés au niveau de l'anode et se dirigent vers le générateur dans lequel ils pénètrent par la borne positive. L'anode est donc reliée à la **borne positive** du générateur.

❸ **1.** La quantité d'électrons transférée N lors de l'électrolyse permet de quantifier la charge électrique Q ayant circulé dans le dispositif :

Ne confondez pas la quantité d'électrons qui n'a pas d'unité et la quantité de matière d'électrons qui s'exprime en moles.

$$Q = N \cdot e$$

or, $Q = I \cdot \Delta t$, donc :

$$N \cdot e = I \cdot \Delta t \quad \text{d'où} \quad \boxed{N = \frac{I \cdot \Delta t}{e}}$$

Par ailleurs, la quantité d'électrons transférée N correspond à une quantité de matière d'électrons $n(e^-)$ telle que :

$$n(e^-) = \frac{N}{N_A} \quad \text{donc} \quad \boxed{n(e^-) = \frac{I \cdot \Delta t}{N_A \cdot e}}$$

2. Dressons le tableau d'évolution du système chimique au niveau de la cathode où se déroule la réaction (1) :

Équation chimique		$2\,H_2O$ +	$2\,e^-$	= H_2 +	$2\,HO^-$
État du système	**Avancement**	**Quantités de matière (mol)**			
État initial	$x = 0$ mol	solvant	$n(e^-)$	0	excès
État intermédiaire	x	solvant	$n(e^-) - 2x$	x	excès
État final	x_f	solvant	$n(e^-) - 2x_f$	x_f	excès

La quantité de matière de dihydrogène finalement formée s'identifie à l'avancement final de la réaction :

$$n(H_2)_f = x_f$$

La quantité de matière d'électrons présente dans l'état initial fictif a alors été totalement consommée, d'où :

$$n(e^-)_f = n(e^-) - 2x_f = 0 \text{ mol} \quad \text{soit} \quad x_f = \frac{1}{2}\, n(e^-)$$

Nous supposons en effet que dans l'état initial se trouve déjà présente toute la quantité de matière d'électrons qui vont être transférés pendant la durée totale de l'électrolyse. C'est en cela que cet état initial est fictif et non réel.

Par égalisation des deux expressions de x_f nous obtenons :

$$n(H_2)_f = \frac{1}{2}\, n(e^-) \quad \text{soit} \quad \boxed{n(H_2)_f = \frac{1}{2} \times \frac{I \cdot \Delta t}{N_A \cdot e}}$$

3. Calculons la quantité de matière de dihydrogène formée :

$$n(H_2) = \frac{1{,}0 \times 530 \times 3\ 600}{2 \times 6{,}0 \times 10^{23} \times 1{,}6 \times 10^{-19}}$$

$$n(H_2) = \frac{5{,}3 \times 3{,}6 \times 10^5}{2 \times 6{,}0 \times 1{,}6 \times 10^4} \approx \frac{19 \times 10^1}{19}$$

$$\boxed{n(H_2) = 10 \text{ mol}}$$

4. Le volume de dihydrogène produit s'exprime par :

$$V(H_2) = n(H_2) \cdot V_M = 10 \times 24 \quad \text{donc} \quad \boxed{V(H_2) = 2{,}4 \times 10^2 \text{ L}}$$

CHIMIE

SUJET 14 — POLYNÉSIE FRANÇAISE • SEPTEMBRE 2006

ENSEIGNEMENT OBLIGATOIRE

6,5 POINTS

THÈME **Synthèses organiques**

Un biocarburant : le Diester

Document

« **Diester** est la **contraction** des mots **Diesel** et **ester**. Il est produit à partir de l'huile de colza, résultant de la trituration des graines de ce végétal. L'huile [...] subit une transestérification par action du méthanol ; cette transformation peut être schématisée de la façon suivante : le trilinoléate de glycéryle de l'huile réagit avec le méthanol, il se forme du Diester et du glycérol.

Les caractéristiques du Diester (qui est en fait un monoester méthylique) sont très proches de celles du gazole, de sorte qu'il peut être utilisé dans les voitures de tourisme mélangé au gazole à hauteur de 5 % et jusqu'à 50 % dans des moteurs plus puissants.

L'ester d'huile de colza (ou Diester) est plus respectueux de l'environnement que le gazole seul, puisqu'il émet sensiblement moins de fumée et ne contient pratiquement pas de soufre.

Le dioxyde de carbone rejeté lors de la combustion des biocarburants correspond à la quantité absorbée lors de la croissance des végétaux. Il n'augmente donc pas l'effet de serre. De plus, la présence d'oxygène dans les molécules de biocarburant améliore leur combustion et diminue le nombre des particules dues aux hydrocarbures imbrûlés, ainsi que le monoxyde de carbone.
Cependant, une utilisation irraisonnée d'engrais entraînant une pollution des sols et des eaux peut contrebalancer le bilan écologique positif lié à la combustion des biocarburants. Mais le principal obstacle à sa généralisation est son coût qui ne peut le rendre compétitif sans subvention. »

D'après *Chimie TS*, Nathan, collection « Tomasino », document p. 257
et site www.hespul.org/biocarburant.html.

Données

	Méthanol	Trilinoléate de glycéryle (huile de colza)	Diester
Formule brute	CH_4O	$C_{57}H_{98}O_6$	$C_{19}H_{34}O_2$
Formule semi-développée	CH_3-OH	$H_2C-O-C(=O)-C_{17}H_{31}$ $HC-O-C(=O)-C_{17}H_{31}$ $H_2C-O-C(=O)-C_{17}H_{31}$	$C_{17}H_{31}-C(=O)-O-CH_3$
Masse volumique à 25 °C en $g \cdot cm^{-3}$	0,79	0,82	0,89
Masse molaire en $g \cdot mol^{-1}$	32	878	294

1. LE DIESTER, UN ESTER UTILISÉ COMME CARBURANT

On admettra que l'huile de colza est constituée uniquement de trilinoléate de glycéryle, ce dernier étant le triester du glycérol et de l'acide linoléique.
La transformation industrielle du trilinoléate de glycéryle en Diester est réalisée en le faisant réagir, à chaud et en présence d'ions hydroxyde (qui catalysent la réaction), avec du méthanol. On peut modéliser cette transformation **totale** par l'équation de réaction :

$$\underset{\text{trilinoléate de glycéryle}}{C_{57}H_{98}O_6} + \underset{\text{méthanol}}{3\,CH_3OH} = \underset{\text{glycérol}}{C_3H_8O_3} + \underset{\text{Diester}}{3\,C_{19}H_{34}O_2}$$

❶ Entourer et nommer sur l'**annexe** (à rendre avec la copie) les fonctions caractéristiques de la molécule de trilinoléate de glycéryle.

❷ On veut synthétiser le Diester à partir d'un litre d'huile de colza en respectant les proportions stœchiométriques indiquées par l'équation.

1. Déterminer la quantité de matière de trilinoléate de glycéryle contenue dans un litre d'huile de colza.

2. Compléter le tableau descriptif de l'avancement de la transformation sur l'**annexe**.

3. En déduire :
– la quantité de matière puis le volume de méthanol à utiliser ;
– la masse de Diester obtenue.

2. ÉTUDE D'UN GAZOLE

❶ Chromatographie du gazole

Pour vérifier la présence de Diester introduit dans un gazole, on réalise une chromatographie sur couche mince en utilisant un éluant approprié. Après révélation, on obtient le chromatogramme suivant :

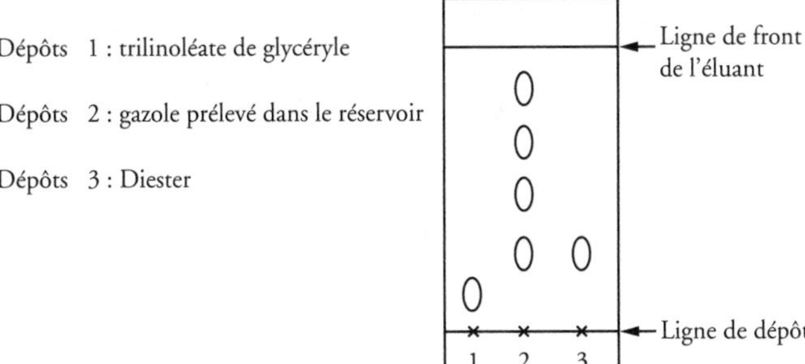

Quelles conclusions peut-on tirer de ce chromatogramme ?

❷ Détermination de la teneur en Diester du gazole

Pour déterminer la teneur en biocarburant du gazole, on réalise dans un premier temps la saponification du Diester.
On prélève une masse $m = 1{,}00$ g de gazole que l'on introduit dans un ballon. On ajoute alors un volume $v = 20{,}0$ mL d'éthanol et un volume $v_b = 25{,}0$ mL de solution d'hydroxyde de potassium $(K^+ + HO^-)$ de concentration molaire $c_b = 1{,}00 \times 10^{-1}$ mol · L^{-1}. Dans ces proportions, l'hydroxyde de potassium est en excès. On adapte sur le ballon un réfrigérant et on porte le mélange à ébullition douce sous agitation et sous la hotte pendant une heure.
Remarque 1 : l'éthanol sert à homogénéiser le mélange, favorisant ainsi les contacts entre les réactifs.
Remarque 2 : on admettra que les transformations se produisant en présence d'éthanol gardent les mêmes propriétés qu'en solution aqueuse.

1. Donner l'équation de la réaction de saponification se produisant entre le Diester et les ions hydroxyde.

2. Quelles sont les caractéristiques de cette transformation ?

3. Calculer la quantité initiale, notée $n(HO^-)_i$, en ions hydroxyde introduite.

Dans un deuxième temps, on dose les ions hydroxyde présents dans le ballon à la fin du chauffage par de l'acide chlorhydrique $(H_3O^+ + Cl^-)$ de concentration en soluté apporté $c_a = 1{,}00 \times 10^{-1}$ mol · L^{-1}. L'indicateur coloré utilisé est de la phénolphtaléine et on observe son changement de couleur pour un volume d'acide versé $v_{aE} = 14{,}8$ mL.

4. Donner l'équation de la réaction support du titrage.

5. Définir l'équivalence d'un titrage.

6. Déterminer alors la quantité de matière, notée $n(HO^-)_r$, d'ions hydroxyde restants dans le ballon à la fin du chauffage et dosée par l'acide chlorhydrique. (On pourra ou non s'aider d'un tableau d'avancement).

7. La quantité notée $n(\mathrm{HO^-})_c$, en ions hydroxyde consommés par la réaction de saponification est donnée par la relation :
$n(\mathrm{HO^-})_c = n(\mathrm{HO^-})_i - n(\mathrm{HO^-})_r$.
Calculer $n(\mathrm{HO^-})_c$.

8. En raisonnant à partir de l'équation proposée à la question **1.**, déterminer alors la quantité de matière de Diester présente dans le prélèvement de gazole.

9. En déduire :
– la masse de Diester contenue dans le prélèvement ;
– la teneur (ou pourcentage massique) en Diester de ce gazole.

3 Citer les avantages et les inconvénients de ce biocarburant.

Annexe

$$\begin{array}{l} \mathrm{H_2C-O-\overset{\overset{\displaystyle O}{\|}}{C}-C_{17}H_{31}} \\ \quad| \\ \mathrm{HC-O-\overset{\overset{\displaystyle O}{\|}}{C}-C_{17}H_{31}} \\ \quad| \\ \mathrm{H_2C-O-\overset{\overset{\displaystyle O}{\|}}{C}-C_{17}H_{31}} \end{array}$$

Équation		$C_{57}H_{98}O_6$ +	$3\,CH_3OH$ =	$C_3H_8O_3$ +	$3\,C_{19}H_{34}O_2$
État du système	**Avancement**	**Quantités de matière en moles**			
État initial	$x = 0$				
État intermédiaire	x				
État final	x_{max}				

LES CLÉS DU SUJET

Notions et compétences en jeu

- Hydrolyse basique des esters.
- Titrage acido-basique.

Conseils du correcteur

Partie 1

2 **2.** Puisque le mélange initial est stœchiométrique alors $n(\mathrm{CH_3OH})_i = 3 \times n_h$.

Partie 2

2 **8.** L'équation du **1.** montre que la saponification d'une mole de Diester nécessite une mole d'ions hydroxyde.

1. LE DIESTER, UN ESTER UTILISÉ COMME CARBURANT

❶ La molécule de trilinoléate de glycéryle possède trois fonctions ester entourées ci-après :

$$\begin{array}{l} H_2C-O-\overset{\displaystyle O}{\overset{\|}{C}}-C_{17}H_{31} \\ \;|\\ HC-O-\overset{\displaystyle O}{\overset{\|}{C}}-C_{17}H_{31} \\ \;| \\ H_2C-O-\overset{\displaystyle O}{\overset{\|}{C}}-C_{17}H_{31} \end{array}$$

❷ **1.** Calculons la quantité de matière de trilinoléate de glycéryle contenue dans un volume V_h d'huile de colza :

$$n_h = \frac{m_h}{M_h} = \frac{\rho_h V_h}{M_h}$$

Numériquement, avec $\rho_h = 0{,}82\ g \cdot cm^{-3}$, $V_h = 1{,}0 \times 10^3\ cm^3$ et $M_h = 878\ g \cdot mol^{-1}$, nous calculons :

$$\boxed{n_h = 0{,}93\ mol}$$

Assurez-vous que toutes les unités non SI des grandeurs sont en accord entre elles avant de faire l'application numérique, ou revenez systématiquement aux unités SI dans le doute.

2. Complétons le tableau d'évolution du système chimique sachant que le mélange initial doit respecter les proportions stœchiométriques, soit :

$$n(CH_3OH)_i = 3 \times n_h$$

donc

Équation chimique		$C_{57}H_{98}O_6$ +	$3CH_3OH$ =	$C_3H_8O_3$	$+ 3C_{19}H_{34}O_2$
État du système	**Avancement**	**Quantités de matière en moles**			
État initial	$x = 0$	n_h	$3n_h$	0	0
État intermédiaire (mol)	x	$n_h - x$	$3n_h - 3x$	x	$3x$
État final (mol)	x_{max}	$n_h - x_{max}$	$3n_h - 3x_{max}$	x_{max}	$3x_{max}$

3. La quantité de matière initiale de méthanol à utiliser vaut donc :

$$n(CH_3OH)_i = 3n_h$$

$$\boxed{n(CH_3OH)_i = 2{,}8\ mol}$$

Nous attendons alors la formation d'une quantité de matière de Diester telle que :

$$n(C_{19}H_{34}O_2)_f = 3x_{max}$$

or, puisque le mélange initial est stœchiométrique, alors :

$$n(C_{57}H_{98}O_6)_f = 0\ mol = n_h - x_{max} \text{ soit } x_{max} = n_h$$

donc :

$$n(C_{19}H_{34}O_2)_f = 3n_h$$

CHIMIE

et : $$m(C_{19}H_{34}O_2)_f = n(C_{19}H_{34}O_2)_f \cdot M(C_{19}H_{34}O_2)$$
$$= 3n_h \cdot M(C_{19}H_{34}O_2)$$

ce qui conduit, avec $M(C_{19}H_{34}O_2) = 294 \text{ g} \cdot \text{mol}^{-1}$, à :

$$\boxed{m(C_{19}H_{34}O_2)_f = 8{,}2 \times 10^2 \text{ g}}$$

2. ÉTUDE D'UN GAZOLE

❶ Le chromatogramme montre que le gazole est composé d'au moins quatre constituants différents dont aucun ne présente le même rapport frontal (R_f) que le trilinoléate de glycéryle mais dont l'un présente le même R_f que le Diester. Nous en déduisons que le gazole étudié contient bien du Diester.

❷ **1.** L'équation de la réaction de saponification s'écrit :

$$C_{17}H_{31}-\underset{\underset{\displaystyle O}{\|}}{C}-O-CH_3 + HO^- = C_{17}H_{31}-\underset{\underset{\displaystyle O}{\|}}{C}-O^- + CH_3OH$$

Utilisez absolument les formules partiellement semi-développées des espèces chimiques.

2. À chaud, cette transformation est **rapide** et **totale**.

3. La quantité de matière d'ions hydroxyde introduite s'exprime par :

$$n(HO^-)_i = c_b v_b$$

Numériquement, avec

$$c_b = 1{,}00 \times 10^{-1} \text{ mol} \cdot \text{L}^{-1} \quad \text{et} \quad v_b = 25{,}0 \times 10^{-3} \text{ L},$$

nous calculons :

$$\boxed{n(HO^-)_i = 2{,}50 \times 10^{-3} \text{ mol} = 2{,}50 \text{ mmol}}$$

4. L'équation de la réaction de titrage s'écrit :

$$\boxed{H_3O^+ + HO^-_{(aq)} = 2\,H_2O_{(\ell)}}$$

5. L'équivalence d'un titrage correspond à l'état du système à partir duquel il y a changement de réactif limitant. Cela correspond à l'état du système après que les réactifs aient été introduits dans les proportions stœchiométriques définies par les nombres stœchiométriques de l'équation de la réaction. Dans cet état, les réactifs sont totalement consommés.

6. À l'équivalence du titrage tous les ions oxonium introduits ont permis de consommer les ions hydroxyde restant à l'issue du chauffage, donc :

$$n(OH^-)_r = n(H_3O^+)_{\text{introduits}} = c_a v_{aE}$$

Numériquement, avec :

$$c_a = 1{,}00 \times 10^{-1} \text{ mol} \cdot \text{L}^{-1} \quad \text{et} \quad v_{aE} = 14{,}8 \times 10^{-3} \text{ L},$$

nous obtenons :

$$\boxed{n(OH^-)_r = 1{,}48 \times 10^{-3} \text{ mol} = 1{,}48 \text{ mmol}}$$

7. En utilisant les résultats précédents nous calculons :

$$\boxed{n(HO^-)_c = 1{,}02 \times 10^{-3} \text{ mol} = 1{,}02 \text{ mmol}}$$

8. L'équation de la réaction écrite au **1.** montre que la quantité de matière d'ions hydroxyde consommée est identique à celle de Diester qui était initialement présente dans le prélèvement de gazole et qui a ensuite réagi avec les ions hydroxyde :

$$n(C_{19}H_{34}O_2)_i = n(HO^-)_c = 1{,}02 \times 10^{-3}\ \text{mol}$$

9. La masse de Diester contenue dans le prélèvement s'exprime :

$$m(C_{19}H_{34}O_2)_i = n(C_{19}H_{34}O_2)_i \cdot M(C_{19}H_{34}O_2)$$

soit avec $M(C_{19}H_{34}O_2) = 294\ \text{g} \cdot \text{mol}^{-1}$, nous obtenons :

$$m(C_{19}H_{34}O_2) = 0{,}300\ \text{g}$$

La teneur, notée p, en Diester de ce gazole est alors telle que :

$$p(C_{19}H_{34}O_2) = \frac{m(C_{19}H_{34}O_2)_i}{m}$$

Soit avec $m = 1{,}00\ \text{g}$, nous calculons :

$$p = 0{,}300 \text{ soit } 30{,}0\ \%$$

❸ La lecture du texte introductif nous enseigne que ce biocarburant présente les avantages :
- d'être plus respectueux de l'environnement en émettant moins de fumée et en ne rejetant pratiquement pas de soufre ;
- de ne pas contribuer à l'augmentation de l'effet de serre ;
- d'améliorer la combustion du carburant.

Cependant, sa production :
- est d'un coût trop élevé pour le rendre compétitif ;
- peut conduire à une utilisation irraisonnée d'engrais entraînant une pollution des sols et des eaux.

Ayez l'esprit critique en contrôlant la pertinence de votre résultat, compte tenu des informations contenues dans le texte introductif du sujet.

SUJET 15 FRANCE MÉTROPOLITAINE • JUIN 2007

ENSEIGNEMENT OBLIGATOIRE

4 POINTS

THÈME **Synthèses organiques**

Synthèse d'un ester

L'usage de la calculatrice n'est pas autorisé.

Document

L'huile essentielle de gaulthérie autrement appelée « essence de wintergreen » est issue d'un arbuste d'Amérique septentrionale : le palommier, également appelé « thé du Canada », « thé rouge », « thé de Terre Neuve ». Cette substance est un anti-inflammatoire remarquable. Elle est aussi utilisée en parfumerie et comme arôme dans l'alimentation. Autrefois, elle était obtenue par distillation complète de la plante.

Cette huile est constituée principalement de salicylate de méthyle. Il est possible de synthétiser cet ester au laboratoire, à partir de l'acide salicylique et du méthanol selon la réaction d'équation :

$$C_7H_6O_{3(s)} + CH_4O_{(\ell)} = C_8H_8O_{3(\ell)} + H_2O_{(\ell)}.$$

Cet exercice comporte 13 affirmations concernant un mode opératoire de cette synthèse.
L'aide au calcul peut comporter des résultats ne correspondant pas au calcul à effectuer.
Toute réponse doit être accompagnée de justifications ou de commentaires. À chaque affirmation, répondre par vrai ou faux, en justifiant le choix à l'aide de définitions, de schémas, de calculs, d'équations de réactions ...
Si l'affirmation est fausse, donner la réponse juste.

Données

Nom	Formule	Masse molaire en $g \cdot mol^{-1}$	Masse volumique en $g \cdot mL^{-1}$	Température d'ébullition en °C (pression 1 bar)
Acide salicylique	$C_7H_6O_3$	$M_1 = 138$		$\theta_1 = 211$
Méthanol	CH_4O	$M_2 = 32$	$\rho_2 = 0{,}8$	$\theta_2 = 65$
Salicylate de méthyle	$C_8H_8O_3$	$M_3 = 152$	$\rho_3 = 1{,}17$	$\theta_3 = 223$
Cyclohexane	C_6H_{12}	$M_4 = 84$	$\rho_4 = 0{,}78$	$\theta_4 = 81$

- Formule de l'ion hydrogénocarbonate : HCO_3^-.
- Masse volumique de l'eau : $1{,}0\ g \cdot mL^{-1}$.
- Couples acide/base : $HCO^-_{3(aq)}/CO^{2-}_{3(aq)}$;

$CO_2, H_2O/HCO^-_{3(aq)}$; le dioxyde de carbone est un gaz peu soluble dans l'eau.

Aide au calcul

$\frac{1{,}38}{2{,}76} = 0{,}500$; $\frac{2{,}76}{1{,}38} = 2{,}20$; $\frac{2{,}1}{7{,}6} = 0{,}28$; $\frac{2{,}1}{3{,}04} = 0{,}69$; $\frac{1{,}52}{2{,}1} = 0{,}72$; $\frac{1{,}52}{2{,}1} = 0{,}72$.

Dans un ballon, on introduit une masse $m_1 = 27{,}6\ g$ d'acide salicylique, un volume V_2 d'environ 20 mL de méthanol et 1 mL d'acide sulfurique concentré. Puis on chauffe à reflux. Sur le flacon de méthanol, on peut voir les pictogrammes suivants :

***R : 11** - Facilement inflammable.*
***R : 23/25** - Toxique par inhalation et par ingestion.*
***S : 7** - Conserver le récipient bien fermé.*
***S : 16** - Conserver à l'écart de toute flamme ou source d'étincelles - Ne pas fumer.*

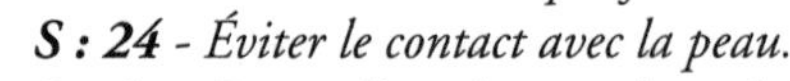

***S : 24** - Éviter le contact avec la peau.*
***S : 45** - En cas d'accident ou de malaise, consulter immédiatement un médecin.*

Affirmation 1 : on doit manipuler le méthanol sous la hotte.
Affirmation 2 : le schéma d'un chauffage à reflux est le suivant :

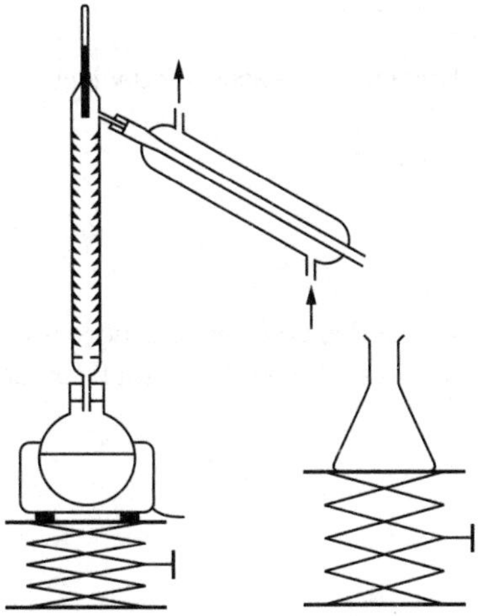

Affirmation 3 : pour prélever le méthanol, il faut absolument utiliser une pipette jaugée munie d'une poire à pipeter (ou propipette).
Affirmation 4 : la quantité n_1 d'acide salicylique introduit vaut $n_1 = 2{,}00 \times 10^{-1}$ mol.
Affirmation 5 : la quantité n_2 de méthanol introduit vaut environ $n_2 = 5$ mol.
Affirmation 6 : l'équation associée à la réaction de synthèse du salicylate de méthyle s'écrit :

$$C_6H_4(CO_2H)(OH) + HO{-}CH_3 = C_6H_4(CO_2H)(O{-}CH_3) + H_2O$$

Acide salicylique

Affirmation 7 : le réactif introduit en excès est le méthanol.

Après plusieurs heures de chauffage, on refroidit à température ambiante. On ajoute 100 mL d'eau glacée et on verse dans une ampoule à décanter. On extrait la phase organique avec du cyclohexane. Cette phase a une masse volumique proche de celle du cyclohexane.
Affirmation 8 : la phase organique se situe dans la partie inférieure de l'ampoule à décanter.

La phase organique contient l'ester, du méthanol, du cyclohexane et des acides. On lave ensuite plusieurs fois cette phase avec une solution aqueuse d'hydrogénocarbonate de sodium afin d'éliminer les acides restant dans la solution. Il se produit un dégagement gazeux.
Affirmation 9 : le gaz est du dioxyde de carbone.

On effectue à nouveau un lavage à l'eau et on sèche. On sépare les constituants de la phase organique par distillation.
Affirmation 10 : lors de la distillation, le salicylate de méthyle est recueilli en premier.

Après purification, on récupère une masse $m_3 = 21$ g de salicylate de méthyle.
Affirmation 11 : le rendement de cette synthèse est de 50 %.
Affirmation 12 : l'ajout d'acide sulfurique a permis d'augmenter le rendement de la synthèse.
Affirmation 13 : l'excès d'un des réactifs a permis d'augmenter le rendement de la synthèse.

LES CLÉS DU SUJET

Notions et compétences en jeu

- Réaction d'estérification.
- Calculs de quantités de matière, réactifs limitant et en excès, rendement.
- Analyse d'un protocole expérimental.
- Contrôle de l'évolution d'un système chimique.

Conseils du correcteur

2. Identifiez le matériel qui surmonte le ballon.

3. La pipette jaugée ne doit être utilisée que pour des prélèvements nécessitant de la précision.

8. Utilisez les données de masse volumique qui se trouvent dans le tableau de l'énoncé.

CORRIGÉ SUJET 15

Affirmation 1 : VRAI. Sur l'étiquette du flacon de méthanol nous pouvons lire les phrases de risque 23 et 25 indiquant que celui-ci est « ***toxique par inhalation et par ingestion*** », ce qui impose de le manipuler sous une hotte bien ventilée afin d'**éviter de respirer ses vapeurs.**

Affirmation 2 : FAUX. Il s'agit d'un montage de **distillation fractionnée** qui utilise une colonne de Vigreux. Dans un montage de chauffage à reflux nous utilisons **un réfrigérant**, généralement à boules, comme sur le schéma ci-contre.

Vous devez acquérir ces connaissances au cours des séances de travaux pratiques.

Affirmation 3 : FAUX. La pipette jaugée est à utiliser lorsque nous souhaitons prélever un volume précis de liquide. Ici, le protocole indique d'introduire **environ** 20 mL de méthanol, moyennant quoi **une éprouvette graduée** suffit amplement.

Affirmation 4 : VRAI. Calculons la quantité de matière initiale n_1 d'acide salicylique :

$$n_1 = \frac{m_1}{M_1} = \frac{27,6}{138} = \frac{276 \times 10^{-1}}{138}$$

$$\boxed{n_1 = 2,00 \times 10^{-1}\ \text{mol}}$$

Affirmation 5 : FAUX. Calculons la quantité de matière initiale n_2 de méthanol :

$$n_2 = \frac{m_2}{M_2} = \frac{\rho_2 V_2}{M_2} = \frac{20 \times 0,8}{32} = \frac{20 \times 8 \times 10^{-1}}{8 \times 4}$$

$$\boxed{n_2 = 5 \times 10^{-1}\ \text{mol}}$$

Affirmation 6 : FAUX. Lors d'une réaction d'estérification, un alcool, présentant le groupe hydroxyle —OH, réagit avec un acide carboxylique, présentant le

Le groupe d'atomes

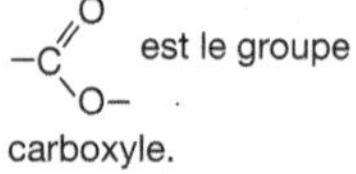

est le groupe carboxyle.

groupe d'atomes —COOH. La réaction de synthèse du salicylate de méthyle s'écrit donc :

$$\text{C}_6\text{H}_4(\text{OH})\text{COOH} + \text{HO—CH}_3 = \text{C}_6\text{H}_4(\text{OH})\text{C(=O)—O—CH}_3 + \text{H}_2\text{O}$$

Affirmation 7 : VRAI. Compte tenu de la stœchiométrie de la réaction où une mole d'acide salicylique réagit avec une mole de méthanol, nous pouvons affirmer que dans les conditions expérimentales décrites, le méthanol est introduit en excès puisque :

$$n_2 > n_1$$

Affirmation 8 : FAUX. La phase organique ayant une masse volumique proche de celle du cyclohexane, c'est-à-dire proche de $0{,}78\ \text{g} \cdot \text{mL}^{-1}$, nous en déduisons qu'elle est plus faible que celle de la phase aqueuse, voisine de $1{,}0\ \text{g} \cdot \text{mL}^{-1}$. En conséquence la phase organique se trouve **au-dessus** de la phase aqueuse dans l'ampoule à décanter.

Lorsque deux liquides sont miscibles, c'est le plus dense qui se trouve au fond du récipient qui les contient, après décantation.

Affirmation 9 : VRAI. L'ion hydrogénocarbonate est une base qui peut réagir avec les acides présents en solution pour donner, entre autres, son acide conjugué CO_2, H_2O. La faible solubilité du dioxyde de carbone dans l'eau justifie l'observation d'un dégagement gazeux.

Affirmation 10 : FAUX. Lors d'une distillation, c'est **le composé le plus volatil qui est recueilli en premier**, c'est-à-dire celui dont la température d'ébullition est la plus faible, ici le méthanol dans la phase organique. Le salicylate de méthyle est celui dont la température d'ébullition est la plus élevée.

Affirmation 11 : FAUX. Le rendement r de la synthèse du salicylate de méthyle est défini par le rapport :

$$r = \frac{m_3}{m_{3\,\text{max}}} = \frac{m_3}{n_1 \cdot M_3} = \frac{21}{2{,}00 \times 10^{-1} \times 152} = \frac{21}{304 \times 10^{-1}}$$

$$r = \frac{2{,}1 \times 10^1}{3{,}04 \times 10^1}$$

$$\boxed{r = 0{,}69} \quad \text{soit 69 \% de rendement}$$

Le rendement peut aussi être défini par le rapport des quantités de matière : $r = \dfrac{n_3}{n_{3\,\text{max}}}$.

Affirmation 12 : FAUX. L'acide sulfurique joue le rôle de **catalyseur**. Sa présence ne permet que d'**augmenter la vitesse de la réaction** mais il ne permet pas de déplacer l'équilibre, et donc de modifier le rendement.

Affirmation 13 : VRAI. L'excès d'un des réactifs permet de déplacer l'équilibre chimique dans le sens de la consommation de celui-ci. Ceci nous permettra d'obtenir plus du produit souhaité et ainsi d'augmenter le rendement de la synthèse.

Hémisynthèse de l'aspirine, contrôle de la pureté du produit formé

L'usage de la calculatrice n'est pas autorisé.

Données

	Acide salicylique	Acide acétylsalicylique (aspirine)	Anhydride éthanoïque ou acétique
Formule	$C_6H_4(OH)(COOH)$	$C_6H_4(O{-}CO{-}CH_3)(COOH)$	$(CH_3{-}CO)_2O$
Masse molaire moléculaire (en g · mol^{-1})	138	180	102
Masse volumique (en g · mL^{-1})			1,08
Solubilité dans l'eau	peu soluble	peu soluble	
Solubilité dans l'éthanol	très soluble	soluble	

Réactivité de l'anhydride acétique avec l'eau : l'anhydride acétique réagit totalement et vivement avec l'eau en donnant de l'acide acétique.

1. LA MOLÉCULE D'ASPIRINE

Recopier la formule de la molécule d'aspirine ou acide acétylsalicylique ; entourer et nommer les groupes fonctionnels (ou caractéristiques) oxygénés présents dans cette molécule.

2. ÉTUDE DE LA PRÉPARATION

Lors d'une séance de travaux pratiques, on envisage de préparer de l'aspirine. Différents réactifs sont proposés aux élèves : acide acétique (ou éthanoïque), anhydride éthanoïque, acide salicylique. Un débat s'engage sur le choix à effectuer. Un groupe propose de faire réagir l'acide salicylique avec l'acide acétique.

❶ Écrire l'équation de la réaction modélisant la transformation proposée, en utilisant les formules semi-développées.

❷ L'avancement maximal peut-il être atteint ? Pourquoi ?

❸ Donner un moyen d'augmenter l'avancement final en conservant les mêmes réactifs.

❹ Après discussion, les élèves décident d'utiliser l'anhydride éthanoïque à la place de l'acide acétique. Écrire l'équation de la réaction modélisant cette transformation, en utilisant les formules semi-développées.

❺ Ils se réfèrent maintenant au protocole suivant.

> **Hémisynthèse de l'aspirine réalisée sous la hotte**
> • Dans un ballon bien sec de 250 mL, introduire 13,8 g d'acide salicylique, environ 25 mL d'anhydride éthanoïque (alors en excès).
> • Ajouter 10 gouttes d'acide sulfurique concentré.
> • Adapter au ballon un réfrigérant à boules et chauffer à reflux au bain-marie pendant 15 minutes en agitant par intermittence.
>
> **Cristallisation du produit obtenu**
> • Arrêter le chauffage, sortir le ballon du bain-marie et verser, sans attendre le refroidissement, de façon progressive environ 30 mL d'eau distillée par le haut du réfrigérant. Prendre garde aux vapeurs chaudes et acides.
> • Quand l'ébullition est calmée, ôter le réfrigérant après avoir arrêté la circulation d'eau et agiter jusqu'à l'apparition des premiers cristaux.
> • Ajouter 50 mL d'eau glacée et placer le ballon dans un bain d'eau glacée pendant 5 minutes.
> • Filtrer sur büchner le contenu du ballon en tirant sous vide avec la trompe à eau ; rincer le ballon à l'eau distillée froide, verser dans le filtre.
> • Laver les cristaux à l'eau distillée froide, essorer et les récupérer dans un erlenmeyer.

1. Pourquoi utiliser un ballon bien sec ?

2. Quel est le rôle de l'acide sulfurique ?

3. Pourquoi chauffer ?

4. Quel est l'intérêt d'un chauffage à reflux ?

5. Quel est le rôle des 30 mL d'eau distillée, ajoutés par le haut du réfrigérant, après le chauffage ?

6. Faire un schéma annoté de la filtration sous vide.

3. ÉTUDE QUANTITATIVE DE LA RÉACTION

Un groupe d'élèves a pesé 12,0 g de cristaux après séchage.
Définir, puis calculer le rendement de la synthèse effectuée par ce groupe d'élèves.

4. CONTRÔLE DE LA PURETÉ

On introduit la totalité des cristaux dans une fiole de 100,0 mL. On ajoute un peu d'éthanol afin de dissoudre l'aspirine et on complète au trait de jauge avec de l'eau distillée. On prélève

$V_A = 10{,}0$ mL de cette solution que l'on titre avec une solution d'hydroxyde de sodium de concentration molaire apportée $c_B = 5{,}0 \times 10^{-1}$ mol · L^{-1}.
À l'équivalence, le volume de solution d'hydroxyde de sodium versé est $V_{BE} = 10{,}0$ mL.

❶ En notant HA l'aspirine, écrire l'équation de la réaction de titrage.

❷ En déduire la quantité de matière d'aspirine pure présente dans l'échantillon titré, puis celle présente dans les cristaux.

❸ L'aspirine préparée est-elle pure ?

LES CLÉS DU SUJET

■ Notions et compétences en jeu

- Formation d'un ester à partir d'un alcool et d'un anhydride d'acide.
- Contrôle de l'état final d'un système.
- Intérêt d'un montage de chauffage à reflux.
- Rendement.
- Titrage acido-basique.

■ Conseils du correcteur

Partie 2

❸ Pour augmenter l'avancement final de la réaction il faut déplacer l'équilibre vers la droite.
❺ **1.** Les anhydrides d'acide sont des molécules qui réagissent vivement avec l'eau.

Partie 4

❷ Utilisez un tableau d'évolution du système chimique lors du titrage sachant qu'à l'équivalence les quantités de matière des réactifs titrant et à titrer sont nulles.

CORRIGÉ SUJET 16

1. LA MOLÉCULE D'ASPIRINE

La molécule d'aspirine contient le groupe d'atomes —COOH caractéristique de la fonction acide carboxylique (entouré) et le groupe d'atomes —COO—C caractéristique de la fonction ester (encadré) :

Notez que ce dernier atome de carbone est nécessairement tétragonal.

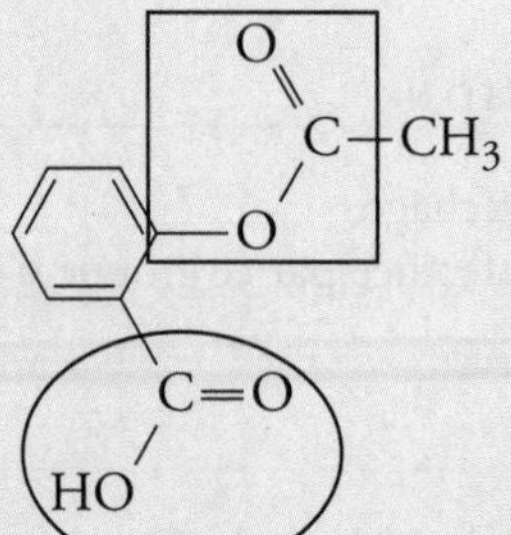

O
C—CH_3
O
C=O
HO

2. ÉTUDE DE LA PRÉPARATION

❶ L'équation de la réaction entre l'acide salicylique et l'acide éthanoïque s'écrit :

$$HO{-}CO{-}C_6H_4{-}OH + H_3C{-}C({=}O){-}OH = HO{-}CO{-}C_6H_4{-}O{-}C({=}O){-}CH_3 + H_2O$$

❷ La réaction envisagée est une réaction d'**estérification.** Il s'agit d'une transformation **partielle**, ce qui exclut que l'avancement maximal puisse être atteint.

En toute rigueur, on ne parle de réaction d'estérification que lorsque les réactifs sont un alcool et un acide carboxylique.

❸ Pour augmenter l'avancement final, c'est-à-dire déplacer l'équilibre dans le sens direct de l'écriture de l'équation de la réaction, nous pouvons **introduire un des réactifs en excès** (l'acide salicylique ou l'acide éthanoïque).
Il est aussi possible d'**éliminer l'un des produits** au fur et à mesure de sa formation.

Il est aussi possible de coupler les deux méthodes si l'un des réactifs est peu onéreux et si l'un des produits est le plus volatil de toutes les espèces chimiques. Il peut dès lors être éliminé du mélange réactionnel par distillation fractionnée par exemple.

❹ L'équation de la réaction de l'anhydride éthanoïque avec l'acide salicylique s'écrit :

$$HO{-}CO{-}C_6H_4{-}OH + H_3C{-}C({=}O){-}O{-}C({=}O){-}CH_3 = HO{-}CO{-}C_6H_4{-}O{-}C({=}O){-}CH_3 + H_3C{-}C({=}O){-}OH$$

❺ **1.** Le ballon doit être bien sec afin d'éviter l'**hydrolyse vive de l'anhydride éthanoïque** suivant l'équation de la réaction :

$$H_3C{-}C({=}O){-}O{-}C({=}O){-}CH_3 + H_2O = 2\,H_3C{-}C({=}O){-}OH$$

qui aurait pour conséquence de consommer l'un des réactifs inutilement.

2. L'acide sulfurique joue le rôle de **catalyseur.** Il permet d'augmenter la vitesse de la réaction sans modifier l'avancement final de celle-ci.

3. La température est un **facteur cinétique** dont l'augmentation permet d'accroître la vitesse de réaction.

Dans le cas d'une transformation partielle, le changement de température modifie aussi la constante d'équilibre et déplace donc l'équilibre dans un sens qu'il ne nous est pas possible de prévoir en classe de Terminale S.

4. Le chauffage à reflux permet de chauffer le mélange réactionnel sans perte de réactifs ni de produits. Le réfrigérant à boules permet, en effet, de refroidir les vapeurs émises lors du chauffage et de les liquéfier. Les réactifs et produits retombent alors dans le ballon.

5. L'eau distillée ajoutée par le haut du réfrigérant permet d'**hydrolyser** l'excès d'anhydride éthanoïque présent dans le mélange réactionnel suivant l'équation donnée au ❺ **1**.

6. La filtration sous vide peut être schématisée de la façon suivante :

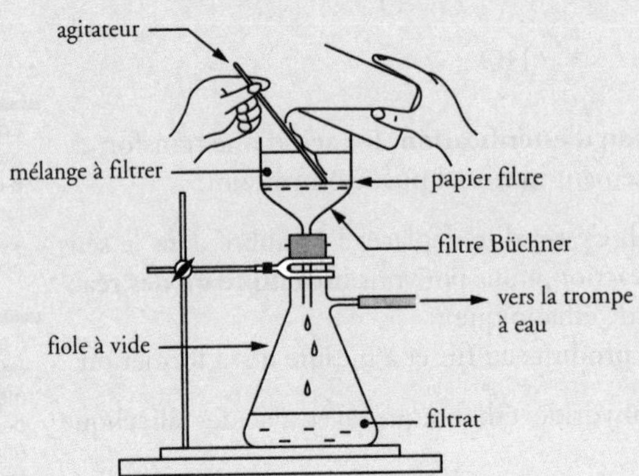

3. ÉTUDE QUANTITATIVE DE LA RÉACTION

Nous utiliserons les abréviations asp et ac pour toutes les grandeurs relatives respectivement à l'aspirine, et l'acide salicylique. Dressons le tableau d'évolution du système chimique :

Équation chimique		ROH	$+ CH_3CO_2COCH_3 =$	$ROCOCH_3 +$	CH_3CO_2H
État du système	**Avancement**	**Quantités de matière (mol)**			
État initial	$x = 0$ mol	$n(\text{ac})_i$	excès	0	0
État intermédiaire	x	$n(\text{ac})_i - x$	excès	x	x
État final	x_f	$n(\text{ac})_i - x_f$	excès	x_f	x_f

Dans le cas d'une transformation supposée totale, l'avancement maximal x_{max} est atteint et $x_f = x_{max}$. L'acide salicylique, qui est le réactif limitant, est alors totalement consommé, soit :

$$n(\text{ac})_f = n(\text{ac})_i - x_f = n(\text{ac})_i - x_{max} = 0 \text{ mol donc } x_{max} = n(\text{ac})_i.$$

La quantité de matière d'aspirine obtenue est alors au maximum telle que :

$$n(\text{asp})_{max} = x_{max} = n(\text{ac})_i$$

soit une masse d'aspirine maximale théorique :

$$m(\text{asp})_{max} = n(\text{asp})_{max} M(\text{asp}) = n(\text{ac})_i M(\text{asp}).$$

Or, le rendement r de la synthèse est défini comme le rapport entre la quantité de matière (ou la masse) d'aspirine obtenue expérimentalement et la quantité de matière (ou la masse) d'aspirine attendue théoriquement dans le cas d'une transformation totale, soit :

$$\boxed{r = \frac{m(\text{asp})_{\text{obtenue}}}{m(\text{asp})_{\text{max}}}}$$

alors : $r = \frac{m(\text{asp})_{\text{obtenue}}}{n(\text{ac})_i M(\text{asp})}$ or : $n(\text{ac})_i = \frac{m(\text{ac})_i}{M(\text{ac})}$.

Nous obtenons donc : $r = \frac{m(\text{asp})_{\text{obtenue}} M(\text{ac})}{m(\text{ac})_i M(\text{asp})}$.

Numériquement, avec $m(\text{asp})_{\text{obtenue}} = 12{,}0 \text{ g}$,

$M(\text{asp}) = 180 \text{ g} \cdot \text{mol}^{-1}$, $m(\text{ac})_i = 13{,}8 \text{ g}$ et $M(\text{ac}) = 138 \text{ g} \cdot \text{mol}^{-1}$,

nous calculons :

$$r = \frac{12{,}0 \times 138}{13{,}8 \times 180} = \frac{12{,}0 \times 10}{180} = \frac{12{,}0 \times 10}{3{,}00 \times 60{,}0} = \frac{40{,}0}{60{,}0} = \frac{2{,}00}{3{,}00}$$

$$\boxed{r = 0{,}667 \text{ soit } 66{,}7\ \%}$$

Remarque : bien que le taux d'avancement final théorique soit de 1, la réalisation pratique de la synthèse conduit toujours à un rendement plus faible que 100 % dû aux inévitables pertes de produit au cours des différentes étapes.

4. CONTRÔLE DE LA PURETÉ

❶ L'équation de la réaction de titrage s'écrit :

$$\boxed{HA_{(aq)} + HO^-_{(aq)} = A^-_{(aq)} + H_2O_{(\ell)}}$$

❷ Dressons le tableau d'évolution du système chimique lors du titrage :

Équation chimique		$HA_{(aq)}$	$+ HO^-_{(aq)}$	$= A^-_{(aq)}$	$+ H_2O_{(\ell)}$
État du système	**Avancement**	**Quantités de matière (mol)**			
État initial	$x = 0$ mol	$n(HA)_i$	$c_B V_{BE}$	0	solvant
État intermédiaire	x	$n(HA)_i - x$	$c_B V_{BE} - x$	x	solvant
État à l'équivalence	$x_f = x_E$	$n(HA)_i - x_E$	$c_B V_{BE} - x_E$	x_E	solvant

À l'équivalence les quantités de matière des espèces à titrer et titrante sont nulles, d'où :

$$n(HA)_E = n(HA)_i - x_E = 0 \text{ donc } x_E = n(HA)_i$$

et $$n(HO^-)_E = c_B V_{BE} - x_E = 0 \text{ donc } x_E = c_B V_{BE}.$$

L'égalisation de ces deux relations nous donne :

$$n(HA)_i = c_B V_{BE}.$$

Numériquement, avec :

$c_B = 5{,}0 \times 10^{-1} \text{ mol} \cdot \text{L}^{-1}$ et $V_{BE} = 10{,}0 \times 10^{-3} \text{ L}$,

nous trouvons :

$$n(HA)_i = 5{,}0 \times 10^{-1} \times 10{,}0 \times 10^{-3}$$

$$\boxed{n(HA)_i = 5{,}0 \times 10^{-3} \text{ mol}}$$

Or, la concentration molaire c_A en aspirine apportée dans la solution titrée de volume V_A est identique à celle du volume V_f contenue dans la fiole jaugée, soit :

$$c_A = \frac{n(HA)_i}{V_A} = \frac{n(HA)_c}{V_f}.$$

Donc : $$n(HA)_c = \frac{V_f}{V_A}\, n(HA)_i$$

avec $n(HA)_c$ la quantité de matière d'aspirine contenue dans la fiole jaugée, c'est-à-dire la quantité de matière présente dans les cristaux.
Numériquement, avec $V_f = 100{,}0 \times 10^{-3}$ L, $V_A = 10{,}0 \times 10^{-3}$ L, nous calculons :

$$n(HA)_c = \frac{100{,}0 \times 10^{-3}}{10{,}0 \times 10^{-3}} \times 5{,}0 \times 10^{-3} = 10{,}0 \times 5{,}0 \times 10^{-3}$$

$$\boxed{n(HA)_c = 5{,}0 \times 10^{-2} \text{ mol}}$$

En effet, prélever une partie d'une solution S pour la doser ne modifie en rien les concentrations des espèces dissoutes. En revanche, les quantités de matière des espèces chimiques dans la solution S et dans le prélèvement sont différentes.

❸ Nous pouvons maintenant calculer la masse d'aspirine contenue dans les cristaux :

$$m(HA)_c = n(HA)_c M(asp).$$

Soit avec $M(asp) = 180$ g · mol^{-1} et $n(HA)_c = 5{,}0 \times 10^{-2}$ mol, nous obtenons :

$$m(HA)_c = 5{,}0 \times 10^{-2} \times 180 = 900 \times 10^{-2} \text{ g}$$

$$\boxed{m(HA)_c = 9{,}0 \text{ g}}$$

Les douze grammes de cristaux obtenus ne sont donc pas de l'aspirine pure puisque cette dernière n'en représente que neuf grammes. Il doit donc rester de l'acide salicylique, lui aussi peu soluble dans l'eau, dans les cristaux formés. Une étape de purification est encore nécessaire.

SUJET 17 — ASIE • JUIN 2003 — ENSEIGNEMENT OBLIGATOIRE

4 POINTS

THÈME Synthèses organiques

Fabrication et propriétés d'un savon

1. LA FABRICATION D'UN SAVON

La fabrication du savon est l'une des plus anciennes utilisations des corps gras. Jusqu'au milieu du XXe siècle, elle se réalisait dans des chaudrons, en milieu aqueux. L'opération était longue et fastidieuse. En travaux pratiques, on la réalise plus rapidement, en solution alcoolique, selon les mêmes étapes.

Étape 1	**Étape 2**	**Étape 3**
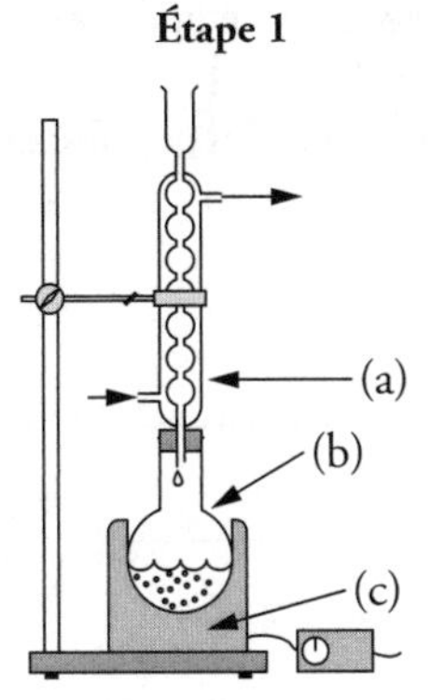 On chauffe pendant trente minutes, un mélange de : • $2,0 \times 10^{-2}$ mol d'huile de soja (essentiellement constituée d'oléine) ; • $5,0 \times 10^{-2}$ mol d'hydroxyde de sodium (soude) ; • 2 mL d'éthanol ; • quelques grains de pierre ponce.	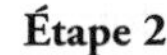 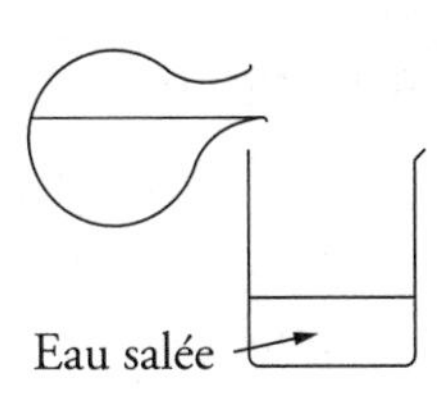 On laisse refroidir le mélange quelques minutes puis on le transvase dans un becher contenant une solution aqueuse concentrée de chlorure de sodium.	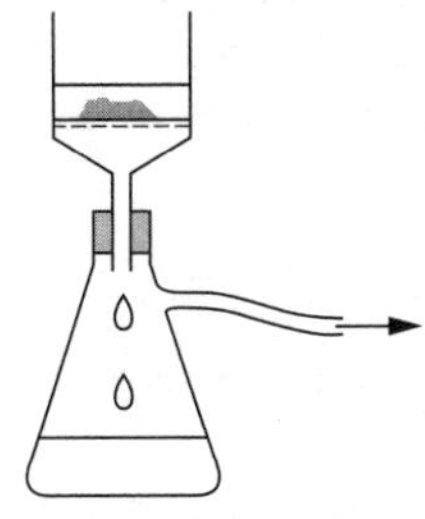 Le précipité obtenu est filtré, rincé à l'eau salée, séché puis pesé. La masse expérimentale obtenue est : $m_{exp} = 10,5$ g .

Données

Formule de l'oléine :

$$\begin{array}{l} C_{17}H_{33}-CO-O-CH_2 \\ \qquad\qquad\qquad\qquad\ \ | \\ C_{17}H_{33}-CO-O-CH \\ \qquad\qquad\qquad\qquad\ \ | \\ C_{17}H_{33}-CO-O-CH_2 \end{array}$$

Réactif	Oléine	Hydroxyde de sodium (soude)	Savon
Solubilité dans l'eau	insoluble	soluble	soluble
Solubilité dans l'éthanol	soluble	soluble	
Solubilité dans l'eau salée	insoluble	soluble	peu soluble
Masse molaire moléculaire ($g \cdot mol^{-1}$)	884	40	304

1 À propos du mode opératoire

1. Préciser le nom de l'opération réalisée aux étapes 1 et 3.

2. Justifier, en vous aidant du tableau des solubilités, l'emploi de l'eau salée dans l'étape 2.

3. Nommer les éléments (a), (b), (c), du montage utilisé dans l'étape 1.
Quel est le rôle de l'élément (a) ?

4. Quel est le rôle de la pierre ponce ?

5. Pourquoi opère-t-on à chaud ?

❷ Étude quantitative

1. Écrire l'équation de la réaction modélisant la transformation qui a lieu dans l'étape 1 en utilisant les formules semi-développées. Nommer les produits obtenus (1 et 2).
2. Compléter le tableau d'avancement donné en **annexe** (à rendre avec la copie). En déduire quel est le réactif limitant.
3. Définir puis calculer le rendement de cette transformation.

2. LES PROPRIÉTÉS DU SAVON

L'ion carboxylate du savon peut être schématisé comme ci-contre.
La partie rectiligne représente la chaîne carbonée, la partie circulaire le groupe carboxylate.

❶ Identifier la partie hydrophile et la partie hydrophobe et justifier la solubilité du savon dans l'eau.

❷ L'eau savonneuse a un pH supérieur à 7, du fait des propriétés basiques de l'ion carboxylate. Écrire l'équation de la réaction entre l'ion carboxylate et l'eau en précisant les couples acido-basiques qui interviennent.

Annexe

	Oléine	**Soude**	**Produit 1**	**Produit 2**
Quantité de matière dans l'état initial (en mol)				
Quantité de matière en cours de transformation (en mol)				
Quantité de matière dans l'état final (en mol)				

Tableau d'avancement

LES CLÉS DU SUJET

■ Notions et compétences en jeu

- Montage de chauffage à reflux.
- Saponification d'un corps gras.
- Propriétés des savons, relations structure-propriétés.

■ Conseils du correcteur

Partie 1

❶ **5.** Pensez que la température est un facteur cinétique.
❷ **2.** Le réactif limitant est celui dont la quantité de matière est nulle dans l'état final du système lors d'une transformation considérée totale.

Partie 2

❷ Si le pH de l'eau savonneuse est basique c'est qu'elle contient des ions hydroxyde HO^- en quantité supérieure à celle des ions oxonium H_3O^+.

CORRIGÉ SUJET 17

1. LA FABRICATION D'UN SAVON

❶ **1.** L'opération réalisée à l'**étape 1** est un **chauffage à reflux**. Celle effectuée à l'**étape 3** est une **filtration sous vide.**

2. Le mélange réactionnel obtenu à l'issue de l'**étape 1** contient le savon synthétisé. Celui-ci est soluble dans le mélange. L'emploi de l'eau salée lors de l'**étape 2** permet de faire précipiter le savon qui n'y est que peu soluble. Il peut ainsi être séparé par filtration du milieu réactionnel.

Dans d'autres situations, de l'eau salée est utilisée pour augmenter la différence de densité entre la phase aqueuse et la phase organique, permettant une meilleure séparation de ces phases.

3. Nommons les éléments fléchés sur le schéma de l'**étape 1** :
(a) réfrigérant à eau ; (b) ballon ; (c) chauffe-ballon.
Le réfrigérant permet de refroidir les vapeurs émises par le mélange réactionnel porté à ébullition. Celles-ci se liquéfient au contact des parois froides et retombent dans le ballon. Nous pouvons ainsi maintenir une ébullition prolongée sans aucune perte pour les réactifs et produits.

4. La pierre ponce permet de **réguler** l'ébullition du mélange réactionnel.

5. La température est un facteur cinétique qui augmente la vitesse d'une réaction chimique lorsque sa valeur augmente.
Ainsi, ici, le fait d'opérer à chaud permet de rendre la transformation plus rapide.

❷ **1.** L'équation de la réaction modélisant la transformation qui a lieu dans l'**étape 1** s'écrit :

$$\begin{array}{l} C_{17}H_{33}-\overset{\overset{\displaystyle O}{\|}}{C}-O-CH_2 \\ \qquad\qquad\qquad\quad\;| \\ C_{17}H_{33}-\overset{\overset{\displaystyle O}{\|}}{C}-O-CH + 3\,(Na^+ + HO^-) \;=\; \\ \qquad\qquad\qquad\quad\;| \\ C_{17}H_{33}-\overset{\overset{\displaystyle O}{\|}}{C}-O-CH_2 \end{array}$$

$$3\,(C_{17}H_{33}-C\begin{smallmatrix}\diagup O \\ \diagdown O^-\end{smallmatrix} + Na^+) \;+\; \begin{array}{l} HO-CH_2 \\ \qquad\;| \\ HO-CH \\ \qquad\;| \\ HO-CH_2 \end{array}$$

Produit 1 : savon **Produit 2 : glycérol**

N'oubliez pas que le savon n'est pas uniquement constitué de l'ion carboxylate ; il faut aussi lui associer un cation, sodium ou potassium suivant les cas.

2. La transformation qui a lieu lors de l'**étape 1** est totale. Le tableau d'évolution du système chimique est tel que l'avancement maximal est atteint à l'état final (voir tableau ci-dessous).

	Oléine	**Soude**	**Produit 1**	**Produit 2**
Quantité de matière dans l'état initial (mol)	$2{,}0 \times 10^{-2}$	$5{,}0 \times 10^{-2}$	0	0
Quantité de matière en cours de transformation (mol)	$2{,}0 \times 10^{-2} - x$	$5{,}0 \times 10^{-2} - 3x$	$3x$	x
Quantité de matière dans l'état final (mol)	$2{,}0 \times 10^{-2} - x_{max}$	$5{,}0 \times 10^{-2} - 3x_{max}$	$3x_{max}$	x_{max}

CHIMIE

Les quantités de matière des réactifs étant des grandeurs nécessairement positives ou nulles, nous avons :

$$n(\text{oléine}) = 2{,}0 \times 10^{-2} - x \geqslant 0 \text{ mol} \quad \text{donc} \quad x \leqslant 2{,}0 \times 10^{-2} \text{ mol}$$

et

$$n(\text{soude}) = 5{,}0 \times 10^{-2} - 3x \geqslant 0 \text{ mol} \quad \text{donc} \quad x \leqslant 1{,}7 \times 10^{-2} \text{ mol}.$$

Les deux inégalités sont satisfaites simultanément tant que $x \leqslant 1{,}7 \times 10^{-2}$ mol, ce qui impose :

$$x_{max} = \frac{5{,}0 \times 10^{-2}}{3} \text{ mol.}$$

De ce fait, nous pouvons calculer les quantités de matière des réactifs dans l'état final :

$$n(\text{oléine})_f = 2{,}0 \times 10^{-2} - x_{max}$$

donc :

$$\boxed{n(\text{oléine})_f = 3{,}3 \times 10^{-3} \text{ mol}}$$

et

$$n(\text{soude})_f = 5{,}0 \times 10^{-2} - 3x_{max}$$

donc :

$$\boxed{n(\text{soude})_f = 0 \text{ mol}}$$

Le réactif limitant est **la soude** puisqu'il est le réactif totalement consommé dans l'état final de la transformation.

Vous pouvez aussi raisonner en faisant successivement les hypothèses que l'oléine et la soude constituent le réactif limitant pour calculer l'avancement maximal atteint dans chaque cas. Le réactif effectivement limitant est celui qui conduit à l'avancement maximal le plus faible.

3. Le rendement r de la transformation en savon est défini par :

$$r = \frac{m(\text{savon})_{\text{obtenu}}}{m(\text{savon})_{\text{max attendu}}}.$$

Or, la quantité de matière maximale attendue $n(\text{savon})_{\text{max attendu}}$ s'exprime par :

$$n(\text{savon})_{\text{max attendu}} = 3x_{max}$$

donc

$$r = \frac{m(\text{savon})_{\text{obtenu}}}{3x_{max} M(\text{savon})}.$$

Avec $m(\text{savon})_{\text{obtenu}} = 10{,}5$ g, $x_{max} = \dfrac{5{,}0 \times 10^{-2}}{3}$ mol et $M(\text{savon}) = 304 \text{ g} \cdot \text{mol}^{-1}$, nous calculons :

$$\boxed{r = 0{,}69 \text{ soit un rendement de } 69\ \%}$$

Vérifiez que la masse molaire du savon prend bien en compte la masse molaire du sodium.

2. LES PROPRIÉTÉS DU SAVON

❶ La partie hydrophile de l'ion carboxylate se situe au niveau du groupe carboxylate, alors que la partie hydrophobe est constituée par la chaîne carbonée :

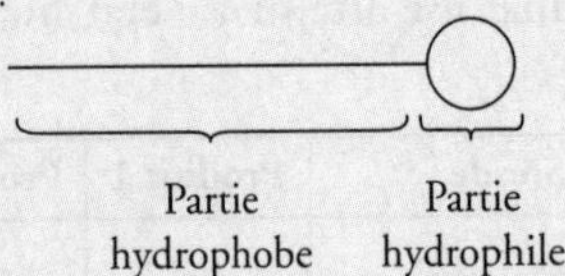

En solution aqueuse les ions carboxylate se regroupent en structures de forme sphérique, des micelles, de manière à regrouper leur partie hydrophobe au cœur de celles-ci et de ne présenter aux molécules d'eau que leur tête polaire :

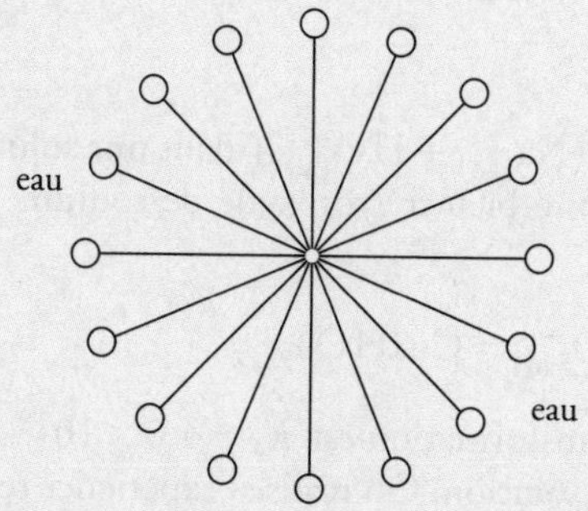

Cette micelle forme un globule tridimensionnel globalement sphérique.

L'ensemble ainsi formé est alors soluble dans l'eau puisqu'il n'a que de l'affinité pour l'eau. C'est ce qui explique la solubilité du savon dans l'eau.

2 L'équation de la réaction entre l'ion carboxylate et l'eau s'écrit :

$$C_{17}H_{33}-C\begin{matrix}\nearrow O \\ \searrow O^-\end{matrix} + H_2O = C_{17}H_{33}-C\begin{matrix}\nearrow O \\ \searrow OH\end{matrix} + HO^-$$

ce qui explique les propriétés basiques des savons.
Elle fait intervenir les couples acide/base suivants :

$C_{17}H_{33}-COOH/C_{17}H_{33}-COO^-$ et H_2O/HO^-

SUJET 18

GUADELOUPE, GUYANE, MARTINIQUE

SEPTEMBRE 2005 • ENSEIGNEMENT DE SPÉCIALITÉ

4 POINTS

THÈME Extraire et identifier

Séparation des éléments fer et cuivre présents dans une même solution

Le minerai de cuivre contient des impuretés, en particulier du fer. À partir de ce minerai, on prépare une solution aqueuse contenant des ions cuivre II ($Cu^{2+}_{(aq)}$) et des ions fer III ($Fe^{3+}_{(aq)}$). Le but de l'exercice est de comparer deux méthodes possibles pour réaliser la séparation des ions $Cu^{2+}_{(aq)}$ des ions $Fe^{3+}_{(aq)}$ présents dans une même solution. Cette séparation ne nécessite pas que les éléments fer et cuivre soient en solution aqueuse à la fin des transformations envisagées.

Données

• La constante de réaction K_e associée à la réaction d'autoprotolyse de l'eau $2\,H_2O_{(\ell)} = H_3O^+_{(aq)} + HO^-_{(aq)}$ est $K_e = 10^{-14}$ (à 25 °C).

• Masses molaires atomiques :
$M(\text{Fe}) = 55{,}8\ \text{g} \cdot \text{mol}^{-1}$; $M(\text{Cu}) = 63{,}5\ \text{g} \cdot \text{mol}^{-1}$.

❶ Étude portant sur les ions $Cu^{2+}_{(aq)}$

L'ajout d'une solution d'hydroxyde de sodium ($Na^{+}_{(aq)} + HO^{-}_{(aq)}$) dans une solution contenant des ions $Cu^{2+}_{(aq)}$ donne naissance à un précipité bleu d'hydroxyde de sodium $Cu(HO)_{2(s)}$. Cette transformation est modélisée par :

$$Cu^{2+}_{(aq)} + 2\,HO^{-}_{(aq)} = Cu(HO)_{2(s)} \qquad \textbf{(réaction 1)}$$

La constante de réaction K_1 associée à cette transformation est $K_1 = 4{,}0 \times 10^{18}$.
La formation du précipité dépend du pH de la solution. On réalise l'expérience représentée dans le **schéma** ci-après.

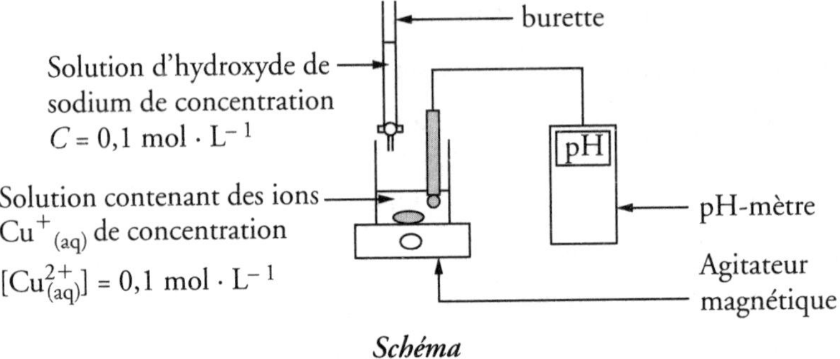

Schéma

Les résultats sont exploités à l'aide d'un logiciel qui permet de tracer les courbes représentant les pourcentages respectifs des espèces $Cu^{2+}_{(aq)}$ et $Cu(HO)_{2(s)}$ présentes dans la solution en fonction du pH (voir **courbe 1**).

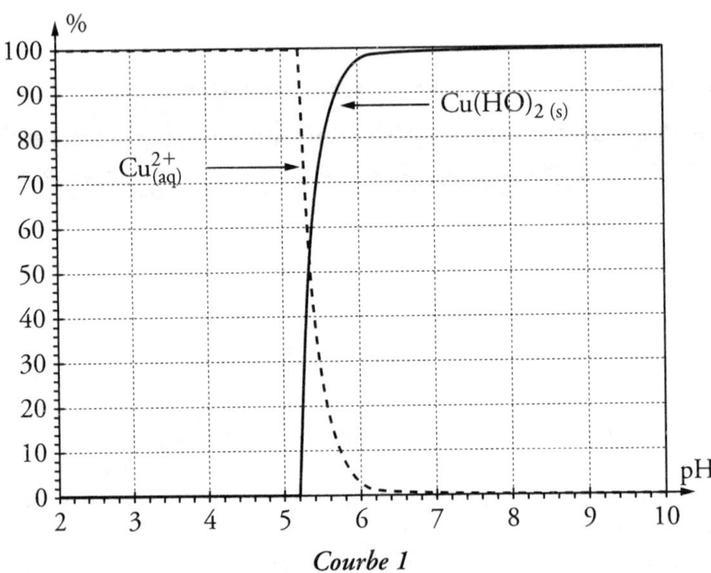

Courbe 1

1. À l'aide de ces courbes, donner la valeur du pH pour laquelle le précipité $Cu(HO)_{2(s)}$ apparaît.

2. Sens d'évolution de la réaction.

a) Donner l'expression de K_1.

b) Pour un volume de solution d'hydroxyde de sodium ajouté, on peut définir le quotient de réaction noté Q_r. Donner l'expression de Q_r.

c) Dans quel sens évolue la réaction si $Q_r < K_1$?

3. On étudie maintenant l'apparition du précipité. On a alors $Q_r = K_1$ et la concentration en ions $Cu^{2+}_{(aq)}$ à l'équilibre, notée $[Cu^{2+}_{(aq)}]_{eq}$, vaut toujours 0,10 mol · L^{-1}. Montrer que la valeur de la concentration en ions hydroxyde notée $[HO^{-}_{(aq)}]_{eq}$ vaut $1,6 \times 10^{-9}$ mol · L^{-1}.

4. En déduire la valeur du pH de la solution. Conclure.

❷ Étude portant sur les ions $Fe^{3+}_{(aq)}$

On réalise la même expérience en remplaçant la solution contenant des ions $Cu^{2+}_{(aq)}$ par une solution contenant des ions $Fe^{3+}_{(aq)}$ à la même concentration de 0,1 mol · L^{-1}. La transformation chimique qui se déroule peut être décrite par la réaction :

$$Fe^{3+}_{(aq)} + 3\,HO^{-}_{(aq)} = Fe(HO)_{3(s)} \qquad \textbf{(réaction 2)}$$

$Fe(HO)_{3(s)}$ est un précipité de couleur rouille.

La **courbe 2** (ci-après) donne les pourcentages respectifs des espèces $Fe^{3+}_{(aq)}$ et $Fe(HO)_{3(s)}$ présentes dans la solution en fonction du pH de cette dernière.

1. La solution contient-elle des ions $Fe^{3+}_{(aq)}$ en quantité significative pour un pH supérieur à 3,5 ?

2. On reprend le montage de la question ❶ en plaçant dans le becher une solution constituée de :
– 10 mL de solution de chlorure de fer III $(Fe^{3+}_{(aq)} + Cl^{-}_{(aq)})$;
– 10 mL de solution de sulfate de cuivre II $(Cu^{2+}_{(aq)} + SO^{2-}_{4(aq)})$.

Dans cette solution : $[Cu^{2+}_{(aq)}] = [Fe^{3+}_{(aq)}] = 0,1$ mol · L^{-1}.

Le pH du mélange initial est faible. Un élève désirant séparer les ions $Cu^{2+}_{(aq)}$ des ions $Fe^{3+}_{(aq)}$ ajoute alors la solution d'hydroxyde de sodium pour que le pH du mélange atteigne la valeur de 4,0. Il filtre ensuite le mélange obtenu dans le becher, la solution obtenue est appelée S_1.

a) Sous quelle forme est obtenue l'espèce extraite de la solution ?

b) Quelle est l'espèce chimique présente dans la solution S_1 ?

c) Comment vérifier que la solution S_1 ne contient plus qu'une seule des espèces chimiques $Cu^{2+}_{(aq)}$ ou $Fe^{3+}_{(aq)}$ présentes initialement ?

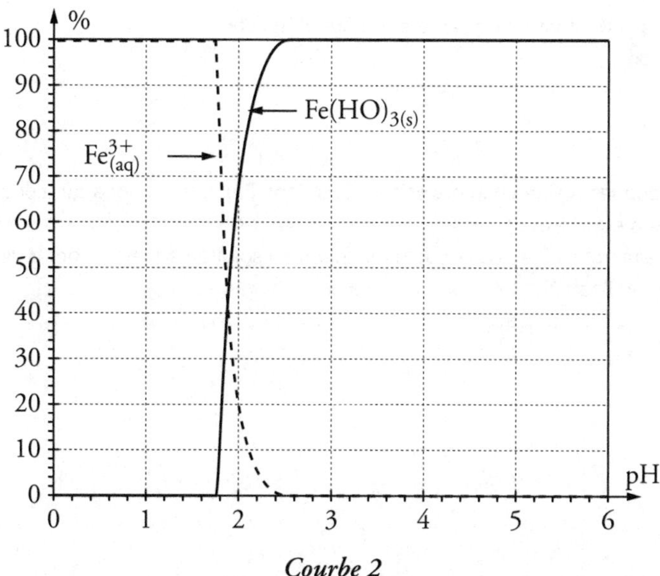

Courbe 2

CHIMIE

2. TECHNIQUE PAR OXYDORÉDUCTION

Les ions cuivre II, $Cu^{2+}_{(aq)}$, réagissent avec le métal fer pour donner naissance au cuivre métal et aux ions fer II, $Fe^{2+}_{(aq)}$. La transformation peut être décrite par la réaction d'équation :

$$Cu^{2+}_{(aq)} + Fe_{(s)} = Cu_{(s)} + Fe^{2+}_{(aq)} \qquad \textbf{(réaction 3)}$$

Les ions fer III réagissent avec le métal fer pour former des ions fer II, $Fe^{2+}_{(aq)}$.
La transformation peut être décrite par la réaction d'équation :

$$2\,Fe^{3+}_{(aq)} + Fe_{(s)} = 3\,Fe^{2+}_{(aq)} \qquad \textbf{(réaction 4)}$$

On dispose d'une solution S_1 de volume $V_1 = 200$ mL contenant des ions $Cu^{2+}_{(aq)}$ et $Fe^{3+}_{(aq)}$. Dans un becher contenant la totalité de cette solution, on ajoute 10 g de fer en poudre, on estimera que cette masse est suffisante pour que la totalité des ions cuivre II et fer III réagisse.

❶ On considère que les réactions (3) et (4) sont totales.
Sous quelle forme l'élément cuivre initialement présent dans la solution S_1 se retrouve-t-il à la fin de la réaction ?

❷ Sous quelle forme l'élément fer initialement présent dans la solution S_1 se retrouve-t-il à la fin de la réaction ?

❸ A-t-on réalisé la séparation désirée ?

3. CONCLUSION

On dispose d'une solution contenant des ions $Cu^{2+}_{(aq)}$ et des ions $Fe^{3+}_{(aq)}$, ces derniers étant présents en très faible quantité. Cette solution doit être utilisée pour préparer du cuivre métallique par électrolyse des ions $Cu^{2+}_{(aq)}$, il est donc nécessaire d'éliminer les ions $Fe^{3+}_{(aq)}$.
Quelle méthode (précipitation ou oxydoréduction) doit-on utiliser ?

LES CLÉS DU SUJET

■ Notions et compétences en jeu

- Extraction d'espèces chimiques.
- Réaction de précipitation.
- Quotient de réaction initial, constante d'équilibre et critère d'évolution.
- Réaction d'oxydoréduction.

■ Conseils du correcteur

Partie 1

❶ **2. a)** Souvenez-vous que les solides n'interviennent pas dans l'expression des quotients de réaction et des constantes d'équilibre.

4. Les concentrations molaires des ions hydroxyde et oxonium en solution aqueuse sont toujours liées par le produit ionique de l'eau K_e.

1. UNE TECHNIQUE PAR PRÉCIPITATION

❶ **1.** La lecture du graphique permet de donner la valeur du pH de début de précipitation de $Cu(OH)_2$:

$$\boxed{pH = 5{,}2}$$

2. a) La constante d'équilibre K_1 associée à la réaction de précipitation d'équation :

$$Cu^{2+}_{(aq)} + 2\,HO^-_{(aq)} = Cu(OH)_{2(s)}$$

s'écrit :

$$\boxed{K_1 = \frac{1}{[Cu^{2+}]_{éq} \cdot [HO^-]^2_{éq}}}$$

b) Le quotient de réaction associé à l'équation de la réaction de précipitation s'écrit :

$$\boxed{Q_r = \frac{1}{[Cu^{2+}] \cdot [HO^-]^2}}$$

N'oubliez pas les nombres stœchiométriques de l'équation de la réaction qui interviennent sous forme de puissance dans les expressions de Q_r et K.

c) Le critère d'évolution nous enseigne que lorsque $Q_r < K$ le système chimique évolue dans le **sens direct** de l'écriture de l'équation de la réaction considérée.

3. Exprimons la concentration molaire des ions hydroxyde à l'équilibre lorsque le précipité est formé :

$$[HO^-]^2_{éq} = \frac{1}{K_1 \cdot [Cu^{2+}]_{éq}}$$

donc :

$$[HO^-]_{éq} = \sqrt{\frac{1}{K_1 \cdot [Cu^{2+}]_{éq}}}.$$

Numériquement, avec $K_1 = 4{,}0 \times 10^{18}$ et $[Cu^{2+}]_{éq} = 0{,}10 \text{ mol} \cdot L^{-1}$, nous calculons :

$$\boxed{[HO^-]_{éq} = 1{,}6 \times 10^{-9} \text{ mol} \cdot L^{-1}}$$

ce qui est bien la valeur donnée dans l'énoncé.

4. La concentration molaire des ions oxonium est toujours liée à celle des ions hydroxyde en solution aqueuse par le produit ionique de l'eau. En effet :

$$K_e = [H_3O^+]_{éq} \cdot [HO^-]_{éq} \quad \text{soit} \quad [H_3O^+]_{éq} = \frac{K_e}{[HO^-]_{éq}}$$

et puisque, par définition, $pH = -\log [H_3O^+]_{éq}$, alors :

$$pH = -\log \frac{K_e}{[HO^-]_{éq}}.$$

Numériquement, avec $K_e = 1{,}0 \times 10^{-14}$ à 25 °C, nous obtenons :

$$\boxed{pH = 5{,}2}$$

Nous retrouvons bien la valeur du pH de début de précipitation obtenue graphiquement à la réponse **1.**

❷ **1.** Par lecture graphique, nous notons que le pourcentage d'ions fer(III) hydratés est nul pour un pH supérieur à 3,5. Les ions fer(III) sont donc en quantité négligeable devant celle du précipité $Fe(OH)_3$.

CHIMIE

2. a) Lorsque la solution a un pH égal à 4,0 les graphiques nous permettent d'affirmer que l'élément cuivre se trouve toujours exclusivement sous forme d'ions cuivre(II) alors que l'élément fer se trouve intégralement dans le précipité $Fe(OH)_3$. Par filtration du mélange nous extrayons cette dernière espèce **sous forme solide.**
b) Le filtrat que constitue la solution S_1 ne contient plus que des ions cuivre(II) comme cation, car son pH est inférieur à 5,2.
c) L'ajout de solution d'hydroxyde de sodium à la solution S_1 doit conduire à la formation d'un précipité bleu de $Cu(OH)_2$ si elle ne contient plus que des ions cuivre(II). Il ne doit pas apparaître de précipité rouille de $Fe(OH)_3$.

2. TECHNIQUE PAR OXYDORÉDUCTION

❶ D'après l'équation de la réaction 3, l'élément cuivre se retrouve sous forme de **cuivre solide** $Cu_{(s)}$ en fin de réaction.

❷ D'après l'équation de la réaction 4, l'élément fer se retrouve sous forme d'**ions fer(II)** en fin de réaction et éventuellement aussi sous forme de fer solide $Fe_{(s)}$ si celui-ci a été introduit en excès.

❸ Si le fer n'a pas été introduit en excès nous pouvons réaliser la séparation désirée en filtrant le mélange réactionnel, ce qui permet de récupérer tout l'élément cuivre sous forme solide. L'élément fer se trouve alors dans le filtrat sous forme d'ions Fe(II).

3. CONCLUSION

Pour préparer du cuivre par électrolyse il faut disposer d'une solution ne contenant que des ions cuivre(II). La méthode par oxydoréduction ne permet pas d'obtenir des ions cuivre(II) électrolysables mais du cuivre déjà sous forme solide. Il faut alors avoir recours à la **précipitation** qui permettra alors d'extraire du mélange les ions fer(III) sous forme de $Fe(OH)_3$ avant réduction des ions cuivre(II) en cuivre métallique par électrolyse.

SUJET 19 — FRANCE MÉTROPOLITAINE • JUIN 2007
ENSEIGNEMENT DE SPÉCIALITÉ
4 POINTS

THÈME **Créer et reproduire**

Synthèse d'un conservateur

L'usage de la calculatrice n'est pas autorisé.

L'acide benzoïque est un conservateur présent dans de nombreuses boissons sans alcool. Son code européen est E 210. Il peut être préparé par synthèse en laboratoire.
Principe de cette synthèse : l'oxydation, **en milieu basique** et à chaud de l'alcool benzylique $C_6H_5CH_2OH$ par les ions permanganate MnO_4^- en excès, conduit à la formation d'ions benzoate $C_6H_5CO_2^-$ et de dioxyde de manganèse MnO_2 (solide brun). **Cette transformation est totale.**

Après réduction, par l'éthanol, des ions permanganate MnO_4^- excédentaires et élimination du dioxyde de manganèse MnO_2, on obtient une solution incolore contenant les ions benzoate. L'addition d'acide chlorhydrique à cette solution permet la cristallisation de l'acide benzoïque $C_6H_5CH_2OH$ (solide blanc), que l'on recueille après filtration, lavage et séchage.

Certaines aides au calcul comportent des résultats ne correspondant pas au calcul à effectuer.

1. QUESTIONS RELATIVES AU PROTOCOLE EXPÉRIMENTAL

1 Donner, sans justifier, le nom des parties manquantes (verrerie, nom de montage...), notées de ① à ③ dans le texte de l'encadré ci-dessous décrivant le protocole expérimental.

Document

1. Formation de l'acide benzoïque
Après avoir versé dans un ballon bicol posé sur un valet et sous la hotte un volume $V_1 = 2{,}0$ mL d'alcool benzylique, puis bouché l'ensemble, on ajoute **environ** 20 mL de soude de concentration 2 mol · L^{-1} à l'aide d'①. On introduit ensuite quelques grains de pierre ponce dans le ballon pour réguler l'ébullition lors du chauffage.
On réalise alors ②, permettant de chauffer le mélange sans perte de matière ni surpression.
Après avoir versé lentement une solution aqueuse de permanganate de potassium dans le ballon, on porte le mélange à ébullition douce pendant 10 minutes environ. On ajoute quelques millilitres d'éthanol afin d'éliminer le réactif en excès, puis on refroidit le ballon et son mélange.

2. Cristallisation de l'acide benzoïque
On filtre le mélange obtenu, **rapidement**, en utilisant ③ et on recueille un filtrat limpide et incolore. Le filtrat est ensuite versé dans un becher et refroidi dans la glace.
On ajoute prudemment 8,0 mL d'acide chlorhydrique concentré goutte à goutte et on observe la formation du précipité blanc d'acide benzoïque. On filtre et on rince avec un peu d'eau bien froide.
On récupère les cristaux d'acide benzoïque sur une coupelle **préalablement pesée** dont la masse est $m = 140{,}4$ g.
On les sèche dans une étuve, **puis on pèse l'ensemble** et on trouve une masse $m' = 141{,}8$ g.

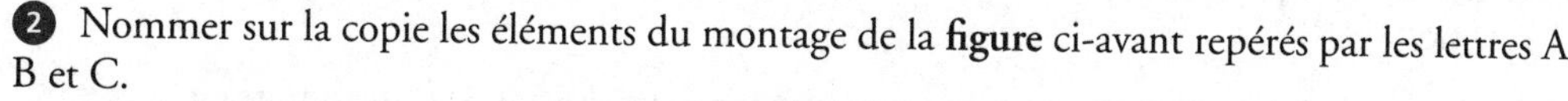

2 Nommer sur la copie les éléments du montage de la **figure** ci-avant repérés par les lettres A, B et C.

3 Afin de caractériser le produit formé, on réalise une chromatographie sur couche mince.
Dans trois tubes à essais, on verse 1 mL d'éluant E ; dans le tube 1 on ajoute une goutte d'alcool benzylique, dans le tube 2 une pointe de spatule du solide obtenu et dans le tube 3 une pointe de spatule d'acide benzoïque pur.
On réalise une chromatographie sur couche mince à partir du contenu des trois tubes et l'éluant E, puis on révèle le chromatogramme sous rayonnement UV.
Interpréter le chromatogramme réalisé lors de la synthèse et conclure quant à la nature du solide obtenu.

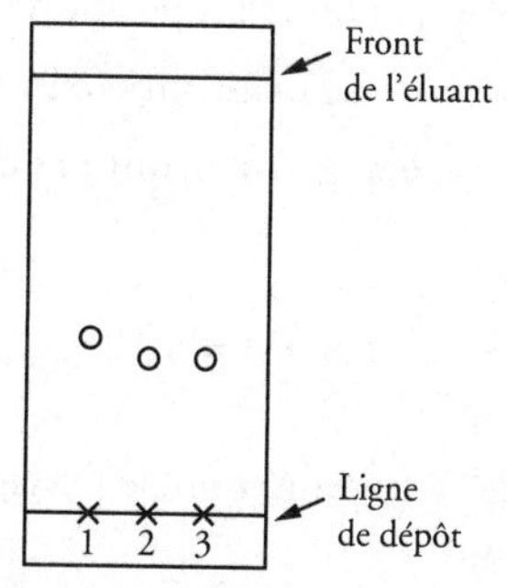

Répondre, dans cette seconde partie, en choisissant la bonne réponse. Justifier clairement ce choix (définition, expression littérale et application numérique, tableau d'avancement...). Une réponse non justifiée ne sera pas prise en compte.

Données

Nom	Alcool benzylique	Permanganate de potassium	Acide benzoïque
Formule	$C_6H_5CH_2OH$	$KMnO_4$	$C_6H_5CO_2H$
Masse molaire en $g \cdot mol^{-1}$	$M_1 = 108$	$M_2 = 158$	$M_3 = 122$
Masse volumique en $g \cdot mL^{-1}$	$\rho_1 = 1{,}0$		$\rho_3 = 1{,}3$

1 L'oxydation se fait **en milieu basique**. L'équation chimique de la réaction d'oxydoréduction qui se produit entre l'alcool benzylique et les ions permanganate s'écrit :

$$3\,C_6H_5CH_2OH_{(\ell)} + 4\,MnO^-_{4(aq)} = 3\,C_6H_5CO^-_{2(aq)} + 4\,H_2O_{(\ell)} + 4\,MnO_{2(s)} + HO^-_{(aq)}$$

Les couples oxydant/réducteur mis en jeu lors de la synthèse de l'acide benzoïque sont les suivants :

$$C_6H_5CO^-_{2(aq)}/C_6H_5CH_2OH_{(\ell)} \text{ et } MnO^-_{4(aq)}/MnO_{2(s)}$$

Choisir les deux demi-équations électroniques associées à la transformation décrite ci-avant.

1. $C_6H_5CO^-_{2(aq)} + 4\,e^- + 4\,H_2O_{(\ell)} = C_6H_5CH_2OH_{(\ell)} + 5\,HO^-_{(aq)}$
2. $C_6H_5CO^-_{2(aq)} + 4\,e^- + 5\,H^+_{(aq)} = C_6H_5CH_2OH_{(\ell)} + H_2O_{(\ell)}$
3. $MnO^-_{4(aq)} + 8\,H^+_{(aq)} + 5\,e^- = Mn^{2+}_{(aq)} + 4\,H_2O_{(\ell)}$
4. $MnO^-_{4(aq)} + 3\,e^- + 2\,H_2O_{(\ell)} = MnO_{2(s)} + 4\,HO^-_{(aq)}$
5. $MnO^-_{4(aq)} + 3\,e^- + 4\,H^+_{(aq)} = MnO_{2(s)} + 2\,H_2O_{(\ell)}$

2 La quantité n_1 d'alcool benzylique contenue dans la prise d'essai de 2,0 mL vaut :

1. $n_1 = 1{,}9 \times 10^{-2}$ mol ;
2. $n_1 = 5{,}4 \times 10^{-2}$ mol ;
3. $n_1 = 1{,}9 \times 10^{-5}$ mol.

Aide au calcul

$\frac{2{,}0}{108} = 1{,}9 \times 10^{-2}$; $\frac{108}{2{,}0} = 54$; $\frac{2{,}0 \times 10^{-3}}{108} = 1{,}9 \times 10^{-5}$.

Pour toute la suite, on précise que la quantité d'ions permanganate apportée vaut $n_2 = 3{,}0 \times 10^{-2}$ mol.

3 Lors de l'oxydation de l'alcool benzylique, les ions permanganate doivent être introduits en excès. Choisir la bonne proposition (on pourra s'aider d'un tableau d'évolution du système).

1. Les ions permanganate ont été introduits en excès.
2. Les ions permanganate n'ont pas été introduits en excès.

Aide au calcul

$\frac{1{,}9}{3} = 0{,}63$; $1{,}9 \times 3 = 5{,}7$.

4 Lors de la cristallisation, le passage des ions benzoate à l'acide benzoïque se fait selon l'équation chimique :

$$C_6H_5CO^-_{2(aq)} + H_3O^+ = C_6H_5CO_2H_{(s)} + H_2O_{(\ell)}$$

La masse théorique maximale m_{max} d'acide benzoïque qu'il aurait été possible d'obtenir vaut :

1. $m_{max} = 1{,}6 \times 10^{-2}$ g ;

2. $m_{max} = 6{,}6$ g ;

3. $m_{max} = 2{,}3$ g.

Aide au calcul

$\frac{1{,}9}{122} = 1{,}6 \times 10^{-2}$; $5{,}4 \times 122 = 6{,}6 \times 10^{2}$; $1{,}9 \times 122 = 2{,}3 \times 10^{2}$.

❺ Le rendement r de la synthèse effectuée vaut :

1. $r = 21\ \%$;

2. $r = 61\ \%$;

3. $r = 88\ \%$.

Aide au calcul

$\frac{1{,}4}{6{,}6} = 0{,}21$; $\frac{1{,}4}{2{,}3} = 0{,}61$.

LES CLÉS DU SUJET

■ Notions et compétences en jeu

– Commenter un montage expérimental, choisir le matériel approprié pour réaliser une manipulation.
– Exploiter un chromatogramme.
– Calculer un rendement.

■ Conseils du correcteur

Partie 2

❶ Si l'oxydation se fait en milieu basique, elle nécessite la présence d'ions hydroxyde HO^-.

❸ Le réactif limitant est celui qui, dans les conditions expérimentales décrites, conduirait au plus faible avancement maximal dans le cas d'une transformation totale.

❹ La quantité de matière d'ions benzoate formée est identique à la quantité de matière d'acide benzoïque recueillie.

CORRIGÉ SUJET 19

1. QUESTIONS RELATIVES AU PROTOCOLE EXPÉRIMENTAL

❶ Nommons les parties manquantes :

① une éprouvette graduée ;

② un montage de chauffage à reflux ;

③ une filtration sous vide sur filtre Büchner.

Vous constatez que vos connaissances pratiques peuvent aussi être évaluées à l'écrit.

❷ Les éléments du montage de la **figure 3** sont les suivants :

A un réfrigérant à boules ;

B un ballon bicol ;

C un chauffe-ballon.

❸ Le solide obtenu ne contient qu'une substance chimique puisque nous ne voyons qu'une seule et unique tache à la verticale du dépôt 2. Il s'agit de la même espèce chimique que celle déposée au point 3 car toutes deux présentent le même rapport frontal R_f. Le solide obtenu est donc bien de l'acide benzoïque.

2. RENDEMENT DE LA SYNTHÈSE

❶ Les demi-équations d'oxydoréduction à retenir doivent faire apparaître les réactifs et produits de l'équation donnée dans le sujet. Par ailleurs, celle-ci ayant lieu en milieu basique, chacune des demi-équations devra faire apparaître des ions hydroxyde HO^-. Les demi-équations d'oxydoréduction **1** et **4** satisfont ces deux critères.

❷ Calculons la quantité de matière d'alcool benzylique dans la prise d'essai :

$$n_1 = \frac{m_1}{M_1} = \frac{\rho_1 V_1}{M_1} = \frac{1{,}0 \times 2{,}0}{108} = \frac{2{,}0}{108}$$

$$\boxed{n_1 = 1{,}9 \times 10^{-2}\ \text{mol}}$$

Nous retenons donc la **proposition 1**.

❸ Dressons le tableau d'évolution du système chimique :

Équation chimique		$3\ C_7H_8O + 4\ MnO_4^- = 3\ C_7H_5O_2^- + 4\ H_2O + 4\ MnO_2 + HO^-$					
État du système	**Avancement (mol)**	**Quantités de matière (mol)**					
État initial	$x = 0$ mol	n_1	n_2	0	excès	0	0
État intermédiaire	x	$n_1 - 3x$	$n_2 - 4x$	$3x$	excès	$4x$	x
État final	x_f	$n_1 - 3x_f$	$n_2 - 4x_f$	$3x_f$	excès	$4x_f$	x_f

Ainsi, dans l'hypothèse où l'alcool benzylique est le réactif limitant, et où nous supposons la transformation totale :

$$n_1 - 3x_{\max 1} = 0\ \text{mol}$$

donc : $$x_{\max 1} = \frac{n_1}{3} = \frac{1{,}9 \times 10^{-2}}{3} = 0{,}63 \times 10^{-2}\ \text{mol}$$

En revanche, dans l'hypothèse où les ions permanganate constituent le réactif limitant, nous avons :

$$n_2 - 4x_{\max 2} = 0\ \text{mol}$$

donc : $$x_{\max 2} = \frac{n_2}{4} = \frac{3{,}0 \times 10^{-2}}{4} = 0{,}75 \times 10^{-2}\ \text{mol}$$

Le réactif limitant est celui qui conduit à la plus faible valeur de l'avancement maximal, il s'agit donc de l'alcool benzylique ($x_{\max 1} < x_{\max 2}$). En conséquence, les ions permanganate ont bien été introduits en excès ; la **proposition 1** est juste.

❹ Le tableau d'évolution nous permet d'exprimer la quantité de matière maximale d'acide benzoïque que nous pouvons espérer récupérer :

$$n(C_6H_5COO^-)_{max} = n(C_6H_5COOH)_{max} = 3x_{max\ 1}$$

d'où la masse théorique maximale d'acide benzoïque attendue :

$$m_{max} = 3x_{max\ 1} \cdot M_3 = 3 \times 0{,}63 \times 10^{-2} \times 122 = 1{,}9 \times 122 \times 10^{-2}$$
$$= 2{,}3 \times 10^2 \times 10^{-2}$$

$$\boxed{m_{max} = 2{,}3 \text{ g}}$$

L'équation fournie montre qu'une mole d'acide benzoïque se forme lors de la disparition d'une mole d'ions benzoate.

Nous retenons donc la **proposition 3.**

❺ Le rendement r de la synthèse a pour expression :

$$r = \frac{m}{m_{max}} = \frac{141{,}8 - 140{,}4}{2{,}3} = \frac{1{,}4}{2{,}3}$$

$$\boxed{r = 0{,}61} \quad \text{soit 61 \% de rendement}$$

La **proposition 2** est correcte.

CHIMIE

SUJET 20

POLYNÉSIE FRANÇAISE • JUIN 2007

ENSEIGNEMENT DE SPÉCIALITÉ

4 POINTS

THÈME Contrôle de qualité

Du jus de citron dans la confiture

Document 1

« Une confiture doit être prise ; les fruits, cuits avec du sucre et parfois du citron, formant une pâte suffisamment épaisse.
C'est la pectine des fruits, longue chaîne moléculaire de la famille des glucides, qui est la principale responsable de cette prise. Lors de la cuisson de la confiture, les fruits se disloquent, libérant la pectine qui passe dans le jus sucré. En refroidissant, les molécules de pectine forment un réseau en s'accrochant les unes aux autres par des liaisons appelées liaisons hydrogène. Celles-ci se font entre des fonctions dites acides et alcooliques qui jalonnent la molécule de pectine, fonctions qui doivent rester libres et intactes pour ne pas entraver la formation de ce réseau. Or l'eau, qui se lie volontiers à ces fonctions, risque de prendre la place. Ainsi, du sucre qui capte l'eau en excès est ajouté. De plus, du jus de citron évite que les fonctions acides de la pectine ne se dissocient. »

Extrait du site : http://www.espace-sciences.org.

Document 2

« Ajouté à un kilo de fruits, le jus d'un petit citron suffira à donner l'acidité nécessaire pour que la pectine réagisse. (...) Le jus de citron permet en outre d'éviter l'oxydation des fruits quand on les coupe et de leur conserver une belle couleur, notamment les fruits jaunes qui changent très facilement de teinte. »

Extrait du *Larousse des confitures*, Larousse.

Données

• La pectine est une longue molécule comportant des groupements acide $—COOH$ et alcool. On la notera simplement en ne mettant en évidence qu'un groupement acide : RCOOH.
• Le jus de citron contient entre autres acides, de l'acide citrique (à la concentration d'environ $0{,}40\ mol \cdot L^{-1}$) et de l'acide ascorbique, à une concentration moindre.
• L'acide ascorbique, ou vitamine C, ($C_6H_8O_6$), peut donner lieu à la demi-équation électronique suivante :

$$C_6H_8O_6 = C_6H_6O_6 + 2\,H^+ + 2\,e^-$$

*Les **parties 1, 2** et **3** sont indépendantes.*

1. FORMATION DU GEL

❶ Le groupe d'atomes caractéristique de la fonction acide est $—COOH$. Quel est le groupe d'atomes caractéristique de la fonction alcool ?

❷ **1.** L'eau se « lie volontiers à ces fonctions. » Écrire l'équation de la réaction de la pectine (RCOOH) avec l'eau.

2. Le pK_a du couple $RCOOH/RCOO^-$ est égal à 3,2. Placer sans justifier sur un axe de pH les domaines de prédominance des formes acide et basique de la pectine.

3. Utiliser le diagramme précédent pour commenter la phrase : « le jus d'un petit citron suffira à donner l'acidité nécessaire pour que la pectine réagisse. »

2. CONSERVATION DES FRUITS

❶ À partir des documents proposés, pourquoi peut-on dire que l'acide ascorbique est un antioxydant ?

❷ Quel autre mot peut-on utiliser plutôt que « antioxydant » à propos de l'acide ascorbique ? Justifier.

3. TENEUR EN ACIDE ASCORBIQUE D'UN JUS DE CITRON

Un petit citron permet d'obtenir 6,2 mL de jus filtré. Ce jus est introduit dans une fiole jaugée de 100,0 mL que l'on complète avec de l'eau déminéralisée. On obtient 100,0 mL de solution S. On prélève alors un volume $V_1 = 20{,}0\ mL$ de solution S que l'on introduit dans un erlenmeyer. On ajoute un volume $V_2 = 20{,}0\ mL$ de solution de diiode de concentration $C_2 = 2{,}00 \times 10^{-3}\ mol \cdot L^{-1}$.
La couleur initiale brune du mélange réactionnel s'éclaircit peu à peu, mais ne disparaît pas.
L'équation de la réaction totale qui se produit est :

$$C_6H_8O_6 + I_2 = C_6H_6O_6 + 2\,I^- + 2\,H^+ \quad (1)$$

❶ **1.** Que peut-on déduire de l'observation de l'évolution de la couleur du mélange réactionnel ?

2. Quel est l'inconvénient rencontré si on utilise la réaction (1) pour doser l'acide ascorbique ?

L'excès de diiode est alors titré par une solution de thiosulfate de sodium de concentration $C_3 = 5{,}00 \times 10^{-3}$ mol · L^{-1}, en présence d'empois d'amidon. Il faut ajouter $V_3 = 14{,}5$ mL de solution de thiosulfate de sodium pour obtenir la décoloration complète du milieu réactionnel. L'équation de la réaction qui se produit est :

$$2\,S_2O_3^{2-} + I_2 = S_4O_6^{2-} + 2\,I^- \qquad (2)$$

❷ En utilisant le **tableau d'avancement n° 1** fourni dans l'**annexe** (à rendre avec la copie), déterminer la quantité n de diiode ayant réagi avec les ions thiosulfate.

❸ Compléter les cases du **tableau d'avancement n° 2** fourni dans l'**annexe**, repérées par le signe * pour déterminer la quantité n_1 d'acide ascorbique initialement présente dans l'erlenmeyer. Justifier les calculs sur la copie.

❹ Calculer la concentration de l'acide ascorbique dans le jus de citron testé.

Annexe

Équation chimique		$2\,S_2O_3^{2-} + I_2 = S_4O_6^{2-} + 2\,I^-$			
État du système	**Avancement (mol)**	**Quantités de matière (mol)**			
État initial	$x = 0$				
État intermédiaire	x				
À l'équivalence	x_E				

Tableau d'avancement n° 1

Équation chimique		$C_6H_8O_6 + I_2 = C_6H_6O_6 + 2\,I^- + 2\,H^+$				
État du système	**Avancement (mol)**	**Quantités de matière (mol)**				
État initial	$x = 0$	*	*			
État intermédiaire	x	*	*			
État final	x_f	*	*			

Tableau d'avancement n° 2

LES CLÉS DU SUJET

■ **Notions et compétences en jeu**

- Couple acide/base, diagramme de prédominance.
- Titrage d'oxydoréduction en retour.

■ **Conseils du correcteur**

Partie 3

❶ **2.** Une transformation doit être rapide, totale et unique pour pouvoir être utilisée lors d'un titrage.

❸ La quantité de matière de diiode obtenue dans l'état final de la première transformation est identique à celle présente dans l'état initial de la transformation qui a lieu lors du dosage.

CORRIGÉ SUJET 20

1. FORMATION DU GEL

❶ Le groupe d'atomes caractéristique **hydroxyle —OH** confère à la molécule qui le porte une fonction alcool lorsqu'il est lié à un atome de carbone tétragonal.

❷ **1.** L'équation de la réaction de la pectine avec l'eau s'écrit :

$$R{-}COOH_{(aq)} + H_2O_{(\ell)} = R{-}COO^-_{(aq)} + H_3O^+$$

2. Le diagramme de prédominance des formes acide et basique du couple $RCOOH/RCOO^-$ est le suivant :

RCOOH prédomine devant $RCOO^-$ lorsque $[RCOOH] > [RCOO^-]$.

$$\underset{RCOOH}{} \xrightarrow[\quad]{3{,}2} \underset{RCOO^-}{} \quad pH$$

3. Le jus de citron est une solution très acide. Tant et si bien que l'ajout d'une faible quantité de ce jus suffit pour que le mélange dans lequel il est versé prenne un pH inférieur à 3,2. Ainsi, la pectine se trouve essentiellement sous sa forme acide RCOOH en solution et peut réagir.

2. CONSERVATION DES FRUITS

❶ Le document 2 nous indique que « *le jus de citron permet en outre d'éviter l'oxydation des fruits* ». Or, celui-ci contient de l'acide ascorbique $C_6H_8O_6$ qui est un réducteur d'après la demi-équation d'oxydoréduction fournie dans les données de l'énoncé. Ainsi, nous pouvons dire que l'acide ascorbique a un rôle d'anti-oxydant par son action réductrice.

Il faut comprendre que l'acide ascorbique empêche l'action d'oxydants sur d'autres espèces constituant le jus en les réduisant.

❷ L'acide ascorbique est **un réducteur.**

3. TENEUR EN ACIDE ASCORBIQUE D'UN JUS DE CITRON

❶ **1.** L'observation de l'évolution de la coloration du mélange réactionnel nous permet de conclure que la transformation de l'acide ascorbique par le diiode est **lente**, en effet « *le mélange réactionnel s'éclaircit* ***peu à peu*** ». Par ailleurs, **le diiode a été introduit en excès** par rapport à l'acide ascorbique car sa coloration « *ne disparaît pas* » du mélange réactionnel.

2. Pour effectuer un titrage, il faut, entre autres, que la transformation chimique mise en jeu soit **rapide**. Ce n'est manifestement pas le cas ici, donc la réaction (1) ne peut être utilisée pour doser l'acide ascorbique.

❷ Complétons littéralement le tableau d'évolution du système chimique lors du dosage :

Équation chimique		$2\,S_2O_3^{2-}$ +	I_2 =	$S_4O_6^{2-}$ +	$2\,I^-$
État du système	**Avancement (mol)**	**Quantités de matière (mol)**			
État initial	$x = 0$	C_3V_3	n	0	0
État intermédiaire	x	$C_3V_3 - 2x$	$n - x$	x	$2x$
À l'équivalence	x_E	$C_3V_3 - 2x_E$	$n - x_E$	x_E	$2x_E$

À l'équivalence, les quantités de matière des réactifs titrant et à titrer sont nulles, d'où :

$$n(S_2O_3^{2-})_E = C_3V_3 - 2x_E = 0 \text{ mol} \quad \text{donc} \quad x_E = \frac{C_3V_3}{2} \ ;$$

$$n(I_2)_E = n - x_E = 0 \text{ mol} \quad \text{donc} \quad x_E = n .$$

Par égalisation des deux expressions littérales de x_E nous tirons : $n = \dfrac{C_3V_3}{2}$

soit numériquement, avec $C_3 = 5{,}00 \times 10^{-3}$ mol · L^{-1} et $V_3 = 14{,}5 \times 10^{-3}$ L :

$$\boxed{n = 3{,}63 \times 10^{-5} \text{ mol} = 36{,}3\ \mu\text{mol}}$$

❸ Complétons le tableau d'évolution du système chimique lors de la réaction de l'acide ascorbique avec le diiode :

Équation chimique		$C_6H_8O_6$ +	I_2	= $C_6H_6O_6$	+ $2\,I^-$	+ $2\,H^+$
État du système	**Avancement (mol)**	**Quantités de matière (mol)**				
État initial	$x = 0$	n_1	C_2V_2			
État intermédiaire	x	$n_1 - x$	$C_2V_2 - x$			
État final	x_f	$n_1 - x_f$	$C_2V_2 - x_f$			

La transformation est totale mais la couleur brune du diiode ne disparaît pas totalement, ce qui nous permet de déduire que l'acide ascorbique est le réactif limitant qui aura totalement disparu dans l'état final du système, donc :

$$n(C_6H_8O_6)_f = n_1 - x_f = 0 \text{ mol} \quad \text{d'où} \quad n_1 = x_f .$$

Par ailleurs, la quantité de matière de diiode restant en fin de transformation correspond à celle qui sera ensuite dosée par les ions thiosulfate, d'où :

$$C_2V_2 - x_f = n \quad \text{donc} \quad x_f = C_2V_2 - n$$

En égalisant les deux relations que nous venons d'établir nous tirons :

$$n_1 = C_2V_2 - n$$

Numériquement, avec $C_2 = 2{,}00 \times 10^{-3}$ mol · L^{-1}, $V_2 = 20{,}0 \times 10^{-3}$ L et $n = 3{,}63 \times 10^{-5}$ mol, nous calculons :

$$\boxed{n_1 = 3{,}75 \times 10^{-6} \text{ mol} = 3{,}75\ \mu\text{mol}}$$

Traduisez sous forme d'équation les informations du texte.

❹ Soit c_S la concentration molaire en acide ascorbique de la solution S, alors :

$$c_S = \frac{n_1}{V_1}$$

Ceci nous permet d'exprimer la quantité de matière n_J d'acide ascorbique contenue dans le volume V_S de solution S : $n_J = c_S \cdot V_S$

laquelle était intégralement contenue dans le volume V_J de jus de citron de concentration molaire c_J en acide ascorbique :

$$c_J = \frac{n_J}{V_J} = \frac{c_S \cdot V_S}{V_J} = \frac{n_1 \cdot V_S}{V_1 \cdot V_J}$$

Numériquement, avec $V_S = 100{,}0 \times 10^{-3}$ L, $V_1 = 20{,}0 \times 10^{-3}$ L, $V_J = 6{,}2 \times 10^{-3}$ L et $n_1 = 3{,}75 \times 10^{-6}$ mol, nous obtenons :

$$\boxed{c_J = 3{,}0 \times 10^{-3} \text{ mol} \cdot \text{L}^{-1}}$$

Remarque : ce résultat est en accord avec la précision de l'énoncé affirmant que la concentration molaire du jus de citron en acide ascorbique est plus faible que celle en acide citrique ($0{,}40$ mol · L^{-1}).

N'hésitez pas à attribuer un symbole aux grandeurs dont vous avez besoin pour expliciter votre raisonnement, quand rien n'est imposé dans le sujet.

CHIMIE

THÈME Élaboration d'un produit

Purification du cuivre : principe du raffinage du cuivre

Le cuivre utilisé pour la fabrication des conducteurs électriques doit être pur à 99,99 %.
La purification des métaux par électrolyse est possible grâce à l'emploi d'une anode soluble.
• Le métal impur (minerai de cuivre contenant 98 à 99,5 % de cuivre) constitue l'anode. Ce métal subit une oxydation et passe à l'état d'ions en solution. Les impuretés libérées tombent au fond de l'électrolyseur ou restent en suspension dans la solution électrolytique.
• À la cathode, les ions cuivre II ($Cu^{2+}_{(aq)}$) en solution subissent une réduction, le métal très pur se dépose.
• La solution électrolytique contient des ions cuivre II ($Cu^{2+}_{(aq)}$), des ions sulfate $SO^{2-}_{4(aq)}$ et de l'acide sulfurique.

1. PRINCIPE DE L'ÉLECTROLYSE

Le schéma ci-dessous illustre le montage d'une telle électrolyse.

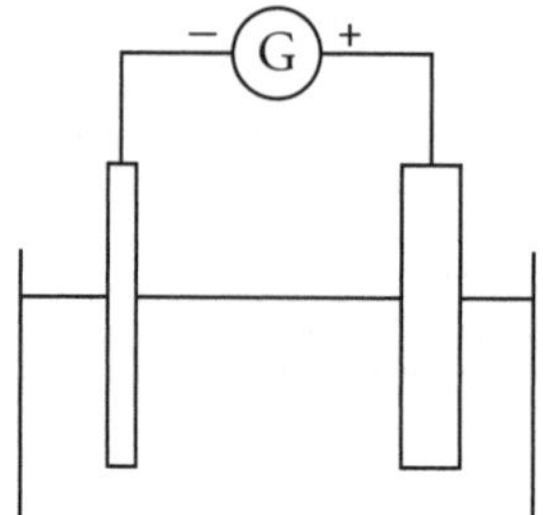

1 Compléter le schéma en indiquant :
– le sens du courant électrique I ;
– le sens de déplacement des électrons e^- ;
– le sens de déplacement des ions positifs (cations) ;
– le sens de déplacement des ions négatifs (anions) ;
– l'anode ;
– la cathode.

2 La transformation qui se produit lors d'une électrolyse est-elle une réaction d'oxydoréduction spontanée ou forcée ? Justifier la réponse.

3 Écrire les équations des transformations qui se déroulent aux électrodes.

4 En déduire l'équation de la réaction d'oxydoréduction qui se déroule dans l'électrolyseur.

5 Pourquoi qualifie-t-on cette électrolyse d'électrolyse à « anode soluble » ?

6 La concentration en ions cuivre II de la solution électrolytique varie-t-elle au cours de l'électrolyse ? Justifier.

7 En fonction du pH de la solution dans laquelle il se trouve, l'élément cuivre en solution peut exister sous deux formes :

$$Cu^{2+}_{(aq)} \quad \text{ou} \quad Cu(OH)_{2(s)}.$$

On donne ci-dessous le diagramme de prédominance de l'ion Cu^{2+}.

5
pH
$Cu^{2+}_{(aq)}$ | $Cu(OH)_{2\,(s)}$

Expliquer qualitativement pourquoi on ajoute de l'acide sulfurique dans la solution électrolytique.

2. DÉPÔT DU CUIVRE

À l'aide du montage décrit dans la première partie, on désire déposer par électrolyse une couche de cuivre sur une plaque d'acier, afin d'améliorer le contact électrique d'un interrupteur incorporé dans un circuit électrique. Dans l'industrie, pour des raisons d'efficacité, on dépose sur la plaque d'acier à traiter une fine couche de nickel qui permet une meilleure adhérence du cuivre. On ne tiendra pas compte de cette opération dans l'exercice.
Le dispositif est monté de telle façon qu'une seule face de la plaque d'acier puisse être recouverte de cuivre.
Lors de l'électrolyse d'une durée $\Delta t = 30{,}0$ min, l'intensité du courant est constante et vaut $I = 4{,}00 \times 10^{2}$ mA.

Données
- $M(\text{Cu}) = 63{,}5$ g · mol^{-1}.
- Constante d'Avogadro : $N_A = 6{,}02 \times 10^{23}$ mol^{-1}.
- Charge élémentaire : $e = 1{,}60 \times 10^{-19}$ C.

1 La plaque d'acier doit-elle jouer le rôle de l'anode ou de la cathode ?

2 Exprimer la quantité d'électricité Q qui a traversé le circuit pendant l'électrolyse, en fonction de I et Δt.

3 Exprimer Q en fonction de n_e (quantité de matière d'électrons transférée au cours de l'électrolyse), N_A et e.

4 Exprimer n_e en fonction de n_{Cu} (quantité de matière de cuivre formée).

5 Déduire, des questions précédentes, l'expression littérale de n_{Cu} puis de m_{Cu}, masse de cuivre qui s'est déposée sur la plaque. Calculer cette masse.

6 On observe en réalité lors de l'électrolyse une variation de la masse de la lame de cuivre $|\Delta m| = 2{,}41 \times 10^{-1}$ g. Proposer une explication.

LES CLÉS DU SUJET

■ Notions et compétences en jeu

– Interpréter le fonctionnement d'une électrolyse à partir de la polarité d'un générateur : sens du courant, des porteurs de charge.
– Savoir que l'électrolyse est une transformation forcée.
– Écrire les réactions aux électrodes et relier les quantités de matière des espèces formées ou consommées à l'intensité du courant et à la durée de fonctionnement.

■ **Conseils du correcteur**

Partie 1

❻ Évaluez dans quel rapport les ions cuivre(II) apparaissent à l'anode et disparaissent à la cathode.

❼ Pensez que l'élément cuivre doit être sous forme d'ions solvatés pour pouvoir être réduit à la cathode, et non sous forme d'un solide ionique.

Partie 2

❹ Dressez le tableau d'évolution du système chimique pour la réaction ayant lieu à la cathode pour relier n_e à n_{Cu}.

❻ Lisez bien le texte introductif : lorsque l'anode se solubilise « les impuretés libérées tombent au fond de l'électrolyseur ».

CORRIGÉ SUJET 21

1. PRINCIPE DE L'ÉLECTROLYSE

❶ Le courant électrique circule, par convention, du pôle positif vers le pôle négatif du générateur à l'extérieur de celui-ci.
Les cations se déplacent dans le sens du courant, alors que les porteurs de charge électrique négative (anions et électrons) se déplacent dans le sens opposé au courant.
L'anode est l'électrode où ont lieu les réactions d'oxydation, c'est-à-dire l'électrode d'où partent les électrons vers le générateur.
La cathode est l'électrode où ont lieu les réactions de réduction, c'est-à-dire l'électrode où arrivent les électrons depuis le générateur.

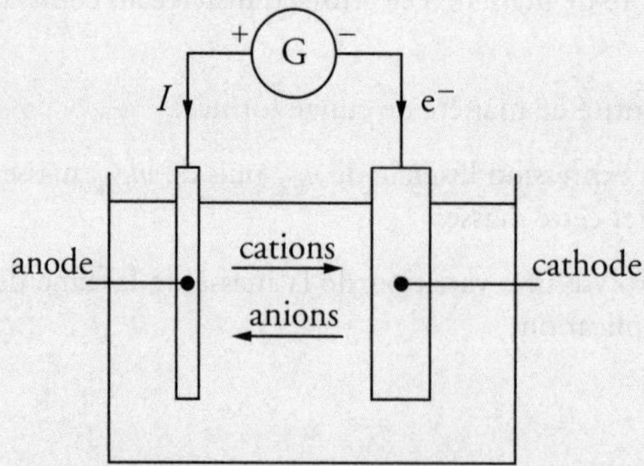

❷ La transformation qui se produit lors d'une électrolyse est une transformation d'oxydoréduction **forcée**. En effet, elle nécessite un apport continu d'énergie par le biais du générateur.

❸ À la cathode, se produit la réduction des ions cuivre(II) dont l'équation s'écrit :

$$\boxed{Cu^{2+}_{(aq)} + 2\,e^- = Cu_{(s)}}$$

À l'anode, se déroule l'oxydation du cuivre métallique, présent dans le minerai, suivant l'équation :

$$\boxed{Cu_{(s)} = Cu^{2+}_{(aq)} + 2\,e^-}$$

❹ **Remarque :** nous distinguerons les espèces présentes à l'anode et à la cathode en utilisant respectivement les lettres A et C en indice.

En effet, les atomes de cuivre $Cu_{(s)}$ figurant dans les équations précédentes ne sont pas les « mêmes », en ce sens qu'ils se forment et disparaissent en des endroits bien distincts de l'électrolyseur.

L'équation globale de la réaction d'électrolyse s'obtient en combinant les deux équations précédentes de manière à ce que le nombre d'électrons transférés soit le même à l'anode et à la cathode :

$$Cu^{2+}_{(aq)C} + 2\,e^- = Cu_{(s)C}$$
$$Cu_{(s)A} = Cu^{2+}_{(aq)A} + 2\,e^-$$
$$\overline{Cu^{2+}_{(aq)C} + Cu_{(s)A} = Cu_{(s)C} + Cu^{2+}_{(aq)A}}$$

❺ Lors de la réaction d'électrolyse, l'anode constituée du cuivre impur se désagrège petit à petit lorsque celui-ci passe sous forme d'ions cuivre(II). Ainsi l'anode se « dissout » peu à peu dans la solution électrolytique, d'où le nom du procédé à « anode soluble ».

❻ La concentration molaire des ions cuivre(II) en solution ne varie pas. En effet, l'équation de la réaction d'électrolyse nous montre que lorsqu'une mole d'ions cuivre(II) disparaît à la cathode, il en apparaît une mole à l'anode.

❼ Tant que le pH de la solution électrolytique reste inférieur à 5, l'élément cuivre se trouve sous forme d'ions cuivre(II), plutôt que sous forme d'hydroxyde de cuivre(II) solide, ce qui permet sa réduction à la cathode. En effet, l'hydroxyde de cuivre(II) est un solide qui, s'il se formait, se déposerait au fond de l'électrolyseur, interrompant alors le dépôt de cuivre à la cathode.
L'ajout d'acide sulfurique à la solution permet donc de maintenir un pH acide inférieur à 5.

2. DÉPÔT DE CUIVRE

❶ Il doit y avoir réduction des ions cuivre(II) en cuivre métallique à la surface de la plaque d'acier ; celle-ci doit donc jouer **le rôle de cathode**.

❷ La quantité d'électricité Q qui a traversé le circuit pendant l'électrolyse s'écrit :

$$\boxed{Q = I\Delta t}$$

❸ Sachant que chaque électron porte une charge électrique $-e = -1{,}60 \times 10^{-19}$ C, la quantité d'électricité Q transférée par la quantité de matière d'électrons n_e s'exprime :

$$\boxed{Q = n_e N_A e}$$

Cette grandeur est toujours comptée positivement en chimie en Terminale S.

❹ Dressons le tableau d'évolution du système chimique au niveau de la cathode où se forme du cuivre métallique (n_e est la quantité de matière d'électrons transférés).

Équation chimique		$Cu^{2+}_{(aq)C}$ +	$2\,e^-$ =	$Cu_{(s)C}$
État du système	Avancement	Quantités de matière (mol)		
État initial	$x = 0$ mol	$n(Cu^{2+})_i$	n_e	0
État intermédiaire	x	$n(Cu^{2+})_i - x$	$n_e - 2x$	x
État final	$x_f = x_{max}$	$n(Cu^{2+})_i - x_f$	$n_e - 2x_f$	x_f

CHIMIE

Dans l'état final où l'électrolyse est stoppée, toute la quantité de matière d'électrons n_e a été transférée, alors :

$$n(e^-)_f = n_e - 2x_f = 0 \text{ mol} \quad \text{donc} \quad x_f = \frac{n_e}{2}$$

Il s'est alors formé une quantité de matière de cuivre telle que :

$$n(\text{Cu})_f = n_{Cu} = x_f$$

Par égalisation des deux expressions, nous obtenons :

$$n_{Cu} = \frac{n_e}{2} \quad \text{soit} \quad \boxed{n_e = 2n_{Cu}}$$

Lors d'une électrolyse, l'état final est souvent fixé par l'expérimentateur qui décide d'interrompre l'électrolyse après une durée choisie.

❺ Nous devons exprimer n_{Cu} et m_{Cu} en fonction des caractéristiques de l'électrolyse et des données du sujet, or :

$$Q = I\Delta t = n_e N_A e \quad \text{soit} \quad n_e = \frac{I\Delta t}{N_A e}$$

et puisque $n_{Cu} = \frac{n_e}{2}$, alors :

$$\boxed{n_{Cu} = \frac{I\Delta t}{2N_A e}}$$

Avec $m_{Cu} = n_{Cu}M(\text{Cu})$, nous obtenons finalement :

$$\boxed{m_{Cu} = \frac{I\Delta t\, M(\text{Cu})}{2N_A e}}$$

Numériquement, avec $I = 4{,}00 \times 10^{-1}$ A, $\Delta t = 30{,}0 \times 60$ s,

$M(\text{Cu}) = 63{,}5 \text{ g} \cdot \text{mol}^{-1}$, $N_A = 6{,}02 \times 10^{23} \text{ mol}^{-1}$ et

$e = 1{,}60 \times 10^{-19}$ C, nous calculons :

$$\boxed{m_{Cu} = 0{,}237 \text{ g} = 237 \text{ mg}}$$

Les masses des dépôts électrolytiques sont souvent de l'ordre de quelques centaines de milligrammes dans des expériences menées au laboratoire, alors qu'elles atteignent plusieurs tonnes dans l'industrie.

❻ Nous nous attendions à observer une valeur absolue de la variation de la masse de l'anode (lame de cuivre) égale à celle de la cathode (plaque d'acier). En effet, la masse de cuivre perdue à l'anode doit se retrouver sur la cathode. Or, ici :

$$|\Delta m_{Cu}|_A > \Delta m_{Cu_C}$$

Nous en déduisons donc que l'anode doit également perdre des impuretés en plus du cuivre, lors de l'électrolyse, à hauteur de 4 mg.

SOMMAIRE

Cochez les sujets sur lesquels vous vous êtes entraînés.

Sujet complet

Sujets classés par thèmes

ENSEIGNEMENT OBLIGATOIRE

Parenté entre êtres vivants actuels et fossiles. Phylogenèse. Évolution

Stabilité et variabilité des génomes et évolution

Du passé géologique à l'évolution future de la planète

Des débuts de la génétique aux enjeux actuels des biotechnologies

Diversité et complémentarité des métabolismes

Descriptif de l'épreuve

Le programme

Enseignement obligatoire

Introduction : approche du temps en biologie et géologie	
Parenté entre les êtres vivants actuels et fossiles - Phylogenèse - Évolution	La recherche de parenté chez les vertébrés - L'établissement de phylogénies - La lignée humaine - La place de l'Homme dans le règne animal - Les critères d'appartenance à la lignée humaine - Le caractère buissonnant de la lignée humaine - L'origine des hommes modernes, Homo sapiens.
Stabilité et variabilité des génomes et évolution	L'apport de l'étude des génomes : les innovation génétiques - Méiose et fécondation participent à la stabilité de l'espèce - Méiose et fécondation sont à l'origine du brassage génétique - Étude de trois exemples de relations entre mécanismes de l'évolution et génétique.
La mesure du temps dans l'histoire de la Terre et de la vie	Datation relative - Datation absolue.
La convergence lithosphérique et ses effets	Convergence et subduction - Convergence et collision continentale.
Procréation	Du sexe génétique au sexe phénotypique - Régulation physiologique de l'axe gonadotrope : intervention de trois niveaux de contrôle - Rencontre des gamètes et début de grossesse.
Immunologie	Une maladie qui touche le système immunitaire : le SIDA (syndrome d'immuno-déficience acquise) - Les processus immunitaires mis en jeu, généralisation - Les vaccins et la mémoire immunitaire.
Couplage des événements biologiques et géologiques au cours du temps	La limite Crétacé - Tertiaire : un événement géologique et biologique majeur - Les crises biologiques, repères dans l'histoire de la Terre.

Enseignement de spécialité

Du passé géologique à l'évolution future de la planète	Les climats passés de la planète Les changements du climat des 700 000 dernières années - Les changements climatiques aux plus grandes échelles du temps - Bilan : envisager les climats du futur.
	Les variations du niveau de la mer Mise en évidence des variations du niveau de la mer au cours des temps géologiques - Les causes des variations mondiales du niveau de la mer.
Des débuts de la génétique aux enjeux actuels des biotechnologies	Les débuts de la génétique : les travaux de Mendel (1870) - La théorie chromosomique de l'hérédité - L'avènement de la biologie moléculaire : une nouvelle rupture - La révolution technologique du début des années 70 - Les enjeux actuels des biotechnologies.
Diversité et complémentarité des métabolismes	Du carbone minéral aux composants du vivant : la photo-autotrophie pour le carbone - L'ATP, molécule indispensable à la vie cellulaire - Bilan structural et fonctionnel d'une cellule vivante.

Nature et conditions de l'épreuve

Elle comporte deux parties : une partie écrite (16 points) et une partie pratique avec évaluation des capacités expérimentales (4 points).

L'épreuve écrite pour l'enseignement obligatoire

- Durée de l'épreuve : 3 heures 30.
- Coefficient : 6.
- Composition : L'épreuve est divisée en deux parties, la première portant sur une restitution des connaissances et la seconde, sur la pratique du raisonnement scientifique.

L'épreuve porte obligatoirement sur les sciences de la vie d'une part et sur les sciences de la Terre d'autre part. Cela signifie que chacun de ces deux domaines est évalué par au moins une question parmi les trois prévues à l'examen.

Partie I (notée sur 8 points)

Cette partie de l'épreuve, restitution des connaissances, sans document, permet de valider vos connaissances dans une des sept parties évaluables du programme de l'enseignement obligatoire. La question doit faire apparaître les limites du sujet pour vous aider à construire votre réponse, organisée et illustrée par un ou plusieurs schémas.

Partie II (notée sur 8 points)

Cette partie valide la pratique du raisonnement scientifique et porte sur une ou deux partie(s) évaluable(s) du programme, différente(s) de celle de la partie I. Cette partie est subdivisée en deux exercices.

Le **premier exercice** (noté II, 1) permet d'évaluer votre capacité à extraire dans un document des informations utiles à la résolution du problème scientifique posé. Cet exercice est noté sur 3 points.
Le **second exercice** (noté II, 2) permet d'évaluer, à partir de l'exploitation de deux ou trois documents, votre capacité à résoudre le problème scientifique posé, en relation avec vos connaissances. Il est noté sur 5 points.

L'épreuve écrite pour les élèves qui ont choisi l'enseignement de spécialité

- **Durée de l'épreuve** : 3 heures 30.
- **Coefficient** : 8.
- **Composition** : La partie I (8 points) et le premier exercice de la partie II (3 points) sont identiques à ceux de l'enseignement obligatoire. Le **second exercice de la partie II** (5 points) a les mêmes caractéristiques que celui de l'enseignement obligatoire mais porte **sur le programme de spécialité**. Les exercices 1 et 2 de la partie II portent donc sur deux parties différentes du programme.

L'épreuve pratique d'évaluation des capacités expérimentales

- **Durée de l'épreuve** : 1 heure. Notée sur 20 points.
- **Composition** : L'évaluation des capacités expérimentales a lieu dans le courant du troisième trimestre, dans le cadre habituel de votre formation. Dans la banque nationale des situations d'évaluation, 25 situations seront retenues et publiées au début du troisième trimestre.

- Le jour de l'évaluation, vous tirez au sort **une situation d'évaluation parmi celles retenues par l'établissement**. Si vous avez choisi l'enseignement de spécialité, vous pouvez avoir à réaliser une activité spécifique de l'enseignement de spécialité ou bien une activité appartenant à une partie du programme du tronc commun.

- Deux professeurs examinateurs sont présents dans la salle où a lieu l'évaluation. Un examinateur évalue au maximum quatre élèves. Les professeurs examinateurs disposent d'une **grille d'observation** au nom de chaque candidat. Ce document ainsi que la **feuille-réponse** rédigée par l'élève ont le même statut que la copie d'écrit.

Conseils de méthode

La partie I de l'épreuve écrite

• Lisez bien la question de manière à repérer les **limites du sujet** et à éviter des développements hors sujet.
La question vous précise si un ou plusieurs **schémas** sont exigés. Un schéma vous permet de montrer visuellement que vous avez compris, même si votre texte présente par ailleurs des déficiences. Si on ne vous demande pas de schéma, vous pouvez en faire un malgré tout, et ce sera apprécié… s'il révèle une compréhension correcte du sujet.

• Faire une **réponse organisée** signifie construire votre réponse avec :

1. une **introduction** qui situe le sujet, en explicite les termes et, d'une certaine façon, pose le problème dont vous allez exposer la solution ;
2. un **développement** en quelques paragraphes qui représentent les différentes phases de la démarche explicative. Chaque paragraphe doit déboucher sur une conclusion précise. Un titre bref précédé d'une lettre ou d'un chiffre en indique l'objet. La ou les notions essentielles doivent apparaître nettement en conclusion ;
3. des **transitions courtes entre paragraphes** aidant le correcteur à suivre votre pensée ;
4. une **conclusion**, réponse au problème posé en introduction, et qui mérite souvent d'être accompagnée d'un schéma-bilan.

La partie II de l'épreuve écrite

Le premier exercice

• Lisez attentivement la question précisant le problème à résoudre, c'est elle qui doit orienter l'exploitation du document qui vous est demandée. Vous avez certainement étudié durant l'année un document similaire, mais vous l'avez peut-être analysé dans une autre optique que celle prévue par le sujet de l'épreuve. C'est l'**adéquation entre la question posée et les informations tirées de l'analyse du document** qu'il faut viser.

• N'oubliez pas qu'**on ne vous demande pas ici de restituer des connaissances**. Une réponse s'appuyant sur vos connaissances, et non sur l'analyse du document fourni, sera considérée comme nulle, même si elle est correcte par ailleurs. Vos connaissances peuvent vous aider à lire le document : elles sont donc utiles dans la phase exploratoire du document, mais non dans la rédaction de la réponse.

Le second exercice

• Le problème à résoudre ici peut faire appel à des documents non vus en classe. De plus, sa solution résulte de l'analyse de deux ou trois documents et non d'un seul comme pour le premier exercice de cette partie II.

• Là non plus, on ne vous demande pas de restituer vos connaissances. Cependant, pour exploiter les informations extraites d'un document, pour leur donner du sens, vous devrez peut-être les **mettre en relation avec vos connaissances**.

• Il s'agit donc, sans être guidé par des questions, d'extraire des informations de chaque document et de les exploiter, puis de les relier entre elles en synthèse cohérente débouchant sur une réponse au problème posé.

• Les lignes directrices de votre réponse étant trouvées, rédigez au propre l'analyse de chaque document suivant l'ordre qui vous paraît pertinent et terminez par une synthèse – éventuellement associée à un schéma-bilan – qui débouche sur une solution au problème posé.

OBLIGATOIRE ET SPÉCIALITÉ • Thème : Stabilité et variabilité des génomes...
PARTIE I • 8 POINTS

Fécondation, méiose et conservation du caryotype

Une espèce d'être vivant est caractérisée notamment par son caryotype, c'est-à-dire par les particularités (nombre, forme, taille) de ses chromosomes.

▶ Exposez comment méiose et fécondation permettent le maintien du caryotype dans les générations successives. Votre exposé s'appuiera sur l'exemple d'une espèce haploïde à 3 chromosomes ($n = 3$).

On attend une introduction, un développement structuré et illustré par des schémas, ainsi qu'une conclusion.

OBLIGATOIRE ET SPÉCIALITÉ • Thème : Parenté entre êtres vivants actuels et fossiles...
PARTIE II • EXERCICE 1 • 3 POINTS

Principes de la classification phylogénétique

L'ancien système de classification reposait essentiellement sur des critères morphologiques et anatomiques. Ainsi, on regroupait sous le terme de poissons des vertébrés aquatiques munis de nageoires.
Dans le cadre de la classification phylogénétique reposant sur des critères de parenté évolutive, le groupe des poissons n'existe pas.

▶ À partir de l'exploitation du *document* :

a) déterminez, en le justifiant, qui du requin ou du rat est le plus proche parent du saumon ;
b) dites pourquoi le groupe des poissons n'existe pas dans le cadre d'une classification phylogénétique.

Document Arbre phylogénétique de quelques vertébrés

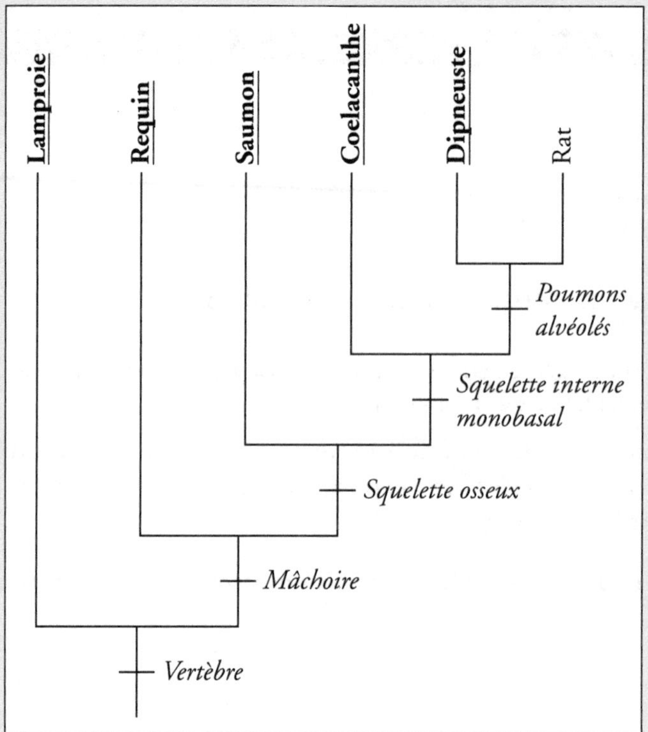

En gras et souligné : vertébrés appartenant à l'ancien groupe des poissons.
En italique : états dérivés des caractères étudiés.

D'après *Comprendre et enseigner la classification du vivant*, Belin.

OBLIGATOIRE • Thème : La convergence lithosphérique et ses effets
PARTIE II • EXERCICE 2 • 5 POINTS

Entrée en subduction et entretien de la subduction

▸ **a) À partir de l'étude du *document 1* et de vos connaissances, expliquez comment la modification de la densité de la lithosphère océanique peut lui permettre d'entrer en subduction.**

b) À partir de l'étude des *documents 2 et 3* et de vos connaissances, expliquez comment les transformations de la croûte océanique entretiennent la subduction.

Document 1 Structure et densité d'une plaque de la dorsale à la marge

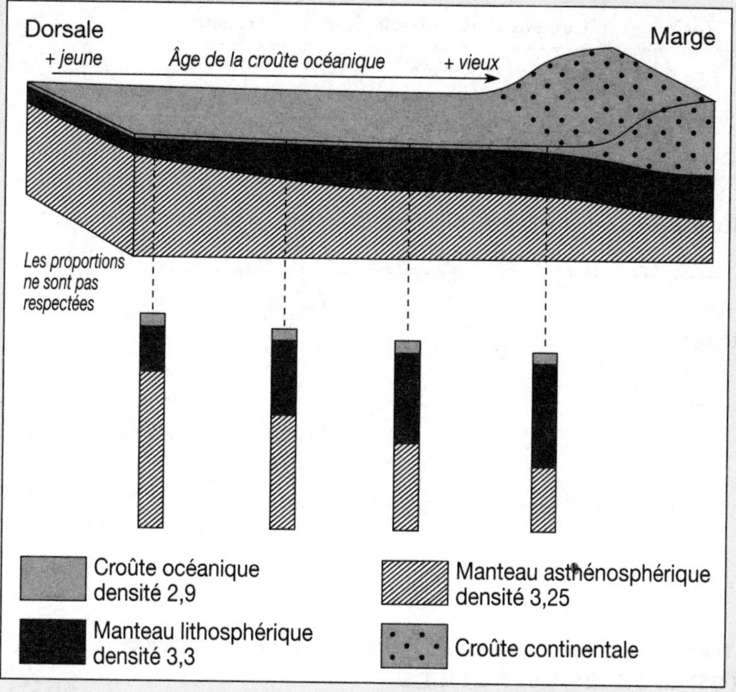

D'après Bordas, *Terminale S*, 2002.

Document 2 Domaines de stabilité de quelques associations de minéraux de la croûte océanique

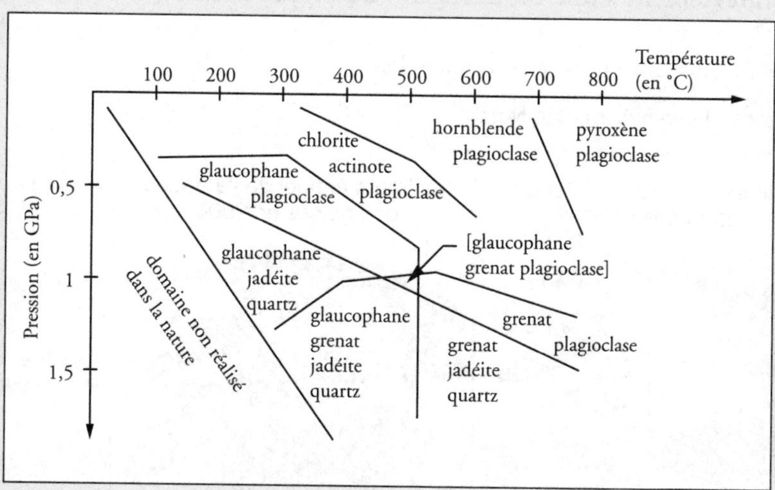

On précise que des minéraux formés dans un domaine de température et pression donné peuvent être encore présents même si la roche n'est plus dans ce domaine (minéraux reliques).

D'après documents du Centre briançonnais de géologie alpine.

Document 3 Caractéristiques de trois métagabbros* de la lithosphère océanique

Roche	Composition minéralogique	Densité
Métagabbro 1	plagioclase pyroxène relique chlorite actinote	2,9
Métagabbro 2	plagioclase pyroxène relique glaucophane	3,1
Métagabbro 3	grenat jadéite glaucophane quartz	3,5

D'après Nathan, *Terminale S*, 2002.

* Un métagabbro est un gabbro ayant subi des transformations minéralogiques.

SPÉCIALITÉ • Thème : Du passé géologique à l'évolution future de la planète
PARTIE II • EXERCICE 2 • 5 POINTS

Fonte des glaces et niveau marin

▸ À partir de l'exploitation des *documents* complétée de vos connaissances, discutez en quoi l'évolution actuelle des glaces du pôle Nord pourrait participer directement ou indirectement à une modification du niveau marin.

Document 1 Fontes de glace observées et expérimentales

a. Surfaces des glaces observées au pôle Nord

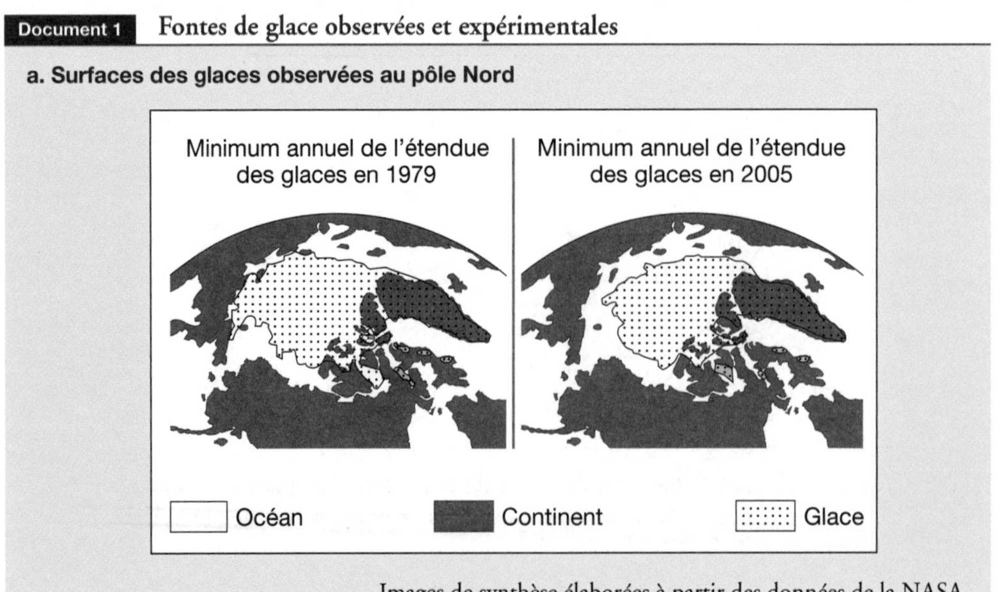

Images de synthèse élaborées à partir des données de la NASA.

b. Expériences de fonte de glaçons

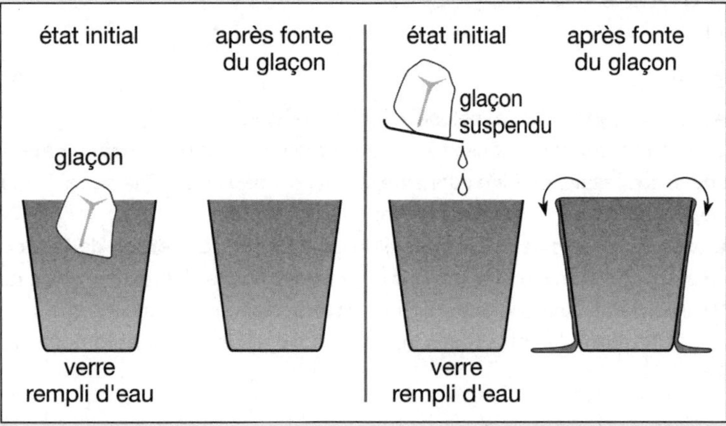

D'après **B. Urgelli**, site de l'ENS Lyon.

Document 2 Albédo de quelques surfaces terrestres

Nature de la surface	Albédo (%)
Glace	50 à 60
Forêts	10 à 15
Océan	5 à 15
Sol nu ou roches	10 à 20

Document 3 Étude expérimentale de la relation entre température et volume de l'eau

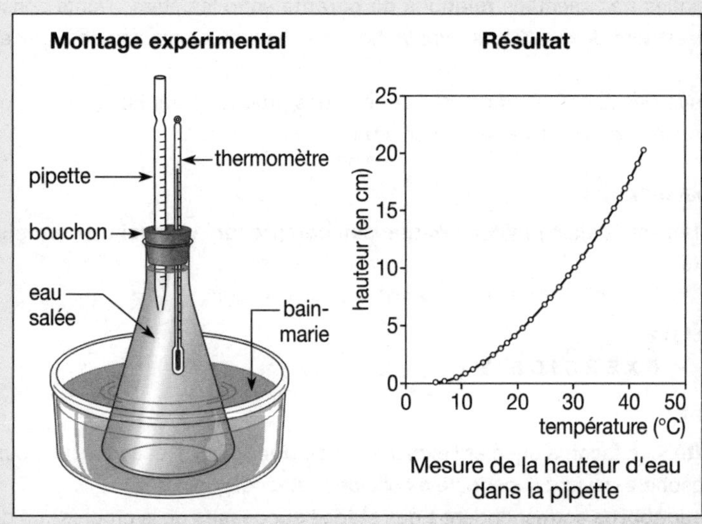

D'après Bordas, *Terminale S spécialité*, 2002 et banque ECE 2004.

LES CLÉS DU SUJET

OBLIGATOIRE ET SPÉCIALITÉ
PARTIE I

Comprendre le sujet

- Sujet très classique puisque portant sur la méiose et la fécondation.
- Son originalité réside dans l'étude de la conservation du caryotype chez une **espèce haploïde** et non diploïde. Il est donc nécessaire de bien connaître le sens d'« haploïde ». Pensez à *Sordaria* sans le prendre comme support précis de votre exposé.
- Puisqu'on parle d'une espèce haploïde, il est préférable de **débuter par l'étude de la fécondation**, qui implique la production de gamètes par des organismes adultes haploïdes, avant celle de la méiose, même si le libellé du sujet indique « méiose et fécondation » dans cet ordre.
- Limitez-vous au sujet. **Attention :** les brassages intrachromosomique et interchromosomique ne sont pas à envisager.

Mobiliser ses connaissances

Méiose et fécondation participent à la stabilité de l'espèce.

- **La méiose** assure le passage de la **phase diploïde** (réduite à l'œuf chez les haploïdes) à la **phase haploïde** représentée ici par l'organisme adulte.
- La méiose succède à une phase de **réplication de l'ADN** (chromosomes alors formés de deux chromatides).
- **La méiose se compose de deux divisions successives** conduisant à des cellules filles possédant un lot haploïde de chromosomes simples : séparation des chromosomes homologues formés de deux chromatides lors de la première division, séparation des chromatides des *n* chromosomes de chaque cellule au cours de la deuxième division.
- **La fécondation** rétablit la diploïdie en réunissant au sein de l'œuf les lots haploïdes de deux cellules reproductrices.

OBLIGATOIRE ET SPÉCIALITÉ
PARTIE II • EXERCICE 1

Comprendre le sujet

- Les arbres phylogénétiques traduisent les **relations de parenté** entre les êtres vivants considérés et les nœuds représentent des **ancêtres** hypothétiques à deux ou plusieurs des espèces considérées.
- Les **caractères exclusifs** des ancêtres communs, et donc des groupes, sont indiqués par les **états dérivés** précisés sur le segment qui aboutit à chacun d'eux.

Mobiliser ses connaissances

Un **groupe** reconnu par la classification **phylogénétique doit comprendre un ancêtre commun et tous ses descendants**.

OBLIGATOIRE
PARTIE II • EXERCICE 2

Comprendre le sujet

- Repérer le mot « **densité** » de façon à orienter l'exploitation du ***document 1*** et à montrer pourquoi la densité de la lithosphère devient supérieure à celle de l'asthénosphère.
- Saisir que les **trois métagabbros** correspondent à des **stades successifs** de la progression de la lithosphère vers la subduction.

■ Mobiliser ses connaissances

L'évolution de la lithosphère qui s'éloigne de la dorsale s'accompagne d'une augmentation de sa densité jusqu'à dépasser celle de l'asthénosphère. Cette **différence de densité est l'un des principaux moteurs de la subduction**.

SPÉCIALITÉ
PARTIE II • EXERCICE 2

■ Comprendre le sujet

• Repérer dans le libellé du sujet les deux adverbes « directement » et « indirectement » qui doivent orienter votre approche globale des documents et doivent être repris dans la conclusion.
• Déduire du ***document 1*** la réalité d'une fonte de la banquise arctique depuis 25 ans et déduire son importance directe (***document 1***) et indirecte (***documents 2 et 3***).

■ Mobiliser ses connaissances

L'albédo, estimé en pourcentages, est le rapport de l'énergie solaire **réfléchie** par une surface sur l'énergie solaire incidente. Seule l'énergie **non réfléchie**, absorbée par la Terre, contribue à l'établissement de la température de celle-ci.

CORRIGÉ SUJET 1

OBLIGATOIRE ET SPÉCIALITÉ
PARTIE I

Introduction

Au fil des générations, le caryotype d'une espèce reste le même : même nombre, même taille et même forme des chromosomes.
Nous allons étudier les mécanismes de la reproduction sexuée qui assurent cette permanence du caryotype en considérant une espèce haploïde à 3 chromosomes, c'est-à-dire une espèce chez laquelle **les cellules des individus adultes ont toutes 3 chromosomes (*n* = 3)** de forme différente et portant des gènes différents (***figure 1***).
Les deux mécanismes sont la méiose et la fécondation. Puisqu'on envisage ici le cas d'une espèce haploïde, nous allons d'abord traiter des conséquences de la fécondation puis celles de la méiose.

Veillez bien à représenter 3 chromosomes nettement différents les uns des autres (pas de paires de chromosomes). On peut, ici, les représenter simple car il s'agit d'un schéma théorique, mais il faut savoir qu'ils ne sont, en réalité, visibles que dupliqués durant la mitose, moment où on établit les caryotypes.

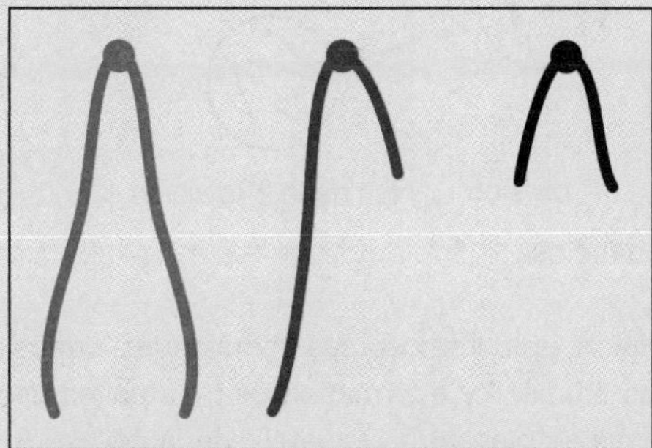

Figure 1. Garniture chromosomique (caryotype) d'une des cellules d'un individu adulte

A. La fécondation et la formation de la cellule-œuf diploïde

L'individu adulte haploïde produit des cellules reproductrices (gamètes) qui, comme toutes celles de l'organisme, possèdent **3 chromosomes**.

L'union de deux gamètes conduit à la formation d'une cellule-œuf dont le noyau contient alors **3 paires de chromosomes homologues** *(figure 2)*.

Chez un individu haploïde, au cours de la formation des gamètes, il n'y a pas de méiose.

Comme il s'agit d'une étude théorique, les deux gamètes peuvent être représentés semblables ou différents. On peut donc distinguer ou non le gamète mâle du gamète femelle.

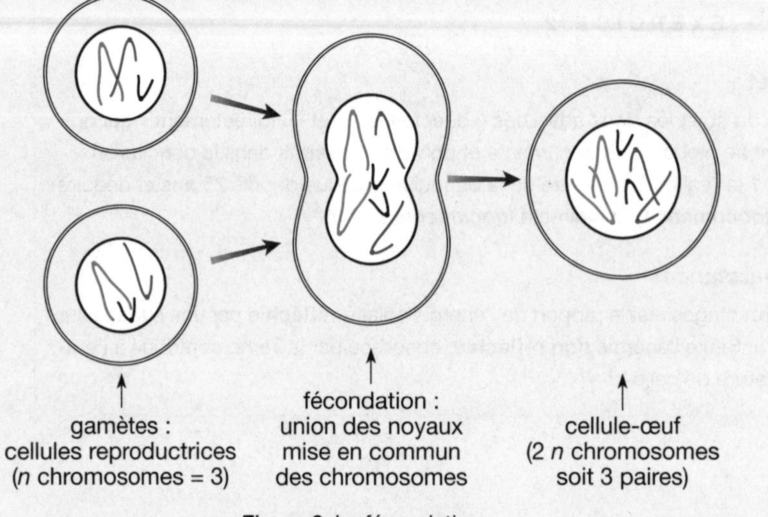

Figure 2. La fécondation

B. La méiose et la formation d'un nouvel individu haploïde

Chez une espèce haploïde, c'est la cellule-œuf qui subit la méiose.

La méiose comprend deux divisions successives *(figure 3)*.

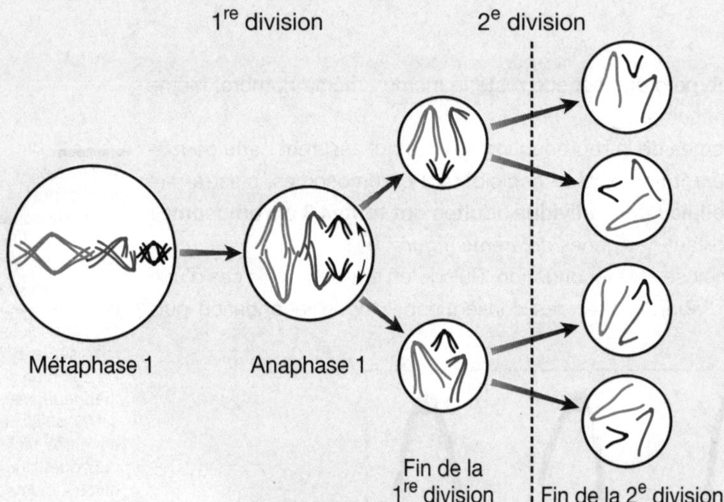

Figure 3. La méiose

• Au cours de la **prophase de la première division**, les chromosomes homologues formés de deux chromatides s'apparient : dans le cas étudié, il y a formation de trois paires de chromosomes. À la **métaphase**, ces trois paires se placent à l'équateur de la cellule. À l'**anaphase**, pour chaque paire, un chromosome (toujours formé de deux chromatides) va vers un pôle et l'autre vers l'autre pôle de la cellule-œuf. Chaque cellule fille n'hérite donc que de trois chromosomes et plus précisément, **d'un seul exemplaire** de chacune des paires présentes dans la cellule-œuf : elle est donc haploïde mais chaque chromosome est dédoublé en deux chromatides.

• Au cours de la deuxième division de la méiose, il y a séparation des chromatides de chaque chromosome. Chaque cellule hérite donc ainsi de **trois chromosomes simples**.

Chaque cellule résultant de la méiose va alors subir un grand nombre de mitoses qui aboutiront à la formation de nouveaux individus dont toutes les cellules posséderont 3 chromosomes.

Conclusion

Que la méiose suive immédiatement la fécondation (phase diploïde réduite à l'œuf) ou, inversement, que la fécondation suive immédiatement la méiose (phase haploïde réduite aux gamètes), **la méiose assure le passage de *2 n* à *n* chromosomes et la fécondation, le passage de *n* à *2 n* chromosomes**. Ainsi, le nombre de chromosomes ou plus précisément **le caryotype de l'espèce, est conservé de générations en générations**.

Cependant, méiose et fécondation n'ont pas pour seule conséquence la conservation du caryotype mais, par le brassage génétique qu'elles assurent, elles font que les individus d'une espèce, tout en conservant le même caryotype, présentent chacun une **combinaison unique d'allèles** des gènes de l'espèce.

Puisqu'il s'agit d'une espèce haploïde, il n'y a pas de mitoses à l'état diploïde. Il n'y a de mitoses qu'à l'état haploïde.

Dans la conclusion, ne pas hésiter à évoquer des aspects non abordés par le sujet.

OBLIGATOIRE ET SPÉCIALITÉ PARTIE II • EXERCICE 1

a) Relations de parenté entre le requin, le rat et le saumon

Le rat partage avec le saumon l'état dérivé « squelette osseux » que ne possède pas le requin ; en conséquence, le **rat est plus étroitement apparenté au saumon** que ne l'est le requin.

Autre type de réponse possible : *Le rat et le saumon ont un ancêtre commun, défini par le caractère dérivé « squelette osseux » ; cet ancêtre n'est pas celui du requin. En conséquence, le rat et le saumon sont plus étroitement apparentés que le requin et le saumon.*

b) Existence du groupe des poissons

Un **groupe**, pour être reconnu par la classification phylogénétique, doit comprendre un **ancêtre commun et tous ses descendants**. L'ancêtre commun à l'ancien groupe des poissons est situé tout en bas de l'arbre phylogénétique proposé, et il est défini par le caractère dérivé «vertèbre ». Cet ancêtre commun est également celui du rat. Par conséquent, l'ancien groupe des poissons ne réunissant pas tous les descendants de cet ancêtre commun, puisque le rat ne fait pas partie des poissons, n'est pas reconnu par la classification phylogénétique.

Pensez à définir un groupe monophylétique, seul groupe reconnu par la classification phylogénétique. Recherchez sur l'arbre proposé, l'ancêtre commun à tous les vertébrés considérés comme des poissons dans l'ancienne classification et vérifiez s'il est ou non exclusif à ces poissons.

OBLIGATOIRE PARTIE II • EXERCICE 2

a) Densité de la lithosphère océanique et subduction *(exploitation du document 1)*

La lithosphère océanique est formée par la croûte océanique et le manteau lithosphérique. Étant donné la faible épaisseur du manteau lithosphérique à proximité de la dorsale, la **densité** moyenne de la **lithosphère** océanique est **inférieure** à celle de **l'asthénosphère** (la lithosphère « flotte » sur l'asthénosphère).

Ne pas oublier de définir la lithosphère océanique. Ne vous perdez pas dans le vocabulaire proposé.

Au fur et à mesure que la lithosphère s'éloigne de la dorsale où elle s'est formée, elle **s'épaissit**. En réalité, la croûte garde la même épaisseur alors que celle du manteau lithosphérique augmente.

Attention : le manteau lithosphérique n'est qu'une partie de la lithosphère.

Ce manteau lithosphérique supplémentaire provient de la transformation du manteau asthénosphérique lié à son refroidissement.

Le manteau lithosphérique, qui a la même composition que le manteau asthénosphérique mais est plus froid, a une densité supérieure à celle de celui-ci (3,3 contre 3,25).

À partir d'une certaine distance de la dorsale, **l'ensemble croûte et manteau lithosphérique atteint une densité égale puis supérieure à celle du manteau asthénosphérique.** L'asthénosphère étant plastique, la **lithosphère rigide tend à s'enfoncer dans l'asthénosphère** par gravité.

b) L'entretien de la subduction *(exploitation des documents 2 et 3)*

Le but : situez les trois métagabbros dans le déroulement de la subduction de la lithosphère océanique. Pour cela, utilisez simultanément les *documents 2 et 3* indissociables.

Le diagramme du ***document 2*** permet de situer les gabbros dans l'histoire de la croûte océanique depuis sa formation à la dorsale jusqu'à son devenir au cours de la subduction.

Le métagabbro 1, d'après sa composition minéralogique, correspond à un gabbro dont la température est d'environ 400 °C et qui subit une pression inférieure à 0,5 GPa, donc localisé à une faible profondeur. Il a, de plus, la même densité que la croûte océanique : **il s'agit donc d'un métagabbro d'une croûte océanique qui n'a pas subducté.**

Le **métagabbro 2** correspond, d'après le ***document 2***, du fait de la présence de glaucophane, à un gabbro situé dans une région de plus forte pression (supérieure à 0,5 GPa) que le métagabbro 1 : c'est un **métagabbro d'une croûte entrée en subduction.**

L'association minérale du **métagabbro 3** indique qu'il est situé à **plus grande profondeur** que les métagabbros 1 et 2, dans une région où la pression est supérieure à 1GPa.

Les métagabbros 1, 2 et 3 traduisent par leurs caractères minéralogiques l'évolution des gabbros de la croûte océanique au cours d'une subduction (***figure 1***).

Les indications de densité montrent que les transformations métamorphiques de la croûte océanique au cours de la subduction s'accompagnent d'une **augmentation de densité** de 2,9 à 3,5. La lithosphère océanique devient donc de plus en plus dense au fur et à mesure qu'elle s'enfonce dans l'asthénophère, ce **qui entretient la subduction.**

Notez bien que l'augmentation de la densité des métagabbros joue un rôle dans l'entretien de la subduction.

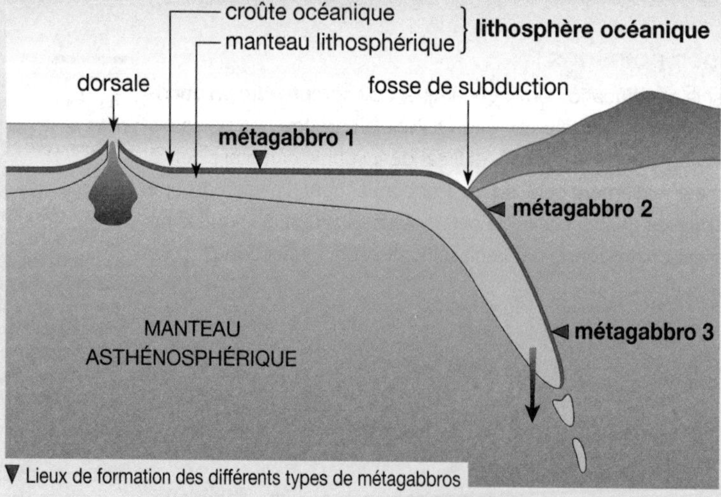

Figure 1. Métagabbros et subduction

Conclusion

• L'entrée en **subduction est amorcée** par la transformation du manteau asthénosphérique en manteau lithosphérique de plus forte densité au fur et à mesure que la lithosphère océanique s'éloigne de la dorsale.
• La **subduction est ensuite entretenue** par le métamorphisme du matériel constitutif de la croûte.

SPÉCIALITÉ
PARTIE II • EXERCICE 2

Exploitation du document 1

Document 1a

On constate très nettement à l'ouest de la carte, au nord de l'Alaska, une surface de glace **plus faible** en 2005 qu'en 1979, laissant **apparaître les eaux** de l'océan Arctique.
Cela indique une fonte de la banquise arctique (**glace de mer**) plus importante en 2005 qu'en 1979. On peut penser que cela matérialise une tendance générale à la fonte des glaces liée au réchauffement climatique.
En ce qui concerne les glaces de terre recouvrant le continent ou les îles, sa surface n'a pas sensiblement varié de 1979 à 2005.

Document 1b

Il permet de discuter de l'influence directe de la fonte des glaces de mer et des glaces de terre sur le niveau marin.
La ***figure de gauche*** simule de la **glace de mer** dans l'eau et donc la situation à l'ouest de l'océan Arctique (glace de mer flottant sur l'eau). On constate que la fonte du glaçon **n'entraîne pas un débordement de l'eau** ; donc le niveau dans le verre n'a pas changé.
En revanche, la ***figure de droite*** simule la fonte de **glaces situées sur le continent** dont les eaux de fonte vont à l'océan : dans ce cas, l'eau déborde, ce qui signifie une élévation de son niveau dans le verre.
De 1979 à 2005, **la fonte de la banquise arctique** (glace de mer) **ne provoque donc pas directement d'augmentation du niveau marin.** La fonte des glaces de terre étant très faible, ses effets sur le niveau marin, durant cette période, sont négligeables.

Interrogez-vous avant toute exploitation sur l'intérêt du *document 1b* par rapport au *document 1a*. Bien voir qu'il s'agit d'un modèle analogique qui permet d'attirer votre attention sur l'existence de deux types de glace, glace de mer et glace de terre, dont la fonte a des conséquences différentes.

Exploitation du document 2

L'albédo, exprimé en pourcentages, est le rapport de l'énergie solaire **réfléchie** par une surface sur l'énergie solaire **incidente.** Seule l'énergie **absorbée** par la Terre participe à l'établissement de sa température.
Le document montre que l'albédo des eaux océaniques est 4 à 10 fois inférieur à celui des glaces. En conséquence, lorsque la surface des glaces de mer diminue, celles-ci étant remplacées par de l'eau libre, la quantité d'énergie solaire non réfléchie, et donc **absorbée** par l'océan Arctique, augmente. Il en résulte une élévation de la température des eaux océaniques.
La fonte des glaces de mer (banquise) entraîne donc **indirectement** une **augmentation de la température** des eaux de l'océan Arctique.

Rappelez la définition de l'albédo.

Sélectionnez les informations pertinentes relatives à la glace et à l'océan car la fonte des glaces continentales est négligeable et ne dégage donc pas de surfaces nouvelles.

Exploitation du document 3

On constate que la hauteur de l'eau dans la pipette a augmenté avec la température, ce qui traduit une augmentation du volume : c'est la **dilatation thermique de l'eau**.

En appliquant cette notion de dilatation thermique aux eaux océaniques, on peut conclure que l'échauffement des eaux arctiques lié **indirectement** à la fonte des glaces va entraîner une **élévation du niveau** de la mer.

Pensez à associer les conclusions tirées du *document 2* aux informations fournies par le *document 3*.

Conclusion

La fonte des glaces du pôle Nord, essentiellement des glaces de mer, n'entraîne **pas directement** de modification du niveau marin mais entraîne, **indirectement**, une augmentation de ce niveau, car l'albédo de l'eau est inférieur à celui de la glace.

Remarque. *Le graphe du* document 3 *indique que l'augmentation de 5 à 10 °C n'a guère de conséquences sur le volume de l'eau. Ce n'est qu'au-delà de 10°C que la dilatation thermique devient appréciable.*
L'augmentation de température des eaux arctiques froides (température inférieure à 10 °C) ne devrait pas avoir de conséquences mais, du fait de la circulation des eaux océaniques, elle peut participer au réchauffement global des mers.

THÈME Parenté entre êtres vivants actuels et fossiles...

Critères de liens de parenté et lignée humaine

La diversité du monde vivant a amené les biologistes à proposer des outils permettant d'établir des relations de parenté entre les espèces actuelles et fossiles.
On souhaite préciser comment les scientifiques justifient le positionnement de fossiles dans le règne animal, puis dans la lignée humaine.

▸ **Exposez le principe permettant d'établir des liens de parenté entre les organismes. Indiquez la place de l'homme actuel dans le règne animal, puis citez les critères d'appartenance à la lignée humaine.**

Votre exposé comportera une introduction, un développement structuré et une conclusion. Aucun schéma n'est exigé.

LES CLÉS DU SUJET

■ Comprendre le sujet

• Il s'agit d'exposer les principes qui permettent, malgré une diversité importante, de montrer que les êtres vivants actuels et fossiles ont des **liens de parenté** qui se traduisent dans les propriétés communes qu'ils partagent : l'état actuel du monde vivant résulte de l'évolution.
• Insister alors sur le fait que, si tous les êtres vivants actuels et tous les fossiles sont bien apparentés, ils le sont plus ou moins étroitement.
• Il s'agit alors, à partir de diverses données (anatomiques, morphologiques et moléculaires), d'**établir les relations de parenté entre l'homme et les autres êtres vivants**.
• Enfin, il faut dégager les **critères d'appartenance à la lignée humaine**.

■ Mobiliser ses connaissances

• Bien connaître la notion de **caractères homologues** dont la comparaison entre organismes différents permet l'établissement de liens de parenté.
• Bien maîtriser la notion d'**état dérivé d'un caractère** : tous les organismes qui possèdent un même état dérivé l'ont hérité d'un ancêtre commun chez qui cet état est apparu ; cela permet d'affirmer que ces organismes ont une parenté plus étroite entre eux qu'avec ceux qui ne possèdent pas ce caractère dérivé.
• Bien connaître les **états dérivés propres à la lignée humaine** (*Australopithecus, Homo*) liés à la station bipède, au développement du volume crânien, à la régression de la face et aux traces d'une activité culturelle.
• Savoir que tout fossile présentant **au moins un de ces caractères dérivés** appartient à la lignée humaine.

Introduction

Les caractéristiques structurelles et fonctionnelles partagées par tous les êtres vivants (structure cellulaire, matériel génétique sous forme d'ADN s'exprimant en dirigeant la synthèse des protéines suivant les règles d'un code génétique universel) traduisent leur origine commune.

Au cours de l'histoire de la vie, continuellement, des espèces disparaissent et d'autres espèces apparaissent, à partir d'espèces préexistantes (spéciation).

Il en résulte que, si toutes les espèces sont apparentées, elles le sont plus ou moins étroitement. Deux espèces, A et B, sont **plus étroitement apparentées** entre elles qu'à une troisième, C, si elles dérivent d'une population d'une **espèce ancestrale commune** qui n'est pas celle de C. On parle d'un **ancêtre commun** à A et B et non à C.

Après avoir exposé le principe permettant d'établir des liens de parenté entre les organismes, nous situerons l'homme actuel dans le règne animal puis dégagerons les critères d'appartenance à la lignée humaine.

On explicite la notion de parenté en la reliant à l'évolution, de manière à poser le problème : *comment établir que deux espèces sont plus étroitement apparentées entre elles qu'avec d'autres espèces ?*

A. L'établissement des liens de parenté

Les parentés résultent d'une histoire évolutive passée dont on n'a aucun témoignage direct. Mais cette histoire a laissé des marques dans les caractéristiques des organismes actuels.

Les relations de parenté entre les vertébrés actuels sont établies par comparaison de caractères homologues (embryonnaires, morphologiques, anatomiques).

La genèse de nouvelles espèces s'accompagne d'innovations évolutives : on peut reconnaître pour une structure donnée un état **initial ou ancestral** (absence ou premier état d'un caractère) et un ou plusieurs **états dérivés. Seuls les états dérivés** sont pris en compte pour la reconstitution des parentés. Ainsi, deux espèces de vertébrés qui possèdent un état dérivé de type patte (avec doigts) sont plus étroitement apparentées entre elles qu'à une troisième qui possède l'état ancestral du caractère, ici un membre de type nageoire.

Plus le nombre de caractères dérivés partagés est grand, plus la parenté est étroite.

Il est fondamental de bien faire ressortir que seuls les états dérivés des caractères sont pris en compte pour établir des parentés.

B. Place de l'homme dans le règne animal et lignée humaine

L'homme est un **eucaryote** (cellules possédant un noyau limité par une membrane nucléaire), **vertébré** (squelette interne, système nerveux axial dorsal), **tétrapode** (quatre membres munis de doigts), **amniote** (existence d'un amnios délimitant une cavité amniotique lors du développement embryonnaire), **mammifère** (poils, mamelles...), **primate** (pouce opposable aux autres doigts et présence d'ongles au lieu de griffes), **hominoïde** (disparition de la queue), **hominidé, homininé.**

Les données anatomiques, morphologiques et moléculaires indiquent que c'est avec le chimpanzé que l'homme possède l'ancêtre commun le plus récent. On appelle **homininés** l'ensemble formé par l'homme et les espèces fossiles qui lui sont plus étroitement apparentées que ne l'est le chimpanzé. Les **homininés** constituent ce qu'on appelle aussi la **lignée humaine** dont l'histoire s'étend sur plus de six millions d'années.

L'homme actuel, ***Homo sapiens***, est donc le seul représentant de la lignée humaine. Tous les autres homininés sont des espèces fossiles appartenant aux genres ***Australopithecus*** (comme Lucy) et ***Homo (H. habilis, H. erectus...)***.

Le sujet demandant de situer l'homme dans le règne animal, il est nécessaire d'indiquer les caractéristiques des groupes dits emboîtés dans lesquels il est inclus, en débutant par le plus inclusif (celui des Eucaryotes) dans lequel tous les autres (Vertébrés, Tétrapodes...) sont inclus.

C. Les critères d'appartenance à la lignée humaine

Par rapport à l'ensemble des autres primates, l'homme possède les états dérivés suivants.

• **En rapport avec une bipédie exclusive et perfectionnée :**
– une colonne vertébrale à quatre courbures ;
– un bassin large et court ;
– des membres inférieurs plus longs que les membres supérieurs ;
– un fémur oblique depuis la hanche jusqu'au genou ;
– un trou occipital en position avancée ;

• **En rapport avec le développement considérable de l'encéphale :**
– une grande capacité crânienne (1 400 cm^3 en moyenne contre 300 à 500 chez le chimpanzé) ;
– une face réduite au front bien apparent ;
– un menton net.

• **Des traces d'activité culturelle.**

Conclusion

Toutes les espèces vivantes actuelles et toutes les espèces fossiles sont apparentées mais elles le sont plus ou moins.
C'est la comparaison de caractères homologues qui permet d'établir les degrés de parenté. Cette comparaison prend en compte l'état ancestral et l'état dérivé des caractères homologues. Seul le partage d'états dérivés d'un caractère témoigne d'une étroite parenté.
Les critères d'appartenance à la lignée humaine sont les caractères dérivés liés à la bipédie, au développement du volume crânien, à la régression de la face et aux traces fossiles d'une activité culturelle.
La possession d'un seul de ces caractères dérivés suffit pour dire que tel ou tel fossile est plus apparenté à l'homme que l'ancêtre commun à l'homme et au chimpanzé et qu'il appartient donc à la lignée humaine.

Insistez sur l'intérêt d'avoir dégagé les critères d'appartenance à la lignée humaine afin de pouvoir situer ou non un fossile dans cette lignée.

SUJET 3

FRANCE MÉTROPOLITAINE • SEPTEMBRE 2005

PRATIQUE DU RAISONNEMENT SCIENTIFIQUE • EXERCICE 1

ENSEIGNEMENT OBLIGATOIRE • 3 POINTS

THÈME Parenté entre êtres vivants actuels et fossiles...

Données moléculaires et justification d'un arbre phylogénétique

▸ **Dégagez du *document* les informations qui permettent de justifier l'arbre phylogénétique fourni.**

Document

Matrice des différences, réalisée à partir de l'analyse de séquences complètes du cytochrome C de différentes espèces (une bactérie, un végétal, deux poissons et un mammifère). Le cytochrome C est une protéine indispensable au métabolisme de tous les êtres vivants.

	Bactérie	Riz	Thon	Bonite	Cheval
Bactérie 134 aa	0	79	70	69	68
Riz 111 aa		0	44	40	40
Thon 103 aa			0	2	13
Bonite 103 aa				0	12
Cheval 104 aa					0

aa = acides aminés

Arbre phylogénétique de référence construit à partir de la matrice des différences du document

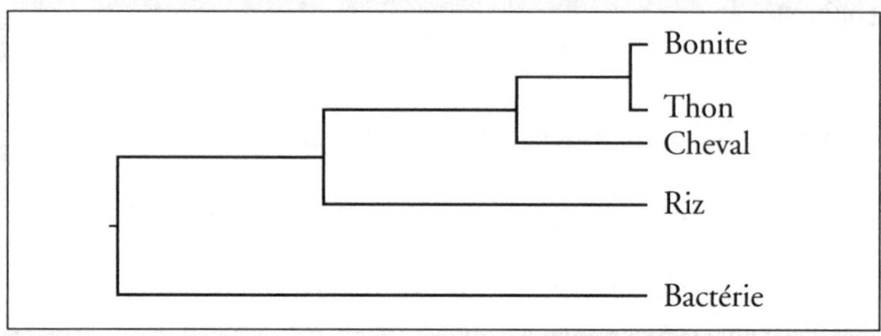

LES CLÉS DU SUJET

■ Comprendre le sujet

On raisonne à partir du principe que plus le nombre de différences entre des molécules homologues de deux espèces est faible, plus ces espèces sont étroitement apparentées, et ont donc un ancêtre commun récent. Il faut comparer les cytochromes des cinq espèces en appliquant ce principe et voir si les relations de parenté ainsi établies sont conformes à celles fournies par l'arbre phylogénétique. On recherche **d'abord les deux espèces** les plus étroitement apparentées, puis celle la plus proche de ce groupe et ainsi de suite.

■ Mobiliser ses connaissances

L'homologie moléculaire (similitude importante dans les séquences des molécules considérées) témoigne d'une origine commune de ces molécules homologues et donc d'une parenté entre les organismes qui les possèdent. Cette parenté est d'autant plus grande que les différences entre les séquences comparées sont faibles.

CORRIGÉ SUJET 3

Les cytochromes des cinq espèces sont bien **homologues** car leur degré de similitude est supérieur à 40 %.

Plus le nombre de différences entre deux séquences complètes du cytochrome C est faible, plus la parenté entre les espèces qui les possèdent est étroite.

Ainsi, bonite et thon sont les deux espèces les plus étroitement apparentées car c'est entre elles que le nombre de différences est le plus faible (2 différences) : elles ont donc un **ancêtre commun** proche de l'époque actuelle. Cet ancêtre leur est propre, elles ne le partagent avec aucune autre des espèces, ce qu'indique l'arbre phylogénétique.

Le cheval est plus proche du groupe thon-bonite que ne le sont les autres espèces (12 ou 13 différences pour le cheval contre 40 et plus pour les deux autres espèces) : il a donc un ancêtre commun avec ces poissons, plus ancien que celui du thon et de la bonite, ancêtre que n'est pas celui du riz ou de la bactérie, ce qui est conforme à l'arbre fourni.

Le riz est plus étroitement apparenté au groupe thon-bonite-cheval que ne l'est la bactérie (40 différences au lieu de 70 environ). L'ancêtre commun avec ce groupe est beaucoup plus éloigné dans le temps (nombre de différences beaucoup plus important) que l'ancêtre commun au cheval et aux deux poissons comme l'indique l'arbre.

Le nombre de différences entre la bactérie et les quatre autres espèces est à peu près le même (entre 79 et 68) ; cela montre qu'elle n'est pas plus apparentée à l'une des espèces qu'aux autres, ce que traduit bien l'arbre phylogénétique proposé : il existe un ancêtre commun très éloigné dans le temps à la bactérie et aux quatre autres espèces.

N'oubliez pas de préciser le type de raisonnement qui va être utilisé.

Remarque. *Une autre façon de procéder pour résoudre un exercice de ce type consiste à partir de l'arbre phylogénétique et de dégager les informations qu'il indique. On recherche ensuite si les données de la matrice sont conformes. Par exemple, l'arbre phylogénétique indique que bonite et thon sont les espèces les plus apparentées. Si cela est vrai, alors le nombre de différences enre les cytochromes de ces deux espèces doit être le plus faible. On constate qu'il en est bien ainsi : deux différences seulement au lieu de douze et plus avec les autres espèces prises deux par deux.*

Entraînez-vous en rédigeant complètement cette autre façon de procéder.

SVT

SUJET 4

FRANCE MÉTROPOLITAINE • JUIN 2007

PRATIQUE DU RAISONNEMENT SCIENTIFIQUE • EXERCICE 1

ENSEIGNEMENT OBLIGATOIRE • 3 POINTS

THÈME Parenté entre êtres vivants actuels et fossiles...

Appartenance d'*Australopithecus anamensis* à la lignée humaine

L'*Australopithecus anamensis* est un hominidé qui vivait il y a environ 4 millions d'années en Afrique de l'Est. Des restes osseux ont été découverts en Éthiopie, sur les bords du lac Turkana.

▶ Exploitez les données anatomiques judicieusement choisies dans le document qui permettent de valider l'hypothèse d'une appartenance d'*Australopithecus anamensis* à la lignée humaine.

On rappelle que les critères d'appartenance à la lignée humaine sont la bipédie, l'augmentation du volume crânien, la régression de la face et les traces fossiles d'activité culturelle.

Document Données anatomiques relatives aux restes fossiles d'*Australopithecus anamensis* et comparées au chimpanzé et à l'homme actuels

	Chimpanzé	*Australopithecus anamensis*	Homme
Forme de la mandibule	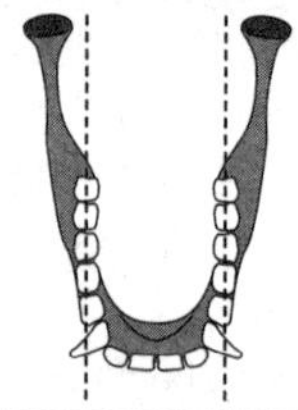	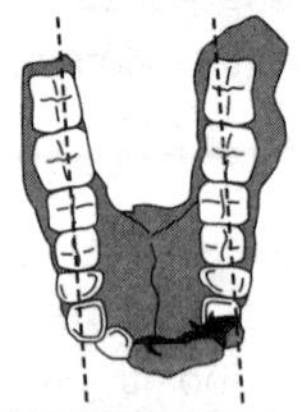	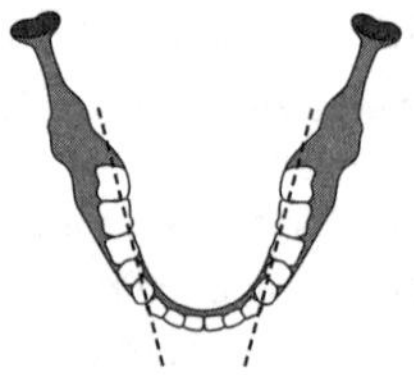
Émail des dents	mince	épais	épais
Forme du tibia (e.h : extrémité haute)	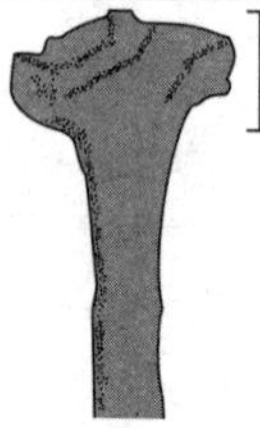 e.h	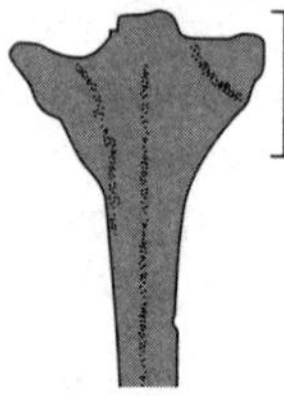 e.h	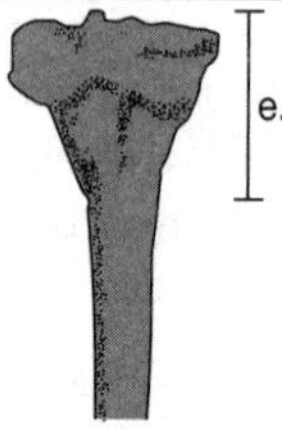 e.h
Forme de l'humérus	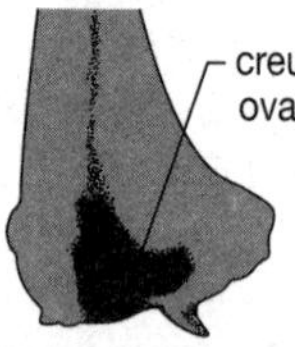 creux ovale	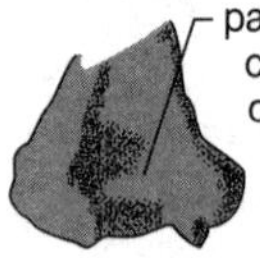 pas de creux ovale	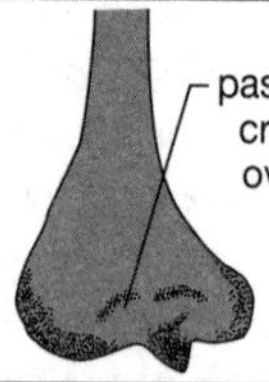 pas de creux ovale

Forme de la mandibule : elle a une forme en « U » chez les singes et une forme en « V » chez l'homme.
Forme du tibia : son extrémité haute (celle proche du genou) renseigne sur le mode de déplacement ; les bipèdes permanents ont une extrémité haute plus grande que celle des bipèdes occasionnels.
Forme de l'humérus : la présence d'un creux ovale à sa base serait liée à une bipédie incomplète ; ce creux stabiliserait l'articulation du coude chez les organismes qui marchent en s'appuyant sur leurs phalanges.

D'après M. Leakey et A. Walker, *Pour la science*, n° 238, août 1997.

LES CLÉS DU SUJET

■ Comprendre le sujet

• Bien repérer dans le sujet l'expression « **judicieusement choisies** » qui signifie qu'il ne s'agit pas d'exploiter toutes les données. Pour choisir les données à exploiter il faut se baser sur **les deux dernières lignes du sujet** (en italiques) qui vous amènent à sélectionner les **informations en rapport avec la bipédie et elles seules**.
• Il est nécessaire d'introduire la notion d'état dérivé d'un caractère et de rappeler que la possession d'**un seul** état dérivé d'un caractère suffit pour affirmer qu'un fossile appartient à la lignée considérée.

■ **Mobiliser ses connaissances**

• Bien connaître la **notion de caractères homologues** dont la comparaison entre organismes différents permet l'établissement de liens de parenté.

• Bien maîtriser la **notion d'état dérivé d'un caractère** : tous les organismes qui possèdent un même état dérivé l'ont hérité d'un ancêtre commun chez qui cet état est apparu ; cela permet d'affirmer que ces organismes ont une parenté plus étroite entre eux qu'avec ceux qui ne possèdent pas cet état dérivé.

CORRIGÉ SUJET 4

Parmi les critères d'appartenance à la lignée humaine cités ici, le document ne fournit aucune information sur :
– l'augmentation du volume crânien ;
– la régression de la face ;
– les traces fossiles d'activité culturelle.

Il fournit en revanche des indications sur la forme du tibia et celle de l'humérus qui sont en rapport avec la locomotion.

L'extrémité haute du tibia et l'absence de creux ovale sont des caractères présents chez l'espèce humaine qui permettent une bipédie complète. Ce sont donc des états dérivés apparus dans la lignée humaine.

Il suffit qu'un fossile possède un seul des états dérivés présents chez l'homme pour appartenir à la lignée humaine.

L'*Australopithecus anamensis* possédant deux caractères dérivés (forme du tibia et forme de l'humérus) appartient donc à la lignée humaine.

La comparaison des tibias et humérus de l'homme et du chimpanzé permet de dégager les états dérivés de la lignée humaine en ce qui concerne ces os (en admettant que le chimpanzé possède ces caractères à l'état ancestral).

SVT

SUJET 5

POLYNÉSIE FRANÇAISE • SEPTEMBRE 2005

RESTITUTION DES CONNAISSANCES

ENSEIGNEMENT OBLIGATOIRE • 8 POINTS

THÈME Stabilité et variabilité des génomes et évolution

Brassage génétique au cours de la méiose

▶ **La reproduction sexuée est une « machine à faire du différent »... Justifiez cette affirmation en considérant le brassage allélique induit uniquement par la méiose.**

Vous vous limiterez à trois gènes situés sur deux paires de chromosomes, en utilisant les couples d'allèles A, a ; B, b ; D, d.

Votre exposé sera structuré et illustré de schémas judicieusement choisis, annotés et commentés.

LES CLÉS DU SUJET

■ Comprendre le sujet

• Sujet classique limité à la formation des gamètes donc à ne pas confondre, comme pourrait y pousser la première phrase du sujet, avec des sujets proches portant sur le **brassage au cours de la reproduction sexuée** impliquant méiose et fécondation. Ici, **seuls les brassages intra et inter chromosomiques au cours de la méiose sont à aborder**.
• Le choix de trois gènes pour deux paires de chromosomes implique que deux d'entre eux sont liés, portés par le même chromosome, le troisième étant situé sur l'autre paire.
• Insister sur le fait que chaque méiose est unique et que **tous les types de gamètes ne peuvent résulter d'une seule méiose**.

■ Mobiliser ses connaissances

• **Méiose et fécondation participent à la stabilité de l'espèce.**
La méiose assure le passage de la phase diploïde à la phase haploïde. Elle suit une phase de réplication de l'ADN et se compose de deux divisions successives, la deuxième n'étant pas précédée d'une duplication de l'ADN. Ces deux divisions conduisent, à partir d'une **cellule mère diploïde (2*n* chromosomes), à quatre cellules filles haploïdes, les gamètes (*n* chromosomes)**.
• **Méiose et fécondation sont à l'origine du brassage génétique.**
Lors de la méiose se produisent les brassages intra- puis inter-chromosomiques :
– **le brassage intrachromosomique**, ou recombinaison par crossing-over, a lieu entre chromosomes homologues appariés lors de la **prophase de la première division** de méiose ;
– **le brassage interchromosomique** est dû à la migration indépendante des chromosomes homologues de chaque paire lors de **l'anaphase de la première division**. Il concerne donc des chromosomes remaniés par le brassage intrachromosomique qui l'a précédé.
Attention ! Devoir long à rédiger surtout à cause des schémas exigés qui sont relativement complexes. Il faut donc essayer de réduire le texte écrit en s'appuyant sur les schémas : texte et schémas ne doivent pas faire doublon !

CORRIGÉ SUJET 5

Introduction

Méiose et fécondation sont les phénomènes fondamentaux de la reproduction sexuée chez tous les êtres vivants.
Chez les animaux, la méiose a lieu lors de la gamétogenèse. À partir d'une cellule à 2*n* chromosomes, elle aboutit, à la suite de deux divisions successives, à 4 cellules à *n* chromosomes, les futurs gamètes chez les animaux.
Lors du déroulement de la méiose, un brassage génétique important se produit et il conduit à des cellules génétiquement différentes. Nous allons étudier les mécanismes à l'origine du brassage allélique en considérant les méioses subies par des cellules hétérozygotes pour 3 gènes dont la localisation chromosomique est fournie par la *figure 1*. Toutes les cellules subissant la méiose ont le même génotype.

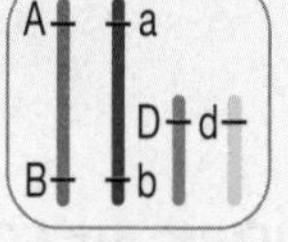

Figure 1

Nous étudierons le brassage allélique de façon chronologique : d'abord le brassage intrachromosomique qui se produit au cours de la prophase de la première division, puis le brassage interchromosomique qui a lieu au cours de l'anaphase de cette même division.

Importance, ici, de la traduction des données du sujet sous forme de schéma. Cela montre au correcteur que vous avez compris et assimilé les notions de gène, d'allèle et de gènes liés. Il était possible de choisir une autre disposition des gènes (A ou B lié à D).

A. Le brassage intrachromosomique

Il se produit au cours de la première division de la méiose. Il ne concerne que les gènes situés sur le même chromosome. Aussi, pour l'illustrer, nous allons considérer uniquement la paire de chromosomes où sont localisés deux gènes (allèles A et B sur un chromosome, allèles a et b sur le chromosome homologue).

Au cours de la prophase, il y a, au niveau des chiasmas, des échanges de fragments entre chromatides homologues des chromosomes appariés (*figure 2*) . Si cet échange a lieu entre les loci des deux gènes, il aboutit à de nouvelles associations des allèles des deux gènes sur les chromatides remaniées.

La recombinaison génétique pour deux gènes considérés A et B ne se produit que si un crossing-over est localisé entre les loci de ces gènes. Des chromosomes remaniés naissent donc à chaque méiose avec ou sans recombinaison des allèles des gènes liés (portés par le même chromosome) considérés.

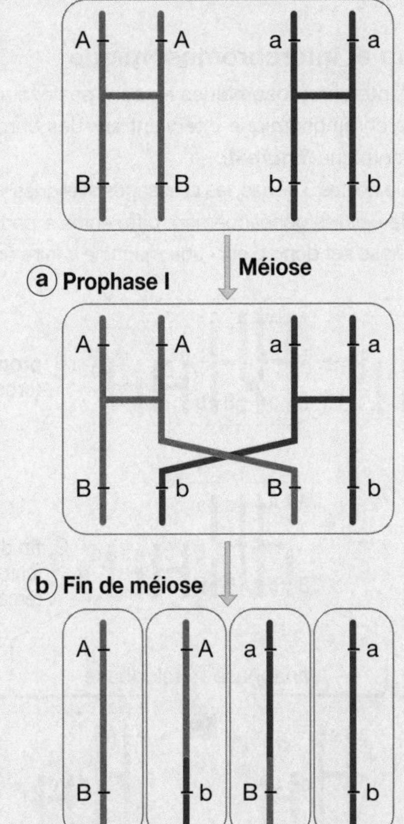

Figure 2. Méiose avec crossing-over entre les loci des deux gènes

Le brassage intrachromosomique ne concerne que les gènes situés sur un même chromosome. On peut donc simplifier en ne considérant que cette seule paire de chromosomes.

B. Le brassage allélique interchromosomique

Il concerne les gènes situés sur deux chromosomes différents.

Il est dû au comportement indépendant des paires de chromosomes homologues durant la métaphase-anaphase de la première division de la méiose. Les chromosomes d'une paire se placent de manière aléatoire de part et d'autre de l'équateur de la cellule et de façon indépendante par rapport à l'autre paire.

Pour simplifier et mettre en valeur l'exposé relatif au brassage interchromosomique, il n'a pas été tenu compte ici du brassage intrachromosomique qui se produit pourtant avant le brassage interchromosomique.

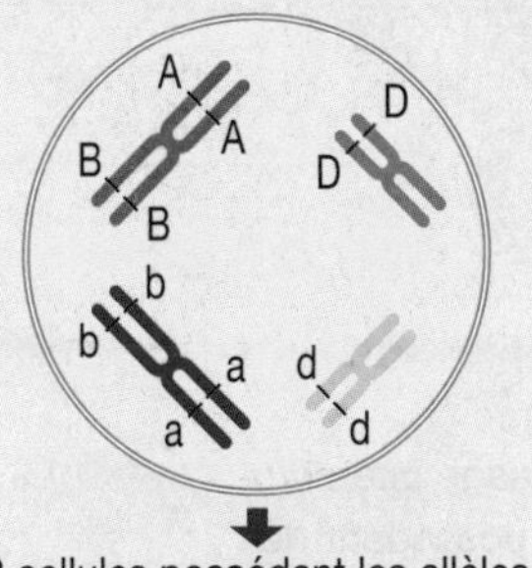

2 cellules possédant les allèles A, B et D et 2 cellules possédant les allèles a, b et d en fin de méiose

OU

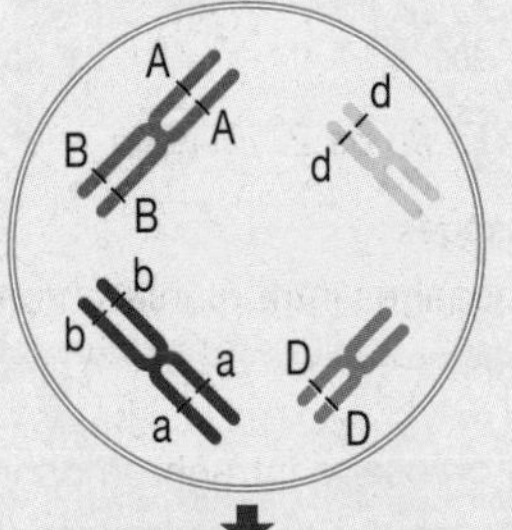

2 cellules possédant les allèles A, B et d et 2 cellules possédant les allèles a, b et D en fin de méiose

Figure 3

SVT

En considérant les résultats de plusieurs méioses, et en ne considérant que ces 2 paires de chromosomes, il y a 4 types de cellules génétiquement différentes qui résultent du brassage interchromosomique.

C. Brassages intra et interchromosomique

Les brassages intra et interchromosomiques ne sont pas exclusifs l'un de l'autre. Au contraire, le brassage interchromosomique intervient sur des chromosomes remaniés par le brassage intrachromosomique *(figure 4)*.

En ne tenant compte que de ces 3 gènes, les brassages alléliques intra et interchromosomiques conduisent à 8 types de cellules génétiquement différentes à partir de cellules ayant toutes le même génotype. La méiose est donc bien « une machine à faire du différent » (voir ***figure 4***).

Seul le brassage allélique intrachromosomique concernant la paire de chromosomes portant les deux gènes A et B est représenté ici ; bien sûr, un tel brassage se produit également sur la paire de chromosomes portant le gène D.

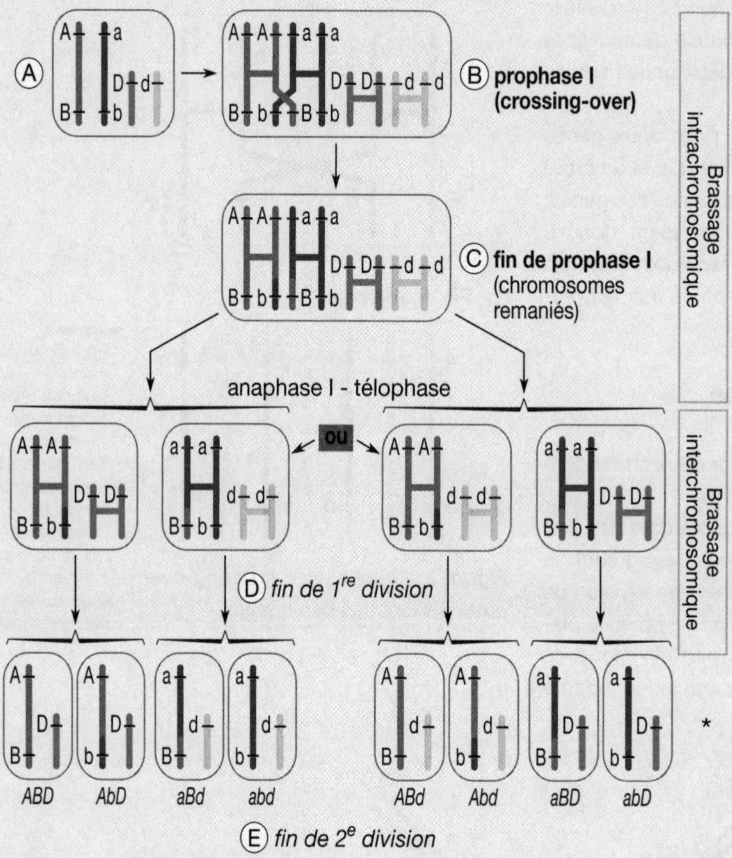

* Cellules issues des 2 brassages

Figure 4. Brassages intra et interchromosomique

Entraînez-vous à analyser un tel schéma et à le réaliser à votre tour. Attention, cela prend du temps !

Conclusion

Cet exemple illustre comment le brassage intrachromosomique et le brassage interchromosomique intervenant au cours des méioses conduisent à des cellules possédant des associations d'allèles des gènes différentes, donc génétiquement différentes.

Si on considère non plus 2 paires de chromosomes mais 23 paires et 25 000 à 30 000 gènes (cas de l'espèce humaine), le nombre de combinaisons est considérable. Chaque cellule issue de la méiose est différente de toutes les autres génétiquement.

Ce brassage des gènes au cours de la méiose sera **amplifié** par la rencontre au hasard des différents types de gamètes, au cours de la **fécondation**.

THÈME **Stabilité et variabilité des génomes et évolution**

Sélection de souches résistantes aux insecticides

Les insecticides organophosphorés sont utilisés depuis les années 1960 pour combattre les moustiques. On observe dans certaines régions une diminution de leur efficacité.
Afin de comprendre l'origine de la résistance de certaines souches de moustiques, on a analysé leur génome.

▶ **À partir des informations extraites des *documents 1 à 3*, mises en relation avec vos connaissances, vous montrerez que l'utilisation d'insecticides a favorisé la sélection de souches résistantes ; puis, vous identifierez l'origine moléculaire et génétique de cette résistance.**

Document 1 Étude phénotypique des populations de moustiques

Le tableau ci-dessous donne des indications sur la sensibilité des moustiques à une dose standard* d'insecticide organophosphoré dans deux localités.

* dose standard : dose considérée comme efficace en 1968.

Localités	% de survivants
Dans la zone traitée par les insecticides organophosphorés depuis 1968.	De l'ordre de 85 %
Dans une zone voisine non traitée par les insecticides organophosphorés.	De l'ordre de 10 %

Les moustiques résistants supportent une concentration d'insecticide jusqu'à 1 000 fois supérieure à la dose standard.

Document 2 Comparaison de la production d'estérase chez des moustiques sensibles et des moustiques résistants aux insecticides organophosphorés

Les estérases sont des enzymes naturellement produites par tous les moustiques : elles dégradent les insecticides organophosphorés.
Les protéines de moustiques ont été séparées par électrophorèse. Les estérases apparaissent sous forme de taches dont la taille est proportionnelle à la quantité d'enzyme.

SVT

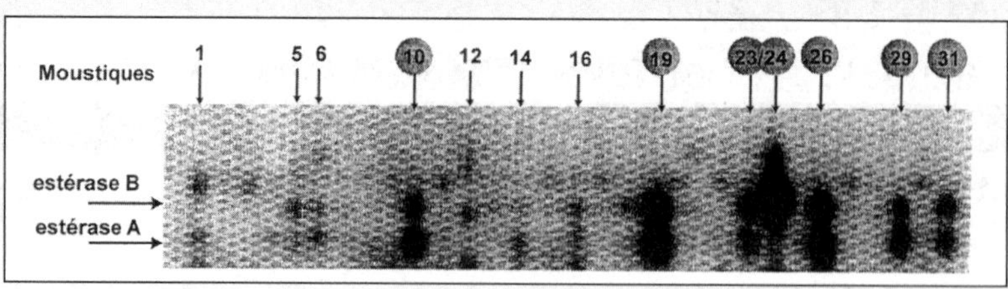

Les moustiques **10, 19, 23, 24, 26, 29 et 31** sont des moustiques **résistants** ; les autres, des moustiques sensibles.

Document 3 La variabilité des génomes rencontrés chez les moustiques

Il existe 2 gènes A et B situés sur le même chromosome, qui codent respectivement pour l'estérase A et l'estérase B, toutes deux actives.

Souche de moustique	Gènes A et B portés par une portion du chromosome	Sensibilité aux insecticides organophosphorés
G	A B	sensible
D	A B A B A B A B A B	résistant
E	A B B B B B B B B B	résistant

LES CLÉS DU SUJET

Comprendre le sujet

• Il faut admettre qu'initialement, les moustiques résistants étaient aussi fréquents dans les zones traitées depuis 1968 aux insecticides que dans les zones non traitées.

En l'absence d'indications plus précises, on peut donc admettre que 10 % est, au maximum, la proportion de moustiques résistants aux insecticides dans les deux zones avant 1968. En réalité ce n'est pas le cas, elle était beaucoup plus faible, mais cela ne modifie en rien le raisonnement à tenir.

• Il faut donc expliquer pourquoi le phénotype résistant est devenu plus fréquent dans les zones traitées que dans les zones non traitées.

• Bien identifier les **différences génétiques** entre souches résistantes et sensibles et montrer qu'elles expliquent les différences dans la quantité d'estérases produites.

Mobiliser ses connaissances

• Les innovations génétiques peuvent être favorables, défavorables ou neutres pour la survie de l'espèce.

• Parmi les innovations génétiques, seules celles qui affectent les cellules germinales d'un individu peuvent avoir un impact évolutif.

Les mutations qui confèrent un avantage sélectif aux individus qui en sont porteurs ont une probabilité plus grande de se répandre dans la population.

Exploitation du document 1

Dans la zone traitée aux insecticides depuis 1968, les moustiques résistants sont beaucoup plus fréquents que les moustiques sensibles aux insecticides et c'est l'inverse dans la zone non traitée. Si on admet qu'en 1968, le phénotype résistant était rare (moins de 10 %) partout, on conclut que la **présence d'insecticides** a favorisé, au fil des générations, le **développement du phénotype résistant dans la population**.

Attention ! Ce document se prête à la paraphrase ! Veillez bien à en tirer une conclusion pertinente qui débouche sur un problème dont la résolution se fera grâce aux informations tirées des autres documents.

Exploitation du document 2

Chez tous les moustiques résistants, les taches qui correspondent aux estérases A et B sont beaucoup plus larges que chez les moustiques sensibles.
Les moustiques résistants synthétisent donc beaucoup plus d'enzymes A et B que les moustiques sensibles. Les estérases dégradent les insecticides organophosphorés et les empêchent donc d'atteindre leurs cellules cibles, cela explique la résistance de ces moustiques aux insecticides. **C'est donc la quantité élevée d'estérase synthétisée qui est à l'origine de la résistance.**

Bien voir que les *documents 2 et 3* sont complémentaires et que leur analyse permet de mettre en évidence l'origine génétique de la résistance des moustiques.

Exploitation du document 3

Les souches sensibles ne possèdent qu'un seul exemplaire des gènes A et B.
La souche D, résistante, possède 5 répétitions de la région de l'ADN du chromosome où sont situés les gènes A et B. La souche E, résistante, possède un exemplaire du gène A et 9 exemplaires du gène B.
Si tous ces gènes s'expriment, c'est-à-dire sont transcrits puis traduits en protéines (estérases), cela explique que les moustiques résistants de souche D fabriquent beaucoup plus d'estérases A et B que les moustiques sensibles et que ceux de souche E synthétisent beaucoup plus d'estérases B que les moustiques sensibles.
L'origine génétique de la résistance est donc la présence de nombreux duplicatas des gènes responsables de la synthèse des estérases.

Conclusion

Aucune donnée ne permet de dire quand les moustiques résistants sont apparus. Ils pouvaient exister avant le début de la période d'utilisation des insecticides sans qu'on s'en rende compte. Ils ont pu apparaître après cette période mais, **en aucun cas, ce n'est pas l'utilisation d'insecticides qui a provoqué leur apparition**.
Cette apparition de formes résistantes est due à des mutations (**origine génétique de la résistance**) indépendantes de la présence d'insecticides, survenues lors de la gamétogenèse de moustiques sensibles. Cette ou ces mutations consistent en la répétition (amplification) de la portion du génome où sont situés les gènes A et B qui codent pour les estérases. Il est impossible, à partir des informations fournies, de savoir si cette répétition s'est faite en une seule fois ou s'il s'agit de mutations successives. Les descendants porteurs de ces mutations, résistants aux insecticides, produisaient davantage d'estérases que les moustiques sensibles (**origine de la résistance**).
Dans un environnement où il y a des insecticides, ces descendants ont une plus forte probabilité de survivre, d'arriver à l'état adulte et de **participer à la reproduction** que les moustiques sensibles. **En conséquence, la fréquence des moustiques porteurs du génome résistant a augmenté de génération en génération.**

Le corrigé met l'accent sur le fait que ce ne sont pas les moustiques qui, individuellement, se sont adaptés aux insecticides mais que l'existence initiale de moustiques résistants a pour origine des innovations génétiques aléatoires qui ne sont pas provoquées par l'utilisation d'insecticides.

Ces dernières lignes traduisent les effets de la sélection naturelle impliquant variabilité des populations et des caractères du milieu.

THÈME Stabilité et variabilité des génomes et évolution

Nombre de gènes déterminant un caractère

On formule l'hypothèse que chez le poulet d'Andalousie la couleur du plumage est gouvernée par un seul couple d'allèles.

▸ **Analysez les croisements présentés dans le *document* et indiquez si leurs résultats sont conformes à cette hypothèse.**

Document Résultats de croisements chez le poulet d'Andalousie

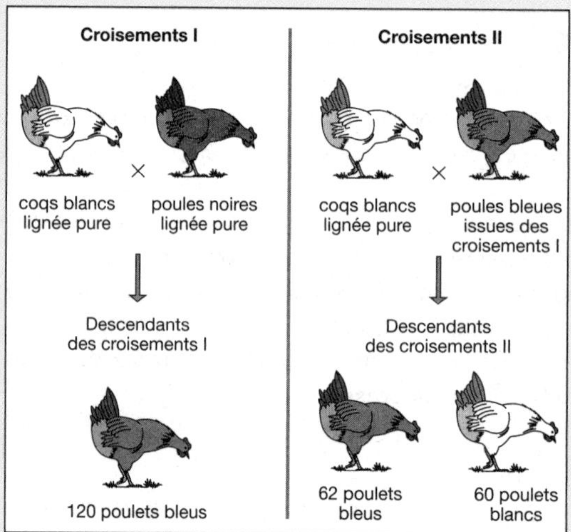

Remarque : dans la première et la deuxième série de croisements, les résultats sont les mêmes en inversant le sexe des parents.

LES CLÉS DU SUJET

■ Comprendre le sujet

• On vous demande de valider ou d'invalider une hypothèse. Il faut donc **se placer dans les conditions où cette hypothèse serait valable et voir si les résultats expérimentaux sont conformes aux résultats théoriques déduits de cette hypothèse**.

• Bien repérer que le phénotype bleu est différent de ceux des deux lignées parentales de lignée pure et correspond à un génotype hétérozygote du fait de la codominance des allèles B (blanc) et N (noir).

■ Mobiliser ses connaissances

• L'analyse de résultats de croisement expérimentaux (première génération et test cross) permet de discuter :

– du nombre de gènes impliqués dans le déterminisme de la différence phénotypique étudiée ;

– de la localisation chromosomique des gènes étudiés.

CORRIGÉ SUJET 7

Si l'hypothèse est correcte, les génotypes des coqs et des poules parentaux homozygotes sont (avec N allèle noir et B allèle blanc) : **B/B** et **N/N** ; les coqs ne produisant que des spermatozoïdes possédant l'allèle B et les poules des ovules possédant l'allèle N, tous les F1 ont le génotype **B/N** et **il doit donc y avoir uniformité de la F1**. C'est ce que l'on constate : tous les F1 ont le phénotype [bleu]. Il s'agit d'un phénotype intermédiaire entre celui des parents : **il y a codominance**.

Dans le cadre de l'hypothèse de départ, on indique d'abord les gènes des parents puis des F1 et on fait de même dans le deuxième croisement.

Les animaux croisés dans le deuxième croisement (test cross) ont respectivement pour génotypes : **B/N** et **BB** (lignée pure). Si l'hypothèse est correcte on doit obtenir théoriquement, ainsi que le montre l'échiquier prévisionnel de croisement ci-dessous, 50 % de poulets bleus et 50 % de poulets blancs.

Notez l'importance du caractère quantitatif des prévisions (échiquier de croisement) à comparer avec le traitement quantitatif des résultats réellement obtenus.

Ovules / Spermatozoïdes	1/2 B	1/2 N
B	1/2 B/B [blanc]	1/2 B/N [bleu]

La descendance réellement obtenue (49,1 % et 50,9 %) est très proche du résultat théorique (50 % et 50 %). Vu le caractère statistique de la prévision lié à la rencontre aléatoire des gamètes au cours de la fécondation, on peut dire que **l'hypothèse initiale est validée**.

Remarque. *En réalité, cela ne veut pas dire que la couleur du plumage est gouvernée par un seul gène. Cela signifie exactement que les deux variétés croisées ne diffèrent que par un seul gène dans l'ensemble des gènes qui gouvernent la couleur du plumage.*

SUJET 8

FRANCE MÉTROPOLITAINE • SEPTEMBRE 2006

PRATIQUE DU RAISONNEMENT SCIENTIFIQUE • EXERCICE 2

ENSEIGNEMENT OBLIGATOIRE • 5 POINTS

THÈME Stabilité et variabilité des génomes et évolution

Transmission d'un caractère déterminé par deux gènes

Certaines souches de trèfle sont riches en cyanure et d'autres en contiennent très peu. Un expérimentateur dispose de variétés homozygotes de trèfle dont les concentrations en cyanure sont faibles. Il effectue des croisements entre ces variétés.

▸ **À partir des informations extraites des trois documents, mises en relation avec vos connaissances, montrez que méiose et fécondation permettent d'expliquer les proportions de trèfles riches en cyanure dans les croisements 1 et 2.**

Document 1 La voie de synthèse du cyanure et son contrôle

Le cyanure est produit dans les cellules de trèfle à partir d'une molécule initiale (précurseur P), grâce à l'action successive de deux enzymes **EA** et **EB**.
La synthèse des deux enzymes est contrôlée par deux gènes **A** et **B**.

	enzyme $\mathbf{E_A}$		enzyme $\mathbf{E_B}$	
Précurseur	--------→	substance Q	--------→	cyanure
	(Gène **A**)		(Gène **B**)	

La production de cyanure est importante seulement si les cellules de trèfle possèdent à la fois les deux enzymes actives $\mathbf{E_A}$ et $\mathbf{E_B}$; sinon, la production est faible.
Le gène A présente deux allèles :
– $\mathbf{a^+}$ code pour une enzyme fonctionnelle,
– **a** code pour une enzyme non fonctionnelle.
L'allèle $\mathbf{a^+}$ est dominant sur l'allèle **a.**
Le gène B présente deux allèles :
– $\mathbf{b^+}$ code pour une enzyme fonctionnelle,
– **b** code pour une enzyme non fonctionnelle.
L'allèle $\mathbf{b^+}$ est dominant sur l'allèle **b**.
Les deux gènes **A** et **B** ne sont pas sur le même chromosome.

Document 2

Les variétés X et Y sont toutes deux homozygotes pour les gènes A et B : elles produisent une faible quantité de cyanure.
La variété X est homozygote pour les allèles a^+ et b.
La variété Y est homozygote pour les allèles a et b^+.
On effectue le croisement 1 entre ces deux variétés pour obtenir une génération F1.

Croisement 1	
Variété X ◊	**Variété Y**
Plants pauvres en cyanure	Plants pauvres en cyanure
Résultat : génération F1	
Plants riches en cyanure	

Document 3

La variété Z, qui produit également une faible quantité de cyanure, est homozygote pour les deux allèles récessifs.

On effectue le croisement 2 entre la variété Z et la génération F1 (croisement test).

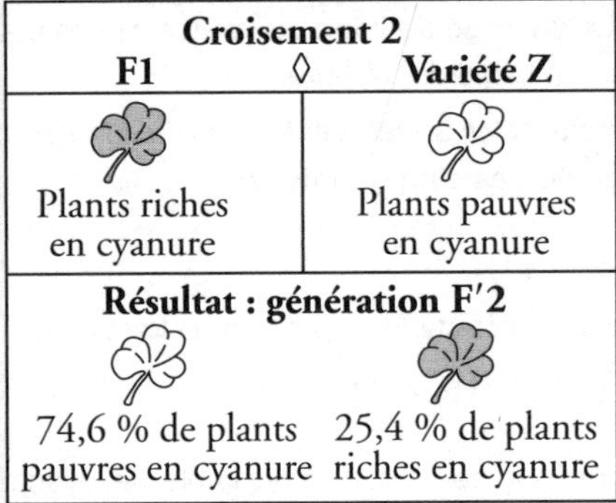

LES CLÉS DU SUJET

■ Comprendre le sujet

• Une première difficulté de ce sujet porte sur le ***document 1*** qui fournit essentiellement des informations desquelles il n'y a apparemment pas de conclusions à extraire. Dans ce cas, il s'agit de faire une **synthèse** de ces informations pour arriver, malgré tout, à tirer des **conclusions** utiles pour l'interprétation des ***documents 2 et 3***.

• La deuxième difficulté est liée à l'intitulé du sujet qui précise qu'il ne s'agit pas seulement d'interpréter des résultats expérimentaux mais de les relier explicitement à ce qui se passe au cours de la méiose et de la fécondation. **Des schémas de méiose** sont donc **souhaitables** bien que non expressément exigés par le sujet. Il s'agit de cibler sur les schémas de la méiose en rapport avec le fait que les gènes A et B sont portés par des chromosomes différents et qui sont explicatifs des résultats fournis. Les schémas de crossing-over ne sont pas à faire.

Pour la fécondation, c'est un **échiquier de croisement** traduisant la rencontre au hasard des gamètes qui est le plus pertinent.

■ Mobiliser ses connaissances

• **Méiose et fécondation sont à l'origine du brassage génétique.**

– La variabilité génétique est accrue par la réunion au hasard des gamètes lors de la fécondation et par les brassages intrachromosomique et interchromosomique lors de la méiose.

– Le brassage interchromosomique est dû à la migration indépendante des chromosomes homologues de chaque paire lors de l'anaphase de la première division de méiose.

Analyse du document 1

Le caractère « production de cyanure » résulte du fonctionnement d'une chaîne de biosynthèse dont deux étapes sont indiquées. **Le blocage de l'une ou l'autre** de ces étapes se traduit par le même phénotype : « production faible de cyanure ».

Puisque les allèles a^+ et b^+ sont dominants et les allèles a et b récessifs, une production faible de cyanure peut correspondre à l'**un de ces cinq génotypes** :

$\frac{a}{a}\frac{b}{b}$; $\frac{a}{a}\frac{b^+}{b^+}$; $\frac{a}{a}\frac{b^+}{b}$; $\frac{a^+}{a^+}\frac{b}{b}$; $\frac{a^+}{a}\frac{b}{b}$.

Les autres génotypes se traduisent tous par le phénotype : « production forte de cyanure ».

L'écriture des génotypes traduit le fait que les gènes sont non liés, situés sur des chromosomes différents.

Analyse du document 2

Les deux variétés possèdent le même phénotype « production faible de cyanure » et, puisqu'elles sont homozygotes :

- X a pour génotype : $\frac{a^+}{a^+}\frac{b}{b}$;
- Y a pour génotype : $\frac{a}{a}\frac{b^+}{b^+}$.

La variété X fournit uniquement des gamètes a^+b et la variété Y uniquement des gamètes $a\,b^+$.

Le génotype des F1 est donc $\frac{a^+}{a}, \frac{b^+}{b}$. Du fait de la dominance des allèles a^+ et b^+, les hybrides F1 produisent des enzymes Ea et Eb actives. Par conséquent, les deux étapes de la biosynthèse de cyanure sont possibles et les hybrides F_1' sont donc riches en cyanure.

Analyse du document 3

La variété Z étant homozygote pour les deux allèles récessifs, ce croisement 2 est un test cross ; la variété Z ne fournit qu'un seul type de gamètes : a b.

Attention ! Il faut être capable de bien reconnaître un test cross.

La variété F1 a pour génotype $\frac{a^+}{a}, \frac{b^+}{b}$. Puisque les gènes A et B sont situés sur des chromosomes différents, il y a migration indépendante des chromosomes homologues de chaque paire lors de l'anaphase de la première division de méiose (***figure 1*** ci-après).

Cela aboutit, si on considère les résultats de l'**ensemble des méioses**, à quatre types de gamètes : a b, a^+b^+, a^+b et ab^+ fabriqués en **quantités égales** par les individus F1.

L'échiquier de croisement Z × F1, qui traduit en outre la **rencontre au hasard** des gamètes **au cours de la fécondation**, est le suivant :

L'échiquier de croisement permet de traduire le résultat de la rencontre au hasard des gamètes.

gamètes Z / gamètes F1	a b
1/4 a^+b^+	1/4 $\frac{a^+}{a}, \frac{b^+}{b}$ riches en cyanure
1/4 ab^+	1/4 $\frac{a}{a}, \frac{b^+}{b}$ pauvres en cyanure
1/4 a^+b	1/4 $\frac{a^+}{a}, \frac{b}{b}$ pauvres en cyanure
1/4 a b	1/4 $\frac{a}{a}, \frac{b}{b}$ pauvres en cyanure

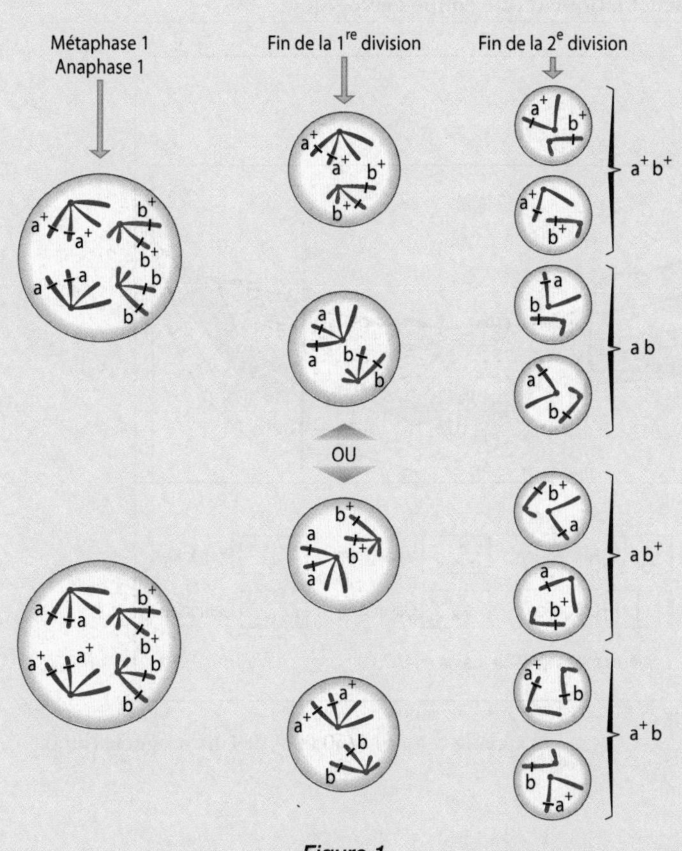

Figure 1

Pour répondre au sujet, il paraît nécessaire de faire les schémas relatifs à la méiose expliquant la production de gamètes en quantités égales.

Les proportions théoriques révélées par l'échiquier de croisement (25 % de plants riches en cyanure et 75 % de plants pauvres en cyanure) sont tout à fait compatibles avec les résultats expérimentaux : 25,4 % de plants riches en cyanure et 74,6 % pauvres en cyanure.

Confrontez les résultats théoriques avec les résultats réellement obtenus. Méiose et fécondation expliquent donc les résultats.

SVT

SUJET 9

FRANCE MÉTROPOLITAINE • SEPTEMBRE 2006

PRATIQUE DU RAISONNEMENT SCIENTIFIQUE • EXERCICE 1

ENSEIGNEMENT OBLIGATOIRE • 3 POINTS

THÈME La mesure du temps dans l'histoire de la Terre et de la vie

Datation relative de formations sédimentaires et de déformations les affectant

▸ Utilisez les informations du document pour dater les uns par rapport aux autres les événements et structures suivants : sédimentation du Bathonien, du Kimméridgien, des dépôts glaciaires, failles et plis.

Document Représentation schématique d'une coupe géologique

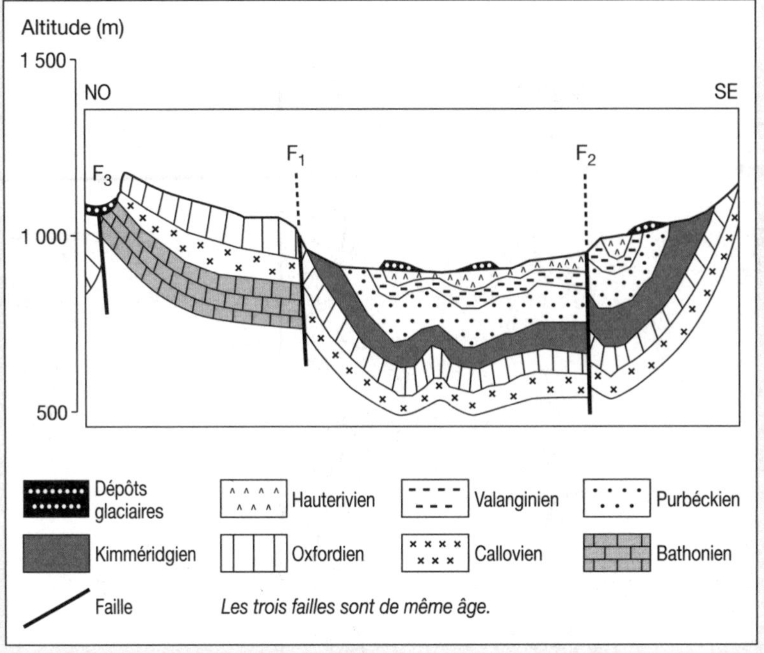

D'après la carte au 1/50 000e de Champagnole (Jura).

LES CLÉS DU SUJET

Comprendre le sujet

- Bien repérer sur la coupe les terrains et accidents que l'on vous demande de dater.
- Pour dater les terrains les uns par rapport aux autres, il faut utiliser le **principe de superposition** et pour dater les structures par rapport aux terrains, il faut appliquer le **principe de recoupement**.
- Rechercher des informations sur l'**ensemble de la coupe** et les mettre en relation pour établir la chronologie relative.
- Ne pas être exhaustif, se limiter aux terrains et structures qui sont explicitement indiqués dans le sujet.

Mobiliser ses connaissances

- **Principe de superposition :** dans les terrains non déformés, les formations les plus basses sont les plus anciennes et les formations les plus hautes sont les plus jeunes.
- **Principe de recoupement :** il est utilisé pour dater, entre autres, les plissements et les failles. Il permet d'affirmer que la mise en place de plis et de failles est postérieure au dépôt des terrains affectés et plus ancienne que les terrains non affectés.

Ces définitions ne sont pas à rappeler dans la réponse.

• **Entre les failles F3 et F1 :** le Bathonien est situé **sous** l'ensemble Callovo-Oxfordien ; suivant le principe de superposition, **les terrains bathoniens sont plus anciens que les terrains callovo-oxfordiens**.

Entre les failles F1 et F2 : les terrains kimméridgiens reposant **sur** les terrains callovo-oxfordiens **sont plus récents** que ceux-ci.

Les terrains bathoniens étant plus anciens que les formations datées du Callovo-Oxfordien sont, par conséquent, plus anciens que les terrains kimméridgiens.

L'application de ce même principe de superposition permet d'affirmer que les **dépôts glaciaires**, plus récents que les terrains hauteriviens sur lesquels ils reposent, sont *a fortiori* **plus récents que les terrains kimméridgiens**.

Le document ne montre pas de terrains kimméridgiens directement situés au-dessus de terrains bathoniens. D'où la nécessité d'utiliser des régions différentes de la coupe.

• À droite de la faille F_2 (vers le SE), la coupe montre que les terrains allant du Callovien à l'Hauterivien – donc ceux du Kimméridgien – sont plissés. Le plissement est donc postérieur aux terrains kimméridgiens.

En revanche, les dépôts glaciaires ne sont pas plissés : ils reposent en discordance sur les terrains plissés. Ils sont donc postérieurs aux plis.

• À gauche de la faille F_1 (vers le NO), la coupe montre que les terrains bathoniens sont plissés comme ceux qui les recouvrent et sont donc antérieurs aux plis.

• **Les failles F1 et F2** affectant les formations bathoniennes et kimméridgiennes sont postérieures à leur dépôt.

La faille F3 n'affectant pas les dépôts glaciaires, ces derniers se sont formés postérieurement aux failles qui sont toutes de même âge.

Les failles F1 et F2 affectant nettement le plissement, les trois failles sont postérieures à celui-ci.

Bilan : chronologie du plus ancien au plus récent

1. Dépôt des terrains bathoniens.
2. Dépôt des terrains kimméridgiens.
3. Plissement.
4. Mise en place des failles.
5. Dépôts glaciaires.

THÈME La mesure du temps dans l'histoire de la Terre et de la vie

Chronologies relative et absolue

▸ En utilisant les informations fournies dans les trois *documents*, établissez la chronologie des événements géologiques observés sur la coupe du *document 1* :
– dépôts des calcaires,
– dépôts des dolomies,
– mise en place du granite en déterminant son âge absolu,
– mise en place des roches A,
– faille.

Les définitions des principes de datation ne sont pas attendues.

Document 1 Coupe géologique simplifiée

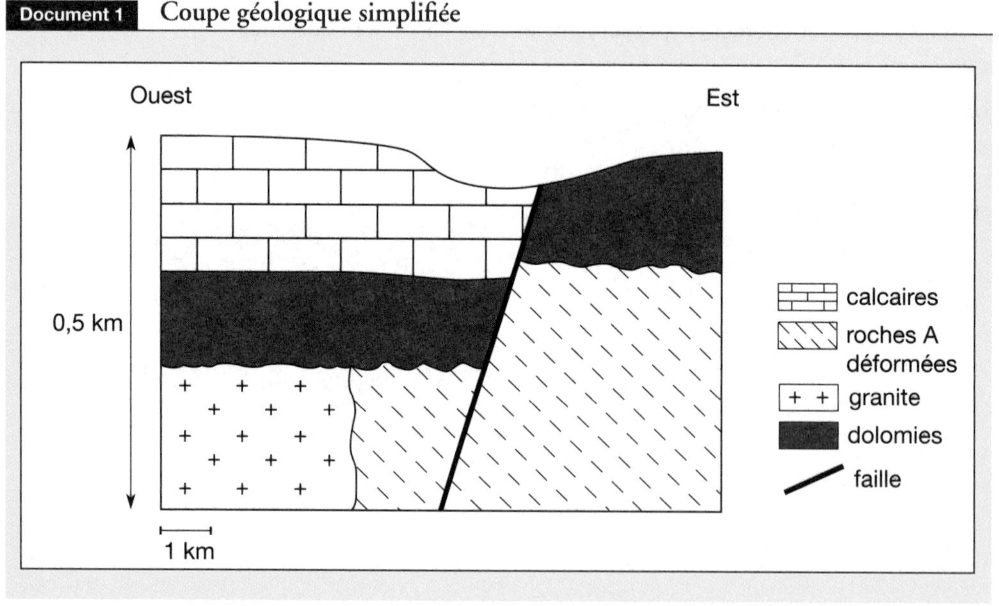

Document 2a Fossiles présents dans les calcaires et les roches A

Couches	Fossiles présents
Calcaire	Ammonites de la famille des Lytocératidés
Roches A	Trilobites de la famille des Olénellidés

Exemple de Lytocératidés (X 0,25)

Exemple d'Olénellidés (X 0,25)

Document 2b Échelle stratigraphique en millions d'années

Ère mésozoïque	– 145 à – 65	Crétacé	
	– 200 à – 145	Jurassique	Lytocératidés
	– 245 à – 200	Trias	
Ère paléozoïque	– 290 à – 245	Permien	
	– 362 à – 290	Carbonifère	
	– 408 à – 362	Dévonien	
	– 439 à – 408	Silurien	
	– 510 à – 439	Ordovicien	
	– 570 à – 510	Cambrien	Olénellidés

Document 3a Datation du granite à partir de certains éléments radioactifs présents dans les minéraux de cette roche

Certains minéraux du granite ont incorporé lors de leur formation du rubidium ^{87}Rb ainsi que du strontium ^{87}Sr et ^{86}Sr. Au cours du temps, la quantité de strontium (^{87}Sr) augmente. Elle provient de la désintégration du rubidium ^{87}Rb. Un spectromètre de masse a mesuré dans les minéraux du granite les nombres d'atomes (N) de ^{87}Sr, ^{86}Sr et ^{87}Rb. Les résultats sont exprimés sous la forme d'un rapport isotopique. Le taux de strontium actuel correspond à :

$$\left(\frac{N^{87}Sr}{N^{86}Sr}\right)_{mesuré} = (e^{\lambda t} - 1)\left(\frac{N^{87}Rb}{N^{86}Sr}\right)_{mesuré} + \left(\frac{N^{87}Sr}{N^{86}Sr}\right)_{initial}$$

SVT

Avec la constante de désintégration $\lambda = 1{,}42 \cdot 10^{-11}$.
La méthode des isochrones est utilisée pour déterminer l'âge du granite, noté *t*.
On construit une droite à partir des couples ($^{87}Rb/^{86}Sr$; $^{87}Sr/^{86}Sr$) de certains minéraux du granite (orthose, mica blanc, mica noir).
La droite obtenue d'équation $y = ax + b$ est nommée isochrone.
On en déduit que :

$$t = \frac{\ln(a+1)}{\lambda}$$

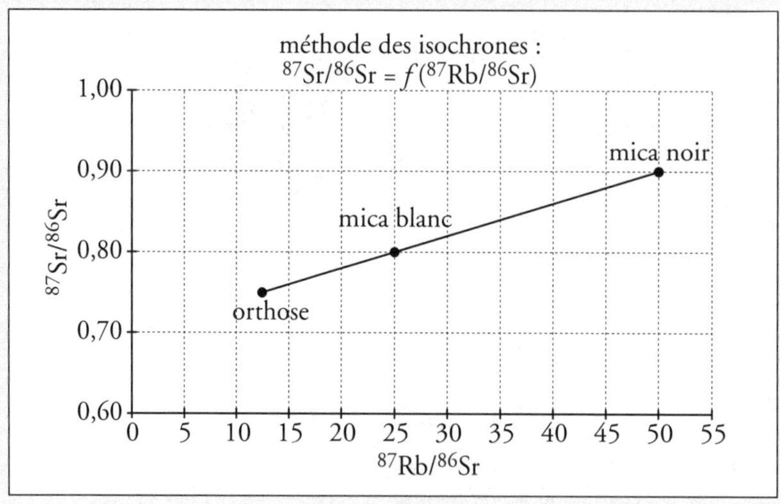

Document 3b Table de valeurs de la fonction

$$t = \frac{\ln(a+1)}{\lambda}$$

Coefficient directeur de l'isochrone noté *a*	**Âge du granite noté *t* en millions d'années**
0,001	70,4
0,002	141
0,003	211
0,004	281
0,005	351
0,006	421
0,007	491
0,008	561
0,009	631
0,01	701

LES CLÉS DU SUJET

■ Comprendre le sujet

Ce sujet concerne la datation relative d'événements se rapportant à une région non précisée puis, par l'utilisation de la paléontologie et de méthodes physico-chimiques, la datation absolue de ces mêmes événements.

Il s'agit donc d'utiliser les principes de la chronologie relative pour interpréter le document fourni. Même si vous n'avez pas à définir les principes, il faut indiquer celui que vous utilisez pour dater relativement tel ou tel événement.

Le document sur la chronologie absolue paraît compliqué mais en réalité le principe de la méthode vous est rappelé uniquement pour vous conduire à calculer le coefficient directeur de la droite fournie, ce qui est simple.

■ Mobiliser ses connaissances

- **Principes de la chronologie relative**

– *Principe de superposition* : lorsque plusieurs strates sédimentaires sont superposées, la strate inférieure, mise en place la première, est la plus âgée ;

– *Principe de recoupement* : lorsque deux structures géologiques se recoupent, la plus récente recoupe la plus ancienne ;

– *Principe de recoupement et de superposition* : ils s'appliquent aux déformations qui sont d'âge plus récent que les roches qu'elles affectent ; lorsqu'une strate repose à l'horizontale sur des strates redressées, on parle de discordance ;

– *Principe d'identité paléontologique* : fondé sur la reconnaissance de fossiles stratigraphiques, il permet d'établir des corrélations à distance.

- **Datation absolue par la méthode rubidium-strontium**

En cristallisant, certains minéraux intègrent plus ou moins d'atomes de ^{87}Sr et de rubidium dont ^{87}Rb qui se désintègre en donnant ^{87}Sr. Le comportement d'un isotope stable du strontium, ^{86}Sr, étant le même que celui du ^{87}Sr, tous les minéraux d'une même roche ont le même rapport initial $^{87}Sr/^{86}Sr$ mais des rapports initiaux $^{87}Rb/^{86}Sr$ différents. Au cours du temps, les minéraux s'enrichissent en ^{87}Sr et s'appauvrissent en ^{87}Rb. La vitesse de désintégration de ^{87}Rb étant constante, tous les points représentant les rapports $^{87}Sr/^{86}Sr$ en fonction de $^{87}Rb/^{86}Sr$ demeurent alignés sur une droite isochrone.

De type $Y = ax + b$, la droite a pour coefficient directeur approché λt qui peut être déterminé graphiquement et dont la valeur augmente avec l'âge de la roche.

SVT

CORRIGÉ SUJET 10

Analyse du document 1

Les calcaires sont plus récents que les dolomies sur lesquels ils reposent (**principe de superposition**).

Suivant ce même principe, l'ensemble calcaires et dolomies est plus récent que les roches A et le granite sur lesquels il repose en **discordance**.

La faille, recoupant les roches A, les dolomies et les calcaires, s'est mise en place après le dépôt de ces trois formations (**principe de recoupement**).

Le granite recoupant les roches A, on peut penser, malgré l'absence d'une auréole de métamorphisme, que sa mise en place est **postérieure** à celle des roches A.

Conclusion

L'histoire de la région peut donc se résumer ainsi :
- dépôt des roches A,
- déformation de ces roches A puis mise en place du granite et exondation de la région,
- érosion puis retour de la mer,
- dépôt des dolomies puis des calcaires,
- mouvements tectoniques dont témoigne la faille et érosion.

Le corrigé cherche d'abord à tirer le maximum d'informations ponctuelles (datation relative de l'évènement), puis rassemble les diverses informations obtenues en une chronologie globale de la région.

Analyse du document 2

En appliquant le **principe d'identité paléontologique** :
- les calcaires contenant des ammonites du Jurassique ***(document 2a)*** se sont déposés entre –200 et –145 millions d'années ***(document 2b)*** ;
- les roches A contenant des trilobites du Cambrien ***(document 2a)*** ont un âge absolu compris entre –570 et –510 millions d'années ***(document 2b)***.

La connaissance de la période de vie de ces fossiles stratigraphiques permet de donner un âge absolu dans un intervalle de temps déterminé et permet ainsi de préciser les conclusions tirées de l'étude du *document 1*.

Analyse du document 3

Les points relatifs aux trois minéraux du granite sont disposés suivant une ligne droite : cela signifie qu'ils proviennent **du même magma** qui est à l'origine de ce granite.

La droite recoupe l'axe des ordonnées à 0,70, ce qui indique le rapport $^{87}Sr/^{86}Sr$ dans le magma d'origine.

L'orthose, le mica blanc, le mica noir ont incorporé au moment de leur formation plus ou moins de rubidium. Plus le minéral a incorporé de ^{87}Rb, plus sa teneur en ^{87}Sr augmente au fur et à mesure que le temps passe.

Le **coefficient directeur de la droite** est d'autant plus important que le temps écoulé depuis la formation du granite est grand.

Calculons **a** : $0{,}90 - 0{,}75/50 - 12{,}5 = 0{,}15/37{,}5 = \mathbf{0{,}004}$.

L'âge du granite est donc ***(document 3b)*** ***t* = 281 millions d'années.**

Bilan

Il est possible de dater les différents événements de façon absolue :
- mise en place des roches A entre –570 et –510 millions d'années,
- plissement des roches A,
- mise en place de granite à la suite d'intrusion de magma dans les roches A il y a 281 millions d'années,
- érosion,
- dépôt des dolomies, puis des calcaires entre –200 et –145 millions d'années pour ces derniers,
- mise en place de la faille et érosion.

Terminez toujours par un bilan qui fait la synthèse de toutes les informations tirées des différents documents.

THÈME **La convergence lithosphérique et ses effets**

Le prisme d'accrétion de Nankaï

Le document a été obtenu par sismique réflexion au niveau de la fosse de Nankaï, au sud-est du Japon. Le prisme d'accrétion est une structure tectonique parfois rencontrée dans les zones de subduction.

▸ **Dégagez du *document* les indices qui caractérisent un prisme d'accrétion et témoignent d'une convergence de type subduction.**

Document Profil de sismique réflexion et profil interprété du prisme d'accrétion de la fosse de Nankaï

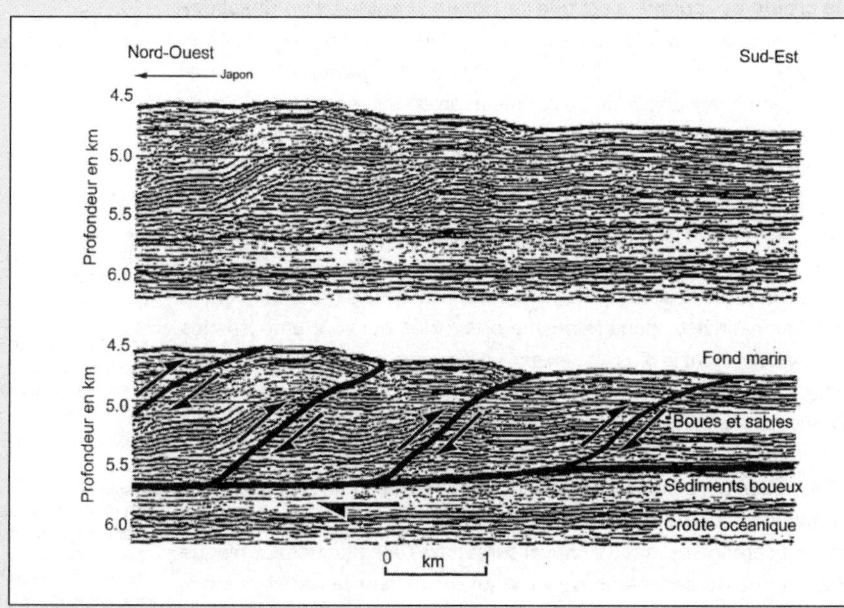

LES CLÉS DU SUJET

■ Comprendre le sujet

Le document indique que le profil sismique fourni est celui d'un prisme d'accrétion : la fosse de Nankaï. Il ne s'agit donc pas de **démontrer** qu'il s'agit d'un prisme d'accrétion mais **de relever dans ce profil des indices structuraux** propres aux prismes d'accrétion... À partir de là, il faut montrer que ces indices résultent de la subduction d'une lithosphère océanique sous une autre plaque. Bien que le document ne fournisse pas l'information, on est amené à situer la plaque sous laquelle plonge la lithosphère océanique supportant le prisme d'accrétion.

■ Mobiliser ses connaissances

Le prisme d'accrétion est une des caractéristiques de certaines marges actives, zones où une lithosphère océanique s'enfonce sous une autre plaque continentale ou océanique. Ce prisme est un bourrelet sédimentaire résultant du sous-charriage progressif d'unités sédimentaires.

CORRIGÉ SUJET 11

Au sud-est, les boues et sables ont une épaisseur de 800 mètres environ alors que celle des sédiments boueux sur lesquels ils reposent est de l'ordre de 300 mètres. Ces **sédiments non déformés** reposent sur de la croûte océanique. Au nord-ouest, les sédiments boueux ont toujours une épaisseur de 300 mètres alors que celle des boues et sables est de l'ordre de 1 300 mètres environ. Les sédiments boueux sont toujours non déformés alors que **les boues et sables** le sont nettement. Cela indique que les **sédiments boueux restent solidaires de la croûte océanique** alors que les **boues et sables s'en désolidarisent** et se déforment. Toute la zone qui va du sud-est au nord-ouest où les boues et sables sont déformés forme le prisme d'accrétion ; sa longueur sur la portion de profil fourni est de l'ordre de 5 à 6 km. L'épaisseur de ce prisme augmente lorsqu'on va du sud-est au nord-ouest. Cette **accumulation sédimentaire**, formée par des sédiments qui se décollent de la croûte océanique qui les supporte et se déforment, est une caractéristique des prismes d'accrétion.

Le corrigé gagnerait à être structuré matériellement par des titres. Pour les deux premiers paragraphes : « Les marqueurs d'un prisme d'accrétion » ; pour le dernier : « Les témoignages d'une convergence de type subduction ».

Le profil sismique indique la présence dans le prisme d'accrétion de quatre chevauchements où des sédiments sont charriés sur d'autres. Cela explique l'épaississement du prisme par rapport aux boues et sables non déformés situés au-delà du prisme (vers la droite). Ces chevauchements délimitent dans le prisme des unités qui sont empilées les unes sur les autres. Le chevauchement le plus ancien est situé au nord-ouest, le plus récent vers le sud-est : le prisme croît par accrétion vers le sud-est d'unités sédimentaires aux unités préexistantes. **Ces caractéristiques structurales sont des témoins d'un prisme d'accrétion.**

À partir d'une analyse précise des données, on dégage les caractéristiques d'un empilement sédimentaire et donc celles d'un prisme d'accrétion.

La précision « prisme d'accrétion de la fosse de Nankaï » souligne que cette région correspond à une zone de subduction. La plaque chevauchante est située à l'ouest de la zone du profil sismique. Le prisme d'accrétion est situé à cheval sur la limite des plaques. La plaque océanique, avec les 300 mètres de sédiments boueux qui recouvrent la croûte, plonge sous la plaque chevauchante. En revanche, les **boues et sables**, du fait qu'ils se décollent de la plaque, **n'entrent pas en subduction**. Ils butent sur la plaque chevauchante, ce qui conduit à les déformer, à les refouler. Au fur et à mesure de la convergence, le prisme se développe vers l'avant par addition de nouvelles unités délimitées par des chevauchements.

On montre que les marqueurs du prisme d'accrétion témoignent d'une convergence en localisant la plaque plongeante et la plaque chevauchante et en expliquant comment la subduction engendre ces marqueurs.

THÈME La convergence lithosphérique et ses effets

Les Alpes, une chaîne de collision

Les plaques lithosphériques sont en mouvement à la surface du globe. Elles divergent au niveau des dorsales océaniques et convergent, en particulier, au niveau des chaînes de montagnes.

▸ **À partir des informations extraites des *documents 1 à 3* et de vos connaissances, montrez que les Alpes franco-italiennes présentent les caractéristiques d'une chaîne de collision.**

Document 1 Rochers de Leschaux dans les Alpes (massif des Bornes, Haute-Savoie) et croquis d'interprétation

© DR

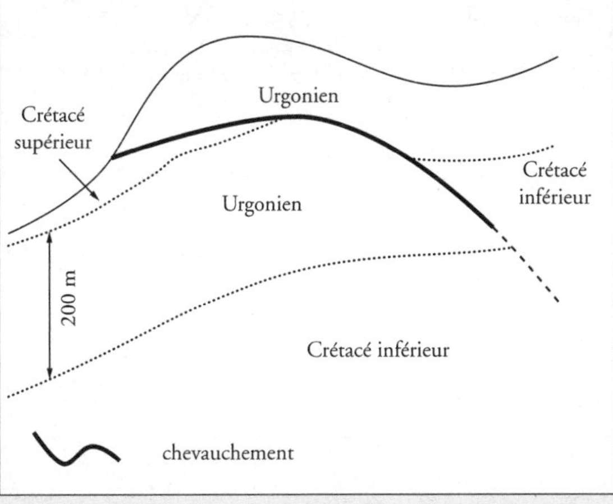

SVT

Document 2 Coupe schématique des Alpes

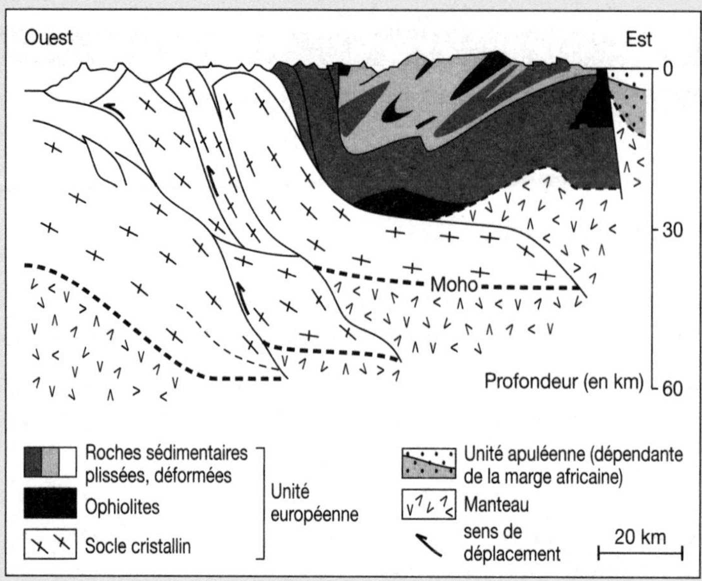

D'après Caron et coll., 1995.

Localisation de la coupe
Document de référence à ne pas exploiter.

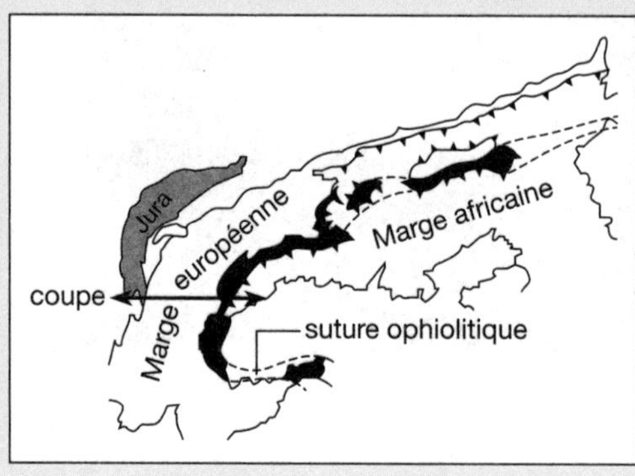

Document 3 Déplacement du continent africain depuis 100 Ma

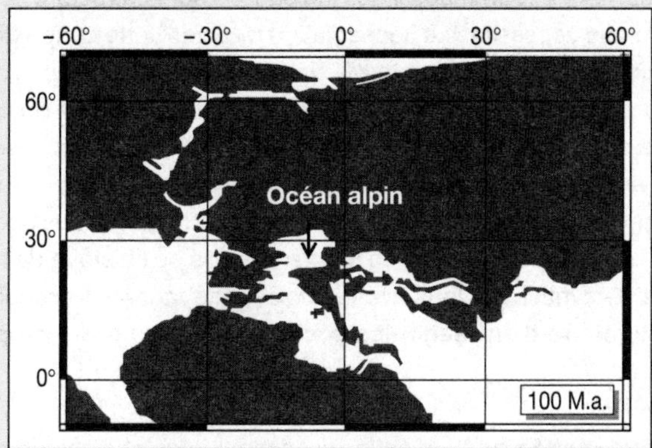

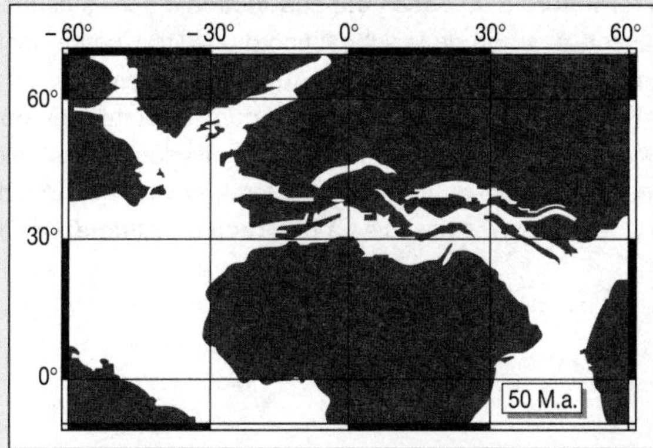

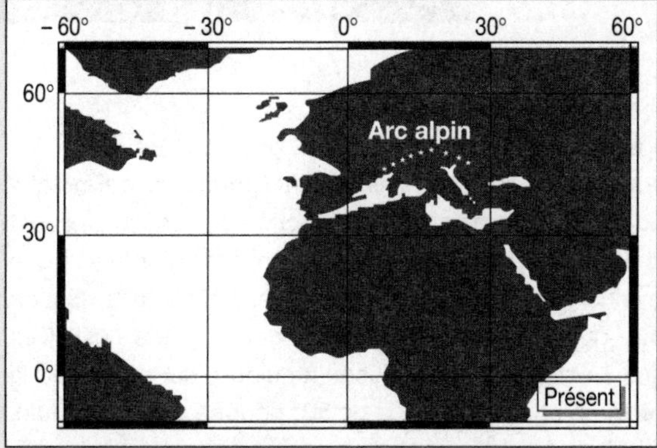

La croûte continentale est représentée en noir et la croûte océanique en blanc.
Les longitudes et les latitudes sont données en degrés.

Cartes d'après le site internet *http://www.odsn.de*

LES CLÉS DU SUJET

■ Comprendre le sujet

Il faut rechercher dans les documents fournis **des indices des épisodes successifs** de l'histoire d'une chaîne de collision.

Les documents à analyser sont de nature différente. Le *document 1* montre une observation possible à faire sur le terrain. Le *document 2* fournit aussi des indications sur la structure des Alpes, mais elles ne sont pour la plupart pas accessibles à l'observation directe. Cette coupe des Alpes résulte en effet d'une interprétation des données d'un profil sismique renseignant sur la structure profonde de la chaîne. Le *document 3*, bien que son titre soit relatif au déplacement du continent africain, reconstitue en réalité les grands épisodes successifs de l'histoire des Alpes. Il est possible de commencer par l'analyse de ce **document de synthèse** pour établir en quoi il est conforme à l'histoire d'une chaîne de collision. Ensuite, on peut passer à l'analyse des documents de terrain pour dégager en quoi ils sont des indices d'un moment précis de l'histoire de la chaîne et confortent donc le document de synthèse. Nous avons choisi cette façon de procéder pour illustrer le fait qu'**il n'est pas obligatoire d'envisager les documents dans l'ordre proposé**.

■ Mobiliser ses connaissances

L'analyse des documents doit être **guidée** par vos connaissances sur les chaînes de collision. Celles-ci résultent toujours de **la fermeture d'un océan par subduction** d'une lithosphère océanique sous une lithosphère continentale, suivie de la subduction d'une lithosphère continentale sous une autre, ayant entraîné des déformations dans les deux marges continentales en contact. Les **ophiolites** sont des témoins d'une lithosphère océanique non subduite ; les **ophiolites métamorphisées** contenant des minéraux tels que le grenat et la jadéite sont des témoins d'une lithosphère océanique subduite et ramenée en surface. Les caractères les plus nets des déformations dues à la collision sont des reliefs élevés associés à une **racine crustale, des plis des failles et des charriages**.

CORRIGÉ SUJET 12

Exploitation du document 3

Il y a 100 millions d'années, à l'emplacement des Alpes actuelles, on trouve un océan. Il y a 50 millions d'années, la superficie de cet océan est très nettement **réduite**, ce qui indique une **disparition de la lithosphère** de cet océan alpin. Cette réduction de l'océan alpin est associée à une montée vers le nord de l'Afrique : elle arrive il y a 50 millions d'années à une latitude de 30° alors qu'elle se trouvait à 15° à 100 millions d'années. En même temps, on constate un pivotement de l'Afrique qui se traduit par un déplacement vers l'est. Ces déplacements de la plaque africaine se sont poursuivis jusqu'à aujourd'hui puisqu'on la trouve jusqu'à une latitude de 40° environ et une longitude de 50° pour sa partie orientale. On constate donc durant cette période **un mouvement de convergence** rapprochant la plaque africaine de la plaque eurasiatique. Ce mouvement de convergence est associé à la fermeture complète de l'océan alpin remplacé aujourd'hui par la chaîne alpine. Cette fermeture est marquée par la soudure entre un promontoire de l'Afrique et l'Europe qui témoigne de la collision entre deux lithosphères continentales. La chaîne alpine semble donc résulter du rapprochement entre l'Afrique et l'Europe depuis 100 millions d'années.
L'histoire des Alpes fournie par ce document est conforme aux épisodes caractéristiques des chaînes de collision : passage par un stade océan, fermeture de cet océan, affrontement de deux lithosphères continentales.

Repérez comment, à partir de l'analyse d'une succession de paléogéographies (100 Ma, 50 Ma et Présent), on relève des indices caractéristiques qui permettent de conclure que les Alpes constituent une chaîne de collision.

Exploitation du document 1

Le document dans sa partie gauche indique l'ordre successif de formation des séries sédimentaires : de celles du Crétacé inférieur pour les plus anciennes à celle du Crétacé supérieur pour les plus récentes. On constate alors que l'ensemble Crétacé inférieur-Urgonien situé au-dessus de la ligne dite de chevauchement repose sur **des formations qui sont plus récentes que cet ensemble** (par exemple l'Urgonien sur le Crétacé supérieur). Cela traduit un **contact anormal**, donc que l'ensemble Urgonien-Crétacé inférieur situé en haut a été charrié, **après sa formation**, sur les formations sur lesquelles il repose. Ce chevauchement de formations sur d'autres qui leur sont plus récentes traduit un **raccourcissement** des séries sédimentaires après leur formation, entraînant leur **épaississement**. Cela est caractéristique des déformations ayant lieu lors de l'affrontement des deux marges continentales dû à la fermeture d'un océan.

Exploitation du document 2

La légende indique : « Unité européenne et unité apuléenne (dépendante de la marge africaine) », ce qui souligne qu'on trouve dans les Alpes franco-italiennes des témoins de deux marges, ce à quoi on doit s'attendre pour une chaîne de collision. On constate que la **croûte continentale** (ensemble des formations situées au-dessus du moho) est considérablement **épaissie** au niveau de la marge européenne puisqu'elle atteint une épaisseur maximale de près de 60 km alors que l'épaisseur moyenne de la croûte continentale est de 30 km. Cette forte épaisseur est due à des **écailles de croûte superposées les unes sur les autres** donc se chevauchant. Ces chevauchements du socle cristallin de la croûte continentale sont caractéristiques des déformations subies par la croûte de la plaque qui subducte au cours de la collision. On constate même que des écailles du manteau (lequel est situé sous le moho) sont intercalées entre des écailles de croûte, ce qui se traduit par trois limites pour le moho sur la coupe fournie. Ce contact anormal où l'on voit en profondeur des péridotites du manteau au-dessus des roches de la croûte est aussi un témoignage de la collision. Cela indique également que c'est la plaque européenne qui a subducté sous la plaque africaine (sous l'Apulie). Au-dessus du socle cristallin, la coupe montre à l'est des formations sédimentaires plissées et déformées. Ces déformations de la couverture sédimentaire associées aux chevauchements du socle soulignent l'importance du raccourcissement et de l'épaississement subis par la marge continentale européenne, ce qui est typique d'une chaîne de collision.

Pensez toujours devant un tel document à regarder l'épaisseur de la croûte continentale et à voir si elle montre un empilement d'écailles témoignant de la phase de collision.

La coupe montre des **ophiolites**, lesquelles sont de la lithosphère océanique charriée sur de la lithosphère continentale. Elles sont des indices de l'histoire océanique de la chaîne alpine. Le document ne précise pas si les roches de la croûte océanique de ces ophiolites étaient métamorphisées ou non. La présence de minéraux indicateurs d'un métamorphisme de haute pression et de basse température (glaucophane, grenat, jadéite) dans ces ophiolites serait un indice de subduction de lithosphère océanique, donc un témoin de la subduction ayant entraîné la fermeture de l'océan alpin.

Pour les sujets de ce type, recherchez toujours la présence d'ophiolites dont la présence témoigne de l'existence d'un ancien océan et, si elles sont métamorphisées, d'une subduction.

Bilan

En résumé, la présence dans les Alpes de lambeaux de lithosphère océanique, le raccourcissement et l'épaississement de la croûte de cette chaîne de montagnes dus aux chevauchements et les charriages présents dans le socle et dans la couverture sont des témoins de deux moments de l'histoire d'une chaîne de collision. Cette chaîne résulte des déplacements qui ont rapproché la plaque africaine de l'Europe, entraînant la disparition de l'océan alpin et l'affrontement de la lithosphère continentale européenne avec celle de l'Apulie, promontoire de l'Afrique.

THÈME La convergence lithosphérique et ses effets

Subduction et magmatisme

La convergence lithosphérique, dans une zone de subduction, est caractérisée notamment par une importante activité magmatique.

▸ **Expliquez comment le fonctionnement d'une zone de subduction au contact d'un continent a pour conséquence la formation d'un magma et comment celui-ci est à l'origine de deux types de roches magmatiques.**

Votre exposé comportera une introduction et une conclusion, un texte structuré et un schéma bilan.

LES CLÉS DU SUJET

■ Comprendre le sujet

• Le plan doit faire apparaître clairement un enchaînement de problèmes qui permet de donner un caractère bien organisé à votre exposé.

• Les manifestations magmatiques associées à la subduction doivent vous permettre d'introduire le sujet. La définition même de la subduction permet de préciser le **problème à résoudre** : quel est le lien unissant la plongée d'une lithosphère océanique froide et la genèse d'un magma ?

• Il faut **introduire l'idée** qu'un magma naît de la fusion partielle d'une roche solide puis préciser la nature de cette roche.

• Il faut alors **répondre à la question** : qu'est-ce qui fait que cette roche, la péridotite, fond au niveau d'une zone de subduction ? Cela vous conduit à parler de l'eau.

■ Mobiliser ses connaissances

• Les **zones de subduction** sont le siège d'une importante activité magmatique. Le magma provient de la fusion partielle des péridotites au-dessus du plan de Bénioff, **fusion due à l'hydratation** du manteau.

• **L'eau provient de la déshydratation des roches de la plaque plongeante**. Le long du plan de Bénioff, les roches de la lithosphère océanique sont soumises à des conditions de pression et de température différentes de celles de leur formation. Elles se transforment et se déshydratent. Des minéraux caractéristiques des zones de subduction apparaissent.

Introduction

Un volcanisme de type explosif est une des caractéristiques les plus constantes des zones de subduction ; il conduit à la formation de roches **volcaniques – andésites et rhyolites –** au niveau de la plaque chevauchante et, dans certaines de ces zones, par exemple au niveau des Andes, un **plutonisme** marqué par la mise en place de **granitoïdes** y est associé. Tout cela traduit une genèse de magma, conséquence de la subduction.

Dans un premier temps, nous envisagerons le mécanisme par lequel la plongée d'une plaque océanique froide dans le manteau plus chaud entraîne la genèse de magma. Puis, nous verrons comment le refroidissement de ce magma conduit aux deux types de roches : volcaniques et plutoniques.

L'introduction fait appel aux deux notions du sujet : la genèse du magma et la formation de roches à partir de ce magma.

A. Le matériel qui subit la fusion partielle

Il n'existe pas de couche magmatique continue à l'intérieur du globe. Un magma provient donc toujours de la fusion partielle d'une roche préexistante.

Malgré des variations dans la pente du panneau lithosphérique qui subducte, les volcans se trouvent à l'aplomb d'une zone où **le toit de la lithosphère en subduction est à 100 km ou plus**. La **péridotite de la plaque chevauchante** située à ces profondeurs subit la **fusion partielle à l'origine du magma**.

En précisant dès le départ la nature du matériel qui subit la fusion partielle, on introduit l'étude des transformations de la lithosphère océanique au cours de la subduction : comment la subduction entraîne la fusion.

B. Les transformations de la lithosphère océanique au cours de sa subduction

1. Les caractéristiques de la lithosphère qui subducte

Après sa formation à l'axe d'une dorsale, la lithosphère océanique subit un **métamorphisme hydrothermal**. Il en résulte que la croûte de la lithosphère océanique entrant en subduction est riche en **minéraux hydroxylés** : hornblende, actinote, chlorite. De même, la **péridotite du manteau** de la plaque plongeante est métamorphisée en serpentinite, roche verdâtre riche en **un minéral hydroxylé, la serpentine**.

2. Le métamorphisme de la croûte en cours de subduction

Au cours de sa subduction, la croûte océanique se réchauffe lentement et elle est soumise de plus à des pressions de plus en plus importantes. Dans ces conditions, les minéraux qui la constituent sont instables. En conséquence, à des profondeurs supérieures à 30-40 km, la croûte est le siège d'un **métamorphisme de basse température et haute pression** qui aboutit à la formation de nouveaux minéraux. Finalement, vers 50 km et plus, le gabbro est transformé en une roche appelée **éclogite** formée par une association de **grenat rouge** et d'un pyroxène vert, la **jadéite**.

Le fait fondamental est que les minéraux de l'éclogite ne sont pas hydroxylés. Les réactions métamorphiques affectant la croûte subductée libèrent de l'eau qui passe dans la péridotite chevauchante.

L'idée essentielle à dégager est que tout repose sur le fait que la lithosphère qui subducte est hydratée et que sa subduction libère de l'eau.

C. La genèse du magma

Les données thermiques, notamment la mesure du flux de chaleur, indiquent que la température de la péridotite vers 100 km de profondeur, de l'ordre de 1 000 °C, est insuffisante pour entraîner sa fusion partielle.

Les données expérimentales indiquent que l'eau abaisse la température de fusion de la péridotite, son solidus. Ainsi, une péridotite hydratée, à 1 000 °C, sous une pression

SVT

correspondant à celle qui règne à 100 km ou plus, franchit son solidus. Elle subit une fusion partielle : certains minéraux fondent et sont à l'origine du magma.
C'est en abaissant, grâce à la libération d'eau, la température à laquelle la péridotite commence à fondre que la subduction de la lithosphère océanique provoque la genèse du magma.

Achevez le raisonnement : l'eau libérée est responsable de la fusion.

D. Le devenir du magma formé

Le magma formé remonte vers la surface et peut s'accumuler dans des chambres magmatiques. Il peut alors se consolider lentement en profondeur, donnant des **roches magmatiques plutoniques à structure grenue, les granitoïdes**, ou parvenir en surface et donner naissance à des **roches magmatiques volcaniques à structure microlithique, andésites et rhyolites.**

Un magma va donner des roches de structures différentes suivant qu'il arrive ou non en surface, c'est-à-dire qu'il se refroidit rapidement ou lentement.

Conclusion

Le déclenchement de la fusion partielle de la péridotite chevauchante par la plongée d'une lithosphère océanique **froide** est à première vue paradoxal.
Mais il s'explique ***(figure 1)*** par un couplage du métamorphisme de subduction et de magmatisme : **les réactions métamorphiques affectant la croûte subductée libèrent l'eau entraînant la fusion partielle de la péridotite.**

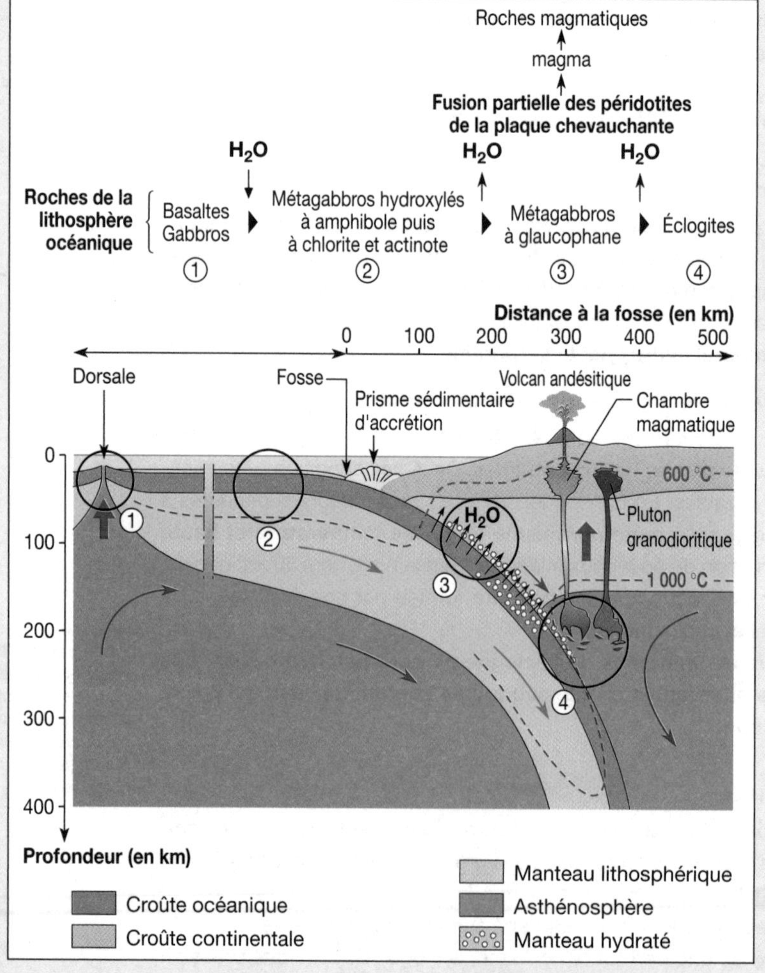

Figure 1

THÈME **La convergence lithosphérique et ses effets**

Un moteur de la subduction

▶ **À partir des informations apportées par l'étude du *document*, indiquez l'un des moteurs de la subduction.**

Document Propriétés de quelques enveloppes terrestres en fonction de la distance à l'axe de la dorsale

Distance à l'axe de la dorsale (en km)		160	800	2 000	4 800	8 000
Âge de la lithosphère océanique (en 10^6 ans)		2	10	25	60	100
Flux thermique (en 10^{-2} W · m^{-2}) 1 W = 1 J · m^{-2} · s^{-1}		20	11	7	5	5
Épaisseur de la lithosphère océanique (en km)	Croûte*	5	5	5	5	5
	Manteau lithosphérique	8	24	41	66	87
Masse volumique de la lithosphère océanique (en 10^3 kg · m^{-3})		3,127	3,222	3,25	3,268	3,275
Masse volumique de l'asthénosphère (en 10^3 kg · m^{-3})		3,25	3,25	3,25	3,25	3,25

* Les sédiments ne sont pas pris en compte dans le calcul de l'épaisseur.

Informations complémentaires

Flux thermique = quantité de chaleur dégagée par unité de temps pour 1 m^2 de surface terrestre.

Masse volumique de la croûte = $2,85 \cdot 10^3$ kg · m^{-3}.

Masse volumique du manteau lithosphérique = $3,3 \cdot 10^3$ kg · m^{-3}.

LES CLÉS DU SUJET

■ Comprendre le sujet

Par « moteur de la subduction » il faut comprendre : qu'est-ce qui fait qu'à un moment donné, de la lithosphère océanique plonge sous de la lithosphère continentale ou océanique ?

Ne vous perdez pas dans les données qui sont nombreuses et plus ou moins utiles. Poursuivez le but de votre démonstration en utilisant les données signifiantes au fur et à mesure de vos besoins. Autrement dit, **ne vous lancez pas dans une étude exhaustive du document**.

SVT

■ Mobiliser ses connaissances

• La lithosphère formée sans cesse au niveau de la dorsale s'en éloigne et peut, à une certaine distance de cette dorsale, entrer en subduction.

• **Lorsque la lithosphère devient plus dense que l'asthénosphère sous-jacente, elle a tendance à subducter**.

• Il vous faut donc rechercher dans le document les données qui montrent que la lithosphère devient de plus en plus dense au fur et à mesure qu'elle s'éloigne de la dorsale jusqu'à devenir plus dense que l'asthénosphère.

CORRIGÉ SUJET 14

• Au-delà de 2 000 km de l'axe de la dorsale, **la lithosphère**, âgée de plus de 25 millions d'années, a une masse volumique qui devient **supérieure** à celle de **l'asthénosphère** et cela d'autant plus que l'on s'en éloigne.

L'asthénosphère étant un milieu relativement plastique, la lithosphère, plus dense, a tendance à s'y enfoncer : c'est un des moteurs de la subduction.

On extrait l'information qui permet de préciser dès le départ quel est le moteur de la subduction. Ainsi, dans la suite de la réponse, on recherche les raisons qui font que la densité (masse volumique) de la lithosphère augmente et devient supérieure à celle de l'asthénosphère.

• Pourquoi la masse volumique de la lithosphère augmente-t-elle ?

– l'épaisseur de la lithosphère augmente au fur et à mesure qu'on s'éloigne de la dorsale. Cette augmentation est due à l'augmentation de l'épaisseur du manteau lithosphérique (de 8 km à 160 km de la dorsale à 41 km à 2 000 km) et non à celle de la croûte, d'une épaisseur constante de 5 km) ;

– le flux thermique diminue au fur et à mesure qu'on s'éloigne de la dorsale (de $20 \cdot 10^{-2}$ W^{-m^2} à 160 km à 7 à 2 000 km), ce qui indique un refroidissement du matériel lithosphérique. Le manteau lithosphérique est constitué par du manteau asthénosphérique refroidi, donc plus rigide, incorporé à la lithosphère ; or, la masse volumique du manteau lithosphérique est plus élevée que celle du manteau asthénosphérique (3,3 contre 3,25).

À partir d'une distance à la dorsale égale puis supérieure à 2 000 km, la masse volumique de l'ensemble croûte-manteau lithosphérique devient égale puis supérieure à celle de l'asthénosphère lorsque la lithosphère océanique atteint une certaine épaisseur (46 km et plus).

Remarque. *L'enchaînement des arguments peut être envisagé d'une manière différente.*

• En s'éloignant de la dorsale, la lithosphère devient plus épaisse, cela est dû à l'épaississement du manteau lithosphérique.

• Ce manteau lithosphérique supplémentaire provient du refroidissement du manteau asthénosphérique comme l'indique la diminution du flux thermique.

• Ce refroidissement s'accompagne d'une augmentation de la masse volumique (3,3 contre 3,25).

• Lorsque la lithosphère océanique atteint une épaisseur de 46 km, la masse volumique de la lithosphère devient égale à celle de l'asthénosphère. Pour des épaisseurs supérieures à 46 km, la lithosphère est plus dense que l'asthénosphère.

• L'asthénosphère étant plastique et la lithosphère rigide, celle-ci tend alors à plonger : c'est un des moteurs de la subduction.

Le moteur de la subduction n'est pas envisagé ici au départ. On privilégie les données sur l'épaisseur de la lithosphère pour expliquer comment elle devient plus dense que l'asthénosphère et donc aboutir à établir quel est le moteur de la subduction.

THÈME La procréation

La production de spermatozoïdes

L'homme adulte produit des spermatozoïdes de façon continue.

▶ **Présentez les mécanismes hormonaux et les structures responsables de cette production.**

Votre réponse sera organisée selon un plan apparent et accompagnée d'un schéma fonctionnel.

LES CLÉS DU SUJET

■ Comprendre le sujet

• Bien délimiter le sujet et l'importance du développement de chacune des différentes parties. Cela nécessite un certain nombre de choix en fonction du temps imparti.

Ne pas oublier que la réalisation d'un schéma ou d'un dessin nécessite un temps relativement important, donc :

– **ne faire que les schémas indispensables** à votre démonstration et dont vous maîtrisez bien la réalisation. En priorité, bien sûr, le schéma fonctionnel demandé. Ceux de la coupe de testicule et de l'organisation du complexe hypothalamo-hypophysaire (CHH), bien que souhaitables, ne sont pas exigibles ;

– **réduire à l'essentiel l'exposé sur le déroulement de la spermatogenèse**, l'organisation du CHH et les relations fonctionnelles entre hypothalamus et hypophyse.

• Le sujet évoquant le fait que la spermatogenèse se déroule de « façon continue » doit vous pousser **à traiter de la régulation** de la sécrétion de testostérone et donc de la spermatogenèse. *(Le rôle de l'inhibine, hormone sécrétée par les cellules de Sertoli en réponse à leur stimulation par FSH, n'est pas au programme.)*

■ Mobiliser ses connaissances

• Connaître les principales structures visibles sur une coupe de testicule ainsi que l'organisation du CHH.

• Les testicules produisent des spermatozoïdes et de la testostérone de manière continue, de la puberté jusqu'à la fin de la vie.

• La sécrétion de testostérone ainsi que la production de spermatozoïdes sont déterminées par la production continue des **gonadostimulines hypophysaires** – FSH et LH – induite par **la sécrétion pulsatile de GnRH**, neurohormone hypothalamique.

• La testostérone est détectée en permanence par le CHH. La testostérone exerce sur ce complexe une rétroaction négative : ainsi, la concentration de testostérone dans le milieu intérieur est constante.

Introduction

Les testicules commencent à produire des spermatozoïdes à partir de la puberté et cela de façon continue.
Cette production n'est pas autonome mais dépend constamment de messages hormonaux reçus par les structures responsables de la spermatogenèse.
Nous allons préciser quelles sont les structures concernées et les messages hormonaux dont dépend leur fonctionnement.

A. Les structures du testicule assurant la production de spermatozoïdes

Il existe dans un testicule deux sortes de structures *(figure 1)* : **les tubes séminifères** et **le tissu interstitiel contenant les cellules de Leydig**.
La **paroi du tube séminifère** est le lieu de fabrication des spermatozoïdes. On y reconnaît les **cellules de la lignée germinale** (des spermatogonies aux spermatozoïdes) et les cellules nourricières et de soutien des cellules germinales, **les cellules de Sertoli**.
Avant la puberté, seules existent les cellules de Sertoli et les spermatogonies (cellules souches de la lignée germinale).
À partir de la puberté, il y a mise en route de la spermatogenèse qui se manifeste par la multiplication des spermatogonies permettant, d'une part, la conservation du stock de cellules souches et, d'autre part, l'évolution des autres spermatogonies filles qui, après avoir subi la méiose, se différencient en spermatozoïdes.

Le corrigé commence par le paragraphe sur les structures avant celui qui concerne les mécanismes hormonaux parce que cela permet de situer les cellules cibles des hormones et facilite ainsi l'exposé qui suit sur l'action de ces hormones.

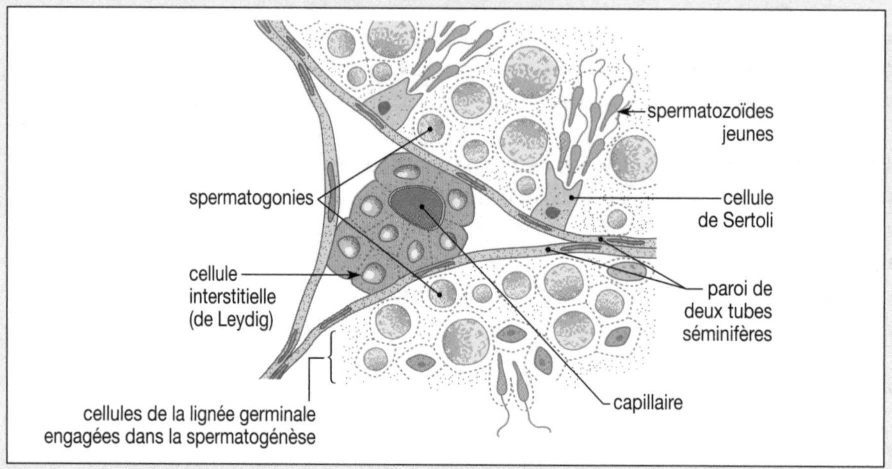

Figure 1

B. La spermatogenèse est commandée par des messages hormonaux hypophysaires

1. La sécrétion de FSH et de LH par l'hypophyse

L'hypophyse est une glande endocrine où se trouvent les cellules sécrétrices de FSH et de LH.
La sécrétion de ces gonadostimulines dépend d'une **neurohormone, GnRH**, émise de façon pulsatile par des neurones hypothalamiques et véhiculée par les capillaires du système porte hypophysaire jusqu'aux cellules hypophysaires sécrétrices de FSH et de LH *(figure 2)*.

2. Action des hormones hypophysaires sur la spermatogenèse

LH agit sur les cellules interstitielles (**cellules de Leydig**) qui répondent en sécrétant de la **testostérone**.

FSH agit sur les cellules de **Sertoli** de la paroi des tubes séminifères.

FSH et la **testostérone agissent toutes les deux sur les cellules de Sertoli** et, celles-ci, sous l'action de ces messages hormonaux, stimulent la spermatogenèse.

Les deux hormones hypophysaires sont donc indispensables à la production de spermatozoïdes durant toute la vie de l'homme à partir de la puberté.

Ne vous perdez pas dans un exposé exhaustif mais faites des choix.

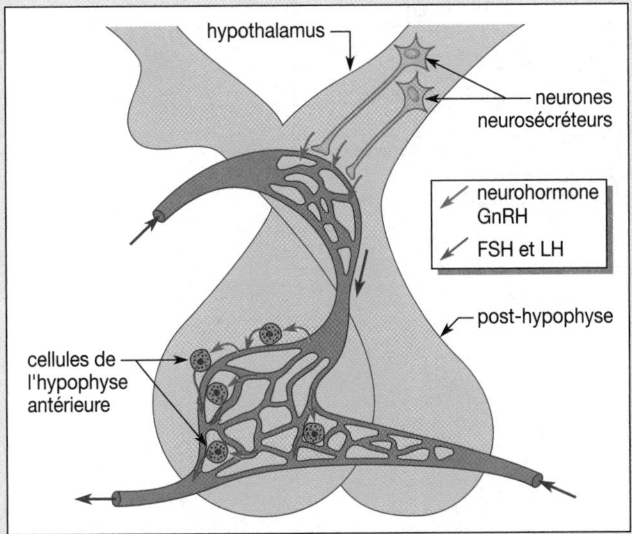

Figure 2

3. Le maintien d'une spermatogenèse continue

La spermatogenèse implique que la concentration d'hormones hypophysaires puisse varier en fonction de l'activité spermatogénétique et, notamment, augmenter si cette activité est insuffisante.

La sécrétion des hormones hypophysaires varie en fonction de l'activité testiculaire, et en particulier en fonction de la concentration de testostérone. La **testostérone** a en effet une **action inhibitrice sur la sécrétion des hormones hypophysaires**. Si une faible production de spermatozoïdes est due à une concentration insuffisante de testostérone, l'effet inhibiteur sur le complexe hypothalamo-hypophysaire diminue. En conséquence, la sécrétion de gonadostimulines augmente, ce qui permet le rétablissement d'une spermatogenèse normale.

Il ne s'agit pas de traiter de la régulation de la concentration de testostérone mais de montrer uniquement comment une diminution entraîne indirectement le rétablissement de la spermatogenèse normale.

Conclusion : schéma fonctionnel

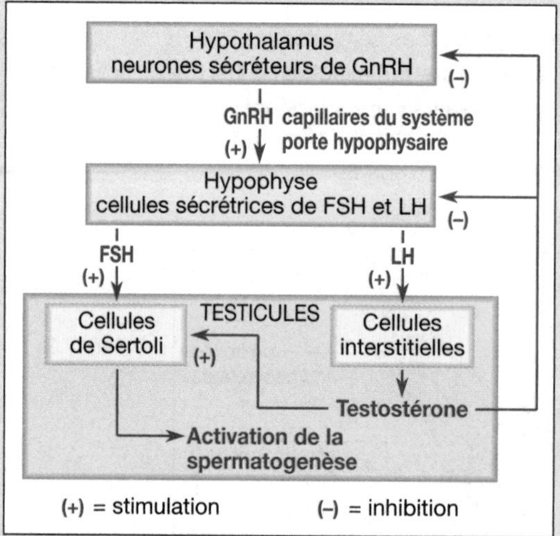

Figure 3

SUJET 16

FRANCE MÉTROPOLITAINE • JUIN 2007

PRATIQUE DU RAISONNEMENT SCIENTIFIQUE • EXERCICE 2

ENSEIGNEMENT OBLIGATOIRE • 5 POINTS

THÈME La procréation

Origine d'un phénotype sexuel particulier

L'acquisition d'un sexe phénotypique différencié et fonctionnel se fait en plusieurs étapes depuis la vie embryonnaire jusqu'à la puberté.
L'étude porte sur le cas de Madame X qui possède un phénotype sexuel particulier : ses organes génitaux externes sont féminins mais les seins ne se sont pas développés et elle ne présente pas de menstruations (règles).

▸ **À partir des *documents 1 à 3*, et de vos connaissances, identifiez le sexe génétique de Madame X, puis expliquez la mise en place de ses gonades et de ses voies génitales.**

La mise en place des organes externes n'est pas à considérer.

Document 1 Les caractéristiques des gonades et voies génitales de Madame X

Document 1a : à l'échelle des organes

L'examen interne révèle une absence de gonades femelles (ovaires) et une absence de voies génitales femelles. En revanche, elle possède deux gonades mâles (testicules) en position interne, accompagnées de voies génitales mâles réduites.

Document 1b : à l'échelle tissulaire

On connaît chez le rat des caractéristiques comparables à celles de Madame X. Les observations microscopiques de coupes de testicules de rat permettent de préciser la structure des testicules de Madame X.

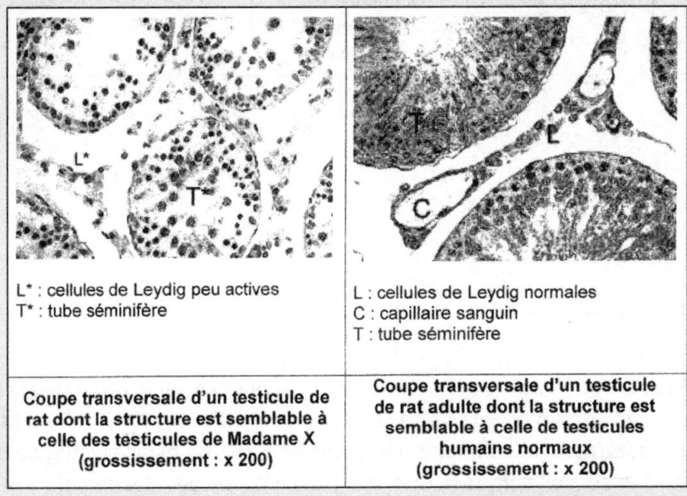

L* : cellules de Leydig peu actives T* : tube séminifère	L : cellules de Leydig normales C : capillaire sanguin T : tube séminifère
Coupe transversale d'un testicule de rat dont la structure est semblable à celle des testicules de Madame X (grossissement : x 200)	**Coupe transversale d'un testicule de rat adulte dont la structure est semblable à celle de testicules humains normaux (grossissement : x 200)**

Rappel : les cellules de Leydig sont les cellules sécrétrices de testostérone.

D'après *www.inrp.fr., dossier procréation.*

Document 2 Le caryotype d'une cellule somatique de Madame X

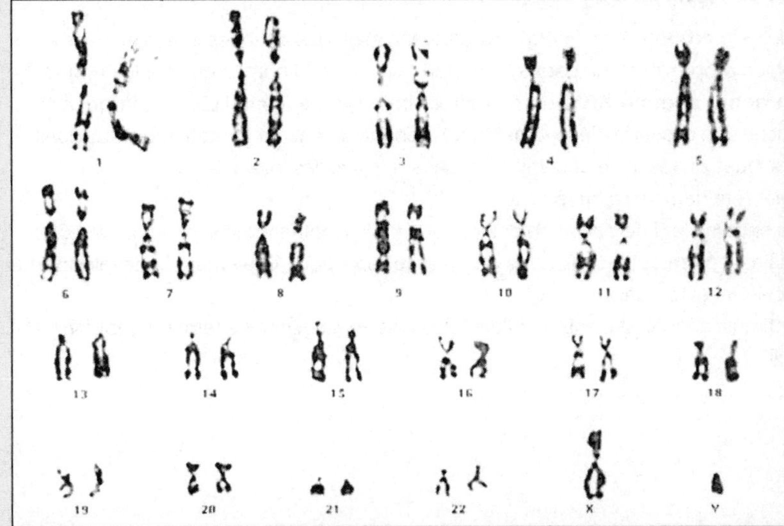

D'après *www.aly-abbara.com.*

Document 3 Concentration de la testostérone plasmatique, avec ou sans stimulation

Pour vérifier le fonctionnement des testicules, on mesure la concentration de testostérone puis on relève la variation de cette concentration à la suite d'une stimulation hormonale des testicules, par injection d'une forte dose d'une hormone équivalente à la LH (hormone hypophysaire) :

	Mesures chez Madame X	Mesures standard chez un homme adulte
Concentration de testostérone dans le plasma (en nmol/L), sans stimulation artificielle	0,69	10 à 38
Variation de la concentration de testostérone, suite à la stimulation hormonale des testicules	Faible augmentation de la concentration de testostérone	Forte augmentation de la concentration de testostérone

D'après *www.inrp.fr, dossier procréation.*

LES CLÉS DU SUJET

■ Comprendre le sujet

• La difficulté principale du sujet tient au fait que les informations apportées par les documents et les conclusions qui en découlent ne permettent pas de répondre directement à la deuxième partie de la question posée. Elles fournissent seulement des précisions sur les caractéristiques de l'appareil génital de la femme et sur son activité hormonale. L'exploitation des ***documents 1 et 3*** ne peut donc aboutir qu'à ces conclusions et non à des conclusions sur la mise en place des gonades et des voies génitales.

Il est donc absolument nécessaire de faire **un bilan final**, qui interprète les conclusions tirées des documents à l'aide de vos connaissances, sur la différenciation des organes génitaux et des voies génitales. Vous devez donc expliquer pourquoi cette femme n'a pas d'ovaires ni de voies génitales féminines mais des testicules et des voies génitales mâles réduites.

■ Mobiliser ses connaissances

• C'est la présence du chromosome Y qui entraîne la différenciation des gonades indifférenciées en testicules. Dans la région propre au chromosome Y, région qui n'a pas d'homologue sur le chromosome X, il existe **un gène, nommé SRY**, qui, en s'exprimant dans les cellules de la gonade indifférenciée, déclenche une cascade d'événements qui débouchent sur la formation des cordons séminifères caractéristiques du testicule et la mise en place des cellules interstitielles.

• Ce testicule fœtal sécrète deux hormones :

– la testostérone, qui entraîne la différenciation des canaux mâles indifférenciés (canaux de Wolff) en voies génitales mâles (spermiductes, glandes annexes) et provoque également le développement des organes génitaux externes ;

– l'AMH (hormone antimüllerienne), qui entraîne l'atrophie des voies génitales femelles indifférenciées (canaux de Müller).

Exploitation du document 1

Puisque Madame X ne possède ni ovaires, ni voies génitales féminines mais possède deux testicules et des voies génitales mâles (certes réduits), on peut dire que **son appareil génital interne est contraire à son phénotype féminin** défini par ses organes génitaux externes. Par rapport à ceux d'un homme pubère, les tubes séminifères des testicules de Madame X ont une paroi peu épaisse et on ne distingue pas de spermatozoïdes.
La spermatogenèse n'arrive pas à terme. Comme les cellules de Leydig sont également peu développées et donc peu actives, on peut dire que les **testicules de Madame X sont non fonctionnels** tant en ce qui concerne la production de spermatozoïdes (tubes séminifères) que celle d'hormones (testostérone sécrétée par les cellules interstitielles de Leydig).

Remarquez que le corrigé s'efforce à ne pas paraphraser le document mais à dégager les conclusions utiles, pertinentes (les phrases en bleu).

Exploitation du document 2

Le caryotype de Madame X révèle la présence des chromosomes sexuels X et Y. Il est donc de **type masculin**.
Son appareil génital (gonades et voies génitales) est donc conforme à son sexe génétique. Ce qui est **anormal, c'est la différenciation féminine de ses organes génitaux externes**.

Exploitation du document 3

La concentration plasmatique de testostérone chez Madame X est très inférieure aux valeurs standard : 0,69 contre 10 à 38 nmol/L. Cela confirme que les cellules de Leydig de ses testicules **sécrètent très peu de testostérone**.
Puisque la concentration de testostérone chez Madame X augmente très peu à la suite de l'injection de LH, contrairement à ce qui se passe chez un homme, on peut dire que les cellules de Leydig de ses testicules répondent très mal au message hormonal : concentration forte de LH. Comme la réponse d'une cellule cible à une hormone dépend des récepteurs à l'hormone qu'elle possède, on peut penser que les cellules de Leydig de Madame X n'ont **pas de récepteurs à LH ou des récepteurs non fonctionnels**.

Conclusion

Madame X a un caryotype XY. Elle possède donc, sur son chromosome Y, le gène SRY qui, en s'exprimant (protéine TDF), entraîne durant la vie embryonnaire la différenciation des gonades indifférenciées en testicules. **Cela explique la présence de testicules chez Madame X (et l'absence d'ovaires).**
Les testicules embryonnaires sécrètent deux hormones : l'hormone anti-müllérienne AMH et la testostérone. Durant la vie embryonnaire de Madame X, ses testicules ont sécrété de l'**AMH**, hormone qui entraîne la disparition des ébauches de voies génitales femelles (canaux de Müller). **Cela explique qu'elle ne possède pas de voies génitales féminines et ne présente donc pas de menstruations.**
Les testicules de Madame X produisent très peu de testostérone. On peut penser qu'il en a été de même au cours de la vie embryonnaire. Or, la testostérone au cours de la vie embryonnaire entraîne le développement et la différenciation (épididyme, spermiducte...) des voies génitales mâles (canaux de Wolff). En l'absence de testostérone, ces canaux de Wolff s'atrophient. **Cela explique l'existence de voies génitales mâles réduites chez Madame X.**
Cette absence ou très faible production de testostérone est due à une anomalie au niveau des récepteurs à LH des cellules de Leydig.

Grâce aux connaissances, on explique les conclusions tirées des documents.

Remarques

• *À vrai dire, ce n'est pas la gonadostimuline LH, produite par l'hypophyse de l'embryon, qui déclenche la production de testostérone par les cellules de Leydig du testicule embryonnaire. C'est l'hormone HCG produite par l'ébauche de placenta. HCG passe surtout dans le sang maternel mais aussi dans la circulation sanguine de l'embryon qui est très précocement mise en place : HCG a la même action que LH sur les cellules de Leydig.*

• *La différenciation vers le sexe mâle des organes génitaux externes durant la vie fœtale s'effectue aussi sous l'action de la testostérone. En l'absence de testostérone, ce sont des organes génitaux externes féminins qui se forment. Cela explique le phénotype féminin de Madame X.*

SUJET 17 — PONDICHÉRY • AVRIL 2006

PRATIQUE DU RAISONNEMENT SCIENTIFIQUE • EXERCICE 2

ENSEIGNEMENT OBLIGATOIRE • 5 POINTS

THÈME La procréation

Origine de la masculinisation des femelles « free-martin »

Chez les mammifères, lorsque plusieurs embryons de sexe différent se développent simultanément dans l'utérus, on constate très souvent la naissance de femelles stériles (dites « free-martin » chez les bovins) présentant un phénotype sexuel plus ou moins masculinisé.
Des études réalisées sur des embryons en cours de développement montrent que l'inversion du phénotype sexuel est systématiquement associée à l'installation de connexions sanguines entre le placenta de l'embryon « free-martin » et celui d'un jumeau mâle.

▸ **À partir d'une exploitation détaillée des *documents 1 à 3* et de vos connaissances, expliquez l'origine de la masculinisation observée chez les femelles « free-martin ».**

Document de référence Phénotype des femelles free-martin

Le document de référence apporte des données à prendre en compte, mais il n'a pas à être exploité.

Les femelles free-martin se distinguent par leur forte musculature et leur poitrail qui rappelle celui des taureaux. Les organes génitaux externes sont typiquement féminins mais on constate de profondes modifications au niveau des gonades et des voies génitales :
– les ovaires sont généralement d'une taille anormalement petite et ne produisent pas d'ovules,
– dans certains cas, on voit se former au cours du développement embryonnaire des tubes séminifères et des cellules interstitielles,
– les cornes utérines sont réduites, parfois absentes,
– des organes comme les vésicules séminales ou la prostate peuvent être présents.

Document 1 Greffe de testicule et implantation de cristal de testostérone avant différenciation des voies génitales

Les expériences sont réalisées sur des embryons de 20 jours présentant des voies génitales encore indifférenciées. Les résultats sont observés 8 jours après.
– Témoin : développement des voies génitales chez un embryon femelle avec ovaires en place.
– Expérience 1 : greffe chez un embryon femelle d'un testicule prélevé chez un embryon mâle de même âge.
– Expérience 2 : implantation d'un cristal de testostérone.

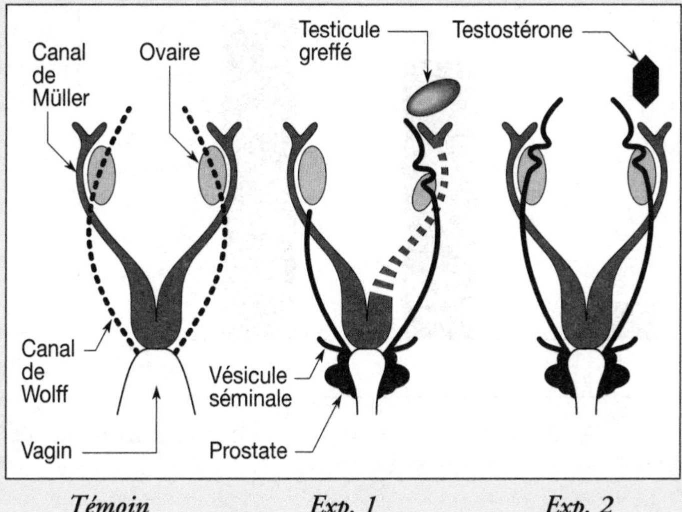

Témoin *Exp. 1* *Exp. 2*

D'après Thibault C. et Levasseur M.C., 1989.

Document 2 Évolution des canaux de Wolff et de Müller en présence d'hormone anti-müllérienne (AMH)

On prélève chez un embryon les voies génitales à l'âge de 14 jours (stade indifférencié) et on les laisse se développer dans un milieu de culture auquel on a ajouté de l'AMH.
La photographie 1 représente les canaux de Wolff et Müller en début d'expérience.
La photographie 2 montre leur évolution après 3 jours.

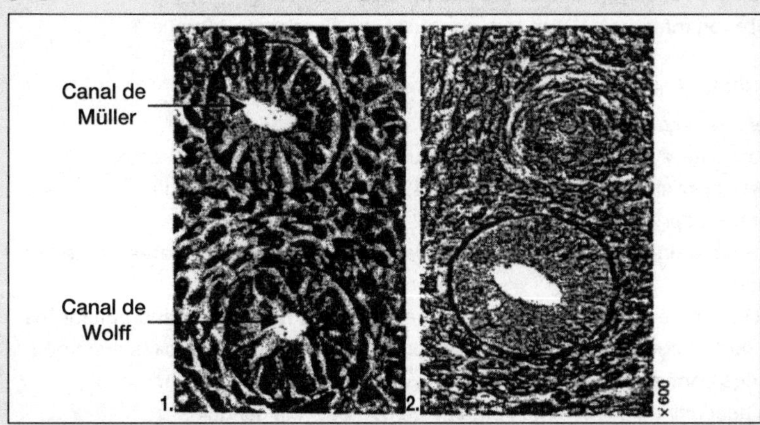

Photographies N. Josso, INSERM.

Document 3 Culture de tissus ovariens en présence d'AMH

On prélève sur un embryon en cours de développement les ovaires qu'on place dans un milieu de culture enrichi en AMH. On constate après quelques jours :
– l'absence de différenciation des follicules ovariens,
– l'apparition de tubes séminifères.
Des mesures de la sécrétion de testostérone effectuées sur un ovaire, sur un ovaire placé en présence d'AMH et sur un testicule donnent les résultats suivants :

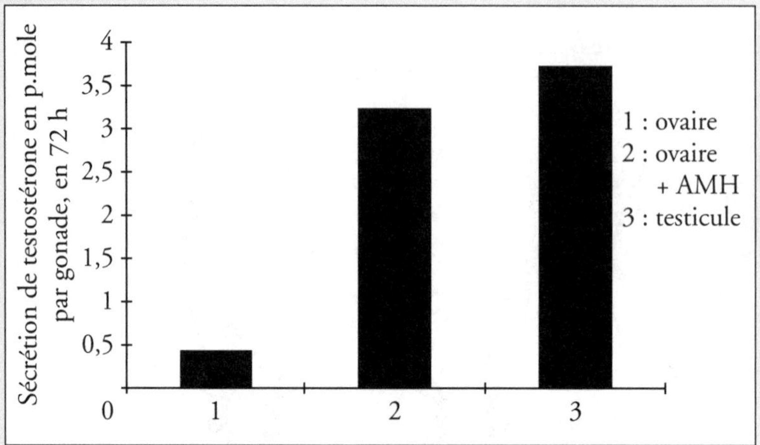

D'après Vigier et al., 1989.

LES CLÉS DU SUJET

■ Comprendre le sujet

Afin d'exploiter les documents avec un but bien précis en tête, il est souvent nécessaire de transformer le libellé proposé en une question plus explicite grâce, ici, au texte qui le précède :
– le phénotype d'une femelle peut être masculinisé par la présence d'un mâle ;
– la masculinisation est associée à l'existence de relations sanguines entre les deux embryons : l'embryon mâle masculinise l'embryon femelle par l'intermédiaire du sang.
Par quel moyen l'embryon mâle agit-il par voie sanguine sur l'embryon femelle ?

■ Mobiliser ses connaissances

• Le testicule fœtal sécrète deux hormones :
– la testostérone, qui entraîne la différenciation des canaux mâles indifférenciés (canaux de Wolff) en voies génitales mâles (spermiductes, glandes annexes) et provoque également la masculinisation des organes génitaux externes ;
– l'AMH (hormone anti-müllerienne), qui entraîne l'atrophie des voies génitales femelles indifférenciées (canaux de Müller).
Avec ces connaissances, on peut pratiquement répondre directement au sujet **sans utiliser les documents, ce qu'il faut absolument éviter**. Les documents doivent être exploités avec pour objectif de **retrouver ces connaissances**, nécessaires pour répondre à la question posée.
• Un organe greffé ne peut agir sur le reste de l'organisme que par voie sanguine.

Introduction

Le *document de référence* permet de préciser en quoi consiste la masculinisation ; elle se traduit :
- par des glandes génitales femelles (ovaires) non fonctionnelles et présentant parfois des caractères de testicules ;
- par des voies génitales femelles atrophiées ;
- par l'existence possible de glandes annexes mâles (vésicules séminales, prostate).

Exploitation du document 1

• **Comparaison du témoin et de l'expérience 1 :** la seule différence est la présence d'un testicule greffé en 1 ; toutes les différences observées dans l'évolution de l'appareil génital indifférencié sont dues à la présence du testicule qui les a donc provoquées :
- développement incomplet de l'ovaire situé du côté du greffon ;
- disparition du canal de Müller du côté du greffon ;
- différenciation de voies génitales et de glandes annexes mâles.

• **Comparaison des expériences 1 et 2 :** l'implantation d'un cristal de testostérone en lieu et place d'un testicule permet le développement des voies génitales mâles sans entraîner l'atrophie de l'ovaire, ni empêcher la différenciation des voies génitales femelles.

Notez l'utilisation de la méthode comparative pour dégager des conclusions pertinentes (comparaison d'expériences qui ne diffèrent dans leur protocole que par un seul facteur).

Conclusion

Le testicule agit grâce à la testostérone en entraînant la différenciation des voies génitales mâles, mais cette hormone n'agit ni sur les canaux de Müller ni sur les ovaires.

Exploitation du document 2

Au bout de trois jours, on constate que :
- le canal de Müller a régressé (disparition de la lumière) ;
- le canal de Wolff s'est maintenu.

Conclusion

L'AMH entraîne l'atrophie des canaux de Müller, futures voies génitales femelles.

Les deux premières conclusions sont des connaissances que vous devez maîtriser mais il faut les déduire des résultats expérimentaux et non les affirmer.

Exploitation du document 3

L'AMH :
- entraîne un changement dans l'organisation des ovaires avec disparition des structures caractéristiques (follicules ovariens) et apparition de tubes séminifères caractéristiques du testicule ;
- stimule la production de testostérone par l'ovaire, production qui devient pratiquement égale à celle des testicules.

Même si vous n'avez jamais entendu parler de l'action de l'AMH sur l'ovaire, vous devez tirer la conclusion logique des résultats obtenus même si elle vous étonne.

Bilan

Le *document 1* a montré que la testostérone entraîne la différenciation des voies génitales mâles indifférenciées en spermiductes.

Les *documents 2 et 3* indiquent que l'AMH provoque l'atrophie des voies génitales femelles indifférenciées et la transformation partielle de l'ovaire en testicule.

Nous savons que le testicule fœtal sécrète à la fois de la testostérone et de l'AMH, comme le suggèrent d'ailleurs les résultats de l'expérience 1 du *document 1*.

Ces hormones produites par le fœtus mâle passent dans le sang du fœtus femelle par l'intermédiaire des liaisons sanguines existantes et entraîne ainsi la masculinisation de celui-ci en femelle « free-martin ».

Articulez les différentes conclusions partielles pour aboutir à la réponse demandée.

THÈME La procréation

Cause et traitement d'une stérilité

▸ À partir des *documents 1 à 3* mis en relation avec vos connaissances, proposez une explication à l'absence d'ovulation chez Madame X et expliquez en quoi le traitement proposé permettra une procréation.

Document 1

Mme X consulte un gynécologue pour cause de stérilité. Son mari a un spermogramme normal, tous les examens effectués par ailleurs ont montré qu'il était fertile.
Le médecin prescrit à cette jeune femme des examens sanguins (*document 1a*), qu'il compare avec ceux d'une femme fertile (*document 1b*).

a. Résultats obtenus chez Mme X

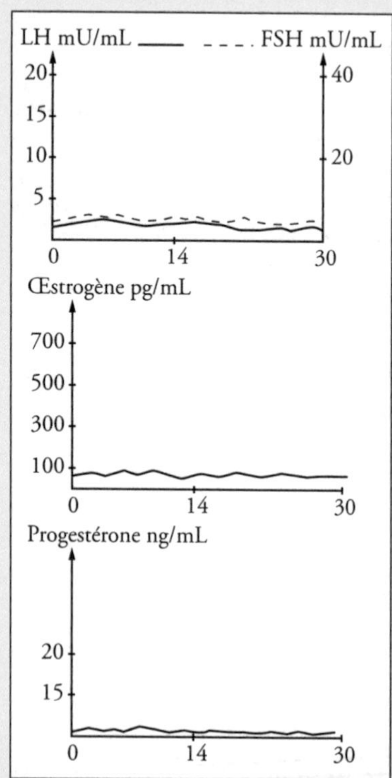

b. Résultats obtenus chez une femme fertile

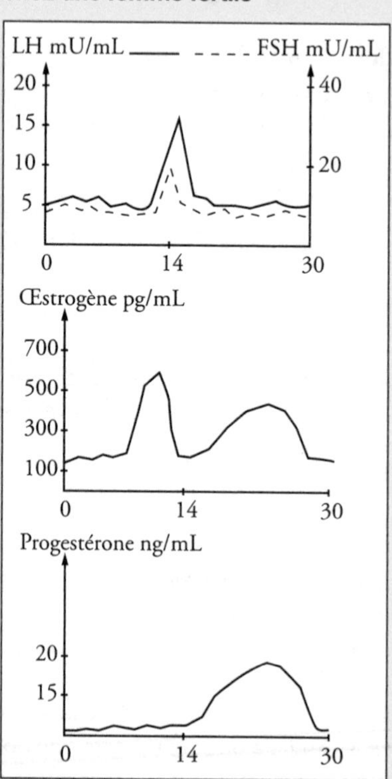

Document 2 Conséquence d'un traitement au clomiphène

Le médecin prescrit un traitement au clomiphène pendant quatre jours ; le clomiphène est un analogue structural des œstrogènes et inhibe leur action en se fixant préférentiellement sur les récepteurs hypothalamiques. Voir ci-dessous les dosages effectués.

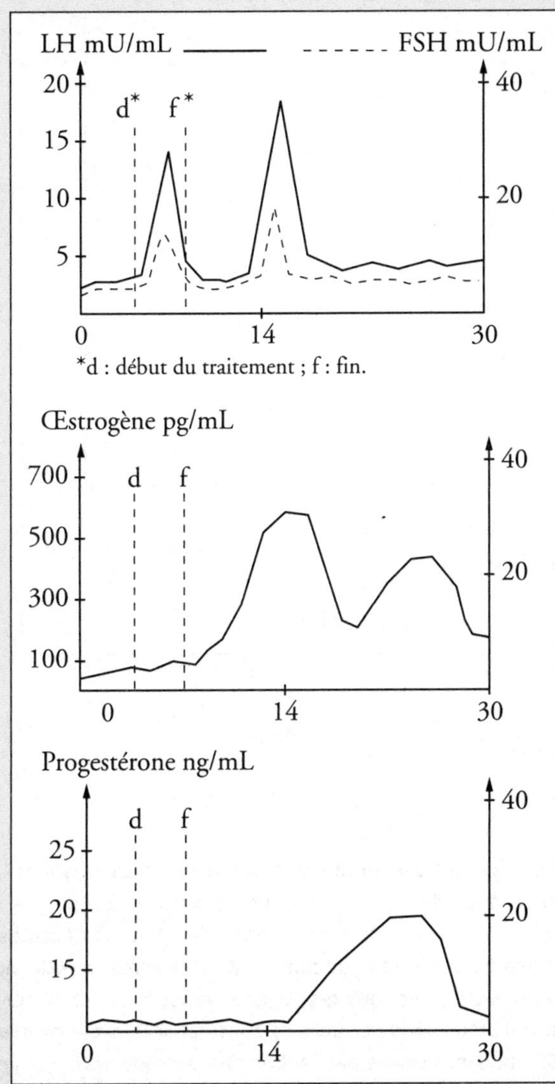

SVT

Document 3 Conséquences d'une ablation des deux ovaires sur la sécrétion des gonadostimulines hypophysaires chez la rate

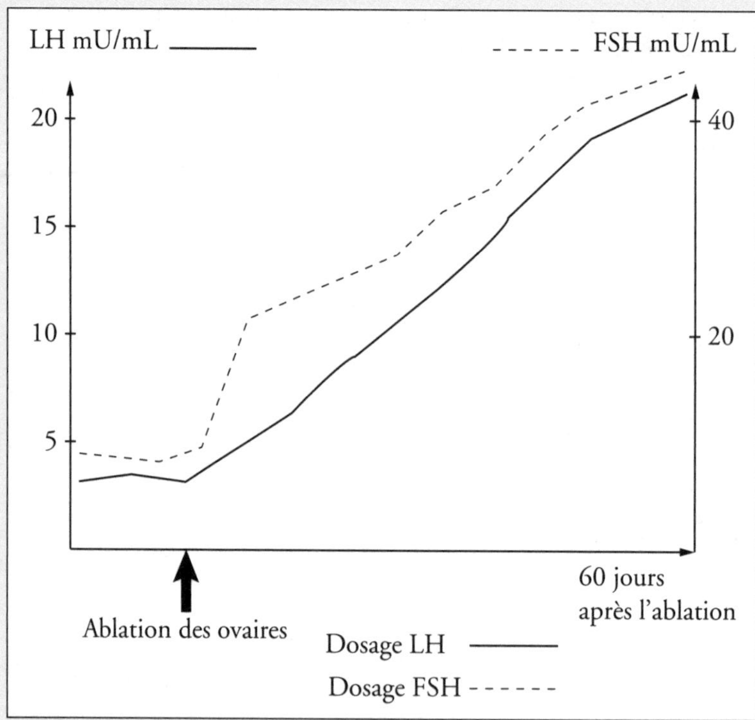

LES CLÉS DU SUJET

Comprendre le sujet

• Comme toujours, prenez connaissance de **l'ensemble du sujet** avant de commencer l'analyse détaillée de chaque document et essayez de percevoir ce qu'apporte chacun d'entre eux. Le ***document 1*** vous permet de proposer une explication à l'absence de cycle : le déficit de sécrétion des gonadostimulines. La phrase introduisant le ***document 2*** est essentielle : elle indique le rôle que joue le clomiphène, analogue structural des œstrogènes et, surtout, inhibiteur de leur action sur l'hypothalamus. Si cet antiœstrogène est utilisé pour rétablir le cycle ovarien, c'est qu'on a pensé que ce dernier était rendu impossible par l'action des œstrogènes sur l'hypothalamus. Vous devez connaître cette action ; il ne faut pas l'affirmer mais simplement la déduire en partie de l'analyse du ***document 3***.

• La réflexion est ainsi orientée vers la solution au problème posé. C'est l'action inhibitrice des œstrogènes sur l'hypothalamus que supprime le clomiphène, qui est à l'origine de la stérilité de cette femme.

Mobiliser ses connaissances

C'est la neurohormone hypothalamique GnRH qui stimule la libération des gonadostimulines hypophysaires, FSH et LH. Leur sécrétion dépend également des rétrocontrôles exercés par les hormones ovariennes, notamment les œstrogènes (rétrocontrôle négatif, rétrocontrôle positif).

Exploitation du document 1

La comparaison des résultats des examens sanguins de Mme X et ceux d'une femme fertile montrent :

– une concentration de LH et de FSH constamment inférieure à la normale (2 mU/mL au lieu de 5 pour LH et 4 au lieu de 8 mU/mL pour FSH) et ne présentant, vers le 14e jour aucun pic ;

– une concentration d'œstrogène constamment faible (inférieure à 80 pg/mL contre plus de 100 normalement) et ne présentant pas de pic le 12e -13e jour ;

– une concentration de progestérone constamment voisine de 0, sans augmentation durant la phase post-ovulatoire.

Les concentrations d'œstrogène et de progestérone constamment faibles et l'absence de pic d'œstrogène indiquent qu'il n'y a pas **de cycle ovarien** et l'absence de pic de LH (et de FSH) confirme que le cycle n'est pas ovulatoire.

Puisque la réalisation du cycle ovarien dépend des gonadostimulines hypophysaires, on peut penser que l'**absence du cycle** est due à l'**insuffisance** des sécrétions de LH et de FSH.

Permet de préciser la nature du disfonctionnement (l'absence d'ovulation est liée à celle de cycle ovarien) et de proposer une hypothèse explicative à l'absence de cycle.

Exploitation du document 2

Le traitement de Mme X avec le clomiphène a lieu durant les premiers jours du cycle. On constate qu'il a pour effet une augmentation nette des concentrations plasmatiques de LH et de FSH. L'effet disparaît à la fin du traitement.

Vers le 12e-13e jour il y a un **pic d'œstrogènes** qui indique qu'un follicule est arrivé à maturité. L'augmentation de la concentration de FSH pendant quelques jours a donc permis de déclencher la croissance folliculaire. Le pic de LH vers le 14e jour, la sécrétion de progestérone au-delà de ce 14e jour témoignent de la ponte ovulaire puis de la présence d'un corps jaune fonctionnel. L'hypophyse de Mme X était donc capable de répondre au rétrocontrôle positif des œstrogènes sans l'aide du clomiphène, le traitement étant achevé à ce moment-là.

Le traitement au clomiphène, en stimulant pendant sa durée d'action la sécrétion des gonadostimulines LH et surtout FSH, a permis la réalisation d'un cycle ovarien normal. Il reste à expliquer comment l'action antiœstrogénique du clomiphène a eu pour effet d'augmenter la sécrétion des gonadostimulines.

Utilisez vos connaissances pour repérer les critères de l'efficacité du traitement. Attention ! Le premier pic de LH durant le traitement n'a pas de conséquences : le traitement fait seulement démarrer un cycle.

Dégagez les raisons de cette efficacité (augmentation de la sécrétion des gonadostimulines) et posez le problème qui reste à résoudre.

Exploitation du document 3

L'ablation des ovaires entraîne immédiatement une augmentation des concentrations de LH et de FSH et celle-ci se poursuit pendant 60 jours.

L'absence d'œstrogène (et de progestérone) liée à la castration est responsable de cette augmentation des concentrations de LH et de FSH.

Les hormones ovariennes ont donc une **action inhibrice** (rétrocontrôle négatif) sur la sécrétion des gonadostimulines par l'hypophyse. Or, cette sécrétion dépend de la **neurohormone hypothalamique GnRH**. Les œstrogènes, en ayant une action inhibitrice sur l'hypothalamus, réduisent la sécrétion de GnRH. Le clomiphène, bloquant l'action des œstrogènes sur l'hypothalamus, provoque une augmentation de la sécrétion de GnRH et donc des gonadostimulines.

Mise en relation de l'action du clomiphène dans le *document 2* (effets anti-oestrogéniques) et des conclusions du *document 3* (action inhibitrice de l'œstradiol sur la sécrétion de LH).

Conclusion

La stérilité de Mme X est due à une **sécrétion de FSH insuffisante** en début de cycle pour faire démarrer la croissance d'une cohorte de follicules. Cela est dû au rétrocontrôle négatif

trop important exercé sur l'hypothalamus par les œstrogènes sécrétés par les ovaires. La concentration d'œstrogènes étant faible chez Mme X, on peut penser que le rétrocontrôle exagéré est dû à une trop grande sensibilité de l'hypothalamus aux œstrogènes.
En s'opposant à l'œstrogène, le clomiphène a diminué ce rétrocontrôle et ainsi permis l'augmentation de la concentration de FSH nécessaire à la croissance folliculaire, puis à la ponte ovulaire, rendant ainsi possible la fécondation et donc une procréation.

SUJET 19 — FRANCE MÉTROPOLITAINE • SEPTEMBRE 2006

RESTITUTION DES CONNAISSANCES

ENSEIGNEMENT OBLIGATOIRE • 8 POINTS

THÈME **Immunologie**

Mémoire immunitaire et vaccination

Depuis la première vaccination réalisée par Pasteur, les connaissances acquises sur les mécanismes immunitaires permettent d'expliquer comment un premier contact des cellules immunitaires avec un antigène protège l'organisme d'une infection ultérieure provoquée par cet antigène.

▶ **Présentez sous forme d'un schéma les mécanismes cellulaires et moléculaires de la réponse déclenchée par un premier contact avec l'antigène, puis exposez sous forme d'un texte comment la vaccination protège l'organisme contre un antigène de manière durable.**

Les mécanismes de neutralisation et de destruction de l'antigène ne sont pas attendus.

LES CLÉS DU SUJET

Comprendre le sujet

- Le schéma résumant les mécanismes cellulaires et moléculaires d'une réponse immunitaire doit être simple et vous devez vous y limiter, sans chercher à le doubler par un exposé restituant toutes vos connaissances.
- Il s'agit de bien définir ce qu'on appelle **mémoire immunitaire** et d'exposer de quelle manière elle est acquise.
- Après avoir précisé le **principe de la vaccination**, il faut dégager la part que celle-ci prend à l'évolution de la mémoire immunitaire.

Mobiliser ses connaissances

- Des **vaccins** ont été mis au point contre différents antigènes. Ils **reproduisent une situation naturelle**, celle de l'immunité acquise contre ces antigènes après une première infection guérie.

• **Le premier contact** avec l'antigène entraîne une réaction lente et quantitativement peu importante alors que le **second contact** entraîne une réaction beaucoup plus rapide et quantitativement plus importante.
• Cette mémoire immunitaire s'explique par la formation, après un premier contact avec un antigène, de **lymphocytes B mémoire et T4 mémoire.**
• Ces cellules sont plus nombreuses que les lymphocytes B et T4 vierges de même spécificité ; elles ont une **durée de vie plus longue et réagissent très rapidement**.

CORRIGÉ SUJET 19

Introduction

La vaccination repose sur deux aspects essentiels du fonctionnement du système immunitaire :
– **l'existence, avant tout contact avec les antigènes du vaccin, de clones de lymphocytes B, T4 et T8 spécifiques de ces antigènes** ;
– **la mémoire immunitaire**, c'est-à-dire **la production**, après un premier contact antigénique, **de lymphocytes B et T mémoire** à l'origine de réactions immunitaires très rapides et de grande amplitude lors d'un nouveau contact avec l'antigène.
Après avoir rappelé par un schéma les principaux mécanismes cellulaires et moléculaires de la réponse déclenchée par un premier contact avec un antigène, et exposé le principe de la vaccination, nous verrons comment, en enrichissant la mémoire immunitaire, celle-ci protège l'organisme contre un antigène de manière durable.

A. La réponse déclenchée par un premier contact avec l'antigène
(figure 1)

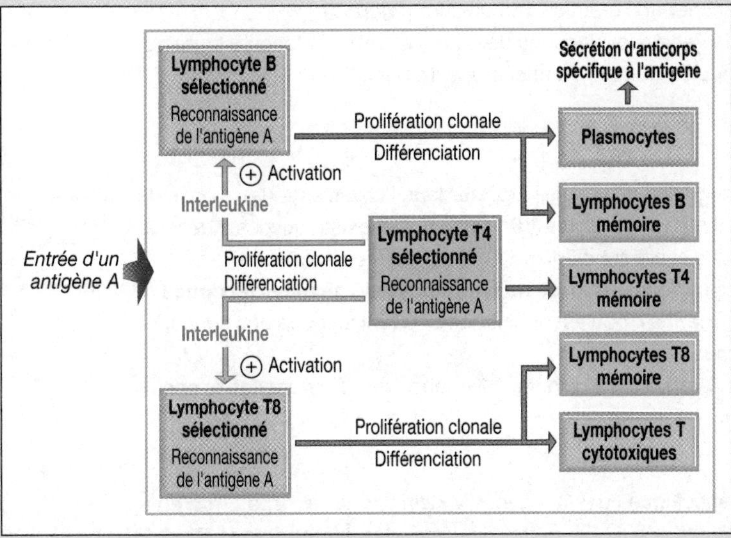

Figure 1

Le schéma met l'accent sur le fait que la réaction immunitaire aboutit à l'apparition d'éléments effecteurs capables de neutraliser l'antigène et d'éléments non immédiatement effecteurs (lymphocytes mémoire).

SVT

B. La mémoire immunitaire

Une fois que le système immunitaire a reconnu un antigène et réagi à sa présence, il présente une **mémoire immunitaire** : une seconde rencontre avec le même antigène induit une réponse plus rapide et plus importante *(figure 2)*.

La réponse primaire est caractérisée par un **délai de plusieurs jours** avant qu'apparaissent les anticorps et les lymphocytes T cytotoxiques (LTC) dont **l'augmentation est faible et peu durable.**

La réponse secondaire est caractérisée par un délai très court, de un à deux jours, et une production d'anticorps et de LTC beaucoup plus importante.

Cette mémoire immunitaire repose sur l'existence des cellules mémoire (ou à mémoire) B, T4 et T8 qui ont une durée de vie très longue et une très grande réactivité lors d'un deuxième contact avec l'antigène.

Apprenez à faire ce schéma classique qui traduit simplement l'existence d'une mémoire immunitaire.

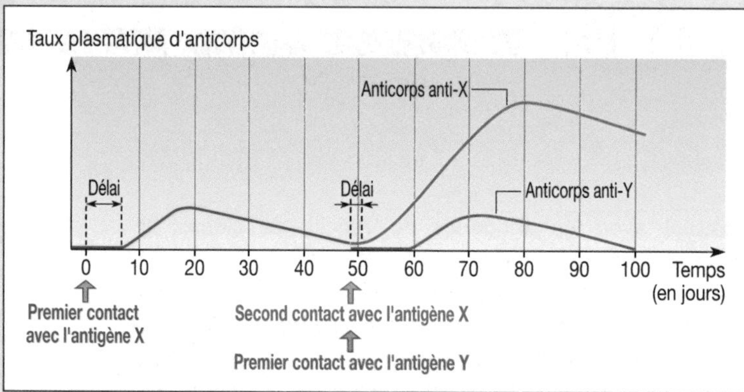

Figure 2. Évolution du taux d'anticorps spécifiques à la suite d'un premier contact, puis d'un deuxième contact avec le même antigène

C. La vaccination

1. Son principe

Elle consiste en l'injection d'antigènes non pathogènes de l'agent infectieux mais ayant conservé la capacité de déclencher une réaction immunitaire *(figure 1)*.

La vaccination fait souvent intervenir des injections de rappel (2 ou 3) de façon à entraîner une modification importante et plus durable du phénotype immunitaire.

2. Ses effets

a. Avant vaccination

Avant tout contact avec les antigènes du vaccin, il existe dans l'organisme des clones de **lymphocytes B vierges**. Parmi ces lymphocytes (10^7 clones), il en existe qui possèdent les anticorps membranaires reconnaissant spécifiquement les antigènes vaccinaux.

De la même façon, il existe des millions de clones de **lymphocytes T pré-cytotoxiques** et de **lymphocytes T4 vierges**. Chaque clone est spécifique et parmi eux certains sont spécifiques des antigènes vaccinaux.

Avant vaccination, il n'existe ni anticorps circulants, ni lymphocytes T cytotoxiques spécifiques des antigènes du vaccin.

On applique le schéma (*figure 1*) et la notion de mémoire immunitaire pour indiquer les changements survenus après vaccination et donc de quelle manière celle-ci rend l'organisme capable de s'opposer à l'agent infectieux, évitant ainsi la maladie.

b. Après vaccination

Sont apparus des effecteurs spécifiques des antigènes vaccinaux : **anticorps circulants et lymphocytes T cytotoxiques** (LTC). En outre, il existe des **lymphocytes B et T mémoire**, de même spécificité que les lymphocytes B et T vierges spécifiques des antigènes du vaccin, mais plus nombreux et capables de réagir très rapidement à la présence des antigènes ayant provoqué leur apparition. Les anticorps et les plasmocytes qui les sécrètent ainsi que les LTC ont une durée de vie relativement brève ; en revanche, les **lymphocytes B et T mémoire** peuvent persister durant **plusieurs années** et constituent donc le changement le plus important du système immunitaire en réponse à la vaccination. Ils rendent l'organisme apte à s'opposer rapidement et efficacement à des microbes porteurs des antigènes qui ont provoqué leur différenciation.

Conclusion

Le schéma *(figure 3)* résume les principales étapes caractérisant la vaccination et ses effets, ainsi que l'acquisition d'une mémoire immunitaire spécifique des antigènes du vaccin.

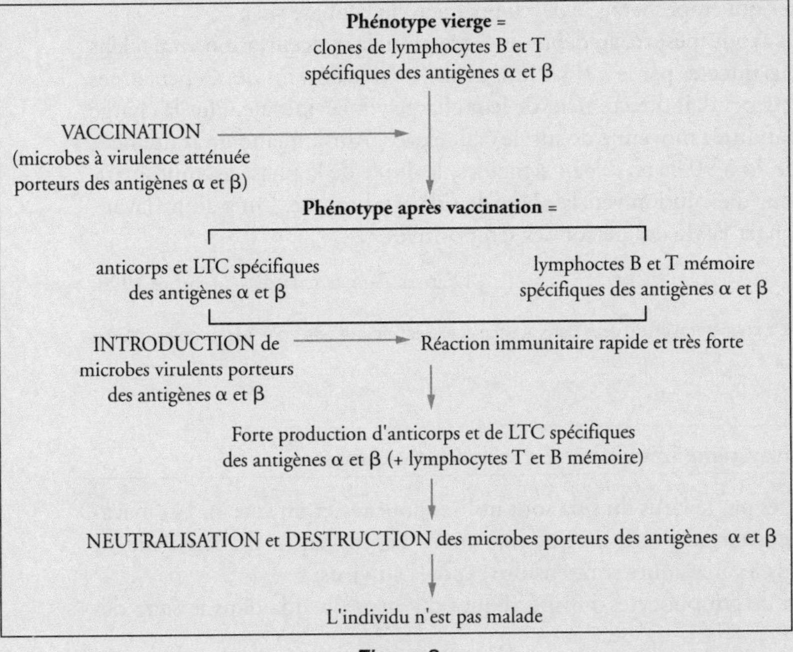

Figure 3

Remarquez comment ce schéma-bilan traduit en premier le changement du phénotype immunitaire induit par la vaccination et en second, comment ce changement protège l'organisme contre l'infection.

SUJET 20

GUADELOUPE, GUYANE, MARTINIQUE • SEPTEMBRE 2006

PRATIQUE DU RAISONNEMENT SCIENTIFIQUE • EXERCICE 2

ENSEIGNEMENT OBLIGATOIRE • 5 POINTS

THÈME **Immunologie**

Essai d'un vaccin anti-VIH chez le singe

La connaissance du système immunitaire et l'étude de la réaction des individus contaminés par le VIH (virus de l'immunodéficience humaine) permettent aux scientifiques d'envisager des vaccins contre le virus du sida. Un de ces vaccins a été testé chez des singes macaques.

▶ **À partir des informations extraites de l'exploitation des documents et de vos connaissances, expliquez le mode d'action du vaccin testé.**

Document 1 La mise au point d'un vaccin

Les vaccins protègent l'organisme en sensibilisant le système immunitaire aux agents responsables des maladies afin qu'il les reconnaisse et les détruise lorsqu'il les rencontrera. Dans le cas du VIH, les vaccins qui activent uniquement la production d'anticorps anti-VIH ne protègent pas contre toutes les souches du virus connues. La communauté scientifique s'accorde actuellement sur le fait que, pour être efficace, un vaccin devra aussi stimuler la production de lymphocytes T cytotoxiques anti-VIH. De plus, les chercheurs pensent pouvoir obtenir plus facilement un vaccin assurant une protection partielle, c'est-à-dire un vaccin qui ne protégerait pas contre l'infection mais qui empêcherait le développement de la phase sida.

« En effet, en 1996, nous avons mesuré, au début de l'infection, la concentration virale dans le sang de 1 600 individus infectés par le VIH. Nous avons suivi le devenir de ces personnes non traitées. Leur survie dépendait directement de leur charge virale* initiale. Plus la charge virale était faible, plus leur durée moyenne de survie était élevée. Ainsi, quand un traitement abaisse la charge virale de 75 à 90 % en 8 à 24 semaines, la durée de la phase asymptomatique est allongée et le risque d'évolution vers la phase de sida est diminué. On a donc davantage de chances de prolonger la vie des personnes séropositives. »

D'après *Pour la science*, septembre 1998.

* La charge virale correspond à la concentration du virus dans le sang et elle est indiquée en nombre de copies d'ARN viral par millilitre de plasma.

Document 2 Réaction du système immunitaire d'individus vaccinés

Des macaques non infectés par le virus du sida sont utilisés pour tester un vaccin. Les macaques d'un premier lot reçoivent une série de cinq injections. Les macaques du deuxième lot ne sont pas vaccinés. Tous les macaques sont ensuite exposés au virus.

On évalue la proportion de lymphocytes T8 spécifiques du virus du sida dans le sang des macaques.

Proportion de lymphocytes T8 spécifiques du virus du sida

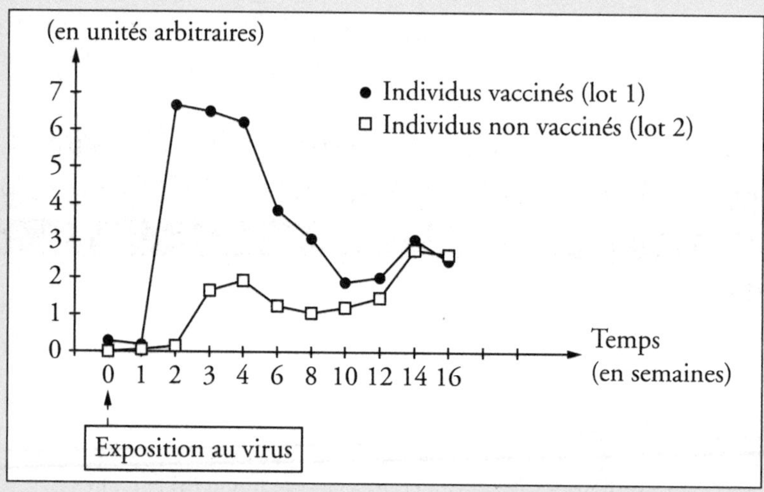

D'après Hel et al., *Journal of immunology*, 2002.

Document 3 La charge virale d'individus vaccinés

On mesure la charge virale chez des macaques, vaccinés ou non vaccinés, 8 et 24 semaines après l'exposition au virus. Les macaques utilisés ici sont ceux de l'expérience décrite dans le document 2.

Charge virale (copies d'ARN viral par mL de plasma)

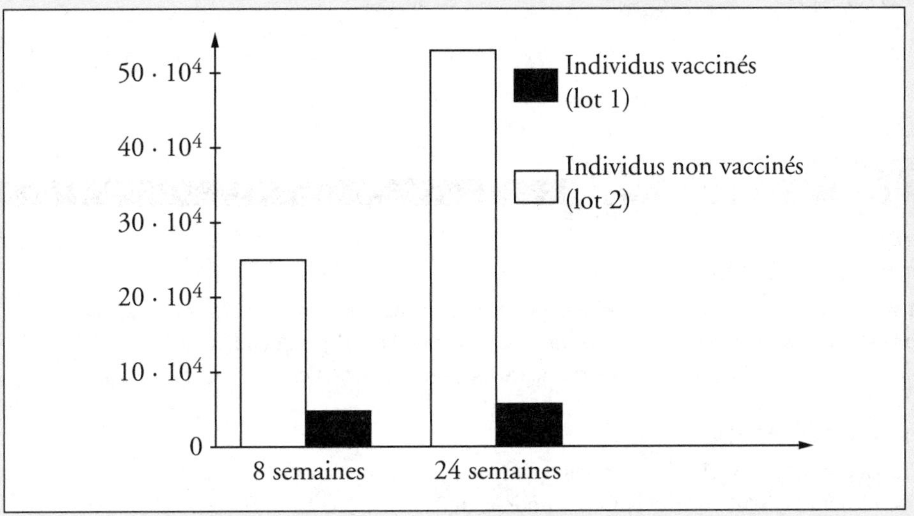

D'après Hel et al., *Journal of immunology*, 2002.

SVT

LES CLÉS DU SUJET

■ Comprendre le sujet

• Bien voir que le ***document 1*** est informatif ; son exploitation consiste à **en faire un résumé** mettant en relief l'idée fondamentale, c'est-à-dire l'objectif des chercheurs : maintenir la charge virale à un niveau bas en stimulant la production de lymphocytes T cytotoxiques (LTC) anti-VIH. Ce ***document 1*** donne donc également des indications à la question posée : « expliquer le mode d'action du vaccin testé ».

• Les ***documents 2 et 3*** permettent de vérifier si l'objectif des chercheurs a bien été atteint.

• L'utilisation des connaissances consiste surtout à expliquer comment les LTC limitent la production virale.

• Le terme de « proportion » ***(document 2)*** étant très ambigu, il peut être interprété comme synonyme de « production » essentiellement par la comparaison des deux lots.

Remarque

Pendant l'année scolaire, vous avez étudié l'effet de la vaccination qui est le déclenchement d'une réaction immunitaire avec production d'effecteurs (anticorps, LTC) et de cellules mémoire. Le sujet ne donne aucune indication sur la réaction à l'injection ***du vaccin seul ; ses effets ne sont révélés que lors de la contamination par le VIH****. La différence de réaction au VIH entre individus vaccinés et non vaccinés révèle si le vaccin a eu une certaine efficacité ou non ; on peut penser que l'effet du vaccin a été de produire par anticipation des cellules immunitaires réagissant plus efficacement à la présence du virus : sans doute des lymphocytes T8 et T4 mémoire.*

■ Mobiliser ses connaissances

• La **phase asymptomatique de l'infection par le VIH** se caractérise par l'apparition dans le sang d'anticorps anti-VIH et de lymphocytes T cytotoxiques spécifiques dirigés contre les cellules infectées par le VIH.

• La **production de lymphocytes T cytotoxiques** se fait à partir de lymphocytes T8 précytotoxiques spécifiques du virus.

CORRIGÉ SUJET 20

Exploitation du document 1

Il précise le but des chercheurs : maintenir la charge virale à un niveau bas empêchant ou retardant la phase symptomatique (sida déclaré) en stimulant la production de lymphocytes T8 cytotoxiques (LTC) pendant les premiers mois après l'infection.

Texte long et complexe. Lisez-le lentement : l'idée qu'il faut en tirer est simple.

Exploitation du document 2

La production de lymphocytes T8 (LT8) spécifiques du VIH débute à la fin de la 1re semaine pour le lot 1 et seulement au bout de la 2e semaine pour le lot 2.

Pour le lot 1, la proportion de LT8 atteint un maximum de 6,5-7 au milieu de la 2e semaine alors que pour le lot 2, elle ne dépasse pas 2 au bout de la 4e semaine.

La production de LT8 par les deux lots traduit le développement d'une réponse immunitaire en réponse à l'exposition au virus.

La réponse est plus rapide et plus importante chez les animaux vaccinés que chez les individus non vaccinés : **le vaccin a eu un effet net.**

À partir de la 4e semaine, la proportion de LT8 spécifiques du VIH diminue dans le lot 1 et, à partir de la 14e semaine, elle est la même dans les deux lots (environ 3) : **les effets du vaccin sur la production de LT8 sont donc terminés.**

On sait que la vaccination, si elle a été efficace, se traduit par une réponse plus rapide et plus forte contre l'agent infectieux que chez un sujet non vacciné. Notez comment cette connaissance, qui n'est pas affirmée dans l'exposé, guide l'exploitation du document.

Exploitation du document 3

Au bout de 8 semaines comme de 24 semaines, la charge virale est nettement plus importante chez les individus non vaccinés du lot 2 que chez les animaux du lot 1.

Entre la 8e et la 24e semaine, la charge virale est quasi stable dans le lot 1 alors qu'elle double dans le lot 2 : **le vaccin a donc contribué à maintenir, chez les animaux vaccinés, la charge virale à un niveau bas durant les six premiers mois qui suivent l'exposition au virus.**

Bilan

Le maintien de la charge virale à un niveau bas durant les six premiers mois dans le lot 1 (75 à 90 % de ce qu'elle est chez les animaux non vaccinés du lot 2) est lié à une réponse immunitaire de grande amplitude chez les animaux vaccinés.

Cette réponse est caractérisée par une production importante de lymphocytes T8. Ce sont les lymphocytes T cytotoxiques issus des lymphocytes T8 (précytotoxiques) qui, en détruisant les cellules infectées, limitent la production de virus et, partant, la charge virale.

Le vaccin a donc modifié le système immunitaire des macaques du lot 1 en le rendant apte à produire rapidement et en grande quantité des lymphocytes T cytotoxiques à la suite de l'introduction du virus. **En limitant la production de virus, ces lymphocytes retardent la phase symptomatique, la phase sida.**

THÈME **Immunologie**

Test de recherche d'un antigène

On souhaite savoir si deux patients ont été en contact avec des antigènes connus et si ces antigènes sont présents chez eux dans les mêmes proportions. Pour cela, on s'intéresse à la formation de complexes immuns (complexe spécifique antigène-anticorps). L'utilisation de gélose permet une migration rapide des molécules antigéniques, ce qui facilite ainsi la formation et l'observation de tels complexes.

▸ À partir de l'exploitation du document, fournissez les arguments permettant :
– d'indiquer si ces patients possèdent dans leur organisme les antigènes Ag_1 recherchés ;
– de préciser lequel des patients 1 ou 2 possède la plus grande concentration d'antigènes.

Document **Principe du dosage d'un antigène par la technique de Mancini**

La formation des complexes immuns selon cette technique se réalise sur une plaque recouverte d'une gélose, de hauteur constante sur toute la surface de la plaque et à laquelle est mélangé un sérum contenant des anticorps anti-antigène Ag_1. Les solutions de concentrations décroissantes (C_1, C_2, C_3 et C_4) et connues d'antigène Ag_1 sont placées dans les puits creusés dans la gélose selon le schéma ci-dessous. Les antigènes diffusent dans la gélose.

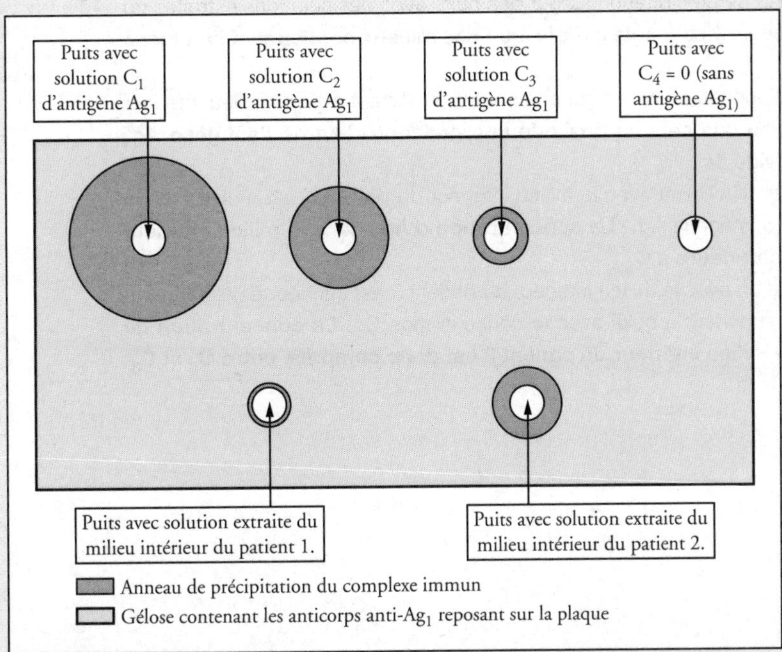

LES CLÉS DU SUJET

■ Comprendre le sujet

• Il s'agit d'une question de logique pure où il faut extraire des informations d'une expérience témoin pour tirer des conclusions sur la présence en plus ou moins grande quantité d'un antigène précis chez des individus.
• En classe, on envisage surtout le protocole inverse qui consiste à rechercher la présence d'anticorps dans le sérum d'un individu à l'aide de tests comme celui d'Ouchterlony.

■ Mobiliser ses connaissances

• Les **anticorps** sont des effecteurs de l'immunité acquise. Ils agissent dans le milieu extracellulaire (ou milieu intérieur) **en se liant spécifiquement aux antigènes** qui ont déclenché leur formation.
• La liaison antigène-anticorps entraîne la formation de **complexes immuns**, favorisant l'intervention de mécanismes innés d'élimination de ces complexes (phagocytose).

CORRIGÉ SUJET 21

Exploitation du document

• La partie supérieure de la plaque de gélose indique :
– qu'il n'apparaît un anneau de précipitation autour du puits que si l'antigène Ag_1 est présent dans le puits ;
– que le rayon de l'anneau de précipitation est d'autant plus important que la concentration de l'antigène dans le puits est forte.
• Puisqu'il y a un anneau de précipitation autour des puits avec des solutions extraites du milieu intérieur des patients 1 et 2, **cela indique que ces milieux contiennent l'antigène Ag_1**.
• Puisque le rayon de l'anneau de précipitation est plus important avec le milieu intérieur du patient 2, cela signifie que **celui-ci possède une concentration de l'antigène Ag_1 plus grande que l'individu 1**.
• L'anneau de précipitation obtenu avec le milieu intérieur du patient 1 est moins étendu qu'avec la solution C_3 d'antigène Ag_1. **La concentration d'Ag_1 dans le milieu intérieur du patient 1 est donc inférieure à C_3.**
• L'anneau de précipitation avec le milieu intérieur du patient 2 est inférieur à celui obtenu avec la solution C_2 et supérieur à celui avec la concentration C_3. **La concentration de l'antigène Ag_1 dans le milieu intérieur du patient 2 est donc comprise entre C_2 et C_3.**

Bien voir que ce sont les antigènes qui diffusent et se lient aux anticorps présents dans la gélose. Ils diffusent d'autant plus qu'ils sont abondants et, en conséquence, l'anneau est d'autant plus large.

THÈME **Couplage des événements biologiques et géologiques...**

Disparition des rudistes et impact d'un astéroïde

Les rudistes, mollusques bivalves, peuplaient les océans durant l'ère secondaire.
À la fin de cette ère, des indices géologiques datés de – 65 millions d'années témoignent de la chute d'un astéroïde.
Des scientifiques émettent l'hypothèse que cet événement est à l'origine de la disparition de nombreux groupes d'êtres vivants, dont les rudistes.

▸ **À partir des informations extraites du document, recherchez des arguments en faveur et en défaveur de cette hypothèse.**

Document **Présence de différents genres de rudistes dans plusieurs gisements**

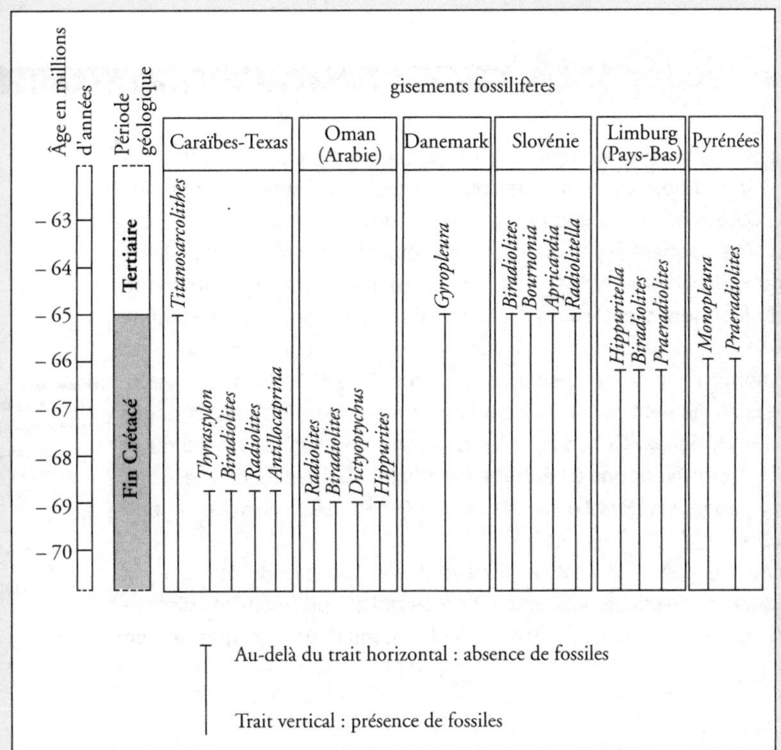

D'après Jean Philipp, 1998.

SVT

LES CLÉS DU SUJET

■ Comprendre le sujet

• Il faut rechercher des arguments pour valider ou invalider une hypothèse.
• On peut tirer une implication vérifiable de l'hypothèse : **si elle est vraie, alors tous les rudistes doivent avoir disparu dans tous les océans et mers il y a 65 MA à la suite de la chute de l'astéroïde et cela à l'échelle mondiale**. Les données vérifiant cette implication sont un argument en faveur de l'hypothèse.
• S'il y a eu disparition brutale de rudistes, à certaines époques, sans chute d'un astéroïde, cela n'infirme pas l'hypothèse mais constitue un argument en sa défaveur : il a pu y avoir d'autres causes.
• Une originalité dans la disparition des rudistes il y a 65 millions d'années par rapport aux disparitions à d'autres époques constitue un argument en faveur de l'hypothèse.

■ Mobiliser ses connaissances

• La limite Crétacé-Tertiaire (il y a 65 millions d'années) est caractérisée par l'extinction massive et rapide d'espèces et de groupes systématiques des milieux continentaux et océaniques.
• L'origine de ces événements pourrait être la conjonction de deux phénomènes géologiques : le volcanisme intense avec la mise en place des trapps du Deccan et la chute d'un astéroïde dont le cratère de Chixulub est la trace.

CORRIGÉ SUJET 22

• Les rudistes disparaissent de **toutes les régions** où ils existaient il y a 65 MA. Cette disparition simultanée et mondiale de tous les rudistes au moment de la chute de l'astéroïde est en accord avec l'hypothèse que cet impact est à l'origine de leur disparition.
• Il y a 69 millions d'années, disparaissent quasi simultanément 4 genres de rudistes à Oman, 4 genres sur 5 aux Caraïbes et au Texas. La **disparition de rudistes peut donc avoir eu lieu sans chute (connue) d'astéroïde**. Cela peut être considéré comme étant en **défaveur** de l'hypothèse : on peut penser que des causes comparables à celles de – 69 millions d'années sont à l'origine des disparitions datées de – 65 millions d'années.
• On peut tenir le même raisonnement pour les disparitions datées de 66 millions d'années aux Pays-Bas et dans les Pyrénées. Cependant, les disparitions constatées il y a 69 et 66 millions d'années ne se **retrouvent pas à l'échelle mondiale**, contrairement à celles de 65 millions d'années : par exemples, *Biradiolites* disparaît à Oman et aux Caraïbes et persiste en Slovénie et au Limburg.
• Cela laisse à penser que la disparition totale des rudistes à l'échelle du globe il y a 65 millions d'années résulte d'une cause différente de celles qui ont provoqué les disparitions de – 69 et – 66 millions d'années. Cette originalité constitue un **argument en faveur** de l'hypothèse.

Remarquez comment le corrigé applique les conseils de méthode indiqués dans « Comprendre le sujet ».

THÈME **Couplage des événements biologiques et géologiques...**

Les crises biologiques majeures et leurs causes

Plusieurs crises, de durée et d'importance inégales, jalonnent l'histoire du monde vivant. « Certaines, au nombre de cinq, ont atteint une telle ampleur qu'elles ont représenté un changement de la physionomie générale du monde vivant. À tel point qu'elles ont servi, dès le siècle dernier, à déterminer la frontière entre certaines périodes géologiques. »

Eric Buffetaut, paléontologue.

▸ À partir de l'étude des *documents 1 à 3* mis en relation avec vos connaissances, démontrez la réalité de l'existence des cinq crises majeures citées par E. Buffetaut, puis proposez des hypothèses sur les événements à l'origine de ces crises.

Document 1 Variations du nombre de familles depuis le Précambrien

Plusieurs **espèces** forment un **genre** et plusieurs genres forment une **famille**.

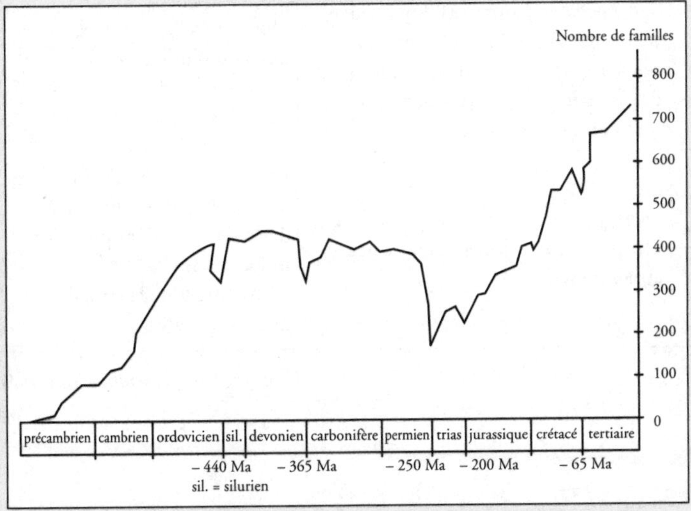

D'après *Pour la science*, hors série, juillet 2000.

SVT

Document 2 Données sur quelques événements planétaires

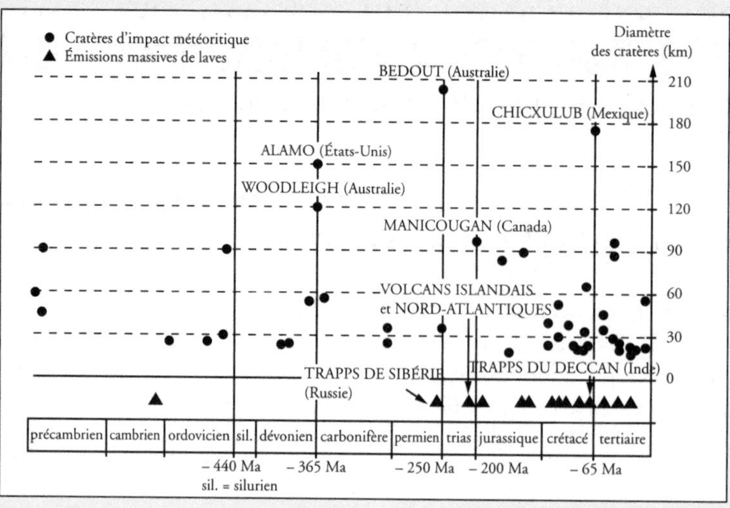

D'après *Pour la science*, mai 2002.

Document 3 Quelques événements et leurs effets à l'échelle de la planète

Localisation de l'événement	Date	Émissions	Effets calculés sur l'environnement
Chute d'une météorite (simulation)	-	Taille de la météorite : 10 km de diamètre, cratère de 70 km de diamètre. Injection dans la très haute atmosphère de gaz et de poussières qui se répartissent tout autour de la Terre.	Obscurité à la surface de la Terre pendant plusieurs mois. Abaissement de la température de plusieurs degrés.
Trapps du Deccan (Inde)	– 65 Ma	Des millions de km^3 de lave. Des poussières injectées dans la haute atmosphère.	Forte diminution de l'intensité lumineuse parvenant à la surface de la Terre pendant plusieurs milliers d'années. Abaissement de la température de plusieurs degrés.
Trapps de Sibérie (Russie)	– 250 Ma		

D'après *Pour la science*, mai 2002.

LES CLÉS DU SUJET

■ Comprendre le sujet

Il ne s'agit pas d'un sujet sur la crise K-T mais d'une question sur les crises en général et leurs causes. Vous devez, à partir de votre connaissance des critères d'une crise biologique, repérer dans le ***premier document*** les cinq crises dont parle Buffetaut. Ensuite, vous devez exploiter le *document 2* pour discuter de l'idée que des épisodes d'éruptions volcaniques particulièrement importants ou des impacts de météorites ou les deux types de phénomènes simultanément peuvent être à l'origine des crises. Il faut bien saisir que le document fourni ne peut mettre en évidence que des **corrélations** et faire preuve d'esprit critique. Enfin, le ***troisième document*** vous conduit à expliquer comment volcanisme intense et impacts météoritiques auraient pu entraîner des crises biologiques dans le monde vivant.

■ Mobiliser ses connaissances

À l'échelle des temps géologiques, des modifications brutales et globales affectent le monde vivant : ce sont les crises. Elles alternent avec des périodes plus longues de relative stabilité. Durant les 500 derniers millions d'années sont survenues plusieurs crises majeures pour lesquelles des extinctions biologiques massives sont corrélées à :
– des phénomènes géologiques internes ;
– des phénomènes d'origine extraterrestre (chute d'astéroïdes).

CORRIGÉ SUJET 23

Exploitation du document 1

Les extinctions d'espèces sont un phénomène général dans l'histoire du monde vivant. Les crises biologiques sont des périodes où ces extinctions sont particulièrement importantes en un laps de temps très court à l'échelle des temps géologiques. Elles se traduisent donc par une **diminution brutale** du nombre d'espèces. Ici, le document ne nous renseigne pas sur les variations du nombre d'espèces mais sur celles des familles : **la diminution du nombre de familles**, se traduisant par une baisse du nombre d'espèces et par une diversité biologique moindre, est aussi **une donnée permettant de repérer une crise.**

Nécessité de définir les critères qui permettent de détecter les crises et ainsi de tirer des conclusions du *document 1*.

Le graphe montre **cinq périodes** de chute brutale du nombre de familles :
– à la fin de l'Ordovicien, où le nombre de familles passe de 400 à 320 environ, soit une disparition de 20 % environ ;
– au Dévonien, vers 380 millions d'années, où l'ampleur de la crise est à peu près la même qu'à l'Ordovicien ;
– à la fin du Permien, où la chute du nombre de familles de plus de 50 % (de 400 à 170 environ) révèle la crise la plus importante ayant affecté le monde vivant depuis le Précambrien ;
– au Trias, où la crise plus étalée dans le temps donc moins nette se traduit par une baisse de l'ordre de 20 % du nombre des familles (de 280 à 220 environ) ;
– à la fin du Crétacé (dite crise K-T), où la diminution du nombre de familles est de l'ordre de 9 % (de 570 à 520 environ).

Avec ce critère du nombre de familles, on est conduit à penser que la crise K-T a été la moins importante des cinq.

Exploitation du document 2

Impacts météoritiques et émissions volcaniques sont des phénomènes ayant affecté la planète durant son histoire et dont on peut penser qu'ils ont pu provoquer des crises biologiques. Ce document permet de tester cette hypothèse.

Les traits verticaux correspondent à peu près aux crises ayant affecté le monde vivant depuis le Précambrien. On constate que **toutes** les crises coïncident avec des **impacts météoritiques**. Les astéroïdes ayant frappé la Terre à la fin du Dévonien et surtout aux limites Permien-Trias et Crétacé-Tertiaire étaient particulièrement énormes si on en juge par l'ampleur du diamètre des cratères qu'ils ont engendrés. Il y a bien eu durant l'histoire de la Terre de multiples impacts météoritiques qui ne sont pas associés à des crises mais ils étaient dus à des astéroïdes de volume plus faible (cratères de diamètre égal ou inférieur à 90 km). **Cette corrélation** entre **impacts météoritiques de très grande ampleur** et **périodes de crise** laisse à penser que ces phénomènes d'origine extraterrestre ont pu être une cause de crises biologiques.

Pensez toujours à tirer une conclusion de l'analyse d'un document et à la matérialiser.

On constate que les crises à la fin du Permien, du Trias et du Crétacé sont associées à des épisodes volcaniques particulièrement intenses : trapps de Sibérie, volcanisme islandais, trapps du Deccan respectivement. Ce n'est pas le cas des crises de l'Ordovicien et de la fin du Dévonien. En outre, il y a eu beaucoup d'épisodes volcaniques durant le Jurassique, le Crétacé et le Tertiaire non accompagnés de crises. On ne dispose pas d'informations sur l'ampleur relative de ces épisodes volcaniques. À partir de ce seul document, on peut seulement dire que certaines crises sont corrélées à un volcanisme intense mais que ce n'est pas un phénomène général. Et que d'autre part, ces manifestations volcaniques importantes ne sont pas toujours associées à des crises. L'hypothèse **d'une seule implication** de phénomènes **volcaniques** dans le **déclenchement des crises biologiques n'est donc pas confirmée** par les informations extraites de ce document. En revanche, la conjonction d'épisodes volcaniques intenses et d'impacts météoritiques énormes pour les trois dernières crises laisse à penser que l'association de ces deux phénomènes peut être un facteur déclenchant d'une crise biologique.

Exploitation du document 3

La chute d'une météorite de 70 km de diamètre ainsi que les émissions volcaniques ayant engendré les trapps de Sibérie à la fin du Permien et ceux du Deccan à la fin du Crétacé ont injecté dans l'atmosphère des gaz et des poussières qui, par les circulations atmosphériques, ont pu **atteindre tous les endroits** de la planète. Par là, ces phénomènes ont pu agir sur le monde vivant sur l'ensemble de la planète : cela est en relation avec un critère important d'une crise, à savoir son **caractère global**.

En réduisant l'arrivée de l'énergie solaire à la surface de la Terre, ces phénomènes ont entraîné une baisse de température de quelques degrés et affecté la photosynthèse des végétaux chlorophylliens et donc le fonctionnement des écosystèmes. Cela a pu entraîner l'extinction de nombreuses espèces. Le fait que l'obscurité engendrée par le volcanisme se prolonge pendant beaucoup plus de temps que celle de l'impact météoritique confirme l'idée que c'est la conjonction des deux phénomènes qui peut être cause des trois dernières crises biologiques.

Ce document ne vise pas à établir des corrélations entre impact météoritique, volcanisme et crises comme le *document 2*. Il cherche à expliquer comment de tels évènements peuvent être à l'origine de crises.

THÈME Couplage des événements biologiques et géologiques...

Crise biologique et événements géologiques à la limite K-T

On cherche à préciser les événements biologiques et géologiques qui sont survenus entre les ères secondaire et tertiaire.

▶ **Exposez les événements biologiques majeurs qui sont survenus à la fin du Crétacé et au début du Tertiaire et qui ont permis d'établir l'existence d'une crise. Présentez les différentes hypothèses actuellement retenues pour expliquer l'origine de cette crise.**

Votre exposé devra être structuré et présenter une introduction et une conclusion. Une définition de la notion de crise biologique est attendue.

LES CLÉS DU SUJET

■ Comprendre le sujet

• Le sujet porte sur l'existence de corrélations chronologiques entre des changements du monde vivant et des phénomènes géologiques ayant affecté la surface de la planète. Il est donc important d'utiliser une référence chronologique valable pour le monde vivant et les phénomènes géologiques : c'est la **couche à iridium**.

• Vous pouvez, en conclusion, aller au-delà de la corrélation pour lui donner un sens : à savoir que les phénomènes brutaux, catastrophiques, à l'échelle des temps géologiques ont pu être à l'origine de la crise biologique.

■ Mobiliser ses connaissances

• **La limite Crétacé-Tertiaire** (– 65 millions d'années) est marquée sans ambiguïté par l'existence dans les séries sédimentaires d'un **niveau riche en iridium**.

• **Une crise biologique** se caractérise par des événements beaucoup plus importants que le renouvellement permanent des espèces.

Il faut que ces changements :

– concernent des groupes d'êtres vivants nombreux et divers, aussi bien marins que continentaux ;

– soient relativement synchrones et soudains ;

– affectent l'ensemble de la planète.

• **La crise biologique K-T en milieu marin** : diminution de la sédimentation calcaire remplacée par une couche argileuse, ce qui indique une brutale **diminution des populations de microorganismes (foraminifères, algues)** responsables des dépôts calcaires. 90 % des espèces planctoniques disparaissent. **Disparition totale** d'invertébrés macroscopiques : **ammonites**, **bélemnites**.

• **La crise biologique K-T en milieu continental** : disparition totale des **dinosaures**, disparition d'un grand nombre de plantes à fleurs.

• Ces extinctions sont suivies de changement importants : renouvellement des foraminifères planctoniques, diversification explosive des mammifères…
• **Des phénomènes géologiques catastrophiques conjugués :**
– **un impact météoritique** : abondance d'iridium, quartz choqués, magnétites nickélifères, cratère d'impact dans le golfe du Mexique (Chicxulub) ;
– **une activité volcanique intense** : trapps du Deccan.

CORRIGÉ SUJET 24

Introduction

Le renouvellement des espèces est permanent au cours de l'histoire de la vie. Les espèces naissent, se développent et meurent. Cependant, dès le XIXe siècle, les géologues ont établi de grandes coupures dans l'histoire de la Terre en prenant en considération des changements importants du monde vivant. C'est le cas par exemple de la coupure ère secondaire / ère tertiaire. Cela suggère l'existence de périodes où les changements du monde vivant sont plus marqués de crises biologiques. En envisageant les changements du monde vivant à la limite Crétacé (fin du Secondaire)-Paléocène (début du Tertiaire), nous allons définir la notion de **crise biologique**. Comme le monde vivant est dépendant de son environnement, nous allons aussi étudier les indices géologiques des phénomènes ayant pu affecter la surface de la planète et être à l'origine de cette crise.

A. La couche à iridium et la limite Crétacé-Paléocène

La première condition pour pouvoir discuter de la réalité ou non d'une crise biologique à un moment donné est d'analyser des séries sédimentaires où **la sédimentation a été continue**, sans interruption.
La seconde condition est d'avoir un marqueur indépendant du monde vivant qui permette de situer la limite Crétacé-Paléocène sans ambiguïté. Ce marqueur est l'existence dans les séries sédimentaires d'**un niveau riche en iridium**. On admet que cette anomalie géochimique est synchrone pour l'ensemble de la planète : elle marque de façon quasi absolue (– 65 millions d'années) la limite Crétacé-Paléocène et elle permet l'analyse comparative des fossiles dans les couches des terrains situées de part et d'autre.

Il est essentiel d'avoir un repère physico-chimique d'un moment donné de l'histoire pour pouvoir comparer les faunes de part et d'autre de ce repère à l'échelle du globe.

B. La crise biologique Crétacé-Paléocène

1. Les indices d'une crise biologique en milieu marin

La fin du Crétacé
Dans les diverses régions où la sédimentation a été continue, le passage entre le Crétacé et le Paléocène se marque par une couche d'argile de quelques millimètres d'épaisseur séparant des calcaires ou marnes. Cela traduit un **arrêt** ou une **forte diminution de la sédimentation calcaire** pendant une brève période. Or, les calcaires situés de part et d'autre de la couche d'argile sont constitués essentiellement par l'accumulation de tests de microfossiles : tests de foraminifères (animaux unicellulaires) et coccolites, anneaux calcaires de quelques microns fabriqués par des algues microscopiques.
La réduction brutale de la sédimentation calcaire indique une **chute importante** quantitative des **populations** de ces organismes microscopiques en milieu marin.

Approche d'abord quantitative puis qualitative de la crise biologique.

Alors que l'analyse microscopique des couches calcaires situées sous la couche à iridium montre un renouvellement graduel des espèces, on constate qu'à la limite Crétacé-Paléocène, 90 % des espèces de foraminifères planctoniques disparaissent.
La même situation se retrouve pour des invertébrés macroscopiques, notamment les **ammonites**, mollusques céphalopodes. Alors qu'il existe encore de nombreuses espèces d'ammonites dans les terrains proches de la limite Crétacé-Paléocène, elles disparaissent totalement (extinction du groupe) à la limite.

Le début du Tertiaire

Ce sont en majorité de nouvelles espèces qui apparaissent dans les couches calcaires du Tertiaire. Ainsi, chez les foraminifères les globigérinidés remplacent totalement les globotruncanidés.
On ne trouve aucune ammonite dans les terrains situés au-dessus de la couche d'argile à iridium.

2. Les indices d'une crise biologique en milieu continental

Ils intéressent à la fois la faune et la flore. Les spores et pollens fossiles contenus dans les sédiments lacustres indiquent une augmentation considérable du pourcentage de spores de fougères par rapport aux pollens à la limite Crétacé-Paléocène. Cela indique un changement de flore important où **les fougères** prennent soudainement le pas sur les plantes à fleurs, notamment les gymnospermes.
Deux grands groupes de vertébrés : les dinosaures et les mammifères, vont connaître des sorts différents.

À la fin du Crétacé

Les dinosaures sont encore assez bien diversifiés ; ils comportent des formes de très grande taille. Les mammifères, par contre, sont peu diversifiés et toutes les formes sont de petite taille.

Au tout début du Paléocène

Les dinosaures ont totalement disparu ; les mammifères sont moins nombreux qu'à la fin du Crétacé mais n'ont pas disparu.

Durant les dix premiers millions d'années du Tertiaire

Il y a véritable explosion de la diversification des mammifères avec apparition de tous les ordres existant aujourd'hui, en particulier les primates (plus des groupes disparus).
Il en ressort l'idée que la disparition des dinosaures, en libérant un grand nombre de niches écologiques, a permis le succès évolutif des mammifères au Tertiaire et, *a contrario*, que les dinosaures freinaient l'évolution des mammifères au Secondaire.

Ne vous limitez pas aux destructions comme effets de la crise mais signalez les conséquences sur la diversification.

Bilan

La disparition, quasi simultanée à l'échelle des temps géologiques, des dinosaures, de nombreuses espèces de plantes à fleurs en milieu continental, des ammonites et des foraminifères planctoniques, en milieu marin, confirme la réalité d'une extinction massive à l'échelle planétaire, d'une crise biologique.

C. Des phénomènes géologiques catastrophiques contemporains de la crise biologique

1. Un impact météoritique

L'iridium est un élément rare dans la croûte terrestre et relativement abondant dans **les météorites**. Dès sa découverte en 1980, le pic à iridium de la couche limite Crétacé-Paléocène a été interprété comme résultant d'un énorme impact météoritique. La vaporisation de l'astéroïde lors de l'impact aurait dispersé dans la stratosphère la matière météoritique, riche en iridium, retombée ensuite sur l'ensemble de la planète. De nombreuses observations ont par la suite confirmé cette hypothèse, notamment la présence, dans la couche limite de **quartz choqués**, de gouttelettes de roches fondues, de **magnétites nickélifères**. Ces magnétites nickélifères proviennent de la fusion d'une roche riche en nickel dans un milieu oxydant ; elles sont symptomatiques du passage d'une météorite dans l'atmosphère terrestre. Leur concentration dans quelques millimètres de la couche limite souligne la brièveté de l'événement à l'origine de leur présence. De plus, on a découvert **un cratère d'impact** de 200 km de diamètre et de 30 km de profondeur dans le golfe du Mexique, daté de 65 millions d'années, enfoui sous 1 km de sédiments tertiaires.

Ne vous limitez pas à affirmer qu'il y a eu un impact météoritique et une activité volcanique intense mais citez les données de terrain qui le prouvent.

2. Une activité volcanique intense à la limite Crétacé-Paléocène

Les trapps du Deccan, en Inde, sont formés par un empilement de couches basaltiques dont l'épaisseur totale est comprise entre 2 000 à 3 000 mètres et cela sur une superficie comparable à celle de la France. Leur datation indique qu'elles se sont épanchées à la limite Crétacé-Paléocène et, plus précisément, en un laps de temps inférieur à 1 million d'années, donc en un temps très court à l'échelle des temps géologiques.

Conclusion

Les extinctions biologiques brutales (dinosaures, ammonites) de la limite Crétacé-Paléocène et les changements importants qui les suivent (diversification explosive des mammifères), étendues à l'ensemble de la planète, sont corrélées dans le temps à des phénomènes géologiques inhabituels, non graduels, catastrophiques, ayant affecté la planète : un impact météoritique énorme, une activité volcanique intense. On peut penser que cette crise biologique, affectant entre autres l'évolution des vertébrés, est le résultat de la superposition de ces événements géologiques brutaux.

Ne choisissez pas entre les deux hypothèses mais montrez plutôt leur complémentarité.

SUJET 25

AMÉRIQUE DU NORD • JUIN 2007

PRATIQUE DU RAISONNEMENT SCIENTIFIQUE • EXERCICE 2

ENSEIGNEMENT DE SPÉCIALITÉ • 5 POINTS

THÈME **Du passé géologique à l'évolution future de la planète**

Changements climatiques et variations du niveau de la mer

▸ **À partir de l'exploitation des documents, montrez d'après le *document 1* que l'étude des récifs coralliens permet de mettre en évidence des variations du niveau marin, puis, d'après les *documents 2 et 3*, précisez une cause à ces variations.**

Document 1 Coraux fossiles

Les coraux sont des organismes marins très exigeants en lumière qui survivent entre 0 et 20 m de profondeur, suivant les espèces.
Les deux récifs fossiles ci-après se trouvent dans une zone tectoniquement stable où les mouvements verticaux de la lithosphère peuvent être négligés.

Récif corallien fossile de l'atoll d'Aldabra dans l'océan Indien (environ 120 000 ans avant l'actuel)

Récif corallien fossile à 90 m sous le niveau marin actuel, sur les pentes des récifs de l'île de Mayotte dans l'océan Indien (daté de 14 000 ans avant l'actuel)

D'après Gilbert Camoin, Centre européen de recherche et d'enseignement des géosciences de l'environnement.

Document 2 Évolution du $\delta^{18}O$ dans les carbonates des foraminifères benthiques

Le $\delta^{18}O$ compare le rapport isotopique $^{18}O/^{16}O$ d'un échantillon à celui des océans actuels. Le $\delta^{18}O$ des carbonates des tests des foraminifères benthiques est un bon indice du volume des glaces continentales. La glace des calottes polaires est très appauvrie en ^{18}O par rapport à l'eau de mer. En période glaciaire, des millions de km^3 de glace sont immobilisés aux pôles, les eaux océaniques se retrouvent donc enrichies en ^{18}O, ainsi que les tests calcaires de foraminifères.

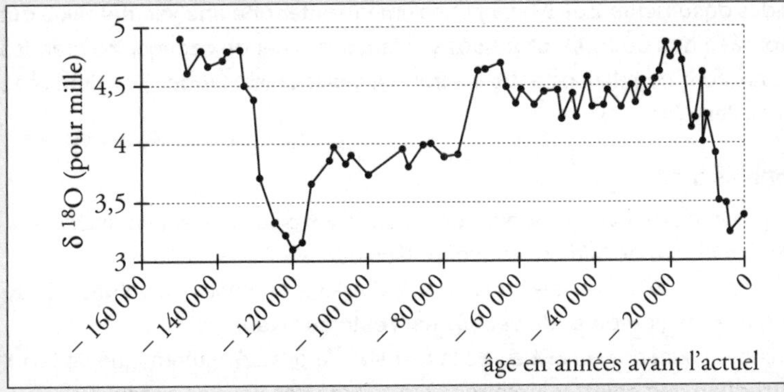

D'après Morley, L.C. Peterson, N.G. Pisias, W.L. Prell, M.E. Raymo, N.J. Shackleton, et J.R. Toggweiler, 1992 (site 13-110).

Document 3 Évolution du $\delta^{18}O$ dans les glaces de l'Antarctique

On a constaté que le $\delta^{18}O$ des précipitations neigeuses actuelles (mesures sur quelques décennies) aux pôles varie dans le même sens que la température.
Ces précipitations neigeuses se transforment au cours du temps en glace sous l'effet de l'enfouissement.
Les résultats suivants montrent les valeurs obtenues dans des glaces forées en plein cœur de l'Antarctique.

Reconstitution, à partir des rapports isotopiques dans les glaces de l'Antarctique (Vostok), des variations de température moyenne annuelle par rapport à l'actuelle

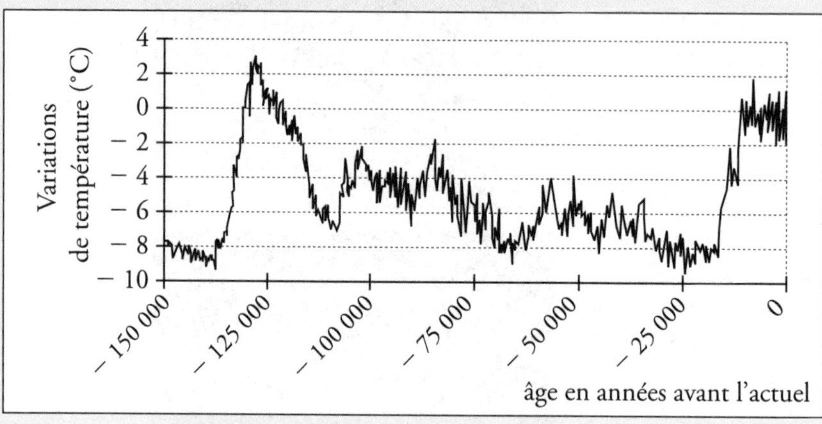

D'après Chappellaz, Barnola, Petit et Jouzel.

LES CLÉS DU SUJET

■ Comprendre le sujet

• Vous savez qu'il existe une alternance de périodes glaciaires et interglaciaires et que ces variations du climat retentissent sur les variations du niveau marin.
Vous connaissez donc la réponse à la question posée : ce sont les variations climatiques qui sont à l'origine des variations du volume des glaces et donc de celles du niveau des mers.
Variations climatiques → variations du volume des glaces → variations du niveau marin
• Lors de l'exploitation des ***documents 2 et 3***, il faut absolument **éviter une analyse détaillée qui ne serait qu'une paraphrase des courbes proposées**. Il faut s'efforcer de dégager les grandes tendances de façon à établir des corrélations entre les trois variables : climat ***(doc. 3)***, volume des glaces ***(doc. 2)***, niveau de l'eau ***(doc. 1)***.

■ Mobiliser ses connaissances

• Les variations climatiques montrent **des alternances** de périodes glaciaires et interglaciaires.
• Les variations relatives du niveau de la mer sont contrôlées par le volume d'eau dans les bassins océaniques. On considère que pendant les 200 derniers millions d'années, **le volume d'eau global sous forme de glace, de liquide et de vapeur est resté constant**.
• Les principales causes des variations du niveau de la mer sont la dilatation thermique de l'eau, **la formation et la destruction des calottes polaires** et le volume des bassins océaniques.

Exploitation du document 1

Le récif corallien fossile de l'atoll d'Aldabra dans l'océan Indien est situé 3,5 m au-dessus du niveau marin actuel. Lors de sa formation, il y a 120 000 ans, il se trouvait entre 0 et 20 mètres de profondeur. Puisque la zone de l'atoll d'Aldabra est tectoniquement stable, cela signifie qu'**il y a 120 000 ans, le niveau de la mer était supérieur, de 4 à 24 mètres environ, au niveau actuel**.

La conclusion doit déboucher sur les variations du niveau marin dans le temps.

Le récif corallien de 14 000 ans situé sur les pentes des récifs de l'île Mayotte se trouvait entre 0 et 20 mètres de profondeur. Or, il se trouve actuellement à 90 mètres de profondeur. Puisque la zone est tectoniquement stable, cela signifie **que le niveau de la mer il y a 14 000 ans était plus bas que le niveau actuel de 70 à 90 mètres.**

Ces deux récifs fossiles révèlent donc des variations du niveau marin au cours des 120 000 dernières années : d'abord une baisse du niveau marin, puis, au moins à partir de 14 000 ans, une hausse du niveau de la mer pour atteindre le niveau actuel qui reste toutefois inférieur à celui de 120 000 ans.

Remarque. *La position de ces récifs renseigne globalement sur les variations du niveau de la mer ; elle n'indique pas à quel moment précis le niveau de la mer a baissé, ni celui où il a commencé à monter. Il faudrait effectuer des forages dans ces récifs fossiles de façon à les dater sur toute leur épaisseur.*

Exploitation du document 2

Le delta isotopique **est minimal** il y a 120 000 ans (3,1), inférieur même à ce qu'il est actuellement (3,4). Comme le delta isotopique des tests calcaires de foraminifères augmente lorsque le volume des glaces augmente (et diminue lorsqu'il diminue), cela signifie que pour toute la période considérée, **le volume des glaces a été minimal** il y a 120 000 ans. Il était un peu inférieur au volume des glaces actuels.

De moins – 120 000 à – 20 000 ans, le delta isotopique a globalement augmenté pour atteindre sa valeur maximale de 4,8 il y a 20 000 ans. **À cette période, le volume des glaces était maximal.**

Seules les conclusions sur le volume des glaces sont tirées du document. L'explication des variations du delta isotopique n'est pas à aborder.

De – 20 000 à l'époque actuelle, le $\delta^{18}O$ a diminué, ce qui indique une diminution du volume des calottes glaciaires.

À – 14 000 ans, ce delta isotopique était de 4,2, donc le volume des glaces était encore très supérieur à leur volume actuel.

Exploitation du document 3

Il y a 120 000 ans, la température au pôle était pratiquement égale à la température actuelle.

Cette température était maximale il y a 130 000 ans environ.

Ensuite, elle baisse constamment pour atteindre sa valeur minimale de – 25 000 à – 17 000 (– 8° par rapport à l'actuelle).

À – 14 000 ans, elle était encore inférieure de 6° par rapport à l'actuelle.

La température au pôle, élevée il y a 130 000 ans (période interglaciaire), a été suivie par une période glaciaire jusqu'à – 17 000.

Un réchauffement de – 20 000 à – 10 000 ans débouche sur la période interglaciaire actuelle.

SVT

Bilan

Durant ces 150 000 dernières années, le volume d'eau (sous forme liquide, solide ou gazeuse) à la surface du globe est demeuré constant.

Il y a 120 000 ans, le climat était chaud ***(document 3)***, le volume des glaces plus faible qu'actuellement ***(document 2)*** et le niveau de la mer plus élevé qu'aujourd'hui ***(document 1)***.

Il y a 14 000 ans, la température au pôle était plus faible qu'actuellement ***(doc. 3)***, le volume des glaces plus important ***(doc. 2)*** et le niveau de la mer nettement plus bas ***(doc. 1)***. Cela indique un lien entre les trois variables.

Les variations climatiques, traduites par les variations de température aux pôles, entraînent une variation du volume des glaces. Ces variations du volume des glaces retentissent sur le niveau de la mer.

Remarque. *Il y a un décalage entre les variations de température aux pôles et celle du volume des glaces. Ainsi, il y a 120 000 ans, à la sortie d'une période interglaciaire, la température était la même qu'actuellement alors que le volume des glaces était plus faible qu'aujourd'hui à l'entrée dans une période interglaciaire. De même, de – 10 000 à – 5 000 ans, la température aux pôles est restée constante alors que le volume des glaces a diminué.*

Ces décalages peuvent être interprétés comme le résultat de l'inertie du système « température → volume des glaces ».

Ce bilan établit un lien entre les conclusions tirées des trois documents et en particulier, montre comment celles extraites de l'analyse des *documents 2 et 3* expliquent les variations du niveau de la mer mises en évidence par l'étude du *document 1*.

SUJET 26

FRANCE MÉTROPOLITAINE • JUIN 2005

PRATIQUE DU RAISONNEMENT SCIENTIFIQUE • EXERCICE 2

ENSEIGNEMENT DE SPÉCIALITÉ • 5 POINTS

THÈME **Du passé géologique à l'évolution future de la planète**

Climat, niveau de la mer et occupation par l'homme de la Tasmanie

La préhistoire de la Tasmanie présente deux particularités :

– une colonisation par l'homme depuis l'Australie, il y a 22 750 ans, avant l'invention de la navigation ;

– une évolution différente des techniques et de l'art des aborigènes tasmaniens et australiens depuis environ 8 000 ans.

▸ À partir des informations extraites des *documents 1 à 3*, montrez que ces particularités peuvent s'expliquer par des variations de l'environnement du globe.

Document 1 Diagramme pollinique obtenu à partir de divers sondages effectués au Burundi (Afrique centrale)

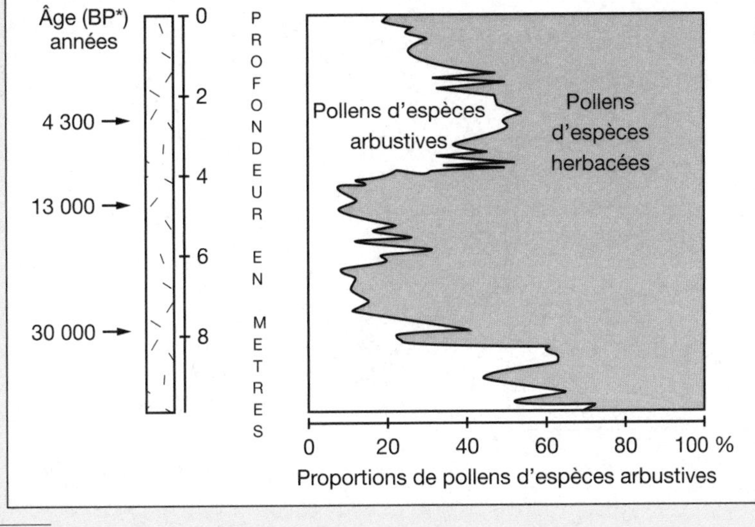

*BP = par rapport à l'époque actuelle, par convention : année 1950 (*Before Present*).

L'abondance des herbacées est l'indice d'un climat plus froid et sec par opposition aux espèces arbustives qui caractérisent des climats plus chauds et humides.

Document 2 Carte des sites préhistoriques émergés en Australie et de la profondeur – 100 mètres

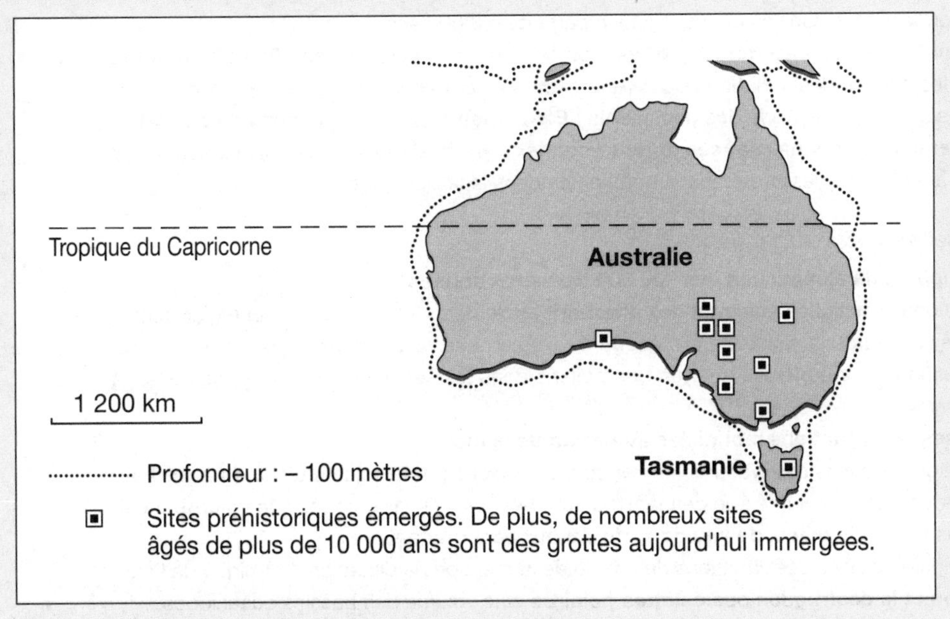

SVT

Document 3 Carte de l'Amérique du Nord avec les limites des zones dans lesquelles des traces de glaciers datés à 18 000 et 8 000 ans BP sont observées

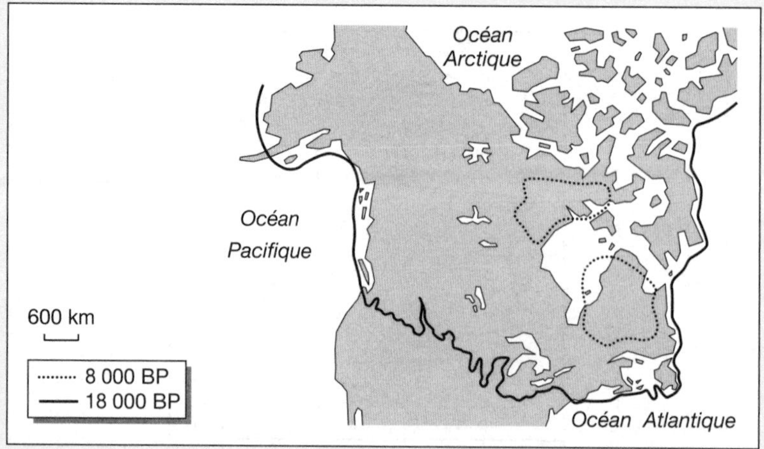

D'après Duplessy, 1984.

LES CLÉS DU SUJET

■ Comprendre le sujet

• De façon encore plus importante que pour d'autres sujets de type II-2, **les quelques lignes qui précèdent le libellé du sujet proprement dit doivent être lues attentivement** et prises en compte. Elles fournissent l'éclairage selon lequel les documents doivent être exploités : cibler ce qui peut expliquer l'arrivée des hommes en Tasmanie il y a 22 000 ans et la séparation des cultures des aborigènes tasmaniens et australiens à partir de – 8 000 ans.

• Normalement, vos connaissances sur les changements climatiques des 100 000 dernières années et les causes des variations du niveau marin doivent vous permettre de proposer des explications *a priori*, sans l'aide des documents ! **Bien entendu, il ne s'agit surtout pas d'affirmer en premier ses connaissances et de raisonner à partir d'elles.** Elles doivent seulement vous aider à rechercher les informations pertinentes dans les documents.

■ Mobiliser ses connaissances

• **Les changements climatiques des 700 000 dernières années**

– Les variations climatiques montrent **des alternances** de périodes glaciaires et interglaciaires.

– Mise en évidence de la variabilité climatique du Quaternaire récent dans les sédiments continentaux des lacs et tourbières ; analyse des pollens dans les séries sédimentaires actuelles et passées.

• **Les causes des variations mondiales au niveau de la mer**

– Les variations relatives du niveau de la mer sont contrôlées par le volume d'eau dans les bassins océaniques. On considère que pendant les 200 derniers millions d'années, **le volume d'eau global sous forme de glace, de liquide et de vapeur est constant**.

– Les principales causes des variations du niveau de la mer sont la dilatation thermique de l'eau, **la formation et la destruction des calottes polaires** et le volume des bassins océaniques.

Les informations tirées des documents doivent nous permettre d'expliquer :
- comment des hommes partis d'Australie ont pu atteindre la Tasmanie il y a 22 750 ans sans utiliser des moyens de navigation ;
- pourquoi, à partir de 8 000 ans, les techniques et l'art des aborigènes tasmaniens et australiens ont divergé, ce qui semble indiquer l'absence d'échanges, de communication entre les deux populations.

Analyse du document 1

Il faut d'abord situer **22 750 ans** dans le **diagramme pollinique** fourni. En admettant que la vitesse de sédimentation a été constante, 17 000 ans (30 000 – 13 000) correspondent à 1,7 cm à l'échelle utilisée. En conséquence, 30 000 – 22 750 = 8 850 ans, ce qui représente à peu près la moitié de 17 000 ans. Le point représentatif de 22 750 ans se trouve donc à peu près à 0,8 cm au-dessus du repère 30 000.

On constate que cela correspond à une période où la proportion de pollens d'espèces arbustives est minimale (inférieure à 10 %) et donc celle d'espèces herbacées maximale (plus de 90 %). D'après les informations fournies, cela correspond à un **climat froid et sec** au Burundi, en Afrique centrale.

On établit les variations climatiques en les situant dans le temps ; donc, utilisez bien l'échelle des âges.

Le même procédé permet de localiser **8 000 ans** dans le diagramme pollinique. À cette période, la proportion de pollens d'espèces arbustives est de 50 % environ, ce qui indique un climat plus chaud et plus humide qu'à – 22 750 ans. Entre ces deux dates, le diagramme pollinique du Burundi indique un réchauffement du climat. Celui-ci a commencé d'après le diagramme pollinique avant 8 000 ans, vers 10 000 ans quand la proportion de pollens d'espèces arbustives augmente brusquement.

Analyse du document 2

La première information fournie par ce document est que le bras de mer séparant la Tasmanie et l'Australie a, actuellement, une profondeur comprise entre les cotes 0 et 100 mètres, donc inférieure à 100 mètres. En outre, d'après l'échelle fournie, sa largeur est de 200 km environ. La deuxième information est que de nombreux sites préhistoriques, donc occupés par l'homme et âgés de plus de 10 000 ans, sont des grottes aujourd'hui immergées. Il y a plus de 10 000 ans, les hommes occupaient ces grottes, ce qui signifie, à moins d'affaissement d'origine tectonique, que le niveau de la mer était plus bas qu'aujourd'hui pour que les hommes aient accès à ces grottes. Entre 10 000 ans au moins et aujourd'hui, il y a donc eu une véritable élévation du niveau de la mer.

Bien voir les critères les plus importants : profondeur inférieure à 100 m et grottes immergées occupées par l'homme il y a plus de 10 000 ans.

Analyse du document 3

La ligne – 18 000 ans indique qu'à cette époque, une grande partie de l'Amérique du Nord était recouverte d'une calotte glaciaire. D'autre part, les indices de la présence de cette calotte dépassent les rivages actuels : la calotte glaciaire recouvrait une partie du plateau continental actuel, ce qui semble indiquer à – 18 000 ans un niveau de la mer plus bas que le niveau actuel. La ligne – 8 000 ans indique que la surface recouverte par les glaciers était beaucoup moins importante qu'à – 18 000 ans. On peut donc dire qu'après – 18 000 ans il y a eu une déglaciation, et donc un réchauffement climatique.

On met en évidence un argument en faveur d'une élévation du niveau de la mer à partir de –18 000 ans.

SVT

Bilan

De l'ensemble des documents on dégage les informations suivantes :

– un climat très froid au alentours de – 20 000 ans (on est au maximum de la dernière glaciation) ;

– un niveau de la mer plus bas qu'actuellement il y a plus de 10 000 ans et notamment vers – 20 000 ans.

Les deux données sont liées. Le volume d'eau sur la Terre sous ses différentes formes étant constant, le piégeage de l'eau sous forme de glace dans les calottes s'accompagne nécessairement d'une diminution du volume d'eau contenue dans les bassins océaniques. Le niveau de la mer au maximum de la glaciation vers – 20 000 ans est donc plus bas qu'aujourd'hui. Les données fournies ne permettent pas de quantifier cette baisse du niveau marin. L'extension de la calotte glaciaire sur le plateau continental d'Amérique du Nord indique qu'elle a dû être d'une centaine de mètres. Ainsi, on pouvait aller à pied sec d'Australie en Tasmanie et les 200 km les séparant ont pu être parcourus par des aborigènes australiens.

N'oubliez pas de bien répondre à la question posée : comment les changements climatiques permettent d'expliquer l'histoire des populations de Tasmanie plus particulièrement.

Les données polliniques du Burundi indiquent un réchauffement climatique important à partir de – 10 000 ans environ. Cela a entraîné une fonte importante de la calotte glaciaire recouvrant l'Amérique du Nord (et aussi celle de l'Europe) et donc un important apport d'eau aux océans. Le niveau de la mer a augmenté et l'Australie et la Tasmanie ont été à nouveau séparées par un bras de mer. Cela a entraîné l'arrêt des migrations humaines entre les populations aborigènes australiennes et tasmaniennes avec pour conséquence l'évolution différente, faute d'échanges, des techniques et de l'art.

SUJET 27

FRANCE MÉTROPOLITAINE • SEPTEMBRE 2006

PRATIQUE DU RAISONNEMENT SCIENTIFIQUE • EXERCICE 2

ENSEIGNEMENT DE SPÉCIALITÉ • 5 POINTS

THÈME Des débuts de la génétique...

Originalité des travaux de Mendel et remise en cause d'une de ses lois

▸ **À partir des informations apportées par les *documents 1 et 2*, mises en relation avec vos connaissances, montrez en quoi :**

– les travaux de Mendel réfutent les idées de ses prédécesseurs ;

– les résultats des croisements réalisés chez la drosophile réfutent une des lois de Mendel mais confortent l'idée selon laquelle un même chromosome peut porter plusieurs gènes.

Document 1 **Un croisement réalisé par Mendel**

Mendel n'a pas été le premier à réaliser des expériences de fécondation artificielle sur les végétaux mais ses prédécesseurs, dans la plupart des cas, se ralliaient à l'idée depuis bien longtemps admise que les caractères des parents se « combinent » dans la progéniture. Charles Darwin, par exemple, faisait partie de ceux qui pensaient en termes de « mélange des caractères héréditaires ».

Mendel, quant à lui, opte pour une « hérédité particulaire » en s'appuyant sur de nombreux croisements tel celui présenté ci-après.

Dans une conférence, Mendel décrivit le résultat d'expériences qu'il avait menées sur le pois dans le but « d'élucider la composition des cellules qui constituent les graines et le pollen des hybrides », autrement dit, afin de connaître la composition génotypique des gamètes des hybrides.

Le schéma ci-après traduit l'interprétation d'expériences faites par Mendel. Il s'agissait du croisement d'un pois hybride aux graines jaunes et lisses avec un parent double récessif aux graines ridées et vertes. En étudiant les résultats, Mendel constatait que, conformément à ses prévisions théoriques, il se produisait une ségrégation de tous les caractères du génotype hybride dans la proportion $1/4$ $1/4$ $1/4$ $1/4$. Il concluait ainsi cette partie intitulée « Les cellules sexuelles des hybrides » : « Les hybrides produisent des cellules ovulaires et polliniques qui correspondent en nombre égal à toutes les formes constantes provenant de la combinaison des caractères réunis par la fécondation. » Il avait par ailleurs écrit : « Il est prouvé (...) que la façon dont se comporte, en combinaison hybride, chaque couple de caractères différentiels est indépendante des autres différences. »

Quatre types de descendants en proportions identiques

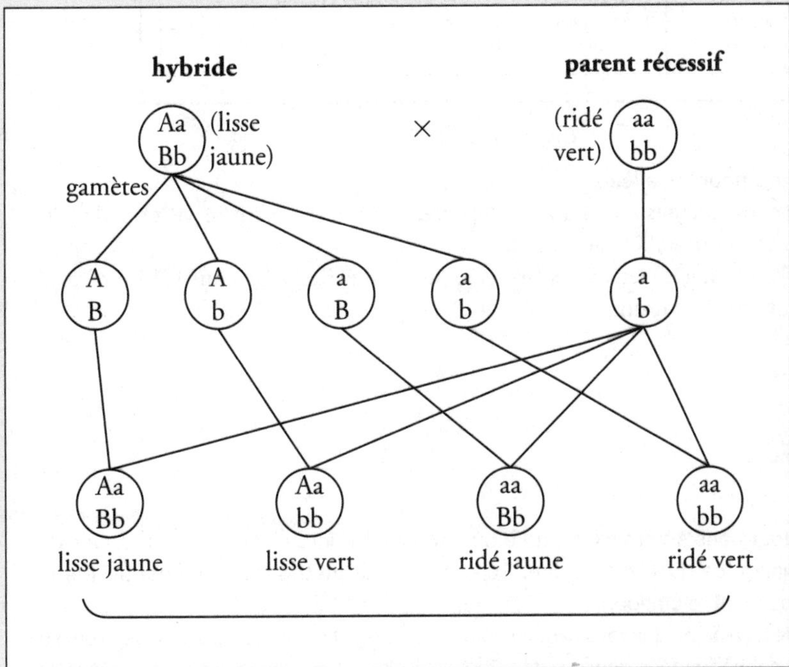

D'après *Mendel, un inconnu célèbre*, V. Orel et J.-R. Armogathe, éd. Belin.

SVT

Document 2 Deux croisements réalisés chez la drosophile

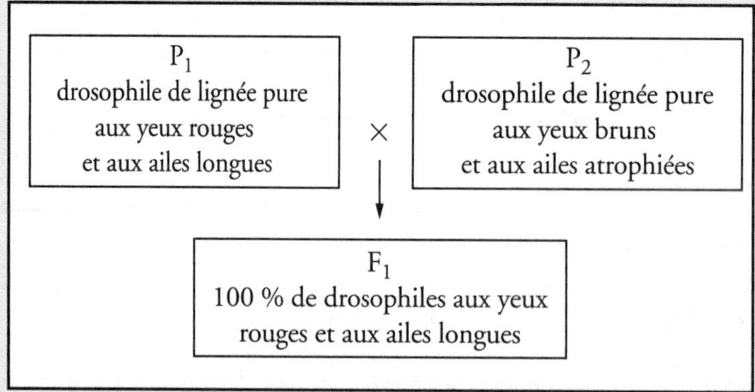

Croisement 1

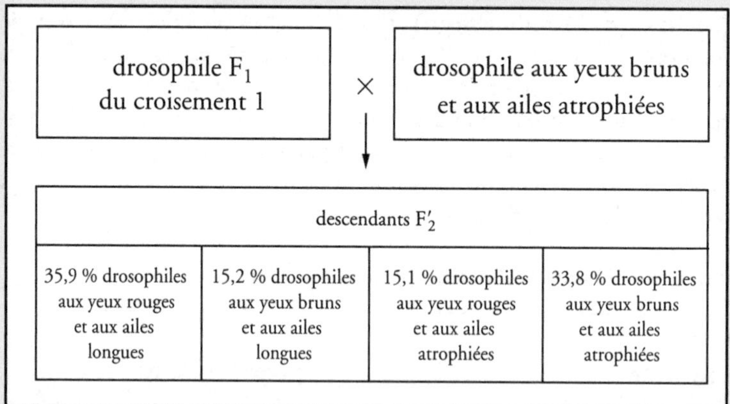

Croisement 2

Convention d'écriture pour les allèles

• Pour les allèles « ailes longues » et « ailes atrophiées », utiliser l'écriture vg pour l'allèle récessif et l'écriture vg^+ pour l'allèle dominant.
• Pour les allèles « yeux rouges » et « yeux bruns », utiliser l'écriture br pour l'allèle récessif et l'écriture br^+ pour l'allèle dominant.

LES CLÉS DU SUJET

■ Comprendre le sujet

• Sujet difficile, surtout dans sa première partie où beaucoup d'informations sont fournies de sorte qu'on se demande ce qu'il reste à dire. Sujet axé sur la **méthodologie scientifique** et notamment sur la notion de réfutation.
• **Réfuter une théorie** à l'aide de données expérimentales, cela signifie montrer que celles-ci sont en **désaccord** avec des **conséquences** déduites de la théorie. Il s'agit donc de montrer que les résultats obtenus par Mendel ne sont pas ceux qu'on devrait obtenir si la théorie de l'hérédité par mélange des prédécesseurs de Mendel était correcte. Il ne s'agit donc pas de montrer uniquement que la notion d'hérédité particulaire explique ces résultats. On l'indique seulement à la fin de la réponse à la première question en exprimant les **lois de Mendel**, ce qui servira pour la réponse à la deuxième question.

• Dans la réponse à la deuxième question, il faut de même démontrer que les résultats fournis ne sont pas ce à quoi on s'attend si la troisième loi de Mendel de ségrégation indépendante des deux couples de facteurs héréditaires est correcte. Il faut alors introduire une nouvelle théorie, la **théorie chromosomique de l'hérédité**, et montrer comment elle explique les résultats du croisement fourni. On conforte ainsi cette théorie.

■ Mobiliser ses connaissances

Novateurs dans leur méthodologie, les travaux de Mendel visaient à obtenir des hybrides stables. Dans un contexte scientifique où les gènes n'étaient pas connus, ils ont apporté une rupture conceptuelle : réfutation de la notion d'hérédité par mélange, introduction du concept d'hérédité particulaire avec ségrégation indépendante des facteurs héréditaires.
La théorie chromosomique de l'hérédité, qui contient les notions d'hérédité liée au sexe, de liaison génique et de recombinaison, permet d'expliquer certains cas particuliers qui échappent aux lois de Mendel.

CORRIGÉ SUJET 27

Exploitation du document 1

• **Les deux implications** les plus importantes de l'hérédité par mélange sont :
– les facteurs héréditaires apportés par les parents se mélangent chez l'hybride. En conséquence, c'est ce mélange qui est transmis par les hybrides à leur descendance ;
– le patrimoine héréditaire d'un organisme forme un tout et est donc transmis en bloc ; autrement dit, il n'est pas formé de facteurs capables de se comporter indépendamment les uns des autres.
Le croisement réalisé par Mendel permet de tester ces deux implications.

Toute l'analyse du document est guidée par les implications précises du début de l'exploitation.

Bien comprendre que l'hérédité par mélange implique une union intime entre les deux caractères (comme l'eau et le vin dans le verre).

• **Considérons uniquement le caractère couleur des graines.** Les hybrides aux graines jaunes résultent d'un croisement entre un pois à graines jaunes et un pois à graines vertes. Ils ont donc reçu le facteur héréditaire vert et le facteur héréditaire jaune. Suivant l'hérédité par mélange, ces deux facteurs héréditaires se mélangent chez l'hybride. Dans ce mélange, le facteur jaune seul s'exprime dans le phénotype ; il est dominant et le facteur vert est récessif. Dans le croisement envisagé, le parent aux graines vertes transmet uniquement le facteur vert et, suivant l'hérédité par mélange, l'hybride, un mélange des facteurs jaune et vert. Dans ce cas, les descendants du croisement devraient avoir le même phénotype et, en tout cas, **on ne devrait pas voir apparaître des pois aux graines vertes**, puisque les gamètes de l'hybride apportent tous une partie au moins du facteur jaune. Or, les **résultats obtenus par Mendel** (50 % de pois aux graines jaunes et 50 % de pois aux graines vertes) **sont en contradiction** avec les **résultats** prévus suivant **l'hérédité par mélange**. Celle-ci est donc **réfutée**. En revanche, ils s'expliquent très bien par la théorie **de l'hérédité particulaire**, comme le montre le document. Suivant cette théorie, les deux facteurs jaune et vert sont présents chez l'hybride tout en restant indépendants l'un de l'autre. Au cours de la formation des gamètes de l'hybride, ils se séparent de sorte que chaque gamète ne reçoit qu'un seul facteur héréditaire : soit le facteur vert, soit le facteur jaune. C'est la production de deux types de gamètes en quantités égales, portant chacun un seul facteur héréditaire pour la couleur, qui explique la descendance constituée pour moitié de pois jaunes et pour moitié de pois verts.

Les résultats réfutant la théorie de l'hérédité par mélange, conduisent donc à l'abandonner, et valident, confirment la théorie particulaire.

• **Le même raisonnement peut être tenu pour le caractère « aspect de la graine »** (lisse ou ridé). On a appelé **loi de pureté des gamètes (deuxième loi de Mendel)** le fait que chaque gamète ne renferme qu'un seul facteur héréditaire (allèle) pour le caractère envisagé.

• **Étudions maintenant la façon dont se transmettent les deux caractères héréditaires** : couleur des graines et aspect des graines. On voit apparaître dans la descendance du croisement des pois possédant une nouvelle combinaison des caractères des parents de l'hybride, à savoir des pois aux graines jaunes et ridées et des pois aux graines vertes et lisses. Cela indique que lors de la formation des gamètes de l'hybride, il y a eu dissociation des facteurs fournis par chacun de ses parents. Cela est en contradiction avec la deuxième implication de l'hérédité par mélange. Celle-ci est donc réfutée. En revanche, la théorie de l'hérédité particulaire, comme l'illustre le document, explique ces résultats : lors de la formation des gamètes de l'hybride, il y a non seulement séparation des facteurs héréditaires de chaque couple, mais en plus cette séparation se fait de façon indépendante. C'est cette **ségrégation indépendante** des couples de facteurs héréditaires lors de la formation des gamètes (**troisième loi de Mendel**) qui explique la production de quatre phénotypes en quantités égales dans la descendance du croisement.

Exploitation du document 2

• Indiquons les génotypes des individus du premier croisement, en accord avec la façon dont sont écrits les génotypes du ***document 1*** : br^+br^+ , vg^+vg^+ pour l'un ; br br, vg vg pour l'autre. Suivant la loi de pureté des gamètes, un des parents produit uniquement des gamètes br^+vg^+ et l'autre des gamètes br vg. **Les hybrides F1 ont donc le génotype br^+br , vg^+vg .** Les facteurs héréditaires (allèles) br^+ et vg^+ sont dominants puisque les F1 ont tous le phénotype yeux rouges-ailes longues.

• **Suivant la troisième loi de Mendel**, l'hybride F1 produit 4 sortes de gamètes en quantités égales : br^+vg^+ ; br^+vg ; br vg^+ ; br vg. La drosophile avec laquelle est croisée l'hybride F1 présente les deux phénotypes récessifs yeux bruns-ailes atrophiées. En conséquence, elle est de lignée pure et a le génotype br br, vg vg. Elle ne produit donc qu'un seul type de gamètes br vg. **L'échiquier de croisement prévisionnel de la descendance de ce deuxième croisement est donc le suivant :**

Gamètes de l'hybride / Gamètes de la drosophile au phénotype récessif	1/4 br^+vg^+	1/4 br^+vg	1/4 br vg^+	1/4 br vg
br vg	1/4 $\frac{br^+}{br}\ \frac{vg^+}{vg}$ [br^+vg^+]*	1/4 $\frac{br^+}{br}\ \frac{vg}{vg}$ [br^+vg]*	1/4 $\frac{br}{br}\ \frac{vg^+}{vg}$ [br vg^+]*	1/4 $\frac{br}{br}\ \frac{vg}{vg}$ [br vg]*

* Entre crochets, les phénotypes de la descendance.

On devrait donc obtenir 4 sortes de **phénotypes en quantités égales (25 % de chaque)**. Or, on trouve bien les 4 phénotypes mais **en quantités inégales**. Cela est contraire **à la deuxième loi de Mendel** sur la ségrégation indépendante des deux couples d'allèles. **Celle-ci est donc réfutée ou du moins souffre des exceptions.**

Ici aussi, la technique consiste à montrer que les résultats obtenus sont en contradiction avec les résultats auxquels on devrait s'attendre si les deux couples de caractères se comportaient de manière indépendante.

• On constate que les phénotypes les plus fréquents sont ceux qui étaient réunis chez les parents de l'hybride. Autrement dit, les allèles réunis chez les parents de l'hybride restent le plus souvent ensemble lorsque ce dernier produit ses gamètes. Cela s'interprète bien dans le cadre **de la théorie chromosomique de l'hérédité** : les gènes sont portés par les chromosomes ; chaque gène occupe un locus précis sur un chromosome et un chromosome porte plusieurs gènes. Dans le cas de l'exemple étudié, **les gènes contrôlant la couleur des yeux et la longueur des ailes sont portés par le même chromosome *(figure 1)*.**

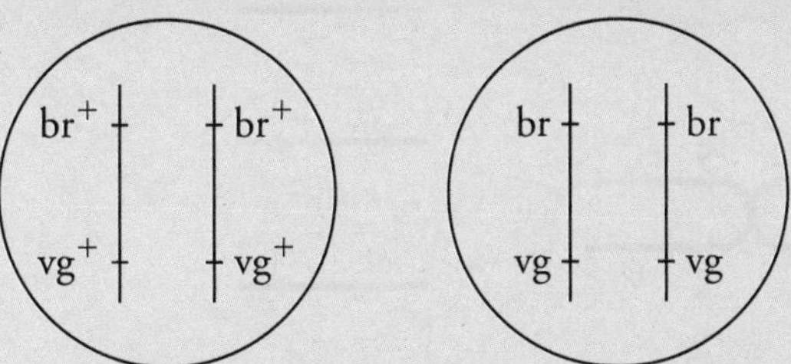

Localisation des gènes sur les chromosomes des parents du premier croisement.
On n'a représenté que la paire de chromosomes porteurs des allèles des deux gènes.

Figure 1a

Ce chromosome réalise une liaison physique entre les allèles des deux gènes, ce qui explique que ceux-ci se transmettent solidairement lors de la formation des gamètes de l'hybride.

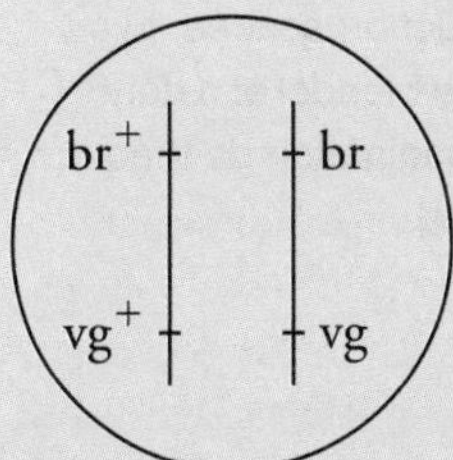

Le chromosome assure un lien physique entre les allèles des deux gènes : ils sont ainsi liés.

Situation des allèles des deux gènes dans les cellules des hybrides F1.

Figure 1b

Il reste toutefois à expliquer la production de gamètes recombinés br^+vg (15,1 %) et $br\ vg^+$ (15,2 %). **Cela s'interprète bien aussi dans le cadre de la théorie chromosomique de l'hérédité.** À la prophase de la première division de la méiose, il se fait en certains points appelés **chiasmas** des échanges entre les chromatides des chromosomes homologues appariés. Si cet échange se fait entre les loci des deux gènes, la méiose aboutit à la production de deux gamètes parentaux et de deux gamètes recombinés *(figure 2)*. Cela n'a pas lieu à chaque méiose, ce qui fait que globalement dans les produits de multiples méioses, il y a beaucoup plus de gamètes parentaux que de gamètes recombinés.

La théorie chromosomique explique la 2e loi de Mendel (disjonction indépendante des caractères) ; il faut alors montrer qu'elle explique aussi des résultats contraires à cette loi.

SVT

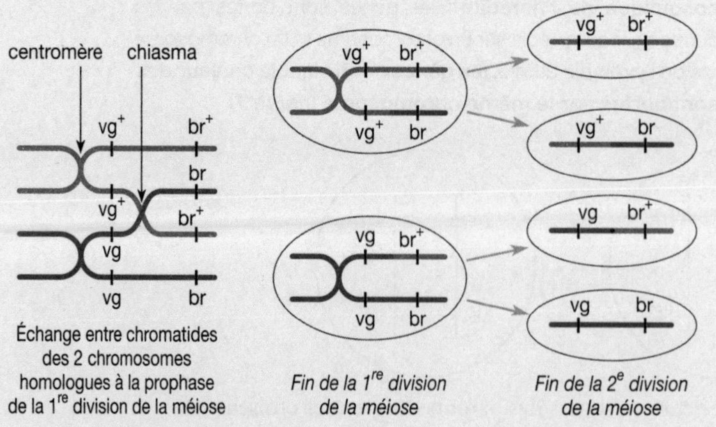

Figure 2. Schéma du déroulement d'une méiose conduisant à la production de gamètes recombinés vg br^+ et vg^+br

Il faut être capable de refaire correctement un schéma traduisant le brassage chromosomique. Cela vous sera utile aussi bien dans les sujets de l'enseignement obligatoire que dans celui de spécialité. Attention ! Leur réalisation demande du temps !

Conclusion

Les travaux de Mendel ont permis la **réfutation** de la théorie de l'hérédité par **mélange** et ont débouché sur l'**hérédité particulaire. La théorie chromosomique de l'hérédité** a été initialement imaginée pour rendre compte de la corrélation entre le comportement des facteurs mendéliens et celui des chromosomes au cours de la reproduction sexuée. Elle s'est avérée explicative de résultats expérimentaux contraires aux lois de Mendel et a donc été **confortée**. Ainsi fonctionne la démarche scientifique à partir de l'imagination de théories, leur réfutation ou leur confirmation par des données expérimentales.

SUJET 28

NOUVELLE-CALÉDONIE • NOVEMBRE 2005

PRATIQUE DU RAISONNEMENT SCIENTIFIQUE • EXERCICE 2

ENSEIGNEMENT DE SPÉCIALITÉ • 5 POINTS

THÈME Des débuts de la génétique...

Diagnostic génétique de l'hémochromatose

L'hémochromatose est une maladie génétique qui ne se manifeste qu'à l'âge adulte. Grâce aux biotechnologies, un diagnostic moléculaire précoce permet la mise en place d'un traitement qui normalise l'espérance de vie des individus atteints.
Des parents sains vivant dans le nord de l'Europe souhaitent savoir si, parmi leurs trois enfants, certains risquent de développer cette maladie.

▸ **À l'aide des *documents 1 et 2* et de vos connaissances, vous déterminerez, pour le gène étudié, les allèles portés par chacun des trois enfants de cette famille afin de répondre aux interrogations des parents.**

Vos réponses seront argumentées et vous préciserez la longueur des fragments d'ADN obtenus dans le document 2c.

Document 1 Caractéristiques d'une maladie génétique, l'hémochromatose

L'hémochromatose est une maladie génétique récessive qui se manifeste par une accumulation anormale de fer dans les cellules, pouvant provoquer des décès par cancer du foie ou défaillance cardiaque.
Cette maladie est liée à la mutation du gène HFE situé sur le chromosome 6. Ce gène code une protéine membranaire dont la fonction normale est de limiter l'accumulation de fer dans les cellules.
Dans la population du nord de l'Europe, 1 personne sur 10 est porteuse d'un allèle muté, ce qui fait de l'hémochromatose une maladie héréditaire très fréquente.

Document 2 Principe du diagnostic moléculaire effectué pour les enfants de la famille étudiée

Les allèles du gène HFE des trois enfants de la famille étudiée ont été isolés. Le diagnostic moléculaire porte sur une séquence d'ADN de 387 paires de nucléotides susceptible de contenir la mutation recherchée.
Pour établir le diagnostic, cette séquence d'ADN est dénaturée ; les deux brins de la double hélice sont séparés, puis multipliés. On obtient alors de nombreux simples brins d'ADN correspondant à cette séquence de 387 nucléotides. On les soumet ensuite à une digestion par une enzyme de restriction, l'**enzyme RsaI**. Les fragments obtenus sont soumis à une électrophorèse.

a. Site de restriction de l'enzyme RsaI

```
G T | A C  Brin non transcrit
C A | T G  Brin transcrit
    ↑
Emplacement de la coupure
```

Source : logiciel *Anagène*.

b. Extraits de la séquence d'ADN de 387 nucléotides utilisée pour le diagnostic moléculaire

Le reste de la séquence est identique pour les deux allèles et ne présente pas de site reconnu par l'enzyme de restriction utilisée. Pour chaque séquence, seul le **brin non transcrit** est présenté. Les tirets représentent les nucléotides identiques à l'allèle HFE sain pris comme référence.

Nucléotide n° / Nom de l'allèle	243 … 253 … 273 … 281
HFE sain	… G C T G T A C C C C C … A C G T G C C A G …
HFE muté	… – – – – – – – – – – – … – – – – A – – – – …

Source : http://www.ncbi.nlm.nih.gov, 9/10/2004.

SVT

c. Résultats de l'électrophorèse

La photographie montre un fragment du gel d'électrophorèse après migration et mise en évidence des fragments d'ADN. Ceux-ci apparaissent sous forme de bandes sombres.

Dans les conditions de cette électrophorèse, les fragments dont la taille est inférieure à 50 nucléotides ne sont pas visibles.

E1, E2 et E3 correspondent aux trois enfants dans l'ordre de naissance.

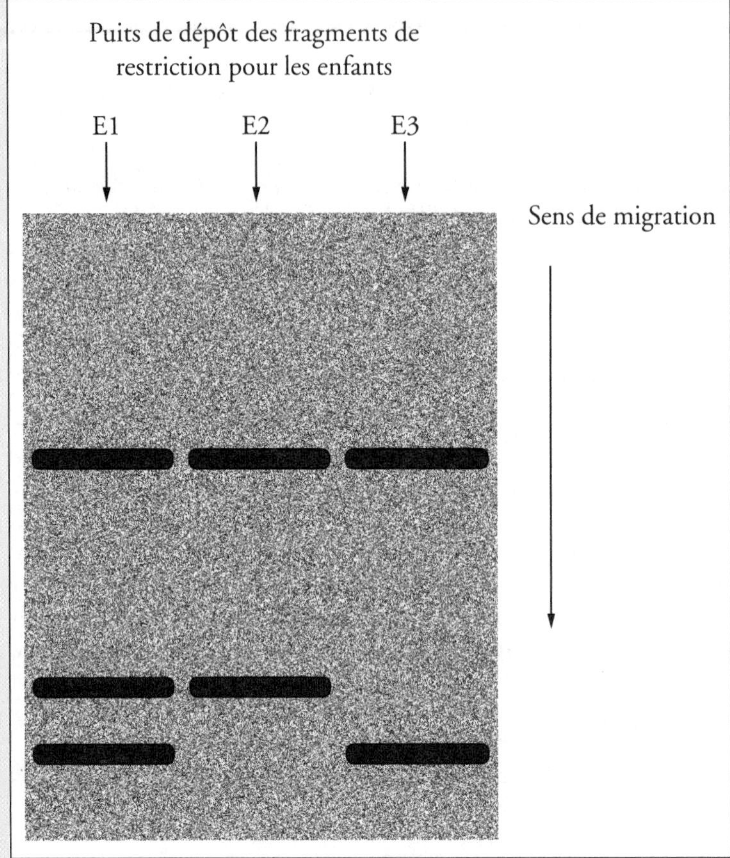

Curriculum *Forum Med Suisse* n° 41, 9 octobre 2002.

LES CLÉS DU SUJET

■ Comprendre le sujet

Le texte du sujet est long, il est donc nécessaire de bien repérer les éléments importants :

– il s'agit d'une **maladie génétique récessive** ;

– seule une partie du gène (constituée de 387 nucléotides), celle où se trouve la mutation, est amplifiée ;

– ce fragment est soumis à l'action d'une **enzyme de restriction** dont on précise la séquence du site de restriction formée de quatre nucléotides qu'elle reconnaît.

Dans la séquence des deux allèles, normal et muté, il faut rechercher où se trouve cette séquence caractéristique, ce qui permet de repérer le nombre de sites de restriction et donc le nombre de fragments résultant de l'action de l'enzyme.
Sachant que les fragments migrent d'autant plus loin que leur longueur est faible, il faut donc repérer les fragments sur le gel d'électrophorèse pour chacun des trois enfants et, de là, en déduire les génotypes.

■ Mobiliser ses connaissances

La **PCR *(Polymerase Chain Reaction)*** est une technique qui permet d'obtenir de très nombreuses copies de la séquence nucléotidique d'un gène ou plus souvent d'une région bien précise d'un gène.
Chaque enzyme de restriction reconnaît une séquence spécifique de nucléotides sur la molécule d'ADN et coupe l'ADN entre deux nucléotides de cette séquence. Un fragment d'ADN peut donc être coupé en plusieurs endroits s'il possède dans sa séquence plusieurs sites de restriction reconnus par l'enzyme.
Les fragments d'ADN résultant de l'action d'une enzyme de restriction sur une séquence d'ADN peuvent être séparés par électrophorèse. **Ils migrent d'autant plus loin que leur taille (c'est-à-dire leur nombre de nucléotides) est faible**. Les fragments d'ADN résultant de l'électrophorèse peuvent être révélés par des « colorants » spécifiques de l'ADN ou par des sondes spécifiques.

CORRIGÉ SUJET 28

Exploitation des documents 2a et 2b

• L'allèle sain (brin non transcrit) présente une seule séquence GTAC située du 246e au 249e nucléotide et donc un seul site de restriction.
La séquence de 387 nucléotides sera coupée en **deux fragments**, l'un de 247 nucléotides, l'autre de 140 nucléotides.

• L'allèle muté possède le même site de restriction (246 à 249) que l'allèle sain et présente, à la suite d'une mutation survenue en position 277 (guanine remplacée par l'adénine), un second site de restriction (275 à 278) reconnu par l'enzyme RsaI. L'action de celle-ci donnera donc naissance à trois fragments :
- l'un de 247 nucléotides,
- l'autre de $276 - 247 = 29$ nucléotides,
- le troisième de $387 - 276 = 111$ nucléotides.

Utilisez vos connaissances sur les enzymes de restriction pour indiquer les longueurs des différents fragments résultant de leur action.

Exploitation du document 2c

Sur l'électrophorégramme seuls les fragments de 247, 140 et 111 nucléotides sont présents. Le fragment de 29 nucléotides n'est pas révélé car inférieur à 50 nucléotides.
Les fragments qui ont migré le moins loin sont les plus longs : 247 nucléotides. Les plus courts (111 nucléotides) ont migré le plus loin et les fragments de taille intermédiaire (140 nucléotides) se retrouvent en situation intermédiaire.
Il s'agit d'une maladie autosomale et les fragments d'ADN amplifiés correspondent, pour chaque enfant, aux deux allèles qu'il possède.
– L'électrophorégramme E2 montre 2 types de fragments, 247 et 140, caractéristiques des allèles sains : l'enfant 2 est donc homozygote HFEs/HFEs (s = allèle sain) ;

Repérez bien qu'il y a deux allèles de chaque gène et donc que ce sont les résultats de la fragmentation de ces deux allèles qui sont indiqués.

– L'électrophorégramme E3 montre 2 types de fragments, 247 et 111, caractéristiques des allèles mutés : l'enfant 3 est homozygote HFEh/HFEh (h = hémochromatose).
– L'électrophorégramme E1 montre 3 types de fragments, 247, 140 et 111. Le fragment de 111 nucléotides ne peut provenir que d'un allèle muté et le fragment de 140 nucléotides d'un allèle sain : l'enfant 1 est donc hétérozygote HFEs/HFEh.
Puisque la maladie est récessive, seul l'enfant 3 sera atteint.

SUJET 29 GUADELOUPE, GUYANE, MARTINIQUE • SEPTEMBRE 2006
PRATIQUE DU RAISONNEMENT SCIENTIFIQUE • EXERCICE 2
ENSEIGNEMENT DE SPÉCIALITÉ • 5 POINTS

THÈME **Diversité et complémentarité des métabolismes**

Régénération de l'ATP dans les cellules musculaires

La contraction des cellules musculaires est une activité qui consomme de l'ATP. L'ATP n'étant pas stocké dans les cellules, il doit être régénéré en permanence.

▸ **Exploitez les informations apportées par l'étude des *documents 1 à 3* pour montrer quelles sont les voies métaboliques utilisées et quel est l'effet de l'entraînement dans la production d'ATP par la cellule musculaire.**

Document 1 Les mitochondries des cellules musculaires

Électronographie d'une coupe transversale partielle d'une fibre musculaire (× 16 000)

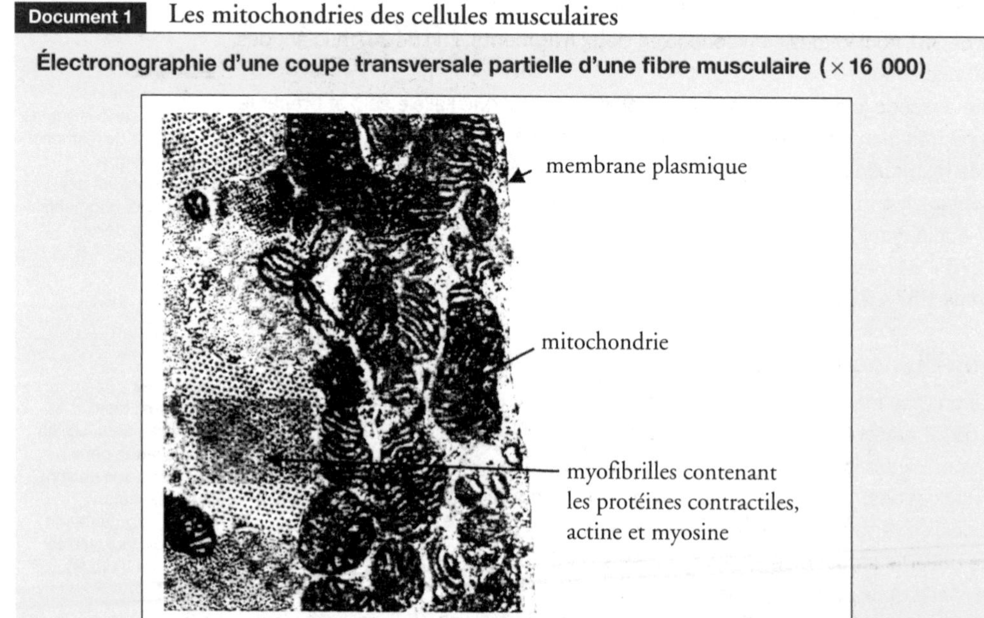

D'après Nathan, *Sciences expérimentales 1re S.*

Informations complémentaires

Le volume total de mitochondries est égal à 5 % du volume du cytoplasme de la cellule musculaire chez un individu non entraîné contre 11 % chez un individu entraîné. De plus, l'activité des enzymes mitochondriales est plus importante chez un individu entraîné que chez un individu non entraîné.

D'après *Le Métabolisme énergétique chez l'Homme*, Nathan – INSERM.

Document 2 Modification des paramètres sanguins de part et d'autre d'un muscle

Le tableau suivant donne la concentration de dioxygène, de dioxyde de carbone, de glucose et d'acide lactique dans le sang artériel arrivant au muscle et dans le sang veineux partant du muscle pendant un exercice physique.

	Sang artériel	Sang veineux
Teneur en O_2 ($mL \cdot 100\ mL^{-1}$)	21,2	5,34
Teneur en CO_2 ($mL \cdot 100\ mL^{-1}$)	45	60
Teneur en glucose ($mmol \cdot L^{-1}$)	4	2
Teneur en acide lactique* ($mmol \cdot L^{-1}$)	< 1	2,8

D'après *Didier 2de*, 2000, et *Hatier 1re S*, 1993.

* L'acide lactique est un produit de la fermentation lactique dont l'équation bilan est la suivante :

$$\text{Glucose} + 2R' \longrightarrow 2 \text{ acides pyruviques} + 2R'H_2 \longrightarrow 2 \text{ acides lactiques} + 2R'$$

$$2ADP + 2P_i \longrightarrow 2ATP + 2H_2O$$

R' composé oxydé. $R'H_2$ composé réduit.

Document 3 Production d'acide lactique et consommation de dioxygène chez un individu non entraîné et chez un individu entraîné pour un exercice de puissance donnée

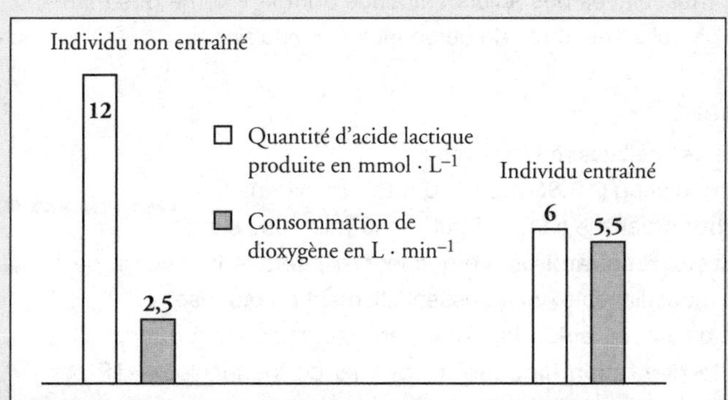

N.B. : on considère que les changements constatés à l'échelle de l'organisme sont dus principalement à l'activité des muscles pendant l'exercice.

D'après Nathan, *Sciences expérimentales 1re S.*

SVT

LES CLÉS DU SUJET

Comprendre le sujet

• Il s'agit de repérer dans les documents les indices qui renseignent sur le **type de métabolisme utilisé par les cellules musculaires pour régénérer l'ATP**. Il faut ensuite utiliser ses connaissances pour tirer des conclusions des indices détectés.
• Il faut également comparer les données concernant l'individu entraîné à celles relatives à l'individu non entraîné **et non** étudier chez chacun d'eux **l'importance relative** des phénomènes respiratoire et fermentaire dans la régénération de l'ATP.

Mobiliser ses connaissances

• **L'ATP est une molécule indispensable à la vie cellulaire.**
• Toute cellule vivante **régénère son ATP en oxydant des molécules organiques** par processus respiratoire ou fermentaire.
• Dans le cas d'une molécule de glucose, la **respiration cellulaire** peut être traduite par le bilan des transformations : $C_6H_{12}O_6 + 6\,O_2 + 6\,H_2O \rightarrow 6\,CO_2 + 12\,H_2O + 36$ ATP .
• Par contraste avec l'oxydation complète du substrat liée aux mitochondries, une oxydation incomplète est possible par **fermentation**. Elle produit un déchet organique (ici, l'acide lactique) mais permet un renouvellement peu efficace mais réel de l'ATP.

CORRIGÉ SUJET 29

Exploitation du document 1

Les myofibrilles constituées de **protéines contractiles** sont les organites **consommateurs d'ATP** dans la cellule musculaire.
On note dans la fibre musculaire une grande **richesse en mitochondries** présentant de nombreuses crêtes et leur proximité avec les myofibrilles.
Les fibres musculaires sont donc caractérisées par l'abondance des mitochondries, organites cellulaires **producteurs d'ATP par respiration** ainsi que par leur proximité avec les myofibrilles organites consommateurs d'ATP. Cela suggère que la **respiration mitochondriale** joue un grand rôle dans la **régénération de l'ATP** par les cellules musculaires. Ce rôle est accru dans les fibres musculaires des sujets entraînés dont le volume des mitochondries est plus du double de celui des fibres de personnes non entraînées.

L'exploitation pertinente de ce document ne peut être faite qu'après rappel des propriétés des protéines des fibres musculaires et des mitochondries.

Exploitation du document 2

Pendant un exercice physique, les cellules musculaires :
– prélèvent du **dioxygène** dans le sang (15,86 mL · 100 mL^{-1} de sang),
– rejettent du **dioxyde de carbone** dans le sang (15 mL · 100 mL^{-1} de sang).
Il s'agit donc **d'échanges gazeux respiratoires**. Le quotient respiratoire très voisin de 1 (0,94) indique que les cellules musculaires oxydent essentiellement du glucose.
En outre, le sang veineux est enrichi en **acide lactique** par rapport au sang artériel. Cet acide lactique provient de la **fermentation lactique** qui permet de fournir deux ATP par molécule de glucose utilisée.
Pendant l'effort, les cellules musculaires ont régénéré l'ATP nécessaire à leur contraction par respiration et fermentation lactique. Pour cela, elles prélèvent du glucose dans le sang (2 mmol par litre de sang) mais peuvent aussi utiliser leurs réserves glucidiques (glycogène).

Les cellules musculaires respirent et sont capables, en même temps, de réaliser la fermentation lactique.

Exploitation du document 3

Pour la même activité, l'individu entraîné fabrique deux fois moins d'acide lactique et consomme plus du double de dioxygène que l'individu non entraîné.
Au cours d'un effort physique d'intensité assez élevée, **l'individu entraîné régénère l'ATP essentiellement par la respiration**, beaucoup plus que ne le fait l'individu non entraîné. Ce dernier, par contre, utilise davantage la **fermentation lactique** comme processus de régénération de l'ATP.

Il est nécessaire de prendre en compte les conclusions tirées des trois documents pour répondre à la deuxième partie de la question.

Bilan

Au cours d'un exercice physique, les cellules musculaires utilisent la respiration et la fermentation pour renouveler leur ATP.
L'entraînement, en provoquant l'enrichissement des cellules musculaires en mitochondries, **oriente leur métabolisme vers la respiration**, qui permet de régénérer davantage d'ATP par molécule de glucose utilisée, **au détriment de la fermentation**.

SVT

SUJET 30

FRANCE MÉTROPOLITAINE • JUIN 2007

PRATIQUE DU RAISONNEMENT SCIENTIFIQUE • EXERCICE 2

ENSEIGNEMENT DE SPÉCIALITÉ • 5 POINTS

THÈME Diversité et complémentarité des métabolismes

Caractéristiques et rendement énergétique de la fermentation alcoolique

Les levures sont des champignons unicellulaires.

▶ À partir des *documents 1 à 3*, mis en relation avec vos connaissances, retrouvez les caractéristiques de la fermentation alcoolique, puis comparez son rendement à celui de la respiration cellulaire.

Document 1 Le développement des levures et la production d'ATP

Dans deux milieux de culture de même volume, contenant de l'eau et du glucose, on ajoute une même quantité de levures.
Ces deux milieux sont placés quelques jours dans des conditions favorables identiques mais l'un des milieux contient du dioxygène, l'autre non.

Document 1a : observation des levures au microscope optique (x 700)
En début d'expérience, les levures sont identiques dans les deux milieux.

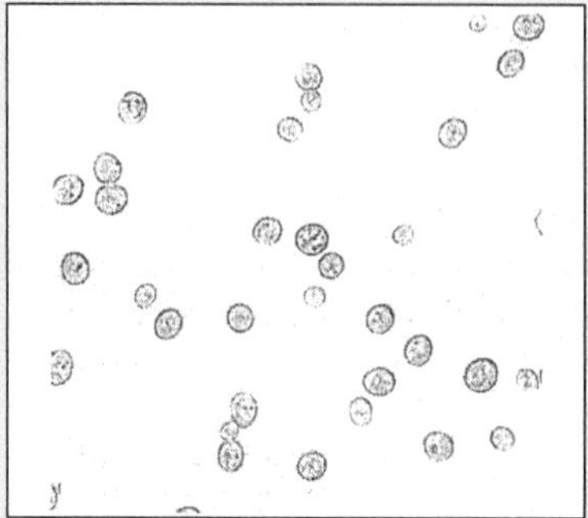

Document 1b : résultats au bout de quelques jours de culture

Milieux de culture	Observation des levures au microscope optique (× 700)	Quantité de moles d'ATP produites par mole de glucose consommée
En présence de dioxygène		36,3
En absence de dioxygène		2

D'après *Manuel de Terminale*, Hatier, 2002.

Document 2 Une expérience historique de Pasteur

Pasteur a réalisé des cultures de levures en présence de glucose dans des conditions de concentrations en dioxygène décroissantes de l'expérience 1 à l'expérience 3.

Conditions expérimentales \ **Résultats obtenus**	**Quantité d'éthanol (alcool) produite par les levures**	**Rendement de la culture exprimé par la quantité de levures formées (en mg par gramme de glucose consommé)**
Expérience 1 : au contact du dioxygène de l'air 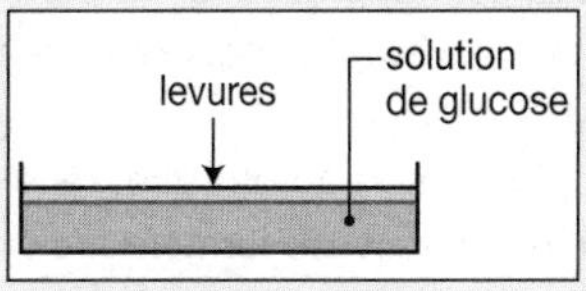	Traces	250
Expérience 2 : air appauvri en dioxygène 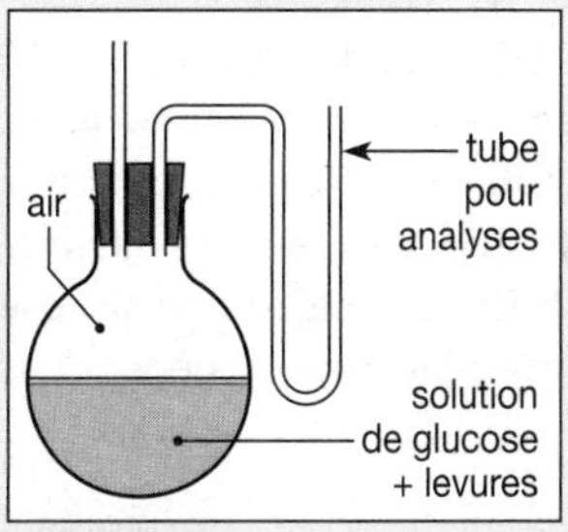	++	40
Expérience 3 : absence de dioxygène 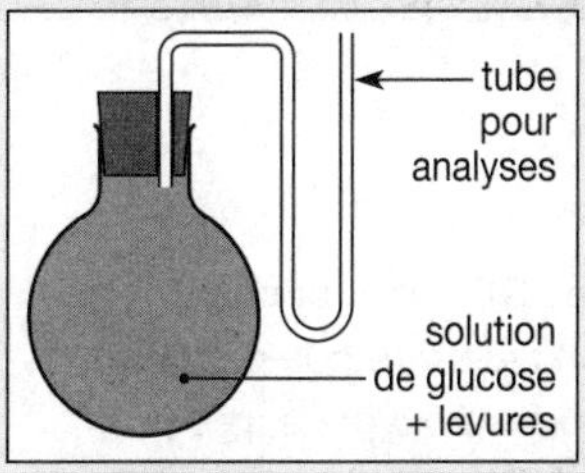	++++++	5,7

Le nombre de signes (+) est proportionnel à la quantité mesurée.

D'après *Nutrition et métabolisme*, P. Mazliak, 1995.

LES CLÉS DU SUJET

■ Comprendre le sujet

• C'est une question **à la fois simple et difficile. Simple**, car elle ne fait appel qu'à des connaissances élémentaires sur la fermentation alcoolique. **Difficile**, car les informations tirées des documents semblent évidentes, parfois redondantes, de sorte que c'est le raisonnement à tenir qui importe.

• Le libellé du sujet vous demande de retrouver d'abord les caractéristiques de la fermentation alcoolique.
Les caractéristiques de base sont la production de CO_2 et d'alcool à partir du glucose.
Ce sont les ***documents 3 et 2*** qui permettent de dégager ces caractéristiques. Il ne faut pas hésiter dans ce cas à **ne pas suivre l'ordre de numérotation des documents** et donc, ici, à analyser les ***documents 3 et 2*** avant le ***document 1***.
• Il faut bien saisir que vous ne pouvez exploiter les données du ***document 1*** sur l'ATP qu'en faisant **appel à vos connaissances sur les rôles de l'ATP dans la vie cellulaire**, notamment le fait qu'il est la **seule source d'énergie** utilisée pour les réactions de synthèse des molécules organiques.

■ Mobiliser ses connaissances

• Toutes les activités de la vie cellulaire consomment des intermédiaires métaboliques, en particulier de l'ATP, molécule indispensable à la vie cellulaire. L'ATP n'est pas stocké mais régénéré aussi vite qu'il est détruit.
• Toute cellule vivante, isolée ou non, animale ou végétale (autotrophe et non autotrophe) régénère son ATP en oxydant des molécules organiques par processus respiratoire ou fermentaire.
• Dans le cas d'une molécule de glucose, la respiration peut être traduite par le bilan des transformations :

$$C_6H_{12}O_6 + 6{*}O_2 + 6H_2O \rightarrow 6\,CO_2 + 12\,H_2{*}O\,.$$

• Par contraste avec l'oxydation complète du substrat liée aux mitochondries (fournissant 36 ATP par molécule de glucose dégradée), une **oxydation incomplète** est possible par fermentation. Elle produit un déchet organique, reste du substrat réduit non totalement oxydé lors de la dégradation. Cette fermentation permet un renouvellement peu efficace mais réel des intermédiaires métaboliques (en particulier une synthèse de 2 molécules d'ATP par molécule de glucose dégradée), ce qui autorise dans le cas de la fermentation alcoolique une vie sans oxygène.

CORRIGÉ SUJET 30

Exploitation du document 3

(À analyser en premier ou en second)

À la suite de l'injection de glucose, on constate que la concentration en CO_2 croît pendant les 7 minutes que dure l'expérience. Malgré l'absence d'un témoin, on peut dire que cette augmentation est due aux levures. Celles-ci, dans un milieu dépourvu de dioxygène, produisent donc constamment du CO_2, si on leur fournit du glucose. Le fait que la teneur en CO_2 est plus faible durant la première minute que pendant les 6 minutes suivantes est un indice que c'est l'injection de glucose qui a déclenché la production de CO_2 par les levures. La quantité de glucose dans le milieu diminue au cours des 7 minutes, ce qui indique que les levures prélèvent du glucose et l'utilisent.
En l'absence de dioxygène, les levures produisent du CO_2 à partir du glucose prélevé dans le milieu. C'est une des caractéristiques de la fermentation.

Ces *documents 2 et 3* sont complémentaires et permettent de dégager les caractéristiques de la fermentation alcoolique.

Exploitation du document 2

Au contact du dioxygène de l'air, les levures respirent et ne produisent quasiment pas d'alcool. En l'absence de dioxygène, les levures ne peuvent respirer. Elles réalisent alors une fermentation. Comme dans ces conditions elles produisent de l'alcool, on peut dire que **cette production d'alcool est une des caractéristiques de la fermentation alcoolique**.

En présence d'un air appauvri en dioxygène, les levures produisent de l'alcool mais en moins grande quantité qu'en absence totale de dioxygène. En effet, dans ces conditions, elles respirent et fermentent simultanément.
Le rendement de la culture est environ 44 fois plus important (250/5,7) lorsque les levures respirent que lorsqu'elles fermentent. La fermentation est donc un mécanisme qui ne permet qu'une faible croissance des levures par rapport à la respiration. Cela est confirmé par le rendement des levures en air appauvri en dioxygène qui est plus de 6 fois inférieur à celui des levures qui respirent uniquement (cela est lié à leur fermentation) et plus de 6 fois supérieur à celui des levures qui ne font que fermenter (cela est lié au fait qu'elles respirent).

Ce *document 2* permet de montrer le rendement inférieur de la fermentation par rapport à la respiration.

Exploitation du document 1

Au bout de quelques jours, les levures dans le milieu oxygéné sont beaucoup plus nombreuses qu'elles l'étaient initialement. Les levures placées dans le milieu sans oxygène sont seulement un peu plus nombreuses qu'initialement. Les premières respirent, les secondes fermentent.
La reproduction des levures est donc moins importante lorsqu'elles fermentent que lorsqu'elles respirent. Comme la reproduction s'accompagne d'une augmentation de masse globale, cela signifie que la synthèse de matières organiques par les levures à partir des nutriments puisés dans le milieu est plus faible lorsqu'elles fermentent que lorsqu'elles respirent.
L'ATP est la source d'énergie directement utilisable pour toutes les activités cellulaires. La dégradation des matières organiques, comme le glucose, par respiration ou fermentation permet la synthèse d'ATP à partir d'ADP et de P_i. On s'aperçoit **que la quantité de moles d'ATP produites par mole de glucose consommée est plus de 18 fois supérieure par respiration que par fermentation**.
La fermentation est un mécanisme peu efficace pour régénérer l'ATP utilisé par les activités cellulaires (à moins de consommer beaucoup de glucose).

Ce *document 1* permet d'expliquer les raisons du rendement plus faible de la fermentation grâce aux données sur l'ATP.

Bilan

Au cours de la fermentation :
- du glucose est consommé par les levures ;
- du CO_2 et de l'alcool sont produits par les levures.

Le bilan de la fermentation est donc :

$$\underset{\text{Glucose}}{C_6H_{12}O_6} \rightarrow 2\ CO_2 + 2\ \underset{\text{Alcool}}{CH_3CH_2OH}$$

Cette dégradation du glucose s'accompagne de la synthèse d'ATP par les levures. D'où le bilan global :

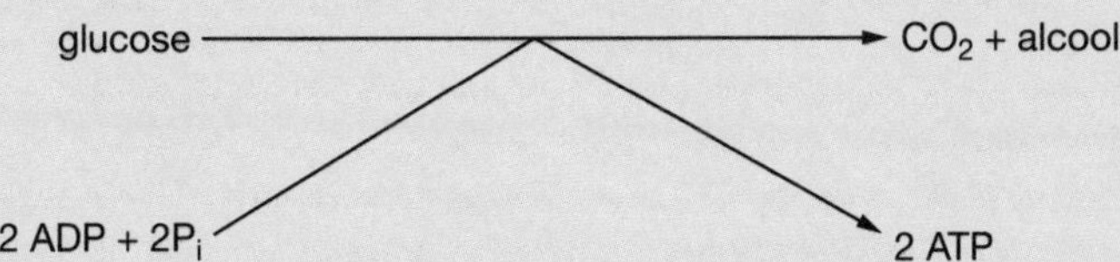

Par molécule de glucose consommée, la fermentation produit 2 ATP et la respiration 36 ATP. Le renouvellement de l'ATP, nécessaire aux synthèses cellulaires, est donc nettement plus faible par fermentation que par respiration, ce qui explique que les levures en milieu privé de dioxygène se reproduisent beaucoup moins bien.

SVT

LES UTILITAIRES DU BAC S

Formulaire de mathématiques

Enseignement obligatoire et enseignement de spécialité

NOMBRES COMPLEXES, GÉOMÉTRIE

1. Nombres complexes

Dans le repère orthonormal $(O\ ;\ \vec{u}, \vec{v})$ le point $M(x\ ;\ y)$, où $(x\ ;\ y) \in \mathbb{R}^2$, a pour affixe z.

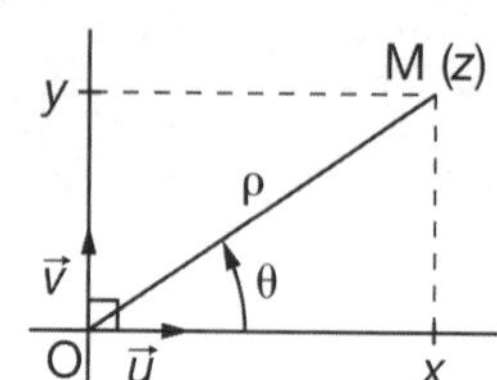

z a pour forme algébrique $x + \mathrm{i}y$.
Partie réelle de z : $\mathrm{Re}\ (z) = x$.
Partie imaginaire de z : $\mathrm{Im}\ (z) = y$.
Conjugué de z : $\bar{z} = x - \mathrm{i}y$.
Module de z : $|z| = \sqrt{z\bar{z}} = \sqrt{x^2 + y^2}$.
Si $z \neq 0$,
z a pour forme trigonométrique : $z = \rho(\cos\theta + \mathrm{i}\sin\theta)$.
z a pour forme exponentielle : $z = \rho e^{\mathrm{i}\theta}$.
Module de z : $|z| = \rho$.
Argument de z : $\arg z = \theta\ \ [2\pi]$.
Conjugué de z : $\bar{z} = \rho e^{-\mathrm{i}\theta}$.

Propriétés des modules

- Pour tout $z \in \mathbb{C}$, $|\bar{z}| = |z|$.
- Pour tout $z \in \mathbb{C}^*$, $\left|\dfrac{1}{z}\right| = \dfrac{1}{|z|}$.
- Pour tous $z \in \mathbb{C}$ et $z' \in \mathbb{C}$, $|zz'| = |z||z'|$.
- Si A et B ont pour affixes respectives z_A et z_B alors $\overrightarrow{AB}$ a pour affixe :
$$z_B - z_A \quad \text{et} \quad AB = |z_B - z_A|.$$

Propriétés des arguments

Pour tous $z \in \mathbb{C}^*$ et $z' \in \mathbb{C}^*$,
$\arg(zz') = \arg(z) + \arg(z')\ \ [2\pi]$
$\arg\left(\dfrac{z}{z'}\right) = \arg(z) - \arg(z')\ \ [2\pi]$.

Caractérisation complexe de transformations $M(z) \mapsto M'(z')$

- Translation de vecteur $\vec{u}$ d'affixe t, $t \in \mathbb{C}$: $z' = z + t$.
- Homothétie de centre Ω d'affixe ω, $\omega \in \mathbb{C}$, et de rapport $k \in \mathbb{R}^*$:
$$z' - \omega = k(z - \omega).$$
- Rotation de centre Ω d'affixe ω, $\omega \in \mathbb{C}$, et d'angle de mesure $\theta \in \mathbb{R}$:
$$z' - \omega = e^{\mathrm{i}\theta}(z - \omega).$$

2. Géométrie

Produit scalaire de deux vecteurs non nuls du plan

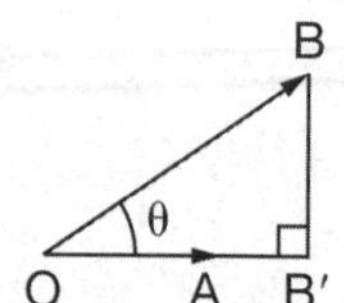

$\overrightarrow{OA} \cdot \overrightarrow{OB} = \overrightarrow{OA} \times \overrightarrow{OB'}$
$\overrightarrow{OA} \cdot \overrightarrow{OB} = OA \times OB \times \cos\theta$.

Produit scalaire et coordonnées

- Si $\vec{u}$ et $\vec{v}$ admettent pour coordonnées respectives $(x\,;y\,;z)$ et $(x'\,;y'\,;z')$ dans un repère orthonormal de l'espace alors : $\vec{u}\,.\,\vec{v} = xx' + yy' + zz'$
et $\|\vec{u}\| = \sqrt{\vec{u}\,.\,\vec{u}}$.
- Une équation de la sphère de centre Ω de coordonnées $(a\,;b\,;c)$ et de rayon R est :
$$(x-a)^2 + (y-b)^2 + (z-c)^2 = R^2.$$

ALGÈBRE, TRIGONOMÉTRIE

1. Identités remarquables

- Pour tous $a \in \mathbb{C}$, $b \in \mathbb{C}$,
$(a+b)^3 = a^3 + 3a^2b + 3ab^2 + b^3$.
$(a-b)^3 = a^3 - 3a^2b + 3ab^2 - b^3$.
$a^3 + b^3 = (a+b)(a^2 - ab + b^2)$.
$a^3 - b^3 = (a-b)(a^2 + ab + b^2)$.
- Pour tous $a \in \mathbb{C}$, $b \in \mathbb{C}$ et pour tout $n \in \mathbb{N}^*$,
$$(a+b)^n = a^n + \binom{n}{1}a^{n-1}b + \ldots + \binom{n}{k}a^{n-k}b^k + \ldots + b^n.$$

2. Équations du second degré dans $\mathbb{C}$

Soient a, b et c trois nombres réels $(a \neq 0)$ et $\Delta = b^2 - 4ac$.

- L'équation $az^2 + bz + c = 0$ admet :

– lorsque $\Delta > 0$, deux solutions réelles $z_1 = \dfrac{-b-\sqrt{\Delta}}{2a}$ et $z_2 = \dfrac{-b+\sqrt{\Delta}}{2a}$;

– lorsque $\Delta = 0$, une solution réelle $z_1 = -\dfrac{b}{2a}$;

– lorsque $\Delta < 0$, deux solutions complexes conjuguées :
$$z_1 = \frac{-b-\mathrm{i}\sqrt{-\Delta}}{2a} \quad \text{et} \quad z_2 = \frac{-b+\mathrm{i}\sqrt{-\Delta}}{2a}.$$

- Si $\Delta \neq 0$, $az^2 + bz + c = a(z-z_1)(z-z_2)$.
- Si $\Delta = 0$, $az^2 + bz + c = a(z-z_1)^2$.

3. Trigonométrie

Formules d'addition

Pour tous $a \in \mathbb{R}$ et $b \in \mathbb{R}$,
$\cos(a+b) = \cos a \cos b - \sin a \sin b$
$\cos(a-b) = \cos a \cos b + \sin a \sin b$
$\sin(a+b) = \sin a \cos b + \cos a \sin b$
$\sin(a-b) = \sin a \cos b - \cos a \sin b$.

Formules de duplication

Pour tout $a \in \mathbb{R}$,
$\cos(2a) = \cos^2 a - \sin^2 a$
$\cos(2a) = 2\cos^2 a - 1$
$\cos(2a) = 1 - 2\sin^2 a$
$\sin(2a) = 2\sin a \cos a$.

PROBABILITÉS

1. Généralités

- Si les événements A et B sont incompatibles alors :
$$p(\mathrm{A} \cup \mathrm{B}) = p(\mathrm{A}) + p(\mathrm{B}).$$
- Dans le cas général : $p(\mathrm{A} \cup \mathrm{B}) = p(\mathrm{A}) + p(\mathrm{B}) - p(\mathrm{A} \cap \mathrm{B})$.
$$p(\overline{\mathrm{A}}) = 1 - p(\mathrm{A})\,;\quad p(\Omega) = 1\,;\quad p(\varnothing) = 0.$$

- Si $A_1, ..., A_n$ forment une partition de A, $p(A) = \sum_{i=1}^{n} p(A_i)$.
- Dans le cas de l'équiprobabilité,

$$p(A) = \frac{\text{Nombre d'éléments de A}}{\text{Nombre d'éléments de } \Omega}.$$

Probabilité conditionnelle de B sachant A

- $p_A(B)$ est définie par $p(A \cap B) = p_A(B) \times p(A)$.
- Cas où A et B sont indépendants : $p(A \cap B) = p(A) \times p(B)$.

Formule des probabilités totales

Si les événements $B_1, B_2, ..., B_n$ forment une partition de Ω alors :

$$p(A) = p(A \cap B_1) + p(A \cap B_2) + ... + p(A \cap B_n).$$

2. Variable aléatoire

- Espérance mathématique : $E(X) = \sum_{i=1}^{n} p_i x_i$.
- Variance : $V(X) = \sum_{i=1}^{n} p_i(x_i - E(X))^2 = \sum_{i=1}^{n} p_i x_i^2 - (E(X))^2$.
- Écart-type : $\sigma_X = \sqrt{V(X)}$.

3. Combinaisons et formule du binôme

- Pour tout $n \in \mathbb{N}^*$ et pour tout $p \in \mathbb{N}$, $0 \leqslant p \leqslant n$,

$n! = 1 \times 2 \times 3 \times ... \times n \quad 0! = 1$.

$$\binom{n}{p} = \frac{n(n-1)...(n-p+1)}{p!} = \frac{n!}{p!(n-p)!}$$

$$\binom{n}{p} = \binom{n}{n-p} \qquad \binom{n}{p} = \binom{n-1}{p-1} + \binom{n-1}{p}.$$

- Le nombre de sous-ensembles à p éléments d'un ensemble à n éléments est égal à $\binom{n}{p}$.
- Pour tous $a \in \mathbb{C}$, $b \in \mathbb{C}$ et pour tout $n \in \mathbb{N}^*$,

$$(a+b)^n = a^n + \binom{n}{1}a^{n-1}b + ... + \binom{n}{k}a^{n-k}b^k + ... + b^n.$$

4. Lois de probabilité

Loi de Bernoulli de paramètre p, $p \in [0 ; 1]$

X peut prendre les valeurs 0 et 1 avec les probabilités :

$$p(X=1) = p \quad \text{et} \quad p(X=0) = 1-p.$$

$$E(X) = p \ ; \quad V(X) = p(1-p).$$

Loi binomiale $\mathcal{B}(n ; p)$, $n \in \mathbb{N}^*$, $p \in [0 ; 1]$

X peut prendre les valeurs entières 0, 1, ..., n.

Pour $0 \leqslant k \leqslant n$, $p(X=k) = \binom{n}{k}p^k(1-p)^{n-k}$.

$$E(X) = np \ ; \quad V(X) = np(1-p).$$

Loi uniforme sur $[0\,;\,1]$

J étant un intervalle inclus dans $[0\,;\,1]$,
$p(J) =$ longueur de J.

Loi exponentielle de paramètre λ **sur** $[0\,;\,+\infty[$ **,** dite aussi loi de durée de vie sans vieillissement

- Pour $0 \leqslant a \leqslant b$, $p([a\,;\,b]) = \int_a^b \lambda e^{-\lambda t}\,dt$.
- Pour tout $c \geqslant 0$, $p([c\,;\,+\infty[) = 1 - \int_0^c \lambda e^{-\lambda t}\,dt$.

ANALYSE

1. Suites arithmétiques, suites géométriques

Suite arithmétique de premier terme $u_0 \in \mathbb{R}$ et de raison $a \in \mathbb{R}$.
Pour tout $n \in \mathbb{N}$, $u_{n+1} = u_n + a$
$u_n = u_0 + na$.

Suite géométrique de premier terme $u_0 \in \mathbb{R}$ et de raison $b \in \mathbb{R}^*$.
Pour tout $n \in \mathbb{N}$, $u_{n+1} = bu_n$
$u_n = u_0 b^n$.

Somme de termes

- $1 + 2 + ... + n = \dfrac{n(n+1)}{2}$.
- Si $b \neq 1$ alors $1 + b + b^2 + ... + b^n = \dfrac{1 - b^{n+1}}{1 - b}$.

Limite d'une suite géométrique

- Si $0 < b < 1$ alors $\lim\limits_{n \to +\infty} b^n = 0$.
- Si $b > 1$ alors $\lim\limits_{n \to +\infty} b^n = +\infty$.

2. Propriétés algébriques de fonctions usuelles

Fonctions exponentielles et logarithmes

- $e^0 = 1$
- Pour tous réels a et b,
$$e^{a+b} = e^a e^b \;;\quad e^{a-b} = \frac{e^a}{e^b} \;;\quad (e^a)^b = e^{ab}.$$
- Pour tout $x \in \,]0\,;\,+\infty[$, $\ln x = \int_1^x \frac{1}{t}\,dt$ et $\ln 1 = 0$; $\ln e = 1$.
- Pour tous $a > 0$ et $b > 0$, $\ln ab = \ln a + \ln b$ et $\ln \frac{a}{b} = \ln a - \ln b$.
- Pour tout $a \in \,]0\,;\,+\infty[$ et pour tout $x \in \mathbb{R}$, $a^x = e^{x \ln a}$; $\ln(a^x) = x \ln a$.
- Pour tout $x \in \,]0\,;\,+\infty[$, $\log x = \dfrac{\ln x}{\ln 10}$.
- Pour tout $x \in \mathbb{R}$ et pour tout $y \in \,]0\,;\,+\infty[$, $y = e^x$ équivaut à $x = \ln y$.

Racine n-ième

- Pour tout $n \in \mathbb{N}^*$, pour tous $x \in [0\,;\,+\infty[$ et $y \in [0\,;\,+\infty[$, $y = \sqrt[n]{x}$ équivaut à $x = y^n$.
- Pour tout $n \in \mathbb{N}^*$ et pour tout $x \in \,]0\,;\,+\infty[$, $x^{\frac{1}{n}} = \sqrt[n]{x}$.

UTILITAIRES

3. Limites usuelles de fonctions

Comportement à l'infini

$\lim\limits_{x \to +\infty} \ln x = +\infty$; $\lim\limits_{x \to +\infty} e^x = +\infty$; $\lim\limits_{x \to -\infty} e^x = 0$.

Comportement à l'origine

$\lim\limits_{x \to 0} \ln x = -\infty$; $\lim\limits_{x \to 0} x \ln x = 0$.

Croissances comparées à l'infini

$\lim\limits_{x \to +\infty} \frac{e^x}{x} = +\infty$; $\lim\limits_{x \to -\infty} x e^x = 0$; $\lim\limits_{x \to +\infty} \frac{\ln x}{x} = 0$.

Pour tout $n \in \mathbb{N}^*$,

$\lim\limits_{x \to +\infty} \frac{e^x}{x^n} = +\infty$; $\lim\limits_{x \to -\infty} x^n e^x = 0$; $\lim\limits_{x \to +\infty} \frac{\ln x}{x^n} = 0$; $\lim\limits_{x \to +\infty} x^n e^{-x} = 0$.

Comportement à l'origine de $\ln(1+x)$, e^x, $\sin x$

$\lim\limits_{x \to 0} \frac{\ln(1+x)}{x} = 1$; $\lim\limits_{x \to 0} \frac{e^x - 1}{x} = 1$; $\lim\limits_{x \to 0} \frac{\sin x}{x} = 1$.

4. Dérivées et primitives

Les formules suivantes servent à la fois pour calculer des dérivées et des primitives sur des intervalles convenables. Les hypothèses permettant de les utiliser doivent être vérifiées par les candidats.

Dérivées et primitives des fonction usuelles

$f(x)$	$f'(x)$
k	0
x	1
x^n, $n \in \mathbb{N}^*$	nx^{n-1}
$\frac{1}{x}$	$-\frac{1}{x^2}$
$\frac{1}{x^n}$, $n \in \mathbb{N}^*$	$-\frac{n}{x^{n+1}}$
$\sqrt{x}$	$\frac{1}{2\sqrt{x}}$
$\ln x$	$\frac{1}{x}$
e^x	e^x
a^x	$a^x \times \ln a$
$\cos x$	$-\sin x$
$\sin x$	$\cos x$
$\tan x$	$\frac{1}{\cos^2 x}$

Opérations sur les dérivées

$(u+v)' = u' + v'$; $(ku)' = ku'$, k étant une constante.

$(uv)' = u'v + uv'$; $\left(\frac{1}{u}\right)' = -\frac{u'}{u^2}$.

$\left(\frac{u}{v}\right)' = \frac{u'v - uv'}{v^2}$;

$(v \circ u)' = (v' \circ u)u'$.

$(e^u)' = e^u u'$; $(\ln u)' = \frac{u'}{u}$.

$(u^n)' = nu^{n-1}u'$ $(n \in \mathbb{N}^*)$.

5. Calcul intégral

Les hypothèses permettant d'utiliser les formules suivantes doivent être vérifiées par les candidats.

Formules fondamentales

- Si F est une primitive de f alors $\int_a^b f(t)\,\mathrm{d}t = F(b) - F(a)$.

$$\int_b^a f(t)\,\mathrm{d}t = -\int_a^b f(t)\,\mathrm{d}t.$$

- Si $g(x) = \int_a^x f(t)\,\mathrm{d}t$ alors $g'(x) = f(x)$.

Formule de Chasles

$$\int_a^c f(t)\,\mathrm{d}t = \int_a^b f(t)\,\mathrm{d}t + \int_b^c f(t)\,\mathrm{d}t.$$

Linéarité

$$\int_a^b (\alpha f(t) + \beta g(t))\,\mathrm{d}t = \alpha \int_a^b f(t)\,\mathrm{d}t + \beta \int_a^b g(t)\,\mathrm{d}t.$$

Positivité

Si $a \leqslant b$ et $f \geqslant 0$ alors $\int_a^b f(t)\,\mathrm{d}t \geqslant 0$.

Ordre

Si $a \leqslant b$ et $f \leqslant g$ alors $\int_a^b f(t)\,\mathrm{d}t \leqslant \int_a^b g(t)\,\mathrm{d}t$.

Inégalité de la moyenne

Si $a \leqslant b$ et $m \leqslant f \leqslant M$ alors $m(b-a) \leqslant \int_a^b f(t)\,\mathrm{d}t \leqslant M(b-a)$.

Intégration par parties

$$\int_a^b u(t)v'(t)\,\mathrm{d}t = [u(t)v(t)]_a^b - \int_a^b u'(t)v(t)\,\mathrm{d}t.$$

Valeur moyenne

La valeur moyenne de f sur $[a\,;\,b]$ $(a \neq b)$ est $\frac{1}{b-a}\int_a^b f(t)\,\mathrm{d}t$.

6. Équations différentielles

Pour tous $a \in \mathbb{R}^*$ et $b \in \mathbb{R}$, les solutions de l'équation différentielle $y' = ay + b$ sont les fonctions définies sur $\mathbb{R}$ par $f(x) = Ce^{ax} - \frac{b}{a}$, $C \in \mathbb{R}$.

Enseignement de spécialité

1. Congruences

Pour tous $a \in \mathbb{Z}$, $b \in \mathbb{Z}$, pour tout $p \in \mathbb{N}^*$,
pour tout $n \in \mathbb{N}$ et $n \geqslant 2$,
si $a \equiv b\ [n]$ et $a' \equiv b'\ [n]$, alors :
$a + a' \equiv b + b'\ [n]$; $a - a' \equiv b - b'\ [n]$;
$aa' \equiv bb'\ [n]$; $a^p \equiv b^p\ [n]$.

2. Caractérisation complexe des similitudes

- Similitude directe : $z' = az + b$ où $a \in \mathbb{C}^*$, $b \in \mathbb{C}$.
- Similitude indirecte : $z' = a\bar{z} + b$ où $a \in \mathbb{C}^*$, $b \in \mathbb{C}$.

Dans les deux cas, le rapport de la similitude est égal à $|a|$.

3. Ensembles de points

Dans un repère orthonormal $(O ; \vec{i}, \vec{j}, \vec{k})$, une équation du cylindre d'axe $(O ; \vec{k})$ et de rayon $r > 0$ est $x^2 + y^2 = r^2$.
Une équation d'un cône d'axe $(O ; \vec{k})$ est $x^2 + y^2 = z^2 \tan^2 \theta$.

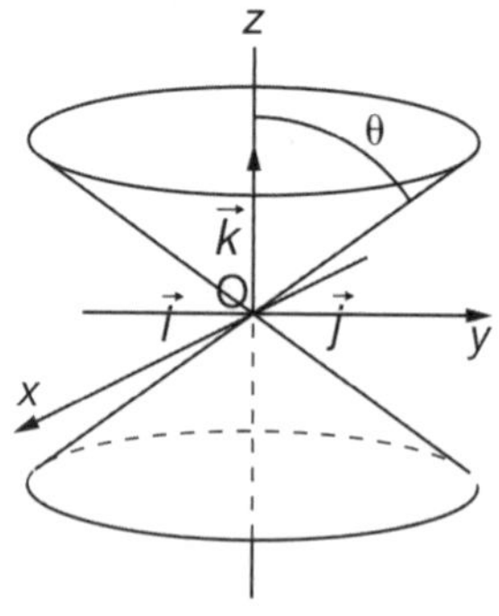

Mémento de physique

QUELQUES UNITÉS SI ET LEURS SYMBOLES

- **Masse :** kilogramme (kg).
- **Temps :** seconde (s).
- **Longueur :** mètre (m).
- **Force :** newton (N).
- **Fréquence :** hertz (Hz)
- **Vitesse :** mètre par seconde ($m \cdot s^{-1}$).
- **Vitesse angulaire :** radian par seconde ($rad \cdot s^{-1}$).
- **Accélération :** mètre par seconde au carré ($m \cdot s^{-2}$).
- **Résistance :** ohm (Ω).
- **Inductance :** henry (H).
- **Intensité du courant :** ampère (A).
- **Capacité :** farad (F).
- **Tension :** volt (V).
- **Charge électrique :** coulomb (C).
- **Énergie :** joule (J).
- **Puissance :** watt (W).
- **Activité :** becquerel (Bq).

MULTIPLES ET SOUS-MULTIPLES

- giga (G) : 10^9.
- méga (M) : 10^6.
- kilo (k) : 10^3.
- déci (d) : 10^{-1}.
- centi (c) : 10^{-2}.
- milli (m) : 10^{-3}.
- micro (μ) : 10^{-6}.
- nano (n) : 10^{-9}.
- pico (p) : 10^{-12}.

FORMULAIRE

1. Ondes

- Longueur d'onde : $\lambda = v \times T = \frac{v}{\nu}$.
- Angle de diffraction : $\theta \simeq \frac{\lambda}{a}$.

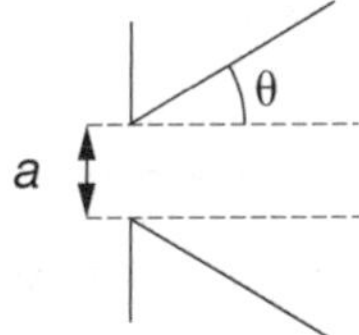

2. Réactions nucléaires

- Loi de décroissance radioactive : $N = N_0 \exp(-\lambda t)$.
- Activité : $A = -\frac{dN}{Nt} = \lambda N$.
- Constante de temps : $\tau = \frac{1}{\lambda}$.
- Temps de demi-vie : $t_{1/2} = \tau \times \ln 2$.
- Énergie : $E\ (\text{eV}) = \frac{E\ (\text{J})}{1{,}6 \times 10^{-19}}$.
- Équivalence masse-énergie : $E = mc^2$.

3. Systèmes oscillants

Soit B une grandeur variable dans le temps.

- Équation différentielle dans le cas d'oscillations libres non amorties :

$$\frac{d^2B}{dt^2} + \left(\frac{2\pi}{T_0}\right)^2 \cdot B = 0.$$

- Solution de l'équation différentielle pour des oscillations libres non amorties :

$$B = B_m \cdot \cos\left(\frac{2\pi}{T_0} t + \varphi\right).$$

- Équation différentielle dans le cas d'oscillations libres amorties :

$$\frac{d^2B}{dt^2} + A \cdot \frac{dB}{dt} + \left(\frac{2\pi}{T_0}\right)^2 \cdot B = 0.$$

- Fréquence et période : $f = \frac{1}{T}$.
- Pulsation : $\omega = \frac{2\pi}{T}$.

4. Électricité

- Constante de temps d'un dipôle RC : $\tau = RC$.
- Relation entre i et q : $i = \frac{dq}{dt}$ avec la convention :

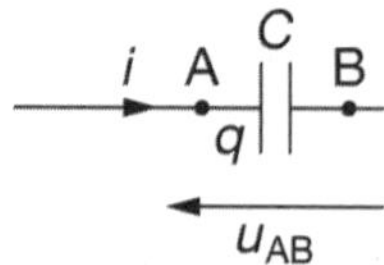

- Tension aux bornes d'un condensateur : $u_{AB} = \frac{q}{C}$.
- Énergie emmagasinée dans un condensateur : $E_C = \frac{1}{2} Cu^2$.
- Constante de temps d'un dipôle RL : $\tau = \frac{L}{R}$.
- Tension aux bornes d'une bobine :

$u_{AB} = ri + L\frac{di}{dt}$, avec la convention :

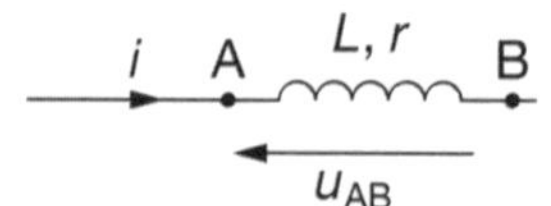

- Énergie emmagasinée dans une bobine : $E = \frac{1}{2} Li^2$.
- Période propre d'un circuit oscillant LC : $T_0 = 2\pi\sqrt{LC}$.
- Champ magnétique B à l'intérieur d'un solénoïde long :

$$B = \mu_0 \frac{NI}{L}.$$

5. Mécanique

- Loi de gravitation universelle : $\vec{F}_{A/B} = -\vec{F}_{B/A} = -G\frac{m_A m_B}{d^2}\vec{u}_{AB}$.

N.B. On rencontre aussi l'écriture $\vec{F}_{A \to B}$ pour $\vec{F}_{A/B}$.

- Poids : $\vec{P} = m\vec{g}$
- Force de rappel d'un ressort élastique à spires non jointives :

$\vec{F} = -k \cdot \overrightarrow{G_0G}$, où G_0 est la position d'équilibre du centre d'inertie.

- Poussée d'Archimède : $\vec{\Pi} = -\rho_{fluide}V_{corps}\vec{g}$.
- Loi de Coulomb : $\vec{F}_{A/B} = -\vec{F}_{B/A} = \frac{1}{4\pi\varepsilon_0}\frac{q_A q_B}{d^2}\vec{u}_{AB}$.

N.B. On rencontre aussi l'écriture $\vec{F}_{A \to B}$ pour $\vec{F}_{A/B}$.

- Vecteur vitesse : $\vec{v} = \dfrac{d\overrightarrow{OM}}{dt}$.
- Vecteur accélération : $\vec{a} = \dfrac{d\vec{v}}{dt}$.
- Coordonnées des vecteurs vitesse et accélération :

$$\vec{v}\begin{cases} v_x = \dfrac{dx}{dt} = \dot{x} \\ v_y = \dfrac{dy}{dt} = \dot{y} \\ v_z = \dfrac{dz}{dt} = \dot{z} \end{cases} \qquad \vec{a}\begin{cases} a_x = \dfrac{dv_x}{dt} = \dot{v}_x = \ddot{x} \\ a_y = \dfrac{dv_y}{dt} = \dot{v}_y = \ddot{y} \\ a_z = \dfrac{dv_z}{dt} = \dot{v}_z = \ddot{z} \end{cases}$$

- Mouvement uniforme : $v = \text{cte}$.
- Mouvement rectiligne uniforme : $\vec{v} = \overrightarrow{\text{cte}}$.
- Mouvement uniformément varié : $a = \text{cte}$.
- Expression du vecteur accélération dans le repère de Frenet $(G\ ;\ \vec{T}, \vec{N})$:

$$\vec{a} = a_T\vec{T} + a_N\vec{N}$$

avec $a_T = \dfrac{dv}{dt}$ et $a_N = \dfrac{v^2}{r}$ (r étant le rayon de courbure de la trajectoire).

- Première loi de Newton (ou principe d'inertie) :

dans un référentiel galiléen : $\sum \overrightarrow{F_{ext}} = \vec{0} \Leftrightarrow \vec{v} = \overrightarrow{\text{cte}}$.

- Deuxième loi de Newton (ou théorème du centre d'inertie, ou relation fondamentale de la dynamique) :

dans un référentiel galiléen : $\sum \overrightarrow{F_{ext}} = m \cdot \overrightarrow{a_G}$.

- Troisième loi de Newton (ou principe d'interaction) :

$\vec{F}_{A/B} = -\vec{F}_{B/A}$ notée aussi $\vec{F}_{A\to B} = -\vec{F}_{B\to A}$.

- Travail d'une force $\vec{F}$ constante : $W_{A\to B}(\vec{F}) = \vec{F} \cdot \overrightarrow{AB}$.
- Travail du poids : $W_{A\to B}(\vec{P}) = -mg(z_B - z_A)$.
- Puissance instantanée : $p = \vec{F} \cdot \vec{v}$.
- Énergie cinétique : $E_c = \dfrac{1}{2}mv^2$.
- Énergie potentielle de pesanteur : $E_{p_p} = mgz + \text{cte}$.
- Énergie potentielle élastique :

$E_{p_e} = \dfrac{1}{2}\, k \cdot G_0G^2 + \text{cte}$, où G_0 est la position d'équilibre du centre d'inertie.

- Énergie du photon : $E = h\nu = \dfrac{hc}{\lambda}$.
- Théorème de l'énergie cinétique :

$$\Delta E_{cA\to B} = \frac{1}{2}\, mv_B^2 - \frac{1}{2}\, mv_A^2 = \sum W_{A\to B}(\overrightarrow{F_{ext}}).$$

- Période propre des oscillations d'une masse m accrochée à un ressort de raideur k : $T_0 = 2\pi\sqrt{\dfrac{m}{k}}$.
- Période propre d'un pendule de longueur ℓ : $T_0 = 2\pi\sqrt{\dfrac{\ell}{g}}$.
- Troisième loi de Kepler : $\dfrac{T^2}{r^3} = \dfrac{4\pi^2}{GM}$.

6. Spécialité

- Relation de conjugaison et grandissement γ d'une lentille mince (AB objet, A′B′ image, O centre optique, F′ foyer principal image, F foyer principal objet, f' distance focale) :

$$\frac{1}{\overline{OA'}}-\frac{1}{\overline{OA}}=\frac{1}{\overline{OF'}}=\frac{1}{f'}\ ; \qquad \gamma=\frac{\overline{A'B'}}{\overline{AB}}=\frac{\overline{OA'}}{\overline{OA}}.$$

- Vergence : $C=\frac{1}{f'}$.
- Ondes stationnaires entre deux obstacles fixes :

– longueurs d'onde : $\lambda_n=\frac{2L}{n}$ (n entier) ;

– fréquences propres : $\nu_n=\frac{n v}{2L}$ (n entier).

- Niveau sonore : $L=10\log\left(\frac{I}{I_0}\right)$ avec $I_0=1\times10^{-12}\ \text{W}\cdot\text{m}^{-2}$.

PENSE-BÊTE MATHÉMATIQUE

1. Coordonnées et norme d'un vecteur

Soit deux points $A(x_A\ ;\ y_A\ ;\ z_A)$ et $B(x_B\ ;\ y_B\ ;\ z_B)$ dans le repère $(O\ ;\vec{i},\vec{j},\vec{k})$.

- Coordonnées du vecteur $\overrightarrow{AB}$:

$$\overrightarrow{AB}\begin{pmatrix} x_B-x_A \\ y_B-y_A \\ z_B-z_A \end{pmatrix} \quad \text{ou} \quad \overrightarrow{AB}=(x_B-x_A)\vec{i}+(y_B-y_A)\vec{j}+(z_B-z_A)\vec{k}.$$

- Norme du vecteur $\overrightarrow{AB}$:

$$\|\overrightarrow{AB}\|=AB=\sqrt{(x_B-x_A)^2+(y_B-y_A)^2+(z_B-z_A)^2}\geqslant 0.$$

- Application au vecteur vitesse $\vec{v}\begin{pmatrix} v_x \\ v_y \\ v_z \end{pmatrix}$:

$$\vec{v}=v_x\vec{i}+v_y\vec{j}+v_z\vec{k} \quad \text{et} \quad v=\sqrt{v_x^2+v_y^2+v_z^2}\geqslant 0.$$

2. Coefficient directeur (ou pente) d'une droite

- Équation d'une droite : $y=ax+b$.
- Coefficient directeur : $a=\frac{y_B-y_A}{x_B-x_A}$.

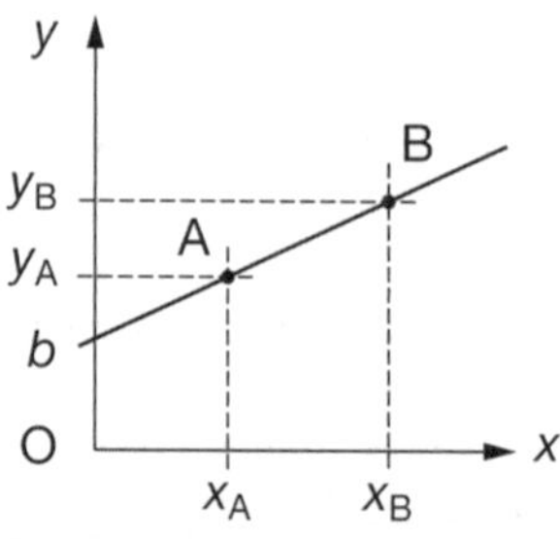

N.B. En sciences physiques, la pente d'une droite a très souvent une unité. Par exemple, si la représentation graphique de la vitesse v en fonction du temps t est une droite, la pente a pour expression :

$$a=\frac{v_B-v_A}{t_B-t_A} \quad \text{qui s'exprime en m}\cdot\text{s}^{-2}.$$

Mémento de chimie

UNITÉS USUELLES EN CHIMIE

- **Volume :** litre (L), $1\ mL = 1\ cm^3 = 10^{-3}\ L$ et $1\ L = 1\ dm^3$.
- **Masse :** gramme (g).
- **Quantité de matière :** mole (mol).
- **Masse molaire :** gramme par mole ($g \cdot mol^{-1}$).
- **Concentration molaire :** mole par litre ($mol \cdot L^{-1}$).
- **Concentration massique :** gramme par litre ($g \cdot L^{-1}$).
- **Masse volumique :** gramme par centimètre cube ($g \cdot cm^{-3}$), avec $1\ kg \cdot m^{-3} = 10^{-3}\ g \cdot cm^{-3} = 1\ g \cdot L^{-1}$.
- **Vitesse volumique de réaction :** mole par litre par seconde ($mol \cdot L^{-1} \cdot s^{-1}$).
- **Conductance :** siemens (S).
- **Conductivité molaire :** siemens-mètre carré par mole ($S \cdot m^2 \cdot mol^{-1}$).

QUANTITÉ DE MATIÈRE D'UNE ESPÈCE CHIMIQUE X

- $n(X) = \dfrac{m(X)}{M(X)}$.
- Lorsque X est dissous en solution : $n(X) = [X] \times V_{solution}$.
- Lorsque X est un gaz : $n(X) = \dfrac{V(X)}{V_m}$.

MASSE VOLUMIQUE μ_{corps} (OU ρ_{corps}) ET DENSITÉ d_{corps}

- $\mu_{corps} = \dfrac{m_{corps}}{V_{corps}}$.
- Pour les solides et les liquides : $d_{corps} = \dfrac{\mu_{corps}}{\mu_{eau}}$.
- Pour les gaz :

$$d_{corps} = \frac{\mu_{corps}}{\mu_{air}} = \frac{M_{corps}(\text{en g} \cdot \text{mol}^{-1})}{29\ (\text{en g} \cdot \text{mol}^{-1})}.$$

QUOTIENT DE RÉACTION ET CONSTANTE D'ÉQUILIBRE

Soit la réaction d'équation : $aA + bB = cC + dD$.

- Quotient de réaction : $Q_r = \dfrac{[C]^c \cdot [D]^d}{[A]^a \cdot [B]^b}$.
- Constante d'équilibre de la réaction : $K = \dfrac{[C]_{éq}^c \cdot [D]_{éq}^d}{[A]_{éq}^a \cdot [B]_{éq}^b} = Q_{r,\,éq}$.

N.B. En solution aqueuse, si l'un des composés est l'eau ou une espèce non dissoute, sa concentration n'apparaît ni dans Q_r ni dans K.

RÉACTIONS ACIDO-BASIQUES

- Produit ionique de l'eau à 25 °C :

$$K_e = [H_3O^+]_{éq} \cdot [OH^-]_{éq} = 10^{-14}.$$

- Constante d'acidité d'un couple HA/A^- :

$$K_a = \frac{[A^-]_{éq} \cdot [H_3O^+]_{éq}}{[AH]_{éq}} = 10^{-pK_a}.$$

- $pH = -\log [H_3O^+]_{éq}$.
- $pK = -\log K$.
- $pH = pK_a + \log \dfrac{[A^-]_{éq}}{[HA]_{éq}}$.

UTILITAIRES

MÉTHODE DES TANGENTES PARALLÈLES

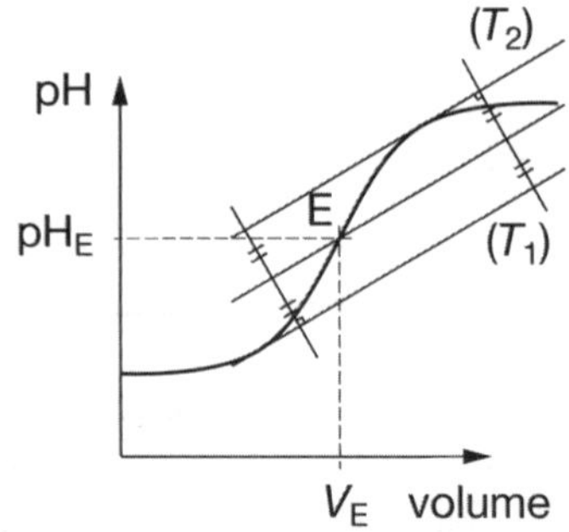

FAMILLES DE COMPOSÉS EN CHIMIE ORGANIQUE

- Alcool :

  R—OH

- Anhydride d'acide :

  R—C(=O)—O—C(=O)—R′

- Acide carboxylique :

  R—C(=O)—OH

- Aldéhyde :

  R—C(=O)—H

- Ester :

  R—C(=O)—O—R′

- Cétone :

  R—C(=O)—R′

- Amine primaire :

  R—NH_2

- Amide monosubstituée :

  R—C(=O)—N(H)—R′

Lexique de SVT

A

AMH, ou hormone anti-müllérienne • Secrétée par le testicule embryonnaire (par les cellules de Sertoli), elle a pour cible les cellules des canaux de Müller (ébauches des voies génitales femelles), dont elle provoque la dégénérescence.

Amniote • Vertébré dont l'embryon est, durant le développement, enfermé dans une enveloppe appelée « amnios » (oiseaux, « reptiles » et mammifères).

Anticorps (ou immunoglobuline) • Protéine, sécrétée par les lymphocytes B sécréteurs (ou plasmocytes) en réponse à la présence d'un antigène spécifique et capable de neutraliser ce dernier en se liant à lui pour former un complexe immun. Les anticorps sont des molécules effectrices de l'immunité acquise.

Antigène • Toute substance reconnue par le système immunitaire et qui est à l'origine de l'apparition d'anticorps ou de lymphocytes T cytotoxiques.

Arc volcanique (ou magmatique, ou encore insulaire) • Guirlande d'îles volcaniques dessinant un arc convexe vers le large ; c'est l'un des marqueurs de certaines zones de subduction.

Asthénosphère • Partie du manteau située sous la lithosphère et formant, avec la base de celle-ci, le manteau supérieur. Elle est moins rigide que la lithosphère ; dans les zones de subduction, la densité de la lithosphère est telle qu'elle peut s'enfoncer dans l'asthénosphère.

B

Brassage interchromosomique • Il est responsable de la mise en place de nouvelles combinaisons d'allèles. Celles-ci résultent du comportement indépendant des différentes paires de chromosomes homologues lors de la séparation de ces derniers à la métaphase-anaphase de la première division de la méiose (complété par le comportement indépendant des couples de chromatides lors de la deuxième division de la méiose).

Brassage intrachromosomique • Il est responsable de la création de nouvelles associations d'allèles par échanges de fragments (crossing-over) entre les chromatides non sœurs des chromosomes homologues au cours de la prophase de la première division de la méiose.

C

Caractères homologues • Structures présentes chez des espèces différentes et dérivant d'une même structure ancestrale ; les caractères homologues peuvent être morphologiques, anatomiques ou embryonnaires, mais également moléculaires (gènes homologues).

Cellule germinale • Cellule à l'origine des gamètes (elle a subi ou subira la méiose).

Cellule somatique • Cellule qui ne subira jamais la méiose ; autrement dit, cellule n'appartenant pas à la lignée germinale.

Cellules interstitielles (de Leydig) • Cellules testiculaires situées entre les tubes séminifères et qui, stimulées par la LH, sécrètent la testostérone dans le milieu intérieur.

Charriage • Phénomène tectonique qui entraîne un ensemble de terrains à recouvrir d'autres formations géologiques, créant ainsi un contact anormal. Son amplitude varie de quelques kilomètres à plusieurs centaines de kilomètres.

Collision • Elle caractérise les zones de convergence où les lithosphères continentales de deux plaques différentes entrent en contact à la suite d'une subduction ; elle conduit à l'édification d'une chaîne de montagnes.

Complexe hypothalamo-hypophysaire • Ensemble anatomique et fonctionnel constitué par une région nerveuse de l'encéphale (l'hypothalamus) et une glande endocrine (l'hypophyse). L'hypothalamus est en relation avec l'hypophyse antérieure par un système capillaire dans lequel il sécrète des neurohormones qui stimulent le fonctionnement des cellules hypophysaires.

Constante de désintégration (λ) • Elle traduit la vitesse de désintégration d'un élément père. Si $\lambda = 5,543.10^{-10}$ par an pour le potassium 40 (^{40}K) cela signifie que, pour 1 g de potassium 40 contenu dans un échantillon, $5,543.10^{-10}$ g sont désintégrés en une année.

Continuité • Elle définit le principe de chronologie relative selon lequel une même strate a le même âge en tous points. Ce principe implique que deux roches différentes appartenant à la même strate ont le même âge.
Corps jaune • Structure ovarienne qui résulte de l'évolution d'un follicule mûr après la ponte ovulaire. Il sécrète de la progestérone tout en produisant de l'œstradiol. Chez la femme, sa production d'hormones diminue à partir du 21ᵉ jour d'un cycle non fertile, et il cesse de fonctionner le 28ᵉ. En cas de grossesse, le corps jaune persiste et fonctionne les deux premiers mois.
Crise biologique • Elle se caractérise par des changements plus importants que le renouvellement permanent des espèces. Elle est marquée par une extinction de masse, souvent suivie d'une période où l'apparition de nouvelles espèces l'emporte sur les extinctions.
Croûte continentale • Sous une couverture sédimentaire épaisse de quelques kilomètres au maximum, elle est constituée par des roches magmatiques et métamorphiques de composition globalement granitique. Son épaisseur de 30 km en moyenne atteint de 60 à 70 km sous les chaînes de montagnes.
Croûte océanique • Sous une couverture sédimentaire épaisse de 0 à 2 km, elle est constituée par une couche (moins de 2 km) de basaltes en coussins (*pillow lavas*) surmontant des gabbros (de 4 à 5 km d'épaisseur). Basaltes et gabbros sont des roches magmatiques ayant la même composition, les unes à structure microlithique (basaltes) et les autres à structure grenue (gabbros). L'épaisseur de la croûte océanique est d'une dizaine de kilomètres.
Cycle chromosomique • États chromosomiques successifs (nombre de chromosomes) des cellules impliquées dans le cycle de développement d'une espèce.
Cycle de développement • Ensemble des différentes étapes qui permettent, à partir d'un œuf résultant de la fécondation, d'aboutir à des gamètes (ou à des spores) résultant de la méiose, en passant par l'organisme ou par les organismes qui leur donnent naissance.
Cycle menstruel • Activité cyclique de l'appareil génital féminin qui est marquée par les règles, événement mensuel dont le début marque la fin d'un cycle et le début d'un nouveau. L'adjectif « menstruel » vient de « menstruations », autre nom de règles.

D

Datation absolue • Elle permet, en donnant accès à l'âge des roches et des fossiles, de mesurer les durées des phénomènes géologiques. Elle permet également de situer dans le temps l'échelle relative des temps géologiques.
Datation relative • Elle permet d'ordonner chronologiquement des structures (strates, plis, failles, minéraux) et des événements géologiques variés (discordance, sédimentation, intrusion, orogenèse) les uns par rapport aux autres.
Discordance • Discontinuité de la limite entre une strate de roche sédimentaire et les couches plus anciennes plissées, déformées et souvent érodées sur lesquelles elle repose.
Dorsale • Elle se présente en un alignement de reliefs sous-marins surplombant le plancher océanique de 2 km en moyenne sur une longueur de dizaines de milliers de km. Certaines dorsales présentent en leur axe un fossé d'effondrement, ou rift. La dorsale caractérise une zone en distension où s'écartent deux plaques lithosphériques et où naît du plancher océanique.
Duplication génique • Forme de mutation aboutissant au doublement d'un gène. Par sa répétition, elle est à l'origine des familles multigéniques qui, au sein d'une espèce, sont formées de gènes dérivant d'un même gène ancestral. Les duplications géniques sont responsables de la complexification du génome au cours de l'évolution.

E

État ancestral • État (primitif) d'un caractère qui préexiste à une innovation évolutive le concernant ; celle-ci est à l'origine d'un nouvel état, qualifié de « dérivé » (évolué).
État dérivé • État (évolué) d'un caractère né d'une innovation évolutive ayant affecté un caractère ancestral (ou primitif).

F

Fécondation • Union des gamètes mâle et femelle en une cellule unique, l'œuf, ou zygote. La fécondation rétablit la diploïdie en réunissant les lots haploïdes des gamètes.
Fœtus • Stade de développement intra-utérin des mammifères qui désigne l'organisme en formation. Ce stade commence dès que les organes

caractéristiques de l'espèce sont en place. Dans l'espèce humaine, l'embryon prend le nom de fœtus au 60e jour de la grossesse.

Follicule dominant • Follicule, en général unique chez la femme, dont la croissance se poursuit jusqu'à maturité (follicule de De Graaf), alors que tous les autres follicules mobilisés au début d'un cycle menstruel dégénèrent.

Follicule ovarien • Structure constituée de cellules somatiques ovariennes entourant un ovocyte.

Fosse océanique • Région caractéristique (marqueur) des zones de subduction où le fond océanique des plaines abyssales, voisin de -4 km, s'enfonce pour donner une fosse allongée, étroite et profonde, pouvant atteindre voire dépasser les -10 km. Cette fosse marque la flexion de la plaque subduite qui plonge sous une plaque chevauchante.

FSH (*Follicle Stimulating Hormone*) • Gonadostimuline hypophysaire produite chez l'homme et chez la femme par l'hypophyse antérieure. Chez l'homme, cette hormone est indispensable à l'achèvement de la spermatogenèse en stimulant le fonctionnement des cellules de Sertoli ; chez la femme, elle est indispensable à la croissance des follicules (surtout en début de cycle menstruel) puisqu'elle stimule la multiplication des cellules de la granulosa, et à la sécrétion de l'œstradiol.

G

Génome • Ensemble des gènes d'une espèce.

Génotype • Ensemble des gènes d'un organisme. On envisage souvent le génotype impliqué dans l'établissement d'un phénotype : il se matérialise alors par l'écriture des deux allèles du gène considéré (pour un organisme diploïde).

GnRH (*Gonadotrophin Releasing Hormone*) • Neurohormone, émise de façon pulsatile par des neurones hypothalamiques dans le système porte hypophysaire et indispensable à la libération des gonadostimulines (FSH et LH) aussi bien chez le mâle que chez la femelle.

Gonade indifférenciée • Gonade ayant le même aspect chez l'embryon mâle et chez l'embryon femelle, et renfermant des cellules germinales primordiales à 2n chromosomes ainsi que des cellules somatiques (non destinées à devenir des gamètes) à 2n chromosomes également. Les gonades, à ce stade, ne possèdent ni les structures caractéristiques d'un testicule (cordons séminifères) ni celles d'un ovaire (follicules). Ce stade indifférencié est réalisé chez l'embryon humain à la fin de la 6e semaine.

Gonadostimuline • Hormone agissant sur les gonades. Elle est d'origine hypophysaire (FSH et LH) ou embryonnaire (HCG).

Granitoïde • Terme désignant l'ensemble des diverses variétés de granites.

H

HCG (*Human Chorionic Gonadotrophin*) • Hormone produite par des tissus entourant l'embryon (chorion, puis placenta). Elle a des effets comparables à ceux de la LH en assurant le maintien fonctionnel du corps jaune, et donc la sécrétion de progestérone au début de la grossesse. Éliminée dans les urines de la mère, elle permet de diagnostiquer la grossesse à son début (test de grossesse).

Hétérozygotie • Elle est le résultat de l'existence, au sein des populations, de plusieurs formes d'un même gène, les allèles. Dans l'espèce humaine, un individu est hétérozygote pour environ 10 % de ses gènes. En conséquence, les chromosomes homologues portent des allèles identiques (homozygotie) pour certains gènes, et des allèles différents (hétérozygotie) pour d'autres. L'hétérozygotie est responsable de l'efficacité du brassage génétique.

HMG • Gonadostimulines extraites de l'urine de femmes ménopausées.

Hominidés • Ensemble regroupant les gorilles, les chimpanzés, les bonobos et les hommes.

Homininés • Ensemble des genres appartenant à la lignée humaine, c'est-à-dire australopithèques et hommes. Toute forme possédant au moins un caractère dérivé possédé uniquement par l'homme actuel appartient à la lignée humaine.

Hominoïdes • Ensemble regroupant les hominidés, les orangs-outans et les gibbons. Ils se caractérisent par l'absence de queue, leurs vertèbres caudales se soudant pour former un coccyx.

Hormone • Substance (molécule) élaborée par des cellules spécialisées, déversée dans le milieu intérieur et véhiculée par la circulation ; elle agit en se fixant à des récepteurs de cellules cibles, ce qui entraîne une modification de la physiologie de ces dernières.

Hormones ovariennes • Œstrogènes (dont le principal est l'œstradiol) sécrétés par les follicules et par le corps jaune, et progestérone, essentiellement sécrétée par le corps jaune.
Hormones testiculaires • Hormones sécrétées par les cellules testiculaires, c'est-à-dire testostérone, sécrétée par les cellules interstitielles (ou cellules de Leydig), et AMH (hormone anti-müllérienne), sécrétée par les cellules de Sertoli. Il existe une autre hormone, l'inhibine, également sécrétée par les cellules de Sertoli.
Hypophyse • Glande endocrine localisée sous la face inférieure de l'encéphale, au niveau de l'hypothalamus. Elle est constituée de deux lobes : l'hypophyse postérieure, nerveuse, dont les neurohormones libérées par des neurones hypothalamiques passent dans la circulation générale, et l'hypophyse antérieure, dont les cellules sécrètent des hormones (FSH, LH, TSH...) après stimulation par des neurohormones hypothalamiques (GnRH, TRH...).
Hypothalamus • Région ventrale de l'encéphale reliée anatomiquement à l'hypophyse par la tige hypophysaire (ou tige pituitaire) et, fonctionnellement, à l'hypophyse antérieure par le système porte hypophysaire.

I

Immunité acquise • Elle se développe tout au long de la vie en réponse aux conditions antigéniques de l'environnement, et résulte du fonctionnement du système immunitaire. Elle est mise en place soit par action naturelle de l'environnement soit par vaccination.
Innovation génétique • Mutation ponctuelle ou duplication de gènes ; l'innovation génétique se traduit donc par l'apparition d'un nouvel allèle ou d'un nouveau gène.
Interleukine • Protéine, sécrétée en particulier par les lymphocytes T4, agissant sur les lymphocytes B et les lymphocytes T8 (précytotoxiques) sélectionnés par l'antigène et provoquant leur expansion clonale et leur différenciation, respectivement en plasmocytes et en lymphocytes T cytotoxiques.

L

LH (*Luteinizing Hormone*) • Hormone produite par des cellules de l'hypophyse antérieure ; il s'agit d'une gonadostimuline dont la sécrétion, cyclique chez la femme, se caractérise par un pic responsable de la ponte ovulaire. La LH est indispensable à la sécrétion d'œstradiol par les follicules (phase préovulatoire) et à celle d'œstradiol et de progestérone par le corps jaune (phase lutéale). Chez l'homme, la LH stimule les cellules de Leydig, et donc la sécrétion de testostérone.
Lithosphère • Couche la plus externe du globe terrestre ; elle est épaisse de quelques kilomètres au niveau des dorsales, d'une centaine de kilomètres sous les océans et de 150 à 200 kilomètres sous les vieux boucliers continentaux. Elle est formée de la croûte (océanique ou continentale) et de la partie supérieure du manteau. Considérée comme rigide, elle est découpée en plaques mobiles et repose sur le manteau asthénosphérique, plus plastique, moins cassant. En conséquence, les foyers sismiques sont toujours localisés dans la lithosphère.
Lymphocyte B • Globule blanc né dans la moelle osseuse et qui préexiste à l'entrée d'un antigène ; capable de reconnaître un antigène précis grâce à ses molécules d'anticorps membranaires toutes identiques, il est à l'origine de plasmocytes sécréteurs d'anticorps circulants et de lymphocytes B à mémoire, spécifiques de l'antigène reconnu.
Lymphocyte T8 • Né dans la moelle osseuse, un lymphocyte T8, ou lymphocyte T précytotoxique (pré-CTL), préexiste à la pénétration d'un antigène. Les LT8, après reconnaissance d'un antigène précis présenté par les cellules infectées, sont à l'origine des lymphocytes T cytotoxiques (CTL), effecteurs spécifiques.
Lymphocytes T4 • Globules blancs nés dans la moelle osseuse et qui préexistent à l'entrée d'un antigène ; ils reconnaissent un antigène présenté par une cellule infectée, subissent alors une expansion clonale et une différenciation en lymphocytes T4 sécréteurs d'interleukine et en lymphocytes T4 à mémoire. Ils sont porteurs de protéines membranaires CD4 et CCR5, auxquelles le VIH se fixe, ce qui permet son entrée dans les T4.

M

Macrophage • Cellule, présente dans les tissus, capable de phagocyter des antigènes. Porteur de protéines membranaires CD4, un macrophage constitue une des cibles du VIH et, par conséquent, un véritable réservoir à virus lors d'une infection.

Maladie opportuniste • Maladie normalement combattue efficacement par le système immunitaire, mais qui se développe dramatiquement chez les individus atteints d'immunodéficience.

Méiose • Elle assure le passage de la phase diploïde à la phase haploïde. Elle suit une phase de réplication de l'ADN et se compose de deux divisions cellulaires successives, qui aboutissent à la naissance de quatre cellules haploïdes. C'est durant la méiose que se produit le brassage génétique.

Mémoire immunitaire • Elle repose sur l'existence de cellules à mémoire (lymphocytes T4, T8 et B mémoire) spécifiques d'un antigène ; ces cellules résultent d'une réaction immunitaire vis-à-vis de cet antigène. Elles se caractérisent par une durée de vie très longue et une très grande réactivité lors d'un deuxième contact avec l'antigène.

Monophylétique • Caractère d'un groupe qui comprend une espèce ancestrale et tous ses descendants.

Mutation • Modification de la séquence des nucléotides d'une molécule d'ADN par substitution, délétion ou addition d'un ou de plusieurs nucléotides ; ce terme désigne également l'expansion d'un motif constitué de quelques nucléotides. La duplication d'un gène est souvent considérée elle aussi comme une mutation.

Mutation faux-sens • Elle se traduit par le remplacement d'un acide aminé par un autre dans la séquence polypeptidique ; elle peut être conservatrice, car ne modifiant pas les propriétés du polypeptide, ou non conservatrice car les modifiant.

Mutation neutre • Mutation échappant à la sélection naturelle et pouvant, de façon aléatoire, se répandre dans une population ou disparaître.

Mutation non-sens • Elle transforme un triplet de nucléotides codant pour un acide aminé en un codon STOP ; cela entraîne la production d'un polypeptide tronqué, généralement non fonctionnel.

Mutation silencieuse • Par suite de la redondance du code génétique, elle n'entraîne aucune modification dans la séquence des acides aminés.

N

Neurohormone • Hormone sécrétée par les cellules nerveuses.

Nidation • Fixation de l'embryon à la muqueuse utérine. Dans l'espèce humaine, la nidation a lieu de 5 à 7 jours après la fécondation.

Œstradiol • Hormone sexuelle femelle sécrétée par les cellules des follicules, puis par celles du corps jaune. Cette hormone est responsable du développement fonctionnel de l'appareil génital et de l'apparition des caractères sexuels secondaires à la puberté ; sa production est stimulée par les gonadostimulines FSH et LH. C'est la principale des hormones œstrogènes.

Œstrogènes • Hormones sécrétées par les follicules ovariens ; la plus active est l'œstradiol. On considère souvent les termes « œstrogènes » et « œstradiol » comme étant synonymes.

Ophiolites • Ensemble de roches (basaltes, gabbros et péridotites ou serpentinites) que l'on trouve dans les chaînes de montagnes et qui sont des fragments de la croûte océanique et du manteau supérieur ramenés en surface. Ces ophiolites peuvent être métamorphisées, et elles témoignent alors de la subduction d'une croûte océanique ; non métamorphisées, elles ont été charriées sur la croûte continentale sans avoir subi de subduction au préalable.

Ovulation • Expulsion de l'ovocyte II entouré de quelques cellules folliculaires par rupture de la paroi d'un follicule ovarien mûr. L'ovulation est déclenchée par le pic de LH, qui se produit de 24 à 36 heures plus tôt.

P

Phase asymptomatique • Période de l'infection par le VIH sans manifestation pouvant évoquer une maladie, si ce n'est parfois des ganglions lymphatiques gonflés ; elle dure en moyenne 10 ans, mais sa durée est en réalité très variable (de 1 à 16 ans et plus).

Phase diploïde • Période durant laquelle l'organisme considéré est constitué d'une ou de plusieurs cellules diploïdes, c'est-à-dire d'une ou de plusieurs cellules possédant deux lots de chromosomes homologues (2n chromosomes).

Phase haploïde • Période durant laquelle l'organisme considéré est constitué d'une ou de plusieurs cellules haploïdes, c'est-à-dire d'une ou de plusieurs cellules possédant n chromosomes (un chromosome de chaque paire existant dans la ou les cellules du même organisme lors de la phase diploïde).

Phénotype immunitaire • Il correspond, à un moment donné, aux clones présents dans l'organisme de lymphocytes B et T (T8 et T4), de cellules-mémoire, de cellules effectrices (plasmocytes, CTL) et de molécules effectrices (anticorps).

Pilule combinée • Pilule contraceptive, mélange d'œstrogènes et d'un progestatif de synthèse. Elle est prise durant 21 jours consécutifs, suivis d'un arrêt de 7 jours.

Plan de Benioff (ou plan de Wadati-Benioff) • Région grossièrement plane, formant un angle de 20 à 80 degrés, où sont localisés les foyers des séismes dans une zone de subduction. Le plan de Benioff traduit l'enfoncement d'une plaque lithosphérique sous une autre plaque.

Plasmocyte • Cellule effectrice sécrétrice d'anticorps. Les plasmocytes naissent de lymphocytes B à la suite d'une réaction immunitaire. Ils sont également nommés lymphocytes B sécréteurs.

Primates • Ordre de la classe des mammifères où l'on regroupe des espèces possédant les caractères dérivés suivants : pouce opposable aux autres doigts, boîte crânienne volumineuse par rapport à la face, présence d'ongles.

Primo-infection • Première phase de l'infection par le VIH ; elle est marquée par des symptômes discrets, comparables à ceux d'une maladie virale bénigne, comme une grippe légère (fièvre et douleurs musculaires).

Progestérone • Hormone ovarienne sécrétée par le corps jaune durant la phase lutéale (post-ovulatoire) ; elle permet la gestation en provoquant la formation de la dentelle utérine et en inhibant la contractilité du myomètre utérin.

R

Racine crustale • Elle est constituée par des écailles de manteau lithosphérique coincées dans la croûte et faisant partie des chevauchements affectant celle-ci dans certaines régions des chaînes de collision. Elle témoigne du raccourcissement et de l'épaississement (plus de 70 km) de la croûte continentale sous les chaînes de montagnes.

Règles (ou menstruations) • Écoulement sanguin dû à la destruction de la muqueuse utérine. L'apparition des règles marque le début d'un nouveau cycle menstruel (et la fin du cycle précédent). Les règles sont provoquées par l'effondrement simultané des concentrations de progestérone et d'œstradiol.

Relation de parenté • Deux espèces A et B sont plus étroitement apparentées l'une avec l'autre qu'elles ne le sont avec une espèce C si elles possèdent un ancêtre commun qu'elles ne partagent pas avec C. Cela signifie qu'elles possèdent des états dérivés hérités de cet ancêtre commun, états dérivés que ne possède pas C.

Rétroaction • Effet d'un paramètre qui freine (rétroaction négative) ou amplifie (rétroaction positive) le stimulus qui l'a provoqué.

S

Sélection naturelle • Elle résulte du fait qu'une innovation génétique peut se répandre ou non dans une population suivant qu'elle confère ou non une plus grande capacité de survie ou de reproduction aux individus qui la présentent par rapport à ceux qui ne la possèdent pas.

Séropositivité • Elle se traduit par la présence, dans le milieu intérieur, d'anticorps spécifiques d'antigènes caractéristiques, d'une bactérie ou d'un virus...

Sida • Syndrome de l'immunodéficience acquise ; stade terminal de l'infection due au VIH.

Solidus • Une roche étant constituée par un assemblage de minéraux de compositions chimiques différentes, elle ne se comporte pas comme un corps pur qui fond à une température précise. À une pression donnée, une partie des minéraux commencent à fondre à une certaine température, tandis que les autres restent à l'état solide : la roche subit une fusion partielle. Cette dernière ne devient totale qu'à une température plus élevée. Dans un diagramme température-pression, le solidus désigne la courbe de fusion commençante de la roche.

Sry ou SRY (*Sex-determining Region of Y chromosome*) • Gène situé sur la partie propre au chromosome Y. En provoquant uniquement la différenciation de la gonade indifférenciée en testicule, ce gène est responsable indirectement de la masculinisation de l'embryon et de la réalisation du phénotype masculin.

Subduction • Phénomène caractéristique des zones de convergence où la lithosphère océanique disparaît, soit sous une lithosphère continentale, soit sous une autre lithosphère océanique. Elle est caractérisée par un certain nombre de marqueurs qui en sont la conséquence.

Superposition • Elle définit le principe de chronologie relative selon lequel toute roche sédimentaire est plus récente que celle qu'elle recouvre. Ce principe s'applique aux terrains sédimentaires et aux coulées de lave.

T

TDF • Protéine résultant de l'expression du gène SRY ; désigne parfois le gène lui-même.

Testostérone • Hormone sexuelle mâle sécrétée par les cellules de Leydig (cellules interstitielles) durant le développement de l'embryon, puis à partir de la puberté. La testostérone est responsable de la mise en place chez l'embryon des caractères sexuels primaires (spermiductes, glandes annexes, organes génitaux externes) et, à la puberté, de la mise en fonction des voies génitales, du développement des caractères sexuels secondaires et de leur maintien, ainsi que du comportement sexuel.

Tétrapodes • Vertébrés possédant quatre membres locomoteurs munis de doigts (amphibiens, reptiles, mammifères et oiseaux).

VIH • Virus de l'immunodéficience humaine, c'est-à-dire virus du sida.

LE PLANNING J –60

	Semaine du 20 au 26 avril	Semaine du 27 avril au 3 mai	Semaine du 4 au 10 mai	Semaine du 11 au 17 mai
	Thème(s) : Sujet(s) :	Thème(s) : Sujet(s) :	Thème(s) : Sujet(s) :	Thème(s) : Sujet(s) :
	Thème(s) : Sujet(s) :	Thème(s) : Sujet(s) :	Thème(s) : Sujet(s) :	Thème(s) : Sujet(s) :
Chimie	Thème(s) : Sujet(s) :	Thème(s) : Sujet(s) :	Thème(s) : Sujet(s) :	Thème(s) : Sujet(s) :
Sciences de la Vie et de la Terre	Thème(s) : Sujet(s) :	Thème(s) : Sujet(s) :	Thème(s) : Sujet(s) :	Thème(s) : Sujet(s) :

Organisez vos révisions au cours des **8 semaines précédant le jour J**. Notez les thèmes à revoir chaque semaine et les numéros des sujets annabac correspondants.
Une **bonne organisation** sera la clé de votre réussite !

Semaine du 18 au 24 mai	Semaine du 25 au 31 mai	Semaine du 1er au 7 juin	Semaine du 8 au 14 juin	
Thème(s) : ... Sujet(s) : ...	Thème(s) : ... Sujet(s) : ...	Thème(s) : ... Sujet(s) : ...	Thème(s) : ... Sujet(s) : ...	Mathématiques
Thème(s) : ... Sujet(s) : ...	Thème(s) : ... Sujet(s) : ...	Thème(s) : ... Sujet(s) : ...	Thème(s) : ... Sujet(s) : ...	Physique
Thème(s) : ... Sujet(s) : ...	Thème(s) : ... Sujet(s) : ...	Thème(s) : ... Sujet(s) : ...	Thème(s) : ... Sujet(s) : ...	Chimie
Thème(s) : ... Sujet(s) : ...	Thème(s) : ... Sujet(s) : ...	Thème(s) : ... Sujet(s) : ...	Thème(s) : ... Sujet(s) : ...	Sciences de la Vie et de la Terre

www.annabac.com

Les clés de la réussite au bac

Gratuit

- → Tous les sujets d'annales tombés au bac **depuis 5 ans**
- → Des sujets de bac blanc avec la **correction gratuite** de vos copies par des enseignants
- → Des **conseils de méthode** pour réussir vos épreuves dans toutes les matières
- → Un **forum d'entraide** et d'échanges

Sur abonnement

- → Plus de **1500 corrigés** d'annales du bac réalisés par des enseignants, dans toutes les matières
- → Plus de **600 fiches** de cours
- → Plus de **1500 exercices progressifs** dans les matières scientifiques
- → Tout le programme du bac de philosophie, d'histoire-géo et de français à écouter en **podcasts**
- → Des programmes de **révisions**

Spécial achat express

Pour 1,80 € par téléphone ou 2 € par SMS :
deux documents au choix à télécharger à tout moment

PROFITEZ VITE DE NOS OFFRES DÉCOUVERTE

En vous inscrivant dès maintenant !
Jusqu'à 35% de réduction jusqu'au 15 octobre 2008.

www.editions-hatier.fr

Achevé d'imprimer par Loire Offset Titoulet - France
Dépôt légal n° 107905 - Août 2008